SV

DIE FÜNFZIGER JAHRE

Ein Suhrkamp Lesebuch

Erste Auflage 1990

Quellenhinweise am Schluß des Bandes
Satz: Fotosatz Otto Gutfreund, Darmstadt
Druck: Ebner Ulm
Printed in Germany

DIE FÜNFZIGER JAHRE

Ein Wort zuvor

Dieses Buch ist eines der vier Lesebücher, die der Suhrkamp Verlag anläßlich seines vierzigjährigen Bestehens vorlegt: es sind die Fünfziger Jahre, die Sechziger Jahre, die Siebziger und die Achtziger Jahre, deren Autoren hier versammelt und aus deren im genannten Zeitraum erschienenen Büchern Texte geboten werden.

Vor 40 Jahren gründete Peter Suhrkamp seinen Verlag neu; erste Autoren waren Hesse und Brecht, T. S. Eliot und Proust, Adorno und Benjamin; als »junger Autor« trat Max Frisch hinzu. 40 Jahre später ist dieses Verlagsprogramm wirksam entfaltet: herausragende zeitgenössische deutschsprachige Autoren; immer wieder der Versuch »der junge Autor«; ein Programm großer internationaler Autoren wie Joyce, Beckett, Duras, der Mexikaner Octavio Paz, der Peruaner Mario Vargas Llosa, der Japaner Yasushi Inoue, die Chinesin Ding Ling, die Russin Marina Zwetajewa, der Pole Czeslaw Milosz, der Spanier Jorge Semprun, die Katalanin Mercè Rodoreda, der Israeli Amos Oz. Die Basis Adorno/Benjamin wurde erweitert mit den Werken von Ernst Bloch, Michel Foucault, Herbert Marcuse, Alexander Mitscherlich, Max Raphael, Gershom Scholem, Georg Simmel, Claude Lévi-Strauss und Ludwig Wittgenstein bis hin zu den Werken von Jürgen Habermas, Niklas Luhmann, Dieter Henrich, Manfred Frank und vieler jüngerer Wissenschaftler.
Die vier Lesebücher, die sich auf Belletristisches konzentrieren und nur gelegentlich die wissenschaftliche Dimension des Programms, die eigens vorgestellt werden soll, andeuten, wollen ein Fazit verlegerischen Wirkens ziehen. Sie spiegeln die Geschichte des Verlages wie die Geschichte der

deutschsprachigen Literatur dieser vier Jahrzehnte. Den Lesern seien diese Kompendien angeboten, zum Überblick für die einen, den anderen, vor allem den jüngeren Lesern, zum Hinführen zu Werken, die entdeckt oder neuentdeckt werden sollten.

Eine Einladung zum Lesen also: Wie war es »damals« in den 50er, 60er, in den 70er Jahren und was ereignet sich heute in der Literatur der jüngsten Autoren.

Siegfried Unseld

Inhalt

SIEGFRIED UNSELD

Wer war Peter Suhrkamp?

»Die Dichtung darf nicht aufhören.«
Peter Suhrkamp

Dann, 1932, ergeht an ihn der Ruf zum S. Fischer Verlag, zunächst, vom 1. Januar 1933 an, als Leiter der Redaktion der »Neuen Rundschau«, dann vom Herbst 1933 an als Vorstandsmitglied des Verlages. 1936 müssen die Erben von S. Fischer Deutschland verlassen, Suhrkamp erwirbt aus ihren Händen den S. Fischer Verlag und leitet ihn, von 1942 an erzwungenermaßen unter dem Namen »Suhrkamp Verlag vorm. S. Fischer« bis zu seiner Verhaftung im April 1944.
Die zwölf Jahre von 1933 bis 1944 umfassen Suhrkamps glücklichste und gleichzeitig die existentiell gefährdetste Zeit. Wenn er es damals auch nicht sieht oder nicht sehen kann und es später vielleicht nicht wahrhaben will, er ist in jenen Jahren zu sich selbst, zu seiner Person, zu seinem »Sei – Wirke!« gekommen. Die inneren Figuren seines Lebens, der pädagogische Eros, der erwünschte Umgang mit Schriftstellern, seine praktische Anteilnahme an der Herstellung von Büchern, seine Neigung zum Theater, sein unbändiger Drang nach Selbständigkeit und Unabhängigkeit, all diese Explosionen seiner Existenz finden sich in seinem Beruf und heben sich in ihm auf: »Mein Beruf – dieser schöne Verlegerberuf«. Auch im persönlichen Bereich beginnt eine Phase des Glücks. Menschen, die ihn damals kennen, rühmen seine sportliche Vitalität, seine Eleganz, seine Ausstrahlung auf Frauen. 1935 schließt er seine dritte Ehe mit einer »gefeierten Schauspielerin«, mit Annemarie Seidel, der Schwester von Ina Seidel; auch diese Verbindung ist in diesen Jahren glückbringend; Suhrkamps zahlreich erhal-

tene Briefe an sie, insbesondere die Briefe aus dem Gefängnis, belegen Freundschaft und Liebe.

Als sein »großes Glück« bezeichnete Suhrkamp die Arbeit mit Samuel Fischer. Er sieht in ihm »*den* Verleger der Moderne«, einen »verfrühten Europäer« auch, dem er nachzustreben versucht. Als Verlag der Moderne sieht Suhrkamp auch den Verlag, den er machen möchte. Doch muß er sogleich die Grenzen erkennen! Brecht verläßt mit Suhrkamps Hilfe Deutschland, und viele der großen Autoren folgen ihm. Immer wieder versucht Suhrkamp, ihre Bücher zur Veröffentlichung freizubekommen. Um eine Genehmigung für Hesses ›Glasperlenspiel‹ kämpft er noch bis zum Dezember 1941.

Suhrkamp sieht das Aufziehen des Verhängnisses schon früh. 1936, zwei Jahre nach dem Tode von Samuel Fischer und aus Anlaß des 50jährigen Verlagsjubiläums, erklärt er: »Seine Geschichte seitdem ist nicht mehr die Geschichte seiner Ausbreitung, sondern sie ist eine einzige große Probe, die der Verlag vor der deutschen Gegenwart zu bestehen hatte, die Probe ging wie ein echtes Schicksal bis nahe an die Existenz.« Das sind warnende Worte, und die damaligen Machthaber vernehmen sie wohl, wie sie auch Suhrkamps publizistische Arbeiten in der ›Neuen Rundschau‹ mit Argwohn verfolgen, seine unerschrockenen, manchmal halsbrecherisch kühnen Betrachtungen zur Zeit, die er unter dem Titel ›Der Zuschauer‹ 1942–1943 in der Zeitschrift veröffentlicht und die vom Propagandaministerium hämisch als »Zeugnisse der Selbstvernichtung« registriert werden.

Nach dem Erscheinen des Lesebuchs ›Deutscher Geist‹, das von vielen als ein Buch des Widerstands gesehen wurde, nachdem Suhrkamp sich geweigert hatte, die Auslieferung der Bücher von Hesse, Flake, Hausmann und anderen einzustellen, fordert Martin Bormann, der »Sekretär des Führers«, die Schließung des Verlages. Es kommt nicht dazu, weil Partei und Propagandaministerium in einem Kompetenzstreit liegen. 1941 stirbt Oskar Loerke, der langjährige Freund und Lektor; bei seiner Grabrede bezeichnet Suhrkamp den »Tod als die mildeste Form des Lebens«, Suhrkamp selbst muß es so empfunden haben. Hermann Kasack übernimmt das Verlagslektorat und nach Suhrkamps Verhaftung die provisorische Verlagsleitung. Ihm schreibt Suhrkamp: »Gefahr bindet noch stärker als Freundschaft.«

Doch noch reicht den Behörden das Material nicht aus, um Suhrkamp auszuschalten. Ihn schützt noch seine Bekanntheit und auch seine Beziehungen zu Gustaf Gründgens und Heinz Hilpert, zu Heinrich George und Arno Breker, zu Gerhart Hauptmann und Hans Carossa. Als alle Anstrengungen, den Verlag auf halblegale Weise zu schließen, an der Wachsamkeit Suhrkamps und Kasacks scheitern, wird im Herbst 1943 ein Agent der Gestapo auf Suhrkamp angesetzt. Der angebliche Schweizer Bürger Dr. Reckzeh, der sich als langjähriger Vertrauter Hesses ausgibt, meldet sich zum Gespräch mit Suhrkamp unter dem Vorwand, Post an Hesse mitnehmen zu können und ihm Verbindungen zum deutschen Widerstand zu öffnen. Suhrkamp geht darauf zwar nicht ein, meldet den Vorgang aber auch nicht der Gestapo, was dann die Verhaftung auslöst. Die Gestapo hat noch andere Anklagen bereit: Suhrkamps konspirative Verbindung zu Kreisen des 20. Juli, eine Äußerung Hesses, Suhrkamp zähle zum geistigen Widerstand Deutschlands, schließlich die Veröffentlichung von Büchern jüdischer Autoren bzw. Übersetzer, teilweise unter Pseudonym. Den Machthabern aber ist am meisten das verhaßt, was Suhrkamp als die »Freiheit meiner inneren Person« bezeichnete.

Am 13. April 1944 wird Suhrkamp verhaftet, wegen »Landesverrat und Hochverrat« unter Anklage gestellt, in den Gefängnissen geschlagen und gefoltert und im Januar ins Konzentrationslager Sachsenhausen eingeliefert; dort erkrankt er an einer schweren doppelseitigen Lungen- und Rippenfellentzündung. Die Krankheit verschlechtert sich, der Tod scheint sicher, doch die Nazigrößen wollten Suhrkamp nicht im, sondern außerhalb des Lagers sterben lassen. So kommt es am 8. Februar 1945 zu einer überraschenden Entlassung. Man hatte Suhrkamps Kräfte unterschätzt, er überlebt, aber er bleibt von nun an, da die Krankheit nicht mehr geheilt werden kann und sich durch Herz- und Kreislaufbeschwerden verschlimmert, ein vom Tode gezeichneter Mann. »Was hielt ihn aufrecht?« fragte Hermann Kasack. Er verweist auf Suhrkamps Aufsatz von 1939 »Über das Verhalten in der Gefahr«. Suhrkamp beantwortet dort die Frage nach dem richtigen Verhalten des Menschen: »Er wird nicht handeln, wie es seiner Erhaltung, sondern wie es seiner Bedeutung zukommt.« »Jede dieser Formulierungen«, urteilt Kasack, »kann als Schlüsselwort für ihn selber gelten. Er hat nichts getan, um sein privates Leben zu erhalten. Sein Handeln wurde durch die Aufgabe bestimmt, der er sich verpflichtet wußte. Aus der präzeptorischen Anlage seiner Natur entwickelte sich das Herrscherliche seines Wesens. Er war aus bäuerlichen Gnaden ein Edelmann, ein Herr. Daher das Unbeugsame seines Charakters. Ein Herr beugt sich nicht.«

1945 beginnt wieder ein Interregnum. Am 4. Oktober erhält Suhrkamp als erster deutscher Verleger in Berlin von der britischen Militärregierung eine Lizenz für einen Buchverlag; ein Photo zeigt den historischen Augenblick, den wohlgenährten britischen Offizier und die gebeugte, ausgemergelte, hohe, schlanke Gestalt des Verlegers. Behutsam setzt er mit seiner Produktion ein. Unvergessen sein erstes und einziges (Suhrkamp wiederholte sich nie!) »Taschenbuch für junge Menschen«, in dessen unausgesprochenem Mittelpunkt die Figur des Heimkehrers steht, des Menschen, der nach neuen Werten sucht.

Mit den zurückkehrenden Erben von S. Fischer versteht er

sich nicht. Zu viel hat er erlebt und eingesetzt, um nun zu schnellen Geschäften bereit zu sein und einen Standard anzunehmen, der nicht der seine ist. Suhrkamp ist eigensinnig genug, lieber auf das Ganze zu verzichten. Doch Autoren und Mitarbeiter und insbesondere Hermann Hesse bestürmen ihn, auf die Verlagsarbeit nicht zu verzichten und den Verlag nicht zurückzugeben. Schließlich – die lange Geschichte ist gut bezeugt – kommt es zu einem Vergleich. 48 Autoren, die Suhrkamp während der Nazizeit in Deutschland publizieren konnte, dürfen votieren, ob sie im zu restituierenden alten S. Fischer Verlag bleiben oder von Suhrkamp in dessen neuem Suhrkamp Verlag verlegt werden wollen. 33 Autoren entscheiden sich für Suhrkamp, darunter und an erster Stelle Hermann Hesse. Zu ihm kommt Bertolt Brecht, und mit Werken und Rechten dieser beiden Autoren hat Suhrkamp die Basis für den am 1. Juli 1950 neu gegründeten Suhrkamp Verlag.

Noch neun Jahre sind Suhrkamp vergönnt, Jahre des Planens, Denkens, Realisierens, immer wieder vom Krankenlager und von Aufenthalten in Krankenhäusern und Sanatorien unterbrochen. Das große Verlagswerk, das Suhrkamp entfaltet hat, liegt für jeden offen und ist schon Geschichte. Er gibt seinem Verlag Gesicht und Profil, und er gibt ihm mehr: die Möglichkeit für eine Zukunft.
Peter Suhrkamp tritt in den letzten Jahren immer weniger öffentlich in Erscheinung. Die letzten Stationen: Die Theaterleute sehen ihn bei Proben und Premieren wichtigster Theateraufführungen von Brecht, Eliot und Frisch. Im Januar 1953 ist er in Bremen beim Festakt zu Rudolf Alexander Schröders 75. Geburtstag. Kurz darauf hält er in Oldenburg den Vortrag »Diese Zeit und ihre Bücher«. Im Dezember 1954 kommt er noch einmal nach Bremen, um dort den Vortrag zu halten »Was kann Marcel Proust uns bedeuten«. Im Januar 1955 sieht man ihn bei Ernst Penzoldts Beerdi-

gung. Im Herbst 1955 nimmt er in der Frankfurter Paulskirche an der Verleihung des Friedenspreises teil, den Ninon Hesse für Hermann Hesse entgegennimmt, im August 1956 an der Beerdigung von Bertolt Brecht. 1957 reist er nach Düsseldorf zur Entgegennahme seiner Ehrenmitgliedschaft der Akademie für Sprache und Dichtung, und im Juli desselben Jahres hält er in Baden-Baden die Laudatio auf den ersten Träger des Hermann-Hesse-Preises, auf Martin Walser. Im Juli 1958 sieht man ihn in Salzburg bei der Premiere von Archibald MacLeishs »Spiel um Job«, und im Herbst desselben Jahres zeigt ihn ein Photo auf der Frankfurter Buchmesse im Gespräch mit Theodor Heuss. Dann nehmen die Reisen immer mehr ab, die Krankenhausaufenthalte immer mehr zu. Zwei, drei Besuche bei Hermann Hesse in Montagnola. Noch einmal glückliche Ferien in einem Sanatorium, die Photos von diesem Aufenthalt tragen die Unterschrift »voll Hoffnung und voller Pläne«. Dann tritt, erwartet wie unerwartet, auf seine Weise schön und eigen, am 31. März 1959 in der Universitätsklinik in Frankfurt der Tod ein.

HERMANN HESSE

An seinen Sohn Bruno

März 1950

Lieber Bruno!
Dein Brief hat mit Freude gemacht, ich danke Dir. Aber es tut mir leid, daß Du die »Krisis«* abschreibst. Ich hätte sie Dir gern geschenkt, aber sie ist ein so momentanes und einmaliges Produkt einer bestimmten Lebensstufe, daß ich Dir die Auseinandersetzung damit ersparen wollte. Sie wurde auch nur in einmaliger, kleiner Auflage gedruckt. Nur die Gedichte darin, die über die Beichte hinaus mir des Aufbewahrens wert schienen, habe ich auch in die Gesammelten Gedichte aufgenommen.
Für Marullas Geburtstag im November möchte ich ein Aquarell von Dir haben, das 200 Franken kosten darf, ich lege sie gleich bei, da ich anfange, etwas vergeßlich zu werden. Bis zum Herbst hast Du ja Zeit genug. [. . .]
Bei uns war das Hauptereignis der letzten Zeit vor 8 Tagen eine halbtägige mühsame und peinliche Sitzung mit den Erben meines alten Verlegers S. Fischer: Dr. Bermann und seiner Frau (Fischers Tochter). Da diese Sachen auch in den Zeitungen, oft entstellt, weiter berichtet werden, will ich Dir die Geschichte kurz erzählen.
Mein Freund Suhrkamp war kurz vor dem Beginn der Hitlerzeit, noch zu Lebzeiten des lieben Papa S. Fischer, in den Verlag eingetreten, zunächst als Redakteur der Neuen Rundschau, dann mehr und mehr überhaupt als Mitglied der Verlagsleitung. Vater Fischer starb bald nach Hitlers Auftreten, sein Schwiegersohn übernahm den Verlag, dessen Besitzerin seine Frau jetzt war. Das ging aber nur wenige

* H. Hesse, »Krisis«. Ein Stück Tagebuch, Berlin 1928, in 1150 Exemplaren.

Jahre, dann mußten die Bermanns als Juden emigrieren. Suhrkamp übernahm den Verlag als Direktor, um ihn weiterzuführen, womöglich bis zu der Zeit, wo vielleicht die Hitlerei einmal ein Ende nähme. Von da an also führte Suhrkamp den Verlag, während die Besitzer erst in Wien, dann in Stockholm, dann in Amerika lebten. Sie druckten einen Teil der Bücher, die in Hitler-Deutschland verboten waren, im Ausland wieder, namentlich Thomas Mann, doch gedieh dieser Auslandsverlag nie recht. Etwa im Jahr [19]38 wurde nun Suhrkamp in Berlin genötigt, den Verlag zu kaufen, weil die Nazi ein so großes Unternehmen mit jüdischen Besitzern nicht mehr duldeten. Er setzte sich mit Bermanns in Verbindung, diese forderten einen normalen Preis für den Verlag, und da niemand unter den damaligen Umständen ihn so teuer kaufen wollte, suchte Suhrkamp, der selbst kein Vermögen besaß, 2 oder 3 reiche Geldgeber, die es riskieren wollten, fand sie auch, und der Verlag wurde regelrecht an diese verkauft und von ihnen bezahlt, während Suhrkamp ihn als Direktor leitete. Im Jahr [19]39 etwa wurde Suhrkamp gezwungen, den Namen S. Fischer als Verlagsfirma zu streichen, der Verlag hieß von da an Suhrkamp Verlag vormals S. Fischer. Suhrkamp, der an den alten Fischer sehr anhänglich war und die Nazi grimmig haßte, hat von da an ununterbrochen darum gekämpft, den Verlag vor dem Zugriff der Nazi zu retten, stets mit der Absicht, ihn nach dem Sturz Hitlers der Familie Fischer zurückzugeben. Dies gelang ihm auch, aber unter den grausamsten Opfern: Gefängnis, Konzentrationslager mit schwerer Mißhandlung, Verurteilung zum Tod (die bloß durch Zufall nicht vollstreckt wurde). Und als nun Hitler fort war und Bermanns sich wieder meldeten, zeigte es sich, daß sie diese ganzen Jahre weiter auf großem Fuß gelebt hatten und weiter lebten, und als sie sich mit Suhrkamp auf die Dauer nicht vertrugen, versuchten sie, ihn unter Bedingungen loszuwerden, die ich nicht als anständig gelten lassen konnte. Man beschloß also,

die beiden Verlage zu trennen: Bermanns nennt seinen Verlag wieder »S. Fischer Verlag«, und Suhrkamp muß nach seinem Austritt seinen eigenen Verlag neu anfangen. In Bermanns Verlag waren von den alten und berühmten Autoren vor allem Thomas Mann, Werfel, Stefan Zweig etc. geblieben, Suhrkamp behält jene Autoren, die er selber dem Verlag zugeführt hat.
Dann waren aber einige Autoren da, die schon beim alten Fischer zum Verlag gehört, nachher aber viele Jahre nur noch mit Suhrkamp gearbeitet hatten, zu denen gehöre ich und Bermanns kämpften nun darum, daß ich in ihren Fischerverlag zurückkehre. Ich fand aber diesen ganzen zähen Kampf, in dem Suhrkamp sich mehr als anständig und ritterlich zeigte*, unwürdig und erklärte, daß ich künftig mit Suhrkamp weiter mache, nicht mit Bermann-Fischer.
Das ist die Lage. Die Entscheidung ist gefallen, das Ganze hat uns seit 6 Monaten sehr viel Sorge und Plage gebracht. Und natürlich hat Suhrkamp, der kein Geld hat, es heute bei der überaus kritischen Lage des ganzen deutschen Buchhandels sehr schwer. [. . .]

Seid alle herzlich gegrüßt! Papi

* In einem weiteren Brief an Ernst Rheinwald schrieb Hesse dazu u. a.: »Suhrkamps übertriebene und eigensinnige Ritterlichkeit hat ihn auf viele Vorteile verzichten lassen, die zu retten gewesen wären.« An Felix Braun: »Suhrkamp war der Meinung, ein Deutscher dürfe Juden gegenüber keinerlei Ansprüche erheben.«

HERMANN HESSE

Glück

Der Mensch, so wie ihn Gott gedacht und wie die Dichtung und Weisheit der Völker ihn manche tausend Jahre lang verstanden hat, ist geschaffen mit einer Fähigkeit, sich zu freuen an Dingen, auch wenn sie ihm nicht nützen, mit einem Organ für das Schöne. An der Freude des Menschen am Schönen haben stets Geist und Sinn in gleichem Maße teil, und solange Menschen fähig sind, sich mitten in den Drangsalen und Gefährdungen ihres Lebens solcher Dinge zu freuen: eines Farbenspieles in der Natur oder im gemalten Bilde, eines Anrufes in den Stimmen der Stürme und des Meeres oder einer von Menschen gemachten Musik, solange ihnen hinter der Oberfläche der Interessen und Nöte die Welt als Ganzes sichtbar oder fühlbar werden kann, worin vom Kopfdrehen einer spielenden jungen Katze bis zum Variationenspiel einer Sonate, vom rührenden Blick eines Hundes bis zur Tragödie eines Dichters ein Zusammenhang, ein tausendfältiger Reichtum an Beziehungen, Entsprechungen, Analogien und Spiegelungen besteht, aus deren ewig fließender Sprache den Hörern Freude und Weisheit, Spaß und Rührung zuteil wird – solange wird der Mensch seiner Fragwürdigkeit immer wieder Herr werden und seinem Dasein immer wieder Sinn zuschreiben können, denn der »Sinn« ist ja eben jene Einheit des Vielfältigen, oder doch jene Fähigkeit des Geistes, den Wirrwarr der Welt als Einheit und Harmonie zu ahnen. Für den wirklichen Menschen, den heilen, ganzen, unverkrüppelten, rechtfertigt sich die Welt, rechtfertigt sich Gott unaufhörlich durch solche Wunder wie dies, daß es außer dem Kühlerwerden am Abend und dem erreichten Ende der Arbeitszeit auch noch so etwas gibt wie das Erröten der abendlichen Atmosphäre und die zauberisch gleitenden Übergänge vom Rosa ins Violett, oder daß es so etwas gibt wie die Verwandlung eines Menschengesichtes, wenn es in tausend Übergängen gleich dem Abendhimmel überflogen wird vom Wunder des Lächelns, oder daß es so etwas gibt wie die Räume und die Fenster eines Domes, daß es so etwas gibt wie die Ordnung der Staubgefäße im Blumenkelch, etwas wie die aus Brettchen gebaute Violine, etwas wie die Tonleiter, und etwas so Unbegreifliches, Zartes, aus Natur und Geist Geborenes, Vernünftiges und zugleich Übervernünftiges und Kindliches wie die Sprache. Ihre Schönheiten und Überraschungen, ihre Rätsel, ihre scheinbare Ewigkeit, die sie dennoch nicht entfernt und abdichtet von den Anfälligkeiten, Krankheiten, Gefahren, denen alles Menschliche ausgesetzt ist – das macht sie für uns, ihre Diener und Schüler, zu einer der geheimnisvollsten und ehrwürdigsten Erscheinungen auf Erden.

Und nicht nur daß jedes Volk oder jede Kulturgemeinschaft sich die ihren Herkünften entsprechende und zugleich ihren noch unausgesprochenen Zielen dienende Sprache geschaffen hat, nicht nur daß ein Volk die Sprache des andern lernen, bewundern, belächeln und dennoch niemals ganz und völlig verstehen kann! Nein, es ist auch für jeden einzelnen Menschen, sofern er nicht in einer noch sprachlosen Vorwelt oder in einer zu Ende mechanisierten und damit wieder sprachlos gewordenen Wirklichkeit lebt, die Sprache ein persönliches Eigentum, es haben für jeden Sprachempfänglichen, also für jeden heilen und unzerstückelten Menschen, die Worte und Silben, die Buchstaben und Formen, die Möglichkeiten der Syntax ihren besonderen, nur ihm eigenen Wert und Sinn, es kann jede echte Sprache von jedem für sie und mit ihr Begabten auf ganz persönliche und einmalige Weise empfunden und erlebt werden, auch wenn er nichts davon weiß. So wie es Musiker gegeben hat, denen gewisse

Instrumente oder gewisse Stimmlagen besonders lieb oder auch besonders verdächtig oder unvertraut waren, so haben die meisten Menschen, sofern sie überhaupt einen Sprachsinn haben, zu gewissen Worten und Klängen, gewissen Vokalen oder Buchstabenfolgen eine eigene Hinneigung, während sie andere eher meiden, und wenn jemand einen bestimmten Dichter besonders liebt oder ablehnt, dann hat daran auch dieses Dichters Sprachgeschmack und Sprachgehör seinen Anteil, welche dem seiner Leser verwandt oder fremd sind. Ich könnte zum Beispiel eine ganze Menge von Versen und Gedichten nennen, welche ich durch Jahrzehnte geliebt habe und liebe, nicht ihres Sinnes, nicht ihrer Weisheit, nicht ihres Gehaltes an Erfahrung, Güte, Größe wegen, sondern einzig wegen eines bestimmten Reimes, wegen einer bestimmten rhythmischen Abweichung vom überkommenen Schema, wegen einer bestimmten Auswahl der bevorzugten Vokale, welche der Dichter ebenso unbewußt getroffen haben kann wie der Leser sie unbewußt übt. Man kann aus Bau und Rhythmus eines Prosasatzes von Goethe oder Brentano, von Lessing oder E. Th. A. Hoffmann über das Charakteristische, über die leibliche und seelische Veranlagung des Dichters oft weit mehr schließen als aus dem, was dieser Prosasatz aussagt. Es gibt Sätze, die bei jedem beliebigen Dichter stehen könnten und andre, die überhaupt nur bei einem einzigen wohlbekannten Sprachmusikanten möglich waren.

Für unsereinen sind die Wörter dasselbe, was für den Maler die Farben auf der Palette sind. Es gibt ihrer zahllose, und es entstehen ihrer immer neue, aber die guten, die echten Worte sind weniger zahlreich, und ich habe es in siebzig Jahren nicht erlebt, daß ein neues entstanden wäre. Auch der Farben sind es ja nicht beliebig viele, wennschon ihre Abtönungen und Mischungen nicht zu zählen sind. Unter den Wörtern gibt es für jeden Sprechenden Lieblinge und Fremde, bevorzugte und gemiedene, es gibt alltägliche, die man tausendmal verwendet ohne eine Abnützung zu fürchten, und andre, festliche, die man, so sehr man sie lieben möge, nur mit Bedacht und Schonung, mit der dem Festlichen zukommenden Seltenheit und Auserwähltheit sagt und schreibt.

Zu ihnen gehört für mich das Wort Glück.

Es ist eins von den Wörtern, die ich immer geliebt und gern gehört habe. Mochte man über seine Bedeutung noch so viel streiten und räsonieren können, auf jeden Fall bedeutete es etwas Schönes, etwas Gutes und Wünschenswertes. Und dem entsprechend fand ich den Klang des Wortes.

Ich fand, dieses Wort habe trotz seiner Kürze etwas erstaunlich Schweres und Volles, etwas, was an Gold erinnerte, und richtig war ihm außer der Fülle und Vollwichtigkeit auch der Glanz eigen, wie der Blitz in der Wolke wohnte er in der kurzen Silbe, die so schmelzend und lächelnd mit dem GL begann, im Ü so lachend ruhte und so kurz, und im CK so entschlossen und knapp endete. Es war ein Wort zum Lachen und zum Weinen, ein Wort voll Urzauber und Sinnlichkeit; wenn man es recht empfinden wollte, brauchte man nur ein spätes, flaches, müdes Nickel- oder Kupferwort neben das goldene zu stellen, etwa Gegebenheit oder Nutzbarmachung, dann war alles klar. Kein Zweifel, es kam nicht aus Wörterbüchern und Schulstuben, es war nicht erdacht, abgeleitet oder zusammengesetzt, es war Eins und rund, war vollkommen, es kam aus dem Himmel oder aus der Erde wie Sonnenlicht oder Blumenblick. Wie gut, wie glücklich, wie tröstlich, daß es solche Wörter gab! Ohne sie zu leben und zu denken, wäre Welke und Verödung, wäre wie Leben ohne Brot und Wein, ohne Lachen oder Musik.

Nach dieser Seite hin, nach der natürlichen und sinnlichen, hat mein Verhältnis zu dem Wort Glück sich nie entwickelt und geändert, das Wort ist heute so kurz und schwer, so golden und glänzend wie immer, ich liebe es, wie ich es als Knabe geliebt habe. Was aber dieses magische Symbol bedeute, was mit diesem so kurzen wie schweren Wort gemeint sei, darüber haben meine Meinungen und Gedanken viele Entwicklungen erlebt und sind erst sehr spät zu einem klaren und bestimmten Schluß gekommen. Bis weit über die Mitte meines Lebens hinaus nahm ich es ungeprüft und folgsam hin, daß im Munde der Leute Glück etwas zwar Positives und unbedingt Wertvolles, im Grunde aber doch Banales bedeute. Gute Geburt, gute Erziehung, gute Karriere, gute Ehe, Gedeihen in Haus und Familie, Ansehen bei den Leuten, voller Beutel, volle Truhen, an alles dieses wurde gedacht, wenn man »Glück« sagte, und ich tat wie jedermann. Es gab, so schien es, glückliche Menschen und andere, wie es gescheite und andere gab. Wir sprachen von Glück auch in der Weltgeschichte, wir glaubten glückliche Völker, glückliche Epochen zu kennen. Dabei lebten wir selbst mitten in einer ungewöhnlich »glücklichen« Epoche, wir waren vom Glück eines langen Friedens, einer weiten Freizügigkeit, eines bedeutenden Behagens und Wohlseins umspült wie von einem lauen Bade, und doch merkten wir es nicht, es verstand sich dies Glück allzu sehr von selbst, und wir jungen Leute in jener scheinbar so freundlichen, behaglichen und friedlichen Epoche waren, wenn wir etwas auf uns hielten, blasiert und skeptisch gestimmt, kokettierten mit dem Tod, mit der Entartung, mit der interessanten Bleichsucht, während wir vom Florenz des Quattrocento, dem Athen des Perikles und anderen vergangenen Zeiten als von glücklichen sprachen. Das Schwärmen für jene Blütenzeiten zwar verlor sich allmählich, wir lasen Geschichtsbücher, lasen Schopenhauer, wurden gegen die Superlative und gegen die schönen Worte mißtrauisch, wir lernten geistig in einem gedämpften und relativierten Klima leben – und dennoch klang das Wort Glück, wo irgend man ihm unbefangen begegnete, mit dem alten vollen goldenen Ton, blieb Mahnung oder Erinnerung an Dinge höchsten Wertes. Vielleicht, dachten wir zuzeiten, konnten einfache Kindermenschen jene handgreiflichen Güter des Lebens Glück nennen, wir aber dachten bei dem Worte eher an etwas wie Weisheit, Drüberstehen, Geduld, Unbeirrbarkeit der Seele, was alles schön war und uns Freude machte, ohne doch einen so urmäßigen, vollen, tiefen Namen wie »Glück« zu verdienen.

Inzwischen war mein persönliches Leben längst soweit gediehen, daß ich wußte, es sei nicht nur kein sogenannt glückliches, sondern es habe auch das Streben nach sogenanntem Glück darin keinen Raum und keinen Sinn. In einer pathetischen Stunde hätte ich dies Verhalten vielleicht als Amor Fati bezeichnet, doch war ich im Grunde und mit Ausnahme kurzdauernder überhitzter Entwicklungszustände nie sehr zum Pathos geneigt, und auch die unpathetische Schopenhauersche begierdelose Liebe war schon nicht mehr mein unbedingtes Ideal, seit ich die leise, unscheinbare, sparsame und stets ein wenig spöttische Art von Weisheit hatte kennenlernen, auf deren Boden die Berichte über das Leben der chinesischen Meister und die Gleichnisse des Dschuang Dsi gewachsen sind.

Nun, ich möchte nicht ins Plaudern geraten. Ich habe etwas ziemlich genau Bestimmtes zu sagen vor. Zunächst und um bei der Stange zu bleiben, versuche ich mit umschreibenden Worten das zu formulieren, was an Inhalt und Bedeutung heute für mich in dem Worte Glück liegt. Unter Glück verstehe ich heute etwas ganz Objektives, nämlich die Ganzheit selbst, das zeitlose Sein, die ewige Musik der Welt, das, was andre etwa die Harmonie der Sphären oder das Lächeln Gottes genannt haben. Dieser Inbegriff, diese unendliche Musik, diese voll tönende und golden glänzende Ewigkeit ist reine und vollkommene Gegenwart, sie kennt keine Zeit, keine Geschichte, kein Vorher, kein Nachher. Ewig leuchtet und lacht das Antlitz der Welt, während Menschen, Generationen, Völker, Reiche aufsteigen, blühen und wieder in den Schatten und das Nichts hinsinken. Ewig musiziert das Leben, ewig tanzt es seinen Reigen, und was uns Vergänglichen, Gefährdeten und Hinfälligen dennoch an Freude, an Trost, an Lachenkönnen etwa zugeteilt wird, ist Glanz von dort, ist ein Auge voll Glanz, ein Ohr voll Musik.

Ob es nun jemals jene sagenhaften »glücklichen« Menschen wirklich gegeben habe oder ob auch die mit Neid gepriesenen Glückskinder, Sonnenlieblinge und Weltherren nur zuweilen, nur in festlichen und begnadeten Stunden oder Augenblicken vom großen Licht bestrahlt worden seien, sie haben kein anderes Glück erleben, an keiner anderen Freude teilhaben können. Atmen in vollkommener Gegenwart, Mitsingen im Chor der Sphären, Mittanzen im Reigen der Welt, Mitlachen im ewigen Lachen Gottes, das ist unsre Teilhabe am Glück. Viele haben es nur einmal, viele nur wenige Male erlebt. Aber der es erlebt hat, ist nicht nur für einen Augenblick glücklich gewesen, er hat auch etwas vom Glanz und Klang, etwas vom Licht der zeitlosen Freude mitgebracht, und alles, was durch Liebende an Liebe, durch Künstler an Trost und Heiterkeit in unsre Welt getragen worden ist und oft nach Jahrhunderten so hell strahlt wie am ersten Tage, das kommt von dort.

Zu dieser umfassenden, dieser weltgroßen und heiligen Bedeutung ist bei mir das Wort Glück im Lauf eines Lebens gelangt, und vielleicht ist es nötig den Schulknaben unter meinen Lesern, ausdrücklich zu sagen, daß ich hier keineswegs Philologie treibe, sondern ein Stückchen Seelengeschichte erzähle, und daß es mir sehr fern liegt, sie etwa dazu aufzufordern, sie möchten nun auch ihrerseits im mündlichen und schriftlichen Gebrauch dem Worte Glück diese gewaltige Bedeutung geben. Für mich aber hat sich um dies holde, kurze, golden glänzende Wort herum alles das angesammelt, was ich seit Kindertagen bei seinem Klang empfand. Die Empfindung war beim Kinde gewiß stärker, die Antwort aller Sinne auf die sinnlichen Qualitäten und Anrufe des Wortes heftiger und lauter, aber wäre das Wort an sich nicht so tief, so ursprünglich und so welthaltig, so hätte sich meine Vorstellung von der ewigen Gegenwart, von der »goldenen Spur« (im Goldmund) und dem Lachen der Unsterblichen (im Steppenwolf) nicht um dieses Wort herum kristallisiert.

Wenn altgewordene Menschen sich darauf zu besinnen suchen, wann, wie oft und wie stark sie Glück empfunden haben, dann suchen sie vor allem in ihrer Kindheit, und mit Recht, denn zum Erleben des Glückes bedarf es vor allem der Unabhängigkeit von der Zeit und damit von der Furcht sowohl wie von der Hoffnung, und diese Fähigkeit kommt den meisten Menschen mit den Jahren abhanden. Auch ich, wenn ich mich der Augenblicke meiner Teilhabe am Glanz der ewigen Gegenwart, am Lächeln Gottes zu erinnern suche, kehre jedesmal bei der Kindheit ein und finde dort die meisten und die wertvollsten Erlebnisse dieser Art. Gewiß, blendender und bunter, festlicher kostümiert und farbiger beleuchtet waren die Freudenzeiten der Jünglingsjahre, der Geist hatte an ihnen mehr Anteil als an denen der Kindheit. Aber, wenn man genauer und immer genauer zusah, war es doch mehr Spaß und Lustigkeit, als wirklich Glück. Man war lustig, witzig, geistreich, man machte manchen guten Spaß. Ich erinnere mich eines Augenblicks im Kreis meiner Kameraden in der blühenden Jugendzeit: da fragte ein Harmloser im Gespräch, was denn eigentlich ein homerisches Gelächter sei, und ich antwortete ihm durch ein rhythmisches Gelächter, das genau einen Hexameter nachskandierte. Man lachte laut, man stieß mit den Gläsern an – aber Augenblicke dieser Art halten der späten Nachprüfung nicht stand. Das alles war hübsch, war lustig, schmeckte gut, aber Glück war es nicht. Glück, so schien es, wenn man diesen Untersuchungen lange genug nachging, Glück war nur in der Kindheit erlebt worden, in Stunden oder Augenblicken, deren Wiederfinden sehr schwierig war, denn auch dort noch, auch im Bezirk der Kindheit erwies sich der

Glanz beim Nachprüfen nicht immer als echt, das Gold nicht immer als völlig gediegen. Wenn ich es ganz genau nahm, so blieben nur ganz wenige Erlebnisse übrig, und auch sie waren nicht Bilder, die man ausmalen, und nicht Geschichten, die man erzählen konnte, sie wichen den Befragungen geschmeidig aus. Meldete sich eine solche Erinnerung, so schien es zuerst, als handle es sich um Wochen oder Tage oder doch mindestens um einen Tag, eine Weihnacht etwa, einen Geburtstag oder einen ersten Ferientag. Aber um einen Kindertag im Gedächtnis wiederherzustellen, bedürfte es Tausender Bilder, und für keinen einzigen Tag, auch nicht für einen halben, brächte das Gedächtnis die ausreichende Menge von Bildern zusammen.

Ob es nun aber Erlebnisse von Tagen, von Stunden oder auch nur von Minuten gewesen sind, erlebt habe ich das Glück manche Male, und bin auch in späten Tagen, noch im Alter, ihm für Augenblicke nahe gekommen. Von jenen Glücksbegegnungen der Lebensfrühe aber, so oft ich sie beschworen, befragt und geprüft habe, hat eine besonders standgehalten. Es war in meiner Schulknabenzeit, und das Eigentliche daran, das Echte, Urhafte und Mythische darin, der Zustand des still lachenden Eins-Seins mit der Welt, der absoluten Freiheit von Zeit, von Hoffnung und Furcht, der völligen Gegenwärtigkeit kann nicht lange gewährt haben, vielleicht Minuten.

Eines Morgens erwachte ich, ein lebhafter Knabe von vielleicht zehn Jahren, mit einem ganz ungewöhnlich holden und tiefen Gefühl von Freude und Wohlsein, das mich wie eine innere Sonne durchstrahlte, so als sei jetzt eben, in diesem Augenblick des Erwachens aus einem guten Knabenschlaf, etwas Neues und Wunderbares geschehen, als sei meine ganze klein-große Knabenwelt in einen neuen und höhern Zustand, in ein neues Licht und Klima eingetreten, als habe das ganze schöne Leben erst jetzt, an diesem frühen Morgen, seinen vollen Wert und Sinn bekommen. Ich wußte nichts von gestern noch von morgen, ich war von einem glückhaften Heute umfangen und sanft umspült. Es tat wohl und wurde von Sinnen und Seele ohne Neugierde und ohne Rechenschaft gekostet, es durchrann mich und schmeckte herrlich.

Es war Morgen, durchs hohe Fenster sah ich über dem langen Dachrücken des Nachbarhauses den Himmel heiter in reinem Hellblau stehen, auch er schien voll Glück, als habe er Besonderes vor und habe dazu sein hübschestes Kleid angezogen. Mehr war von meinem Bette aus von der Welt nicht zu sehen, nur eben dieser schöne Himmel und das lange Stück Dach vom Nachbarhause, aber auch dies Dach, dies langweilige und öde Dach aus dunkel rotbraunen Ziegeln schien zu lachen, es ging über eine steile schattige Schrägwand ein leises Spiel von Farben, und die einzelne bläuliche Glaspfanne zwischen den roten tönernen schien lebendig und schien freudig bemüht, etwas von diesem so leise und stetig strahlenden Frühhimmel zu spiegeln. Der Himmel, die etwas rauhe Kante des Dachrückens, das uniformierte Heer der braunen und das luftig dünne Blau des einzigen Glasziegels schienen auf eine schöne und erfreuliche Weise miteinander einverstanden, sie hatten sichtlich nichts andres im Sinn, als in dieser besonderen Morgenstunde einander anzulachen und es gut miteinander zu meinen. Himmelblau, Ziegelbraun und Glasblau hatten einen Sinn, sie gehörten zusammen, sie spielten miteinander, es war ihnen wohl, und es war gut und tat wohl, sie zu sehen, ihrem Spiel beizuwohnen, sich vom selben Morgenglanz und Wohlgefühl durchflossen zu fühlen wie sie.

So lag ich, den beginnenden Morgen samt dem ruhigen Nachgefühl des Schlafes genießend, eine schöne Ewigkeit in meinem Bett, und ob ich ein gleiches oder ähnliches Glück noch andre Male in meinem Leben gekostet habe, tiefer und wirklicher konnte keines sein: die Welt war in Ordnung. Und ob dieses Glück hundert Sekunden oder zehn Minuten gedauert habe, es war so außerhalb der Zeit, daß es jedem andern echten Glücke so vollkommen glich wie ein flatternder Bläuling dem andern. Es war vergänglich, es wurde von der Zeit überspült, aber es war tief und ewig genug, um über mehr als sechzig Jahre hinweg mich noch heute zu sich zurückzurufen und zu ziehen, daß ich mit müden Augen und schmerzenden Fingern darum bemüht sein muß, es anzurufen und ihm zuzulächeln, es nachzubilden und zu beschreiben. Es bestand aus nichts, dieses Glück, als aus dem Zusammenklang der paar Dinge um mich her mit meinem eigenen Sein, aus einem wunschlosen Wohlsein, das nach keiner Änderung, keiner Steigerung verlangte.

Es war noch Stille im Haus, und auch von außen her kein Laut. Wäre diese Stille nicht gewesen, so hätte vermutlich die Erinnerung an die alltäglichen Pflichten, an das Aufstehen und den Gang zur Schule mein Wohlsein gestört. Aber es war offenbar weder Tag noch Nacht, es war das süße Licht und das lachende Blau zwar vorhanden, aber kein Mägdetrab über die Sandsteinfliesen des Vorplatzes, keine knarrende Tür, kein Bäckerbubenschritt auf den Treppen. Dieser Morgen-Augenblick war außerhalb der Zeit, er rief zu nichts, er wies auf nichts Kommendes hin, er war sich selbst genug, und da er mich ganz mit in sich begriff, gab es auch für mich keinen Tag, keinen Gedanken an Aufstehen und Schule, an halb gemachte Aufgaben oder schlecht gelernte Vokabeln, an hastiges Frühstücken im frisch gelüfteten Eßzimmer drüben.

Die Ewigkeit des Glückes erfuhr diesmal ihren Zerfall durch eine Steigerung des Schönen, durch ein Mehr und Zuviel an Freude. Während ich so lag und mich nicht rührte, und die lichte stille Morgenwelt in mich eindrang und mich in sich aufnahm, stieß aus der Ferne her etwas Ungewohntes, etwas Glänzendes und Überhelles golden und triumphierend durch die Stille, voll strotzender Freude, voll lockender und weckender Süßigkeit: der Klang einer Trompete. Und schon war, während ich, nun erst völlig wach, mich im Bett aufrichtete und die Decke zurückschlug, der Klang zweistimmig und mehrstimmig geworden: es war die Stadtmusik, die mit klingendem Spiel durch die Gassen marschierte, ein überaus seltenes und aufregendes Ereignis voll schmetternder Festlichkeit, daß mir das Kinderherz im Leibe zugleich lachte und schluchzte, als wäre alles Glück, aller Zauber der seligen Stunde in diese aufreizenden scharfsüßen Töne zusammengeflossen und ergösse sich nun, geweckt und ins Zeitliche und Vergängliche zurückgekehrt. In einer Sekunde war ich aus dem Bett, bebend vor Festfreude, stürzte zur Tür und ins Nebenzimmer, aus dessen Fenstern man die Straße sehen konnte. In einem Taumel von Entzükken, von Neugierde und Dabeiseinwollen legte ich mich in ein offenes Fenster, hörte beglückt die schwellenden und hochmütigen Klänge der näherkommenden Musik, sah und hörte die Nachbarhäuser und die Straßen erwachen, lebendig werden und sich mit Gesichtern, Gestalten und Stimmen anfüllen – und in derselben Sekunde wußte ich auch alles wieder, was ich in jenem Wohlsein zwischen Schlaf und Tag so ganz vergessen hatte. Ich wußte, daß in der Tat heute keine Schule sei, sondern ein hoher Festtag, ich glaube, es war des Königs Geburtstag, daß es Umzüge, Fahnen, Musik und unerhörte Belustigungen geben werde.

Und mit diesem Wissen war ich zurückgekehrt, stand ich wieder unter den Gesetzen, die den Alltag beherrschen, und wenn es auch kein Alltag war, sondern ein Festtag, zu dem die metallenen Töne mich erweckt hatten, so war doch das Eigentliche und Schöne und Göttliche dieses Morgenzaubers schon vergangen und hinter dem kleinen holden Wunder schlugen die Wellen der Zeit, der Welt, der Gewöhnlichkeit wieder zusammen.

HERMANN HESSE

Die Berufung

»Du trägst den Namen Knecht, mein Lieber,
vielleicht hat darum das Wort ›frei‹
soviel Zauber für dich.«

Knecht muß damals etwa zwölf oder dreizehn Jahre alt gewesen sein und war Lateinschüler in dem Städtchen Berolfingen am Rande des Zaberwaldes, das vermutlich auch sein Geburtsort gewesen ist. Zwar war der Knabe schon längere Zeit Stipendiat der Lateinschule und war vom Lehrerkollegium, am eifrigsten vom Musiklehrer, schon zwei- oder dreimal der obersten Behörde zur Aufnahme in die Eliteschule empfohlen worden, aber er wußte davon nichts und hatte noch keinerlei Begegnung mit der Elite oder gar mit den Meistern der obersten Erziehungsbehörde erlebt. Da wurde ihm von seinem Musiklehrer (er lernte damals Violine und Laute) mitgeteilt, es werde in Bälde vielleicht der Musikmeister nach Berolfingen kommen, um den Musikunterricht an der Schule zu inspizieren, Josef möge also brav üben und sich und seinen Lehrer nicht in Verlegenheit bringen. Die Nachricht erregte den Knaben aufs tiefste, denn natürlich wußte er genau, wer der Musikmeister sei und daß er nicht nur, wie etwa die zweimal jährlich erscheinenden Schulinspektoren, aus irgendeiner der höheren Regionen der Erziehungsbehörde komme, sondern einer der zwölf Halbgötter, einer der zwölf obersten Leiter dieser ehrwürdigsten Behörde und für das ganze Land die oberste Instanz in allen musikalischen Angelegenheiten sei. Der Musikmeister selbst, der Magister Musicae in Person, würde also nach Berolfingen kommen! Es gab in der Welt nur eine einzige Person, welche dem Knaben Josef vielleicht noch sagenhafter und geheimnisvoller gewesen wäre: der Glasperlenspielmeister. Für den angekündigten Musikmeister erfüllte ihn im voraus eine ungeheure und ängstliche Ehrfurcht, er stellte sich diesen Mann bald wie einen König, bald wie einen Zauberer vor, bald wie einen der zwölf Apostel oder einen der sagenhaften großen Künstler der klassischen Zeiten, etwa einen Michael Prätorius, einen Claudio Monteverdi, einen J. J. Froberger oder Johann Sebastian Bach – und er freute sich ebenso tief auf den Augenblick, da dies Gestirn erscheinen würde, wie er sich vor ihm fürchtete. Daß einer der Halbgötter und Erzengel, daß einer der geheimnisvollen und allmächtigen Regenten der geistigen Welt hier im Städtchen und in der Lateinschule leibhaftig erscheinen, daß er ihn sehen sollte, daß der Meister ihn vielleicht anreden, ihn prüfen, ihn tadeln oder loben sollte, das war eine große Sache, war eine Art Wunder und seltne Himmelserscheinung; auch geschah es, wie die Lehrer versicherten, seit Jahrzehnten zum erstenmal, daß ein Magister Musicae in eigener Person die Stadt und die kleine Lateinschule besuchte. Der Knabe dachte sich das Bevorstehende in vielen Bildern aus, er dachte sich vor allem eine große öffentliche Festlichkeit und einen Empfang, wie er ihn einmal beim Amtsantritt des neuen Bürgermeisters erlebt hatte, mit Blechmusik und beflaggten Straßen, vielleicht sogar mit Feuerwerk, und auch Knechts Kameraden hatten solche Vorstellungen und Hoffnungen. Seine Vorfreude wurde nur durch den Gedanken gedämpft, daß er selber vielleicht diesem großen Mann allzu nahe kommen und vor ihm, dem großen Kenner, mit seiner Musik und seinen Antworten sich ganz unerträglich blamieren könne. Aber diese Angst war nicht nur quälend, sie war auch süß, und ganz heimlich und uneingestanden fand er doch das ganze erwartete Fest samt Flaggen und Feuerwerk lange nicht so schön, so aufregend, wichtig und trotz allem wunderbar freudig wie eben den Umstand, daß er, der kleine Josef Knecht, diesen Mann aus nächster Nähe sehen sollte, ja daß jener ein klein wenig auch seinetwegen, Josefs wegen, diesen Besuch in Berolfingen mache, denn er kam ja, um den Musikunterricht zu prüfen, und der Musiklehrer hielt es offenbar für möglich, daß er auch ihn prüfen werde.

Aber vielleicht, ach, wahrscheinlich würde es doch nicht dazu kommen, es war ja kaum möglich, gewiß würde der Meister andres zu tun haben, als sich von kleinen Buben auf der Geige vorspielen zu lassen, er würde doch wohl nur die älteren und fortgeschrittensten Schüler sehen und hören wollen. Mit solchen Gedanken erwartete der Knabe den Tag, und der Tag kam und begann mit einer Enttäuschung: es schallte keine Musik in den Gassen, es hingen keine Fahnen und Kränze an den Häusern, und man mußte wie jeden Tag seine Bücher und Hefte nehmen und in den gewohnten Unterricht gehen, und selbst im Klassenzimmer war nicht die kleinste Spur von Schmuck und Festlichkeit zu sehen, es war alles so wie jeden Tag. Der Unterricht begann, der Lehrer trug denselben Alltagsrock wie immer, mit keiner Rede, mit keinem Wort gedachte er des großen Ehrengastes.

Aber in der zweiten oder dritten Schulstunde kam es dennoch; es wurde an die Tür gepocht, es kam der Schuldiener herein, grüßte den Lehrer und meldete, der Schüler Josef Knecht habe in einer Viertelstunde beim Musiklehrer zu erscheinen und möge darauf achten, sich anständig zu kämmen und die Hände und die Fingernägel zu reinigen. Knecht wurde blaß vor Schreck, taumelnd verließ er die Schule, lief ins Internat hinüber, legte seine Bücher ab, wusch und kämmte sich, nahm zitternd seinen Violinkasten und sein Übungsheft und schritt, mit Würgen in der Kehle, zu den Musikstuben im Anbau. Ein aufgeregter Mitschüler empfing ihn auf der Treppe, deutete auf ein Übungszimmer und meldete: »Hier sollst du warten, bis man dich ruft.«

Es dauerte nicht lange und war ihm doch eine Ewigkeit, bis er vom Warten erlöst wurde. Es rief ihn niemand, aber es trat ein Mann herein, ein ganz alter Mann, wie es ihm anfangs schien, ein nicht sehr großer, weißhaariger Mann mit einem schönen lichten Gesicht und mit durchdringend blickenden hellblauen Augen, deren Blick man hätte fürchten können, aber er war nicht nur durchdringend, sondern auch heiter, er war von einer nicht lachenden oder lächelnden, sondern stillglänzenden, ruhigen Heiterkeit. Er gab dem Knaben die Hand und nickte ihm zu, setzte sich bedächtig auf den Hocker vor dem alten Übungsklavier und sagte: »Du bist Josef Knecht? Dein Lehrer scheint mit dir zufrieden zu sein, ich glaube, er hat dich gern. Komm, wir wollen ein wenig miteinander musizieren.« Knecht hatte seine Geige schon vorher ausgepackt, der alte Mann schlug das A an, und der Knabe stimmte, dann sah er den Musikmeister fragend und ängstlich an.

»Was möchtest du gern spielen?« fragte der Meister. Der Schüler brachte keine Antwort heraus, er war von Ehrfurcht für den Alten bis zum Überfließen angefüllt, noch nie hatte er einen solchen Menschen gesehen. Zögernd griff er nach seinem Notenheft und hielt es dem Manne hin.

»Nein«, sagte der Meister, »ich möchte, daß du auswendig spielst und kein Übungsstück, sondern irgend etwas Einfaches, was du auswendig kannst, vielleicht ein Lied, das du gern hast.«

Knecht war verwirrt und von diesem Gesicht und diesen Augen bezaubert, er brachte keine Antwort heraus, er schämte sich seiner Verwirrung sehr, aber sagen konnte er nichts. Der Meister drängte nicht. Er schlug mit einem Finger die ersten Töne einer Melodie an, sah den Knaben fragend an, der nickte und spielte die Melodie sofort und freudig mit, es war eins von den alten Liedern, die in der Schule oft gesungen wurden.

»Noch einmal!« sagte der Meister. Knecht wiederholte die Melodie, und der Alte spielte jetzt eine zweite Stimme dazu. Zweistimmig klang nun das alte Lied durch die kleine Übungsstube.

»Noch einmal!«

Knecht spielte, und der Meister spielte die zweite und eine dritte Stimme dazu. Dreistimmig klang das schöne alte Lied durch die Stube.

»Noch einmal!« Und der Meister spielte drei Stimmen hinzu.

»Ein schönes Lied!« sagte der Meister leise. »Spiele es jetzt einmal in der Altlage!«

Knecht gehorchte und spielte, der Meister hatte ihm den ersten Ton angegeben und spielte nun die drei andern Stimmen dazu. Und immer wieder sagte der Alte: »Noch einmal!«, es klang jedesmal fröhlicher. Knecht spielte die Melodie im Tenor, immer von zwei bis drei Gegenstimmen begleitet. Viele Male spielten sie das Lied, es war keine Verständigung mehr nötig, und mit jeder Wiederholung wurde das Lied ganz von selbst reicher an Verzierungen und Rankenspiel. Der kahle kleine Raum mit dem frohen vormittäglichen Licht klang festlich von den Tönen wider.

Nach einer Weile hörte der Alte auf. »Ist es nun genug?« fragte er. Knecht schüttelte den Kopf und begann von neuem, heiter fiel der andre mit seinen drei Stimmen ein, und die vier Stimmen zogen ihre dünnen, klaren Linien, sprachen miteinander, stützten sich aufeinander, überschnitten sich und umspielten einander in heitern Bogen und Figuren, und der Knabe und der Alte dachten an nichts andres mehr, gaben sich den schönen verschwisterten Linien hin und den Figuren, die sie in ihren Begegnungen bildeten, in ihrem Netz gefangen musizierten sie, wiegten sich leise mit und gehorchten einem unsichtbaren Kapellmeister. Bis der Meister, als wieder die Melodie zu Ende war, den Kopf zurückwandte und fragte: »Hat es dir gefallen, Josef?«

Dankbar und leuchtend blickte Knecht ihn an. Er strahlte, aber er brachte kein Wort heraus.

»Weißt du etwa schon«, fragte der Meister jetzt, »was eine Fuge ist?«

Knecht machte ein zweifelndes Gesicht. Er hatte schon Fugen gehört, aber im Unterricht war das noch nicht vorgekommen.

»Gut«, sagte der Meister, »dann will ich es dir zeigen. Am schnellsten kapierst du es, wenn wir selber eine Fuge machen. Also: zu einer Fuge gehört vor allem ein Thema, und das Thema suchen wir nicht lang, das nehmen wir aus unserem Lied.«

Er spielte eine kleine Tonfolge, ein Stückchen aus der Liedmelodie, es klang wunderlich, so herausgeschnitten, ohne Kopf und Schwanz. Er spielte das Thema nochmals, und schon ging es weiter, schon kam der erste Einsatz, der zweite verwandelte den Quintschritt in einen Quartschritt, der dritte Einsatz wiederholte den ersten eine Oktave höher, ebenso der vierte den zweiten, mit einer Klausel in der Tonart der Dominante schloß die Exposition. Die zweite Durchführung modulierte freier nach andern Tonarten hinüber, die dritte, mit einer Neigung zur Subdominante, endete mit einer Klausel auf dem Grundton. Der Knabe blickte auf die klugen weißen Finger des Spielenden, sah in seinem zusammengenommenen Gesicht den Gang der Entwicklung leise gespiegelt, während die Augen unter halbgeschlossenen Lidern ruhten. Des Knaben Herz wallte von Verehrung, von Liebe für den Meister, und sein Ohr vernahm die Fuge, ihm schien, er hörte heute zum erstenmal Musik, er ahnte hinter dem vor ihm entstehenden Tonwerk den Geist, die beglückende Harmonie von Gesetz und Freiheit, von Dienen und Herrschen, er ergab und gelobte sich diesem Geist und diesem Meister, er sah sich und sein Leben und sah die ganze Welt in diesen Minuten vom Geist der Musik geleitet, geordnet und gedeutet, und als das Spiel sein Ende gefunden hatte, sah er den Verehrten, den Zauberer und König, noch eine kleine Weile leicht vorgeneigt über den Tasten, mit halbgeschlossenen Lidern, das Gesicht von innen her leise leuchtend, und wußte nicht, sollte er jubeln über die Seligkeit dieser Augenblicke oder weinen, daß sie vorüber waren. Da stand der alte Mann langsam von seinem Klavierstühlchen auf, sah ihn mit den heitern blauen Augen durchdringend und zugleich unsäglich freundlich an und sagte: »Nirgends können zwei Menschen leichter Freunde werden als beim Musizieren. Das ist eine schöne Sache. Hoffentlich werden wir Freunde bleiben, du und ich. Vielleicht wirst du auch Fugen machen, Josef.« Damit gab er ihm die Hand und ging, und in der Tür wendete er sich noch einmal um und grüßte zum Abschied mit einem Blick und einem höflichen kleinen Neigen des Kopfes.

Knecht hat viele Jahre später seinem Schüler erzählt: als er aus dem Haus trat, fand er die Stadt und die Welt viel mehr verwandelt und verzaubert, als wenn Fahnen und Kränze, Bänder und Feuerwerke sie geschmückt hätten. Er hatte den Vorgang der Berufung erlebt, den man recht wohl ein Sakrament nennen darf: das Sichtbarwerden und einladende Sichöffnen der idealen Welt, welche bis dahin dem jungen Gemüt nur teils vom Hörensagen, teils aus glühenden Träumen bekannt gewesen war. Diese Welt existierte nicht nur irgendwo in der Ferne, in der Vergangenheit oder Zukunft, nein, sie war da und war aktiv, sie strahlte aus, sie schickte Sendboten, Apostel, Gesandte aus, Männer wie diesen alten Magister, der übrigens, wie es Josef scheinen wollte, eigentlich doch gar nicht so sehr alt war. Und aus dieser Welt, durch einen dieser ehrwürdigen Sendboten, war auch an ihn, den kleinen Lateinschüler, Mahnung und Ruf ergangen! Diese Bedeutung hatte das Erlebnis für ihn, und es dauerte Wochen, bis er wirklich wußte und überzeugt war, daß dem magischen Vorgang jener geweihten Stunde auch ein exakter Vorgang in der realen Welt entsprach, daß die Berufung nicht bloß eine Beglückung und Mahnung in seiner eigenen Seele und seinem Gewissen, sondern auch eine Gabe und Mahnung der irdischen Mächte an ihn war.

HERMANN HESSE

An Siegfried Unseld, Tübingen

1949/1950

Lieber Herr Dr. Unseld
Ihre ästhetische Frage wegen des Josef Knecht müßte mich eigentlich in Verlegenheit bringen, denn ich bin nicht so glücklich wie Sie, mich so hübschen und kastalischen Studien widmen zu dürfen, und habe das »Glasperlenspiel« seit seinem Erscheinen vor sieben Jahren bis heute noch nicht wiederlesen können, weil jeder Tag mehr aktuelle Arbeit bringt, als ich leisten kann.

Dennoch bin ich Ihnen eine Antwort schuldig, denn unter den sich immer wiederholenden Leserfragen über Kastalien und Knechte, die oft von einem erschreckend niedrigen Niveau sind, zeichnet sich die Ihre durch ihren Scharfsinn und ihre schöne Präzision so sehr aus, daß sie für einen Augenblick auch mir zu einer Frage wurde.

Ich muß mich bei meiner Antwort auf mein Gedächtnis verlassen, habe aber mit Hilfe meiner Frau immerhin die von Ihnen genannten und in einem gewissen Sinn bezweifelten Stellen nachgesehen.

Ihre Auffassung ist die, daß der Biograph Josef Knechts bestrebt gewesen sei, »seine Lebensbeschreibung den Lesern aus der Perspektive Knechts zu geben, das heißt nur das zu schildern, was der Erlebnis- und Wahrnehmungssphäre Knechts entspringt«. Und diese Perspektive finden Sie an den von Ihnen genannten Stellen durchbrochen, weil jene Stellen auf Tatsachen, Worte oder Gedanken anderer hinweisen, welche Knecht nicht kennen konnte.

Es ist durchaus möglich, daß mein im Lauf von elf Jahren (und was für Jahren!) entstandenes Buch trotz aller Konzentration und Vorsicht solche bauliche Fehler enthält.

Aber die »Perspektive«, nach der Sie das Buch aufgebaut sehen, war nicht die meine. Vielmehr hat etwa während der ersten drei Jahre meine Perspektive sich mehrmals leicht verändert. Im Anfang war es mir vor allem, ja beinah einzig darum zu tun, Kastalien sichtbar zu machen, den Gelehrtenstaat, das ideale weltliche Kloster, eine Idee oder, wie die Kritischen meinen, einen Wunschtraum, der zumindest seit der Zeit der Platonischen Akademie vorhanden und wirksam war, eins der Ideale, die durch unsre ganze Geistesgeschichte auch als wirksame »Leitbilder« da waren. Dann wurde mir klar, daß die innere Wirklichkeit Kastaliens nur in einer dominierenden Person einer geistigen Helden- und Duldergestalt, überzeugend sichtbar gemacht werden könne, und so trat Knecht in den Mittelpunkt der Erzählung, vorbildlich und einmalig nicht so sehr als idealer und vollkommener Kastalier, denn deren gibt es manche, als vielmehr dadurch, daß er mit Kastalien und seiner von der Welt abgetrennten Vollkommenheit nicht auf die Dauer zufrieden sein kann.

Der Biograph aber, den ich mir dachte, ist ein fortgeschrittener Schüler oder Repetent in Waldzell, der aus Liebe zur Gestalt des großen Abtrünnigen daran ging, den Roman seines Lebens für einen Kreis von Freunden und Knecht-Verehrern aufzuzeichnen. Diesem Biographen steht alles zur Verfügung, was Kastalien besitzt, die mündliche und schriftliche Tradition, die Archive, und natürlich auch das eigene Vorstellungs- und Einfühlungsvermögen. Aus diesen Quellen schöpft er, und ich finde, er hat nichts geschrieben, was innerhalb dieses Rahmens unmöglich wäre. Den letzten Teil seiner Biographie, dessen Milieu und dessen Einzelheiten von Kastalien aus nicht kontrollierbar sind, bezeichnet er ausdrücklich als die »Legende« vom entschwundenen Magister Ludi, wie sie unter seinen Schülern und über sie hinaus in der Waldzeller Tradition fortlebt.

Von den Figuren des Buches haben einige ihr individuelles

Gesicht von wirklichen Personen erhalten, manche dieser Vorbilder sind von guten Lesern denn auch erkannt worden, andere bleiben mein Geheimnis. Erkannt wurde vor allem die Figur des Pater Jakobus, die eine Huldigung an den von mir geliebten Jakob Burckhardt ist. Ich habe mir sogar erlaubt, ein Wort von ihm meinem Pater in den Mund zu legen. Er gehört mit seinem resignierten Realismus zu den Gegenspielern des kastalischen Geistes.
Eine einzige Gestalt meiner Erzählung aber ist beinahe ganz Porträt. Es ist Carlo Ferromonte. Dieser Carlo Ferromonte, vielmehr sein Urbild, war ein überaus lieber Freund und naher Verwandter von mir, um eine Generation jünger als ich, ein Musiker und Musikverständiger, an dem ganz Monteport seine Freude gehabt hätte, ein Organist, Chorleiter, Cembalist und leidenschaftlicher Sammler aller Reste von noch lebendiger Volksmusik, deren im Versinken begriffenen schwachen Spuren er auf Reisen, namentlich im Balkan, nachgegangen ist. Er, mein lieber Carlo, hat den unsinnigen Krieg als Sanitätssoldat mitmachen müssen, war zuletzt in Lazaretten in Polen und ist seit dem Ende des Krieges spurlos verschollen.

BERTOLT BRECHT

Lieber Suhrkamp,
natürlich möchte ich unter allen Umständen
in dem Verlag sein, den Sie leiten.

Herzlichst Ihr
bertolt brecht

Berlin, 21. 5. 50

BERTOLT BRECHT

Erinnerung an die Marie A.

1 An jenem Tag im blauen Mond September
Still unter einem jungen Pflaumenbaum
Da hielt ich sie, die stille bleiche Liebe
In meinem Arm wie einen holden Traum.
Und über uns im schönen Sonnenhimmel
War eine Wolke, die ich lange sah
Sie war sehr weiß und ungeheuer oben
Und als ich aufsah, war sie nimmer da.

2 Seit jenem Tag sind viele, viele Monde
Geschwommen still hinunter und vorbei.
Die Pflaumenbäume sind wohl abgehauen
Und fragst du mich, was mit der Liebe sei?
So sag ich dir: Ich kann mich nicht erinnern
Und doch, gewiß, ich weiß schon, was du meinst.
Doch ihr Gesicht, das weiß ich wirklich nimmer
Ich weiß nur mehr: Ich küßte es dereinst.

3 Und auch den Kuß, ich hätt ihn längst vergessen
Wenn nicht die Wolke dagewesen wär
Die weiß ich noch und werd ich immer wissen
Sie war sehr weiß und kam von oben her.
Die Pflaumenbäume blühn vielleicht noch immer
Und jene Frau hat jetzt vielleicht das siebte Kind
Doch jene Wolke blühte nur Minuten
Und als ich aufsah, schwand sie schon im Wind.

Vom armen B. B.

1 Ich, Bertolt Brecht, bin aus den schwarzen Wäldern.
Meine Mutter trug mich in die Städte hinein
Als ich in ihrem Leibe lag. Und die Kälte der Wälder
Wird in mir bis zu meinem Absterben sein.

2 In der Asphaltstadt bin ich daheim. Von allem Anfang
Versehen mit jedem Sterbsakrament:
Mit Zeitungen. Und Tabak. Und Branntwein.
Mißtrauisch und faul und zufrieden am End.

3 Ich bin zu den Leuten freundlich. Ich setze
Einen steifen Hut auf nach ihrem Brauch.
Ich sage: Es sind ganz besonders riechende Tiere
Und ich sage: Es macht nichts, ich bin es auch.

4 In meine leeren Schaukelstühle vormittags
Setze ich mir mitunter ein paar Frauen
Und ich betrachte sie sorglos und sage ihnen:
In mir habt ihr einen, auf den könnt ihr nicht bauen.

5 Gegen Abend versammle ich um mich Männer
Wir reden uns da mit »Gentlemen« an.
Sie haben ihre Füße auf meinen Tischen
Und sagen: Es wird besser mit uns. Und ich frage nicht: Wann?

6 Gegen Morgen in der grauen Frühe pissen die Tannen
Und ihr Ungeziefer, die Vögel, fängt an zu schrein.
Um die Stunde trink ich mein Glas in der Stadt aus und schmeiße
Den Tabakstummel weg und schlafe beruhigt ein.

7 Wir sind gesessen, ein leichtes Geschlechte
In Häusern, die für unzerstörbar galten
(So haben wir gebaut die langen Gehäuse des Eilands Manhattan
Und die dünnen Antennen, die das Atlantische Meer unterhalten).

8 Von diesen Städten wird bleiben: der durch sie hindurchging, der Wind!
Fröhlich machet das Haus den Esser: er leert es.
Wir wissen, daß wir Vorläufige sind
Und nach uns wird kommen: nichts Nennenswertes

9 Bei den Erdbeben, die kommen werden, werde ich hoffentlich
Meine Virginia nicht ausgehen lassen durch Bitterkeit
Ich, Bertolt Brecht, in die Asphaltstädte verschlagen
Aus den schwarzen Wäldern in meiner Mutter in früher Zeit.

BERTOLT BRECHT

Geschichten vom Herrn Keuner

Weise am Weisen ist die Haltung

Zu Herrn K. kam ein Philosophieprofessor und erzählte ihm von seiner Weisheit. Nach einer Weile sagte Herr K. zu ihm: »Du sitzt unbequem, du redest unbequem, du denkst unbequem.« Der Philosophieprofessor wurde zornig und sagte: »Nicht über mich wollte ich etwas wissen, sondern über den Inhalt dessen, was ich sagte.« »Es hat keinen Inhalt«, sagte Herr K. »Ich sehe dich täppisch gehen, und es ist kein Ziel, das du, während ich dich gehen sehe, erreichst. Du redest dunkel, und es ist keine Helle, die du während des Redens schaffst. Sehend deine Haltung, interessiert mich dein Ziel nicht.«

Mühsal der Besten

»Woran arbeiten Sie?« wurde Herr K. gefragt. Herr K. antwortete: »Ich habe viel Mühe, ich bereite meinen nächsten Irrtum vor.«

Form und Stoff

Herr K. betrachtete ein Gemälde, das einigen Gegenständen eine sehr eigenwillige Form verlieh. Er sagte: »Einigen Künstlern geht es, wenn sie die Welt betrachten, wie vielen Philosophen. Bei der Bemühung um die Form geht der Stoff verloren. Ich arbeitete einmal bei einem Gärtner. Er händigte mir eine Gartenschere aus und hieß mich einen Lorbeerbaum beschneiden. Der Baum stand in einem Topf und wurde zu Festlichkeiten ausgeliehen. Dazu mußte er die Form einer Kugel haben. Ich begann sogleich mit dem Abschneiden der wilden Triebe, aber wie sehr ich mich auch mühte, die Kugelform zu erreichen, es wollte mir lange nicht gelingen. Einmal hatte ich auf der einen, einmal auf der anderen Seite zu viel weggestutzt. Als es endlich eine Kugel geworden war, war die Kugel sehr klein. Der Gärtner sagte enttäuscht: ›Gut, das ist die Kugel, aber wo ist der Lorbeer?‹«

Herrn K.s Lieblingstier

Als Herr K. gefragt wurde, welches Tier er vor allen schätze, nannte er den Elefanten und begründete dies so: Der Elefant vereint List mit Stärke. Das ist nicht die kümmerliche List, die ausreicht, einer Nachstellung zu entgehen oder ein Essen zu ergattern, indem man nicht auffällt, sondern die List, welcher die Stärke für große Unternehmungen zur Verfügung steht. Wo dieses Tier war, führt eine breite Spur. Dennoch ist es gutmütig, es versteht Spaß. Es ist ein guter Freund, wie es ein guter Feind ist. Sehr groß und schwer, ist es doch auch sehr schnell. Sein Rüssel führt einem enormen Körper auch die kleinsten Speisen zu, auch Nüsse. Seine Ohren sind verstellbar: Er hört nur, was ihm paßt. Er wird auch sehr alt. Er ist auch gesellig, und dies nicht nur zu Elefanten. Überall ist er sowohl beliebt als auch gefürchtet. Eine gewisse Komik macht es möglich, daß er sogar verehrt werden kann. Er hat eine dicke Haut, darin zerbrechen die Messer; aber sein Gemüt ist zart. Er kann traurig werden. Er kann zornig werden. Er tanzt gern. Er stirbt im Dickicht. Er liebt Kinder und andere kleine Tiere. Er ist grau und fällt nur durch seine Masse auf. Er ist nicht eßbar. Er kann gut arbeiten. Er trinkt gern und wird fröhlich. Er tut etwas für die Kunst: Er liefert Elfenbein.

Über den Verrat

Soll man ein Versprechen halten?
Soll man ein Versprechen geben? Wo etwas versprochen werden muß, herrscht keine Ordnung. Also soll man diese Ordnung herstellen. Der Mensch kann nichts versprechen. Was verspricht der Arm dem Kopf? Daß er ein Arm bleibt und kein Fuß wird. Denn alle sieben Jahre ist er ein anderer Arm. Wenn einer den andern verrät, hat er denselben verraten, dem er versprochen hat? Solang einer, dem etwas versprochen ist, in immer andere Verhältnisse kommt und sich also immer ändert nach den Verhältnissen und ein anderer wird, wie soll ihm gehalten werden, was einem andern versprochen war? Der Denkende verrät. Der Denkende verspricht nichts, als daß er ein Denkender bleibt.

THEODOR W. ADORNO

Zwergobst

Zwergobst. – Es ist die Höflichkeit Prousts, dem Leser die Beschämung zu ersparen, sich für gescheiter zu halten als den Autor.

Im neunzehnten Jahrhundert haben die Deutschen ihren Traum gemalt, und es ist allemal Gemüse daraus geworden. Die Franzosen brauchten nur Gemüse zu malen, und es war schon ein Traum.

In angelsächsischen Ländern sehen die Dirnen aus, als ob sie mit der Sünde zugleich die Höllenstrafe mitlieferten.

Schönheit der amerikanischen Landschaft: daß noch dem kleinsten ihrer Segmente, als Ausdruck, die unermeßliche Größe des ganzen Landes einbeschrieben ist.

In der Erinnerung der Emigration schmeckt jeder deutsche Rehbraten, als wäre er vom Freischütz erlegt worden.

An der Psychoanalyse ist nichts wahr als ihre Übertreibungen.

Ob einer glücklich ist, kann er dem Winde anhören. Dieser mahnt den Unglücklichen an die Zerbrechlichkeit seines Hauses und jagt ihn aus leichtem Schlaf und heftigem Traum. Dem Glücklichen singt er das Lied seines Geborgenseins: sein wütendes Pfeifen meldet, daß er keine Macht mehr hat über ihn.

Der lautlose Lärm, der aus unserer Traumerfahrung seit je uns gegenwärtig ist, tönt dem Wachen aus den Schlagzeilen der Zeitungen entgegen.

Die mythische Hiobspost erneuert sich mit dem Radio. Wer etwas Wichtiges autoritär mitteilt, meldet Unheil. Englisch heißt solemn feierlich und bedrohlich. Die Macht der Gesellschaft hinter dem Redenden wendet von selbst sich gegen die Angeredeten.

Das Jüngstvergangene stellt allemal sich dar, als wäre es durch Katastrophen zerstört worden.

Der Ausdruck des Geschichtlichen an Dingen ist nichts anderes als der vergangener Qual.

Bei Hegel war Selbstbewußtsein die Wahrheit der Gewißheit seiner selbst, nach den Worten der Phänomenologie das »einheimische Reich der Wahrheit«. Als sie das schon nicht mehr verstanden, waren die Bürger selbstbewußt wenigstens im Stolz darüber, daß sie ein Vermögen hatten. Heute heißt self-conscious nur noch die Reflexion aufs Ich als Befangenheit, als Innewerden der Ohnmacht: wissen, daß man nichts ist.

Bei vielen Menschen ist es bereits eine Unverschämtheit, wenn sie Ich sagen.

Der Splitter in deinem Auge ist das beste Vergrößerungsglas.

Noch der armseligste Mensch ist fähig, die Schwächen des bedeutendsten, noch der dümmste, die Denkfehler des klügsten zu erkennen.

Erster und einziger Grundsatz der Sexualethik: der Ankläger hat immer unrecht.

Das Ganze ist das Unwahre.

MAX FRISCH

Kampen, Juli 1949

Endlich ein Arbeitszimmer, wie man es sich wünscht: groß und licht, bequem auf eine nüchterne Art, zwei Fenster hinaus auf das Wattenmeer, viel Platz zum Gehen, Tische, wo man Papiere ausbreiten kann, Entwürfe, alte und neue, Briefe, Bücher, Muscheln und Seesterne, Ketten von trockenem Tang – ich bin schon die dritte Woche in diesem lieben Haus – und draußen flötet der Wind, Regen prasselt gegen die Scheiben, die vom Anfall des Windes zittern, Wolken jagen über das Uferlose. Man sitzt und schaut, ganz sich selber ausgesetzt. Hin und wieder kippe ich einen Steinhäger oder zwei; man braucht das bei so viel leerem Himmel. Oder ich greife zum Feldstecher, der auf dem Sims liegt, schaue, ob jemand über die Heide stapft, ein Briefträger, ein Mensch. Das rötliche Gras, büschelweise im Winde wogend, hat das Fliehend-Bleibende von Flammen; anzusehen, als brenne der ganze Hang. Hin und wieder ein britischer Düsenjäger, der über die Insel jault. Viel Raum. Man spürt den Raum, auch wenn man nicht hinausschaut; wenn ich lese oder an der Schreibmaschine sitze oder an dem Pültchen stehe, wie eben in diesem Augenblick, es hört ja nicht auf, das Flöten des Windes, es bleibt das Gefühl, man befinde sich am Rande der Welt. Ein förderliches Gefühl; vieles macht es leichter. Noch habe ich mich keine Minute gelangweilt. Was ich an Menschenwerk sehe: sechs Häuser, weit ins Weite verstreut, jedes einsam, geduckt unter einer Kapuze aus mausgrauem Schilf. Ganz in der Ferne sieht man den Hindenburgdamm. Und natürlich einen Leuchtturm; eine verkehrte Uhr: der Zeiger steht, die Wolken fliehen dahin. Meine Unterhaltung, wenn es nicht die Arbeit ist, sind

Ebbe und Flut; das Wattenmeer mit glitzernden oder schäumenden Wellen, dann wieder ist es eine Wüste von Schlick, Möwen stelzen in spiegelnden Tümpeln, ganze Rudel, anzusehen wie ein Feld von weißen Narzissen. Ein Fischerboot sitzt mit schrägem Mast auf dem schwärzlichen Grund, wartend auf die nächste Flut. Am Ufer reitet ein Mädchen mit offenem Haar.
[...]

Ein nicht unbedeutender Vorteil: daß man in einem fremden Land nicht meint, man müsse allem gegenüber eine heimatliche Übereinstimmung empfinden. Man erwartet nicht, was es niemals geben kann. Schon das gibt dem fremden Land jedesmal etwas Befreiendes, Erfrischendes, etwas Festliches, was uns dann der Heimat gegenüber oft ungerecht macht. Es sind überall nur wenige, denen man zugetan sein kann. Das Ungerechte: in der Fremde bin ich dankbar für die wenigen, in der Heimat entsetzt über die Menge der anderen.

Gestern ist meine liebenswerte Gastgeberin verreist; in Frankfurt erwartet man Thomas Mann – wie ich den Zeitungen entnehme: mit viel Haß ...
(Der Fall, scheint mir, hat etwas Tragisch-Groteskes: ein deutscher Zeitgenosse, ein Weltmann, dem es vergönnt war, die Weltachtung der deutschen Sprache durchzuhalten, kommt nach Deutschland, aber nur wenige schauen ihm ins Gesicht, die andern glotzen auf seine Füße, warten darauf, daß er stolpere. Was werden sie dabei gewinnen? Eine Emigration ist fruchtbar geworden; das ist für jene, die diese Emigration verhängt haben, ein leidiger Anblick, und nichts ist begreiflicher als ihr wildes Bedürfnis, die Fehler dieses Mannes aufzuzeigen. Wer möchte leugnen, daß er sie hat? Auch die bekannten, von ihm selbst gepflegten, nicht immer mit Ironie gepflegten Anbiederungen an den alten Goethe,

wer würde ihm einen Vorwurf daraus machen, wenn Thomas Mann nicht sonst so unbequeme Dinge geschrieben und gesprochen hätte? Für viele seiner Landsleute, selbst wenn sie sein Werk kaum kennen, ist er etwas wie eine Innenfigur geworden; sie lechzen nach Weltachtung, er hat sie, aber sie können sich nicht mit ihm verbrüdern, ohne daß sie etliches zugeben müßten, was er zu ihrem Unbehagen gesagt hat – so begnügen sich jetzt die meisten mit dem Versuch, ihm die Weltachtung abzukratzen: als könnten sie dabei gewinnen.)
[...]

Heimat.
Die Summe unsrer Sitten und Unsitten, eine gewisse Gewöhnung, das Gemeinsame einer gleichen Umgebung, all das ist nicht wertlos. Am gleichen Ufer gespielt zu haben, natürlich hat es etwas Verbindendes; es für Wesensverwandtschaft anzusehen, wäre ein Irrtum, der uns früher oder später, indem wir ihn nur als Enttäuschung erleben und nicht als Irrtum erkennen, ungerecht macht. Heimat ist unerläßlich, aber sie ist nicht an Ländereien gebunden. Heimat ist der Mensch, dessen Wesen wir vernehmen und erreichen. Insofern ist sie vielleicht an die Sprache gebunden. Vielleicht; denn in der Sprache allein ist sie ja nicht. Worte verbinden nur, wo unsere Wellenlängen übereinstimmen; das wiederum heißt nicht Einverständnis, das es nirgends so häufig gibt wie unter Wesensfremden, die einander mißdeuten, sondern Erreichbarkeit, und gerade wo man sich unter anderen Bedingungen trifft, erleben wir, durch keine gleichen Gewöhnungen getäuscht, das Verwandte oft um so reiner, um so überraschender und um so dankbarer, um so fruchtbarer.
(Sinn des Reisens.)
Was ich in Deutschland suche: die Weite im Verwandten. Die anderen Größenverhältnisse spiegeln sich immer auch

im Menschlichen. Viele tragen hier den Kopf etwas höher, als ihnen zukommt, und verwechseln sich gerne mit der Größe ihrer Anzahl, also mit einer Größe, deren auch die Schafe und die Läuse sich rühmen könnten; doch wo man eine wirkliche Persönlichkeit trifft, ist sie freier als im kleinen Land, unverkürzt, unverstümmelt, unverklemmt, bei gleicher Anlage hat sie meistens eine reichere Entfaltung; überall spürt man den größeren Spielraum – auch im Erfreulichen.
[. . .]

Beim Lesen:
Es gibt immer weniger Werke, die wir wirklich bewundern können, aber die wirkliche Bewunderung wird immer größer, je länger wir uns selbst versucht haben. Bewunderung: Das könnte mir nie gelingen, und wenn ich siebenmal leben dürfte. Und vor allem, scheint mir, schärft sich der Unterschied zwischen Bewunderung und Achtung; ein Unterschied ohne Übergang. Achtung nenne ich es, wenn der andere, den ich lese, zwar weiter gekommen ist als ich, aber er geht auf der gleichen Ebene, ich werde ihn nicht mehr erreichen, aber er ist nicht unerreichbar von vornherein, er hat im wesentlichen keine anderen Mittel als ich, vielleicht hat er mehr davon, vielleicht nutzt er sie glücklicher, sein Vorsprung sei nicht geleugnet, aber sein Gelingen liegt nicht jenseits meines Begreifens. Das ist die große Mehrzahl der Schriftsteller und Dichter, die man achtet, zuweilen auch beneidet, etwa wie Sportler einander achten oder beneiden, wenn sie unterliegen. – Dann aber, und das ist das Erlösende der wirklichen Bewunderung, gibt es solche, die uns von jedem Vergleiche befreien; der Unterschied ist unerbittlich klar: wir gehen – er fliegt . . .
(Trakl zum Beispiel.)
Von den Fliegenden, denke ich, kann der Fußgänger wenig lernen, was für ihn nicht eine Pose bliebe.

Wanderung nach Keitum. Die ersten Bäume seit Wochen; was wir Landschaft nennen: das grüne Vergessen, daß wir auf einem Gestirn wohnen. Draußen auf den Dünen vergißt man es keinen Augenblick.
Fragwürdig wie alles, was wir treiben, ist auch die Selbstkritik. Ihre Wonne besteht darin, daß ich mich scheinbar über meine Mängel erhebe, indem ich sie ausspreche und ihnen dadurch das Entsetzliche nehme, das zur Veränderung zwingen würde – das Entsetzliche, das mich doch jedesmal wieder einholt, wenn ein andrer sie ausspricht.
[. . .]

Gespräch über Ehrlichkeit.
Wenn die Ehrlichkeit darin bestünde, einfach alles zu sagen, es wäre sehr leicht, ehrlich zu sein, aber wertlos, nicht lebbar, alles zerstörend. Tugend auf Kosten der andern. Wo aber beginnt die Lüge? Ich würde sagen: wo wir vorgeben, in diesem Sinne ehrlich zu sein – kein Geheimnis zu haben.
Ehrlich sein: einsam sein.

Endlich einmal zu den Baracken, die man immer von weither sieht. Ein Lager von schlesischen Flüchtlingen. Schmutzwäsche an der Sonne, Kinder, Blechgeschirr, Arbeitslose, Kaninchenstall voll Volksgenossen, ganz abseits wie die mittelalterlichen Siechenhäuser. Nur der Staat reicht ihnen die nötige Nahrung. Man spricht nie von ihnen. Das einzige, was ich bisher gehört habe: sie haben wieder ein Huhn gestohlen! – daneben die Leute im bunten Bademantel, die glänzenden Limousinen, die es auch wieder mit deutschen Nummern gibt . . . Ferner denke ich an den polnischen Bauer, der uns vor einem Jahr bewirtet hat, den braven, der jetzt auf ihren Feldern pflügt, weil man ihn auch von den seinen vertrieben hat, und der ein genaues Tagebuch führt über seine Arbeit, auch über die Arbeit dieses heutigen Tages, über Saat und Ernte –.

Wem wird er es einmal zeigen müssen?
Denen mit der Limousine? [...]

Teegespräch in einem gar tadellosen Landhaus, Stil der guten dreißiger Jahre, Klinker, Truhen aus alten Bauerngeschlechtern, Stiche, Geländer aus Schmiedeeisen, Berliner Porzellan, Kamelhaardecken, Rassehunde.
»Die Schweiz hat doch nichts gelitten!«
»Nein«, sage ich.
»Hätte Ihrer Schweiz aber ganz gutgetan«, sagt die Dame: »gerade der Schweiz! Leiden ist gesund, wissen Sie –.«
Wir sitzen in einem gar tadellosen Garten, der in den guten dreißiger Jahren, wie ich später höre, manche Uniformen empfangen hat, hohe und höchste, braune und schwarze; die Aussicht ist herrlich; nur ganz am Horizont sieht man die Baracken der schlesischen Flüchtlinge, dieser Opfer eines verbrecherischen Auslandes.

Zur Schriftstellerei:
Vor Jahren habe ich als Architekt eine jener Fabriken besucht, wo unsere glorreichen Uhren gemacht werden; der Eindruck war niederschmetternder als jemals in einer Fabrik, aber noch in keinem Gespräch ist es mir gelungen, gerade dieses Erlebnis, eines der stärksten, dermaßen wiederzugeben, daß es sich auch im Zuhörer herstellte. Es bleibt, ausgesprochen, stets belanglos oder unwirklich, wirklich nur für den Betroffenen, unsäglich wie jedes persönliche Erlebnis – oder richtiger: jedes Erlebnis bleibt im Grunde unsäglich, solange wir hoffen, es ausdrücken zu können mit dem wirklichen Beispiel, das uns betroffen hat. Ausdrücken kann mich nur das Beispiel, das mir so ferne ist wie dem Zuhörer: nämlich das erfundene. Vermitteln kann wesentlich nur das Erdichtete, das Verwandelte, das Umgestaltete, das Gestaltete – weswegen auch das künstlerische Versagen stets mit einem Gefühl von erstickender Einsamkeit verbunden ist.

WOLF VON NIEBELSCHÜTZ

Gebet Zeugnis

Ich komme zum Schluß. Denn Sie müssen nicht meinen, daß ich aufhören dürfe mit dem Tod. Wer wesenhaft war, für den ist der Tod in der Zeitlichkeit nur der Anfang des Lebens in der Zeitlosigkeit. Der Tod prüft die Wahrheit. »Wer nicht wahr ist, wirft sich weg« – an das Vergessenwerden. Mit Grillparzer:

Will meine Zeit mich bestreiten,
Ich laß es ruhig geschehen.
Ich komme aus anderen Zeiten
Und hoffe, in andre zu gehen.

Mit Hofmannsthal: »Es ist das Paradoxon der literarischen Existenz, daß das in der Zeit stehende Publikum nach anderer Nahrung Verlangen trägt als das überzeitliche.« Diese Nahrung ist längst zubereitet, sie ist da. Ich mag Ihnen nicht sein Werk im einzelnen darlegen – das Phänomen Hofmannsthal ist so unausschöpflich, daß ich in einem kurzen Vortrag gar nichts kann; ich kann einen Anreiz geben. Und ich kann Sie bitten, diesen Menschen, wenn Sie ihn denn lesen, so zu sehen, wie Claudel ihn sah: »Il pesait une terrible fatalité sur lui«; er stand, wie Carl Burckhardt ihn schildert, »mitten in einem gewaltigen Schicksalsvorgang, in dessen Brennpunkt gewissermaßen, und etwas Fahles, ja Unheimliches konnte ihn in Augenblicken umlagern, weil er vielleicht einer der wenigen Menschen war, die innerhalb der Generation mit dem Wesentlichsten, das damals zu versinken begann, eins waren, und weil er das Herankommen neuer, zerstörender Wellen beständig spürte, als rollten sie seinen eigenen Weiten und seinen eigenen Abgründen zu.« –

»Manchmal«, schreibt er selbst, »fühle ich in großen Schwierigkeiten meine Kräfte wachsen, aber es gibt etwas in dieser Zeit, das nicht unsere Krone packt und rüttelt, sondern in die Wurzeln greift. Es scheint manchmal der Boden, auf dem man zu stehen meinte, liquid geworden. Das hat etwas namenlos Beängstigendes; doch müssen in uns die Mittel liegen, auch einer solchen Lage Herr zu werden. – Welch eine Welt, in die wir geraten sind. Das nackte Gebälk tritt hervor und zittert bis in die Grundfesten.«
Ich lese Ihnen dies vor, weil es besser ist, der Hintergrund zeigt *sich*, als daß *man ihn* zeigt. Der schöne Schein reißt auf, und was dahinter ist, schlägt auch dem Malevolentesten das Argument aus dem Mund, es handle sich bei den heiteren Sachen um improvisatorische Farcen, die mit den tragischen Dingen kaum in Einklang stünden. Nein. Denn es ist bei beiden die gleiche Substanz am Werk: »eine Welt der tiefsten Bindung und unerbittlichsten Einheit« tritt auf uns zu, und *uns*, als die Nachlebenden, fordert sie auf, sie zu begreifen. Hierzu ein letztes Zitat, aus einem Brief an Richard Strauss: »Lassen Sie mich nun noch über den Punkt, der Sie beschäftigt: das Verstehen und Nichtverstehen, Ihr eigenes erstes Nichtverstehen, das wahrscheinliche Nichtverstehen des Publikums, das sichere Nichtverstehen der Kritiker, ein paar Worte sagen. Das eigentliche Poetische eines Dichterwerkes, der wirkliche Gehalt, wird zunächst niemals verstanden. Verstanden wird nur das, woran nichts zu verstehen ist. Das Höhere, das Wesentliche, bleibt unerkannt, ausnahmslos. Von ganz Wenigen, die dem Dichterischen nahestehen, geht das Verständnis aus und braucht Dezennien, um sich zu verbreiten.«
Dies ist alles. Dies ist der Moment, jene damaligen verzeihlichen Täuschungen zu annullieren, den großen Blick zu gewinnen auf einen der ganz großen, größten Dichter deutscher Zunge. Ich *kann* irren. Ich glaube es nicht. Überdenken Sie es. Nehmen Sie ein Bild mit auf den Weg, wie Sie es

selber oft erlebten, in Köln, in Ulm, in Chartres, Beauvais, in irgendeiner fremden Kathedralstadt, wo Sie nachts ankamen, morgens die Straßen durchirrten, über lauter Kaufhäusern, Verwaltungspalästen, Wohnzeilen die Kathedrale nirgends zu sehen vermochten, denn jedes Bistro, jede Plakatsäule, wenn Sie nur nah genug davorstehen, hat ja die Eigenschaft, das Dahinterliegende, und sei es noch so ragend, komplett zu verdecken. Aber wenn Sie dann fortreisten, über Land, und zurückschauten, nach fünf, nach acht Meilen, wie dann die Kaufhäuser und Straßenfluchten, Dächer, Kamine sich verwinzigten, und gar nach zehn, zwölf Meilen, wie dann von dem ganzen Beauvais, dem ganzen Chartres nur noch die Kathedrale als ein grauer Fels fern über den Wiesen stand – vielleicht ist das der allerpersönlichste Sinn jener letzten Worte in Hofmannsthals letztem vollendetem Werk, dem ›Turm‹: »Gebet Zeugnis, ich war da, wenngleich mich niemand gekannt hat.«

T. S. ELIOT

Wie heißen die Katzen?

Wie heißen die Katzen? gehört zu den kniffligsten Fragen
Und nicht in die Rätselecke für jumperstrickende
Damen.
Ich darf Ihnen, ganz im Vertrauen, sagen:
Eine jede Katze hat *drei verschiedene Namen.*
Zunächst den Namen für Hausgebrauch und Familie,
Wie Paul oder Moritz (in ungefähr diesem Rahmen),
Oder Max oder Peter oder auch Petersilie –
Kurz, lauter vernünft'ge, alltägliche Namen.
Oder, hübscher noch, Murr oder Fangemaus
Oder auch, nach den Mustern aus klassischen Dramen:
Iphigenie, Orest oder Menelaus –
Also immer noch ziemlich vernünft'ge, alltägliche
Namen.

Doch nun zu dem nächsten Namen, dem zweiten:
Den muß man besonders und anders entwickeln.
Sonst könnten die Katzen nicht königlich schreiten,
Noch gar mit erhobenem Schwanz perpendikeln.
Zu solchen Namen zählt beispielsweise
Schnurroaster, Tatzitus, Katzastrophal,
Kralline, Nick Kater und Kratzeleise –
Und jeden der Namen gibt's nur einmal.
Doch schließlich hat jede noch einen dritten!
Ihn kennt nur die Katze und gibt ihn nicht preis.
Da nützt kein Scharfsinn, da hilft kein Bitten.
Sie bleibt die einzige, die ihn weiß.

Sooft sie versunken, versonnen und
    Verträumt vor sich hinstarrt, ihr Herren und Damen,
Hat's immer und immer den gleichen Grund:
    Dann denkt sie und denkt sie an diesen Namen –
    Den unaussprechlichen, unausgesprochenen,
    Den ausgesprochenen unaussprechlichen,
Geheimnisvoll dritten Namen.

DOLF STERNBERGER

Blick der Liebenden

Meist sagt es ein alter Schulkamerad des Mannes, der sich soeben verliebt oder gar verheiratet hat: »Ich weiß nicht, was er an dieser Frau findet, sie ist weder intelligent noch besonders hübsch, und über ihren Charakter wollen wir schon gar nicht reden – man kann's nicht ändern: *Liebe macht blind!*«

Und er wendet sich resigniert ab, überzeugt, daß er den Freund so bald nicht wieder allein zu fassen kriegen wird, und gewillt, sich den Einladungen des jungen Paares so oft als möglich durch Ausflüchte zu entziehen, die vielleicht nicht einmal ganz ungern gehört werden. Seine Resignation wird freilich in den seltensten Fällen vollkommen und endgültig sein, denn die geheime, aber sichere Hoffnung, daß auch für ihn wieder bessere Tage kommen werden, hält ihn davon ab, sich grimmiger Menschenverachtung anheimzugeben. Wer gewiß ist, daß Liebe blind mache, hat den mit solcher Blindheit Geschlagenen noch lange nicht aufgegeben. Denn es ist ja *nur* die Liebe, die blind macht – so denkt er im stillen –, und die geht vorüber. Die Gewohnheit aber wird ihn eines Tages schon wieder sehend machen, und ich kann's abwarten.

Oft genug wird einem solchen Kenner der menschlichen Leidenschaft der Freund, der geheiratet hat, nach einigen Monaten schon bei sich selber und nach einigen Jahren auch offen recht geben. Dann nämlich, wenn er wieder anfängt, allein auszugehen und sich im Wirtshaus oder Café mit den alten Schulkameraden zu treffen, gereift an Einsicht und Erfahrung, wie er meint. Dann scheint alles beglichen und die Wahrheit des Sprichworts außer Zweifel.

Dieses späte Einverständnis des Ehemannes beweist indessen gar nichts. Schon darum nicht, weil er, den die abgelaufene Zeit so vergeßlich hat werden lassen, am wenigsten befugt ist, über die Liebe etwas auszusagen. Es kann sich ja auch so verhalten, daß er vordem als Liebender sehend gewesen und nun durch Gewohnheit erst blind geworden ist. Daß sein Überdruß nicht in der Erkenntnis, sondern seine – ach wie zweifelhafte – Erkenntnis im Überdruß begründet ist. Überdruß aber ist eine Folge von Faulheit. Ein Liebender, der faul und bequem wird – man erkennt ihn unzweifelhaft an den deklamatorischen Versicherungen, die er über gebrachte Opfer und dergleichen abgibt –, hat es schon satt, selber zu lieben. (Denn die Liebe ist zwar heiter, aber doch kein bloßer Spaß.) Und wenn er es satt hat und wenn er satt ist, dann glaubt er, sehend zu werden – während der Satte sonst zwar nicht gerade blind, aber doch schläfrig zu werden pflegt. Über all das aber, was er vordem mit dem frisch aufgetanen Blick des Liebenden entdeckt und erkannt hatte – all die tausend kleinen Mienen, Gebärden und Regungen nämlich des geliebten Wesens, welche jener Schulkamerad mit seinem Sprichwort im Munde oder vorm Kopf niemals hätte sehen können –, über all das hat sich dann ein anfangs dünner, später immer dichter werdender Schleier gesenkt. Die Liebe machte ihn sehend, seine Faulheit machte ihn blind.

Es gibt allerdings einen Fall, in dem das Sprichwort gleichwohl zu Recht gebraucht werden kann: dann nämlich, wenn Liebe und Faulheit zusammenfallen oder die Liebe der Faulheit entstammt. Wer – sei es aus Selbstgefälligkeit, sei es aus Unsicherheit – einzig zu dem Zwecke liebt oder zu lieben vorgibt, um selber mit Liebe bedient oder gestärkt zu werden, den freilich macht Liebe blind. Er pflegt sich auf seine Verdienste, seine Arbeit und vorzüglich seine Leiden zu berufen und fordert Liebe zum Dank dafür. Hier gilt's. Hier ist es aber nicht an irgendeinem dritten, sondern an dem derart falsch geliebten Wesen selber, aufzustehen und zu sprechen: *Solche* Liebe macht *dich* blind. Diesem Blinden kann der Star nur unter großen Schmerzen gestochen werden.

Zu spät gekommen

Die Uhr im Schulhof sah beschädigt aus durch meine Schuld. Sie stand auf »zu spät«. Und auf den Flur drang aus den Klassentüren, die ich streifte, Murmeln von geheimer Beratung. Lehrer und Schüler dahinter waren Freund. Oder alles schwieg still, als erwarte man einen. Unhörbar rührte ich die Klinke an. Die Sonne tränkte den Flecken, wo ich stand. Da schändete ich meinen grünen Tag, um einzutreten. Niemand schien mich zu kennen, auch nur zu sehen. Wie der Teufel den Schatten des Peter Schlemihl, hatte der Lehrer mir meinen Namen zu Anfang der Unterrichtsstunde einbehalten. Ich sollte nicht mehr an die Reihe kommen. Leise schaffte ich mit bis Glockenschlag. Aber es war kein Segen dabei.

Knabenbücher

Aus der Schülerbibliothek bekam ich die liebsten. In den unteren Klassen wurden sie zugeteilt. Der Klassenlehrer sagte meinen Namen und dann machte das Buch über die Bänke seinen Weg; der eine schob es dem anderen zu oder es schwebte über die Köpfe hin, bis es bei mir, der sich gemeldet hatte, angekommen war. An seinen Blättern haftete die Spur von Fingern, die sie umgeschlagen hatten. Die Kordel, die den Bund abschloß und oben und unten vorstieß, war verschmutzt. Vor allem aber hatte sich der Rücken viel bieten lassen müssen; daher kam es, daß beide Deckelhälften sich von selbst verschoben und der Schnitt des Bandes Treppchen und Terrassen bildete. An seinen Blättern aber hingen, wie Altweibersommer am Geäst der Bäume, bisweilen schwache Fäden eines Netzes, in das ich einst beim Lesenlernen mich verstrickt hatte.

Das Buch lag auf dem viel zu hohen Tisch. Beim Lesen hielt ich mir die Ohren zu. So lautlos hatte ich doch schon einmal erzählen hören? Den Vater freilich nicht. Manchmal jedoch, im Winter, wenn ich in der warmen Stube am Fenster stand, erzählte das Schneegestöber draußen mir so lautlos. Was es erzählte, hatte ich zwar nie genau erfassen können, denn zu dicht und unablässig drängte zwischen dem Altbekannten Neues sich heran. Kaum hatte ich mich einer Flockenschar inniger angeschlossen, erkannte ich, daß sie mich einer anderen hatte überlassen müssen, die plötzlich in sie eingedrungen war. Nun aber war der Augenblick gekommen, im Gestöber der Lettern den Geschichten nachzugehen, die sich am Fenster mir entzogen hatten. Die fernen Länder, welche mir in ihnen begegneten, spielten vertraulich wie die Flocken umeinander. Und weil die Ferne, wenn es schneit, nicht mehr ins Weite sondern ins Innere führt, so lagen Babylon und Bagdad, Akko und Alaska, Tromsö und Transvaal in meinem Innern. Die linde Schmökerluft, die sie durchdrang, schmeichelte sie mit Blut und Fährnis so unwiderstehlich meinem Herzen ein, daß es auf immer den abgegriffenen Bänden die Treue hielt.

Oder hielt es die Treue älteren, unauffindbaren? Den wundervollen nämlich, die mir nur einmal im Traum wiederzusehen gegeben war? Wie hatten sie geheißen? Ich wußte nichts als daß es diese längst verschwundnen waren, die ich nie wieder hatte finden können. Nun aber lagen sie in einem Schrank, von dem ich im Erwachen einsehen mußte, daß er mir nie vorher begegnet war. Im Traum schien er mir alt und gut bekannt. Die Bücher standen nicht, sie lagen, und zwar in seiner Wetterecke. In ihnen ging es gewittrig zu. Eins aufzuschlagen, hätte mich mitten in den Schoß geführt, in dem ein wechselnder und trüber Text sich wölkte, der von Farben schwanger war. Es waren brodelnde und flüchtige, immer gerieten sie zu einem Violett, das aus dem Innern eines Schlachttiers zu stammen schien. Unnennbar und bedeutungsschwer wie dies verfemte Violett waren die Titel, deren jeder mir sonderbarer und vertrauter vorkam als der vorige. Doch ehe ich des ersten besten mich versichern konnte, war ich erwacht, ohne auch nur im Traum die alten Knabenbücher berührt zu haben.

Wintermorgen

Die Fee, bei der er einen Wunsch frei hat, gibt es für jeden. Allein nur wenige wissen sich des Wunsches zu entsinnen, den sie taten; nur wenige erkennen darum später im eigenen Leben die Erfüllung wieder. Ich weiß den, der mir in Erfüllung ging, und will nicht sagen, daß er klüger gewesen ist als der der Märchenkinder. Er bildete sich in mir mit der Lampe, wenn sie am frühen Wintermorgen um halb sieben sich meinem Bette näherte und den Schatten des Kindermädchens an die Decke warf. Im Ofen wurde Feuer angezündet. Bald sah die Flamme wie in ein viel zu kleines Schubfach eingepfercht, wo sie vor Kohlen kaum sich rühren konnte, zu mir hin. Und doch war es ein so Gewaltiges, das dort in nächster Nähe, kleiner als ich selbst, sich einzurichten anfing und zu dem die Magd sich tiefer bücken mußte als zu mir. Wenn es versorgt war, tat sie einen Apfel zum Braten in die Ofenröhre. Bald zeichnete sich das Gatter der Kamintür im roten Flackern auf der Diele ab. Und meiner Müdigkeit kam vor, sie habe an diesem Bilde für den Tag genug. So war es um diese Stunde immer; nur die Stimme des Kindermädchens störte den Vollzug, mit dem der Wintermorgen mich den Dingen in meinem Zimmer anzutrauen pflegte. Noch war die Jalousie nicht hochgezogen, da schob ich schon zum erstenmal den Riegel der Ofentür beiseite, um dem Apfel in seiner Röhre nachzuspüren. Manchmal hatte er sein Aroma noch kaum verändert. Und dann geduldete ich mich, bis ich den schaumigen Duft zu wittern glaubte, der aus einer tieferen und verschwiegeneren Zelle des Wintertages kam als selbst der Duft des Baums am Weihnachtsabend. Da lag die dunkle, warme Frucht, der Apfel, der sich, vertraut und doch verändert wie ein guter Bekannter, der verreist war, bei mir einſand. Es war die Reise durch das dunkle Land der Ofenhitze, der er die Arome von allen Dingen abgewonnen hatte, welche der Tag mir in Bereitschaft hielt. Und darum war es auch nicht sonderbar, daß immer, wenn ich an seinen blanken Wangen meine Hände wärmte, ein Zögern mich beschlich, ihn anzubeißen. Ich spürte, daß die flüchtige Kunde, die er in seinem Dufte brachte, allzu leicht mir auf dem Wege über meine Zunge entkommen könne. Jene Kunde, die mich manchmal so beherzte, daß sie mich noch auf dem Marsch zur Schule tröstete. Dort angelangt, kam freilich bei Berührung mit meiner Bank die ganze Müdigkeit, die erst verflogen schien, verzehnfacht wieder. Und mit ihr jener Wunsch: ausschlafen zu können. Ich habe ihn wohl tausendmal getan und später ging er wirklich in Erfüllung. Doch lange dauerte es, bis ich sie darin erkannte, daß noch jedesmal die Hoffnung, die ich auf Stellung und ein sicheres Brot gehegt hatte, umsonst gewesen war.

WALTER BENJAMIN

Über die Anthologie »Der Deutsche in der Landschaft«

Die Anthologienfolge der Bremer Presse nimmt immer deutlicher einen großen, einheitlichen Charakter an, der zu fast allem, was es bisher in dieser Form gegeben hat, in den erfreulichsten Gegensatz tritt. Denn wenn der üblichen Blütenlese und Auswahl – mag sie sich popularisierend, modernisierend, ästhetisierend geben – immer das Odium der Plünderung, der unbefugten Ausbeutung eines jungfräulichen Bestandes bleibt, ruht auf diesen ein sichtlicher Segen. Sichtlich darin, daß diese Bände, was sie bringen, zu einer neuen Gestalt, einer Größe verbinden, die nun nicht im abstrakten Sinne »historisch«, sondern unmittelbares, wenn auch bedachteres, wehrhafteres Fortblühn des Alten ist. Was hier gewirkt wird, ist Wirkung des ursprünglichen Schrifttums selber, gehört in den Lebenskreis seiner Großen genau so hinein, wie Übersetzungen und Kommentare ihrer Schriften. Nichts dient an ihnen dem abstrakten Ungefähr der Bildung, und im gegründeten Bewußtsein davon spricht, hier zum ersten Male, Borchardt sich über den Geist dieser Sammlungen aus: »Sie sind nicht objektiv, wie man sagt, oder Aufreihungen von Objekten, ohne Zeit, ohne Stil, ohne Willen, und im Grunde ohne Anlass; Anlass und Zeit, Willen und Stil sind an ihnen unablässig im Stillen am Werke, sie sind ein Teil von ihnen. Wir übergeben der Nation, da wir als Söhne des neunzehnten Jahrhunderts an die Mächte der Persönlichkeit glauben, niemals Gegenstände gegenständlich, sondern immer und immer nur Bilder der Gegenstände bildlich, nur Formen, die der Gegenstand beim Durchgange durch den organischen Geist sich umwandelnd empfangen hat, und übergeben damit, in immer neuen Abwandlungen und Anwendungen, immer neue Bilder dieses organischen Geistes selber. Darum können diese Sammlungen sich nicht vorgenommen haben, mit irgend welchen sonst bestehenden zu concurrieren, und sie sind vielmehr mit ihnen überhaupt nicht zu vergleichen.« Sie sind Anthologien im höchsten Sinne, Kränze wie der des Meleager von Gadara, den wir, ob wir auch alle seine Blüten beim Namen nennen, uns nicht mehr aufgelöst zu denken wüßten.

Die höhere Einheit außerhalb des Buches, in dem sie anschaulich ist, grundsätzlich, abgezogen zu vermitteln, das wäre freilich nicht, und am allerwenigsten für den vorliegenden Band, Sache eines gefälligen Improvisierens. Wie vier Hauptansichten des Erdkörpers, die sich im neunzehnten Jahrhundert den Deutschen erschlossen – die streng geographische, die naturwissenschaftlich beschreibende, die landschaftlich schildernde, die historische –, in diesem Buch sich verbinden, das zu entwickeln, hieße ein zweites schreiben. Hier muß durchaus genügen, auszusprechen, wie sich gewisse Stellen des Werkes untereinander wieder zu geistigen Landschaften zusammenschließen (deren schönste vielleicht gegen Mitte, wo Kleist, Immermann, Schinkel, Ludwig Richter und Annette von Droste einander folgen), ja wie das Ganze eine platonische Landschaft, ein topos hyperouranios ist, in dem anschaulich und als Urbilder Städte, Provinzen und vergessene Erdwinkel liegen.

Wie die Vorherrschaft von Allgemeinbegriffen als Verödung, so macht die von entwicklungsfähigen Anschauungen (Ideen) im Sprachlichen als Belebung sich fühlbar. Darum ist hier so wenig wie irgend sonst das geistesgeschichtliche Werk dieses Verlages von seinem literarischen trennbar. In diesem Bande, dessen sprachliches Niveau eine schwellenlose Hochebene darstellt, tritt doch die dichterische Prosa gegen die wissenschaftlich beschreibende, die

wissenschaftlich konstruierende so sehr zurück, daß etwa unter all den erstaunlichen Stücken das großartigste die »Kurische Nehrung«, eine Heimatskizze des Juristen Passarge sein könnte. Gewiß durften hier jene Dichter nicht fehlen, die ihr Bild auf immer mit einer Landschaft verbunden haben, es sei denn, sie hätten wie Eichendorffs oder Jean Pauls ihre Kontur gegen den schwärmerisch glühenden Himmel verloren. Aber gerade ein Leser, der ganz von diesen vereinzelten Dichtererscheinungen absähe, dürfte sich fragen, ob die stilistische und sinnliche Sonderart französischer, englischer, italienischer Prosaisten ebenso klar gerade aus einem Landschaftsbuche herausträte, so klar, daß auch aus deren Texten wie aus diesen deutschen als Selbstporträt, schauenden Auges, vor einer feinen, hintergründigen Landschaft der Kopf des Schreibers selig und geruhig, und alle ihre Züge in den seinen sammelnd, hervortauchen würde? Muß es ihm nicht zu denken geben, wie durchaus heil die deutsche Reflexion über Landschaft und Sprache, wie hitzig die über Staat und Volk von jeher ausfiel? Und ist die allerorten offenkundige Verlassenheit der besten Deutschen, die einer gleichgestimmten Umwelt, einer volkhaften, gefügten Perspektive ins Vergangene entbehrten, vielleicht viel weniger Grund – so mag er sich fragen – denn Ausdruck dieses strengen erfahrungssatten Daseins in der Landschaft?
Aber dies Buch wäre nicht streng über alle Exaktheit, nicht belehrend über alles Gelehrte, vor allem, es wäre kein deutsches, käme seine Fülle nicht aus der Not, wäre nicht jeder landschaftliche Umkreis, den hier Historiker und Forscher durchmessen, einem anderen, ihm aber nächstverwandten deutschen Typus als Bannkreis, als gefahrvoller, schicksalhafter Naturraum erfahrbar oder erlebt. »Deuter«, so spricht es Hofmannsthal, als er von diesem Ingenium und seiner leidvollsten, verhängnisvollsten Schickung handelt, einmal aus, »Deuter sind sie in ihren höchsten Augenblikken, Seher – das witternde, ahnende deutsche Wesen tritt in

ihnen wieder hervor, witternd nach Urnatur im Menschen und in der Welt, deutend die Seelen und die Leiber, die Gesichter und die Geschichte, deutend die Siedlung und die Sitte, die Landschaft und den Stamm.« Das hat in seiner lichtesten Figur Herder und fünfzig Jahre später in seiner dunkelsten Ludwig Hermann Wolfram verkörpert. »*Wie* lockt Natur«, so verkündet der Pontifex seiner verschollenen Faustdichtung, »den geistdurchdrungnen Dichter?« »*Strom* wird der Bach, ergießend sich in Meerfluth / Wird niedre Blum' zur hohen Cactussäule, / Wird Weidenbaum zu Urwalds mächt'gen Riesen, / Wird Ginsterblüth' zur Riesenlotusblume.« So hat, vom kleinen deutschen Dorfbezirk bis zu dem des javanischen Urwalds ein Jahrhundert lang jede Erdgestaltung ihr physiognomisches Siegel in die Schriften der deutschen Geographen, Reisenden und Dichter gegraben. Darum ist der Titel dieses Buches mehr als eine glückliche Formulierung: eine Entdeckung, und die Hoffnung seines Herausgebers, mit ihm ein Stück »verlorener deutscher Geistergrösse« einzubringen, wird jeder Leser an sich erfüllt finden.

RUDOLF ALEXANDER SCHRÖDER

Der Wanderer vor seiner Mutter

Der Wanderer stand vor seiner Mutter. Es war in dem Garten des Stadthauses, daß er ihrer ansichtig wurde. Auch der Vater war dort, er spielte mit den älteren Geschwistern auf einem der breiten Kieswege sein Lieblingsspiel, bei dem man nach einer kleineren, vorausgesandten bunten Holzkugel mit andern Kugeln in zwei wetteifernden Parteien warf. Das war hinten im Garten, der sich dort während der langen Abwesenheit des Wanderers um ein beträchtliches vergrößert hatte; denn man hatte den hinteren Teil eines Nachbargartens dazugenommen. Anscheinend hatte der Vater dem jahrelangen Betreiben der Mutter nun doch nachgegeben. Auch das Haus schien ein wenig verändert. Wenigstens war der Gang, der es an der einen Seite von den Nachbarhäusern trennte, breiter geworden; es lief jetzt dort eine Art schmalen Balkons an der Außenseite entlang, so daß man von draußen in den großen, schönen Wintergarten gelangen konnte, der der Stolz und die Freude seiner Mutter war. – Auch im übrigen schien der Stadtgarten gegen früher besser gehalten; man hatte sonst des jährlichen Hinausziehens aufs Land wegen nur das Nötigste an ihn gewandt. Jetzt waren erlesene Sträucher und viel mehr Blumen dort; aber alles lag in dem gleichen, unirdischen Licht, aus dem der Wanderer soeben gekommen war, in dem Licht, das keiner Tageszeit angehörig schien, und das eher wirkte wie die bängliche Dämmerung, die er ein einziges Mal in seinem Leben beim Eintritt einer völligen Sonnenfinsternis erlebt hatte. Aber er sah das alles kaum. Ihm war das Herz noch zu voll von dem Ungeheuren, das ihm da droben begegnet war; alles schwirrte und flimmerte vor seinen Augen, brandete und brauste vor seinen Ohren, der ungeheure Reichtum des Innern drohte sein Gefäß zu zersprengen. – Er sah nur die Mutter.

Sie stand – näher dem Hause als die übrigen – still, wie in Gedanken unter einem stark austreibenden, frisch gepfropften Apfelbaum, vor einem der kleinen Rasenstücke, dicht neben dem Wasserkran, der, von dicken Irisstauden umgeben, an der vorderen Rasenkante der Bewässerung des Gartens diente. Die leere Gießkanne lag daneben. Der Wanderer wußte nicht, war er vor seiner Mutter in die Kniee gesunken, oder stand er noch aufrecht. Er fühlte auch hier keinen Boden unter den Füßen, er sah nur die Gestalt seiner Mutter, wie sie dastand, still und ernst, und ihn mit einem jener tiefen Seelenblicke ansah, die ihm nur zu wohl bekannt waren. – Es war Geborgenheit in ihnen, Schutz und Ermutigung, Unschuld und Vergebung, es war der Anfang und das Ende der Welt.

Das Ende! – Hier war es; und wie er nun der Mutter sein Erlebnis berichten, sein Gedicht erzählen wollte, fühlte er auch hier, auch in diesem Augenblick die Worte nur wie kristallene Kugeln aus seinem Munde gehn. Sie waren alle da, sie wurden alle gesprochen, aber es war kein Ton in ihnen, während sie doch draußen um ihn und die Mutter waren, um sie her anwuchsen, beide gleichsam in einer gläsernen Hülle von allen andern absondernd. – Es war ja freilich auch ein Geheimnis, das er seiner Mutter brachte.

Auch die Mutter sprach zu ihm, er sah das an der Bewegung ihrer Lippen; aber auch die gaben keinen Ton. Doch war das auch nicht vonnöten; er wußte ja, was sie sagen wollte, wußte, was sie sagte, wußte auch, daß hinter ihren lautlos geformten Worten viel, viel mehr war, als was sie aussprachen, daß unendliche Güte, unendliche Geduld, unendliches Wissen hinter diesen Worten waren, die ihn warm und weich einhüllten, während seine Augen immer dunkler wurden. Er sah nur noch undeutlich, wie die Mutter sich zu dem Wasserkran niederbeugte, um ihn aufzudrehen. Aber wie das Wasser mit einem alles um ihn her erfüllenden und übertäubenden, angenehmen Zischen und Brausen hervorgeschossen kam, hörte er nun doch durch all den Lärm des Wassers ihre liebe, leise Stimme.

»Komm!« sagte die Mutter, wie zu Anfang, weiter nichts. – Und nun waren ihre Hände auch schon ganz dicht vor, nein über dem Gesicht des Wanderers; er fühlte sie mehr, als daß er sie sah. Sie mußte, während sie das Wasser aufdrehte, heimlich ein linnenes Tuch unter den Kran gehalten haben; jetzt legte sie die linde, kühle Leinwand mit sanftem, nachglättendem Druck auf seine Stirn. Das tat wohl; denn der Wanderer spürte grade in diesem Augenblick das Brennen unter seinen Augenlidern stärker, als er es die ganze Zeit vorher getan.

»Warum hast du denn so geweint?« sagte die Mutter. »Komm, du mußt nun nur noch einmal einschlafen; nur einmal noch, und dann – –.« – Noch einmal spürte er die wohltuende Feuchte und die lieben, sachten Hände auf seiner Stirn. – Da war aber auch schon alles dunkel.

Der Wanderer war aufgewacht. Er fühlte, wie er die Stirn ein wenig hob, daß das Kopfkissen an der Stelle, wo sie geruht hatte, von seinen Tränen völlig durchnäßt war.

HERMANN BROCH

Die Intellektuellen und der Kampf um die Menschenrechte

Gestatten Sie mir vor allem zu sagen, wie sehr ich es bedaure, an Ihren Besprechungen nicht persönlich teilnehmen zu können. Ferner bitte ich Sie um Entschuldigung, wenn ich, eben wegen dieser Abwesenheit, im folgenden vielleicht Dinge vorbringe, die während der Kongreßsitzungen bereits behandelt worden sind.

Es ist ein Kongreß geistiger Arbeiter, ein Kongreß von Intellektuellen, oder wie der Praktiker, sofern er höflich ist, sich ausdrücken würde, ein Kongreß utopisch weltfremder Idealisten, höflichkeitshalber, denn in Wahrheit meint er Dummköpfe.

Nun haben wir ja tatsächlich einen heftigen Hang zum Utopischen. Wir verlangen von der Realität mehr, als sie gemeinhin herzugeben bereit ist; wir sind voller »wishful thinking«. Aber vergessen wir nicht: »wishful thinking« in billionenhafter Vielfalt, anonym und kaum artikuliert, erfüllt jeden Weltaugenblick, greift in jedem Weltaugenblick die jeweilige Weltrealität an, trachtet sie zu verändern, und hiedurch, gerade hiedurch wird das Leben vorwärtsgetragen. Billionen anonymer Klein-Utopien bilden das Vehikel des Fortschritts, und ihre Verdichtungsstellen nennen wir Revolution.

Der Intellektuelle ist ein Utopist, weil er der geborene Revolutionär ist. Denn im Gegensatz zu den materiellen Interessen des Bürgers (auch des proletarischen Bürgers) kennt der geistige Mensch nur ein einziges Interesse, und das heißt Erkenntnis und Menschlichkeit. Alle Revolutionen sind von der utopischen Menschlichkeit des Intellektuellen entfacht worden, haben sich unter seiner Führung gegen die Unmenschlichkeit erstarrter Institutionen gewandt, und jede siegreich gewordene Revolution hat ihn und die Menschlichkeit letztlich wieder verraten, hat in neuen Interessenvertretungen, in neuen Institutionalismen versanden müssen. So war es immer, so wird es wohl immer wieder sein, unweigerlich, und darum wird der Intellektuelle immer wieder zu seinem endlosen Kampf aufgerufen werden, ewig besiegt, trotzdem der ewige Sieger.

Der geistige Arbeiter, an sich der unpolitische Mensch, ist demzufolge dauernd gezwungen, Politik zu wollen und zu betreiben, und er, der utopischste aller Menschen, erweist sich am Ende doch als Realpolitiker par excellence. Die initialen Immediaterfolge seiner politischen und geistigen Revolution sind, ungeachtet fürchterlichster Rückschläge, als Menschlichkeits-Fortschritt, als Verwirklichung von Menschenrecht in der Geschichte geblieben. Fortschritt beruht auf unmittelbarer Verringerung von Menschenleid, und gerade weil dieses zu einer geradezu unerahnbaren Gräßlichkeit angewachsen ist, muß aufs neue die Forderung nach Immediataktionen erhoben werden. Mit dem Versprechen einer Verwirklichung von Menschenrechten in fünfzig oder zwanzig, ja selbst nur in zwanzig Jahren ist uns nicht gedient; Wechsel auf lange Sicht sind in der Politik pure Augenauswischerei: hier gilt nur das hic et nunc, die sofortige Barzahlung. Unsere Utopien sind immediat und müssen es sein.

Es gibt Real- und Irrealutopien; wer von einem Zahlungsunfähigen Barzahlungen verlangt, befindet sich in einer Irrealutopie. Realutopien dagegen haben die Logik der Dinge zu berücksichtigen; sie sind an Tatsachen gebunden. Wenn wir heute Verwirklichung von Menschlichkeit suchen, so dürfen wir vor den Machtfaktoren der heutigen Weltpolitik nicht die Augen schließen. Und wir müssen uns klar sein, daß jede unserer noch so bescheidenen Humanitätsforderungen eine Bresche in das gegenwärtige unmenschliche Machtsystem legt, also im Grunde höchst unbescheiden ist, dies nicht zu verbergen vermag und daher mit schärfsten Widerständen zu rechnen haben wird.

Wir könnten z.B. auf eine weltweite Abschaffung der Todesstrafe dringen, damit die gespenstische Menge der Galgen, die da in der ganzen Welt errichtet werden, endlich verschwände. Doch selbst wenn ein solcher Schritt, etwa mit Hilfe der UN, gelänge, den inoffiziellen und noch schrecklicheren Morden in den Konzentrationslagern wäre hiedurch kein Einhalt geboten.

Wir können bescheidener sein und bloß verlangen, daß jedes in der Welt gefällte Todesurteil einem ständigen Begnadigungssenat der UN vorgelegt werde. Doch was soll dann mit den Begnadigten geschehen, wenn man vermeiden will, daß sie auf der Flucht erschossen werden? Die UN müßte die Leute sofort übernehmen und in eigenen neutralen Anstalten unterbringen.

Wir könnten sogar die ganze Frage der Todesstrafe beiseite stellen, dafür aber verlangen, daß die blutige Farce der Hochverrats-, Spionage- und Aufruhrprozesse, die sich allenthalben seuchenhaft vermehren, dem Einzelstaat – der eben niemals Ankläger und Richter zugleich in eigener Sache sein dürfte – entzogen und einem übernationalen Spezialgerichtshof der UN überantwortet werde. Doch da ist mit dem Einwand zu rechnen, daß die UN bloß ein Machtinstrument ihrer Majorität sei und daß jedes in ihrem Rahmen etablierte nationale Gericht gleichfalls den Majoritätsinteressen dienen würde.

Wo also ist für unsere Immediat-Forderungen die Grenze zwischen Real- und Irrealutopie?

Während der letzten Wochen ist in der Ostzone mit zunehmender Dringlichkeit das höchst begrüßenswerte Verlangen nach Atom-Abrüstung laut geworden. David Rousset hingegen verlangt hier eine internationale Kontrolle der Konzentrationslager. Worin besteht der Unterschied? Gegen den äußeren Feind braucht der Staat Atombomben und gegen den inneren die Konzentrationslager, und wenn der gegenwärtige Kriegszustand, ob heiß oder kalt, nicht bald aufhört, werden desgleichen die Weststaaten sich zu Lagererrichtungen bequemen müssen. Trotzdem ist ein grundlegender Unterschied vorhanden: so wünschenswert die Atom-Abrüstung wäre (u. a. als ein erstes positives Verhandlungsergebnis der beiden Antagonisten), sie wäre weit weniger ein Humanitäts- als ein Furchtprodukt, da die Atom- und Hydrogenbomben auch für den Angreifer ruinös werden könnten. Und da wir militärische Mentalität immerhin kennengelernt haben, müssen wir uns fragen, ob nach Ausschaltung dieser Bedrohung und Selbstbedrohung nicht mit um so größerer Sorglosigkeit der Krieg unter Anwendung der restlichen Waffen – es bleiben deren wahrlich übergenug – entfesselt werden mag, besonders wenn man das russische Übergewicht an Landtruppen in Betracht zieht. Vergleicht man nun damit den Roussetschen Vorschlag, so wird klar, daß mit diesem kein Krieg erleichtert wird. Im Gegenteil: wir fürchten den Krieg, weil er unsere Freiheit vernichtet und uns dafür mit Konzentrationslagern beschenkt, und wir wollen überall in der Welt die Konzentrationslager vernichtet wissen, damit durch eine allgemein herrschende Freiheit und Menschlichkeit die Kriegsgefahr sich verringere.

Denn hinter alldem steht das Problem der staatlichen Souveränitäten. Die Staatsinstitution ist in erster Linie aus strategischen Schutz-Notwendigkeiten hervorgegangen, und diese Tradition ist heute noch derart stark, daß von ihr die ganze staatliche Mechanik bedingt wird. Absolute Autarkie und die Erreichung optimaler strategischer Grenzen sind die seit Roms Zeiten unverändert gebliebenen Ziele, und es wird heute der Bürger um so mehr verpflichtet, sich ihnen bedingungslos unter Aufopferung seiner Menschenrechte unterzuordnen, als der Staat zum Machthaber von Waffen geworden ist, die den Charakter von Naturgewalten gewonnen haben. Kein Wunder also, daß die Staatsmaschinisten – auch die Staatskunst ist maschinell geworden – in den äußeren und inneren Grenzsicherungen (zu denen eben auch die terrorgelenkte Gesinnungsdisziplin der Bürger gehört) ihre einzige Aufgabe sehen und sich höchstens zu gewissen Kriegsregeln, wie etwa zur Ausschaltung bestimmter Waffen, doch sicherlich zu keiner Dauereinschränkung der Souveränität und der Rüstungshoheit verstehen wollen. In Rußland hat das Souveränitätsprinzip seinen gegenwärtig rückhaltslosesten Verfechter gefunden, nicht zuletzt weil es für den marxistischen Vertreter bloß eine einzige Aufhebung der Souveränitäten gibt, nämlich die klassenlose Gesellschaft, die nach erfolgter Weltrevolution die Staatsinstitutionen ersetzen wird: mit dem bis dahin währenden transitorischen Zustand und seinem erhöhten Menschenleid, mag dieses noch so schauerlich werden, mag es noch so lange andauern, muß man sich abfinden; es geht um das Glück künftiger Generationen.

Wir aber, die wir auf sofortige Linderung des Menschenleides dringen, wir dürfen uns nicht daran halten. Und auch wenn wir darob als bezahlte oder unbezahlte Knechte des Kapitalismus verschrien werden mögen, wir können und wollen die Galgen nicht mehr sehen. Wir stehen unter der Pflicht, unser revolutionäres Erbe – die antiinstitutionelle, antipolitische Humanpolitik des geistigen Arbeiters – wieder aufzunehmen und zu erneuern; wir haben unsere Realutopie zu verfolgen und unseren Angriff auf die Staatssouveränitäten zu richten. Gewiß, unser oberstes Ziel, die Verwandlung der Staaten in bloße Verwaltungskörper, ist derzeit unerreichbar; rasend gewordene Maschinen lassen sich nicht durch Resolutionen und Deklarationen zum Stillstand bringen, und selbst wenn wir selber am Schaltbrett säßen, wir vermöchten einer so ungeheuren Dynamik, wie es die der in Bewegung geratenen Staatsmechanismen ist, kaum Einhalt zu gebieten: all das fällt ins Gebiet der Irrealutopie. Doch wir dürfen uns erinnern, daß Rechtsstaaten, allerdings nur Rechtsstaaten, gerade aus ihrem Rechtsbegriff heraus eine gewisse, man möchte sagen, interne Durchbrechung der Staatssouveränität fördern: überall, wo an der Unabhängigkeit des Richters festgehalten wird, bildet das Gericht eine außerhalb des Staatsbereiches lokalisierte autonome Instanz, und die Gerechtigkeit, ja wenn man will die juristische Gerechtigkeit wird der Staatssouveränität übergeordnet. Hier haben wir anzuknüpfen, und genau das kommt auch in den Roussetschen Vorschlägen zum Ausdruck. Der Staat darf nicht über dem Recht stehen, denn jede administrative Jurisdiktion ist gebeugtes Recht und daher gebeugte Menschenwürde. Ebendarum habe ich das juristische Anliegen, das der Todesstrafe sowie das der Spionage- und Hochverratsprozesse vorangestellt, um eben mit diesem Anliegen an alle – der UN angeschlossenen – Rechtsstaaten heranzutreten, auf daß mit ihrer Zustimmung ein internationaler Souveränitätsabbau in den juristischen Belangen eingeleitet werde. Ich stelle also den folgenden Antrag:

Der »Kongreß für kulturelle Freiheit« möge bei der UN anregen, daß diese eine Studienkommission bestelle, welche mit nachstehenden Aufgaben zu betrauen wäre, nämlich

1. Errichtung eines internationalen Begnadigungssenates, dem sämtliche in den Mitgliedsstaaten – soweit diese einem solchen Abkommen beitreten – erfließenden Todesurteile zwecks Überprüfung vorgelegt werden sollen,
2. Errichtung eines internationalen Gerichtshofes für alle Hochverrats- und Spionagedelikte, welche im Hoheitsgebiet der Mitgliedsstaaten geschehen und gegen welche diese – soweit sie einem solchen Abkommen beitreten – Anklage zu erheben wünschen,

3. Vorbereitung eines entsprechenden Abkommens, das dem Plenum der UN vorzulegen wäre, also bei Annahme für sämtliche Mitgliedsstaaten bindend zu werden hätte, jedoch bei Nichtannahme den individuellen freiwilligen Beitritt der Einzelstaaten erlaubt.

Es ließe sich einwenden, daß eine an die UN gerichtete Eingabe weder ein sehr radikaler noch ein sehr revolutionärer Schritt sei. Indes, kann ein solcher heute schon geplant werden? Wir wissen nichts über die Form künftiger Revolutionen; wir wissen nicht einmal, ob sie wie ihre Vorgänger mit einem Appell an die Herrschenden beginnen werden. Wird der überraschende Putsch einer Elite sie einleiten? Wird eine sorgsame Durchorganisierung der Massen ihnen den Boden bereiten müssen? Werden sie angesichts einer Staatsmacht, die mit zunehmend schwerer Bewaffnung sich eine zunehmend härtere und totalitärere Struktur gibt, überhaupt möglich sein? Oder werden sie ihren Kampf gegen sie nach Gandhischem Muster in zivilem Widerstand aufnehmen? Das sind für uns lauter unbeantwortbare Fragen; wir können zur künftigen Form der Revolution bloß eine negative Feststellung beibringen: sofern es überhaupt noch Revolutionen im bisherigen Sinn geben wird, so werden sie sich nicht mehr als romantische Barrikadenkämpfe mit fliegenden Fahnen abspielen.
Nichtsdestoweniger: mag auch, an revolutionären Maßstäben gemessen, die Wendung zur UN als ein geringfügiger Schritt erscheinen, ja darüber hinaus, mag damit fürs erste dort nicht einmal ein unmittelbares positives Resultat zu erzielen sein, er ist dennoch ein konkreter Schritt, und er liegt in einer Wegrichtung, die sehr bald wird begangen werden müssen; er führt zur Realität hin, und mag er auch nur ein erster Versuch hiezu sein, er bleibt dennoch wichtig, da nur auf diese Weise das Weltgewissen sich aufrütteln läßt: nur sichtbar konkrete Handlungen können dem Menschen im

Erdenrund den Wert und das Schutzbedürfnis des individuellen Menschenlebens so eindringlich vor Augen führen, daß er aus seiner derzeitigen Gleichgültigkeit erwache und selber nach Abstellung der Barbarei verlangt. Und bedenken Sie, ohne Erfüllung dieser Grundbedingung gibt es auch keine kulturelle Freiheit.

PAUL VALÉRY

Degas und die Revolution

Heute, am 28. Juli 1904, kramt Degas die folgende Erinnerung heraus:

Er war vier- oder fünfjährig, als ihn seine Mutter eines Tages auf eine Visite zu Frau Le Bas mitnahm, der Witwe jenes berühmten Konventsmitgliedes und Freundes Robespierres, das am 9. Thermidor mit der Pistole seinem Leben ein Ende gemacht hat. Frau Le Bas' Sohn, Philippe Le Bas, war ein hervorragender Gelehrter. Er war der Lehrer von Degas' Oheimen gewesen.

Die alte Dame wohnte an der Rue de Tournon. Degas entsann sich noch genau des Rots der gebohnten Fliesen an den Fußböden der Wohnung.

Wie man sich verabschiedet und Frau Degas, ihr Söhnlein an der Hand, von Frau Le Bas zur Tür geleitet wird, gewahrt sie an den Wänden des Flurs die Bildnisse von Robespierre, Saint-Just, Couthon . . .

»Wie«, ruft sie entsetzt, »hier hängen noch immer die Häupter dieser Scheusale?«

»Still, Célestine, es waren Heilige . . .«

Am selben 28. Juli 1904 erzählt mir Degas, einmal im Zug seiner Erinnerungen, von seinem Großvater, den er noch persönlich gekannt und ums Jahr 18.. in Neapel (oder war es in Rom?) porträtiert hatte.

Dieser Großvater spekulierte während der Revolution mit Getreide. Wie er eines Tages – es war im Jahr 1793 – an der Börse, die sich damals im Palais-Royal befand, seinen Geschäften nachgeht, macht sich unvermerkt ein Freund an ihn heran und flüstert ihm zu: »Fort! . . . Rette dich! . . . Man ist in deiner Wohnung . . .« Unverzüglich borgt er sich so viele Assignaten, als im Augenblick aufzutreiben sind, verläßt Paris auf der Stelle, reitet zwei Pferde zuschanden, erreicht Bordeaux, besteigt ein eben auslaufendes Schiff. Das Schiff geht in Marseille an Land. Es nimmt hier, nach Degas' Bericht (den ich mich zu unterbrechen hüte), eine Ladung Bimsstein ein, was mich wenig wahrscheinlich dünkt ... Ob es nicht wohl eher dazu ersehen war, in Sizilien Schwefel zu laden?

Herr Degas gelangt endlich nach Neapel, wo er sich häuslich niederläßt. Dank seiner Tüchtigkeit und Rechtschaffenheit wird er schon zwei Jahre nach seiner Ankunft mit der Schaffung des »Großen Buches der Staatsschuld der Parthenopeischen Republik« betraut, einer neuesten Erfindung Cambons. Er verheiratet sich mit einer vornehmen Genuesin, einer Frappa, und wird Stammvater.

Degas hatte familiäre Beziehungen zu Neapel bewahrt, wohin er von Zeit zu Zeit reiste. Auf einer dieser Reisen wurde er das Opfer eines Eisenbahndiebstahls. Er behauptete, im Schlaf gestochen und mit einem stark wirkenden Betäubungsmittel geimpft worden zu sein; dank dieser »Verstärkung« seines Schlummers sei es gelungen, ihm die Brieftasche zu entwenden.

Auch verbanden ihn mit Neapel allerhand Eindrücke und Erinnerungen, die er sich gern ins Gedächtnis rief. Er sprach den neapolitanischen Dialekt mit dem denkbar echtesten Akzent, der glaubwürdigsten Zungenfertigkeit, auch sang er bisweilen Bruchstücke von Volksliedern vor sich hin, wie man sie dort an den Straßenecken hört.

In Degas' Schilderung, die ich oben wiedergegeben habe, ist ein Nebenumstand von einiger Bedeutung hervorzuheben.

Jener Großvater, dem das Schafott drohte und der so hurtig vom Getreidemarkt verschwand, figurierte auf der Liste der »Verdächtigen«, weil er als Bräutigam einer jener berüchtigten »Jungfrauen von Verdun« denunziert worden war, die den Empfang, den sie 1792 der zur Wiederaufrichtung der Monarchie in Frankreich einfallenden preußischen Armee bereitet, zum Teil mit ihrem Leben bezahlen mußten. Mit Blumen und weißen Fahnen waren sie diesen fremden Truppen entgegengezogen, in denen man auf der einen Seite Feinde, auf der andern Bundesgenossen und Befreier erblickte.

TRUMAN CAPOTE

Wann war es, daß ich zum ersten Male von der Grasharfe hörte?

Lange vor jenem Herbst, als wir im Paternosterbaum lebten, also in einem früheren Herbst, und es war natürlich Dolly, die mir davon erzählte; niemand sonst hätte diesen Namen finden können: die Grasharfe.
Wenn du auf dem Kirchweg aus der Stadt hinausgehst, wirst du bald einen auffallenden Hügel mit knochenbleichen Tafeln und melancholisch wuchernden Blumen entdecken – das ist der Friedhof der Baptisten. Unsere Leute, die Talbos, die Fenwicks, sind dort begraben. Meine Mutter liegt neben meinem Vater, und die Gräber der Verwandten, zwanzig oder mehr, umgeben sie wie die eingesunkenen Wurzeln eines versteinerten Baumes. Unterhalb des Hügels ist ein Feld von hohem Präriegras, dessen Farbe mit den Jahreszeiten wechselt. Im Herbst, im späten September gehe hin, um es zu sehen, wenn es sich rötet wie die untergehende Sonne, wenn Scharlachschatten wie ein Glutschein darüberhuschen und die Herbstwinde seufzend aus seinen dürren Halmen Menschentöne locken – eine Harfe von Stimmen.
Jenseits des Feldes beginnt die Düsternis der Flußwälder. Es muß an solch einem Septembertag gewesen sein, als wir in den Wäldern Wurzeln sammelten, daß Dolly sagte: »Hörst du's? Das ist die Grasharfe, die immer eine Geschichte erzählt – sie weiß die Geschichten aller Leute dort vom Hügel, aller, die jemals lebten, und wenn wir tot sind, wird sie auch die unsere erzählen.«

ERNST PENZOLDT

Lufteis

Du tust es genau so, wie ich es tue. Kinder wie Erwachsene, alle tun es aus angeborner Lust. Sie müssen es einfach tun. Ein altes krummes Mütterchen sah ich kürzlich durch den frühen Winter schlürfen, und siehe da: auch die Greisin konnte der Verlockung nicht widerstehen. Sie tat es mit Wonne. Niemand kann es sich verkneifen, seit die Welt besteht und durch den Frost auf den Pfützen das weiße, mürbe Lufteis sich bildet, alle, ohne Ausnahme, müssen darauf treten und es zerbrechen. Es ist ein besonderer hohlklirrender Wohlklang dabei, der unstreitig ein Gefühl der Befriedigung in uns auslöst. Es geschieht ohne Gefahr, es ist billig und macht viel Spaß.

Aber der nachdenkliche Philosoph, ein Wanderer, schüttelt das Haupt ob solch kindischen Betragens. Es soll nicht so ohne weiteres sein Bewenden dabei haben, daß alle Sterblichen, sobald sie einer Pfütze mit dem hübschen Lufteis ansichtig werden, das gleiche tun. Denn sie tun es, so stellt der Weise in der Pelzmütze fast ein wenig ärgerlich fest, sie tun es wirklich und wahrhaftig alle. Sogar ein Soldat auf Urlaub, als Artillerist von Berufs wegen doch ganz anderen Lärm gewohnt, auch er macht sich das Vergnügen.

Kindisch, kindisch, fürwahr, denkt der Weise. Der Mann kann sich offenbar gar nicht genug tun. Er blickt sich unternehmend nach weiteren Gelegenheiten um. Er hat im Vorbeigehen eine Pfütze übersehen, die noch heil ist, und kehrt ihretwegen zurück. Es muß eine Art Willenszwang vorliegen, keines der Fensterchen auszulassen. Alle müssen kaputt gemacht werden.

Darüber, nach welchen physikalischen Gesetzen der Hohlraum unter dem Eis entsteht und daß da doch so etwas wie ein kleines Wunder der Natur geschieht, scheint sich keiner der Mutwilligen irgendwelche Gedanken zu machen. Nachdenken macht eben lange nicht so viel Spaß, als Lufteis zu zertreten. Das ist es.

Der Philosoph, mit der sich so mühelos darbietenden Versuchsreihe menschlicher Torheit beschäftigt, bekommt kalte Füße. Er muß sich etwas Bewegung machen. Er bemerkt, daß es an diesem schönen Frosttag, da es eben gestern noch gehörig geregnet hat, ganz besonders viel Lufteis gibt.

Unter den Ergebnissen seiner also begünstigten Beobachtungen befindet sich ein Lehrer, ein Erzieher der Jugend also! Ferner ein drolliger Bub, der einem kleinen Schwesterchen, da er behender ist, das frühe Glück der Zerstörung stets sozusagen vor der Nase wegnimmt, bis das arme betrogene Kind in herzzerreißendes Wehgeschrei ausbricht. Dann ein größerer Junge, der sich aber zu gleichem Zweck und mit Erfolg des Fahrrades bedient. Darnach ein Liebespaar. Zu guter Letzt findet sich noch eine sorgenvolle Hausfrau ein, die, obgleich schwer bepackt, selbst einen kleinen Umweg nicht scheut, um zu ihrem klirrenden Vergnügen zu kommen. Ihr Gemüt ist darnach sichtbar erleichtert.

Es muß etwas Ähnliches vorliegen wie beim Zerknallen von Tüten, sagt sich der Philosoph am Wege. Wenns nur knallt und scheppert. Auch das Schießen auf Glühbirnen mit dem Luftgewehr gehört hierher. Vielleicht auch das Zerreißen von Briefen.

Es ist wohl eine sehr menschliche Eigenschaft, bemerkt der Philosoph. Dann aber, nachdem er sich scheu umgesehen, probiert er es auch. Und auch ihm, dem Weisen, macht es Spaß, an dem Lufteis sein Mütchen zu kühlen.

Kindisch, kindisch fürwahr, aber vergnüglich, und, so beschließt er seine winterliche Betrachtung, es ist doch immer

ein kleiner Schmerz dabei, ein Klang, der der Natur irgendwo wehe tut.
Bis tief in die Nacht schreibt er an einem Werke, das von der Liebe handelt. Es ist das Kapitel über die Grausamkeit und über die Verwundbarkeit des menschlichen Herzens.

MONIQUE SAINT-HELIER

Schneebälle

Das Schicksal zweier Menschenwesen sollte also von einem Schneeball abhängen. Das Spiel nahm eine neue Wendung, aus Spiel wurde Ernst, die Lage spitzte sich zu. Mit der Geschwindigkeit eines Zeugen bei einem Duell stellte er die Spielregeln auf: vor jedem Wurf bis zehn zählen; im ganzen drei Bälle. Das Gelände seines Schlachtfeldes bot folgende Anhaltspunkte: Dachfirst, Lampe, Ahornbäume.
Er warf seinen Umhang in den Lichtkreis der Laterne, blieb einen Augenblick unbeweglich stehen und begann dann zu zählen:
Eins . . . zwei . . .
Mit einem scharfen Geräusch sauste der Ball davon. Balagny blieb Zeit zu denken: wenn er mitten ins Fenster trifft – was für ein Aufruhr! und was für ein Schrecken für Marie-Claire; sie war verteufelt abergläubisch . . . Zerbrochenes Glas . . .
»Vorbei!«
So ein Pechvogel! Wäre er Schiedsrichter und nicht einer der Spieler, welche Folgerungen würde er aus diesem verfehlten Wurf ziehen? ein gutgezielter Ball, von geübter Hand geworfen. Und . . . wie von einer sichtbaren Hand vom Wege abgelenkt, flog der Ball . . . in eine falsche Richtung.
»Genug!« sagte er, »du gerätst auf Abwege.«
Sein Versagen gab ihm zu denken. Er blickte um sich, konnte nichts Ungewöhnliches entdecken, die Bäume erschienen riesengroß. Die herabfallenden Flocken hatten einen Geschmack wie Kupfer.
»Bahn frei für die beiden Streiter!«
Balagny hob den Kopf, richtete auf die gelbe Scheibe einen

Blick, in welchem die Ironie eine trübe Flamme entfachte . . . Es war nicht leicht heute abend, jungen Frauenspersonen einen Heiratsantrag zu machen – die eine entschwand, die andere stellte sich tot:
»Auf dich kommt's an, Marie-Claire!«
Der Duft Marie-Claires umgab ihn plötzlich, seine Hände öffneten sich, schlossen sich wieder; er wandte den Kopf diesem Duft zu wie ein Pferd seinem Futterbeutel. Dieser Duft erfüllte ihn mit einer schmerzenden Sehnsucht nach Ruhe, hier wollte er ausruhen, bei ihr, jetzt gleich. Der Gedanke, allein schlafen zu müssen, machte ihn wahnsinnig vor Angst . . . Nein! – nicht heute nacht, nicht in dieser Nacht – er sah sich, wie er dastand, mit offenen Augen im Nebel, und die Erinnerungen hüpften im Kreise herum wie Dohlen – nein, es war unmöglich! Dieses Fenster mußte geöffnet werden.
»Ich will, daß dieses Fenster . . .«
Während er dieses Gelübde aussprach, überkam ihn sein altes Gefühl des Unbehagens; er kannte es genau, es war die Angst eines Schwimmers, der gegen die Strömung ankämpft. Er wehrte sich, aber wogegen? Letzten Endes war das alles unsinnig!
Diesmal traf der Ball die Dachrinne.
Den Mund halb geöffnet, mit angehaltenem Atem, beobachtete er das Fenster. Es lag eine merkwürdige Spannung in der Luft. Von einem Stockwerk zum anderen hüpfte zerstiebender Schnee.
Und jetzt kam die letzte Runde.
Ein letztes Mal streckte er seine Hand in die Schneemasse. Der Schnee hatte undeutliche Formen, er schien voller Fallen zu stecken. Eine Sekunde lang behielt er den Ball in der Hand und liebkoste ihn zerstreut. Rund, von vollendeter Form, so hielt er ihn fest in der Hand.
Als er sich wieder aufrichtete, sah er größer aus als gewöhnlich. Er entfernte sich einige Schritte, ging dann zur Laterne

zurück und blieb am Rande der Dunkelheit unbeweglich stehen.
Dort oben schien die Lampe dem Kampf als Schiedsrichter zu folgen.

Hüter, ist die Nacht schier hin?

Die Worte schossen in seiner Erinnerung auf, schnell wie Leuchtkugeln. Er suchte in seinem Gedächtnis nach den weiteren Worten des Textes. Es war ein Zitat aus der Bibel. Taby hatte ihn immer mit solchen Geschenken bedacht. Ein Psalm? Wie zum Teufel ging es weiter? Er machte eine ungeduldige Gebärde, weil sein Gedächtnis ihn im Stich ließ, und dann blickte er wieder auf die dunkle Vorderseite des Hauses, als ob Taby an einem der Fenster erscheinen werde, um ihm die fehlenden Worte zuzurufen. Daß er ausgerechnet in einem so merkwürdigen Augenblick an seine alte Dienerin denken mußte, verwunderte ihn nicht: sie gehörte zu allen bedeutenden Ereignissen seines Lebens.

Hüter, ist die Nacht schier hin?

Sie bekam etwas Militärisches, diese Lampe, so als hätte sie einem höheren Befehl zu folgen. Und nun kam das letzte Spiel, das Spiel, das die Partie entscheidet.
Er untersuchte seine Handgelenke, ließ sie langsame Drehungen ausführen, bewegte schnell die Finger, und als Vorbereitung für dieses letzte Spiel begab er sich feierlich zu dem Laternenpfahl und legte dort seinen Zylinderhut nieder. Dann, sich wieder aufrichtend, bewegte er den Arm auf und ab. Und . . .

Hüter, ist die Nacht schier hin?

Er hatte den Hüter mitten ins Herz getroffen. Und diesmal war die Münze auf die richtige Seite gefallen, die Antwort lautete:

Wenn der Morgen schon kommt, so wird es doch Nacht sein.

Über Raum und Zeit hinweg, aus dem Staub der in ihren Gräbern ruhenden Generationen erreichte ihn die Antwort, so wie sie Jahrtausende zuvor aus dem Munde eines jüdischen Soldaten gekommen war. Und sie war gültig, auch noch für das geringste Teilchen dieser gegenwärtigen Minuten . . . Schon zu Ende gegangene, gestorbene Minuten – er machte eine Geste, als würfe er sie hinter sich: an seiner Müdigkeit konnte er ihre Schwere ermessen; sie gehörten ihm nicht mehr. Über ihr Fassungsvermögen hinaus konnte ihnen nichts hinzugefügt, nichts weggenommen werden. Er sah sie anwachsen, erbebend vor einem Leben, das er nicht kannte, er sah, wie sie im Schatten des Mysteriums den Anschluß fanden an die noch nicht begonnene Zeit.
Was wußte man von dem jungen Juden, der als erster diese Worte ausgestoßen hatte? Nichts: ein Soldat zur Stunde der Ablösung. Der Hüter antwortet. Und Jahrtausende später wiederholt Jérôme Balagny das Losungswort, den Nacken gegen eine Laterne gelehnt, die Augen zu einer dunklen Häuserwand emporgerichtet.
Er wurde sich der Flüchtigkeit der Zeit, der Begrenztheit ihrer Dauer so deutlich bewußt, daß er sich wie in einem Zustand der Verzückung befand. Ein sonderbares Glücksgefühl hatte ihn ganz gefangengenommen, ihm war, als wäre er schon jener Leichenstein, der auf der Höhe des Friedhofs bis in den Himmel hineinragt, dort, wo das Familiengrab der Balagny liegt.
Er hielt den Kopf zur Seite geneigt, die Schneeflocken fielen auf sein gespanntes Gesicht, so lauschte er auf den Widerhall

seines letzten Schneeballs. Er war genau über Marie-Claires Fenster zerplatzt . . . Um ein weniges das Ziel verfehlt, aber verfehlt!

Im Dunkel der Nacht blieb ihm nichts, kein einziger Beweis, um Zeugnis davon abzulegen, daß hier ein Mann seinen Kampf ausgefochten hatte. Dem Anschein nach handelte es sich um nichts anderes als um Schnee, Nacht, um ein Spiel mit einer Lampe: ein Mann, der das Bedürfnis nach einer Aspirin-Tablette hat und sich nach einem Bett und der Wärme einer Frau sehnt – so einfache Wünsche. Aber aus diesen kurzen und gedrängten Minuten waren Kaskaden von Eindrücken hervorgequollen. Tatsachen zählen wenig, sie sind nur Gerüststangen oder Maste; wenn der Bau beendet ist, nimmt man das Gerüst fort. Nur das zählt, was um die Maste kreist, was zusammenstürzt oder auch vollendet wird. Nur das Leben zählt.

Als er seinen Blick zu dem Fenster mit der Lampe zurückwandte, konnte er es nicht mehr erkennen: der Einsatz des Spiels war verschwunden, die Scheibe war vollkommen dunkel.

Er zog seine Handschuhe an, schüttelte den Schnee ab, der sich schon auf die Stoffbahnen seines Umhangs gelegt hatte. Und wie man es auf Friedhöfen tut, hob er seinen Hut grüßend zum Fenster Marie-Claires empor, in einer feierlichen Gebärde des Abschiednehmens: Waffenbrüder bei der Niederlage.

Plötzlich drehte er sich um, wie man sich umdreht, wenn ein Tier einem an den Beinen schnuppert. Es war kein Hund da, aber im Lichtkranz der Laterne stand reglos eine Frau.

SAMUEL BECKETT

Nichts zu machen

Landstraße. Ein Baum. Abend.

Estragon sitzt auf der Erde und versucht, seinen Schuh auszuziehen. Er braucht beide Hände dazu und stöhnt dabei. Erschöpft gibt er den Versuch auf, erholt sich schnaubend und versucht es von neuem. Das Spiel wiederholt sich. Wladimir tritt auf.

ESTRAGON *gibt es wieder auf:* Nichts zu machen.

WLADIMIR *nähert sich auf gespreizten Beinen, mit kurzen, steifen Schritten:* Ich glaub es bald auch.
Er bleibt starr stehen.
Ich hab mich lange gegen den Gedanken gewehrt. Ich sagte mir: Wladimir, sei vernünftig, du hast noch nicht alles versucht. Und ich nahm den Kampf wieder auf. *Er verharrt bei dem Gedanken an den Kampf. Zu Estragon:* Da bist du also wieder, du.

ESTRAGON Meinst du?

WLADIMIR Ich freue mich, dich wiederzusehen. Ich dachte, du wärst weg für immer.

ESTRAGON Ich auch.

WLADIMIR Wie sollen wir dies Wiedersehen feiern? *Er überlegt.* Steh auf, laß dich umarmen!
Er streckt seine Hand nach Estragon aus.

ESTRAGON *gereizt:* Wart schon! Wart schon!

Schweigen

WLADIMIR *gekränkt, kühl:* Darf man fragen, wo der Herr die Nacht verbracht hat?

ESTRAGON Im Graben.

WLADIMIR *verblüfft:* Im Graben! Wo denn?

ESTRAGON *ohne Geste:* Da hinten.

WLADIMIR Und man hat dich nicht geschlagen?

ESTRAGON Doch . . . nicht so schlimm.

WLADIMIR Wieder dieselben?

ESTRAGON Dieselben? Ich weiß nicht.

Schweigen

WLADIMIR Wenn ich bedenke . . . die lange Zeit . . . da frag ich mich . . . was wohl aus dir geworden wäre . . . ohne mich . . . *Mit Nachdruck.* Du wärst jetzt nur noch ein Häufchen Knochen, das steht fest!

ESTRAGON *gereizt:* Na, und?

WLADIMIR *entmutigt:* 's ist zuviel für einen allein. *Pause, dann lebhaft.* Andererseits, wozu gerade jetzt den Mut aufgeben, das sage ich mir auch. Man hätte vor einer Ewigkeit daran denken sollen, so um 1900.

ESTRAGON Hör auf. Hilf mir die Drecksschuhe ausziehen.

WLADIMIR Hand in Hand hätten wir uns vom Eiffelturm runtergestürzt, mit den ersten. Da sah man noch anständig aus. Jetzt ist es zu spät. Die würden uns nicht einmal rauflassen.

Estragon versucht mit aller Gewalt, den Schuh auszuziehen.

WLADIMIR Was machst du da?

ESTRAGON Ich zieh die Schuhe aus. Ist dir wohl noch nie passiert, wie?

WLADIMIR Ich hab mir immer schon gesagt, daß man sie jeden Tag ausziehen soll. Du solltest besser auf mich hören.

ESTRAGON *mit schwacher Stimme:* Hilf mir doch!

WLADIMIR Tut's weh?

ESTRAGON Weh! Er fragt mich, ob es weh tut!

WLADIMIR *aufbrausend:* Nur du leidest, nur du! Ich zähle nicht. Ich möchte dich mal an meiner Stelle sehen. Du würdest mir was erzählen.

ESTRAGON Tat dir was weh?

WLADIMIR Weh! Er fragt mich, ob mir was weh tat!

ESTRAGON *mit ausgestrecktem Zeigefinger:* Das ist kein Grund, die Hose offen zu lassen.

WLADIMIR *beugt sich nach vorn herüber:* Du hast recht. *Er knöpft die Hose zu.* Nur keine Nachlässigkeit in den kleinen Dingen.

ESTRAGON Was soll ich dazu sagen? Du wartest immer bis zum letzten Moment.

WLADIMIR *träumerisch:* Der letzte Moment ... *Er denkt nach.* Was lange währt, wird endlich gut. Wer hat das noch gesagt?

ESTRAGON Willst du mir nicht helfen?

WLADIMIR Manchmal sag ich mir, es kommt von allein. Dann fühl ich mich ganz komisch.

Er nimmt seinen Hut ab, schaut hinein, steckt seine Hand hinein, schüttelt ihn aus und setzt ihn wieder auf.

Wie soll man's sagen? Erleichtert und zugleich ... *Er sucht* ... zerschmettert. *Emphatisch.* Zer-schmet-tert. *Er nimmt seinen Hut wieder ab und schaut hinein.* Na, sowas!

Er schlägt auf den Hut, als wolle er etwas daraus entfernen, schaut wieder hinein und setzt ihn wieder auf.

Endlich! ...

Estragon gelingt es unter Aufbietung aller Kraft, seinen Schuh auszuziehen. Er schaut hinein, dreht seine Hand hinein, dreht den Schuh um, schüttelt ihn aus, sucht, ob nicht etwas auf die Erde gefallen ist, findet nichts, steckt seine

Hand noch mal in den Schuh, indem er wie abwesend vor sich hinblickt.

WLADIMIR Was ist denn?
ESTRAGON Nichts.
WLADIMIR Laß sehen.
ESTRAGON Es gibt nichts zu sehen.
WLADIMIR Versuch, ihn wieder anzuziehen.
ESTRAGON *nachdem er seinen Fuß untersucht hat:* Ich lass' ihn etwas an der frischen Luft.
WLADIMIR So ist der Mensch nun mal: er schimpft auf seinen Schuh, und dabei hat sein Fuß schuld.
Er nimmt seinen Hut nochmals ab, schaut hinein, steckt seine Hand hinein, schüttelt ihn aus, schlägt darauf, bläst hinein und setzt ihn wieder auf.
Was ist denn eigentlich los?

Schweigen. Estragon dreht seinen Fuß hin und her und bewegt die Zehen, damit sie besser auslüften können.

WLADIMIR Einer von den Schächern wurde erlöst. *Pause.* Das ist ein guter Prozentsatz. *Pause.* Gogo . . .
ESTRAGON Was?
WLADIMIR Wenn wir es bereuen würden?
ESTRAGON Was?
WLADIMIR Nu ja . . . *Er sucht.* Wir brauchen ja nicht gerade ins Detail zu gehen.
ESTRAGON Daß wir geboren wurden?

Wladimir lacht auf und unterdrückt das Lachen sofort wieder, indem er seine Hand in die Gegend der Blase führt und sein Gesicht verzieht.

WLADIMIR Man wagt schon nicht mehr zu lachen.
ESTRAGON Das soll wohl ein Verlust sein.

WLADIMIR Nur noch lächeln. *Er lächelt so gut er kann, das Lächeln erstarrt, dauert eine Weile und erlischt plötzlich.* Es ist nicht dasselbe. Na ja . . . *Pause.* Gogo . . .

ESTRAGON *gereizt:* Was ist denn?

WLADIMIR Hast du die Bibel gelesen?

ESTRAGON Die Bibel . . . *Er denkt nach.* Ich muß wohl mal reingeguckt haben.

WLADIMIR In der freien Schule?

ESTRAGON Weiß nicht, ob sie frei war oder nicht.

WLADIMIR Das war wohl in der Besserungsanstalt.

ESTRAGON Möglich. Ich erinnere mich an die Karten vom heiligen Land. Bunte Karten. Sehr schön. Das Tote Meer war blaßblau. Wenn ich nur hinguckte, hatte ich schon Durst. Ich sagte mir, da werden wir unsere Flitterwochen verbringen. Wir werden schwimmen. Wir werden glücklich sein.

WLADIMIR Du hättest Dichter werden sollen.

ESTRAGON War ich doch. *Er zeigt auf seine Lumpen.* Sieht man das nicht.

Schweigen

WLADIMIR Was sagte ich noch . . . Wie geht's deinem Fuß?

ESTRAGON Er schwillt an.

WLADIMIR Ach ja, ich hab's, die Geschichte der beiden Schächer. Erinnerst du dich?

ESTRAGON Nein.

WLADIMIR Soll ich sie dir erzählen?

ESTRAGON Nein.

WLADIMIR Zum Zeitvertreib. *Pause.* Es waren zwei Diebe, die zusammen mit dem Erlöser gekreuzigt wurden. Man . . .

ESTRAGON Mit dem was?

WLADIMIR Dem Erlöser. Zwei Diebe. Man sagt, der eine sei erlöst worden und der andere . . . *Er sucht das Gegenteil von erlöst* . . . verdammt.

ESTRAGON Wovon erlöst?

WLADIMIR Von der Hölle.

ESTRAGON Ich gehe. *Er rührt sich nicht.*

WLADIMIR Und doch ... *Pause.* Wie ist es möglich, daß ... Ich langweile dich hoffentlich nicht ... Wie ist es möglich, daß nur einer von den vier Evangelisten die Dinge so darstellt? Sie waren doch alle vier dabei – jedenfalls nicht weit weg. Und nur einer spricht von einem erlösten Schächer. *Pause.* Hör mal, Gogo, du mußt mir von Zeit zu Zeit den Ball zuspielen.

ESTRAGON Ich hör zu.

WLADIMIR Einer von vieren. Von den drei anderen sagen zwei gar nichts darüber, und der dritte sagt, daß beide ihn beschimpft hätten.

ESTRAGON Wen?

WLADIMIR Wie bitte?

ESTRAGON Ich verstehe nichts davon ... *Pause.* Wen hätten sie beschimpft?

WLADIMIR Den Erlöser.

ESTRAGON Warum?

WLADIMIR Weil er sie nicht erlösen wollte.

ESTRAGON Von der Hölle?

WLADIMIR Ach was! Vom Tode.

ESTRAGON Na, und?

WLADIMIR Sie müssen also beide verdammt worden sein.

ESTRAGON Und dann?

WLADIMIR Der andere hat doch gesagt, einer sei erlöst worden?

ESTRAGON Nu ja? Sie sind sich nicht einig, das ist alles.

WLADIMIR Sie waren alle vier dabei. Und nur einer spricht von einem erlösten Schächer. Warum soll man ihm mehr glauben als den anderen?

ESTRAGON Wer glaubt ihm?

WLADIMIR Mensch, alle! Man kennt nur diese Darstellung.

ESTRAGON Die Leute sind blöd!

Er steht mühsam auf, geht hinkend zur linken Kulisse, bleibt stehen, schaut in die Ferne und schirmt dabei mit der Hand die Augen ab, dreht sich um, geht zur rechten Kulisse und blickt wieder in die Ferne. Wladimir folgt ihm mit seinem Blick, dann geht er ein paar Schritte, um den Schuh aufzuheben, er schaut hinein und läßt ihn plötzlich fallen.

WLADIMIR Bahh! *Er spuckt auf die Erde.*

Estragon kehrt auf die Mitte der Bühne zurück und schaut nach hinten aus.

ESTRAGON Lauschiges Plätzchen.
Er dreht sich um, geht bis zur Rampe, blickt ins Publikum.
Heitere Aussichten!
Er wendet sich Wladimir zu.
Komm, wir gehen!
WLADIMIR Wir können nicht.
ESTRAGON Warum nicht?
WLADIMIR Wir warten auf Godot.
ESTRAGON Ach ja. *Pause.* Bist du sicher, daß es hier ist?
WLADIMIR Was?
ESTRAGON Wo wir warten sollen.
WLADIMIR Er sagte, vor dem Baum. *Sie betrachten den Baum.* Siehst du sonst noch Bäume?
ESTRAGON Was ist das für einer?
WLADIMIR Ich weiß nicht . . . Eine Weide.
ESTRAGON Wo sind die Blätter?
WLADIMIR Sie wird abgestorben sein.
ESTRAGON Ausgetrauert.
WLADIMIR Es sei denn, daß es an der Jahreszeit liegt.
ESTRAGON Ist das nicht vielmehr ein Bäumchen?
WLADIMIR Ein Strauch.
ESTRAGON Ein Bäumchen.

WLADIMIR Ein – *Er setzt von neuem an.* Was willst du damit sagen? Daß wir uns im Platz geirrt hätten?

ESTRAGON Er müßte eigentlich hier sein.

WLADIMIR Er hat nicht fest zugesagt, daß er käme.

ESTRAGON Und wenn er nicht kommt?

WLADIMIR Kommen wir morgen wieder.

ESTRAGON Und dann übermorgen.

WLADIMIR Vielleicht.

ESTRAGON Und so weiter.

WLADIMIR Das heißt . . .

ESTRAGON Bis er kommt.

WLADIMIR Du bist unbarmherzig.

ESTRAGON Wir sind gestern schon hier gewesen.

WLADIMIR Ach was, da täuschst du dich.

ESTRAGON Was haben wir gestern getan?

WLADIMIR Was wir gestern getan haben?

ESTRAGON Ja.

WLADIMIR Hm . . . *Ärgerlich:* Wenn etwas zu bezweifeln ist, dann bist du dabei.

ESTRAGON Ich meine, daß wir hier waren.

WLADIMIR *blickt in die Runde:* Kommt dir die Gegend bekannt vor?

ESTRAGON Das will ich nicht sagen.

WLADIMIR Also?

ESTRAGON Das will nichts heißen.

WLADIMIR Immerhin . . . dieser Baum . . . *Zum Publikum gewandt.* Dieser Sumpf.

ESTRAGON Bist du sicher, daß es heute abend war?

WLADIMIR Was?

ESTRAGON Daß wir warten sollten?

WLADIMIR Er hat gesagt: Samstag. *Pause.* Meine ich jedenfalls.

ESTRAGON Nach Feierabend.

WLADIMIR Ich muß es aufgeschrieben haben. *Er wühlt in seinen Taschen, die mit den verschiedensten Dingen vollgestopft sind.*

ESTRAGON Aber an welchem Samstag? Ist heute denn Samstag? Kann nicht auch Sonntag sein? Oder Montag? Oder Freitag?

WLADIMIR *blickt aufgeregt um sich, als wenn das Datum irgendwo in der Landschaft zu lesen wäre:* Es ist nicht möglich.

ESTRAGON Oder Donnerstag?

WLADIMIR Was soll man machen?

ESTRAGON Wenn er sich gestern abend vergebens hierhin bemüht hat, dann kannst du dir wohl denken, daß er heute nicht kommt.

WLADIMIR Du sagt doch, wir wären gestern abend hier gewesen.

ESTRAGON Ich kann mich irren. *Pause.* Schweigen wir ein wenig, ja?

WLADIMIR *mit schwacher Stimme:* Ja, meinetwegen.

Estragon setzt sich auf die Erde, Wladimir geht mit großen Schritten erregt auf und ab, von Zeit zu Zeit bleibt er stehen, um den Horizont abzusuchen. Estragon schläft ein.

WLADIMIR *bleibt vor Estragon stehen.* Gogo ... *Stille.* Gogo ... *Stille.* GOGO!

ESTRAGON *fährt aus dem Schlafe auf und wird so wieder in seine schaudervolle Situation zurückversetzt.* Ich schlief. *Vorwurfsvoll:* Warum läßt du mich nie schlafen?

WLADIMIR Ich fühlte mich einsam.

ESTRAGON Ich habe geträumt.

WLADIMIR Erzähl es nicht.

ESTRAGON Ich träumte, daß ...

WLADIMIR Erzähl es nicht!

ESTRAGON *auf das Universum zeigend:* Genügt dir das? *Schweigen.* Es ist nicht nett von dir, Didi. Wem soll ich denn meine Angstträume erzählen, außer dir?

WLADIMIR Behalt sie für dich. Du weißt gut, daß ich das nicht vertrage.

ESTRAGON *kühl:* Manchmal frag ich mich, ob es nicht besser wäre auseinanderzugehen.

WLADIMIR Du würdest nicht weit kommen.

ESTRAGON Das wäre wirklich sehr schade. *Pause.* Nicht wahr, Didi, das wäre doch sehr schade? *Pause.* Wenn man an die Schönheit des Weges denkt. *Pause.* Und an die Güte der Reisenden. *Pause. Schmeichlerisch:* Nicht wahr, Didi?

WLADIMIR Bleib ruhig!

ESTRAGON *genußsüchtig:* Ruhig! . . . Ruhig! . . . *Träumerisch:* Die Engländer sagen calm. *Sprich: kaaaam.* Es sind calme Leute. *Pause.* Kennst du die Geschichte von dem Engländer im Puff?

WLADIMIR Ja.

ESTRAGON Erzähl sie mir!

WLADIMIR Hör auf!

ESTRAGON Ein Engländer, der etwas zu viel getrunken hat, begibt sich in'n Puff. Die Puffmutter fragt ihn, ob er eine Blonde, eine Schwarze oder eine Rote haben will. Erzähl weiter.

WLADIMIR Hör auf!

Wladimir geht weg. Estragon steht auf und folgt ihm bis an den Rand der Bühne. Estragons Mimik ist genau so wie die Mimik von Zuschauern bei einem Boxkampf. Wladimir kommt wieder, geht an Estragon vorbei, überquert die Bühne mit niedergeschlagenen Augen. Estragon geht einige Schritte auf ihn zu, bleibt dann stehen.

ESTRAGON *sanft:* Wolltest du mit mir sprechen? *Wladimir antwortet nicht. Estragon geht einen Schritt vor.* Hattest du mir etwas zu sagen? *Schweigen. Er geht noch einen Schritt vor.* Sag, Didi . . .

WLADIMIR *ohne sich umzudrehen:* Ich hab dir nichts zu sagen.

ESTRAGON *geht einen Schritt weiter vor:* Bist du böse? *Schweigen. Einen Schritt vor.* Verzeih! *Schweigen. Einen Schritt vor. Er berührt Wladimirs Schulter.* Hör mal, Didi. *Schweigen.* Gib mir die Hand. *Wladimir wendet sich ihm zu.* Umarme mich! *Wladimir sträubt sich.* Sei doch nicht so! *Wladimir wird weich. Sie umarmen einander. Estragon weicht zurück.* Du stinkst nach Knoblauch.

WLADIMIR Ist gut für die Nieren. *Schweigen. Estragon betrachtet aufmerksam den Baum.* Was sollen wir jetzt tun?

ESTRAGON Warten.

WLADIMIR Ja, aber beim Warten.

ESTRAGON Sollen wir uns aufhängen?

WLADIMIR Dann geht nochmal einer ab.

ESTRAGON *aufgereizt:* Dann geht einer ab?

WLADIMIR Und wenn man an die Folgen denkt. Da, wo es hinfällt, wachsen Alraunen. Darum schreien sie, wenn man sie ausreißt. Wußtest du es nicht?

ESTRAGON Komm, wir hängen uns sofort auf.

WLADIMIR An einem Ast?

Sie nähern sich dem Baum und betrachten ihn.

WLADIMIR Ich hätte kein Vertrauen.

ESTRAGON Wir können's doch mal versuchen.

WLADIMIR Versuch's.

ESTRAGON Nach dir.

WLADIMIR Nein, du zuerst.

ESTRAGON Warum?

WLADIMIR Du bist leichter als ich.

ESTRAGON Gerade darum.

WLADIMIR Das versteh ich nicht.

ESTRAGON Nun überleg mal ein bißchen, du.

WLADIMIR *denkt nach. Endlich:* Ich versteh es nicht!

ESTRAGON Ich werd es dir erklären. *Er überlegt.* Der Ast . . . der Ast . . . *Wütend:* Versuch doch, es zu verstehen.

WLADIMIR Ich verlasse mich ganz auf dich.

ESTRAGON *angestrengt:* Gogo leicht – Ast nicht brechen – Gogo tot. Didi schwer – Ast brechen – Didi allein. *Pause.* Dagegen . . . *Er sucht den richtigen Ausdruck.*

WLADIMIR Daran hatte ich nicht gedacht.

ESTRAGON *hat das Wort gefunden:* Wenn er dich aushält, riskiere ich nichts.

WLADIMIR Bin ich denn überhaupt schwerer als du?

ESTRAGON Du sagst es immer. Ich weiß das nicht. Die Chancen stehen eins zu eins. So ungefähr.

WLADIMIR Was sollen wir also tun?

ESTRAGON Gar nichts. Das ist klüger.

WLADIMIR Warten wir ab, was er uns sagen wird.

ESTRAGON Wer?

WLADIMIR Godot.

ESTRAGON Ach ja.

WLADIMIR Warten wir ab, bis wir genau Bescheid wissen.

ESTRAGON Andererseits wäre es vielleicht besser, das Eisen zu schmieden, bevor es eiskalt ist.

WLADIMIR Ich bin neugierig darauf, was er uns sagen wird. Es verpflichtet uns zu nichts.

ESTRAGON Worum haben wir ihn eigentlich gebeten?

WLADIMIR Warst du nicht dabei?

ESTRAGON Ich hab nicht aufgepaßt.

WLADIMIR Nu ja . . . Eigentlich nichts Bestimmtes.

ESTRAGON Eine Art Gesuch.

WLADIMIR Ganz recht.

ESTRAGON Eine vage Bitte.

WLADIMIR Wenn du willst.

ESTRAGON Und was hat er geantwortet?

WLADIMIR Er würde mal sehen.

ESTRAGON Er könne nichts versprechen.

WLADIMIR Er müsse überlegen.

ESTRAGON Mit klarem Kopf.

WLADIMIR Seine Familie um Rat fragen.

ESTRAGON Seine Freunde
WLADIMIR Seine Agenten.
ESTRAGON Seine Korrespondenten.
WLADIMIR Seine Register.
ESTRAGON Sein Bankkonto.
WLADIMIR Bevor er sich äußern könne.
ESTRAGON Das ist klar.
WLADIMIR Nicht wahr?
ESTRAGON Es scheint mir so.
WLADIMIR Mir auch.

Ruhe

ESTRAGON *unruhig.* Und wir?
WLADIMIR Wie bitte?
ESTRAGON Ich sagte, und wir?
WLADIMIR Ich verstehe nicht.
ESTRAGON Was ist unsere Rolle dabei?
WLADIMIR Unsere Rolle?
ESTRAGON Nimm dir Zeit.
WLADIMIR Unsere Rolle? . . . .: Bettler!
ESTRAGON Soweit ist es gekommen?
WLADIMIR Hat der Herr Ansprüche geltend zu machen?
ESTRAGON Haben wir keine Rechte mehr?

Lachen Wladimirs, das er plötzlich unterbricht, wie vorher schon einmal.

WLADIMIR Du würdest mich zum Lachen bringen, wenn ich es wagen könnte.
ESTRAGON Wir haben sie verloren?
WLADIMIR *klar und deutlich:* Wir haben sie verschleudert.

Schweigen. Sie bleiben bewegungslos mit schlaff herunterhängenden Armen und eingeknickten Knien stehen. Ihre Köpfe sind nach vorne auf die Brust gesunken.

ESTRAGON *schwach:* Wir sind doch nicht gebunden? *Pause.* He!

WLADIMIR *hebt seine Hand:* Hör mal!

Sie lauschen, in einer grotesken Stellung verharrend.

ESTRAGON Ich höre nichts.

WLADIMIR Pssst!

Sie lauschen, Estragon verliert das Gleichgewicht und fällt beinahe hin. Er klammert sich am Arm Wladimirs fest, er schwankt. Sie lauschen, einer gegen den anderen gelehnt, und schauen sich in die Augen.

WLADIMIR Ich auch nicht!

Seufzer der Erleichterung. Entspannung. Sie gehen auseinander.

ESTRAGON Du hast mir Angst eingejagt.

WLADIMIR Ich glaubte, er sei es.

ESTRAGON Wer?

WLADIMIR Godot.

ESTRAGON Pah! Der Wind im Schilf.

WLADIMIR Ich hätte geschworen, daß einer schreit.

ESTRAGON Wen soll er denn anschreien?

WLADIMIR Sein Pferd.

Schweigen.

ESTRAGON Komm, wir gehen.

WLADIMIR Wohin? *Pause.* Heute abend schlafen wir vielleicht bei Ihm, im Warmen, im Trocknen, mit vollem Bauch, auf Stroh. Dann lohnt es sich zu warten, Nicht?

ESTRAGON Nicht die ganze Nacht.
WLADIMIR Es ist noch Tag.

Schweigen.

ESTRAGON Ich hab Hunger.
WLADIMIR Willst du eine gelbe Rübe?
ESTRAGON Gibt's nichts anderes?
WLADIMIR Ich muß noch ein paar weiße haben.
ESTRAGON Gib mir eine gelbe!

Wladimir sucht in seinen Taschen, zieht eine weiße Rübe heraus und gibt sie Estragon.

ESTRAGON Danke. *Er beißt hinein. Klagend:* Das ist eine weiße!
WLADIMIR Oh, Verzeihung! Ich hätte geschworen, daß es eine gelbe wäre. *Er sucht von neuem in seinen Taschen und findet nur weiße Rüben.* Das sind alles weiße. *Er sucht immer noch.* Du hast die letzte wohl gegessen. *Er sucht.* Warte, da ist sie. *Er bringt endlich eine gelbe Rübe zum Vorschein und gibt sie Estragon.* Da, mein Lieber. *Estragon putzt sie an seinem Ärmel ab und beginnt, sie zu essen.* Gib die weiße wieder her! *Estragon gibt die weiße Rübe zurück.* Geh sparsam damit um, es gibt keine mehr.
ESTRAGON *kauend:* Ich hab dich etwas gefragt.
WLADIMIR So?
ESTRAGON Hast du mir geantwortet?
WLADIMIR Schmeckt sie gut, die Rübe?
ESTRAGON Sie ist süß.
WLADIMIR Um so besser. Um so besser. *Pause.* Was wolltest du wissen?
ESTRAGON Ich komm nicht mehr drauf. *Er kaut.* Und das ärgert mich.

Er betrachtet die gelbe Rübe voller Bewunderung, hält sie zwischen den Fingerspitzen und schwenkt sie durch die Luft. Köstlich! *Er lutscht nachdenklich am Ende der gelben Rübe.* Wart mal, es fällt mir wieder ein. *Er beißt ein Stück ab.*

WLADIMIR Na, und?

ESTRAGON *mit vollem Mund, zerstreut:* Wir sind nicht gebunden?

WLADIMIR Ich verstehe nichts.

ESTRAGON *kaut und schluckt:* Ich frage, ob wir gebunden sind.

WLADIMIR Gebunden?

ESTRAGON Gebunden.

WLADIMIR Wie gebunden?

ESTRAGON An Händen und Füßen.

WLADIMIR Aber an wen? Durch wen?

ESTRAGON An deinen guten Mann.

WLADIMIR An Godot? Gebunden an Godot? Wie kommst du darauf? Nie im Leben! *Pause.* Noch – nicht. *Er betont »noch«.*

ESTRAGON Heißt er Godot?

WLADIMIR Ich glaube.

ESTRAGON Du! *Er hält den Rest der gelben Rübe an dem kurzen Strunk fest und schwenkt ihn vor seinen Augen.* Es ist eigenartig, je weiter man kommt, um so schlechter schmeckt's.

WLADIMIR Bei mir ist das Gegenteil der Fall.

ESTRAGON Das heißt?

WLADIMIR Ich gewöhne mich nach und nach an den Geschmack.

ESTRAGON *nachdem er lange überlegt hat:* Ist es das Gegenteil?

WLADIMIR Eine Frage des Temperaments.

ESTRAGON Des Charakters.

WLADIMIR Man kann nichts dafür.

ESTRAGON Man kann machen, was man will.
WLADIMIR Man bleibt, was man ist.
ESTRAGON Man kann sich winden, wie man will.
WLADIMIR Im Grunde ändert sich nichts.
ESTRAGON Nichts zu machen.
Er hält den Rest der gelben Rübe Wladimir hin. Willst du sie aufessen?

Ein lauter Schrei ertönt ganz in der Nähe. Estragon läßt die gelbe Rübe fallen. Sie bleiben regungslos stehen und rennen auf die Kulisse zu. Estragon bleibt auf halbem Wege stehen, geht wieder zurück, hebt die gelbe Rübe auf und stopft sie in seine Tasche. Dann läuft er auf Wladimir zu, der ihn erwartet, hält wieder an, geht zurück, hebt seinen Schuh auf und läuft dann zu Wladimir. Sie wenden sich engumschlungen mit eingezogenen Köpfen von der drohenden Gefahr ab und warten.
Pozzo und Lucky treten auf. Pozzo führt Lucky am Strick vor sich her. Der Strick ist um Luckys Hals geschlungen. Man sieht zuerst Lucky und den Strick. Der Strick muß so lang sein, daß Lucky bis auf die Mitte der Bühne gehen kann, ehe Pozzo aus den Kulissen tritt. Lucky trägt einen schweren Handkoffer, einen Klappstuhl, einen Vorratskorb und auf dem Arm einen Mantel; Pozzo hat eine Peitsche.

POZZO *noch hinter den Kulissen:* Schneller!
Peitschenknallen. Pozzo erscheint. Sie überqueren die Bühne. Lucky geht an Wladimir und Estragon vorbei und verläßt die Bühne. Pozzo bleibt stehen, nachdem er Wladimir und Estragon erblickt hat. Der Strick spannt sich. Pozzo zieht heftig daran. Zurück! *Geräusch eines Sturzes. Lucky stürzt mit seiner ganzen Last zu Boden. Wladimir und Estragon schauen ihn an und sind unschlüssig, ob sie ihm zu Hilfe eilen oder ob sie sich aus Angelegenheiten, die sie nichts angehen, heraushalten sollen. Wladimir geht*

einen Schritt auf Lucky zu. Estragon hält ihn am Ärmel zurück!

WLADIMIR Laß mich los!

ESTRAGON Bleib ruhig.

POZZO Vorsicht! Er ist bissig. *Estragon und Wladimir schauen ihn an.* Fremden gegenüber.

ESTRAGON *leise:* Ist er es?

WLADIMIR Wer?

ESTRAGON Na, der . . .

WLADIMIR Godot?

ESTRAGON Eben.

POZZO Ich stelle mich vor: Pozzo.

WLADIMIR Ach was!

ESTRAGON Er sagte: Godot.

WLADIMIR Ach was!

ESTRAGON *zu Pozzo:* Mein Herr, sind Sie vielleicht Herr Godot?

POZZO *mit schrecklicher Stimme:* Ich bin Pozzo! *Schweigen.* Der Name sagt Ihnen nichts? *Schweigen.* Ich frage Sie, ob der Namen Ihnen nichts sagt?

Wladimir und Estragon blicken einander fragend an.

ESTRAGON *tut so, als suchte er:* Bozzo . . . Bozzo . . .

WLADIMIR *tut auch so, als suchte er:* Pozzo . . .

POZZO PPPOZZO!

ESTRAGON Ah! Pozzo . . . ja, ja . . . Pozzo . . .

WLADIMIR Pozzo oder Bozzo?

ESTRAGON Pozzo . . . nein, ich wüßte nicht.

WLADIMIR *versöhnlich:* Ich habe eine Familie Gozzo gekannt. Die Mutter arbeitete am Stickrahmen.

Pozzo geht drohend ein paar Schritte vor.

ESTRAGON *lebhaft:* Wir sind nicht von hier, mein Herr.

POZZO *bleibt stehen:* Sie sind aber doch menschliche Wesen. *Er setzt seine Brille auf.* Wie ich sehe. *Er nimmt die Brille ab.* Von derselben Gattung wie ich. *Er bricht in brüllendes Lachen aus.* Von derselben Gattung wie Pozzo! Göttlicher Abstammung!

WLADIMIR Das heißt . . .

POZZO *ihm ins Wort fallend:* Wer ist Godot?

ESTRAGON Godot?

GÜNTER EICH

Wacht auf, denn eure Träume sind schlecht!

Wacht auf, denn eure Träume sind schlecht!
Bleibt wach, weil das Entsetzliche näher kommt.

Auch zu dir kommt es, der weit entfernt wohnt von den Stätten, wo Blut vergossen wird,
auch zu dir und deinem Nachmittagsschlaf,
worin du ungern gestört wirst.
Wenn es heute nicht kommt, kommt es morgen,
aber sei gewiß.

»Oh, angenehmer Schlaf
auf den Kissen mit roten Blumen,
einem Weihnachtsgeschenk von Anita, woran sie drei Wochen gestickt hat,
oh, angenehmer Schlaf,
wenn der Braten fett war und das Gemüse zart.
Man denkt im Einschlummern an die Wochenschau von gestern abend:
Osterlämmer, erwachende Natur, Eröffnung der Spielbank in Baden-Baden,
Cambridge siegte gegen Oxford mit zweieinhalb Längen, –
das genügt, das Gehirn zu beschäftigen.

Oh, dieses weiche Kissen, Daunen aus erster Wahl!
Auf ihm vergißt man das Ärgerliche der Welt, jene Nachricht zum Beispiel:
Die wegen Abtreibung Angeklagte sagte zu ihrer Verteidigung:

Die Frau, Mutter von sieben Kindern, kam zu mir mit einem Säugling,
für den sie keine Windeln hatte und der
in Zeitungspapier gewickelt war.

Nun, das sind Angelegenheiten des Gerichtes, nicht unsre.
Man kann dagegen nichts tun, wenn einer etwas härter liegt als der andere.
Und was kommen mag, unsere Enkel mögen es ausfechten.«

»Ah, du schläfst schon? Wache gut auf, mein Freund!
Schon läuft der Strom in den Umzäunungen, und die Posten sind aufgestellt.«

Nein, schlaft nicht, während die Ordner der Welt geschäftig sind!
Seid mißtrauisch gegen ihre Macht, die sie vorgeben für euch erwerben zu müssen!
Wacht darüber, daß eure Herzen nicht leer sind, wenn mit der Leere eurer Herzen gerechnet wird!
Tut das Unnütze, singt die Lieder, die man aus eurem Mund nicht erwartet!
Seid unbequem, seid Sand, nicht das Öl im Getriebe der Welt!

HERMANN KASACK

Aus den verschiedenen Berichten

Aus den verschiedenen Berichten der Reporter, Beobachter, überlebenden Augenzeugen und Erklärungen des Internationalen Film-Exports läßt sich das Bild jener Katastrophe einigermaßen vergegenwärtigen und in gewissen Einzelheiten nachzeichnen.

Das Treiben in der Stadt dürfte nicht so lebhaft gewesen sein wie am Vortage, obwohl die Geschäfte und Büros schon am Mittag geschlossen hatten. Der Himmel klärte sich am frühen Nachmittag auf und lag in einem matten sommerlichen Blau, vor dem sich die zarte Sichel des zunehmenden Mondes silbern abzeichnete. Die Menschen bewegten sich auf den Straßen und Plätzen, andere waren auf Spaziergängen unterwegs, machten Ausflüge in das Flußtal, zum Sportfeld, in den Wald. Die Detonation der Magnetbombe, die in einem Garten in der Nähe des Postplatzes aufschlug, war weithin wie ein knatternder Donnerschlag vernehmbar. Eine hohe grüne Stichflamme stand steil in der Luft, bis sie sich in einen rasch wachsenden Rauchpilz auflöste. Sekundenlang bebte die Erde. Luftwirbel wie bei einem Tornado knickten einzelne Bäume um, drehten die Kronen im Schaft ab. Der Baldachin über der aufgebahrten Miss Europa wurde hochgerissen und auf den Dachfirst der »Glocke« geschleudert. Milliarden von kleinen grüngrauen Ascheflocken tanzten durch die Luft.
Im ersten Augenblick hatte kein Mensch begriffen, was geschehen war. Man glaubte an eine Explosion, eine unerklärliche Naturkatastrophe. Die Menschen versuchten zu fliehen, wurden aber von einem erstickenden Husten ge-

schüttelt und von schmerzhaftem Erbrechen gequält, sie taumelten und verloren bald das Gleichgewicht.

Wie gut, dachten sie noch, daß es sich nur um eine Filmaufnahme handelt.

Der Fluß im Tal schien wie elektrisiert. Aus der Tiefe schleuderten sich gewaltig kreisende Wassermassen empor, welche die Ufer überschwemmten, und später schoß eine Flutwelle auf die Talsohle heran. Die tiefer gelegenen Häuser standen schon bis zum ersten Geschoß in einer trüben, schlammigen Flut, auf der losgerissene Bretter, Zäune, Baumstämme trieben, ertrunkenes Vieh, ertrunkene Menschen.

Der Bäckermeister Zinnert, der sich mit seiner Frau auf das Hausdach gerettet hatte und den Kopf durch die Bodenluke steckte, sagte: »Weißt du, früher haben wir in den Stunden der Verzweiflung zum Himmel hinauf geschaut, ob sich nicht Gott unser erbarme. Aber wir wußten nicht einmal, ob uns das Auge Gottes überhaupt wahrnimmt. Jetzt wissen wir wenigstens, daß Leiden und Untergang nicht umsonst sind, weil die Kamera sie festhält.«

Bald darauf stürzte das Haus zusammen. Als der Bäckermeister in den Fluten ertrank, empfand er es als Genugtuung, daß sein Opfer immerhin den Besuchern des Films sichtbar würde und der Nachwelt erhalten bliebe. Er konnte nicht ahnen, daß die Szene später gestrichen wurde.

Ein anderes Häuflein hatte sich auf einen winzigen Hügel in der Mitte des Tals zusammengeschart, der wie eine letzte Insel aus der kalkigen Wasserfläche hervorragte. Von Stunde zu Stunde wurde die Fläche schmaler. Die Menschen klammerten sich bis zuletzt daran, daß die Filmgesellschaft Rettungsboote senden werde, sie redeten von einer vorbereiteten Arche Noah, die kommen sollte, weil sich eine derartige Szene später wirkungsvoll heraushebe. Aber anscheinend war dieser Einfall, wenn er überhaupt bestanden hatte, von der Obersten Zentrale verworfen worden. Auch sie gingen im Glauben an das Schauspiel unter.

Dabei handelte es sich bei den Ereignissen im Flußtal nur um Episoden, denen im Rahmen des Ganzen geringere Bedeutung zukam. Wichtiger schienen die Bilder, die sich in der Stadt und ihrer Umgebung boten.

Nach einer offiziellen Erklärung des IFE war, um die Glaubwürdigkeit der Weltuntergangsszenen zu sichern, in der Tat der Abwurf einer radioaktive Strahlen auslösenden Bombe vorgesehen. Mit einer bloßen Attrappe hätte sich die Wirkung niemals erzielen lassen. Da es sich aber nur um eine Demonstration der möglichen Wirklichkeit und nicht um die volle Realität handelte, kam von vornherein keine der höllischen Wasserstoffbomben in Betracht. So wurde nach dem Modell 37 der international kontrollierten Abrüstungsliste die sogenannte Magnetbombe schwächster Ausführung konstruiert. Nach den Berechnungen der »theoretischen Physik« und der »angewandten Atomforschung« sollte sich die Wirkung im wesentlichen auf vorübergehende Betäubungserscheinungen beschränken, obwohl in einem gewissen, doch keineswegs sehr großen Umkreis stärkerer Schaden nicht ganz zu vermeiden wäre. Auch mußten unbekannte Nebenerscheinungen, etwa magnetische Einflüsse auf Wasserflächen, auf die Vegetation und atmosphärische Störungen in Kauf genommen werden. Vor Überraschungen war man bei diesem gefährlichen Spielzeug niemals sicher. Andererseits bestand einigermaßen Gewähr, daß die vernichtenden Kräfte auf ein verhältnismäßig kleines und abseitiges Gebiet lokalisiert blieben.

Die Magnetbombe hatte an der Stelle ihres Einschlags keine allzu verheerende Zerstörung verursacht. Der Luftsog hatte eine Reihe von Häusern zu Spreu zerfallen lassen, und die ungewöhnliche Höhe der Temperatur alle Sträucher und Bäume der unmittelbaren Umgebung versengt. Derartiges war vielen Menschen aus den Erfahrungen des letzten Krieges durch Luftminen und Teppichwürfe vertraut, wenn auch nicht den Einheimischen dieses Kreises.

Nachhaltiger waren die Auswirkungen, die sich gleichsam unmerklich den Menschen mitteilten. Noch immer waren viele überzeugt, es handele sich nur um einen Trick des IFE, durch den sie in einen künstlichen Schrecken versetzt werden sollten. Zahlreiche Aussagen bestätigten, daß die meisten Menschen das Ganze nicht ernst nahmen und sich oft bis zum letzten Augenblick darüber stritten, ob es sich um eine Probe oder eine echte Aufnahme handele.

Steudenrath befand sich im Augenblick der Katastrophe auf einem Sportfeld außerhalb der Stadt. Vor einer zahlreichen Menge, die sich neugierig um ihn geschart hatte, sprach er davon, aus welchen Gründen er den Talar des Pfarrers mit der Uniform des christlichen Friedensoffiziers vertauscht habe. Ein Pfarrer, sagte er, bedürfe einer festen Gemeinde, als deren Organ er wirke, für die sein Wort bestimmt sei, die seinen Glauben andächtig teile. Aber diese kirchliche Gemeinde gebe es heute nur noch der Form nach, nicht in ihrem notwendig realen Vollzug. Es bestehe keine echte Kommunikation mehr zwischen dem Einen und den Allen. So habe er nach einer langen Prüfungszeit den Entschluß gefaßt, von Person zu Person zu wandern, um das religiöse Begehren weiterzutragen. Für einen aufrechten Pfarrer, der sich nichts vormache, habe das kirchliche Christentum nichts mehr mit Religion zu tun. Christentum sei Botschaft, Gottes Botschaft an die Menschen, auf daß sie wieder Menschen würden. Diese einfache Botschaft sei nicht an eine Religion gebunden. Es gebe reichere Religionen als die Dogmatik des Neuen Testaments.

An dieser Stelle seiner Rede erfolgte die gewaltige Detonation. Die Menge drohte einer Panik zu erliegen. Steudenrath reckte sich auf: »Tut Buße!« rief er. »Bekennet euch für die Zukunft! Europa wird auferstehen, wenn ein jeder weiß, daß er als Gedanke Gottes lebt.«

Die Worte klangen so mächtig und wirkten so suggestiv, daß die Zuhörer ihre Aufregung und Unruhe überwanden. Erst als sich der Himmel immer stärker verfärbte, als die Aschenbrösel in zuckenden Luftwirbeln auch auf diese Gegend fielen, zeigten sich die ersten Symptome der betäubenden Wirkung. Die Menschen begannen ekstatisch zu schreien. Steudenrath riß sich die Uniform auf und rief: »Das Wunder ist nahe! Laßt es in mein Herz!« Dann stimmte er mit lauter Stimme den Gesang aus Beethovens Neunter Sinfonie an: »Seid versammelt, Millionen! Diesen Abschiedskuß der Welt!«

Der Chor, erst zaghaft, dann kräftiger wiederholend, fiel in den neuen Text ein: »Seid versammelt, Millionen! Diesen Abschiedskuß der Welt! Über unserm Schattenzelt / Seht Europas Geister wohnen.«

Dann aber stellten sich bei einigen Schwächeanfälle ein, die Stimmen begannen zu zittern, ein beklemmendes Angstgefühl legte sich auf die Brust. Dort, wo sie eben noch gestanden hatten, fielen sie ohnmächtig hin, schlugen um sich, wurden still. Nur ein Ächzen zeigte hin und wieder an, daß sie sich in einem tiefen Schlafe wälzten. Die Blätter an den Bäumen wurden welk. Steudenraths Körper hing über die Rednerbrüstung auf die Tribüne herab. Seine Arme pendelten hilflos hin und her.

CARL SEELIG

Wanderungen mit Robert Walser

Karfreitag 1955

Im März sind beunruhigende Berichte über Robert eingegangen. Wegen einer grippeartigen Lungenentzündung mußte er ins Krankenzimmer verbracht werden. Hohes Fieber und blutiger Auswurf; rasches Absinken des Fiebers durch Penicillinbehandlung, dann leichte Rückschläge mit erhöhter Temperatur. Die Ärzte empfehlen mir deshalb, mit ihm nur im Anstaltsareal herumzuspazieren.
Wie erstaunt bin ich deshalb, als Robert in schwarzem Überzieher am Bahnhof steht! Er erklärt sich aber lachend einverstanden, eine gemächlichere Gangart als sonst einzuschalten. Langsam steigen wir dem Wald und der Ruine zu, die wir bereits das letztemal besucht haben. Dieser Weg ist ihm besonders lieb. Beim Aufwärtsgehen atmet er etwas schwer; aber gegen seine Gewohnheit zündet er während des dreistündigen Spazierganges trotzdem zwei Zigaretten an. Auf meine Bemerkung, daß ich kürzlich nach Warschau, Moskau, Irkutsk und Peking eingeladen worden sei, entdecken wir, daß zu unseren gemeinsamen Favoriten das »Totenhaus« von Dostojewskij gehört. Mit Rührung gedenkt Robert der Episode, in der die sonst rohen Sträflinge den flügellahmen Steppenadler, der drei Monate lang unter ihnen gelebt hat, eines Tages aus Erbarmen vom Festungswall werfen und ihn über die herbstliche Steppe sehnsüchtig davonhüpfen sehen . . .
Dann berichtet mir Robert, daß er momentan mit großem Genuß den vierbändigen Offiziersroman »Im Eckfenster« des Hamburger Matrosen und Hoteliers Friedrich Gerstäk-

ker sowie »Die Kinder des Kapitäns Grant« von Jules Verne gelesen habe. Auf meine Neuigkeit, daß ein junger englischer Dichter, Christopher Middleton, der Literaturdozent in London ist, seinen »Spaziergang« und »Kleist in Thun« mit bewunderungswürdiger Einfühlungsgabe ins Englische übersetzt hat, antwortet er nur einsilbig: »So, so!«
Vor meiner Abfahrt besuche ich noch Dr. Steiner, der sagt, er habe Robert nahegelegt, sich nicht aus dem Anstaltsareal zu entfernen. Er habe jedoch darauf bestanden, mich am Bahnhof abzuholen. Da der Zustand seines Herzens bedenklich sei, riskiere er bei größerer Anstrengung einen Herzschlag. Auf meine Frage, ob Robert während seiner Unpäßlichkeit gegen die Krankenschwestern zutraulicher gewesen sei als gegen das übrige Personal und die Patienten, antwortet er mir: nein, meistens habe er sich der Wand zugekehrt und gegen den Durst auch keine Fruchtsäfte annehmen wollen. Nach seiner Meinung genüge Wasser.

17. Juli 1955

Eidgenössische Turnfest in Zürich. Man hat den Eindruck, als sei die ganze Stadt beschwipst. Junge Burschen, die barfuß und jodelnd durch die Bahnhofstraße schlendern, Frauen anrempelnd und bärenhafte Scherze treibend. Erst der Alkohol scheint in unsrem Volk die Begabung für Clownerien und kindliche Maskeraden zu lösen. Deprimierend seine Freude an schäbigstem Jahrmarktkitsch und Geschmacklosigkeiten: Tirolerhütchen, Plüschpuppen, Bierkrügen en miniature und dergleichen; kein Trost, daß dieser Mangel an Stilgefühl zu einer internationalen Epidemie angewachsen ist.
Über der sattgrünen, vom Regen genährten Landschaft ein bläulichweißer Himmel; zwischen Zürich und Wil fallen manchmal zerfetzte Nebelschleier herab. Der Zug halbleer.

In Goßau fragt mich Robert etwas kratzbürstig, wohin es gehe. Ich antworte: »Nach St. Margrethen!« Er wird schweigsam und grübelt während des Fahrens darüber nach, was ich wohl mit ihm vorhabe. Schließlich fragt er: »Wollen wir dort zu Morgen essen?« Ja, natürlich, ich sei auch hungring. Während des Frühstücks im Bahnhofbuffet verläuft die Unterhaltung eher harzig. Dann steigen wir durch den Wald ziemlich steil gegen Walzenhausen hinauf, bleiben vor romantischen Bachpartien stehen und beginnen über Tolstojs »Auferstehung« zu sprechen. Das ist ein ergiebiger Stoff. Wir sind uns einig, daß dieses Alterswerk, das der Dichter gegen Ende des vergangenen Jahrhunderts unter dem Druck einer Jugendsünde geschrieben hat – als junger Offizier hat er bei einer Tante eine Angestellte verführt und sie im Elend sitzen lassen –, zu den heiligen Büchern der Menschheit gehört. Ich erinnre Robert an die wunderbare Szene, in der Fürst Nechliudow der auf den Abtransport nach Sibirien wartenden Maslowa die Nachricht überbringt, daß ihre Begnadigung vom Gericht abgelehnt wurde. Er ist voll innerer Erregung. Aber als ihm der Aufseher sagt, die Maslowa sei aus dem Spital ins Gefängnis zurückversetzt worden, weil sie sich mit dem Feldscher in intime Beziehungen eingelassen habe, erkalten seine Gefühle. Er grüßt sie eisig, und sie errötet, weil sie den Grund seiner Verstimmung ahnt (erst später erfährt der Fürst, daß sie dem Vergewaltigungsversuch des Feldscher energisch Widerstand geleistet hat und also in dieser Sache völlig unschuldig ist). Der Kampf des Fürsten mit seinem Dämon ist einer der vielen psychologischen Tiefblicke, die sich in diesem Roman kettenweise folgen. Robert erinnert sich auch noch an den schnapstrinkenden Arbeiter, der im Zug, den der Fürst nach Sibirien benützt, zu diesem und den anderen Drittklaßpassagieren mit Bezug auf ihre mißbilligenden Blicke sagt: »Natürlich, wenn ich trinke, sehen es alle. Aber wenn ich arbeite, niemand.« – Vielleicht um mich zu reizen, äu-

ßert sich Robert über die Prostituierten, zu denen die Maslowa gehört, abfällig, indem er die Strenge der Engländer billigt, unter deren Druck vor wenigen Tagen die Angestellte einer Bar, die ihren untreuen Geliebten erschossen hat, gehängt worden ist. Von den Frauen müsse man mit aller Strenge konservativen Familiengeist verlangen. Ich sage, Tolstoj habe nicht so hart geurteilt wie er. Denn das frühere Bordellmädchen Maslowa sei es, das zum Zeichen echter Menschenliebe das rührendste Opfer bringe, indem es den ungeliebten Wladimir Iwanowitsch heirate, um dem Fürsten die Freiheit wieder zu schenken. So disputieren wir hin und her, auch über den von Tolstoj zitierten Satz Thoreaus, daß jeder ehrliche Bürger in einem Staat, in dem es noch Sklaven gibt, im Gefängnis sitzen sollte.
Allmählich beginnt jedoch Robert die Hundtagshitze zuzusetzen. Er geht immer langsamer und verkapselt sich in Schweigen. Dann bleibt er plötzlich stehen und bricht fast zusammen. Er knurrt, daß er in beiden Beinen heftige Krämpfe habe. Er will aber weder sich setzen noch liegen. Wütend fuchtelt er mit den Armen um sich, als wolle er einen unsichtbaren Feind abwehren, versucht einige Kniebeugen und macht unbeholfene Gehbewegungen nach rechts und links. Helfen darf ich ihm nicht. Gegen Wolfhalden wiederholen sich die Krämpfe heftiger, so daß er selber vorschlägt, auf dem nächsten Weg eine Bahn- oder Autobusstation zu erreichen. Ich frage eine ältere Frau, die aus einem Webstuhlraum heraussieht, welches die nächste Bahn- oder Busstation sei, wobei ich andeute, daß mein Begleiter schlecht zu Fuß ist. Robert murmelt ein saftiges Kraftwort vor sich her, als uns die Frau einen Fußweg nach Rheineck zeigt. Beschwichtigend sagt er aber beim vorsichtigen Abstieg: »Es ist manchmal doch auch ganz passend, wenn man zu den Leuten freundlich ist!«
Mittagessen im »Ochsen« von Rheineck. Das Bier macht uns beide schläfrig. Wir dösen bis zur Einfahrt des Zuges

und im Coupé wie schlaftrunken vor uns hin. Ist sein Zustand ernster, als ich weiß? Sorge erfüllt mich. Beim Abschied ist sein letztes Wort: »Haben Sie die himmlischen Farben des Bodensees gesehen?«

Weihnachten 1955

Ein regentrüber Morgen, der sich gegen Mittag mehr der Nacht als dem Tag zuneigt. Nur spärliche Reisende, da die vorfrühlingsgrünen Wiesen und Wälder nicht zum Wintersport einladen. Auf dem Weg nach St. Gallen lassen wir uns in ein minutiöses Gespräch über Kleist ein, dessen »Zerbrochenen Krug« ich wenige Tage zuvor im Schauspielhaus gesehen habe. Ich schildre Robert die Wette mit Zschokke und Wieland in Bern, die zur Ausarbeitung dieses Lustspieles geführt hat, das ablehnende Urteil von Goethe und die verfuhrwerkte Weimarer Uraufführung, während der gepfiffen und gepöbelt wurde. Robert kann sich erinnern, daß er als Buchhändlerlehrling in Stuttgart den »Prinz von Homburg« gesehen hat. – Kürzlich habe er Adalbert Stifters »Witiko« gelesen, den er »zum Verzweifeln langweilig« findet. Stifters Schöpferkraft müsse damals schon stark reduziert gewesen sein.
Von der jetzt üblichen, massenhaften Verteilung von Dichterpreisen an Anfänger spricht er abschätzig: »Wenn man sie so früh verwöhnt, bleiben sie ewig Schulbuben. Um ein Mann zu werden, braucht es Leid, Verkennung, Kampf. Der Staat darf nicht zur Hebamme der Dichter werden.«
Ungemein amüsiert hat ihn das Verhalten des isländischen Dichters Halldor Laxneß, dem dieses Jahr der Nobelpreis für Literatur zugesprochen wurde. Gelesen hat er nie etwas von ihm; aber in einer Zeitschrift sah er ein Bild, das er für charakteristisch hält. Noch jetzt reizt ihn die Keckheit, mit der Laxneß während der Feier in Stockholm die schwedi-

sche Prinzessin beim Tanz herumschwenkte, zum Lachen. Er demonstriert mir auf einem Waldpfad vor, wie er sie im Frack bauernburschenhaft herumwirbelte, so, als wolle er triumphieren: »Jetzt liegt mir nach dem Osten auch noch der Westen im Arm!« Denn kurz zuvor habe Laxneß auch von den Sowjets einen Preis bekommen. Vor solcher Schneidigkeit schrumpfe das Grüpplein der deutschen und schweizerischen Nobelpreisträger zu Stubenhockern zusammen.

Hier enden meine Aufzeichnungen über unsere gemeinsamen Wanderungen. Einige Blätter aus der früheren Zeit sind verloren gegangen, während ich von den letzten Spaziergängen keine Notizen gemacht habe. Spürte ich instinktiv das nahe Ende? Wollte ich die Spuren im Lautlosen verwehen lassen? Ich weiß es nicht. Über solche Handlungen oder Unterlassungen später nachzugrübeln, ist sinnlos. So wie es auch sinnlos wäre, von Robert Walser ein retouchiertes Bild zu entwerfen, das der Wirklichkeit nicht entspricht. Sein eigenwilliges Wesen und seine Anschauungen wahrheitsgetreu zu überliefern, mußte für mich das oberste Gesetz sein, dessen Erfüllung die Veröffentlichung dieser intimen Schilderungen und der kommenden dokumentarischen Biographie allein rechtfertigt.

Wenn in den »Wanderungen mit Robert Walser« häufig vom Essen und Trinken die Rede ist, gewisse Themen sich in gelegentlich widerspruchsvollen Varianten wiederholen und Stellen vorkommen, die vielleicht auf einzelne Leser schokkierend wirken, so habe ich sie riskiert im Dienst der Wahrheit, die eine originelle Persönlichkeit wie Robert Walser erträgt, auch wenn sie einige Schatten auf sie wirft. Es ist mir ein stiller Trost, daß unsere Spaziergänge in die Monotonie seines jahrzehntelangen Anstaltslebens etwas Abwechslung gebracht haben; einen passionierteren Wanderkameraden als ihn werde ich nicht mehr finden.

In der Dämmerung des 25. Dezember 1956 sah ich aus meiner dunklen Wohnung in die Nachbarschaft, in der die ersten Christbaumkerzen glitzerten. Neben mir lag mein kranker Dalmatinerhund »Ajax«, den ich an diesem Abend nicht allein lassen wollte. Seines elenden Zustandes wegen hatte ich die nächste Wanderung mit Robert Walser von Weihnachten auf Neujahr verschoben. – Plötzlich läutete das Telefon. Es brachte vom Oberarzt die Nachricht, daß Robert am frühen Nachmittag auf einem Schneefeld tot aufgefunden worden sei – dort, wo wir an Weihnachten 1954 und am Karfreitag 1955 unvergeßliche Stunden verbracht hatten.

In dieser Nacht mochte ich keine Christbäume mehr sehen. Ihr Licht schmerzte mich zu tief.

MAX FRISCH

Ich bin nicht Stiller!

Ich bin nicht Stiller! – Tag für Tag, seit meiner Einlieferung in dieses Gefängnis, das noch zu beschreiben sein wird, sage ich es, schwöre ich es und fordere Whisky, ansonst ich jede weitere Aussage verweigere. Denn ohne Whisky, ich hab's ja erfahren, bin ich nicht ich selbst, sondern neige dazu, allen möglichen guten Einflüssen zu erliegen und eine Rolle zu spielen, die ihnen so passen möchte, aber nichts mit mir zu tun hat, und da es jetzt in meiner unsinnigen Lage (sie halten mich für einen verschollenen Bürger ihres Städtchens!) einzig und allein darum geht, mich nicht beschwatzen zu lassen und auf der Hut zu sein gegenüber allen ihren freundlichen Versuchen, mich in eine fremde Haut zu stecken, unbestechlich zu sein bis zur Grobheit, ich sage: da es jetzt einzig und allein darum geht, niemand anders zu sein als der Mensch, der ich in Wahrheit leider bin, so werde ich nicht aufhören, nach Whisky zu schreien, sooft sich jemand meiner Zelle nähert. Übrigens habe ich bereits vor Tagen melden lassen, es brauche nicht die allererste Marke zu sein, immerhin eine trinkbare, ansonst ich eben nüchtern bleibe, und dann können sie mich verhören, wie sie wollen, es wird nichts dabei herauskommen, zumindest nichts Wahres. Vergeblich! Heute bringen sie mir dieses Heft voller leerer Blätter: Ich soll mein Leben niederschreiben! wohl um zu beweisen, daß ich eines habe, ein anderes als das Leben ihres verschollenen Herrn Stiller.

»Sie schreiben einfach die Wahrheit«, sagt mein amtlicher Verteidiger, »nichts als die schlichte und pure Wahrheit. Tinte können Sie jederzeit nachfüllen lassen!«

Heute ist es eine Woche seit der Ohrfeige, die zu meiner Verhaftung geführt hat. Ich war (laut Protokoll) ziemlich betrunken, weswegen ich Mühe habe, den Hergang zu beschreiben, den äußeren.

»Kommen Sie mit!« sagte der Zöllner.

»Bitte«, sagte ich, »machen Sie jetzt keine Umstände, mein Zug fährt jeden Augenblick weiter –«

»Aber ohne Sie«, sagte der Zöllner.

Die Art und Weise, wie er mich vom Trittbrett riß, nahm mir vollends die Lust, seine Fragen zu beantworten. Er hatte den Paß in der Hand.

Der andere Beamte, der die Pässe der Reisenden stempelte, war noch im Zug. Ich fragte:

»Wieso ist dieser Paß nicht in Ordnung?«

Keine Antwort.

»Ich tue nur meine Pflicht«, sagte er mehrmals, »das wissen Sie ganz genau.«

Ohne auf meine Frage, warum der Paß nicht in Ordnung sei, irgendwie zu antworten – dabei handelt es sich um einen amerikanischen Paß, womit ich um die halbe Welt gereist bin! – wiederholte er in seinem schweizerischen Tonfall:

»Kommen Sie mit!«

»Bitte«, sagte ich, »wenn Sie keine Ohrfeige wollen, mein Herr, fassen Sie mich nicht am Ärmel; ich vertrage das nicht.«

»Also vorwärts!«

Die Ohrfeige erfolgte, als der junge Zöllner, trotz meiner ebenso höflichen wie deutlichen Warnung, mit der Miene eines gesetzlich geschützten Hochmuts behauptete, man werde mir schon sagen, wer ich in Wirklichkeit sei. Seine dunkelblaue Mütze rollte in Spirale über den Bahnsteig, weiter als erwartet, und einen Atemzug lang war der junge Zöllner, jetzt ohne Mütze und somit viel menschlicher als zuvor, dermaßen verdutzt, auf eine wutlose Art einfach entgeistert, daß ich ohne weiteres hätte einsteigen können. Der

Zug begann gerade zu rollen, aus den Fenstern hingen die Winkenden; sogar eine Wagentüre stand noch offen. Ich weiß nicht, warum ich nicht aufgesprungen bin. Ich hätte ihm den Paß aus der Hand nehmen können, glaube ich, denn der junge Mensch war derart entgeistert, wie gesagt, als wäre seine Seele ganz und gar in jener rollenden Mütze, und erst als sie zu rollen aufgehört hatte, die steife Mütze, kam ihm die begreifliche Wut. Ich bückte mich zwischen den Leuten, beflissen, seine dunkelblaue Mütze mit dem Schweizerkreuz-Wäppchen wenigstens einigermaßen abzustauben, bevor ich sie ihm reichte. Seine Ohren waren krebsrot. Es war merkwürdig; ich folgte ihm wie unter einem Zwang von Anstand. Durchaus wortlos und ohne mich anzufassen, was gar nicht nötig war, führte er mich auf die Wache, wo man mich fünfzig Minuten lang warten ließ.

»Bitte«, sagte der Kommissär, »nehmen Sie Platz!«

Der Paß lag auf dem Tisch. Sogleich verwunderte mich der veränderte Ton, eine Art von beflissener und nicht sehr gekonnter Höflichkeit, woraus ich schloß, daß meine amerikanische Staatsbürgerschaft, nach beinahe einstündiger Betrachtung meines Passes, außer Zweifel stand.

Der Kommissär, als wollte er die Flegelei des jungen Zöllners wieder gutmachen, bemühte sich sogar um einen Sessel.

»Sie sprechen Deutsch«, sagte er, »wie ich höre.«

»Warum nicht?« fragte ich.

»Bitte«, lächelte er, »nehmen Sie Platz.«

Ich blieb stehen.

»Ich bin deutscher Abstammung«, erklärte ich, »Amerikaner deutscher Abstammung –«

Er wies auf den leeren Sessel.

»Bitte«, sagte er und zögerte eine Weile, sich selbst zu setzen . . . Hätte ich mich im Zug nicht herbeigelassen, Deutsch zu reden, wäre mir möglicherweise alles erspart geblieben! Ein anderer Fahrgast, ein Schweizer, hatte mich angesprochen. Als Augenzeuge meiner Ohrfeige war er auch zugegen, dieser Reisende, der mir seit Paris auf die Nerven ging. Ich weiß nicht, wer er ist. Ich habe diesen Herrn nie zuvor gesehen. In Paris kam er ins Abteil, weckte mich, indem er über meine Füße stolperte, und verstaute sein Gepäck, drängte sich mit französischer Entschuldigung ans offene Fenster, um sich in schweizerischer Mundart von einer Dame zu verabschieden; kaum fuhr der Zug, hatte ich das leidige Gefühl, daß er mich musterte. Ich verschanzte mich dann hinter meinen zerlesenen ›New Yorker‹, dessen Witze ich bereits kannte, in der Hoffnung, daß sich die Neugierde meines Reisepartners gelegentlich erschöpfen würde. Auch er las eine Zeitung, eine zürcherische. Nach unsrer französischen Vereinbarung, das Fenster zu schließen, hütete ich mich vor jedem müßigen Blick durchs Fenster hinaus in die Landschaft; so deutlich wartete dieser Herr, der im übrigen ein reizender Mensch sein mochte, auf einen Anlaß zum Gespräch, seinerseits so befangen, daß mir schließlich nichts anderes übrigblieb als das Waggon-Buffet, wo ich fünf Stunden lang saß und einiges trank. Erst zwischen Mulhouse und Basel, von dem nahenden Grenzübergang genötigt, ging ich ins Abteil zurück. Der Schweizer blickte mich wieder an, als müßte er mich kennen. Was ihn plötzlich ermutigte, mich anzusprechen, weiß ich nicht; vielleicht der bloße Umstand, daß wir uns jetzt auf dem Boden seines Landes befanden. Entschuldigen Sie! fragte er etwas befangen: Sind Sie nicht Herr Stiller? Ich hatte, wie gesagt, einigen Whisky getrunken, verstand nicht, hielt meinen amerikanischen Paß in der Hand, während der Schweizer, in seine Mundart verfallend, eine Illustrierte aufblätterte. Hinter uns standen bereits zwei Beamte, ein Zöllner und ein anderer, der einen Stempel in der Hand hielt. Ich gab den Paß. Ich spürte jetzt, daß ich viel getrunken hatte, und wurde mit Mißtrauen betrachtet. Mein Gepäck, klein genug, war in Ordnung. Ist das Ihr Paß? fragte der andere. Erst lachte ich natürlich. Wieso nicht?

fragte ich, nachgerade ungehalten: Wieso ist dieser Paß nicht in Ordnung? Es war das erste Mal, daß mein Paß in Zweifel gezogen wurde, und alldies nur, weil dieser Herr mich mit einem Bild in seiner Illustrierten verwechselte ...

»Herr Doktor«, sagte der Kommissär zu eben diesem Herrn, »ich will Sie nicht länger aufhalten, jedenfalls danke ich Ihnen für die Auskünfte.«

In der Türe, während der dankbare Kommissär die Klinke hielt, nickte er, dieser Herr, als würden wir uns kennen. Er war ein Herr Doktor, wie es sie zu Tausenden gibt. Ich hatte nicht das mindeste Bedürfnis zu nicken. Dann kam der Kommissär zurück, wies abermals auf den Sessel:

»Bitte«, sagte er, »wie ich sehe, Herr Stiller, sind Sie in einem ziemlich betrunkenen Zustand –«

»Stiller?« sagte ich, »ich heiße nicht Stiller!«

»– ich hoffe«, fuhr er unbekümmert fort, »Sie verstehen trotzdem, was ich Ihnen zu sagen habe, Herr Stiller.«

Ich schüttelte den Kopf, und dazu bot er Rauchwaren an, sogenannte Stumpen. Selbstverständlich lehnte ich ab, da er sie offenkundig nicht mir, sondern einem gewissen Herrn Stiller anbot. Auch blieb ich, obschon der Kommissär sich wie zu einer ausgiebigen Unterredung niederließ, meinerseits stehen.

»Warum haben Sie sich so aufgeregt«, fragte er, »als man sich erkundigte, ob das Ihr richtiger Paß wäre?«

Er blätterte in meinem amerikanischen Paß.

»Herr Kommissär«, sagte ich, »ich vertrage es nicht, wenn man mich am Ärmel faßt. Ich habe Ihren jungen Zöllner mehrmals gewarnt. Ich bedaure, daß ich mich zu einer Ohrfeige habe hinreißen lassen, Herr Kommissär, und natürlich bin ich bereit, die landesübliche Buße sofort zu zahlen. Das versteht sich ja von selbst. Was ist der Tarif?«

Er lächelte nicht ohne Wohlwollen. So einfach, meinte er, wäre es leider nicht. Dazu zündete er sich einen Stumpen an, sorgfältig, indem er den braunen Stumpen etwas zwischen

den Lippen rollte, gelassen, gründlich, als spielte die Zeit überhaupt keine Rolle.
»Sie scheinen ein recht bekannter Mann zu sein –«
»Ich?« fragte ich. »Wieso?«
»Ich verstehe nichts von solchen Sachen«, sagte er, »aber dieser Herr Doktor, der Sie erkannt hat, scheint ja eine sehr hohe Meinung von Ihnen zu haben.«
Es war nichts zu machen: die Verwechslung lag vor, und alles, was ich jetzt sagte, wirkte nur noch wie Ziererei oder echte Bescheidenheit.
»Wieso nennen Sie sich White?« fragte er.
Ich redete und redete.
»Wo haben Sie diesen Paß her?« fragte er.
Er nahm es fast gemütlich, rauchte seinen etwas stinkigen Stumpen, die beiden Daumen in seine Hosenträger gehängt, denn es war ein schwüler Nachmittag, so daß der Kommissär, zumal er mich nicht länger für einen Ausländer hielt, seine nicht eben zweckmäßige Jacke etwas aufgeknöpft hatte, dieweil er mich musterte, ohne im mindesten zu hören, was ich sagte.
»Herr Kommissär«, sagte ich, »ich bin betrunken, Sie haben recht, vollkommen recht, aber ich verbitte mir, daß irgendein hergelaufener Herr Doktor –«
»Er sagt, er kenne Sie.«
»Woher?« fragte ich.
»Aus der Illustrierten«, sagte er und nutzte mein verächtliches Schweigen, um hinzuzufügen: »– Sie haben eine Gattin, die in Paris lebt. Stimmt's?«
»Ich? Eine Gattin?«
»Julika mit Namen.«
»Ich komme nicht von Paris«, erklärte ich, »ich komme von Mexiko, Herr Kommissär.«
Ich gab ihm an: Name des Schiffes, Dauer der Überfahrt, Stunde meiner Ankunft in Le Havre, Stunde meiner Abfahrt von Vera Cruz.

»Das ist ja möglich«, sagte er, »aber Ihre Gattin lebt in Paris. Eine Tänzerin, wenn ich richtig verstanden habe. Sie soll ja eine bildschöne Frau sein.«

Ich schwieg.

»Julika ist ihr Künstlername«, unterrichtete mich der Kommissär. »Früher war sie lungenkrank, heißt es, und lebte in Davos. Aber jetzt leitet sie so eine Ballettschule in Paris. Stimmt's? Seit sechs Jahren.«

Ich blickte ihn nur an.

»Seit Sie verschollen sind.«

Unwillkürlich hatte ich mich doch gesetzt, um zu hören, was die Leser einer Illustrierten nicht alles wissen über einen Menschen, der mir offenbar, zumindest in den Augen eines Doktors, ähnlich sieht, und nahm mir eine Zigarette, worauf der Kommissär, bereits von der Hochachtung angesteckt, die eben dieser Doktor verbreitet hatte, Feuer gab.

»Sie selbst sind also ein Bildhauer.«

Ich lachte.

»Stimmt's?« fragte er, ohne eine Antwort zu dulden; sofort ging er eine Frage weiter: »Warum reisen Sie unter einem falschen Namen?«

Er glaubte auch meinem Schwur nicht.

»Es tut mir leid«, sagte er und kramte dabei in einer Schublade, zog ein blaues Formular heraus: »– es tut mir leid, Herr Stiller, aber wenn Sie sich weiterhin weigern, Ihren richtigen Paß zu zeigen, muß ich Sie an die Kriminalpolizei überweisen. Darüber müssen Sie sich klar sein.«

Dazu streifte er die Asche von seinem Stumpen.

»Ich bin nicht Stiller!« wiederholte ich, als er anfing, das umfängliche Formular gewissenhaft auszufüllen, und es war, als hörte er mich überhaupt nicht mehr; ich versuchte es in allen Tonarten; ich sagte es ebenso feierlich wie nüchtern: »Herr Kommissär, ich habe keinen anderen Paß!« oder mit Lachen: »Das ist doch Unsinn!« wobei ich trotz meiner Betrunkenheit sehr genau spürte, daß er mich immer weni-

ger hörte, je öfter ich es wiederholte; schließlich schrie ich: »Ich heiße nicht Stiller, zum Teufel nochmal!« Ich schrie es und schlug mit der Faust auf den Tisch.
»Warum regen Sie sich denn so auf?«
Ich erhob mich.
»Herr Kommissär«, sagte ich: »geben Sie mir jetzt meinen Paß!«
Er blickte nicht einmal auf.
»Sie sind verhaftet«, sagte er, blätterte mit der linken Hand in dem Paß, um die Nummer abzuschreiben, das Datum der Ausstellung, den Namen des amerikanischen Konsuls in Mexiko, alles, was das blaue Formular in einem solchen Fall zu wissen verlangt, und sagte nicht unfreundlich: »– Setzen Sie sich.«

WOLFGANG KOEPPEN

Es war einmal eine Zeit

Es war einmal eine Zeit, da hatten Götter in der Stadt gewohnt. Jetzt liegt Raffael im Pantheon begraben, ein Halbgott noch, ein Glückskind Apolls, doch wie traurig, was später sich ihm an Leichnamen gesellte, ein Kardinal vergessener Verdienste, ein paar Könige, ihre mit Blindheit geschlagenen Generale, in der Karriere hochgediente Beamte, Gelehrte, die das Lexikon erreichten, Künstler akademischer Würden. Wen schert ihr Leben? Die Reisenden stehen staunend im antiken Gewölbe und blicken verlegenen Antlitzes zum Licht empor, das durch das einzige Fenster des Raumes, die runde Öffnung in der einst mit bronzenen Ziegeln gedeckten Kuppel, wie Regen auf sie fällt. Ist es ein goldener Regen? Danae läßt sich von Cook und vom Italienischen Staatsverband für den Fremdenverkehr wohl führen; doch Lust empfindet sie nicht. So hebt sie auch nicht ihr Kleid, den Gott zu empfangen. Perseus wird nicht geboren. Die Meduse behält ihr Haupt und richtet sich bürgerlich ein. Und Jupiter? Weilt er, ein kleiner Pensionär, unter uns Sterblichen? Ist er vielleicht der alte Herr in der American-Express-Gesellschaft, der Betreute des Deutsch-Europäischen Reisebüros? Oder haust er hinter Mauern am Stadtrand, in die Irrenanstalt gesperrt und von neugierigen Psychiatern analysiert, in die Gefängnisse des Staates geworfen? Unter dem Kapitol hat man eine Wölfin hinter Gitter gesetzt, ein krankes verzweifeltes Tier, fern davon, Romulus und Remus zu säugen. Die Gesichter der Touristen sind in dem Licht des Pantheons wie ein Teig. Welcher Bäkker wird ihn kneten, welcher Ofen ihm Farbe geben?

Falsch klang die Musik, sie bewegte ihn nicht mehr, fast war sie ihm unsympathisch wie die eigene Stimme, die man auf ein Tonband gefangen, zum erstenmal aus dem Lautsprecher hört und denkt, das bin nun ich, dieser aufgeblasene Geck, dieser Lügner, Gleisner und eitle Fant, die Geigen vor allem stimmten nicht, sie klangen zu schön, das war nicht der unheimliche Wind in den Bäumen, nicht das Gespräch, das Kinder am Abend mit dem Dämon führen, so war die Furcht vor dem Dasein nicht, sie war nicht so maßvoll, sie war bei weitem nicht so wohltemperiert, inniger quält sie, die uralte Angst, sie erbebt vor dem Grün des Waldes, vor der Himmelsweite, vor den Wolken, die ziehen – dies hatte Siegfried singen wollen, es war ihm ganz und gar mißlungen, und weil seine Kraft nicht ausgereicht hatte, fühlte er sich nun schwach und verzagt, er hätte weinen mögen, doch Kürenberg war guten Mutes und lobte die Symphonie. Siegfried bewunderte Kürenberg, wie er den Noten diente und mit dem Taktstock herrschte; aber es gab Augenblicke, da sich Siegfried von Kürenberg vergewaltigt wähnte. Siegfried ärgerte sich dann, weil er sich nicht wehrte. Er konnte es nicht; Kürenberg wußte und verstand so viel, und Siegfried hatte wenig gelernt und war ihm in der Theorie unterlegen. Kürenberg glättete, gliederte, akzentuierte Siegfrieds Partitur, und was Siegfried wehe Empfindung war, das Suchen eines Klangs, eine Erinnerung an einen Garten vor aller Geburt, eine Annäherung an die Wahrheit der Dinge, die nur unmenschlich sein konnte, das wurde unter Kürenbergs dirigierender Hand human und licht, eine Musik für gebildete Zuhörer, doch Siegfried klang es fremd und enttäuschend, die gebändigte Empfindung strebte zur Harmonie, und Siegfried war unruhig, aber schließlich war er artistisch gesinnt und freute sich der Präzision der Reinheit der Instrumente, der Sorgfalt, mit der die hundert Künstler des berühmten Orchesters seine Komposition spielten.

Im Saal wuchs Lorbeer aus grünangestrichenen Kübeln, es

mochte auch Oleander sein; in Krematorien standen dergleichen Gewächse und ließen selbst zur Sommerzeit an kalte Wintertage denken. »Variationen über den Tod und die Farbe des Oleanders« hatte Siegfried seine erste größere Arbeit genannt, ein Septett, das nicht aufgeführt wurde. Er hatte in der ersten Fassung an den Tod der Großmutter gedacht, der einzigen Person in seiner Familie, die er geliebt hatte; vielleicht weil sie so still und fremd durch das vielbesuchte, von Marschstiefeln widerhallende Haus seiner Eltern gegangen war. Und wie glänzend und traurig war ihre Einäscherung! Die Großmutter war die Witwe eines Pastors, und hätte sie zuschauen können, es wäre ihr nicht recht gewesen, mit wieviel Technik und Komfort, wie hygienisch und bequem, wie kaltschnäuzig und gewandt gepredigt sie aus der Welt geschafft wurde, und auch der Kranz mit der grellen Hakenkreuzschleife, den die Frauenschaft gestiftet hatte, war ihr bestimmt unlieb, wenn sie auch nie dagegen gesprochen hätte. In der zweiten Fassung des Septetts aber hatte Siegfried mit seinen sieben Instrumenten etwas Allgemeineres, Zwielichtiges ausdrücken wollen, geheimen Widerstand, blinzelnde, unterdrückte, romantische und brüchige Gefühle, und in den Sätzen des Trostes glich sein Versuch einem rosenumwundenen Marmortorso, dem Torso eines jungen Kriegers oder dem Torso eines Hermaphroditen in der brennenden Ruine einer Waffenhandlung; es war Siegfrieds Auflehnung gegen seine Umgebung, gegen das Kriegsgefangenencamp, den Stacheldrahtzaun, die Kameraden, deren Gespräche ihn anödeten, den Krieg, den er seinen Eltern zuschrieb, und das ganze vom Teufel besessene und geholte Vaterland. Sie alle wollte Siegfried ärgern, und er hatte Kürenberg, einen früher auch zu Hause bekannten Dirigenten, von dem er in einer englischen Zeitung gelesen hatte, daß er in Edinburgh sei, gebeten, ihm Beispiele der Zwölftonmusik zu senden, einer in Siegfrieds Jugendreich unerwünschten Kompositionsweise, die ihn allein schon deshalb anzog, weil sie von den Machthabern verfemt war, den gehaßten militärischen Erziehern, dem gefürchteten Onkel Judejahn, diesem mächtigen Manne, dessen düsteres Konterfei in verabscheuter Uniform über des verachteten Vaters Schreibtisch gehangen hatte, und Kürenberg hatte Siegfried das Werk von Schönberg und Webern mit einem freundlichen Brief in das Lager geschickt. Es waren ältere Notenhefte der Universaledition, die so zu Siegfried kamen und zu früh in Wien erschienen waren, um Siegfried bekannt zu werden, bevor sie nach der Vereinigung Deutschlands und Österreichs nicht mehr verkauft werden durften. So war diese Musik für Siegfried eine neue Welt, ein Tor, das ihn aus einem Käfig ließ, nicht allein aus dem Stacheldrahtpferch der Kriegsgefangenschaft, nein aus bedrükkenderer Enge, und er kroch nicht zurück unter das Joch, wie er es nannte, der Krieg war verloren, und er wenigstens war befreit worden und beugte sich nicht länger den Anschauungen der Sippe, in die geboren zu sein er immer nur entsetzlich gefunden hatte.

Das Gesträuch im Saal wirkte staubig und war doch wohl Lorbeer, denn die Blätter sahen wie getrocknetes Gewürz aus, das zwar genäßt, doch unverkocht und splitterig in der Suppe schwimmt. Das Gestrüpp deprimierte Siegfried, der in Rom nicht traurig sein wollte. Aber das Blattwerk erinnerte ihn allzusehr an eine Suppe, die ihm nicht geschmeckt hatte, an den Eintopf der Reichsschule der Partei, in die sein Vater ihn auf Judejahns Wunsch geschickt hatte, an den Verpflegungskessel der Wehrmacht, zu der Siegfried von dieser Schule geflohen war; auch in der Junkerschule der Partei hatte Lorbeer gegrünt und in der Kaserne Eichenlaub mit Ranken hin zu Orden und zu Gräbern, und stets hatte ein Bild des verkniffenen verdrückten Kerls, des Führers mit dem Chaplinbart, wohlwollend auf die Herde der Opferlämmer geblickt, auf die gerade schlachtreifen in Uniform gesteckten Knaben. Hier unter dem Lorbeer und Oleander

der Konzerthalle, im künstlich frostigen Hain, hing nun ein altes Bildnis des Meisters Palestrina, nicht wohlwollenden, eher strengen und vorwurfsvollen Gesichts über den Bemühungen des Orchesters. Das Tridentiner Konzil hatte Palestrinas Musik anerkannt. Der Kongreß im Rom würde Siegfrieds Musik ablehnen. Auch das deprimierte Siegfried, bedrückte ihn schon auf dieser Orchesterprobe, obwohl er in der Erwartung der Ablehnung nach Rom gereist war und sich einredete, es sei ihm gleichgültig.

SAMUEL BECKETT

Im Zimmer meiner Mutter

Ich bin im Zimmer meiner Mutter. Ich wohne jetzt selbst darin. Wie ich hierhergekommen bin, weiß ich nicht. In einer Ambulanz vielleicht, bestimmt mit irgendeinem Gefährt. Man hat mir geholfen. Allein hätte ich es nicht geschafft. Vielleicht habe ich es diesem Mann, der jede Woche erscheint, zu verdanken, daß ich hier bin. Er streitet es ab. Er gibt mir etwas Geld und nimmt das Geschriebene mit sich. So viele Seiten, so viel Geld. Ja, ich arbeite jetzt, ein wenig wie früher, nur verstehe ich mich nicht mehr aufs Arbeiten. Das macht nichts, wie es scheint. Ich möchte jetzt gern von dem sprechen, was mir noch übrigbleibt, Abschied nehmen, aufhören zu sterben. Das wollen sie nicht. Ja, es sind mehrere, wie es scheint. Aber der eine, der herkommt, ist immer derselbe. Das werden Sie alles später tun, meint er. Schön. Ich habe nicht mehr viel Willenskraft, das ist es. Wenn er kommt, um die fertigen Seiten abzuholen, bringt er die von der vorhergehenden Woche zurück. Sie sind mit Zeichen versehen, die ich nicht verstehe. Übrigens sehe ich sie mir nicht wieder an. Wenn ich nichts geschrieben habe, gibt er mir nichts und schimpft mich aus. Aber ich arbeite nicht, um Geld zu bekommen. Wozu also? Ich weiß es nicht. Ich weiß überhaupt nicht viel, offengestanden. Über den Tod meiner Mutter zum Beispiel. War sie schon tot, als ich ankam? Oder ist sie erst später gestorben? Ich meine, tot wie jemand, den man begräbt. Ich weiß es nicht. Vielleicht hat man sie noch nicht begraben. So oder so, jetzt bewohne ich ihr Zimmer. Ich schlafe in ihrem Bett. Ich benutze ihr Nachtgeschirr. Ich habe ihren Platz eingenommen. Ich werde ihr gewiß immer ähnlicher. Es fehlt mir nur noch ein

Sohn. Irgendwo habe ich vielleicht einen. Aber ich glaube nicht. Er wäre jetzt ein alter Mann, fast so alt wie ich. Es war ein kleines Dienstmädchen. Nichts von wahrer Liebe. Die wahre Liebe zeigte mir eine andere. Sie werden davon noch hören. Nun habe ich schon wieder ihren Namen vergessen. Manchmal kommt es mir vor, als hätte ich meinen Sohn sogar gekannt, mich um ihn gekümmert. Dann sage ich mir, das kann nicht sein. Es ist unmöglich, daß ich mich um irgend jemanden hätte kümmern können. Auch die Rechtschreibung habe ich vergessen und die Hälfte aller Worte. Das hat weiter keine Bedeutung, wie es scheint. Meinetwegen. Ein komischer Kauz ist das, dieser Besucher. Er kommt jeden Sonntag, wie es scheint. An den anderen Tagen hat er keine Zeit. Er ist immer durstig. Er hat mir gesagt, daß ich falsch begonnen hätte, daß man anders hätte beginnen müssen. Meinetwegen. Ich hatte beim Anfang angefangen, stellen Sie sich das vor, wie ein altes Rindvieh. Hier ist also mein eigener Anfang. Sie werden ihn trotzdem behalten, wenn ich recht verstanden habe. Ich habe mir Mühe gegeben. Hier ist er. Er hat mich viel Mühe gekostet. Es war der Anfang, verstehen Sie. Während ich jetzt beinahe am Ende angelangt bin. Ob das, was ich jetzt mache, besser ist? Ich weiß es nicht. Darum handelt es sich auch nicht. Hier ist also mein eigener Anfang. Das muß etwas zu bedeuten haben, da sie ihn behalten. Hier ist er.

ERICH FRANZEN

Einführung in Becketts »Molloy«

Samuel Becketts erste, in englischer Sprache geschriebene Erzählung, »Murphy«, die 1938 herauskam, begann mit dem erstaunlichen Satz: »Die Sonne schien, weil sie keine andere Möglichkeit hatte, auf das Nichts des Neuen«. Wie stark der dichterische Impuls war, der in diesen programmatischen Worten steckte, ging aus der etwas konventionell geratenen Erzählung nicht hervor. Erst zehn Jahre später gelang es Beckett in seinem zweiten Roman, »Molloy«, und dem Bühnenstück »Wir warten auf Godot« für das Thema, das er sich vorgenommen hatte, den zeitlos mythischen Hintergrund zu finden, den es verlangte.

Es ist bezeichnend, daß die beiden zuletzt genannten Werke und zwei neuere Erzählungen, »Malone meurt« und »L'Innommable«, in Frankreich entstanden und französisch geschrieben sind. Das »Nichts des Neuen« war im Lande Pascals kein unbekannter Begriff, aber eine große humanistische Tradition, die vom Verfasser der »Pensées« über die Moralisten des 18. Jahrhunderts bis zur surrealistischen Avantgarde und Camus reichte, hatte die Nichtigkeit des äußeren Geschehens längst in das Gesamtbild der *condition humaine* eingeordnet und im Gleichnis der menschlichen Existenz sichtbar gemacht. Unter dem befruchtenden Einfluß dieser Tradition erfand Beckett seine Vagabunden-Gestalten, die durch ihr hoffnungsloses Suchen und Warten nichts anderes ausdrücken als die ewige Verlassenheit des Menschen in einer leerlaufenden Welt. Sie besitzen nichts als ihr eigenes Ich, aber auch das können sie nicht finden. Ihre Kräfte reichen nicht dazu aus, den Nebel zu durchdringen, der sie daran hindert, »die zu sein, die sie seit jeher zu sein verdammt sind«.

Die Wendung nach innen, die sich in der angedeuteten Entwicklung des Joyce-Schülers Beckett allmählich vollzogen hat, ist durchaus konsequent. Sie wird durch die radikale Entwertung der äußern Welt erzwungen. Daher erscheint die Irrfahrt des Krüppels Molloy, der in einem Gebiet ohne Gestalt und Grenzen nach seiner »Mutter« sucht und schließlich im »Stehenbleiben das beste Mittel der Fortbewegung« sieht, wie eine umgekehrte Odyssee. Molloys Ithaka liegt immer genau da, wo er sich gerade befindet, und alle Straßen, auf denen er wandert, können ihn nicht von dort fort führen.

Molloy weiß um seine Heimat, aber er hat »ihren Namen vergessen« (wie ihm auch sein eigener Name anfangs nicht einfallen will, so sehr ist er sich selbst entfremdet). Es gibt viele Namen in der Sprache, aber welcher davon ist der richtige? Das läßt sich aus der Sprache nicht erkennen. Nur im Reich des Schweigens wäre man vor jeder Täuschung sicher. Molloy sehnt sich in dieses Reich zurück, aber solange er unter uns weilt (und er weilt gewiß unter uns), muß er reden, den Dingen und sich selbst einen Namen geben, denn alles, was er von den Dingen und von seinem Ich wissen kann, ist – ein Name. Der Name sitzt dem Menschen auf wie ein Hut. Sobald er ihn lüftet, verliert er sein »Gesicht«, und sobald er ihn aufsetzt, muß er beginnen zu »denken«, wie der in den Strudeln der Sprache ertrinkende Lucky in dem Schauspiel »Warten auf Godot«.

Da Molloy aus der Sprache nichts über sich erfahren kann, muß er sich auf seine Sinne und seine Gliedmaßen verlassen. Doch seine Augen zeigen ihm nur ständig sich verändernde Bilder, aus denen er so wenig klug wird wie aus der wechselnden Gestalt des Mondes; in seinem Ohr mischen sich ferne und nahe Geräusche, die einander übertönen; er riecht einmal dies und einmal das, ohne zu wissen, was es ist und woher der Geruch kommt. Mit seinen Gliedmaßen steht es nicht besser. Sie gehorchen ihm nicht, sie machen sich selbständig, vergnügen sich mit Kapriolen oder erkranken und sterben ab, wann es ihnen paßt. Seine Krücken, an denen er sich kriechend durch das Waldesdickicht zieht, leisten ihm bessere Dienste als seine Beine. Alles, was sein Körper ihm anzeigt, ist sein langsamer Verfall. Er weiß nur eins: daß er noch da ist in seinem morschen »Kasten« – und vielleicht noch dies: daß er nur dann seiner wahren Existenz sich nähern wird, wenn die letzten Täuschungen des Lebens von ihm abgefallen sind.

Dieses Thema des langsamen »Vordringens auf ein unbekanntes und verleugnetes Licht und Gesicht« hin wird im zweiten Teil des Buches auf originelle Weise variiert. Ein durchschnittlicher Kleinbürger namens Moran muß eines Tages im Auftrag einer »höheren Macht« sein geliebtes Häuschen und seine Bienenzucht verlassen, um in Begleitung seines Sohnes nach Molloy zu fahnden. Die Gestalt Molloys ist ihm nur aus seltsamen Alpträumen bekannt, von denen er manchmal geplagt wird. Er kann den Gesuchten nicht finden, aber je weiter er sich ins Ungewisse vorwagt, um so ähnlicher wird er selbst Molloy. Seine Beine versagen den Dienst, Krankheiten und Wahnbilder suchen ihn heim, sein Sohn läuft ihm davon. Er ist sich selbst ausgeliefert. Schließlich befiehlt ihm die »höhere Macht«, dorthin zurückzukehren, von wo er aufgebrochen ist. Alles liegt in Ruinen. Aus Moran ist Molloy geworden. Trotzdem findet er sich noch immer am gleichen Fleck – denn die ganze Geschichte der Verfolgung ist von ihm selbst erfunden. Er hat sie niedergeschrieben – wie Molloy die seine –, um aus dem Gefängnis seiner Persönlichkeit auszubrechen, oder auch: um hinter der banalen Fassade seines Daseins sein wahres Ich zu suchen.

Durch diese surrealistische Wendung wird der tragisch-ernste Unterton der Erzählung mit großer Kunst gleichsam überspielt. Das Schwebend-Leichte des ganzen Tons verdeckt, wie in »Wir warten auf Godot«, die bittere Problematik der *condition humaine,* aber es beschönigt sie nicht. Unmerklich wird der Leser dahin geführt, sich in einer Welt zurechtzufinden, die ihm so unbekannt ist wie sein eigenes Ich. In dieser Möglichkeit der unerwarteten Selbstbegegnung sieht Beckett den wahren Sinn der Dichtung und die Aufgabe einer Literatur, die aus dem »Nichts des Neuen« einen Rückweg zum Menschen eröffnet.

MARTIN WALSER

Die Klagen über meine Methoden häufen sich

Der Mut, den man braucht, Sparkassenräuber zu werden, auf blankem Steinboden in die taghelle Schalterhalle einzudringen, dieser Mut fehlte mir, als ich von meinen Erziehern gedrängt wurde, einen Beruf zu wählen. Gerne wäre ich auch Förster geworden; aber selbst für diesen Beruf, so schien es mir, brauchte man den Mut eines Sparkassenräubers. Fast für alle Berufe, wenn man sie näher betrachtet, braucht man diesen Mut eines Mannes, der in die Schalterhalle eindringt, alle mit einer geladenen oder noch öfters mit einer ungeladenen Pistole in Bann hält, bis er hat, was er will, der dann noch lächelt und rückwärts gehend plötzlich verschwindet.

Schließlich entschied ich mich, Pförtner zu werden. Und ich wurde Pförtner in einer Spielzeugfabrik. Ich kann mir vorstellen, daß viele meiner Kollegen durch diesen Beruf hochmütig werden, daß sie auch nach Feierabend noch mit kaltem Gesicht herumlaufen und abweisende Handbewegungen um sich her streuen.

Ich bin nicht so geworden, obwohl ich mich nach Kräften bemühe, meinen Dienst tagsüber gewissermaßen unbarmherzig zu tun. Ich fühlte mich von Anfang an zu Hause in meiner gläsernen Loge. Die Knöpfe, mit denen ich die mir anvertrauten Türen öffnen kann, wurden mir ein einziges Mal zur Handhabung erklärt, und schon hatte ich alles verstanden; das Verzeichnis der Telephonanschlüsse im Haus kannte ich auswendig, kaum, daß ich's einmal durchgelesen hatte. Den ersten Besuchern gegenüber war ich – das gebe ich zu – ein bißchen scheu: ich befürchtete Fragen, die ich nicht beantworten konnte, ich war noch nicht sicher, ob mir die Formulierung meiner Auskünfte in jedem Augenblick so gelingen würde, wie es der Besucher erwarten darf. Wie leicht kann doch ein Pförtner scheitern! Da kommen Herren der vornehmsten Art in die Fabrik, und der Pförtner weiß nicht, ob es seinen Vorgesetzten im Haus lieb ist, gerade diesen oder jenen Herrn zu empfangen. Und jeder im Haus glaubt, er sei der Vorgesetzte des Pförtners. Der Pförtner hat keine Kollegen, er hat nur Vorgesetzte. Und er muß es allen recht machen. Nun meint man, der Pförtner müsse ja nur zum Haustelephon greifen, hinaufrufen in die Büros und fragen, ob der Herr Soundso willkommen sei oder nicht. Aber die in den Büros sind so empfindlich, daß sie oft schon durch eine telephonische Anfrage in schreckliche Erregung versetzt werden können; dann schreien sie den Pförtner durchs Telephon nieder, daß der Mühe hat, seine Fassung zu bewahren und nicht in Tränen auszubrechen. Das darf er nicht, weil doch vor ihm, den Kopf dicht an der Scheibe und ganz auf den Pförtner konzentriert, der Besucher steht, dem er gleich Antwort geben muß. Diese Antwort wiederum darf nichts von dem Geschrei verraten, das der feinnervige und hochbezahlte Herr aus dem Büro gerade in die Ohren des Pförtners prasseln ließ, nein, des Pförtners Aufgabe ist es, diesen Wutschrei des gestörten Herrn sofort zu übersetzen in ein bedauerliches Lächeln, in eine höfliche Geste, die den Besucher so sehr tröstet, daß er, wenn er gleich zur Tür hinausgeht, schon vergessen hat, daß er abgewiesen wurde. Solche Dolmetscherarbeit will gelernt sein, das darf man mir glauben. Oft muß ich darüber hinaus noch den Kopf mit dem Hörer weit weit zurückbiegen bis in das dämpfende Futter meines Mantels hinein, der hinter mir hängt, um die gereizte Stimme aus dem Büro vor den Ohren des Besuchers zu verbergen, denn es besteht eine Anordnung von der allerhöchsten Geschäftsleitung, vom Besitzer selbst nämlich, daß kein Besucher, wer es auch immer sei, schroff behandelt werden dürfe. Obwohl diese Anordnung der Direktion für alle gilt, ist es doch der Pförtner, der ihr in der Praxis Geltung zu verschaffen hat. Ich habe dies immer mit Freuden getan, weil ich gerade diese Anordnung mehr billige als irgendein anderes Gesetz des Betriebes.

Deshalb habe ich mir angewöhnt, so selten wie möglich zum Telephon zu greifen. Ich prüfe die Besucher selbst und entscheide, ob sie mit Recht verlangen, mit dem Einkaufschef, mit dem Prokuristen, dem Leiter der Entwurfsabteilung, mit der Kantinenpächterin, oder gar mit einem der Direktoren oder dem Personalchef sprechen zu dürfen.

Mag sein, daß ich am Anfang meiner Tätigkeit manchen zu rasch wegschickte. Aber allmählich habe ich mir eine Fähigkeit erworben, jeden so lange zu fragen, unauffällig, gar nicht wie ein Detektiv oder sonst ein Schnüffler, ganz beiläufig, im Gange einer für beide Teile recht erquicklichen Unterhaltung, aber doch mit aller nützlichen Gründlichkeit, daß ich am Ende dieser Unterhaltung so genau informiert bin über die Wichtigkeit dieses Besuches für unsere Firma, daß ich die Entscheidung darüber, ob ich ihn abzuweisen habe oder nicht, mit einem vollkommen ruhigen Gewissen fällen kann. Wenn ich einen Besucher aber abweise – und die meisten muß ich abweisen –, dann weiß ich ihn während dieser Unterhaltung davon zu überzeugen, daß es für ihn ganz sinnlos wäre, mit dem Herrn unserer Firma, bei dem ich ihn anmelden sollte, zu sprechen. Ich habe mir in allen Fachgebieten, die bei uns vorkommen, so viel Kenntnisse erworben, daß ich einem Vertreter, der wegen Weißblechlieferung mit dem Einkaufsleiter sprechen will, genau Bescheid geben kann, ob seine Angebote Aussicht auf Erfolg haben oder nicht. Ebenso habe ich gelernt, protestierende Einzelhändler, die den Verkaufschef sprechen wollen, zu befriedigen oder Landleute, die unsere Kantine beliefern wollen, oder bleichsüchtige Erfinder, die in Rudeln zu dreien oder vieren den Leiter unserer Entwurfsabteilung überfallen wollen, um ihm ihre unverwertbaren Spielzeugerfindungen aufzuschwatzen, sogar entschlossen blickende Schriftsteller und Maler, die sich an unserem Reklamechef rächen wollen, vermag ich vom Schlimmsten zurückzuhalten, obwohl gerade die Erfinder und die Künstler – das muß ich den Landleuten und Vertretern zu Ehren sagen – am schwersten durch vernünftiges Reden zu überzeugen sind.

So vertrete ich also – ich kann es nicht anders sagen – alle leitenden Herrn des Hauses an der Pforte, und die immer rascher steigenden Umsätze sind nicht zuletzt dem Umstand zu verdanken, daß ich die leitenden Persönlichkeiten unserer Firma – sie sind ja die verletzlichsten – vor lästigen Besuchern schütze. Leider wird dies von eben diesen Herrn überhaupt nicht bemerkt. Vor allem verstehen diese Persönlichkeiten nicht, daß ich Zeit brauche, um die einzelnen Besucher wirklich und ohne alle Schroffheit von der Nutzlosigkeit ihrer Besuche zu überzeugen. Die langwierigen Unterhaltungen, die ich durch mein Logenfenster mit den hartnäckigen Besuchern führen muß, haben zur Folge, daß schon eine halbe Stunde nach Geschäftsbeginn eine von Minute zu Minute länger werdende Schlange vor meinem Schalter steht. Sei es nun, daß da mal einer ungezogen genug war, die versammelte Menschenmenge als Tarnung zu benutzen, und unangemeldet ins Haus schlüpfte, sei es, daß einmal einer der leitenden Herrn rasch aus dem Haus wollte und durch die Schlange der Wartenden eine Sekunde Zeit verlor, auf jeden Fall häufen sich im Haus die Klagen über meine Methode, Besucher zu behandeln. Ich arbeitete zu langsam, zu schwerfällig, zu wenig sachlich . . . das muß ich hören! So kurzsichtig sind all diese Vorwürfe und Klagen, so wenig Kenntnis meines Berufs beweisen sie, daß ich mich eigentlich gar nicht verteidigen kann. Ich möchte sehen, was geschehen würde, wenn ich die Besucher kurz und barsch abfertigen würde! Dann wäre die Vorhalle zwar immer leer, aber in der Direktion würden die Telephone vor Protestanrufen nicht mehr aufhören zu klingeln, der Ruf der Firma würde leiden, der Umsatz sinken. Die Anordnung der Direktion, keinen Besucher vor den Kopf zu stoßen, ist nicht umsonst erlassen. Ich kann natürlich nicht zum Direktor rennen und ihn bitten, denen, die gegen mich klagen, den Mund zu stopfen. Er würde mir einfach sagen, ich müsse das eine tun, dürfe aber das andere nicht lassen. Wie aber soll ich die Besucher höflich davon überzeugen, daß die Firma sie nicht empfangen kann, wenn ich sie rasch abfertigen soll? Davon, daß einer das große Los gewonnen hat, kann man ihn mit einem einzigen Satz überzeugen. Einem aber wirklich beizubringen, daß seine Erfindung oder sein Werbetext oder sein Blech oder Gemüse für die Firma nicht in Frage kommen – und ihm das so beizubringen, daß er mit einem Loblied auf die Firma das Haus verläßt –, das soll mir einer meiner Gegner einmal in zwei Minuten vormachen. Aber was soll ich tun?

Die Menschenschlange vor meiner Loge wird täglich länger; weil ich die Gefahr, in die sie mich bringt, jetzt kenne, macht sie mich unruhig, unsicher auch, meine Rede fließt nicht mehr wie ehedem, ich schwitze, stammle, brauche länger als früher, erreiche nie mehr das Maß an Tröstung, das ich sonst in jedem Fall erreicht hatte, schon kommt es vor, daß manche mir einen Fluch zuwerfen, die Türe zuschlagen und wütend hinausstürzen, was soll ich tun? Ich kann nichts mehr ändern. Ich muß es endlich eingestehen, warum ich die Entwicklung, die ich in meinem Beruf genommen habe, so ausführlich aufzeichne: zur Rechtfertigung nämlich, um irgendwo, außerhalb meines Betriebes nämlich, Verständnis zu erlangen, denn für morgen bin ich zum Personalchef geladen. Erst dachte ich, es handle sich bloß um eine Mahnung, um eine Art Vorwarnung. Das glaube ich nicht mehr. In der Schlange, die gestern vor meinem Schalter stand, war einer, ein grober Mann mit einem lippenlosen Mund, der forderte mich auf, ihn beim Personalchef zu melden, er sei

bestellt. Ich fragte, als mein Finger schon über der Wählscheibe schwebte, in welcher Angelegenheit er den Personalchef denn sprechen wolle: er bewerbe sich um die ausgeschriebene Pförtnerstelle, sagte er.
Ich wählte die Nummer der Personalabteilung gleich auf das erste Mal richtig und meldete ihn an, mein Zeigefinger allerdings, mit dem ich die Wählscheibe gedreht hatte, war danach wie erfroren.
Der Mann ging ins Haus, nach einer halben Stunde kehrte er fröhlich zurück. Er pfiff sogar vor sich hin. Ich sah ihm voller Bewunderung nach. Seinen Mut müßte man haben, dachte ich. Oder überhaupt Mut. Da hatte ich mich die ganze Zeit ein bißchen geschämt, weil ich bloß Pförtner geworden war. Jetzt sah ich ein, daß man sogar dazu den Mut eines Sparkassenräubers braucht. Jenen Mut, den ich bei mir immer noch vergeblich suche.

MARCEL PROUST

Erste Begegnung mit Gilberte

»Prousts Werk birgt die substantiellste schöpferischste Kraft, die Frankreich seit Balzac hervorgebracht hat. In unerschöpflicher Fülle strömen Leben und Geist, Trauer und Lust, Güte und Humor aus seinen Büchern. A la recherche du temps perdu – schon dieser Titel bezeugt die Genialität der Konzeption, die auch die gerühmtesten Leistungen des modernen Romans weit überbietet.«

Ernst Robert Curtius 1952

Ich folgte mit dem Blick bis draußen zur Böschung, die jenseits der Weißdornhecke steil zu den Feldern aufstieg, einigen vereinzelten Mohnblumen und träge zurückgebliebenen Kornblumen, die hier und da ihre Blüten in den Hang eingewirkt hatten, so wie in weitläufigen Abständen am Rande einer Stickerei das pflanzliche Motiv erscheint, das erst in der Mittelpartie sich völlig entfalten wird; selten noch und lückenhaft wie die Häuser, mit denen sich die Nähe eines Dorfes ankündigt, zeigten sie mir die ungeheuren weizenwogenden Weiten an, über denen sich Wolken kräuselten, und der Anblick einer einzigen Mohnblüte, die am Ende ihres Tauwerks im Winde die rote Flamme aufzüngeln ließ über der schwarzen wie ölgetränkten Boje, ließ mein Herz höher schlagen wie das eines Reisenden, der in der Nähe des Strandes eine erste gescheiterte Barke erblickt, an der ein Kalfaterer gerade die Schäden behebt; bevor er es noch wirklich gesichtet hat, ruft er dann aus: ›Das Meer!‹
Ich kehrte zu dem Weißdorn zurück wie zu einem Kunstwerk, von dem man meint, man werde es besser sehen, wenn man es einen Augenblick inzwischen nicht angeschaut hat; aber es nützte nichts, daß ich meinen Blick mit den Händen

abschirmte, um nichts weiter zu sehen: das Gefühl, das er in mir weckte, blieb dunkel und unbestimmt, versuchte vergebens sich loszulösen und die Verbindung mit den Blüten einzugehen. Sie verhalfen mir nicht dazu, es wirklich deutlich zu machen, und von anderen Blumen erreichte ich nicht, daß sie es mir verschafften. Da aber schenkte mir mein Großvater die Freude, die wir empfinden, wenn wir auf ein Werk unseres Lieblingsmalers stoßen, das von den uns bekannten ganz verschieden ist, oder wenn man uns vor ein Bild führt, von dem wir bislang nur eine Bleistiftskizze gesehen haben, oder wenn ein Stück, das wir nur auf dem Klavier gehört haben, durch eine Orchesteraufführung seine wahre Vielfarbigkeit erhält, denn er sagte zu mir: »Du hast doch den Weißdorn so gern, schau her, hier gibt es einen mit rosa Blüten, er ist wirklich hübsch!« Tatsächlich war es auch ein Dornstrauch, doch rosa, noch köstlicher als die weißen. Auch er war geschmückt wie für ein Fest, eines jener einzig wirklichen Feste, wie es nur kirchliche Festtage sind, da sie ja nicht wie weltliche durch eine Zufallslaune an einen beliebigen Tag geheftet werden, der nicht besonders für sie vorgesehen ist und nichts im tiefsten Wesen Feiertagsmäßiges besitzt – aber noch reicher, denn die Blüten, die an den Zweigen in der Weise aufgerciht waren, daß sie wie die Pompons an einem Rokokohirtenstab keine Stelle ungarniert ließen, waren ›farbig‹ und somit von höherer Qualität nach den Gesetzen der Ästhetik von Combray, jedenfalls nach der Staffelung der Preise im ›Warenhaus‹ oder bei Camus zu schließen, wo die Pâtisserie mit rosa Guß teurer war als die andere. Ich selbst schätzte mehr den rosa Rahmkäse, in den ich hatte Erdbeeren drücken dürfen. Diese Blumen aber hatten sich gerade jenen rosa Farbton ausgewählt, den eßbare Dinge haben oder eine liebenswürdige Kleinigkeit, mit der man eine Festtagstoilette schmückt, ein Rosa, das, weil die Gründe für seine Überlegenheit so klar zutage treten, in den Augen der Kinder die überzeugendste Farbe ist und deshalb später für sie immer etwas Lebendigeres und Natürlicheres behält als alle anderen Tönungen, selbst wenn sie begriffen haben, daß es dem Geschmacksempfinden keine besonderen Reize bietet oder von der Schneiderin nicht eigentlich für das Kleid bestimmt worden ist. Und tatsächlich empfand ich ebenso wie angesichts der weißen Dornenhecke, aber doch noch mit größerem Staunen, daß nicht erst durch etwas Künstliches, durch einen Kniff der menschlichen Industrie die festtägliche Bestimmung der Blumen zustande gekommen war, sondern daß die Natur sie in ihnen selbst spontan zum Ausdruck gebracht hat mit der Naivität einer dörflichen Händlerin, die Artikel für einen feiertäglichen Hausaltar herstellt, indem sie nämlich dieses Zweigwerk mit Rosetten von allzu süßem Rosa und in altmodischem Provinzgeschmack ausgestattet hat. Oben an den Zweigen sproßten in übermäßiger Fülle, ähnlich den kleinen Rosenstöckchen, in deren in Papiermanschetten verschwindenden Töpfen bei großen Festen am Altar winzige Kerzen erstrahlen, kleine Knöspchen von blasserem Ton, die, wenn sie sich öffneten, im Innern in einem Kelch aus blutrotem Marmor ein rötliches Linienwerk zeigten und mehr noch als die Blüten die ganz besondere, unzerstörbare Substanz dieser Gattung verrieten, die überall, wo sie Knospen treibt oder blüht, immer nur Rosa erzeugt. In die Hecke eingefügt, und doch so verschieden von ihr wie ein junges Mädchen im Festgewand von den Personen im Werktagskleid, die zu Hause bleiben, bereit für die Maiandacht in der Kirche, zu der es schon ganz zu gehören schien, so leuchtete lächelnd, frisch eingekleidet, dieses katholische, dieses köstliche Gewächs.

Durch die Hecke hindurch sah man im Innern des Parks eine Allee, die mit Jasmin, Stiefmütterchen und Verbenen eingefaßt war, zwischen denen Levkojen ihre taufrischen Täschchen in einem wie altes Corduanleder duftenden und etwas vergilbten Rosa öffneten, während auf dem Kiesweg ein langer grüngestrichener Gartenschlauch in vielen Windungen sich hinzog und aus seinen Öffnungen über den Blumen, deren Duft er durchfeuchtete, den senkrecht aufgestellten, als Prisma wirkenden Fächer seiner in allen Farben spielenden Tröpfchen aufsteigen ließ. Auf einmal blieb ich regungslos stehen wie vor einer Vision, die nicht nur die Blicke fesselt, sondern auch tiefere Wahrnehmungsschichten und schließlich unser gesamtes Sein in Anspruch nimmt. Ein Mädchen mit rotblondem Haar, das von einem Spaziergang heimzukommen schien und eine Gartenschaufel in der Hand trug, hob ihr mit rosigen Flecken übersätes Gesicht und schaute zu uns herüber. Ihre schwarzen Augen blitzten, und da ich damals so wenig wie später einen starken Eindruck in seine einzelnen Elemente zu zerlegen verstand, weil ich nun einmal nicht, wie man es nennt, genügend ›Beobachtungsgabe‹ besaß, um einen deutlichen Begriff von der Farbe dieser Augen zu gewinnen, hat sich mir lange Zeit hindurch, sooft ich an sie dachte, in der Erinnerung ihr Leuchten wie das von einem kräftigen Azurblau dargestellt, weil sie nun einmal blond war: so daß ich mich, wenn sie nicht so schwarze Augen gehabt hätte – gerade die Intensität fiel mir bei ihrem ersten Anblick so ganz besonders auf –, vielleicht nicht, wie es tatsächlich geschah, mehr als in irgend etwas anderes an ihr, in ihre blauen Augen verliebt hätte.

Ich betrachtete sie zunächst mit einem Blick, der nicht nur das Sprachrohr der Augen ist, sondern wie ein Fenster, durch das sich alle Sinne angstvoll und wie versteinert neigen, einem Blick, der Leib und Seele dessen, was er anschaut, berühren, einfangen, mit sich forttragen möchte, dann aber mit einem zweiten, in den ich in meiner Todesangst, mein Großvater und mein Vater könnten das Mädchen bemerken und mich von ihr entfernen, indem sie mich vor sich hergehen hießen, unbewußt einen flehentlichen, an sie gerichteten Appell legte, durch welchen ich sie zwingen wollte, von mir Notiz zu nehmen und meine Bekanntschaft zu machen. Sie ließ ihre Augäpfel nach vorn und nach der Seite rollen, um meinen Großvater und meinen Vater mit dem Blick zu umfassen, und zweifellos nahm sie den Eindruck davon mit, daß wir komische Leute seien, denn mit gleichgültiger und nichtachtender Miene wendete sie sich ab und stellte sich so hin, daß ihr Gesicht nicht in das Blickfeld der beiden anderen fiel; als sie weitergingen, ohne sie zu bemerken, schoß sie einen langen Blick zu mir herüber, der ganz ohne Ausdruck war und mir gar nicht zu gelten schien, aber so starr und mit einem versteckten Lächeln darin, daß ich ihn auf Grund der Vorstellungen von guter Erziehung, die man mir beigebracht hatte, nur als eine Bekundung äußerster Verachtung auffassen konnte; gleichzeitig machte sie flüchtig mit der Hand eine nicht ganz anständige Bewegung, die, wenn sie öffentlich einem Unbekannten gegenüber ausgeführt wurde, nach dem kleinen Höflichkeitskodex, den ich in mir trug, eindeutig eine ganz bewußte Ungezogenheit war.

– Gilberte, komm auf der Stelle her; was machst du denn da, rief die energisch befehlende Stimme einer Dame in Weiß, die ich bislang nicht gesehen hatte und neben der in einer gewissen Entfernung ein Herr in leichtem Sommeranzug stand, der mir unbekannt war; er aber starrte mich aus leicht hervortretenden Augen an; das Mädchen hörte plötzlich auf zu lächeln, nahm die Schaufel und entfernte sich, ohne sich nach mir umzudrehen, mit gefügiger, undurchdringlicher und etwas tückischer Miene.

So klang dicht neben mir der Name Gilberte auf, mir geschenkt wie ein Talisman, der mir vielleicht erlauben würde, eines Tages diejenige wiederzufinden, die er aus einem eben noch ganz ungewissen Bild zu einer wirklichen Person umgeschaffen hatte. So flog er an mir vorüber, über Jasmin und Levkojen hinweg, scharf und kühl wie die Tropfen aus dem grünen Gartenschlauch; er füllte die klare Luftzone, die er durcheilt und völlig von allem anderen abgetrennt hatte, mit dem Duft und dem Farbenspiel, die dem Geheimnis des Lebens derjenigen innewohnten, die für die beglückten Wesen, die mit ihr lebten und reisten, sein Klang bezeichnete; unter dem rosa Blütenbusch in Schulterhöhe ließ er die verdichtete Essenz einer für mich so schmerzlichen Vertrautheit mit ihr erstehen, mit dem Unbekannten ihres Seins, zu dem ich nie Zugang haben würde.

WALTER HÖLLERER

Vorwort zu »Transit«

Kapitel dieses Buches zeichneten sich ab, bevor noch der Plan zum Ganzen gefaßt war.
Auf dem Pincio in Rom steht seit alters her eine Uhr, deren Räderwerk vom Wasser getrieben wird. Ringsum bewegt sich, immer neu, das Spiel der römischen Abende: die Wendungen der Profile; das Tanzen der Gesten; Rufe, Gesprächsstücke; Ausblicke auf eine Stadt von irisierenden Lichtern, in der sich das Einzelne, das Jetztundniemehrso millionenfach verbirgt. Jedes Augenpaar macht sich zum Mittelpunkt der Welt, jede Lust und jeder Schmerz wissen sich einmalig, nehmen kaum Notiz von der zahllosen Nachbarschaft ähnlicher Lust und ähnlichen Schmerzes. Und dies, ein Meer von Augenblicken, bewegt sich vor dem Geräusch des Wasserpumpwerks, das mühsam die Stete der Zeigerbewegung aufrechterhält. In diesem Moment wurde die Imaginationskraft des Augenblicks offenbar, zeigte sich, im Nachdenken, wie viele moderne Gedichte aus der Faszination des Augenblicks und des Nebeneinander der Augenblicke geboren sind, der kleinsten Erlebniseinheit, deren Funke ungetrübt blieb, die Einzelnes scharfrandig herausschneidet aus dem Allzuvielen, es aneinandersetzt, mit Klüften der Fremdheit dazwischen.
Der Umriß eines anderen Kapitels trat an einem herbstlichen Vormittag aus dem Vagen einer bloßen Überlegung vor den aus Stein gehauenen Chimären über dem Dach der Kathedrale von Notre Dame. Eine lange Vorstellungskette verknüpfte die Erlebnisse und Gegenstände der Gegenwart zurücklaufend über die eigene Kindheit bis hin zu diesen Chimären aus ältesten Zeiten, die verwandt sind mit ägypti-

schen Tier-Mensch-Gestalten drüben im Louvre und mit den Höhlenzeichnungen. Erinnerungswellen, Erinnerungsbrücken, über die Dächer von Paris und über die Seine hinausreichend, Wellen des Bewußtseins, Ausblicke aus dem winzigsten Auslug auf Ebenen und Labyrinthe des Gedenkens, das im einzelnen Wort eingemauert ist wie in den Gestalten vom Vogel Roc und vom Elephanten: wie viele Verse, fremde Verse und deutsche, versammeln sich auf dieser Wellenbewegung überindividueller Erinnerung und dokumentieren, daß diese Dimension der Wirklichkeit unser vortastendes Bewußtsein beschäftigt, daß sie Kräfte erregt, die unser Selbst aus seiner Lethargie herausführen.

Oder der Flug über eine weite Meerfläche, über die geometrischen Formen der Strömungen, über ein Dasein, das wie im Spiel vorhanden ist, Spiel, das nichts bedeuten will als eben die Oberfläche dieses Daseins selbst. Diesen Dreiekken und Quadraten gegenüber erkannte sich das Ich als Punkt, der hinausgeschleudert ist aus seinem Kommandostand. Indem es den alten Kreis seiner Erfahrungen zerbrochen sah, atmete es die Luft eines neu betretenen Kreises, ahnte es, welche Freiheit es bedeutet, den Blick zu weiten auf Unerfahrenes, Unabgestecktes. In diesem Moment wurde erkennbar, was das Wort ›Abstraktion‹ zumeist eher verstellt als ausspricht: das Überschreiten einer Schwelle, das den Abschied von einem umfriedeten Raum mit sich bringt, und das Erkennen, daß jeder umfriedete Raum in einem größeren sich befindet, und daß auch dessen Zäune nicht die letzten Zäune sein werden. Auch diese Erfahrung des Weggangs und des Fortgangs aus den Zäunen, die die Erfahrung der geometrischen Figuren überbot, fand sich in den Versen wieder. In Versen freieren Atems; sie gibt ihnen Überlegenheit über fixe Deutungen, aber zugleich die Bedrängnis des Niezuendekommens, von Vergeblichkeit und Verantwortung.

Diese drei Momente waren alle nicht starr. In ihnen war lebhafter Widerstreit. Die Augenblicke bedrängten die langsame Zeigerbewegung. Die Erinnerungswellen eroberten die starren Steinchimären. Die Bewegung des Fortgangs erschien zwischen Linien und Flächen. – Jedes Kapitel dieses Buches lebt aus einem mehr offenkundigen oder mehr verborgenen Spiel und Gegenspiel und zeigt Gedichtgestalten, die nicht nach äußeren Inhaltsmotiven, sondern nach ihren Baugesetzen zusammengehören.

Momente der Klarsicht inmitten der Städte und Landschaften ringsum, in den Jahren 1950 bis 1955, suchten Verbindung mit den Gestaltmomenten moderner Gedichtlandschaften als mit ihren Brüdern. Die Ahnung davon verstärkte sich, daß diese Gedichtlandschaften unser Selbst wiedergeben, wie es sich in solchen entblößten und versteckten Momenten aus der Uniformität dessen drängt, der sich Zeitgenosse nennt. Der Moment 1945, der dem Ich ein wahres Gegenüber befreite, der Bestand und Nichtbestand erwies bei verbrannten Versicherungskarteien und Organisationslisten, stehengebliebenen Fahrstühlen und entmythisierten Uniformstücken, mußte weiterwirken als ein moment créateur. Die Wahrheit des lyrischen Moments will kein verschlafenes, unverwandeltes Zurück zulassen, keinen Ausverkauf an die Vergangenheit. Das Gedicht stößt sich dabei an entgegenstarrenden Vorgängen ringsum. – Der individuellste Ausdruck wird so der objektivste. Denn es besteht eine, wenn auch oft komplizierte, Beziehung des Gedichtes zu dem, was nicht nur vom Dichter, sondern von seiner Zeitgenossenschaft als erreichbarer Bewußtseinshorizont geahnt wird, der aber außerhalb der Dichtung noch nicht mit Worten benannt ist.

Die Möglichkeit, diese Erfahrungen zusammenzufassen, soweit sie greifbar waren, zeichnete sich erst im Gespräch mit dem Verleger dieses Buches ab. Es waren lange und eindringliche Gespräche über die Gedichte, die in unseren Jahren entstanden sind und entstehen, über ihre Gestalt und über das, was sie gleichsam zwischen den Zeilen durch ihre Gestalt aussagen. In den Notizen über diese Gespräche, die im Frühjahr 1955 geführt wurden, taucht immer wieder die Frage auf, welche Gedichte, vielleicht halb erschlossene erst, weiterdeuten, über unsere gegenwärtige Situation hinaus, indem sie unserem Selbst Ausdruck geben mit gemäßen neuen Mitteln. Auch die andere Frage wurde in diesen Gesprächen laut, wie sich solche oft absonderlichen Gedichtgestalten zu der Poesie vergangener Epochen verhalten, ob es nicht *mehr* Verbindungslinien gibt, als auf den ersten Blick zu erwarten sei. So entstand aus diesen Gesprächen, durch die Anregung des Verlegers, die sich traf mit den erwähnten Einblicken, der Plan zu diesem Buch. Es soll die deutsche Lyrik der Jahrhundertmitte in ihren Brennpunkten zeigen und in Bewegungen, die weiterzulaufen scheinen, über diese Jahrhundertmitte hinaus, Linien, die ins Offene führen. Was von diesen Linien tatsächlich fortbestehen wird und was sich lediglich als ein vorübergehend aufblitzender Weg herausstellt, der dann abbricht, das festzustellen wird den Späteren überlassen bleiben.

Aus der Art der Entstehung ergibt sich, daß dieses Lyrikbuch sich von einer Anthologie, einer Blütenlese unterscheidet. Indem es Bewegungszentren der Moderne (und nicht nur der Moderne) zeigt, die zugleich Bewegungszentren von Gedichten sind, veranstaltet es nicht eine Ausstellung ausgewählter, arrivierter Autoren und ebensowenig eine Ausstellung einzelner, für perfekt gehaltener lyrischer Gedichte nach dem Grad ihrer Beliebtheit oder ihrer Kunstfertigkeit. Vielmehr sammelt es nach Schwerpunkten. Es sind *die* Gedichte gewählt, in denen sich diese Schwerpunkte ausdrücken und die künstlerische Ansprüche erfüllen. Nicht überall hält die Fähigkeit zur Gedichtgestaltung mit der Einsicht ins Notwendige Schritt. Das mußte bei der Aufgabe, die sich dieses Buch gestellt hat, mit in Kauf genommen und berücksichtigt werden.

Als Aufgabe war dem Buch gesetzt, eine Bestandsaufnahme und Dokumentation des modernen deutschen Gedichts nach dem Expressionismus, dem Dadaismus und dem Surrealismus zu geben, ohne dabei wichtige Versuchsreihen und Gruppen zu vernachlässigen oder auszuklammern. Die Bemühungen kleiner Gruppen und mutiger kleiner Zeitschriften wirken auf dieses Buch, persönliche Begegnungen, Gespräche, Korrespondenzen. Es verdankt viel dem Entgegenkommen von Autoren und Verlegern, denen gedankt sei. An der Komposition dieses Buches und an der Formulierung der Randtexte waren Herbert Heckmann und Franz Löffelholz in vielen Beratungsstunden beteiligt.

Die Auswahl stützte sich vor allem auf jüngere und jüngste und auf noch nicht inthronisierte Autoren, die auch in Anthologien nicht auftreten. So kann das Buch in der Mehrzahl Gedichte bringen, die noch nicht als Veröffentlichungen in Büchern erschienen oder auch überhaupt noch nicht gedruckt sind. Das Buch gewann mehr und mehr seine Eigengesetzlichkeit. Gedichtreihen schlossen sich oder forderten neue Nachbarkapitel, Lücken zeigten sich, Rückblendungen auf einige ältere Gedichte boten sich an.

Von den älteren Dichtern sind nur solche Verse aufgenommen worden, die Marksteine sind auf Wegen, die weiterhin beschritten wurden und die in weiterlaufende Linien einmündeten. Soweit die Dichter älteren, abgeschlossenen Dichtungsgruppen angehören, stehen Verse von ihnen in diesem Buch, die über die Grenzen dieser Dichtungsgruppe hinausreichen. Die meisten der zu Wort kommenden Autoren leben noch; die verstorbenen gehören den in der Jahrhundertmitte noch weiterlebenden Geburtsjahrgängen an. – Die Gedichte stammen von Deutschen aus der Bundesrepublik, aus der DDR, von Deutschen, die im Ausland leben, und von Österreichern und Schweizern.

Diese Verse kennen den unmittelbaren Zugriff, doch auch die Mittelbarkeit; sie kennen die Umwege, die sich angesichts der Verfälschung von Worten zu Schlagworten und angesichts der Anzeichen, die noch nicht zu benennen sind, eröffnen. Sie scheinen keine streckenhaften Entwicklungen mehr zu deuten. Sie sehen die menschlichen, irdischen Strecken einer anderen, überlegenen Zeit- und Raumgesetzlichkeit gegenüber, die unsere bisherige Sicherheit im Aufzeigen anthropozentrischer Abläufe und Entwicklungen widerlegt. Die Gedichte erscheinen so im Prüffeld einer Ungesichertheit, auf die alle kleinen Unsicherheiten unserer Tage und die Süchte nach Versicherungen zulaufen. Die Verse werden zu Versuchen, Zeit- und Raumverschränkungen zu ergreifen, die von den menschlichen Sinnen und vom menschlichen Bewußtsein noch nicht zu umzirken sind. Diese ›andere Zeit‹ ist nichts Mystisches; sie ist ein Faktum, dessen Vorform auch die Wissenschaft zu definieren sucht und das die Mathematik, die Atomphysik, die Raumfahrtforschung beschäftigt. Angesichts der anderen Zeit erscheinen alltägliche Lebenssituationen in einem befremdlichen Licht. ›Wichtiges‹ und ›Unwichtiges‹ konzentriert sich, entlarvt sich oder kentert ins Absurde. Gefahren fordern, mehr und mehr drängend, Nähe der Kreatur zueinander. Manches, was Anspruch auf Zielstrebigkeit, auf das Telos erhob, erscheint, zu einem winzigen Punkt geschrumpft, einem Karusselltanz mit ironischen Lichtern zugeordnet (TRANSIT hat ein Kapitel ›Jahrmarkt‹); anderes, das am Rande der Banalität zu liegen schien, rückt in die Mitte entscheidungsvoller Augenblicke. Verschränkungen zeigen sich zwischen bisher systematisch getrennten Sphären. In der Art von Fugen erweisen Gedichte weite Ausmessungen von Wirklichkeit dort, wo vor kurzem noch Wirklichkeit als abgesteckte Strecke selbstverständlich hingenommen, nachgedacht und nachgesprochen wurde.

Worte, Verse bestätigen ja nicht nur; sie schaffen dem Bewußtsein ein neues Grad-Netz im noch nicht definierten Bereich von Wirklichkeit. Oder anders ausgedrückt und im

Abstand gesehen: sie schaffen neu das Alte, das schon Sappho und Catull schufen und das an kein Ende kommt. Sie schaffen im Gedicht eine Fugen- und Kaleidoskop-Welt, die neue Nachbarschaften und erwachende Gegenkräfte bereithält, die Rhythmen der Verwandlung entstehen läßt, Beschwörungsformeln. Schon eine unverfälschte Reihe von Formwörtern (Basalt – Antlitz – geflochten) vermag Orientierungsmöglichkeiten zu schaffen, wenn sie ihren Erfahrungshintergrund bewältigt. Wahrhaftigkeit kann nicht arrangiert werden; sie entspringt dem désire pur, der reinen Bewegung, die nicht nachahmt und nicht nachahmbar ist, die Anstöße gibt und auffordert. Sie ist der Feind der Phrase, der nur vorgetäuschten oder erstarrten Vollzugsbehörde; denn die Phrase besitzt die ›Wirklichkeit‹ schon vorgeprägt, als etwas Zuhandenes, ehe sie sie ergriffen hat. Ein ›sinnvoller‹ Vers ist Bewältigung der Wirklichkeit (er ist nicht die Wirklichkeit selbst): er ist Vorgang. Phrase ist festgelegt, nachsprechbar, vertauschbar. Sie ist ohne Verlust oder Gewinn an Welt wegzulassen oder einzufügen, ein leeres Sinngebilde. Eingegrenzte, vollständige Sprachlandschaften können, im lyrischen Vorgang der Bewältigung, zu Splittern zerfallen, und in der Gegenbewegung erheben sich aus Starre und Splitterwerk Hymnen für neue Feste und Konturen neuer Landschaften. Maskenhafte Einkleidungen zeigen sich für die Annäherung des einzelnen Zerstreuten zueinander. Verse antworten weniger auf die Frage: ›Was bedeutet es?‹ Sie antworten auf die Fragen: ›Was ist es?‹, ›Welcher Art ist der Vorgang?‹

Die Geste, die hinausweist in Räume jenseits der Legenden von Anfang und Ende, bringt die Gedichte des Fortgangs mit sich, der Bewegung des immer neuen Sich-Aufraffens und Gehens, die sich der Starrre entziehen will. Diese Geste, die als Sprachgeste eine Bewegung unseres Selbst ist, läßt sich nicht festlegen auf Zwischenstationen. Ihr Ungenügen beruft sich darauf, daß stets andere Ausblicke warten und daß das Angeeignete umsonst zum Verweilen auffordert, weil das Unbekannte an kein Ende kommt. Immer wieder ziehen sich Verse am eigenen Schopf aus dem von ihnen hervorgerufenen vorübergehenden Heimischen.

Die einzelnen Kapitel des Buches sind also nicht gegliedert nach Motiven, sondern nach Bewegkräften, die unsere Zeitlandschaft und die innere Landschaft unseres Selbst formen. Das heißt: die Stichworte ›Jahrmarkt‹, ›Gesprungenes Glas‹ bezeichnen nicht nur Themen der Gedichte, sondern sie sagen etwas über den Aufbau und über die geistige Welt der betreffenden Gedichte aus. So erscheint in den Jahrmarkt-Gedichten der Karussellstil auch im Rhythmischen und im Strophenbau, in den Gedichten vom gesprungenen Glas die Scherbenhaftigkeit als stilistisches Grundmoment. Bei näherem Zusehen verhält es sich auch dort so, wo der Fall nicht offenkundig zutage tritt. So ist das Kapitel ›Innere Landschaft‹ ebenso ein Strukturkapitel, ein Kapitel, das den lyrischen Vorgang in einer besonderen Prägung enthält, weil alle diese Landschaften keine Abschilderungen sind. Sie zeigen den Vorgang der Verwandlung von äußeren Landschaften in filtrierte und aufgespeicherte innere Landschaften, die dem Dichter beim Augenschließen vorhanden sind, und das Wiedererwecken, Neuherstellen, Veräußern dieser inneren Landschaften durch den Rhythmus und die Metaphern der Verse. Auch *das* bewerkstelligt einen eigenen Habitus des Gedichts.

Vom Motiv und weitgehend auch vom geschlossenen Bild befreien sich die Verse in den athematischen Gedichten, von denen einige im letzten Abschnitt stehen. Hier wird der reine Strukturvorgang zu gestalten versucht, durch Versuchsreihen zum Beispiel, die von Montage ausgingen, und es besteht das Vertrauen darauf, daß die richtig herausgeholte Form von sich aus überraschend neue und gültigere Inhalte erscheinen läßt. Doch ist auch dort das Thema nicht völlig abzutrennen; es wird, bei der Beschaffenheit menschlicher Sprache, nie völlig eliminiert. Themen kommen auf Umwegen neu zustande. Strukturkapitel haben immer auch thematische Deutungsmöglichkeiten; sie treten hier aber in den Hintergrund.

Die Gedichte geben sich eher seismographisch als prophetisch. Sie erscheinen verfremdet und aufgerauht, indem sie auch das Gewohnte mit dem Stigma des Ungefälligen oder des Andersartigen versehen. Das Symbol, im herkömmlichen Sinne eine möglichst geschlossene Übertragung der Bedeutung ins Bildhafte, ist durch Psychologie und Psychoanalyse aufgeklärt und seiner Möglichkeiten arg beraubt worden. Es wird nicht selten ersetzt durch eine diffuse Bildsphäre, die sich den banalen Ausdeutungen und Gleichsetzungen entzieht. So entwickelt sich an manchen Stellen ein neues Verspathos, das sich auf die Überwindung bloßer Rhetorik beruft. Sich eindrängende Prosazeilen, die nicht mit Epik verwechselt werden wollen, lassen die Versgliederung beiseite, um sich um so intensiver der rhythmischen Gliederung und der neuen Zuordnung der Einzelglieder zueinander anzunehmen.

Diese Vorgänge unterliegen nicht der Willkür einzelner Autoren. Sie sind bis zu Baudelaire und Rimbaud, zu Whitman, im deutschen Gedicht zu Heine, Arno Holz und Trakl in ihren Anfangsstadien zu verfolgen und abzulesen. Auch sind es nicht freischwebende ästhetische Experimente. Sie hängen aufs engste mit der Lage des Menschen im modernen wissenschaftlichen Zeitalter zusammen. Das Ich weiß sich nicht mehr als der allein maßgebliche Mittelpunkt der auf ihn zukommenden Erfahrungen, wie in den Gedichten, die sich auf das Einzelerlebnis stützen und dieses, mit den feinen seelischen Schwingungen durchsetzt, in Versen wiedergeben. Es sieht sich ›zersprengt von Stratosphären‹ und ›von allem Anfang versehen mit jedem Sterbesakrament‹. –

Das Selbst gestaltet auf dem Umweg über das Ungefällige

im Vers seine Sehnsucht nach dem Schönen; es versteckt, wie es scheint, im Lapidarstil seine Zärtlichkeit; spricht nicht von seinen einzelnen Erlebnissen, sondern speichert sie auf, um sie dann als Parabel für allgemein Vorhandenes vorzustellen. Es läßt verborgen die einzelnen Erlebnis- und Gefühlsschwingungen noch mitsprechen, in Wendungen, die nicht der Inflation der großen Beteuerungen vor Mikrophonen in Sportpalästen und Messehallen anheimgefallen sind. Denn nur so wird es ihnen möglich, sich noch verständlich zu machen, ohne Irrtümer und Verwechslungen hervorzurufen. Keine Emphase. Emphasen haben gezeigt, wohin sie führen und geführt werden. Die Möglichkeit zur Emphase beruft Kritik und Gegenspiel. Die Kunst trat *so* sehr in ihren Scheincharakter zurück, daß dieser Schein schließlich der neuen Epochen-Realität entsprach und ihr überlegen wurde, so daß er sie, vorausgeeilt, ihrerseits des Scheines bezichtigen konnte.

Überall, wo diese Vorgänge durch Dekrete und durch Lenkung aufgehalten werden sollten, offenbarte sich das Müßige, ja Verhängnisvolle solchen Eingriffs. Im Dritten Reich wurde, neben der blind emphatischen, eine harmlose Dichtung gezogen, die so tat, als hätte es diese Vorgänge nie gegeben. Sie lancierte eine Ursprünglichkeit, die in pseudoromantischer Art hundert Jahre zurückdrehen wollte. Aber es zeigte sich das schlimme Spiel, daß hinter der Fassade der harmlosen Dichtung sich Ausgeburten von Realitäten ereignen konnten, ohne daß sie ins Gewissen der Menschen drangen. Die harmlose Dichtung erwies sich als Teufelsinstrument, sie erfüllte nicht ihre seismographische Aufgabe, den Stand der Dinge anzuzeigen, das verborgene Grauen oder auch die gelingende Befreiung ins Bewußtsein zu rufen. Der schöpferische Mensch trägt die Verantwortung für die Wirklichkeit. Jeder Vorwurf wiegt ihm leicht gegenüber dem, im entscheidenden Moment geschwiegen oder um der Bequemlichkeit seiner selbst oder seiner Leser willen den

Zweifel unterdrückt und eine kosmetische statt einer verantwortlichen Sprache geführt zu haben. »Ich habe immer die ganze Vergangenheit, die ganze Gegenwart und die ganze Zukunft vor mir und auf dem Halse gefühlt«, antwortete Heinrich Heine einer romanschreibenden Zeitgenossin, die von sich behauptete, sie sei ihrer selbst immer ganz gewiß gewesen und ihr Wesen und Leben sei aus einem Stücke.

In diesem Buch fehlen, seinem Plan und seinem Zustandekommen nach, die Gedichte, die als Unterströmung unter der Lyrik der Moderne das Erlebnisgedicht des 19. Jahrhunderts fortführen. Sie durften schon deswegen vernachlässigt werden, weil sie in den deutschen Anthologien der letzten Jahre breiteren Raum einnehmen. Es fehlen jedoch auch die im Gewand der Moderne auftretenden Gedichte, die nur äußerlich, thematisch so tun, als stünden sie unserem Selbst nahe.

Die hier aufgenommenen Gedichte der Jahrhundertmitte haben mit dem Beginn der Literaturrevolution, deren entscheidende Phase in der deutschen Lyrik um 1910 begann, noch manche Gemeinsamkeit. Doch haben sie sich von der Anfangsphase entfernt. Das Schwergewicht auf dem strukturellen Moment des Gedichtes hat sich verstärkt. Mehr auf dem Umweg über die Gestalt des Gedichtes spricht sich die Intention aus, nicht durch programmatische Formulierung, die den Erfahrungen des Ich im 20. Jahrhundert mehr und mehr widersprach. ›Sturz und Schrei‹, ›Aufruhr und Empörung‹ des *Expressionismus* machten einer verhalteneren Gestik Platz und dem Versuch, das Pathos der großen Rede durch eine widerständige Skelettierung des Verses zu ersetzen. Der automatische Text des *Surrealismus* weicht in dieser Phase nach dem Surrealismus, dem die neue Realistik viel verdankt, einem vom Bewußtsein gesteuerten Simultantext, der das Ineinander von Räumlichem und Zeitlichem in Versen mit komplexer Bildsphäre zu bewältigen sucht. Den zersprengenden Rückgriffen des *Dada* aufs Prälogische, Klangliche, Lettristische stehen in diesem Buche einige Versuche gegenüber, im Zustand des Postlogischen, im Durchgang durch die zugespitzten Situationen der Logik, die bis zur Paradoxie führen, Verbindung mit ordnenden Rhythmen zu erreichen. Einige Gedichte nähern sich dem, ohne daß sie sich von herkömmlichen Worten und Sätzen weit entfernen; es gibt Verse, die den Ballast des bildhaft Bedeutenden und der Bilderstürze überwinden; Strophen, die auch das Kaleidoskop hinter sich zurücktreten lassen und noch die verborgensten Programme ad absurdum führen. In einfachen Wendungen, die nur Oberflächen des Zugänglichen zu berühren scheinen und die damit dem schwer zugänglichen freien Spiel nah sind, behalten sie die Widersprüche und Abenteuer ihres Weges. Sie stehen im Gefolge von Descartes' »Larvatus prodeo«, der kürzesten Definition des Dichterischen. »Meine Maske vor mir hertragend schreite ich voran.«

Die Gedichte sehen sich dem Leser gegenüber. Ihm ist das moderne Gedicht verdächtig als eine Art weißer Magie, die schwer nachzuprüfen ist. Dieses Buch kann die Kluft, die zwischen dem modernen Gedicht und dem lesenden Publikum entstanden ist, nicht beseitigen. Es versucht, durch Verbindungslinien, Entstehungsreihen, durch Aufzeigen von gemeinsamen Schwerpunkten und durch Randnotizen dem Leser Wege zum Gedicht anzubahnen. Diese Randnotizen haben nur dienende Absicht, sie verfolgen keinen Selbstzweck. – Sobald die Randtexte ihre Funktion erfüllt haben, dem Leser auf die Spur zu helfen, sind sie hinfällig und können dann geradezu durchgestrichen werden. Sie dürfen den Leser nicht auf ein Verständnis festlegen. Denn gerade in der Bemühung des Lesers um eigenes Verständnis und um eigene Erfahrung mit Versen und mit seinem Selbst, das ihm durch das Selbst des Dichters näherkommt, liegt die Aufgabe von Gedichten.

Der Leser kann dieses Buch von der Mitte aus, vom Schluß her, von jeder beliebigen Stelle aus lesen, vorwärts- und rückwärtsblätternd. Er wird erkennen, daß sich in der Anlage des Buches die Konzeption der Gedichte wiederfindet, nämlich nicht eine linear fortschreitende Strecke zu deuten, sondern da zu sein als Mosaik vieler Felder, in dem jeder Teil zu dem anderen in bewegliche, erfinderische Nachbarschaft treten kann. Deshalb sind bei den Gedichten auch die Verfassernamen zunächst weggelassen worden, um den Blick des Lesers nicht abzuziehen und den Leser nicht auf andere Erwägungen zu bringen denn auf die des Gedichts und seiner Ordnungen. Er erfährt die Verfasser der Gedichte und Auskunft über sie in den beiden Verzeichnissen am Schluß des Bandes. – Zu dieser Komposition gehören auch eingestreute Zitate. Sie sollen nicht Gedankengänge festlegen; dazu sind sie zu splitterhaft herausgeschnitten. Sie fügen sich ebenfalls als Teilchen ein, als fremdartige, zum Teil aus fremden Literaturen, und sie deuten an, daß die Zusammenordnung dieses Buches nicht von ungefähr und nicht nur nach Sichtung des deutschen Bestandes erfolgte. Die abendländischen Literaturen in der Moderne sind eng verschwistert.

Das Wort TRANSIT heißt auf deutsch: ›es geht hindurch‹, aber auch: ›es geht darüber hinaus‹. Das menschliche Selbst in der Jahrhundertmitte geht durch das Gestrüpp seiner Epoche hindurch; aber es kommt – zumindest ist das zu hoffen – in seinen besten Augenblicken auch darüber hinaus. Wird es von denen gefragt, die Programme und Parolen setzen, worauf es sich denn berufen könne, so könnte es antworten: auf seine Wachsamkeit und seine Bereitschaft zur Kritik, zur Selbstkritik vor allem; auf seine Bemühung, in jedem Moment nach Einsicht in die Verhältnisse und mit dem Blick auf die unbegrenzte, noch nicht definierte Wirklichkeit, neu zu entscheiden. So ergeben sich, im Wechselspiel der Antinomien, immer wieder Ausblicke auf die

Wahrheit und neue Verantwortungen gegenüber der Wahrheit. Dieser Fortgang läßt, wenn er sich vor Erstarrung bewahrt, die Koinzidenz erkennen der Entscheidungen in Vergangenheit und Gegenwart, den Zusammenfall dessen, was wir erfahren haben, mit dem, was sich als neue Erfahrung ankündigt, indem es in Versen ausgesprochen wird.

MARTIN KESSEL

Als ich »Herrn Brechers Fiasko« schrieb

Ich hatte damals, als ich an dem Roman schrieb, zwei große literarische Passionen: den »Tristram Shandy« und die »Toten Seelen«. Diese beiden Bücher waren in meinen Augen nicht nur literarische Gegenstände, sondern die reinsten Kraftquellen. Ihre Art, die Welt zu sehen, ihre vielfach gestufte Komik, ihr Gehalt an Lebensmethode und Lebensimpuls, ihre ebenso scharfsinnige wie burleske Charaktertypologie, das alles war mir eine Bestätigung. Denn wohin ich auch blickte, überall sah ich dergleichen. Ich verglich meine Erfahrungen mit denen dieser Autoren, und ich wußte mich stets im Bunde mit ihnen, weit übers rein Literarische hinaus.

Vom »Tristram Shandy« empfing ich außerdem einen Sinn für Ruhe gegenüber der Zeit. Ich hatte festgestellt, daß es in meinem Leben, wie überall sonst, nicht mehr so rasch voranging, daß eine gute Sache ebenso Zeit brauchte, wie daß eine alltäglich zu bestreitende sich nur chromatisch bewegte, nicht ohne Umwege, Rückgriffe, Seitensprünge und Querstände. Beim Anblick aufs Berufsleben wurde das noch deutlicher. Da wartete mancher zehn Jahre lang, um vom Regierungsrat zum Oberregierungsrat befördert zu werden, Sekretärinnen wurden zu alten Jungfern, Prokuristen blieben Prokuristen, Ärzte starben in ihrer eigenen Praxis. Es war ein Tümpel.

Was war zu tun, so fragte ich mich, um das minutiöse Nagewerk dieser Alltäglichkeit darzustellen? Das war doch ein ganz entscheidendes Phänomen!

Da ich ein Menschenbild in mir trug, das demjenigen meiner Umgebung in keiner Weise entsprach, mußte ich lachen über die Aufführungsweise der Leute, über die Gebrechlichkeit ihrer Einrichtungen und Systeme. Es erschien mir alles höchst baufällig und schief, andererseits auch höchst anmaßend und verknöchert. Von Moral konnte kaum die Rede sein, das war alles fiktiv. Ihre Konventionen waren Komödien, die Wahrheit bezeichneten sie als unpraktisch. Auch fielen sie fortwährend um, diese Pappenheimer. Sie litten an Gedächtnisschwäche, frisierten ihre einstigen Überzeugungen um und wuschen ihre Hände in Unschuld, und zwar in einem Aufwasch, den sie als reinstes Quellwasser anpriesen. Und erst wenn sie sich verheiratet hatten! Wie diese Frauen aussahen! Und was diese Frauen dann aus ihnen machten! Wie eng dann ihr Käfig wurde! Wie sie dann auf ihre einst so weitgesteckten Ziele verzichteten zugunsten ihrer Bequemlichkeit! Und mit welch einer Afterphilosophie sie dann die Träume ihrer Jugend entwerteten! Und das nannten sie auch noch vernünftig oder realistisch oder tüchtig! Es war aber nur der reinste, den Umständen angepaßte Zynismus. Sollte da einer nicht in Gelächter ausbrechen und diesem ganzen Scheingebilde den Prozeß machen?

Jahrelang lief ich herum als der »Mann mit dem Roman«, von dem meine Bekannten schon glaubten, daß er nie fertig würde. Einen Roman schreibt man nämlich nicht, wie man einen Brief schreibt; man schreibt an ihm herum, man hat ihn auszutragen und zu bewältigen wie ein imaginäres Gebirge, und das ist beides zugleich: ein Aufblick ins Herrliche und eine Last . . . Ja, vieles an der Kunst ist zu schön, um wahr zu sein; selbst das Schaurige und Schmerzvolle an ihr bereitet uns später Genuß. Form, das ist ein Gewinn, in dem ein täuschender Zauber steckt, es ist eine Medaille auf eine nur scheinbar geschlossene Wunde.

Man war also allein und von eigenen Plänen gebrandmarkt. Ein so onkelhaftes Interesse für den Nachwuchs, wie es heute besteht, gab es um 1930 nicht, jedenfalls spürte ich nichts davon. Ich hatte eher den Eindruck, als würden den jungen Schriftstellern gar zu gern nasse Handtücher um die Ohren geklatscht. Eine ganze Galerie berühmter Namen warf ihre Schatten auf uns; es gab Klassisch-Erhabenes sowie auch Explosiv-Experimentierendes. Ferner standen die Aufrisse des Expressionismus da, oft zweifelhaft genug, aber anregend, wenn auch nicht nachahmenswert. Hinzu kamen die Antithesen der Politik, die Ansprüche der Soziologie, die Entdeckungen der sexuellen Komplexe, die Abstraktionen der Malerei, die Neubauten der Architektur, die ja wirkliche Neubauten waren. Sämtliche Formen, so schien es, auch die der Gesellschaft, mußten neu durchgedacht werden. Es kostete Kraft, physisch und moralisch, hier standzuhalten und dem eigenen Stern zu vertrauen, unter Umständen gegen die Konjunktur, gegen das Verführerische der Scheinblüte, gegen die Halbwahrheiten der Saison und die Aktualitäten des bloßen Effektes. Man war allein, und Kunst machen war eine Sache des verlorenen Postens, eine Angelegenheit, die ohne unsterbliche Vorbilder, an denen man sich begeistern konnte, überhaupt nicht zu bewältigen war.

Unzählig sind die Anregungen, die ich aus der Weltliteratur empfing, denn ich durchwühlte alle vorhandenen Schätze nach Beispielen, Möglichkeiten und unentdeckten Elementen. Vieles, das mir als neueste Wundertat aufgetischt wurde, wie etwa die Essayistik im Roman, fand ich schon in den klassischen Werken, bei Fielding, Meredith, Balzac und anderen. Aber abgesehen vom Formalen, war es hauptsächlich das Leben selbst, war es die Bekanntschaft mit ausgeprägten Gestalten, was mich ergötzt und geradezu im Sinne einer unerschöpflichen Gesellschaft bereicherte. Es ging mir niemals um Nachahmung, es ging mir um Entsprechung, es ging mir darum, für meine Erlebnisse, Erfahrungen und Einsichten genauso die entsprechende Form zu finden, wie es den verehrten Autoren zu ihrer Zeit gelungen war. Man mußte sich vergleichen. Was war man, wie stand man da?

Ich war ein Nichts. Ich hatte keinen Diener und keine Schecks, keine Schlösser, Firmen, Hausstände, gesicherte Renten, keine onkelhaften Verwandtschaften oder dergleichen, ich hatte nur die Existenz dessen, der von der Hand in den Mund lebt wie Millionen ringsum. Und diese Grundkomponente war das Wichtigste, dies zunächst, das mußte überall durchschimmern, denn Besitz überhaupt war fragwürdig geworden, die Form der Entgegnung war die Inflation. Unter solchen Umständen blickt man anders ins Leben als die Romanhelden früherer Zeiten. Ja, der Held überhaupt hatte abgedankt, es gab nur noch den traurigen Helden, also den komischen oder bestenfalls tragikomischen. Ganz erstaunlich in Anspruch genommen aber wurde mein Gehirn. Alles, was ich sah, alles, was ich erlebte, alles, was ich zu tun hatte, gab mir zu denken. Es war überhaupt nicht möglich, mit Welt und Leben ins reine zu kommen, ohne es durchgedacht zu haben. Diese Denkfühler mußten die Phänomene betrommeln, sie mußten sie prüfen, mußten sie auf ihre Stichhaltigkeit erproben, und so erwies sich nahezu jeder Schritt vorwärts als ein Schritt in unbekanntes Gelände. Das verlieh dem Leben eine Dimension von Unsicherheit, es verlieh ihm aber auch etwas Spannungsvolles, Ursprüngliches, etwas täglich zu Sicherndes und zu Bestreitendes, und es erwuchs daraus die Aufgabe, das alles von Grund auf zu tun, vorurteilslos, beinahe sportlich, im Bewußtsein des Risikos und ohne Verlust von Laune und Naivität.

Von alledem enthält der Roman sehr viel. Es kamen noch die rein formalen Probleme hinzu: Sprache, Thematik, Struktur, und zuletzt die allergrößte Frage, die Frage nach der Berechtigung des Romans an sich und nach seiner Art überhaupt. Aber darauf, glaube ich, gibt nur die Sache selbst eine Antwort. Jedes Kunstwerk spottet der Theorie. Wenn es ihr zuweilen trotzdem entspricht, so doch nur, weil, wie der Dichter sagt, unser Wissen bestenfalls der Schatten dessen ist, was uns bewegt.

BERNARD SHAW

Hitler

Die deutsche Regierung war in ihrem Kern ebenso angefault wie an der Peripherie. Die Monarchie der Hohenzollern mit ihrem gewaltigen militärischen Ansehen, das auf der vernichtenden Niederlage der kaiserlichen französischen Armee im Jahre 1871 begründet war (ich war damals fünfzehn Jahre alt und kann mich ganz gut daran erinnern), wurde im Jahre 1918 von der französischen Republik hinweggefegt. Der Herrschaft der Monarchen folgte die Herrschaft von Irgendeinem, der von Jedermann gewählt wurde und der wieder einmal das größtmögliche allgemeine Ausmaß von Wohlstand gewährleisten sollte. Das ist das Ziel der Demokratie, aber in Wirklichkeit bedeutet es, daß die politische Laufbahn jedem Abenteurer offensteht. Zufällig lebte da im Jahre 1920 in München ein junger Mann namens Hitler, der im vierjährigen Krieg gedient hatte. Da er keinerlei besondere militärische Begabung besaß, hatte er es als Soldat nicht weitergebracht als bis zum Eisernen Kreuz zweiter Klasse und zum Range eines Gefreiten. Er war arm und gehörte keiner Gesellschaftsklasse an, denn er war ein Bohemien mit künstlerischen Gelüsten; aber er hatte weder handwerkliches Können noch Begabung genug, um als Künstler Erfolg zu haben. So pendelte er denn zwischen der Bourgeoisie, für die ihm das Einkommen, und der Arbeiterklasse, für die ihm das Können fehlte, hin und her. Aber er hatte eine Stimme und konnte Reden halten und wurde bald ein Bierkellerredner, der seine Zuhörerschaft in Bann halten konnte. Er trat einem Debattierklub von Kellerrednern bei (ähnlich wie die englische Cogers-Hall-Gesellschaft) und brachte dadurch dessen Mitgliederzahl auf sieben. Bald zogen seine

Reden erhebliche Verstärkungen an und sicherten ihm den Ruf einer führenden Persönlichkeit. Viel von dem, was er hinausposaunte, entsprach der Wahrheit. Als Soldat hatte er gelernt, daß an Zucht gewöhnte Männer mit dem Mob kurzen Prozeß machen können; daß Parteiparlamente nach britischem Muster die Armut, die ihn so bitter bedrückte, weder abschaffen konnten noch abschaffen wollten; daß der Vertrag von Versailles, der dem besiegten Deutschland auferlegt worden war und es bis weit über den letzten verfügbaren Penny hinaus versklavte, Punkt für Punkt von jedem zerrissen werden konnte, der eine genügend starke Armee hatte, um die Plünderer einzuschüchtern; und ferner, daß Europa wirtschaftlich durch die Plutokratie beherrscht wurde, die auch über die Arbeitgeber die Oberhand gewann. Bis dahin stand er auf festem Boden und verfügte über unantastbare Tatsachen, mit denen er seine Argumente erhärten konnte. Aber er vermischte Tatsachen mit Hirngespinsten, wie zum Beispiel, daß alle Plutokraten Juden seien; daß die Juden einer verfluchten Rasse angehören, die als solche ausgerottet werden müsse, daß die Deutschen eine auserwählte Rasse seien, von einer Gottheit dazu bestimmt, die Welt zu beherrschen, und daß alles, was Deutschland brauche, um diese Herrschaft aufzurichten, eine unbesiegbare Armee sei. Diese Wahnvorstellungen waren für Hans, Fritz und Gretchen in Deutschland im allgemeinen höchst schmeichelhaft sowie auch im besonderen für die Biertrinker in Kellerlokalen. Als gedungene Banditen die neuen Hitleranhänger zum Schweigen bringen wollten, schuf Hitler für sich selbst eine so wirksame Leibwache, daß seine Gegner bald, der Länge nach, auf der Straße lagen.

Mit diesem Betriebskapital glaubte Hitler ein geborener Führer zu sein, und so wie Jack Cade, Wat Tyler, Essex unter Elisabeth von Tudor, Emmet zur Zeit von Dublin Castle und Louis Napoleon unter der Zweiten Republik bildete er sich ein, er müsse nur mit einer Fahne auf der Straße erscheinen, damit ihm die ganze Bevölkerung zujuble und ihm folge. Er versuchte das Experiment mit General Ludendorff aus dem vierjährigen Krieg an seiner Seite und mit Männern, die seine Volkstümlichkeit und seine Bierkellerberedsamkeit bekehrt hatten. Mit dieser Kerntruppe marschierte er durch die Straßen. Es bildete sich ein Pöbelhaufen, der ihm folgte, so wie das in Städten Pöbelhaufen immer tun. In London habe ich gesehen, wie Tausende von Bürgern liefen, um zu sehen, wohin andere liefen, und um zu entdecken, warum sie liefen. Es sah aus wie ein revolutionärer Aufstand. Bei einer Gelegenheit handelte es sich um eine entlaufene Kuh; bei einer anderen war es Mary Pickford, »der Liebling der Welt« zur Zeit des stummen Filmes, die in einem Taxi in ihr Hotel fuhr.

Einen Augenblick mag Hitler an die Möglichkeit eines Erfolges geglaubt haben, wie es Mussolinis Marsch auf Rom war (Mussolini fuhr übrigens damals mit der Eisenbahn). Der unmittelbare Präzedenzfall von Kurt Eisners erfolgreichem Putsch war da, um ihn in seinem Glauben zu bestärken. Aber man hatte Eisner keinen Widerstand geleistet. Als Hitler und sein Menschenhaufen Auge in Auge mit den Regierungstruppen standen, empfingen ihn diese nicht so, wie seinerzeit die *grognards* der bourbonischen Armee Napoleon empfangen hatten, als er von Elba zurückkam. Sie feuerten auf ihn. Hitlers Pöbelhaufen schmolz zusammen und ergriff die Flucht. Er selbst und General Ludendorff mußten sich flach auf das Straßenpflaster werfen, um den Kugeln zu entgehen. Für diesen Streich wurde er auf acht Monate eingesperrt. Er hatte der Regierung nicht genügend Angst eingejagt, als daß sie es der Mühe wert gefunden hätte, ihn zu töten, so wie Cade, Tyler und Essex getötet worden waren. Im Gefängnis schrieb er gemeinsam mit seinem Gefährten und Sekretär Rudolf Heß ein Buch, das er »Mein Kampf« betitelte (es hätte ebensogut »Mein Programm« oder »Meine Ansichten« oder sonstwie heißen können).

So wie Louis Napoleon hatte nun auch Hitler etwas dazugelernt; nämlich, daß ein Staatsstreich ein letzter Schritt der Verzweiflung ist, mit dem man jedoch nicht beginnen soll; und daß Abenteurer, wollen sie von den Beherrschern der Finanz und Industrie, den Bankiers und Konservativen als Sinnbilder der Nation anerkannt werden, mit diesen zu einer Einigung kommen müssen; denn sie sind es, die in Wahrheit die Nation überall dort kontrollieren, wo das Volk sich die Führer aussucht, auf die es Appetit hat. Hitler hatte genügend schauspielerische Anziehungskraft, um diesen Handel abzuschließen und ihn so weit zu treiben, daß er später mit mehr als königlichen Ehren zum dauernden Kanzler des Deutschen Reiches gemacht wurde, obwohl sein ganzes Betriebskapital eine tönende Stimme war und ein Programm, das aus Abfällen vom Sozialismus, Judenhaß und absoluter Verachtung für die pseudodemokratische Pöbelherrschaft bestand.

GEORG HENSEL

Lebt Bernard Shaw noch?

Tot ist der vor hundert Jahren, am 26. Juli 1856 in Dublin geborene Bernard Shaw: gestorben im 95. Lebensjahr, eingegangen in die Geschichte des englischen Sozialismus, die Gebete an seinem Sterbelager hat Reverend Davies verrichtet, die Nekrologe der Weltpresse sind seit mehr als fünf Jahren vergessen.

Über die Lebensspanne des Dramatikers G. B. S. ist mit diesen Daten freilich nicht viel gesagt: seinen Geburtsschein stellte er sich im Jahre 1892 mit dem Stück »Die Häuser des Herrn Sartorius« selber aus, er ist also heute erst ein guter Sechziger, und von Gebeten am Sterbelager kann nicht die Rede sein. Als er in Laurence St. Amyot die Augen schloß, schalteten die Theater am Broadway die Neonröhren aus, genau eine Minute lang, es war nur ein kurzes Blinzeln, kein Kapitelschluß der Theatergeschichte, und heute brüsten sie sich mit Shaws zu einem Musical verarbeiteten »Pygmalion«. Die Kritiker der Weltpresse versuchen sich zuweilen in ihren Aufsätzen an einem Nekrolog des Dramatikers Shaw, seine Sterbeurkunde aber könnte nur durch das betretene Schweigen des Theaterpublikums unterschrieben werden. Doch das Publikum schweigt nicht, es lacht.

»Ein Mann, der über sich selbst und seine eigene Zeit schreibt, ist der einzige Mann, der über alle Menschen und über alle Zeiten schreibt.« An diese seine Erkenntnis hat sich Shaw gehalten und dabei manches geschrieben, das noch vor seinem Tod gestorben ist. Daß aber »der Marsch des Menschengeistes keine Beerdigungsmusik zu sein braucht«, hat er bei Mozart entdeckt, und da er sich auch daran gehalten hat, braucht sein Geist die Beerdigungsmusik noch nicht zu fürchten.

Die Wirkung in die Zeit zog er der Dichtung für die Ewigkeit vor. Er machte sich an die Reinigung des Augiasstalles, obwohl er wußte, daß nur Herkules diese Arbeit beenden konnte. Seine Mistgabel war der Witz, und solange über diesen Witz noch gelacht wird, bleibt Shaw beteiligt an der Reinigung der Welt: von lächerlichen Konventionen, von mörderischem Fanatismus und von der tödlichen Lust, sich des Denkens zu enthalten.

Da Shaw sich geweigert hat, Fragen zu stellen, die über die Grenzen seines Geistes hinausgehen, da er auf das diesseitig Realisierbare hartnäckig verwiesen hat, bestätigen seine Stücke, unabhängig von Metaphysik und Theologie, den Wert der moralischen Anstrengung jedes einzelnen Menschen und damit seine Würde. Dies ist unverlierbar, selbst dort, wo die spezielle Themenstellung einiger Stücke mit ihrer Entstehungszeit historisch geworden ist.

Shaws Cäsar fragt: »Ist Zivilisation keine Kunst?«, und für Shaw war dies eine selbstverständlich zu bejahende, eine rein rhetorische Frage. Solange die Welt verbesserungsbedürftig bleibt, wird man seiner zivilisierenden Kraft bedürfen, und sie wird das Alter Methusalems dort erreichen, wo sie formbildender Faktor eines Stückes geworden ist.

Shaw, der Shakespeare nicht mochte, hat dennoch eine echt shakespearesche Gestalt geschaffen: sich selber samt seinem Œuvre. Er ist eine Variante des klarsichtigen Satirikers Probstein, einer jener Narren, die unvergänglich sind: unvergänglich durch das Pathos ihrer moralischen Existenz, das auf der Bühne denkbar unpathetisch existent wird.

FRANZ TUMLER

Ad me ipsum

Im Leben beinahe jedes Menschen gibt es eine Grundfigur, die es, oft ihm selber unkenntlich, bestimmt. Mir war sie verhältnismäßig früh bewußt: die Heimat meines Vaters war Südtirol, und dort, in Gries bei Bozen, bin ich, am 16. Januar 1912, auch geboren. Aber aufgewachsen bin ich in einem andern Land, in der Heimat meiner Mutter, und das Gefühl des Daseins aus zwei deutlich verschiedenen Hälften hat mich von Kind auf in vielen Regungen begleitet.
Mein Vater, Dr. Franz Tumler, war Professor am Gymnasium in Bozen, er stammte von einem kleinen Bauernhaus in der Gemeinde Schlanders im oberen Etschtal. In dieser Landschaft ist noch heute ein älteres Wesen zu spüren: winzige graue Kirchen aus der karolingischen Zeit, mit längst verschollenen Heiligennamen: St. Sisinius, St. Proculus, stehen auf den Hügeln; noch bis in die theresianische Zeit herauf wurde in den Dörfern ladinisch gesprochen. Die Ladiner, deren Sprache weniger an das Italienische als an das Altfranzösische anklingt, gelten als Nachkommen der Illyrer, die wiederum zu den Ligurern und Etruskern gehören. Etwas von dem versunkenen Grund hat sich in der Gegend erhalten. Ringsum setzt sich die Welt aus Geschichte zusammen, hier ist ein Hauch älter als Geschichte, man kann zurückgehen wie hinter eine Wand. Meine Verwandten sind vom Berg heruntergekommen, von einem der einsamen Höfe in das Dorf. Und sogar das Dorf ist ganz aus Stein gebaut, die Häuser zuammengedrängt mit tiefen Kellern wie Höhlen. In den Pappelhainen laufen die Wasserleitungen für die trockenen Äcker. Sie sind noch aus der römischen Zeit. Auf dem verkarsteten Berghang wird der Onyx

gebrochen, im Tal glänzen die Obstwälder mit ihrem Laub. An den abgelegenen Orten haben die Menschen durch Jahrhunderte zurückgezogen gelebt, kaum einmal sind sie über die Nachbarschaft hinausgegangen. Wenn jemand es tat und sich löste wie mein Vater, war es eine Ausnahme. Von Leuten, die ihn gekannt hatten, wurde mir erzählt, er sei eher auf Wissenschaft als auf Kunst gerichtet gewesen. Er beschäftigte sich mit der Erforschung altitalienischer Dialekte und schrieb ein kleines Buch über die Terminologie des römischen Weinbaues, das nach seinem Tode gedruckt wurde. Er starb 1913, in seinem 35. Lebensjahr.

Meine Mutter kam aus einer Welt, die zu dieser der reine Gegensatz war. Mein Vater hatte sie auf seinem ersten Dienstposten, den er, wie es nach österreichischem Amtsgebrauch hieß, als »Supplent« versah, in Ried im Innkreis kennengelernt. Dort war sie geboren, aber ihre Familie stammte aus Wien, aus den Bezirken Mariahilf und Neubau, und kam in manchen Gliedern noch von weiter her; die Mutter meines Großvaters war die Tochter eines evangelischen Tuchmachers aus Bielitz-Biala in den Karpathen. Der Großvater selbst hatte Buchdruckerei gelernt, er hatte ein Jahr bei den Deutschmeistern in Korneuburg gedient und war dann ins Militärgeographische Institut nach Wien abgestellt worden. Dort wurden damals die österreichischen Generalstabskarten gedruckt; zu der Arbeit war er geholt worden, er hat von ihr eine vollständige Sammlung dieser Karten behalten, er hatte sie mir vererbt, ich habe sie bis 1945 besessen. Aber er war dann in dem Institut nicht geblieben, er wollte selbständig werden. Als in den achtziger Jahren des vorigen Jahrhunderts überall in Österreich Zeitungen gegründet wurden, ging er in die Provinz und wurde Geschäftsleiter einer Druckerei und Redakteur eines Wochenblattes in Ried. Er war einer der ersten Leute, die Ansichtskarten druckten, er schrieb hie und da ein Feuilleton für seine Zeitung oder machte ein Gedicht, wie das dann später auch meine Mutter und ihre Brüder taten, er war überhaupt ein eifriger Sammler und Schreiber; ich sehe ihn noch vor mir, wie er im Wohnzimmer an seinem Pult stand, im weißen Haarkranz, die Brille vor den hellen blauen Augen, Mappen und Hefte aufgeschlagen, von denen ich freilich niemals erfuhr, was sie enthielten.

Denn bei den Großeltern wuchs ich nun auf, nicht im Süden, sondern im Norden, nicht in der Lebensherkunft meines Vaters, sondern in der meiner Mutter. Sie war nach seinem Tode in ihre Heimat Oberösterreich zurückgegangen, ich hatte meine Kindheit und Jugend bei ihr und bei ihren Eltern in Linz an der Donau. Ich besuchte die Volksschule und sollte wie mein Großvater Buchdrucker werden, aber ehe das entschieden war, heiratete meine Mutter ein zweitesmal. Mein Stiefvater war Lehrer, er war im Krieg gewesen, kam vom Wandervogel her, trieb Musik; ich begegnete einem jüngeren frischeren Leben und wurde in eine andere Richtung gelenkt. Ich besuchte die Lehrerbildungsanstalt in Linz, sie war eine geistliche Schule unter bischöflicher Jurisdiktion; ich war mit achtzehn Jahren Lehrer in einem Fabrikort, später kam ich an eine Dorfschule aufs flache Land. Ich wollte in dem Beruf nicht bleiben und eröffnete mir eine Möglichkeit zu studieren. Aber mein eigenes Leben sollte dann mit plötzlicher Wendung noch einmal anders beginnen. Es war Anfang 1934, im Sommer zuvor war ich zum estenmal seit langer Zeit in der Heimat meines Vaters, in Südtirol, gewesen. Nun, da ich davon zurück war, stellte sich mir aus dem Gesehenen, Geahnten und aus der Phantasie ein Bild vor, und ich begann zu schreiben. Ich versäumte die Termine für Prüfung und Anmeldung zum Studium, die schon festgemacht worden waren, und als Mahnungen kamen, antwortete ich nicht. Wie hätte ich mich auch erklären sollen, was sollte man von einem jungen Menschen halten, der einen ernsthaften und mit mancher Hilfe vorbereiteten Lebensplan einfach umstieß, weil es ihm eingefallen war, eine Geschichte zu schreiben? Erst ein Jahr später konnte ich mich rechtfertigen. Da war die Geschichte fertig, und sie hatte Beifall gefunden. Es war eine Erzählung, »Das Tal von Lausa und Duron«, sie wurde mein erstes Buch. Das war der Anfang meiner Arbeit und zugleich mein Abschied vom bürgerlichen Beruf.

PETER SZONDI

Bertolt Brecht und das Problem des sozialen Dramas

Gleich Piscator ist Bert Brecht ein Erbe des Naturalismus. Denn auch seine Versuche setzen dort an, wo der Widerspruch zwischen sozialer Thematik und dramatischer Form in Erscheinung tritt: im ›sozialen Drama‹ der Naturalisten. Nicht der Naturalismus selbst, sondern sein innerer Widerpart, der unter der Herrschaft des dramatischen Formgesetzes nur in thematischer Verhüllung auftreten durfte, wird von Piscator und Brecht in Schutz genommen und auf Kosten der dramatischen Form zum Durchbruch geführt. Während aber der Regisseur Piscator aus der antithetischen Struktur des ›sozialen Dramas‹ das Revue-Moment heraushebt und zum neuen Formprinzip werden läßt, greift der Dramatiker Brecht tiefer: ihm geht es um die Inthronisierung des wissenschaftlichen Prinzips, das zwar – wie Zolas Romane erweisen – wesenhaft zum Naturalismus gehört, im naturalistischen Drama aber nur akzidentell, etwa in der Gestalt einer dramatis persona (Loth in *Vor Sonnenaufgang*) zur Geltung kommen durfte. Brecht führt die Gegenständlichkeit, in der bei Hauptmann die schlesischen ›Kohlebauern‹ dem fremden Sozialforscher erscheinen, aus der Zufälligkeit der Thematik in das Institutionelle der Form über. Er fordert in seinem *Kleinen Organon für das Theater*, daß der wissenschaftliche Blick, dem sich die Natur unterwerfen mußte, sich den Menschen zuwende, welche die Natur unterworfen haben und deren Leben nun ihre Ausbeutung bestimmt. Das Theater soll die zwischenmenschlichen Beziehungen im Zeitalter der Naturbeherrschung, genauer: die »Entzweiung« der Menschen durch das »gemeinsame gigantische Unternehmen« abbilden. Und Brecht erkennt, daß dies den Verzicht auf die dramatische Form bedingt. Das Problematischwerden der zwischenmenschlichen Beziehungen stellt das Drama selbst in Frage, weil dessen Form sie gerade als unproblematische behauptet. Daher Brechts Versuch, der »aristokratischen« Dramatik – theoretisch wie praktisch – eine »nichtaristotelisch«-epische entgegenzusetzen.

Die 1931 veröffentlichten *Anmerkungen zur Oper Aufstieg und Fall der Stadt Mahagonny* nennen folgende »Gewichtsverschiebungen vom dramatischen zum epischen Theater«:

Dramatische Form des Theaters	Epische Form des Theaters
Die Bühne ›verkörpert‹ einen Vorgang	sie erzählt ihn
verwickelt den Zuschauer in eine Aktion und	macht ihn zum Betrachter aber
verbraucht seine Aktivität	weckt seine Aktivität
ermöglicht ihm Gefühle	erzwingt von ihm Entscheidungen
vermittelt ihm Erlebnisse	vermittelt ihm Kenntnisse
der Zuschauer wird in eine Handlung hineinversetzt	er wird ihr gegenübergesetzt
es wird mit Suggestion gearbeitet	es wird mit Argumenten gearbeitet
die Empfindungen werden konserviert	bis zu Erkenntnissen getrieben
der Mensch wird als bekannt vorausgesetzt	der Mensch ist Gegenstand der Untersuchung
der unveränderliche Mensch	der veränderliche und verändernde Mensch

Spannung auf den Ausgang	Spannung auf den Gang
eine Szene für die andere	jede Szene für sich
die Geschehnisse verlaufen linear	in Kurven
natura non facit saltus	facit saltus
die Welt, wie sie ist	die Welt, wie sie wird
was der Mensch soll	was der Mensch muß
seine Triebe	seine Beweggründe
das Denken bestimmt das Sein	das gesellschaftliche Sein bestimmt das Denken

Diese Veränderungen haben gemein, daß sie das wesentlich dramatische Ineinanderübergehen von Subjekt und Objekt durch deren wesentlich episches Gegenübergesetztsein ersetzen. Die wissenschaftliche Gegenständlichkeit wird so in der Kunst zur epischen und durchdringt alle Schichten des Bühnenstücks, seine Struktur und Sprache so gut wie seine Inszenierung:

Der Vorgang auf der Bühne füllt die Aufführung nicht mehr vollständig aus, wie einst der dramatische, bei dem das Moment der Aufführung deshalb untergehen mußte (historisch faßbar am Verschwinden des Prologs in der Renaissance). Der Vorgang ist jetzt Erzählgegenstand der Bühne, sie verhält sich zu ihm wie der Epiker zu seinem Gegenstand: das Gegenüber beider ergibt erst die Ganzheit des Werks. Ebenso wird der Zuschauer nicht außerhalb des Spiels gelassen, ins Spiel aber auch nicht suggestiv hineingerissen (›illudiert‹), so daß er aufhörte, Zuschauer zu sein, sondern er wird dem Vorgang als Zuschauer gegenübergesetzt, der Vorgang wird ihm als Gegenstand seiner Betrachtung dargeboten. Weil die Handlung das Werk nicht in Alleinherrschaft ausmacht, kann sie die Aufführungszeit nicht mehr in eine absolute Gegenwartsfolge verwandeln. Die Gegenwart der Aufführung ist gleichsam breiter als die der Handlung: deshalb bleibt ihr der Blick nicht nur auf den Ausgang, sondern auch auf den Gang und das Vergangene offen. An die Stelle der dramatischen Zielgerichtetheit tritt die epische Freiheit zum Verweilen und Nachdenken. Weil der handelnde Mensch nurmehr Gegenstand des Theaters ist, kann über ihn hinausgegangen und nach den Beweggründen seines Handelns gefragt werden. Das Drama zeigt Hegel zufolge nur, was sich in der Tat des Helden aus dessen Subjektivität objektiviert und aus der Objektivität subjektiviert. Im Epischen Theater wird dagegen, seiner wissenschaftlich-soziologischen Intention entsprechend, auf den gesellschaftlichen ›Unterbau‹ der Taten in dessen dinglicher Entfremdung reflektiert.

Diese Theorie des Epischen Theaters setzt Brecht als Autor und Regisseur mit einem schier grenzenlosen Reichtum an dramaturgischen und szenischen Einfällen in die Praxis um. Die Einfälle – eigene und entlehnte – müssen zugleich die überlieferten und dem Publikum vertrauten Elemente des Dramas und seiner Inszenierung aus der absoluten Gesamtbewegung, die das Drama kennzeichnet, zu szenen-epischen, das heißt gezeigten Gegenständen vereinzeln und verfremden. Daher nennt sie Brecht »Verfremdungseffekte«. Aus der Fülle, die seine Werke, die *Anmerkungen* sowie das *Kleine Organon*, verwirklicht oder als Vorschlag enthalten, seien hier einige zur Andeutung genannt.

Das Spiel in seiner Ganzheit kann durch Prolog, Vorspiel oder Titelprojektion verfremdet werden. Als ausdrücklich vorgestelltes besitzt es nicht mehr die Absolutheit des Dramas, es wird auf das nun aufgedeckte Moment der ›Vorstellung‹ – als deren Gegenstand – bezogen. Die einzelnen dramatis personae können sich, indem sie sich vorstellen oder von sich in der dritten Person sprechen, selber verfremden. So spricht Pelagea Wlassowa zu Beginn von Brechts *Die Mutter* (nach Gorki) folgende Worte:

> Fast schäme ich mich, meinem Sohn diese Suppe hinzustellen. Aber ich kann kein Fett mehr hineintun, nicht einen halben Löffel voll. Denn erst vorige Woche ist ihm von seinem Lohn eine Kopeke pro Stunde abgezogen worden, und das kann ich durch keine Mühe hereinbringen ... Was kann ich, Pelagea Wlassowa, 42 Jahre alt, Witwe eines Arbeiters und Mutter eines Arbeiters, tun?

Die Verfremdung der Rolle wird durch den Schauspieler verstärkt, der sich im Epischen Theater nicht restlos in die Figur verwandeln darf: »Er hat seine Figur lediglich zu zeigen oder, besser gesagt, nicht nur lediglich zu erleben; dies bedeutet nicht, daß er, wenn er leidenschaftliche Leute gestaltet, selber kalt sein muß. Nur sollten seine eigenen Gefühle nicht grundsätzlich die seiner Figur sein, damit auch die seines Publikums nicht grundsätzlich die der Figur werden.« Auch kann die Rolle verfremdet werden, indem die Kulisse sie noch einmal abbildet. Oder durch »subjektive Sittenschilderung«:

> Jetzt trinken wir noch eins
> Dann gehen wir noch nicht nach Hause
> Dann trinken wir noch eins
> Dann machen wir mal eine Pause.

»Was hier singt« – bemerkt Brecht – »das sind subjektive Moralisten. Sie beschreiben sich selbst.« Die Bühne, die Welt nun nicht mehr bedeutend, sondern nur abbildend, verliert mit ihrer Absolutheit die Rampe, dank der sie das Licht sich selber zu spenden schien. Sie wird mit Scheinwerfern aus dem Kreise der Zuschauer beleuchtet, zum deutlichen Zeichen, daß ihnen hier etwas gezeigt werden soll. Das Bühnenbild wird verfremdet, indem es keine wirkliche Örtlichkeit mehr vortäuscht, sondern als selbständiges Element des Epischen Theaters »zitiert, erzählt, vorbereitet und erinnert«. Außer den Andeutungen des Schauplatzes kann die Bühne auch eine Leinwand besitzen: die Texte und Bilddokumente zeigen dann – wie bei Piscator – die Zusammenhänge, in denen sich der Vorgang abspielt. Zur Verfremdung des Handlungsablaufs, der nicht mehr die lineare Zielstrebigkeit und Notwendigkeit des dramatischen hat, dienen projizierte Zwischentexte, Chöre, Songs oder gar Ausrufe von »Zeitungsverkäufern« im Saal. Sie unterbrechen die Handlung und kommentieren sie. »Da das Publikum ja nicht eingeladen werde, sich in die Fabel wie in einen Fluß zu werfen, um sich hierhin und dorthin unbestimmt treiben zu lassen, müssen die einzelnen Geschehnisse so verknüpft sein, daß die Knoten auffällig werden. Die Geschehnisse dürfen sich nicht unmerklich folgen, sondern man muß mit dem Urteil dazwischen kommen können. (Wäre gerade die Dunkelheit der ursächlichen Zusammenhänge interessant, müßte eben dieser Umstand genügend verfremdet werden.)« Und zur Verfremdung der Zuschauer schlägt Brecht (darin den Futuristen folgend) vor, sie sollten sich das Stück rauchend anschauen.

Durch diese Verfremdungen erhält der Subjekt-Objekt-Gegensatz, der am Ursprung des Epischen Theaters steht: die Selbstentfremdung des Menschen, dem das eigene gesellschaftliche Sein gegenständlich geworden ist, in allen Schichten des Werks seinen formalen Niederschlag und wird so zu dessen allgemeinem Formprinzip. Die dramatische Form beruht auf dem zwischenmenschlichen Bezug; die Thematik des Dramas bilden die Konflikte, die dieser entstehen läßt. Hier dagegen wird der zwischenmenschliche Bezug als Ganzes thematisch, aus der Unfragwürdigkeit der Form gleichsam in die Fragwürdigkeit des Inhalts versetzt. Und das neue Formprinzip besteht im hinzeigenden Abstand des Menschen von diesem Fraglichen; das epische

Subjekt-Objekt-Gegenüber tritt so in Brechts Epischem Theater in der Modalität des Wissenschaftlich-Pädagogischen auf. »Die Auslegung der Fabel und ihre Vermittlung durch geeignete Verfremdungen« hat er im *Kleinen Organon* als das »Hauptgeschäft des Theaters« bezeichnet.

HANS ERICH NOSSACK

Der Anfang

Eh es begann, war nichts als eine Frau,
die weinte wie in einem leeren Zimmer.
Kein Anfang sonst. Das ist doch schon seit immer;
nur daß ich weinen muß, weiß ich genau.

Kein Ende je. Es rann, es rinnt die Not
in ihren Schoß und geht uns nicht verloren.
Da, Mutter Kummer, wurden wir geboren,
und es begann: Die Liebe und der Tod.

Wollt ihr verlassen, was euch heimlich hielt,
und ewig werden, ohne drum zu weinen?
Was dann begann? Ach, meine beiden Kleinen,
man wird euch Götter nennen. Geht und spielt!

ERICH FRANZEN

Gedenkrede auf Bertolt Brecht

»Die leichteste Weise der Existenz ist in der Kunst«, schrieb Bertolt Brecht im Exil. Er meinte nicht seine eigene Existenz. Zwei Weltkriege und die Vertreibung aus seiner Heimat hatten ihm gezeigt, wie die Welt, in der er lebte, beschaffen war, aber es wäre ihm schamlos vorgekommen, sich aus ihr in ein privates Traumreich zu retten. Er kämpfte dafür, »die Welt für alle bewohnbar zu machen«. Mit Hilfe der Dichtung wollte er die Menschen davon überzeugen, daß sie selbst, nicht Gott oder das Schicksal, an ihrer unwürdigen Lage schuld seien. Die Erkenntnis, die er forderte, war bitter, die Arbeit der notwendigen Verwandlung mühselig, aber die Kunst, meinte er, mache beides zum Genuß, denn sie zeige die Möglichkeit einer besseren Existenz. Auf dem Theater »produziere« der Mensch sich am leichtesten.
Brecht wußte, daß der Glaube an diese Möglichkeit, auf die alles ankam, immer aufs neue erstritten und im vergänglichen Wort, in der flüchtigen Gebärde, in der vorüberziehenden Szene festgehalten werden mußte. Das erklärt die nie nachlassende Intensität seiner Arbeit. Er verhehlte sich nicht, daß der ganze Einsatz vergeblich sein könnte. Brecht war ein viel zu scharfer Beobachter, um die Schwächen und Grenzen der menschlichen Natur nicht zu erkennen. Er hat darum sein Ziel nicht aufgegeben, sondern den Zweifel, der oft genug in seinen Stücken geradezu das Motiv der Handlung bildet, gleichsam in seinen Glauben mit hineingenommen, ohne ihn zu ersticken. Eine solche Position läßt sich nur dialektisch behaupten – nicht mit der formalen Dialektik, die auch den Zynikern zu Gebote steht, sondern mit einer existentiellen. Zu ihr hat Brecht sich immer wieder be-

kannt, weil sie, wie er sagte, »ihm helfe, einen Vorgang lebendig darzustellen« (»unterstreichen Sie dick *lebendig*«, fügte er hinzu). Sie ist das Ausdrucksgesetz seiner reifen Dichtungen und das Bindeglied zwischen Werk und Leben.

Brecht hat den »Schrecken einer unaufhörlichen Verwandlung« an sich selbst erfahren. In den Bühnenstücken, von denen der Suhrkamp Verlag eine handliche Gesamtausgabe in zehn Bänden hergestellt hat, treten die scharfen Einschnitte in seiner Entwicklung vom romantisierenden Vaganten zum überzeugten Revolutionär deutlich hervor. Er blieb dem Geschehen immer sehr nahe; je drohender die Verhältnisse sich zuspitzten, um so entschlossener ging er ihnen auf den Grund. Jede Wendung, die er vollzog, schien dem Wechsel der Dinge angepaßt – und bezeichnete zugleich die gerade erreichte Stufe einer gesetzmäßig fortschreitenden geistigen Bewegung. Kein Werk eines anderen Dichters unserer Epoche spiegelt, als Ganzes betrachtet, so prägnant die Zeitumstände wider, unter denen es entstanden ist. Um so frappanter ist die Kontinuität der inneren Thematik, die trotz aller Stilunterschiede zwischen den verschiedenen »Versuchen« – so nannte Brecht seine »Abbilder der Wirklichkeit« – das vielfältige Szenarium als eine dichterische Einheit von unverwechselbarer Eigenart erscheinen läßt.

Besonders schroff wirkt der Bruch zwischen den ersten beiden Schaffensperioden, die von der unvergorenen Romantik des »Baal« bis zur verzuckerten Satire der »Dreigroschenoper« reichen, und der folgenden Phase der »Lehrstücke«. Die Sprache verliert plötzlich ihren Duft, die Handlung erstarrt, und die Figuren schrumpfen zu abstrakten Typen ein. Brecht ist Kommunist geworden; man spürt die erkältende Wirkung der marxistischen Theorien auf seine Erfindungskraft. Doch die einmal geschaffenen »Modelle« drängen ins Leben zurück. Sie überdauern die Vereisung. In den letzten, wichtigsten Dramen tauchen Figuren und Motive aus früheren Werken wieder auf, aber sie sind gleichsam durch einen chemischen Prozeß hindurchgegangen, der ihren Stellenwert im Gefüge des Ganzen verändert hat. Der weiberfressende, dem Trunk und der Lyrik verfallene Baal, das monströse Produkt des bis zu Ende gedachten Expressionismus, verwandelt sich in den versoffenen »Klassenfeind« Puntila, der die Mägde nicht durch seine Vitalität, sondern durch seine Macht als Brotherr zur Hingabe zwingt. Im »Kaukasischen Kreidekreis« wird der Azdak von Soldaten »ummontiert« wie einst Galy Gay; inzwischen ist der »einfache Mann aus dem Volke« freilich klüger geworden und verkauft sich nicht umsonst. Die Hochzeitsszene aus der »Dreigroschenoper« wiederholt sich in »Der gute Mensch von Sezuan«, aber der Bräutigam ist ein entzauberter Mackie Messer und möchte nicht ohne Geld heiraten. Die »Trommeln in der Nacht«, denen der Soldat Kragler nicht folgen wollte, sind in der »Mutter Courage« nicht nur als fernes Geräusch zu vernehmen; ihr lauter Ruf, den Krieg übertönend, wird zur Stimme des unterdrückten Menschen und läßt sich nicht mehr überhören. Ebenso aufschlußreich ist die Akzentverlagerung in den beiden Gestaltungen der Johanna von Orleans. In der »Heiligen Johanna der Schlachthöfe« hält Brecht noch an dem idealistischen Gegensatz zwischen Gut und Böse als abstrakten Werten fest und stellt einen Menschen auf die Bühne, der durch seine »natürliche« Güte den Ausbeutern in die Hände arbeitet. Das Kind Simone Machard dagegen hat seine Wertvorstellungen von Erwachsenen gelernt, die selbst nicht mehr an sie glauben; sie wird das unschuldige Opfer einer heuchlerischen Gesellschaft.

Bedeutsamer noch als diese gelungenen thematischen Umformungen ist die veränderte Funktion des lyrischen Ausdrucks, Brechts eigentlicher Sprache. In der »Hauspostille« von 1927 waren Gedichte von unvergeßlich reinem Klang und größter Einfachheit zusammengebracht mit gefährlich schillernden Romanzen im Stile Rimbauds, Schauerballaden à la Wedekind und einigen luziferischen Dankchorälen, die nach Dreck und Aas rochen. An den wilden Dissonanzen, deren Gewalt sich manchmal bis zur Schönheit eines Naturvorganges steigerte, erkannte man den Dichter des »Baal«. Schon damals bediente sich Brecht blasphemisch der Rhythmen Goethes, Walthers von der Vogelweide und des Kirchenlieds, um sie von innen auszuhöhlen, aber der Sinn der Zerstörung wurde nicht klar. Der beabsichtigten Anklage fehlte das Ziel, und die subjektive Empfindung, so stark sie war, reichte nicht aus, um die willkürliche Entwertung zu rechtfertigen und alle Dissonanzen miteinander zu versöhnen.

Brecht selbst fand später diese »Bitternis mit Orangengeschmack« schal. Mit bewundernswerter Askese dämpfte er den emotionalen Überschwang, und es gelang ihm, sich in seinen schönsten Gedichten zur stillen Weisheit der alten Chinesen durchzuringen. Die Lyrik sollte die Menschen sehend machen, nicht betören. Er stellte sie, wie die Bühnenwerke, in den Dienst seines Kampfes für eine »bessere Welt«. Im epischen Theater, das keine Visionen erzeugt, sondern zur Kritik aufruft, erhielt sie die Funktion, den Gang der Handlung zu unterbrechen und die Vorgänge zu verfremden. Die besondere poetische Wirkung, die der große Sprachkünstler Brecht damit erzielte, entsprach durchaus seiner Ansicht, daß die Kunst des Theaters ein Genuß für die Zuschauer bleiben müsse.

Wahrscheinlich ist die Verwendung der Lyrik als retardierendes Moment im Ablauf der Geschehnisse das wichtigste, ja sogar das einzig greifbare Kennzeichen des epischen Theaters, wie Brecht es geschaffen hat. Alle anderen Techniken, die er zur Charakterisierung dieser Kunstform anführt, beschreiben nur seinen höchstpersönlichen Arbeitsstil. Sie sind nicht einmal neu – aber Brecht hat etwas Neues damit geschaffen. Die Faszination seiner Inszenierungen kann nicht durch Theorien erklärt werden, sondern nur durch die Art, wie er – und er allein – die heterogensten Elemente verschmelzen konnte. Das war es, was er »lebendige Dialektik« nannte.

Neben Pirandello hat Brecht am schärfsten erkannt, daß im »wissenschaftlichen Zeitalter« (von dem er immer wieder gesprochen hat) die völlige Identifikation des Schauspielers mit seiner Rolle und die des Publikums mit der dargestellten Figur unmöglich geworden ist. Daraus hat er die Folgerung gezogen, daß auf der Bühne keine Illusionen erzeugt werden dürfen, die man vergißt und bezweifelt, sobald man das Theater verläßt. Die durch das Schauspiel gewonnene Erkenntnis soll keine abseitige Erfahrung bleiben, sondern auf das alltägliche Leben des Zuschauers zurückwirken, ja in die Realität fest eingebaut werden. Das Theater erhält damit eine doppelte Funktion: es spiegelt die gesellschaftliche Wirklichkeit und experimentiert zugleich mit der Möglichkeit einer besseren Ordnung. Es hat den Charakter eines Laboratoriums, nicht den eines Tempels.

Unvermeidlich taucht hier die Frage auf, ob die vieldimensionale Wirklichkeit des »wissenschaftlichen Zeitalters« überhaupt auf der Bühne dargestellt werden kann. Brecht hat daran nicht gezweifelt, aber seine rational klingenden Thesen, die in Wirklichkeit ein gut Teil politischer Pathetik enthalten, vereinfachen die Dinge zu sehr.

Prüft man die Voraussetzungen, von denen Brechts Theorie ausgeht, so stößt man auf zwei ungeklärte Punkte. Das epische Theater soll durch seinen objektiv berichtenden Stil das Publikum zu einer kritischen Haltung erziehen. Kritik allein aber führt noch keine Änderung der Welt herbei; sie schafft höchstens die Vorbedingung für eine tätige Entscheidung. Diese Entscheidung selbst aber kann gerade das epische, emotionsfeindliche Theater dem Zuschauer nicht aufzwingen, wenn es nicht zu einem reinen Propaganda-

Institut herabsinken und seine auch von Brecht verteidigte künstlerische Funktion verlieren soll. Im Gegenteil: Theater als Kunst ist erst dann möglich, wenn gewisse Entscheidungen ihm abgenommen sind. In diesem Sinne setzt der Dichter Brecht in der Tat ein ideologisches Wertsystem voraus, das außerhalb des Theaters geschaffen und dessen Zielsetzung von den Zuschauern von vornherein akzeptiert worden ist. – Die zweite Schwierigkeit besteht darin, daß in unserer wissenschaftsgläubigen Epoche das Publikum gar nicht mehr bereit ist, das Theater als eine Stätte der Entscheidung anzusehen. Brecht überschätzt mit einer gewissen Naivität die Möglichkeit, durch das Theater auf die Zuschauer, die sich oft viel »klüger« vorkommen als der Schreiber von Stücken, so nachhaltig einzuwirken, daß sie sich nach einer »besseren Existenz« sehnen. Hier liegt die Grenze der Brechtschen Theaterarbeit. Das Theater hört dort auf, wo das Spiel endet und die Sphäre der Wirklichkeit beginnt. Brecht hat wie jeder Künstler einen Kampf gegen Windmühlen geführt, aber wenn er auch die Welt nicht ändern konnte, so hat er doch das Theater geändert.

Was Brecht von den Machthabern in allen Ländern unterschied, war sein echtes Mitleid mit der unterdrückten Kreatur. Walter Dirks hat einmal darauf hingewiesen, wie nahe verwandt Brechts Ansichten den Ideen des Urchristentums sind. Freilich verließ Brecht sich nicht auf einen Trost im Jenseits. Schon durch die »Hauspostille« geistert ein »Kerl in Violett«, von dem es heißt: »Er flieht in Himmelsbläue, wenn einer ihn verlacht« – und genau das gleiche tun viel später die drei Götter in »Der gute Mensch von Sezuan«. Tritt aber an die Stelle des Jenseits-Glaubens eine irdische Utopie, so muß sich alles auf die Frage zuspitzen, ob die Menschen aus Schwäche oder aus Dummheit ihre Lage nicht ändern. Die einfachste Antwort hat Brecht im »Leben des Galilei« gegeben: der große Galilei ist schwach, und die Machthaber, die seine Erkenntnisse fürchten, sind dumm.

Am Ende des Stücks aber wird es »draußen hell«. Es ist das Licht der Aufklärung, das hereinbricht, und es kommt nicht vom Himmel. Vielleicht steht Brecht den revolutionären französischen Aufklärern, besonders Diderot, am nächsten, aber sein Schicksal hat es gewollt, daß heute die Aufklärer keine Revolutionäre und die Revolutionäre keine Aufklärer sind. Auch das erweist ihn als ein Kind unserer Zeit.

MAX FRISCH

Brecht

Der Umgang mit Brecht, anstrengend wie wohl jeder Umgang mit einem Überlegenen, dauert nun ein halbes Jahr, und die Versuchung, solchem Umgang einfach auszuweichen, ist manchmal nicht gering. Es ist Brecht, der dann wieder einmal anruft oder auf der Straße, immer freundlich in seiner trockenen und etwas verhaltenen Art, fragt, ob man einen freien Abend habe. Brecht sucht das Gespräch ganz allgemein. Meinerseits habe ich dort, wo Brecht mit seiner Dialektik mattsetzt, am wenigsten von unserem Gespräch; man ist geschlagen, aber nicht überzeugt. Auf dem nächtlichen Heimweg, seine Glossen überdenkend, verliere ich mich nicht selten in einen unwilligen Monolog: Das stimmt ja alles nicht! Erst wenn ich dann ähnliche, ebenso leichtfertige, oft auch gehässige Erledigungen aus dem Mund von Drittpersonen höre, fühle ich mich genötigt, doch wieder nach Herrliberg zu radeln. Die bloße Neugierde, die man einem Berühmten gegenüber empfinden mag, würde auf die Dauer kaum ausreichen, um das Anstrengende dieser Abende, die stets zu einer Begegnung mit den eigenen Grenzen führen, auf sich zu nehmen.
Die Faszination, die Brecht immer wieder hat, schreibe ich vor allem dem Umstand zu, daß hier ein Leben wirklich vom Denken aus gelebt wird. (Während unser Denken meistens nur eine nachträgliche Rechtfertigung ist; nicht das Lenkende, sondern das Geschleppte.) Einem überragenden Talent gegenüber, was Brecht nebenbei auch ist, im Augenblick wohl das größte in deutscher Sprache, kann man sich durch Bewunderung erwehren; man macht einen Kniefall, wie die Meßknaben vor dem Altar, und die Sache beruht auf

sich selbst, man geht weiter. Einer Haltung gegenüber genügt das nicht, und es liegen, gerade weil Brecht in bezug auf seine Person so uneitel ist wie wenige Menschen, ganz andere Ansprüche vor, Ansprüche, die mit Anbiederung nicht zu befriedigen sind; dabei erwartet Brecht wie vielleicht andere, die aus einer selbständigen Haltung leben, gar kein Einverständnis, im Gegenteil, er wartet auf den Widerspruch, ungnädig, wenn der Widerspruch billig ist, und gelangweilt, wenn er gänzlich ausbleibt. Man sieht es dann seinem strengen, bäurisch ruhigen, oft von Schlauheit etwas verschleierten, aber immer wachen Gesicht an, daß er zwar zuhört, auch wenn er es ein Geschwätz findet, sich zum Zuhören nötigt, aber hinter seinen kleinen versteckten Augen wetterleuchtet es von Widersprüchen; sein Blick flackert, die Ungeduld macht ihn eine Weile lang verlegen, dann angriffig, gewitterhaft. Seine Blitze, seine Glossen, gemeint als Herausforderung, die zum wirklichen Gespräch führen soll, zur Entladung und Auseinandersetzung, sind oft schon erschlagend durch die Schärfe des Vortrags; der Partner, besonders der neue und ungewohnte, schweigt dann mit verdutztem Lächeln, und Brecht bleibt nichts anderes übrig, als daß er, sich beherrschend, katechisiert, ernsthaft, etwas mechanisch, im Grunde verärgert, denn das ist nun das Gegenteil eines Gesprächs, wie er es erhofft hat, verärgert auch, daß so wenige wirklich durch die Schule des Marxismus gegangen sind, der Hegelschen Dialektik, des historischen Materialismus. Brecht will kein Dozent sein, sieht sich aber in der Lage eines Mannes, der über Dichtung sprechen möchte, und es endet, damit es nicht eine Schwafelei wird, mit einem Unterricht in elementarer Grammatik, wofür seine Zeit in der Tat zu kostbar ist; er tut es immerhin, denn eine bloße Schwafelei wäre ihm noch ärgerlicher, Unterricht ist wenigstens Unterricht, wenigstens nützlich für den andern, möglicherweise nützlich. Im Grunde aber, glaube ich, ist Brecht seinerseits froh, wenn er nicht katechisieren muß. Unser

Gespräch wird fruchtbar immer dann, wenn ich ihm die Reflexion überlasse, meinerseits nur das Konkrete liefere, das es allerdings an sich hat, immer Widerspruch zu sein. Seine Haltung, und bei Brecht ist es wirklich eine Haltung, die jede Lebensäußerung umfaßt, ist die tägliche Anwendung jener denkerischen Ergebnisse, die unsere gesellschaftliche Umwelt als überholt, in ihrem gewaltsamen Fortdauern als verrucht zeigen, so daß diese Gesellschaft nur als Hindernis, nicht als Maßstab genommen werden kann; Brecht verhält sich zur Zukunft; das wird immer etwas Geharnischtes mit sich bringen, die Gefahr zeitweiliger Erstarrungen, die nichts mehr zulassen. Es ist auch in dieser Hinsicht nicht zufällig, daß Brecht zumal gegenüber den Schauspielern so unermüdlich für das Lockere wirbt, das Entkrampfte; sein eigenes Werk, wo es dichterisch ist, hat es auch immer im höchsten Grade. Das Lockere, das Entkrampfte: eine unerhörte Forderung innerhalb eines Lebens, wie Brecht es führt, eines Lebens in Hinsicht auf eine entworfene Welt, die es in der Zeit noch nirgends gibt, sichtbar nur in seinem Verhalten, das ein gelebter, ein unerbittlicher und durch Jahrzehnte außenseiterischer Mühsal niemals zermürbter Widerspruch ist. Christen verhalten sich zum Jenseits, Brecht zum Diesseits. Das ist einer der Unterschiede zwischen ihm und den Priestern, denen er, wie gern er sie auch aus seiner anderen Zielsetzung heraus verspottet, nicht so unähnlich ist; die Lehre vom Zweck, der die Mittel heilige, ergibt ähnliche Züge auch bei entgegengesetzten Zwecken. Es gibt auch Jesuiten des Diesseits, und zuweilen ist es gar nicht ihr Wunsch, ihre oberste Pflicht, verstanden zu werden, nicht unter allen Umständen nämlich. »Fünf Schwierigkeiten beim Schreiben der Wahrheit«, eine kleine Schrift von 1934, zur geheimen Verbreitung im Dritten Reich verfaßt, überschreibt ihren vierten Absatz: »Das Urteil, jene auszuwählen, in deren Händen die Wahrheit wirksam wird.« Und ihren fünften Absatz: »Die List, die Wahrheit unter vielen zu verbreiten.« Das muß man sich wohl vor Augen halten, insbesondere wenn eine größere, zufällige Gesellschaft versammelt ist. Denn eine friedliche und gerechtere Welt entwerfen und sich vor die Kanonen stellen, um ihr Opfer zu werden, das ist das Verhalten zum Jenseits, das heroische, nicht das Verhalten zum Diesseits, das praktische, das notwendende.

Gestern haben wir zusammen gebadet, das erste Mal, wo ich Brecht in der Natur sehe, in einer Umwelt also, die nicht zu verändern ist und daher wenig Interessantes für ihn hat. (»Und die Natur sah ich ohne Geduld, so verging meine Zeit, die auf Erden mir gegeben war.«) Das zu Verändernde ist so groß, daß keine Zeit bleibt, zu loben, was natürlich ist. Wie so manches an Brecht ist auch das bereits eine durchaus gelebte Geste, eine zweite Natur, natürlich, wenn er kein Wort sagt über die Natur. Er bekümmert sich nur, ob wir noch in das aufziehende Gewitter geraten werden oder nicht. Der See ist grün, vom Wind zerwühlt, der Himmel ist violett und schwefelgelb. Brecht, wie immer versehen mit seiner grauen Schirmmütze, stützt sich auf das etwas morsche Geländer, eine Zigarre rauchend; das Morsche, das ist es, was er beachtet: er macht einen Witz über Kapitalismus. Erst wie ich bereits schwimme, geht auch er in den Schopf. Es wetterleuchtet über der Stadt, schräge Regenfahnen hangen vor den ferneren Hügeln, die Vögel schwirren, es raschelt das Laub der großen Buchen, auf der Landstraße wirbelt der Staub. Später sehe ich, daß auch Brecht ins Wasser steigt, einige Züge schwimmt und bald wieder in den Schopf verschwindet. Seine Frau und ich schwimmen noch eine Weile in den hastigen, spritzenden Wellen. Wie ich ebenfalls das Land betrete, steht Brecht bereits wieder in grauer Joppe und grauer Mütze, die Erfrischung lobend, indem er die nächste Zigarre anzündet.
»Wissen Sie«, sagte er in einem Ton, als hätten wir kaum

einen Atemzug lang unterbrochen: »das scheint mir sehr richtig. Der Darsteller des Puntila darf keineswegs den Eindruck erwecken –«
Die Wohnung, die Brecht in Herrliberg bekommen hat, befindet sich in einem alten Gärtnerhaus, Dachstock. Wir essen in der Küche, wo seine Frau ihre unbekanntere Könnerschaft zeigt, oder in der Diele, die etwas Estrichhaftes hat wie überhaupt die ganze Wohnung, etwas anregend Vorläufiges. Später wandeln wir auf einer bekiesten Dachzinne, wo man sich unter den Wäschestangen etwas bücken muß, und zum schwarzen Kaffee setzen wir uns endlich in seinen Arbeitsraum, der ein schönes Fenster gegen den See und die Alpen hat, die für Brecht allerdings nicht in Betracht kommen; er findet das Fenster auch schön, nämlich weil es Helle gibt. Das Zimmer hat etwas von Werkstatt: Schreibmaschine, Blätter, Schere, Kiste mit Büchern, auf einem Sessel liegen Zeitungen, hiesige, englische, deutsche, amerikanische, hin und wieder etwas ausgeschnitten und in ein Mäpplein gelegt, auf dem großen Tisch sehe ich Kleister mit Pinsel, Fotos, Bühnenbilder von einer Aufführung in New York, Brecht erzählt von Laughton, ferner Bücher, die zur gegenwärtigen Arbeit gehören, Briefwechsel zwischen Goethe und Schiller, Brecht liest einiges daraus vor, das Dramatische und das Epische betreffend. Ferner gibt es ein Radio, eine Schachtel mit Zigarren, die Sessel gestatten nur ein aufrechtes Sitzen, einen Aschenbecher stelle ich auf den tannenen Boden, an der Wand gegenüber hängt eine chinesische Malerei, einrollbar, jetzt aber entrollt. Alles ist so, daß man in achtundvierzig Stunden abreisen könnte; unheimisch. Nicht viel anders, denke ich, hat es ausgesehen in Finnland, 1941:

»Im Lautsprecher höre ich die Siegesmeldungen
des Abschaums.
Neugierig betrachte ich die Karte des Erdteils.

Hoch oben in Lappland
nach dem nördlichen Eismeer zu
sehe ich noch eine kleine Tür.«

Es fällt mir dabei auf, daß Brecht noch nie von seinen Erlebnissen erzählt hat, überhaupt nie von seiner Person oder nur sehr mittelbar. Wir sprechen über Architektur, über Wohnen. Brecht geht auf und ab, zuweilen stehen wir beide, um besser sprechen zu können, Gänge machend wie auf der Bühne, wobei Brecht, so verhalten er ist, einen starken gestischen Ausdruck hat. Eine winzige wegwerfende Bewegung der Hand, Verachtung, ein Stehenbleiben im entscheidenden Punkt eines werdenden Satzes, ein Fragezeichen, ausgedrückt mit einem schroffen Heben der linken Schulter, Ironie, wenn er mit der Unterlippe den dreist-schlichten Ernst der Rechtdenkenden nachahmt, oder sein plötzliches, etwas krächzendes, sprödes, aber nicht kaltes Lachen, wenn ein Widersinn auf die Spitze getrieben ist, dann wieder sein verfahrenes und verschüchtertes Erstaunen, sein schutzloses Gesicht, wenn man etwas erzählt, was ihn wirklich betrifft, bekümmert oder entzückt. Brecht ist ein herzlicher und gütiger Mensch; aber die Verhältnisse sind nicht so, daß das genügt.

»An meiner Wand hängt ein japanisches Holzwerk,
Maske eines bösen Dämons, bemalt mit Goldlack.
Mitfühlend sehe ich
die geschwollenen Stirnadern, andeutend,
wie anstrengend es ist, böse zu sein.«

Am besten klappt unser Umgang, wenn das Gespräch, das Brecht immer auch den Einfällen und Bedürfnissen des andern überläßt, um Fragen des Theaters kreist, der Regie, der Schauspielerei, Fragen auch des schriftstellerischen Handwerks, die, nüchtern behandelt, unweigerlich zum Wesentlichen führen. Brecht ist ein unerschöpflicher Erörterer. Zusammen mit einem Kunstverstand, der wissenschaftliche Methodik liebt, hat er eine kindhafte Gabe des Fragens. Ein Schauspieler, was ist das? Was macht der? Was muß der Besonderes haben? Eine schöpferische Geduld, wieder von vorn anzufangen, Meinungen zu vergessen, Erfahrungen zu versammeln und zu befragen, ohne ihnen die Antwort aufzudrängen. Die Antworten, die ersten, sind oft von verblüffender Dürftigkeit. »Ein Schauspieler«, sagt er zögernd: »das ist wahrscheinlich ein Mensch, der etwas mit besonderem Nachdruck tut, zum Beispiel trinken oder so.« Seine fast bäurische Geduld, sein Mut, hilflos auf leerem Feld zu stehen, auf Entlehnungen verzichtend, die Kraft, ganz bescheiden zu sein und möglicherweise ohne Ergebnis, dann aber die Intelligenz, Ansätze einer brauchbaren Erkenntnis festzuhalten und durch Widerspruch sich entwickeln zu lassen, und endlich die Männlichkeit, die Ergebnisse ernst zu nehmen und danach zu verfahren, unbekümmert um Meinungen, das sind schon wunderbare Lektionen, Exerzitien, die in einer Stunde leicht ein Semester aufwiegen. Die Ergebnisse freilich gehören ihm. Zu sehen, wie er sie gewinnt, ist unser Gewinn. Dann ist es Zeit, den Heimweg anzutreten; Brecht nimmt die Mütze und den Milchtopf, der vor die Haustür gestellt werden muß. Brecht ist von einer seltenen Art unlaunischer, zur Geste gewordener, dennoch herzlicher Höflichkeit. Wenn ich das Rad nicht habe, begleitet er mich an die Bahn, wartet, bis man eingestiegen ist, winkt mit einer knappen, etwas verstohlenen Gebärde der Hand, ohne die graue Schirmmütze abzunehmen, was stillos wäre; den Leuten ausweichend verläßt er den Bahnsteig mit raschen, nicht großen, eher leichten Schritten, mit Armen, die auffallend wenig pendeln, und stets mit etwas schrägem Kopf, die Schirmmütze in die Stirn gezogen, als möchte er sein Gesicht verstecken, halb verschwörerisch, halb schamhaft. Er wirkt, wenn man ihn so sieht, unscheinbar wie ein Arbeiter ein Metallarbeiter, doch für einen Arbeiter zu unkräftig, zu grazil, zu wach für einen Bauern, überhaupt zu beweglich für einen Einheimischen; verkrochen und aufmerksam, ein Flüchtling, der schon zahllose Bahnhöfe verlassen hat, zu schüchtern für einen Weltmann, zu erfahren für einen Gelehrten, zu wissend, um nicht ängstlich zu sein, ein Staatenloser, ein Mann mit befristeten Aufenthalten, ein Passant unsrer Zeit, ein Mann namens Brecht, ein Physiker, ein Dichter ohne Weihrauch . . .

Das Manuskript, das er zum Lesen gegeben hat, nennt sich »Kleines Organon für das Theater«. Brecht will wissen, was man findet. Auch unser Mißverständnis hält er für nützlich; es warnt ihn. Ich habe noch keinen Mann getroffen, der, ohne Pose, so frei ist von Prestige. Ein Schauspieler, kein großer, erlaubt sich einen textlichen Vorschlag; er möchte etwas sagen, wo das Buch ihn schweigen läßt. Brecht hört es an, besinnt sich und ist einverstanden: nicht um des Nachgebens willen, sondern weil es richtig ist, was der Mann sagt. Seine Proben haben nie die Luft eines Boudoirs, sondern einer Werkstatt. Auch sonst hat Brecht dieses Ernsthaft-Bereitwillige, das keine Schmeichelei ist und auch keine duldet, das Überpersönlich-Bescheidene eines Weisen, der an jedem lernt, der über seinen Weg geht, nicht von ihm, aber an ihm.

AUS BERTOLT BRECHTS NACHLASS

Über Pässe / Über die Ebenbürtigkeit von Bier und Zigarre / Über die Ordnungsliebe

Die Kriegsfurie hatte Europa halb abgegrast, aber sie war noch jung und hübsch und überlegte es sich, wie sie noch einen Sprung nach Amerika hinüber machen könnte, als im Bahnhofsrestaurant von Helsingfors zwei Männer saßen und, sich ab und zu vorsichtig umblickend, über Politik redeten. Der eine war groß und dick und hatte weiße Hände, der andere von untersetzter Statur mit den Händen eines Metallarbeiters. Der Große hielt sein Bierglas hoch und durchschaute es.

DER GROSSE

Das Bier ist kein Bier, was dadurch ausgeglichen wird, daß die Zigarren keine Zigarren sind, aber der Paß muß ein Paß sein, damit sie einen in das Land hereinlassen.

DER UNTERSETZTE

Der Paß ist der edelste Teil von einem Menschen. Er kommt auch nicht auf so einfache Weise zustand wie ein Mensch. Ein Mensch kann überall zustandkommen, auf die leichtsinnigste Art und ohne gescheiten Grund, aber ein Paß niemals. Dafür wird er auch anerkannt, wenn er gut ist, während ein Mensch noch so gut sein kann und doch nicht anerkannt wird.

DER GROSSE

Man kann sagen, der Mensch ist nur der mechanische Halter eines Passes. Der Paß wird ihm in die Brusttasche gesteckt, wie die Aktienpakete in das Safe gesteckt werden, das an und für sich keinen Wert hat, aber Wertgegenstände enthält.

DER UNTERSETZTE

Und doch könnt man behaupten, daß der Mensch in gewisser Hinsicht für den Paß notwendig ist. Der Paß ist die Hauptsache, Hut ab vor ihm, aber ohne dazugehörigen Menschen wär er nicht möglich oder mindestens nicht ganz voll. Es ist wie mit dem Chirurg, er braucht den Kranken, damit er operieren kann, insofern ist er unselbständig, eine halbe Sach mit seiner ganzen Studiertheit, und in einem modernen Staat ist es ebenso; die Hauptsach ist der Führer oder Duce, aber sie brauchen auch Leut zum Führen. Sie sind groß, aber irgend jemand muß dafür aufkommen, sonst gehts nicht.

DER GROSSE

Die beiden Namen, die Sie erwähnt haben, erinnern mich an das Bier und die Zigarren hier. Ich möcht sie als führende Marken ansehen, das Beste was hier zu haben ist, und ich seh einen glücklichen Umstand darin, daß das Bier kein Bier ist *und* die Zigarre keine Zigarre, denn wenn da zufällig keine Übereinstimmung bestände, wär das Restaurant kaum zu führen. Ich nehme an, daß der Kaffee auch kein Kaffee ist.

DER UNTERSETZTE

Wie meinen Sie das, glücklicher Umstand?

DER GROSSE

Ich mein, das Gleichgewicht ist wieder hergestellt. Sie brauchen den Vergleich miteinander nicht zu scheun und können Seit an Seit die ganze Welt herausfordern, keiner von ihnen find einen bessern Freund, und ihre Zusammenkünfte verlaufen harmonisch. Anders, wenn der Kaffee z. B. ein Kaffee und nur das Bier kein Bier wär, möchte die Welt leicht das Bier minderwertig schimpfen, und was dann? Aber ich halt Sie von Ihrem Thema ab, dem Paß.

DER UNTERSETZTE

Das ist kein so glückliches Thema, daß ich mich nicht von ihm abhalten lassen möcht. Ich wunder mich nur, daß sie grad jetzt so aufs Zählen und Einregistrieren der Leut aus sind, als ob ihnen einer verloren gehen könnt, sonst sind sie jetzt doch nicht so. Aber sie müssen ganz genau wissen, daß man der und kein anderer ist, als obs nicht völlig gleich wär, wens verhungern lassen.

Der Große, Dicke stand auf, verbeugte sich und sagte:

Mein Name ist Ziffel, Physiker.

Der Untersetzte schien zu überlegen, ob er ebenfalls aufstehen sollte, ermannte sich jedoch dann und blieb sitzen. Er brummte:

Nennen Sie mich Kalle, das genügt.

Der Große setzte sich wieder und nahm einen übelnehmerischen Zug aus seiner Zigarre, über die er sich schon mehrere Male beschwert hatte, bevor er wieder sprach.

ZIFFEL

Die Sorge für den Menschen hat in den letzten Jahren sehr zugenommen, besonders in den neuen Staatengebilden. Es ist nicht wie früher, sondern der Staat kümmert sich. Die großen Männer, die an mehreren Orten Europas aufgetaucht sind, zeigen ein großes Interesse an Menschen und können nicht genug davon kriegen. Sie brauchen viele. Am Anfang hat man sich die Köpfe darüber zerbrochen, warum der Führer überall in den Randgebieten Menschen aufgesammelt und nach dem Inneren Deutschlands transportiert hat. Erst jetzt im Krieg ists klar geworden. Er hat einen ziemlichen Verschleiß und braucht einen Haufen. Aber die Pässe gibts hauptsächlich wegen der Ordnung. Sie ist in solchen Zeiten absolut notwendig. Nehmen wir an, Sie und ich liefen herum ohne Bescheinigung, wer wir sind, so daß man uns nicht finden kann, wenn wir abgeschoben werden sollen, das wär keine Ordnung. Sie haben vorhin von einem Chirurgen gesprochen. Die Chirurgie geht nur, weil der Chirurg weiß, wo z. B. der Blinddarm sich aufhält im Körper. Wenn er ohne Wissen des Chirurgen wegziehn könnte, in den Kopf oder das Knie, würd die Entfernung Schwierigkeiten bereiten. Das wird Ihnen jeder Ordnungsfreund bestätigen.

KALLE

Der ordentlichste Mensch, den ich im Leben kennengelernt hab, war einer namens Schiefinger im Lager Dachau, ein SS-Mann. Man hat von ihm erzählt, daß er seiner Geliebten nicht gestattet hat, an einem andern Tag als am Samstag und bei einer andern Tageszeit als am Abend mit dem Hintern zu schwenken, auch nicht aus Versehen. Sie hat die Limonadenflasche im Wirtshaus nicht mit feuchtem Boden aufn Tisch stellen dürfen. Wenn er uns mit der Lederpeitsch geprügelt hat, ist er so gewissenhaft vorgegangen, daß die Striemen, die er verursacht hat, ein Muster ergeben haben, das jeder Untersuchung mitm Millimetermaß hätt standhalten können. Der Ordnungssinn ist so in ihm dringesteckt, daß er lieber nicht geprügelt hätt, als unordentlich.

ZIFFEL

Das ist ein sehr wichtiger Punkt. Nirgends sieht man mehr auf Ordnung als im Gefängnis oder beim Militär. Das ist seit alters sprichwörtlich. Der französische General, der dem Kaiser Napoleon, als der Siebziger Krieg begonnen hat, meldete, daß die Armee bereit ist bis auf den letzten Knopf, hätte nicht zu wenig versprochen, wenns wahr gewesen wär. Auf den letzten Knopf kommts nämlich an. Es müssen alle Knöpfe sein. Mit dem letzten Knopf gewinnt man den Krieg. Auch der letzte Blutstropfen ist wichtig, aber nicht so wie der letzte Knopf. Es ist nämlich die Ordnung, durch die der Krieg gewonnen wird. In das Blut kann man niemals die Ordnung bringen wie in die Knöpfe. Der Stab weiß nie so genau, ob der letzte Blutstropfen schon vergossen ist, wie er über die Knöpfe Bescheid weiß.

KALLE
Das Letzte ist eins von den Lieblingswörtern von ihnen. Aufm Moor hat der SS-Mann immer gesagt, wir müssen mit der letzten Kraft zustechen. Ich hab mich oft gewundert, warum wirs nicht mit der ersten haben machen dürfen. Es hat aber die letzte sein müssen, sonst hätts ihm keinen Spaß gemacht. Auch den Krieg wollens mit der letzten Kraft gewinnen, darauf bestehens.

ZIFFEL
Es liegt ihnen daran, daß es Ernst ist.

KALLE
Blutiger Ernst. Ein Ernst, der nicht blutig ist, ist keiner.

ZIFFEL
Das bringt uns auf die Knöpfe zurück. Nicht einmal im Geschäftsleben spielt die Ordnung eine solche Rolle wie beim Militär, obgleich im Geschäftsleben mit peinlicher Ordnung doch Gewinste gemacht werden, während im Krieg nur Verluste entstehen. Man könnte denken, daß es im Geschäftsleben viel eher auf jeden Pfennig ankommt, als im Krieg auf jeden Knopf.

KALLE

An und für sich kommts nicht auf die Knöpf an im Krieg, nirgends wird so geaast mitm Material, das weiß jeder. Da gehts ausm Vollen. Hat man eine Militärverwaltung erlebt, die gespart hätt? Die Ordnung ist nicht, daß gespart wird.

ZIFFEL

Natürlich nicht. Sie besteht darin, daß planmäßig verschwendet wird. Alles was weggeschmissen wird oder verdirbt oder zerstört wird, muß aufm Papier stehen und numeriert sein, das ist die Ordnung. Aber der Hauptgrund, daß auf Ordnung gesehn wird, ist ein erzieherischer. Der Mensch kann bestimmte Verrichtungen überhaupt nicht ausführen, wenn er sie nicht ordentlich ausführt. Nämlich die sinnlosen. Laß einen Gefangenen einen Graben ausheben und dann wieder zuschütten und wieder ausheben und laß ihn das so schlampig machen wie er grad Lust hat, und er wird wahnsinnig oder rebellisch, was dasselbe ist. Wenn er dagegen angehalten wird, daß er den Spaten so und so anfaßt und nicht einen Zentimeter tiefer, und wenn eine Schnur gezogen ist, wo er einstechen muß, daß der Graben schnurgerad ist, und wenn beim Wiederzuschütten darauf gesehn wird, daß der Hof wieder so flach ist, als ob überhaupt kein Graben ausgehoben worden wär, dann kann die Arbeit ausgeführt werden und alles geht wie am Schnürchen, wie der bezeichnende Ausdruck heißt. Andrerseits ist Menschlichkeit in unsern Zeitläuften kaum zu erhalten ohne Bestechlichkeit, auch eine Art Unordnung. Sie werden Menschlichkeit finden, wenn Sie einen Beamten finden, der nimmt. Mit etwas Bestechung können Sie sogar gelegentlich Gerechtigkeit erlangen. Damit ich in Österreich auf dem Paßamt an der Reih drangekommen bin, hab ich ein Trinkgeld gegeben. Ich hab einem Beamten am Gesicht angesehen, daß er gütig war und was genommen hat. Die faschistischen Regime schreiten ein gegen die Bestechlichkeit, grad weil sie eben unhuman sind.

KALLE

Einer hat einmal behauptet, Dreck sei überhaupt nur Materie am falschen Ort. In einem Blumentopf können Sie Dreck eigentlich nicht Dreck nennen. Ich bin im Grund für Ordnung. Aber ich hab einmal einen Film gesehen mit Charlie Chaplin. Er hat seine Kleider usw. in einen Handkoffer gepackt, d. h. hineingeschmissen und den Deckel zugeklappt, und dann war es ihm zu unordentlich, weil zuviel herausgeschaut hat, und da hat er eine Schere genommen und die Ärmel und Hosenbeine, kurz alles, was herausgehängt ist, einfach abgeschnitten. Das hat mich in Erstaunen gesetzt. Ich seh, Sie setzen die Ordnungsliebe auch nicht hoch an.

ZIFFEL

Ich erkenne bloß die ungeheuren Vorteile der Schlamperei. Die Schlamperei hat schon Tausenden von Menschen das Leben gerettet. Im Krieg hat oft die kleinste Abweichung von einem Befehl genügt, daß der Mann mit dem Leben davongekommen ist.

KALLE

Das ist wahr. Mein Onkel war in den Argonnen. Sie sind in einem Graben gelegen und haben durchs Telefon den Befehl erhalten, sie sollen zurückgehn und sofort. Aber sie haben nicht aufs Wort gehorcht und haben erst noch die Kartoffeln aufessen wollen, dies gebraten haben, und so sinds in Gefangenschaft geraten und waren gerettet.

ZIFFEL

Oder nehmen Sie einen Flieger. Er ist müd und liest die Meßinstrumente ungenau ab. Seine Bombenlast fällt neben ein großes Wohnaus, statt drauf. Ein halbes Hundert Menschen sind gerettet. Was ich meine, daß die Menschen für eine Tugend wie die Ordnungsliebe nicht reif sind. Ihr Verstand ist nicht genügend ausgebildet für diese Tugend. Ihre Unternehmungen sind idiotisch, und nur eine schlampige und unordentliche Ausführung ihrer Pläne kann sie vor größerem Schaden bewahren.

ZIFFEL

Ich hab einen Laboratoriumsdiener gehabt, Herrn Zeisig, der alles in Ordnung gehalten hat, es ist ihm schwergefallen. Er hat fortgesetzt aufgeräumt. Wenn man sich ein paar Apparate zu einem Versuch zurechtgestellt hatte und ans Telefon gerufen wurde, hat er schnell aufgeräumt bis man zurückgekommen ist und jeden Morgen waren die Tische blitzblank, d.h. die Zettel mit den Notizen waren für immer im Kehrichteimer verschwunden. Aber er hat sich Mühe gegeben, und so hat man nichts sagen können. Natürlich hat man doch was gesagt, aber dadurch hat man sich ins Unrecht gesetzt. Wenn wieder einmal was verschwunden war, d.h. aufgeräumt, hat er einen mit seinen durchsichtigen Augen angeblickt, in denen kein Stäubchen Intelligenz war und er hat einem leid getan. Ich hätt mir nie vorstellen können, daß Herr Zeisig ein Privatleben haben könnte, aber er hat eines gehabt. Wie der Hitler an die Macht gekommen ist, hat sich herausgestellt, daß der Herr Zeisig die ganze Zeit ein alter Kämpfer gewesen war. Am Morgen, wo Hitler Reichskanzler wurde, sagte er, meinen Mantel sorgsam an den Nagel hängend: Herr Doktor, jetzt wird in Deutschland Ordnung geschafft. Nun, der Herr Zeisig hat Wort gehalten.

ZIFFEL

In einem Land, wo eine besondere Ordnung herrscht, würd ich nicht gern bleiben. Da herrscht Knappheit. Man könnts natürlich auch Ordnung heißen, wenn aus dem Vollen gewirtschaftet wird, wie bei uns, wie gesagt, nur im Krieg. Aber so weit sind wir nicht.

KALLE
Sie könnens so ausdrücken: Wo nichts am rechten Platz liegt, da ist Unordnung. Wo am rechten Platz nichts liegt, ist Ordnung.

ZIFFEL
Ordnung ist heutzutage meistens dort, wo nichts ist. Es ist eine Mangelerscheinung.

Der Untersetzte nickte, war aber abgestoßen durch die Spur von Ernst, die er, ein diesbezüglich sehr empfindlicher Mensch, in den letzten Sätzen spürte oder zu spüren glaubte, und trank mit langsamen Schlücken seinen Kaffee aus.

Kurz darauf schieden sie voneinander und entfernten sich, jeder an seine Statt.

WILHELM LEHMANN

An meinen ältesten Sohn

Die Winterlinde, die Sommerlinde
Blühen getrennt –
In der Zwischenzeit, mein lieber Sohn,
Geht der Gesang zu End.

Die Schwalbenwurz zieht den Kalk aus dem Hügel
Mit weißen Zehn,
Ich kann es unter der Erde
Im Dunkeln sehn.

Ein Regen fleckt die grauen Steine –
Der letzte Ton
Fehlt dem Goldammermännchen zum Liede.
Sing du ihn, Sohn.

Das Trankopfer

Bin ich abschiedbereit,
Schatten, schatteninmitten,
Kommt verschollene Zeit
Wieder geschritten.

Aus der Grube, die gräbt
Odysseus, will es winken,
Leben, einmal gelebt.
Eile zu trinken!

»Glaube die Wiederkehr«,
Lächelt kühner Ulisses:
Traubenblau dünt das Meer,
Salzig gewisses.

In Geröll greift der Zeh,
Da Schafe, Ziegen steigen.
König Admet wie je
So heute eigen.

Zähen Macchiadorn
Faßt ihre heikle Zunge,
An Kürbis schnitzt und Horn
Hütender Junge.

Schwalbe

Noch zu Tisch beim Lebensmahle,
Folge ich den Blitzen,
Schwalbe, deiner Flügelspitzen,
Deinem Salto immortale.

Erde schlägt der Schnellen keine Wunde;
Diener braucht kein Netz zu breiten.
Zwitscherlaut aus Schnabelmunde
Spricht von abgelebten Zeiten.

Singen kann sie nicht, sie rezitiert:
Tereus hat die Schwägerin verführt,
Prokne schneidet er die Zunge aus, daß sie es hehle.
Schwalbe wurde sie und lallt vom alten Fehle.

Ihren Flug hat keine Zeit versehrt.
Glück der Tänzerin, sann Valéry:
Herkules als Schwalbe zurückgekehrt,
Wie er mächtig, leicht wie sie.

Heugeruch, Holunder, Pastorale,
Was Ovid erzählt von Prokne, Philomele,
Als ein Zwitschern rostigroter Kehle
Hör ich es,
Glaub dem Salto immortale
Herkules.

Mohn in der Vase

Will ich dies Gebild bestimmen,
Wie es aus der Vase taucht
Auf des Stengels klugen Krümmen,
Helfen Worte, vielgebraucht?

Stengel hebt und wird gehoben
Von Gewißheit seiner Last,
Glut und Kühle, schwebt sie oben
Irdisch kaum und luftig fast.

Blätter biegen sich zu Schalen.
An chinesisch dünne Wand
Sommerlich sich selbst zu malen,
Lockte Sommergeistes Hand.

Luftzug bläht und flacht zu Hauben
Scharlachseide, moiriert,
Für Lenette, magst du glauben,
Wie Jean Paul sie porträtiert.

Ach, so schwärmerisches Rühmen
Hat den Schweigenden erschreckt,
Blätterfall die ungestümen
Federstriche zugedeckt.

SAMUEL BECKETT

Die Hose

NAGG Mein Zahn ist ausgefallen.
NELL Wann denn?
NAGG Gestern hatte ich ihn noch.
NELL *elegisch*: Ah, gestern!

Sie wenden sich mühsam einander zu.

NAGG Siehst du mich?
NELL Schlecht. Und du?
NAGG Was?
NELL Siehst du mich?
NAGG Schlecht.
NELL Um so besser, um so besser.
NAGG Sag das nicht! *Pause*. Unsere Sehkraft hat gelitten.
NELL Ja.

Pause. Sie wenden sich voneinander ab.

NAGG Hörst du mich?
NELL Ja. Und du?
NAGG Ja. *Pause*. Unser Gehör hat nicht gelitten.
NELL Unser was?
NAGG Unser Gehör.
NELL Nein. *Pause*. Hast du mir sonst noch was zu sagen?
NAGG Erinnerst du dich . . .
NELL Nein.
NAGG An den Tandemunfall, bei dem wir unsere Haxen verloren.

Sie lachen.

NELL Es war in den Ardennen.

Sie lachen leiser.

NAGG Am Ausgang von Sedan. *Sie lachen noch leiser. Pause.* Ist dir kalt?

NELL Ja, sehr kalt. Und du?

NAGG Mich friert. *Pause.* Willst du wieder rein?

NELL Ja!

NAGG Dann geh rein. *Nell rührt sich nicht. Nagg schaut sie an.* Warum gehst du nicht rein?

NELL Ich weiß nicht.

Pause

NAGG Hat man dein Sägemehl erneuert?

NELL Es ist kein Sägemehl. *Pause. Überdrüssig:* Kannst du dich nicht etwas genauer ausdrücken, Nagg?

NAGG Dann eben deinen Sand. Ist das so wichtig?

NELL Das ist wichtig.

Pause

NAGG Früher war es Sägemehl.

NELL *überdrüssig*: Früher.

NAGG Und nun ist es Sand. *Pause.* Vom Strand. *Pause. Lauter:* Nun ist es Sand, er holt ihn vom Strand.

NELL Nun ist es Sand.

NAGG Hat er deinen erneuert?

NELL Nein.

NAGG Meinen auch nicht. *Pause.* Man muß maulen. *Pause. Den Zwieback zeigend:* Willst du ein Stück?

NELL Nein. *Pause.* Wovon?

NAGG Vom Zwieback. Ich habe die Hälfte davon verwahrt. *Er betrachtet den Zwieback. Stolz:* Drei Viertel. Für dich.

Da. *Er reicht ihr den Zwieback*. Nein? *Pause*. Ist dir nicht gut?

HAMM *überdrüssig*: Seid doch still, seid still, laßt mich doch schlafen. *Pause*. Sprecht leiser. *Pause*. Wenn ich schlafen könnte! Ich würde vielleicht lieben. In die Wälder gehen. Sehen . . . den Himmel, die Erde! Laufen! Fliehen! *Pause*. Natur! *Pause*. Es tropft, es tropft in meinem Kopf. *Pause*. Es ist ein Herz, ein Herz in meinem Kopf.

Pause

NAGG *leise*: Hast du gehört? Ein Herz in seinem Kopf! *Er guckt vorsichtig*.

NELL Man soll nicht über so was lachen, Nagg. Warum lachst du immer darüber?

NAGG Nicht so laut!

NELL *ohne leiser zu sprechen:* Nichts ist komischer, als das Unglück zuzugeben. Aber . . .

NAGG *entrüstet*: Oh!!

NELL Doch, doch, es gibt nichts Komischeres auf der Welt. Und wir lachen darüber, wir lachen darüber, aus vollem Herzen, am Anfang. Aber es ist immer dasselbe. Ja, es ist wie der gute Witz, der einem zu oft erzählt wird, wir finden ihn immer gut, aber wir lachen nicht darüber. *Pause*. Hast du mir sonst noch was zu sagen?

NAGG Nein.

NELL Denk gut nach. *Pause*. Ich werde dich also verlassen.

NAGG Willst du deinen Zwieback nicht? *Pause*. Ich verwahre ihn für dich. *Pause*. Ich dachte, du wolltest mich verlassen.

NELL Ich werde dich verlassen.

NAGG Kannst du mich vorher noch kratzen?

NELL Nein. *Pause*. Wo?

NAGG Am Rücken.

NELL Nein. *Pause*. Reibe dich am Eimerrand.

NAGG Es ist tiefer. Am Kreuz.

NELL An welchem Kreuz?

NAGG Am Kreuz. *Pause*. Kannst du nicht? *Pause*. Gestern hast du mich da gekratzt.

NELL *elegisch*: Ah, gestern!

NAGG Kannst du nicht? *Pause*. Willst du nicht, daß ich dich kratze? *Pause*. Weinst du schon wieder?

NELL Ich versuchte es.

Pause

HAMM *leise*: Es ist vielleicht ein Äderchen.

Pause

NAGG Was hat er gesagt?

NELL Es ist vielleicht ein Äderchen.

NAGG Was soll das heißen? *Pause*. Das will nichts heißen. *Pause*. Ich werde dir den Witz vom Schneider erzählen.

NELL Warum?

NAGG Um dich aufzumuntern.

NELL Er ist gar nicht lustig.

NAGG Er hat dich immer zum Lachen gebracht. *Pause*. Beim ersten Mal habe ich geglaubt, du würdest sterben.

NELL Es war auf dem Comer See. *Pause*. An einem Aprilnachmittag. *Pause*. Kannst du es glauben?

NAGG Was?

NELL Daß wir über den Comer See gerudert sind. *Pause*. An einem Aprilnachmittag.

NAGG Wir hatten uns am Abend vorher verlobt.

NELL Verlobt!

NAGG Du hast so gelacht, daß wir gekentert sind. Wir hätten ertrinken sollen.

NELL Es war, weil ich mich glücklich fühlte.

NAGG Ach was, ach was, es war mein Witz. Beweis: du lachst immer noch darüber. Jedesmal.

NELL Es war tief, tief. Man sah bis auf den Grund. So weiß. So rein.

NAGG Hör ihn dir noch mal an. *Erzählerton.* Ein Engländer *er verzieht sein Gesicht, um einen Engländer nachzuahmen, und entspannt es dann wieder* der dringend eine gestreifte Hose für die Silvesterfeier braucht, begibt sich zu seinem Schneider, der seine Maße nimmt. *Stimme des Schneiders:* »So, das wäre geschafft, kommen Sie in vier Tagen wieder, dann ist sie fertig.« Gut. Vier Tage später. *Stimme des Schneiders:* »Sorry, kommen Sie in acht Tagen wieder, der Hosenboden ist mißraten.« Gut, macht nichts, der Hosenboden ist nicht so einfach. – Acht Tage später. *Stimme des Schneiders:* »Bedaure sehr, kommen Sie in zehn Tagen wieder, die Schrittnaht ist mißlungen.« Gut, einverstanden, die Schrittnaht ist delikat. – Zehn Tage später. *Stimme des Schneiders:* »Tut mir leid, kommen Sie in vierzehn Tagen wieder, der Schlitz ist mißglückt.« Gut wenn's dann sein muß, ein schöner Schlitz muß sitzen. *Pause. Normale Stimme:* Ich erzähle ihn schlecht. *Pause. Trübsinnig:* Ich erzähle diesen Witz immer schlechter. *Pause. Erzählerton:* Kurzum, die Osterglocken blühen schon, und er verpatzt die Knopflöcher. *Gesicht und dann Stimme des Kunden:* »Goddam, Sir, nein, das ist wirklich unverschämt, so was! In sechs Tagen, hören Sie, in sechs Tagen hat Gott die Welt erschaffen. Ja, mein Herr, jawohl, mein Herr, sage und schreibe die Welt! Und Sie schaffen es nicht, mir in drei Monaten eine Hose zu nähen!« *Stimme des Schneiders, entrüstet:* »Aber Milord! Milord! Sehen sie sich mal *verächtliche Geste, angeekelt* die Welt an . . . *Pause* . . . und sehen Sie da *selbstgefällige Geste, voller Stolz* meine Hose!« *Pause. Er starrt die gleichgültig gebliebene, ins Leere schauende Nell an, bricht in ein krampfhaftes, schrilles*

Lachen aus, schweigt plötzlich, schiebt seinen Kopf an Nell heran und lacht wieder los.

HAMM Ruhe!

Nagg zuckt zusammen und hört auf zu lachen.

NELL Man sah bis auf den Grund.

HAMM *aufgebracht*: Seid ihr noch nicht am Ende? Kommt ihr nie zu Ende? *Plötzlich wütend:* Es nimmt also kein Ende! *Nagg verschwindet im Mülleimer und klappt den Deckel zu. Nell rührt sich nicht.* Worüber können sie denn reden, worüber kann man noch reden? *Rasend:* Mein Königreich für einen Müllkipper! *Er pfeift.*
Clov kommt herein.
Weg mit diesem Dreck! Ins Meer damit!

HANS MAGNUS ENZENSBERGER

Lock Lied

Meine Weisheit eine Binse
Schneide dich in den Finger damit
um ein rotes Ideogramm zu pinseln
auf meine Schulter
Ki wit   Ki wit

Meine Schulter ist ein schnelles Schiff
Leg dich auf das sonnige Deck
um zu einer Insel zu schaukeln
aus Glas   aus Rauch
Ki wit

Meine Stimme ist ein sanftes Verlies
Laß dich nicht fangen
Meine Binse ist ein seidener Dolch
Hör nicht zu
Ki wit   Ki wit   Ki wit

Ins Lesebuch für die Oberstufe

Lies keine Oden, mein Sohn, lies die Fahrpläne:
sie sind genauer. Roll die Seekarten auf,
eh es zu spät ist. Sei wachsam, sing nicht.
Der Tag kommt, wo sie wieder Listen ans Tor
schlagen und malen den Neinsagern auf die Brust
Zinken. Lern unerkannt gehn, lern mehr als ich:
das Viertel wechseln, den Paß, das Gesicht.
Versteh dich auf den kleinen Verrat,
die täglich schmutzige Rettung. Nützlich
sind die Enzykliken zum Feueranzünden,
die Manifeste: Butter einzuwickeln und Salz
für die Wehrlosen. Wut und Geduld sind nötig,
in die Lungen der Macht zu blasen
den feinen tödlichen Staub, gemahlen
von denen, die viel gelernt haben,
die genau sind, von dir.

Verteidigung der Wölfe gegen die Lämmer

Soll der Geier Vergißmeinnicht fressen?
Was verlangt ihr vom Schakal,
daß er sich häute, vom Wolf? Soll
er sich selber ziehen die Zähne?
Was gefällt euch nicht
an Politruks und an Päpsten,
was guckt ihr blöd aus der Wäsche
auf den verlogenen Bildschirm?

Wer näht denn dem General
den Blutstreif an seine Hose? Wer
zerlegt vor dem Wucherer den Kapaun?
Wer hängt sich stolz das Blechkreuz
vor den knurrenden Nabel? Wer
nimmt das Trinkgeld, den Silberling,
den Schweigepfennig? Es gibt
viel Bestohlene, wenig Diebe; wer
applaudiert ihnen denn, wer
steckt die Abzeichen an, wer
lechzt nach der Lüge?

Seht in den Spiegel: feig,
scheuend die Mühsal der Wahrheit,
dem Lernen abgeneigt, das Denken
überantwortend den Wölfen,
der Nasenring euer teuerster Schmuck,
keine Täuschung zu dumm, kein Trost
zu billig, jede Erpressung
ist für euch noch zu milde.

Ihr Lämmer, Schwestern sind,
mit euch verglichen, die Krähen:
ihr blendet einer den andern.
Brüderlichkeit herrscht
unter den Wölfen:
sie gehn in Rudeln.

Gelobt sein die Räuber: ihr,
einladend zur Vergewaltigung,
werft euch aufs faule Bett
des Gehorsams. Winselnd noch
lügt ihr. Zerrissen
wollt ihr werden. Ihr
ändert die Welt nicht.

MARTIN WALSER

Der Schriftsteller und die Gesellschaft

Ein Gemeinplatz besagt, der Schriftsteller lebe in kritischer Distanz zur Gesellschaft. Man belegt diese Feststellung mit dem Hinweis, die großen Romane der Weltliteratur seien ironische Darstellungen der jeweils zeitgenössischen Gesellschaft, und die Gesellschaft habe oft bitter reagiert auf den Spiegel, der ihr vom Schriftsteller vorgehalten wurde.
An diese Zusammenhänge mußte ich denken, als ich erfuhr, daß mir der Hermann-Hesse-Preis verliehen werde. Der Roman, den man so auszeichnet, ist ja, wie man zu sagen pflegt, ein »gesellschaftskritischer Roman«, nicht absichtlich als solcher geschrieben, sondern gewissermaßen von selbst dazu geworden.
Nun müßte es mich eigentlich stutzig machen, daß eine Gemeinschaft mir einen Preis verleiht, die doch jener Gesellschaft angehört, deren teilweise kritisches Abbild der Roman ist. Was ergibt sich aus dieser Auszeichnung? Entweder ist der Roman mißlungen, oder er wurde mißverstanden (dann ist er erst recht mißlungen), oder die Gesellschaft beschämt mich durch ihre großmütige Toleranz und beweist dadurch, daß der Roman zu Unrecht geschrieben wurde . . .
Ich glaube, all diese Folgerungen sind töricht. Ich habe gesagt, es sei ein Gemeinplatz, von der kritischen Distanz des Schriftstellers zur Gesellschaft zu reden. Es ist irreführendes und oberflächliches Gerede, diese Distanz fort und fort zu verkünden und die Arbeitsstellung des Schriftstellers am Schreibtisch in eine Wolke pathetischer Isolation zu hüllen, ihn mit dem Parfüm der Langeweile oder der Verzweiflung zu bestäuben und ihm das Vis-à-vis du rien als Sitzkissen

unterzuschieben, auf dem sich doch recht gut ein Leben vertändeln läßt. Das Erheiternde ist, daß sich diese Distanz, diese Gegensätzlichkeit bei neunundneunzig von hundert zeitgenössischen Schriftstellern gar nicht aus der Natur ihrer Werke notwendig ergibt, weder formal noch metaphysisch, nein, diese Abseitshaltung des Schriftstellers wird als ideologische Ausgangsposition bloß mit den Lippen gefordert, und die meisten, die davon reden, würden sowohl persönlich wie der Beschaffenheit ihrer Werke nach sehr wohl in die von ihnen kritisierte gute Stube des Bundesbürgertums hineinpassen. Die Distanz, aus der die großen ironischen Romane entstanden, war nicht von der ideologisch-programmatischen Art, mit der wir heute unser geistiges Dasein fristen, weil wir unseren Ort in der Welt nur noch dadurch bestimmen können, daß wir uns unterscheiden.

Der Romanschreiber hat es ja doch immer mit Menschen zu tun, sie sind sein einziger, sein unübertrefflicher, sein unerreichbarer Gegenstand; und ich glaube, er kann nicht einen einzigen Satz über einen Menschen zu Papier bringen, kann nicht eine Person zum Leben erwecken, wenn er nicht auch die Laster, oder zeitgemäßer formuliert: die Schwächen seiner Personen im Keim in sich birgt. Natürlich hat er nicht alle Handlungen seiner Personen selbst vollbracht, aber er kann das, was er beobachtet, nur dann recht notieren, wenn das, was ihm als Wirklichkeit begegnet, in ihm zumindest als Möglichkeit vorhanden ist. So gesellschaftskritisch sich also ein Schreiber auch aufführt, zuerst meint er doch immer sich selbst.

Vielleicht ist das, was er schreibt, eine Buße für ihn, vielleicht ein Gericht, vielleicht eine vorbeugende Maßnahme, vielleicht ein Spaß, aber es ist nie – wenn es recht geschrieben ist – ein Aburteilen der Gesellschaft aus der elenden Distanz eines isolierten Schreibtischs, auf dem der Autor gewissermaßen den Scheiterhaufen, auf dem er die Gesellschaft verbrennt, zur eigenen Beweihräucherung entzündet.

Schließlich müssen einem beim Schreiben alle Figuren sympathisch sein, auch die, die der Leser dann zu den unsympathischen rechnet. Und da ist immer so etwas wie Liebe im Spiel . . . aber das führt in die Herzkammern, darüber kann man nicht gut reden.

Auf jeden Fall ist es lächerlich, den Gegensatz Schriftsteller – Gesellschaft zur Arbeitsbedingung für den Schriftsteller zu erheben.

Selbstverständlich sind die Bedingungen, unter denen seine Arbeit stattfindet, nicht die der praktisch Handelnden, nicht die der Kaufleute und Ingenieure. Und es ist ohne Zweifel auch die Schuld der Gesellschaft, daß so viel vom Schriftsteller als von einem Außenseiter geredet wird. Es gibt Leute, die den Schriftsteller als eine besondere Art Kanarienvogel oder als Papagei der Gesellschaft sehen möchten. Er sollte nicht zum staatlich subventionierten Nachplapperer werden, aber er sollte auch nicht davon leben, immerzu seinen eigenen Nabel mit Weltschmerz zu garnieren. Daß er ein Beobachter ist, das ist eine notwendige Arbeitsbedingung, aber ebenso notwendig ist es, daß er ein Mitleidender ist.

Wir sollten uns nicht allzusehr auf die Beispiele berufen, die bezeugen, daß die Gesellschaft den Schriftsteller nicht richtig verstanden hat. Es ist schlimm für den Schriftsteller, von der Gesellschaft nicht verstanden zu werden, aber die Isolation, in die er dadurch gerät, ist noch erträglich; viel, viel schlimmer jedoch ist es für ihn, wenn er die Gesellschaft, und das heißt doch: die Menschen nicht versteht. Diese Isolation ist für ihn – wie auch immer er sie ausschmücken mag – ein Verhängnis.

MAX FRISCH

Wiedersehen mit Hanna

Ich erkannte sie schon, bevor ich erwacht war. Sie redete mit der Diakonissin. Ich wußte, wo ich bin, und wollte fragen, ob die Operation gemacht ist – aber ich schlief, vollkommen erschöpft, ich verdurstete, aber ich konnte es nicht sagen. Dabei hörte ich ihre Stimme, griechisch. Man hatte mir Tee gebracht, aber ich konnte ihn nicht nehmen; ich schlief, ich hörte alles und wußte, daß ich schlief, und ich wußte: Wenn ich erwache, dann vor Hanna ...

»Seit wann seid ihr in Griechenland?«

Ich staunte über Hanna; ein Mann, ein Freund, hätte nicht sachlicher fragen können. Ich versuchte auch sachlich zu antworten. Wozu hundertmal versichern, daß ich nichts dafür kann! Hanna machte ja keinerlei Vorwürfe, sondern fragte bloß, Blick zum Fenster hinaus. Sie fragte, ohne mich anzublicken.

»Was hast du gehabt mit dem Kind?«

Dabei war sie sehr nervös, ich sah es.

»Wieso keine Kreuzotter?« frage ich.

»Komm«, sagt sie, »trink deinen Tee!«

»Seit wann trägst du eine Brille?« frage ich –

– – –

Ich hatte die Schlange nicht gesehen, nur gehört, wie Sabeth schrie. Als ich kam, lag sie bewußtlos. Ich hatte gesehen, wie Sabeth gestürzt war, und lief zu ihr. Sie lag im Sand, bewußtlos infolge ihres Sturzes, vermutete ich. Dann erst sah ich die Bißwunde oberhalb der Brust, klein, drei Stiche nahe zusammen, ich begriff sofort. Sie blutete nur wenig. Natürlich sog ich die Wunde sofort aus, wie vorgeschrieben, wußte, daß man abbinden sollte gegen das Herz hin. Aber wie? Der Biß war oberhalb der linken Brust. Ich wußte: sofortiges Ausschneiden der Wunde beziehungsweise Ausbrennen. Ich schrie um Hilfe, aber ich war schon außer Atem, bevor ich die Straße erreicht hatte, die Verunglückte auf den Armen, das Stapfen im weichen Sand, dazu die Verzweiflung, als ich den Ford vorbeifahren sah, ich schrie, so laut ich konnte. Aber der Ford fuhr vorbei. Ich stand außer Atem, die Bewußtlose auf den Armen, die immer schwerer wurde, ich konnte sie kaum noch halten, weil sie in keiner Weise half. Es war die richtige Straße, aber kein Fahrzeug weit und breit. Ich verschnaufte, dann weiter auf dieser Straße mit gekiestem Teer, zuerst Laufschritt, dann langsam und immer langsamer, ich war barfuß. Es war Mittag. Ich weinte und ging, bis endlich dieser Zweiräder kam. Vom Meer herauf. Ein Arbeiter, der nur griechisch redete, aber sofort verstand angesichts der Wunde. Ich saß auf dem holpernden Karren, der mit nassem Kies beladen war, mein Mädchen auf den Armen, so wie es gerade war, nämlich im Badkleid (Bikini) und sandig. Es schüttelte den Kies, so daß ich die Bewußtlose in den Armen tragen mußte weiterhin, und es schüttelte auch mich. Ich bat den Arbeiter, geschwinder zu fahren. Der Esel gab nicht mehr Tempo als ein Fußgänger. Es war ein ächzender Karren mit schiefen wackligen Rädern, ein Kilometer wurde zur Ewigkeit; ich saß so, daß ich rückwärts schaute. Aber von einem Auto keine Spur. Ich verstand nicht, was der Grieche redete, warum er stoppte bei einem Ziehbrunnen, er band den Esel an; dazu Zeichen, ich sollte warten. Ich beschwor ihn, weiterzufahren und keine Zeit zu verlieren; ich wußte nicht, was er im Sinn hatte, als er mich allein auf dem Kieskarren zurückließ, allein mit der Verunglückten, die Serum brauchte. Ich sog neuerdings ihre Wunde aus. Offenbar ging er zu den Hütten, um Hilfe zu holen. Ich wußte nicht, wie er sich das vorstellte, Hilfe mit

Kräutern oder Aberglauben oder was weiß ich. Er pfiff, dann ging er weiter, da keinerlei Antwort aus den Hütten. Ich wartete ein paar Minuten, dann los, ohne zu überlegen, weiter, die Verunglückte auf den Armen, zuerst wieder im Laufschritt, bis ich neuerdings außer Atem war. Ich konnte einfach nicht mehr. Ich legte sie an die Straßenböschung, weil Laufen sowieso sinnlos; ich konnte sie ja nicht nach Athen tragen. Entweder kam ein Motorfahrzeug, das uns aufnimmt, oder es kam nicht. Als ich wieder ihre kleine Wunde oberhalb der Brust aussog, sah ich, daß Sabeth langsam zum Bewußtsein kommt: ihre Augen weit offen, aber ohne Blick, sie klagt nur über Durst, ihre Stimme vollkommen heiser, ihr Puls sehr langsam, dann Erbrechen, dazu Schweiß. Ich sah jetzt die bläulich-rote Schwellung um ihre Wunde. Ich lief, um Wasser zu suchen. Ringsum nichts als Ginster, Disteln, Oliven auf einem trockenen Acker, kein Mensch, ein paar Ziegen im Schatten, ich konnte rufen und schreien, soviel ich wollte – es war Mittag, Totenstille, ich kniete neben Sabeth; sie war nicht bewußtlos, nur sehr schläfrig wie gelähmt. Zum Glück sah ich den Lastwagen noch zeitig genug, so daß ich auf die Straße laufen konnte; er stoppte, ein Lastwagen mit einem Bündel langer Eisenröhren. Sein Fahrziel war nicht Athen, sondern Megara, immerhin unsere Richtung. Ich saß nun neben dem Fahrer, die Verunglückte auf meinen Armen. Das Scheppern der langen Röhren, dazu das mörderische Tempo: kaum dreißig Stundenkilometer auf gerader Strecke! Ich hatte meine Jacke am Meer, mein Geld in der Jacke – in Megara, wo er stoppte, gab ich dem Fahrer, der ebenfalls nur Griechisch versteht, meine Omega-Uhr, damit er unverzüglich weiterfährt, ohne seine Röhren abzuladen. In Eleusis, wo er tanken mußte, ging wieder eine Viertelstunde verloren. Ich werde diese Strecke nie vergessen. Ob er fürchtete, daß ich meine Omega-Uhr zurückfordere, wenn ich mit einem schnelleren Vehikel weiterfahren könnte, oder was er sich dabei dachte, weiß ich nicht; jedenfalls verhinderte er es zweimal, daß ich umstieg. Einmal war es ein Bus, ein Pullman, einmal eine Limousine, die ich mit Winken hatte stoppen können; mein Fahrer redete griechisch, und die anderen fuhren weiter. Er ließ es sich einfach nicht nehmen, unser Retter zu sein, dabei war er ein miserabler Fahrer. In der Steigung nach Daphni kamen wir kaum voran. Sabeth schlief, und ich wußte nicht, ob sie ihre Augen je wieder aufmachen würde. Endlich die Vororte von Athen, aber es ging immer langsamer; die Verkehrslichter, die üblichen Stockungen, unser Lastwagen mit langen Röhren hinten heraus war unbeweglicher als alle andern, die kein Serum brauchten, die scheußliche Stadt, Wirrwarr mit Straßenbahn und Eselskarren, natürlich wußte unser Fahrer nicht, wo ein Hospital ist, er mußte fragen, ich hatte den Eindruck, er findet es nie, ich schloß meine Augen und blickte auf Sabeth, die ganz langsam atmete. (Alle Krankenhäuser liegen am andern Ende von Athen.) Unser Fahrer, da er vom Land kam, kannte nicht einmal die Straßennamen, die man ihm nannte, ich verstand immer nur: Leofores, Leofores, ich versuchte zu helfen, aber konnte ja nicht einmal lesen – wir hätten es nie gefunden, wäre nicht der junge Bursche auf unser Trittbrett gestiegen, um uns zu führen.

Dann dieses Vorzimmer –

Lauter griechische Fragen –

Endlich die Diakonissin, die Englisch versteht, eine Person von satanischer Ruhe: ihre Hauptsorge, unsere Personalien zu wissen!

GÜNTER EICH

Die Mädchen aus Viterbo

ANTONIA Wer ruft mich?

BOTTARI Niemand ruft.

ANTONIA Ich hörte ein Signal.

LUZIA Still!

BOTTARI Nichts.

ANTONIA Vielleicht auch nur für mich. Die Klingel an unserer Wohnungstür, wenn Besuch kommt; die Stimmen von Vater und Mutter, die den Gast begrüßen.

LUZIA Stimmen, Antonia? Das ist ein schlechtes Zeichen.

ANTONIA Der Augenblick, eh man hereingerufen wird!

LUZIA Vergiß nicht, daß deine Träume dich verlassen werden. So nahe sind sie, eh sie gehen.

ANTONIA Ja.

LUZIA Ich habe stumpfere Ohren. Ich höre nur die Stille, die sich einkrallt.

ANTONIA *wie für sich:* Rettung. Kein Wasser mehr, keine Laternen und kein Brot. Auch keine Träume mehr, und keine Stimmen. Nur Rettung, ungeschmälert. *Nach einer Pause, lebhafter:* Die andere Seite des Mondes, die wir sonst nie sahen! Dort will ich wohnen.

BOTTARI *spöttisch*: Gute Reise!

ANTONIA Ich hätte Sie gerne mitgenommen, Herr Bottari.

BOTTARI Mich?

ANTONIA Sie und Luzia und die ganze Klasse.

BOTTARI Danke. Aber ich halte mich da lieber an die fünf Sinne, an die schwachen Hoffnungen.

LUZIA Und ich an meinen Zorn, der wärmt mich doch noch! Die andere Seite des Mondes? Nein, Antonia, dort ist es auch nicht heller.

ANTONIA Dunkler, genügend dunkel, endlich. Es glänzt. Mir ist es, als liefe alles in meinem Leben darauf zu, die Schulaufgaben und die Kinderlieder, auf diesen Augenblick, in dem ich einverstanden bin.

LUZIA Vergiß nicht, daß wir verhungern werden, Antonia, verdursten, daß wir uns hier an diesen Boden klammern werden wie Fliegen an ihre letzte Wand, auch du.

ANTONIA Ich habe nichts vor euch voraus als meinen Mut und damit eine Art von Glück. *Nach einer Weile:* Ich erinnere mich, daß alle beteten, als sie noch hofften, daß man uns hier findet.

BOTTARI Es hatte damals so wenig Zweck wie jetzt.

ANTONIA Ich glaube, man kann erst beten, wenn man nichts mehr von Gott will.

BOTTARI *zornig*: Dann bete!

ANTONIA Ja, Gott, ja, ja, ja.

MAX FRISCH

Sirenen

BIEDERMANN Also: – Prost!

Sie heben die Gläser, und man hört Sirenen in der Ferne.

BIEDERMANN Was war das?
EISENRING Sirenen.
BIEDERMANN Spaß beiseite! –
BABETTE Brandstifter, Brandstifter!
BIEDERMANN Schrei nicht.

Babette reißt die Fenster auf, und die Sirenen kommen näher, heulen, daß es durch Mark und Bein geht, und sausen vorbei.

BIEDERMANN Wenigstens nicht bei uns.
BABETTE Wo kann das nur sein?
EISENRING Wo der Föhn herkommt.
BIEDERMANN Wenigstens nicht bei uns ...
EISENRING Das machen wir meistens so. Wir holen die Feuerwehr in ein billiges Außenviertel, und später, wenn's wirklich losgeht, ist ihnen der Rückweg versperrt.
BIEDERMANN Nein, meine Herren, Spaß beiseite –
SCHMITZ So machen wir's aber. Spaß beiseite.
BIEDERMANN Schluß mit diesem Unsinn! ich bitte Sie. Alles mit Maß, Sie sehen, meine Frau ist kreidebleich.
BABETTE Und du?!
BIEDERMANN Und überhaupt: Sirenen sind Sirenen, darüber kann ich nicht lachen, meine Herrn, irgendwo hört's auf, irgendwo brennt's, sonst würde unsere Feuerwehr nicht ausfahren.

Eisenring blickt auf seine Uhr.

EISENRING Wir müssen gehen.
BIEDERMANN Jetzt?
EISENRING Leider.
SCHMITZ »Sonst wird dich der Jäger holen . . .«

Man hört nochmals die Sirenen.

BIEDERMANN Mach einen Kaffee, Babette!

Babette geht hinaus.

Und Sie, Anna, was stehen Sie da und glotzen?

Anna geht hinaus.

Unter uns, meine Herren: Genug ist genug. Meine Frau ist herzkrank. Scherzen wir nicht länger über Brandstifterei.
SCHMITZ Wir scherzen ja nicht, Herr Biedermann.
EISENRING Wir sind Brandstifter.
BIEDERMANN Meine Herren, jetzt ganz im Ernst –
SCHMITZ Ganz im Ernst.
EISENRING Ganz im Ernst.
SCHMITZ Warum glauben Sie uns nicht?
EISENRING Ihr Haus, Herr Biedermann, liegt sehr günstig, das müssen Sie einsehen: fünf solche Brandherde rings um die Gasometer, die leider bewacht sind, und dazu ein richtiger Föhn –
BIEDERMANN Das ist nicht wahr.
SCHMITZ Herr Biedermann! Wenn Sie uns schon für Brandstifter halten, warum nicht offen darüber reden?

Biedermann blickt wie ein geschlagener Hund.

BIEDERMANN Ich halte Sie ja nicht für Brandstifter, meine Herren, das ist nicht wahr, Sie tun mir Unrecht, ich halte Sie nicht für – Brandstifter . . .
EISENRING Hand aufs Herz!
BIEDERMANN Nein! Nein, nein! Nein!
SCHMITZ Aber wofür halten Sie uns denn?
BIEDERMANN Für meine Freunde . . .

Sie klopfen ihm auf die Schulter und lassen ihn stehen.

BIEDERMANN Wohin gehen Sie jetzt?
EISENRING 's ist Zeit.
BIEDERMANN Ich schwör es Ihnen, meine Herrn, bei Gott!
EISENRING Bei Gott?
BIEDERMANN Ja!

Er hält die Schwurfinger langsam hoch.

SCHMITZ Er glaubt nicht an Gott, der Willi, so wenig wie Sie, Herr Biedermann – da können Sie lange schwören.

Sie gehen weiter zur Türe.

BIEDERMANN Was soll ich tun, daß Sie mir glauben?

Er vertritt ihnen den Ausgang.

EISENRING Geben Sie uns Streichhölzchen.
BIEDERMANN Was – soll ich?
EISENRING Wir haben keine mehr.
BIEDERMANN Ich soll –
EISENRING Ja. Wenn Sie uns nicht für Brandstifter halten.
BIEDERMANN Streichhölzchen?
SCHMITZ Als Zeichen des Vertrauens, meint er.

Biedermann greift in seine Tasche.

EISENRING Er zögert. Siehst du? Er zögert.
BIEDERMANN Still! – aber nicht vor meiner Frau . . .

Babette kommt zurück.

BABETTE Der Kaffee kommt sogleich.

Pause.

BABETTE Sie müssen gehen?
BIEDERMANN Ja, meine Freunde – so schade es ist, aber – Hauptsache, daß Sie gespürt haben – Ich will nicht viel Worte machen, meine Freunde, aber warum sagen wir einander eigentlich nicht du?
BABETTE Hm.
BIEDERMANN Ich bin dafür, daß wir Bruderschaft trinken!

Er nimmt eine Flasche und den Korkenzieher.

EISENRING Sagen Sie doch Ihrem lieben Mann, er soll deswegen keine Flasche mehr aufmachen, es lohnt sich nicht mehr.

Biedermann entkorkt.

BIEDERMANN Es ist mir nichts zu viel, meine Freunde, nichts zu viel, und wenn Sie irgendeinen Wunsch haben – irgendeinen Wunsch . . .

Er füllt hastig die Gläser und gibt die Gläser.

Meine Freunde, stoßen wir an!

Sie stoßen an.

BIEDERMANN Gottlieb. –

Er küßt Schmitz auf die Wange.

SCHMITZ Sepp. –
BIEDERMANN Gottlieb.

Er küßt Eisenring auf die Wange.

EISENRING Willi. –

HANS ERICH NOSSACK

Es war kein Traum, es war ein Erlebnis

Der Präsident winkte sowohl dem Staatsanwalt als auch dem Publikum ab. »Hat Ihre Frau auch so gedacht wie Sie?« fragte er den Angeklagten.

Genau könne er das nicht sagen; es lasse sich nur ahnen. Denn was man darüber denke, werde sehr von Stimmungen beeinflußt, bei Frauen noch mehr als bei Männern, und so geschehe es, daß die Welt und das Leben des einzelnen durch eine Stimmung gelenkt werden, meistens ins Ausweglose. Dies zu Ende zu denken, sei schon für einen Mann sehr schwierig, für eine Frau aber sei es so entsetzlich, daß es jeden Mann ratlos mache und ihn veranlasse, falsch zu handeln, nur um seiner Frau aus einer Stimmung herauszuhelfen, wodurch sie dann erst recht in den mörderischen Kreislauf hineingezerrt werde.

In welchen mörderischen Kreislauf?

»So wie in einem jener Fahrstühle, die man Paternoster nennt. Irgendwann ist man eingestiegen, um in irgendeiner Etage wieder auszusteigen. Das war die Absicht. Man muß es wohl genau gewußt haben warum, und wohin man wollte. Auf jeden Fall aufwärts! Es schien alles selbstverständlich. Aber das ist längst vergessen; man kann sich auf keine Weise mehr daran erinnern, und es hat auch keinen Sinn mehr. Man denkt nur: Wäre ich doch nie eingestiegen! Was hat mich bloß dazu verführt? Denn wider Erwarten zeigt es sich, daß der Fahrstuhl viel zu schnell fährt, als daß man es wagen könnte, ohne weiteres auszusteigen. Diese Feststellung kommt so überraschend, da man zuerst nicht einmal erschrickt; beim Einsteigen war nichts davon zu merken, sonst wäre man gewiß nicht eingestiegen. Man kann ja die Treppe benutzen; es ist auf jeden Fall sicherer. Doch wieso denn? Vielleicht ist plötzlich irgendein hemmender Zahn an einem Rad gebrochen. Oder der Hausmeister hat die Maschinerie auf dieses Tempo gebracht, weil es etwas auszuprobieren gibt. Doch dann wäre es Pflicht gewesen, eine Warnungstafel anzubringen: ›Achtung! Nicht einsteigen wegen Reparatur!‹ Aber nun ist es zu spät, jemanden verantwortlich zu machen. Man fährt mit viel zu großer Geschwindigkeit aufwärts; die Kabine, in der man steht, flitzt an den Etagen vorbei. Wenn man hinausspränge, würde man wahrscheinlich eingeklemmt werden. Sie haben allerdings die Trittbretter vorsichtshalber so angebracht, daß sie hochklappen können, aber wer mag es darauf ankommen lassen. Deshalb überlegt man: ich fahre lieber über den Dachboden; nachher beim Abwärtsfahren ist das Hinausspringen leichter. Wegen des Schwungs wird man damit rechnen müssen, daß man auf den Flur der Etage stürzt, aber das ist nicht so schlimm; man wird wenigstens nicht eingeklemmt. Und so kreist man beruhigt über den Dachboden, an dem großen Rad vorbei, das von schwarzem Schmierfett trieft. In der milchigen Beleuchtung des Oberlichts läßt sich das alles sehr genau sehen. Und wenn man über den Scheitelpunkt hinaus ist, und es geht ruckweise abwärts, dann nimmt man sich vor: So, jetzt! Aber schon bei der obersten Etagenöffnung fühlt man sich nicht genügend vorbereitet. Wozu auch die Hast? Es kommen ja noch so viele Etagen. Man steht auf dem Sprung, der ganze Körper ist angespannt, und wenn die nächste Etage sich nähert, zuckt man bereits probeweise mit einem Fuß vor. Doch im letzten Moment reißt man sich zurück und wartet doch lieber eine noch tiefere Etage ab. Und so geht es allmählich immer weiter abwärts. Nur Ruhe! denkt man, ich werde erst noch einmal durch den Keller fahren. Auf dem Emailschild in der Kabine steht ja, daß man ohne Gefahr durch den Keller fahren könne. Ohne Gefahr ist gut! Wenn so etwas erwähnt wird, besteht also doch Gefahr. Nur eben so lange nicht, wie man in der Kabine bleibt. Und so fährt man getrost in den Keller, wo völlige Dunkelheit herrscht. Die Maschinerie knackt wie gichtige Gelenke. Da heißt es nichts, wie sich still verhalten. Und dann geht es von neuem aufwärts, die alte Tour, die man schon kennt. Immer im Kreis! Das ist sehr schlimm. Und wie lange soll das dauern? Wäre es nicht besser, man springt hinaus und schafft sich so oder so ein Schicksal? Denn dies schicksalslose Kreisen . . . Jemand, der auf dem festen Fußboden der Etagen steht, hat leicht fragen: ›Warum steigen Sie denn nicht aus?‹ Von seinem Standpunkt aus kann er die Geschwindigkeit des Fahrstuhls gar nicht ermessen, und vor allem nicht, welch einen Entschluß es kostet hinauszuspringen. Ihm erscheint alles normal, und vielleicht hält er das Ganze für einen Scherz, weil man Grimassen schneidet. Was soll man ihm schon darauf antworten? Er braucht nicht zu wissen, daß man in Not ist. Man wird zurückrufen: ›Gleich! Gleich!‹ oder: ›Ich will erst in der nächsten Etage aussteigen.‹ Das wäre nicht einmal gelogen; denn man will es ja wirklich. Nichts lieber als das! Die Antwort stimmt also. Nur wenn man das gesamte Kreisen des Fahrstuhls kennt, dann stimmt sie nicht. Der da draußen meint natürlich, da er einen nicht aussteigen hört: Halt, da hat er gelogen; er will sich nur herausreden. Ach, wenn es doch möglich wäre, sich herauszureden! Einigen, sagt man, gelingt es, indem sie die Besinnung verlieren, schwindelig geworden von dem erbarmungslosen Kreisen. Zum Beispiel wenn draußen an der Etagenöffnung ein hübsches Mädchen steht oder eines, das ihnen beim Vorbeifahren hübsch erscheint, dann riskieren sie es und springen hinaus. Höchst komische Bewegungen machen sie dabei, um das Gleichgewicht wiederzufinden; es läßt sich schwer das Lachen verbeißen. Aber sie glauben nun wenigstens, wieder festen Boden unter sich zu haben; das Kreisen des Fahrstuhls scheint überstanden. Nur selten noch hört man es hinter seinem

Rücken knirschen und knacken, doch dann hat man ja das Mädchen bei sich und kann sich daran festhalten. Ein kleiner Roman! Ein kleiner Erfolg! Ein kleiner Krieg! Eine kleine Religion! Und das Mädchen wird mit hineingerissen in das Kreisen des Fahrstuhls und wird zermalmt und will es nicht anders.

Nein! Nein! Nein! Man möchte es schreien. Vielleicht wird einer, der es hört, die Treppen hinunterrennen, drei Stufen auf einmal, zum Hausmeister, damit er die Maschine abstellt.

Aber man schreit es nicht. Verzeihen Sie, meine Herren. Man kann nicht schreien; es ist wie ein Alptraum. Und wozu soll man all die Leute, die auf ihren festen Etagen wohnen, beunruhigen? Man muß sehen, wie man es ohne Hilfeschrei besteht.«

[...]

Sie wären sieben Jahre verheiratet gewesen, sagte er schließlich, sie hätten weniger zerstreut gelebt als die meisten Menschen, ohne Kinder, ohne Geselligkeit. Da wisse dann einer vom anderen sehr genau Bescheid, ein Verheimlichen auch nur der geringsten Stimmung sei kaum möglich; der andere fühle sie sofort und werde auch davon ergriffen. Oft wisse der andere sogar schon das, was man vor sich selbst noch nicht wahr haben wolle; der heimlich Gedanke oder die Möglichkeit einer Veränderung werde überhaupt erst durch den anderen offenbar und lebendig, ja, und auch gefährlich. Natürlich, man konstruiere zuweilen aus Angst auch etwas Falsches in den anderen hinein, aber der Irrtum korrigiere sich immer rasch, da man im gleichen Haus wohne, die gleiche Luft atme, sich bei Tisch gegenübersitze und Bett an Bett schlafe, obwohl . . . ja, gerade im Schlaf sei man oft erschreckend und bis zur völligen Unsichtbarkeit weit voneinander entfernt, trotz der Nähe, und man sei ganz wehrlos dagegen. Ja, es sei ein wenig so wie im Schlaf gewesen. Er

bitte das Gericht um Verzeihung; es könne selbstverständlich auch ganz anders gewesen sein, so genau lasse es sich nicht sagen. Das, was sich in jener Nacht ereignete, hätte ebensogut eine Nacht früher oder ein Jahr später eintreten können, und unter Umständen wäre es sogar niemals eingetreten, das sei das Beunruhigendste. Die Krise, wie der Herr Präsident es nenne, ja, es sei die Frage, ob seine Frau sich nicht vielleicht entschlossen hätte, diese Krise auszulösen, weil ihr das Warten auf etwas, was jeden Augenblick geschehen und bis in alle Ewigkeit auch wieder nicht geschehen konnte, unerträglich geworden war. Das müsse ein furchtbarer Entschluß für seine Frau gewesen sein, so furchtbar, daß er, der Angeklagte, zittere, wenn er daran denke, und sich schuldig fühle, weil er ihr diesen Entschluß nicht abgenommen habe. »Ja, wahrscheinlich stehe ich nur deshalb hier.« Doch wie gesagt, das alles brauche nicht zu stimmen. Vor allem das Wort Entschluß sei irreführend; es sehe eher wie ein Nachgeben aus, wie ein Fortgewehtwerden.
»Mit anderen Worten: Direkt gesprochen haben Sie darüber irgendwann vorher nicht mit Ihrer Frau?«
Nein, das könne man nicht.
»Aber Sie glauben jetzt selber, daß Ihre Frau schon längere Zeit damit gerechnet hat?«
Ja, bestimmt. Vom ersten Tage an.
»Nochmals: Sie glauben also, daß Ihre Frau sich in jener Nacht nicht wie sonst hinlegte, sei darauf zurückzuführen, daß sie Ihren Aufbruch ins ›Nicht-Versicherbare‹ für unmittelbar bevorstehend hielt?«
Der Angeklagte lachte, und nach dem Grund gefragt, sagte er, wegen des komischen Ausdrucks.
»Das ist nicht unsere Schuld«, wies der Präsident ihn zurecht. »Geben Sie uns Gelegenheit zu einer deutlicheren Bezeichnung, dann brauchen wir uns hier nicht lächerlich zu machen.«
Der Angeklagte entschuldigte sich. Es sei das Wort Auf-

bruch gewesen, über das er habe lachen müssen. Als ob man dahin aufbreche wie zu einem Spaziergang oder zu einer Weltreise. Man befinde sich plötzlich darin, das heißt, man erkenne plötzlich, daß man sich darin befinde und daß man sich schon immer darin befunden habe, und daß das ›Nicht-Versicherbare‹ überall sei, wo man selber sich aufhalte oder aufzuhalten versuche, hier im Gerichtssaal ebenso wie in einer festgemauerten Zelle oder wie im Freien, ganz gleich, und man wundere sich nur noch, daß man vorher versucht habe, es abzuleugnen.

»Lassen wir das zunächst einmal«, sagte der Präsident.

[. . .]

»Wir machen, glaube ich, einen Fehler, Herr Präsident, wenn mir das zu sagen erlaubt ist. Wir reden hier von meiner Frau, so als ob sie ein Teil von mir wäre, ein Organ. Das stimmt nicht mehr. Möglicherweise hat es nie ganz gestimmt, doch darüber wollen wir nicht streiten; jetzt jedenfalls scheint es mir geradezu falsch zu sein, und wir tun unrecht, wenn wir von *meiner* Frau sprechen. Ich habe ihre Spuren im Schnee gesucht; sie sind verschneit. Ich habe den Namen meiner Frau gerufen, vielleicht sehr oft – Sie behaupten, vier Stunden lang, doch das spielt keine Rolle –; der Schnee hat den Namen verschluckt. Das also ist erledigt. Auf diese Weise werden wir den Menschen nicht wiederfinden. Man kann den Mantel wiederfinden, aber . . . ja, selbst die Spuren des Taschentuchs hat die Polizei durch die chemische Untersuchung zerstört. Da steckt der Fehler.«

»Haben Sie oft solche Träume wie den mit dem Schnee?« fragte der Staatsanwalt, offenbar, um dem Präsidenten aus der Verlegenheit zu helfen.

»Es war kein Traum, es war ein Erlebnis«, sagte der Angeklagte ohne jede Schärfe im Ton.

THEODOR W. ADORNO

Dank an Peter Suhrkamp

Etwas vom Inkommensurablen des Menschen Suhrkamp, von jenem äußerst Bestimmten, das doch schamhaft und widerborstig vor seiner Benennung zurückzuckt, läßt an seinem Werk sich entnehmen. Das war durch keine Schule oder literarische Richtung definiert und dennoch weitab von der Zufälligkeit einer Erfolgschancen zusammenraffenden Verlagspolitik. Erst recht reicht der erbärmlich wichtigtuerische Begriff des Niveaus nicht aus zu bezeichnen, was diese Produktion in der glücklichen Hand zusammenbrachte. Am ehesten war es die Kraft zarten, unausgesprochenen Widerstandes gegen den in allen Ländern und Zonen sich gleichschaltenden, nach Kommunikation begierigen Geist. Was nicht mitspielte, spürte er als Gemeinsames im Unvereinbaren auf, noch in Schröder und Brecht. Der zum unwägbaren Lächeln sublimierte Widerspruchsgeist war aber Suhrkamps eigener Gestus, in jedem Augenblick des Weltlaufs und seines Grauens eingedenk, in keinem willens, davor zu kapitulieren. So tief war das zu seiner spirituellen Verhaltensweise geworden, daß es der Gesinnung spottete; ihrem Abgeschlossenen, dinghaft Fixierten hätte er mißtraut. Daß er gegen die Nationalsozialisten aushielt, war keine Sache von Moral, sondern eine von Charakter im genauesten Sinn: Idiosynkrasie, in seine Natur eingegraben. Er hätte schlechterdings nicht mitmachen können. Das verurteilte ihn zum Konzentrationslager, zur Zerstörung seiner Lunge, zu dem langen, mit klaglosem Unwillen wie eine Belästigung ertragenen Siechtum. Er starb als eines der letzten Opfer.

Selten fehlt der Hinweis darauf, daß er ein oldenburgischer Bauer war. Er hat das weder verschwiegen noch viel Wesens daraus gemacht; doch hätte er jederzeit den väterlichen Hof übernehmen und führen können. Aber wie sehr unterschied er sich von jenen, die aus ihrem Bauernblut ein Verdienst machen, für sich die Stimme des Ursprungs beanspruchen. Er hat von seiner Herkunft sich emanzipiert, sich standhaft losgemacht, ohne die leiseste Konzession an die Ideologie von Blut und Boden, auch nicht an die kulturkonservative der »höheren Scholle«, die jene überlebte. In einem schönen Prosastück, dessen Worte lange Strecken von Schweigen mitkomponieren, hat er die Unmöglichkeit der Rückkunft gestaltet. Das Element seines Wesens aber, das man, wenn man große Worte nicht scheut, das chthonische nennen könnte, bewährte sich gerade daran, daß er es stolz verschmähte, jemals, sei es auch mittelbar, darauf zu pochen. Seine Erscheinung strafte alle Stereotypen des Bäuerlichen Lügen: überschlank, von einer Fragilität, die in den letzten Jahren dem Bilde des Todes sich anähnelte, dabei mit abgründigen, steinernen blauen Augen wie aus Brunnentiefe. So wie die wahrhaft Nordischen oft wohl gegen den Kult des Nordischen gefeit waren; wie Theodor Storm eine der schönsten Verteidigungen der Juden gegen den Antisemitismus schrieb, so mochte Suhrkamp vor den nationalsozialistischen Versuchen bewahren, daß in ihm gegenwärtig war, was jene in ohnmächtiger Wut vergebens beschworen. Es überlebte in ihm kraft rückhaltloser Vergeistigung. Gewiß ist es fragwürdig, Eigenschaften aus der Gruppe zu erklären, der ein höchst individuierter Mensch angehört, aber die Erinnerung ans Dorf ließ sich im Umgang mit ihm nicht unterdrücken. War nicht das Mißtrauen, Ferment seines Qualitätssinns, das des Hufenbesitzers gegen windige Leute? Waren nicht der Eigensinn und die Hartnäckigkeit, die ihn schwierige Projekte über Jahre hin verfolgen ließen, gebildet nach dem Modell eines, der im Großrhythmus der

Jahre und Generationen empfindet? Ländlich aber war vor allem seine oberste und irrationale Tugend. In einer bedeutenden Novelle von Annemarie Seidel ist er einmal in der leichten Verkleidung des Gärtners dargestellt worden. Er hatte, was in Amerika green thumb, ein grüner Daumen, heißt, der wachsen läßt, was er anfaßt. Durch dies hegende Vermögen verband er das Verschiedenste gleichwie zu einem Pflanzenteppich. In ihm wurde Kultur ihrer selbst als eines Naturverhältnisses inne; in seinem Umkreis verlor sie etwas von ihrer Gewaltsamkeit. Dies Versöhnliche hat der sonst heruntergekommenen Idee der Kultur noch einmal sich mitgeteilt, wo er ihr diente.

Er galt für verschlossen, aber er war es kaum im üblichen Sinn: gesellig, gastfrei, mit Freude am Trinken und am Gespräch. Noch als Schwerkranker konnte er, der nur mit äußerster Anstrengung zu einer Verabredung sich geschleppt hatte, über dem Erörtern die Krankheit vergessen; dann hustete er nicht einmal, und er verführte einen dazu, sich einzureden, es sei alles gar nicht so schlimm. Nie verlor seine Spiritualität das Gedächtnis ans sinnliche Glück: das behütete ihn vor der Inhumanität des Geistes. Tröstender Materialismus war seiner schwermütigen Skepsis beigemischt. Frauen gab er genau zu dem Augenblick, auf den es ankam, Blumen oder Pralinés. Nicht anders muß der Holsteiner Liliencron mit Mädchen umgegangen sein: »Und allerlei schenkt ich dem jungen Blut, natürlich zuerst einen neuen Hut.« Sonst ist den Intellektuellen das Schenken zum bloßen Symbol für Inwendiges geworden und darüber verblaßt, so daß sie es schließlich gern vergessen. Bei ihm aber streifte das Schenken noch, auf die subtilste Weise, die Armut des Beschenkten, etwas von der Bedürftigkeit des nackten Lebens. Der außerordentliche Reiz, den er auf Frauen ausübte, entsprang wohl in der Konstellation des Asketischen und der Fülle. Der seinen Verlag betreute wie ein sorgender Hausvater, war bei großen Entwürfen bedenkenlos large. Dabei war seine eigene Lebensform, auch zu der Zeit der großen Erfolge und der öffentlichen Anerkennung, ungemein bescheiden; er hat in den letzten Jahren sogar auf eine eigene Wohnung verzichtet. Einmal sagte er, um seines Vaters willen vermöchte er nicht, sehr teure Restaurants zu besuchen. Aber die psychologische Klugheit, welche dafür die rasche Erklärung zur Hand hätte, wäre wohl töricht. Wenn die kantische Moralphilosophie den Hedonismus verpönt, weil er der Freiheit zuwider sei, das Subjekt abhängig mache von anderem als seinem vernünftigen Willen, dann war etwas von dieser Freiheitsidee in sein Lebensgefühl gedrungen. Zu einer Zeit, da die Gassen und Ätherwellen vom Lob der Bindungen widerhallen, hat er alle verschmäht und, nach Gides Wort, eine Existenz ohne Koffer geführt, eigentlich die eines Studenten. Das verlieh dem fast Siebzigjährigen ein Altersloses, ohne daß doch der Diskrete und Disziplinierte dem versunkenen Typus des Bohemiens sich zugeneigt hätte. Vielmehr bewegte er sich, geisterhaft zuweilen, bei aller Verflochtenheit in vielfache konkrete Verhältnisse unberührt fast und unberührbar, als hätte keine soziale Ordnung Macht über ihn. Von selbstverständlicher Treue und Zuverlässigkeit, war doch der Wandernde nicht zu fassen. Nur Wanderschaft verbürgt die Wahrheit des Chthonischen, die des Heimwehs. Unwiderstehlich war an Peter die Rätselfigur aus dem nicht zu Bannenden und dem Versprechen von Heimat. Allein Hermann Hesse hat wohl, aus Wahlverwandtschaft, den Bann gelöst.

Was hat er nicht alles in seinem Leben getan. Er war Bauer, Schullehrer und Reformpädagoge; Dramaturg und Spielleiter, Soziologe – er wirkte wesentlich an einer ungemein wertvollen Berufskunde mit –, Redaktor, Schriftsteller, Verleger. Arbeitsteilung, den Zwang zum Fachmenschentum hat er unwillkürlich und beharrlich sabotiert. Ihn belohnte eine helle Erfahrenheit, um die jeder Romancier ihn hätte beneiden können, und sie ist nicht zuletzt seinen Autoren zugute gekommen. Literarisch höchst sensibel, stand er zugleich quer zu den immanenten Maßstäben der Literatur, zu den Spielregeln, und reagierte darum primär und unabhängig, ohne Rücksicht auf Standards, welche die Qualität deckten. Er ist damit, wie man so sagt, für seine Autoren kein bequemer Verleger gewesen. Unbeirrbar spürte er die Schwäche eines jeden heraus, wandte auch die darin liegende Macht an. Aber er hat sie niemals dazu mißbraucht, zu Konzessionen zu verleiten, zu dämpfen, nie auf welchen Umwegen auch immer der Produktion gegenüber die Partei des Marktes ergriffen. Sondern er hat, schroff zuweilen, gegen den Autor diesen selbst vertreten, ihn veranlaßt, dem eigenen Potential, unabgelenkt von der eigenen Schwäche, nachzukommen. Vielleicht war es sein Geheimnis – niemals sprach er davon –, daß der heute zum äußersten bedrohte Kontakt zwischen dem sich selbst verantwortlichen Buch und seinen Lesern nicht durch Anpassung hergestellt werden kann, einzig durch gesteigerte Verantwortung hindurch. Zwischen dem Buch und dem Leser gibt es, im Zeitalter sogenannter Kommunikationsforschung, keine Kommunikation mehr, sondern bloß noch den Funken zwischen den Extremen, die Berührung im Schock. Suhrkamp, der Verleger, hat in die Praxis übersetzt, daß kein Allgemeines mehr möglich ist, es sei denn inmitten des selbstvergessenen Besonderen.

Peter Suhrkamps Leistung war paradox: Unverkäufliches verkaufen, dem den Erfolg finden, das ihn nicht sucht, das Fremde ins Nahe wenden. Diese Leistung konnte nur gelingen um ihrer verborgenen objektiven Bedingung willen: daß heute, was den Menschen fremd dünkt, das ist, was ihnen zum Laut verhilft, und daß sie das Entfremdete, Verdinglichte, das sie selber zu Dingen herabsetzt, als das Nahe verkennen. Mit List hat er getrachtet, diesen Schein zu durchbrechen und die auf den Kopf gestellte Wahrheit im Verhältnis von Sache und Rezeption wiederherzustellen. Kompromißlos steuerte er hindurch zwischen dem über die ganze Welt sich ausbreitenden Typus des Massenverlags, der das eigene Interesse hinter der Nachfrage des Konsumenten verschanzt, und der Haltung der intransigenten Avantgarde, die vorweg der Öffentlichkeit und Wirkung gegenüber resigniert und damit tendenziell, ohne ihren Willen, der Arbeitsteilung wiederum sich unterwirft, sich zur Branche macht. Der eingefrorenen Alternative hat er nicht pariert; hat bewiesen, daß heute noch die Spontaneität eines Einzelnen gesellschaftlich Unmögliches ermöglichen kann. Das Modell, das er damit aufrichtet, überragt weit alles Einzelne, das selbst er vollbrachte. Gesichert durch den Bestand einiger großer Autorennamen hat er in kalkuliertem Risiko anderen, verlegerisch Exponierten ihre Autorität erwirkt durch Einsatz der eigenen. So dem Werk von Benjamin, das er nach abenteuerreicher Vorgeschichte so publizierte, daß es aus der deutschen Philosophie nicht mehr getilgt werden kann. Auch von dem Unstern, der über den früheren Versuchen stand, Proust in Deutschland durchzusetzen, hat er sich nicht abschrecken lassen, und es ist ihm gelungen.

Am 28. März wurde er achtundsechzig Jahre alt. Er bat die erreichbaren Freunde zu sich, um Abschied zu nehmen. Obwohl die Ärzte ihr Verdikt bereits gesprochen hatten, schien er kein dem Tod Verfallener. Zwar sprach er von furchtbaren Ängsten, wie sie wohl den Chthonischen am Ende ergreifen. Sie hefteten sich vor allem an das helle, angenehme Zimmer, in dem er kaum mehr atmen konnte, aber er berichtete auch, höchst detachiert wie von etwas Bemerkenswertem, daß er sich fühle, wie wenn er lebendig in ein Bild eingelassen wäre und doch er selber. Doch schien er die

Versicherung, er sei überm Berg, zu glauben, diskutierte sogar Pläne, darunter einen, der sich auf seine Übersiedlung in ein ihm vertrautes Sanatorium bezog. Wir tranken noch zusammen. Plötzlich, nach vielleicht einer Viertelstunde, bat er uns, unter freundlichen Entschuldigungen, zu gehen. Dann überflutete ihn Güte. Das letzte, was wir ihn sagen hörten: »Es war gut, euch noch einmal gesehen zu haben.« So klar war er, daß die quälende Krankheit als ein ihm durchaus Äußerliches erschien, das kaum mit ihm selber zu tun hatte. Unvorstellbar, daß er, an den der eigene Tod nicht heranreichte und der ihn in seinen Geist noch aufnahm, nicht mehr da sein soll. Daß man aber den Tod des gänzlich Bewußten nicht nachzuvollziehen vermag, sagt wohl, daß man überhaupt nicht den eines sehr nahen Menschen realisieren kann. Nichts anderes ist Treue.

HERMANN HESSE

Freund Peter

Am 28. März war der 68. Geburtstag von Peter Suhrkamp. Er beging ihn in einem Frankfurter Spital, todkrank. Ich schenkte ihm mein letztes Gedicht, die »Morgenstunde«, mit einem Aquarell geschmückt. Er zeigte es den Freunden, die ihn besuchten, trank auch einen Schluck Champagner. Drei Tage später, am Morgen des 31. März, ist er gestorben. Ich habe den treuesten meiner Freunde verloren, und auch den unentbehrlichsten.

Wenn einem ein Freund gestorben ist, merkt man erst, in welchem Grade und welcher besondern Färbung man ihn geliebt hat. Und es gibt ja viele Grade und viele Färbungen der Liebe. Und meistens zeigt sich dann, daß Lieben und Kennen nahezu dasselbe sind, daß man den Menschen, den man am meisten liebt, auch am besten kennt. Der Grad des Schmerzes, den man im Augenblick des Verlustes empfindet, ist nicht entscheidend, er hängt zu sehr von unsrem augenblicklichen Zustand ab. Es gibt Zeiten, Tage, Stunden, in denen wir mit der Vergänglichkeit und dem Gesetz des Welkens und Sterbens einverstanden sind, da trifft uns eine Todesnachricht nur so, wie ein Windhauch im Herbst den Baum trifft: er schaudert leicht und seufzt ein wenig, läßt eine Handvoll welken Laubes dahinwehen und sinkt in seine träumende Ruhe zurück. Zu andern Stunden würde der Schmerz über den selben Tod wie Feuer brennen oder wie ein Axthieb treffen. Es ist auch nicht dasselbe, ob ein Tod uns überrascht oder ob wir ihn erwartet, oft gefürchtet, oft in der Phantasie voraus erlebt haben. So war es bei Freund Peter. Durch manche Jahre liebten ihn seine Nächsten als einen Leidenden, schwer Gefährdeten, in ständiger

Todesnähe Weilenden. Er mochte im lebhaften, zuweilen leidenschaftlichen Gespräch noch so viel Leben und Energie ausstrahlen – wenn man ihn dann nachher vor dem Haus ein paar vorsichtige Krankenschritte tun sah, die hohe Gestalt leicht nach vorn geneigt, die Arme schlaff hängend, mit starrem Gesicht und müden Augen in die Landschaft blickend, oder wenn mitten im angeregten Sprechen eine Hustenattacke ihn überfiel, jener von uns allen gefürchtete, grausige, bellende, schüttelnde Husten, bei dem sein liebes Gesicht sich verzog und rot anlief, wenn er langsam und mühsam sich vom Stuhl erhob und uns mit abwinkender Gebärde verließ, dann wußte man Bescheid, und bei jedem Abschied fürchtete man, es möchte der letzte sein.
So kam mir die Nachricht von Peters Ende weder überraschend noch erschreckend. Der Schmerz zuckte und brannte nicht, er ließ sich Zeit, er ist auch jetzt nicht zu Ende erlitten. Aber sehr bald hat das Bild des Freundes in mir jene Verwandlung, Festigung und Klärung erlebt, welche nur den Bildern der uns sehr teuren und wichtigen Vollendeten zukommt, ja welche in unsrem Gedächtnis und inneren Bildersaal eigentlich erst Tote zu Vollendeten macht. Denn wir kennen ja so manche Tote, die wir nie als Vollendete empfinden und benennen. Mein Freund war seit Jahren an der Grenze des Lebens gewandelt und war schon in manchem Augenblick für mich in jene Distanz gerückt, die unsern Lieben sonst erst der Tod verleiht. Er war dann aus dieser Distanz wieder zurückgekehrt, aus der Würde des Todgeweihten in den Alltag des Lebenden und Tätigen, aus der Überlegenheit dessen, der überwunden hat, in die Atmosphäre des Augenblicks und des Zufalls. Aber nun, da keine solche Rückkehr mehr möglich war, sah und spürte ich, daß Peter schon lange für mich mehr zu den Vollendeten, Überwirklichen (ich mag nicht sagen »Verklärten«) als zu den mit mir auf gleicher Ebene Lebenden gehört hatte. Ein wenig spielte dabei mein Wissen um die Zeit seiner großen Prüfung

mit, war er doch in der finstersten Zeit Deutschlands zum Tod verurteilt und wie Dostojewski nur knapp der Hinrichtung entronnen. Dazu seine hoffnungslose Krankheit.
Wir hatten uns zwar bei jedem Abschied mit den unausgesprochenen Fragen in die Augen geblickt: »Ob wir einander noch einmal wiedersehen?« und: »Wirst du es sein oder ich, der zuerst verschwindet?« Aber im Innersten hatte ich ihn, den viel Jüngeren, doch stets in größerer Todesnähe gesehen als mich. Er war, der Jüngere und oft so knabenhaft und beinah allzu jung Erscheinende, der Reifere und Ältere von uns beiden gewesen. Von den beiden Lebenstemperaturen und Haltungen, die sein kühnes und beinah abenteuerliches Leben wechselnd bestimmt haben, hatte die passive und resignierende die Oberhand gewonnen. Denn zwischen den beiden Polen einer kühnen Aktivität, eines schöpferischen und erzieherischen Wirkenwollens und einer Sehnsucht nach Weltflucht, Stille, Verborgenheit hat sein ganzes Leben sich abgespielt.
Seit Peter Suhrkamps Martyrium in Gefängnis und Konzentrationslager, dem er nur durch Zufall und im Wirrwarr des deutschen Untergangs entkam, war seine schon im ersten Krieg sehr erschütterte Gesundheit gebrochen, das Herz schwer angeschlagen und von der Lunge nur noch Reste lebendig. Wenn er trotzdem manche Jahre nicht nur vegetierte, sondern intensiv lebte und Großes leistete, so tat er es aus dem Erbe an alter dauerhafter Bauernrasse, das er mitbekommen hatte. Auch als das Individuum schon eigentlich verbraucht und aufgezehrt war, hielt dies zähe Erbe den Schatten noch aufrecht und erlaubte ihm beinah unbegreifliche Anstrengungen.
Dieser Vorrat an Zähigkeit, an Erdnähe, an Ordnungssinn und duldender Kraft lag zeitlebens im Streit mit seinem individuellen Temperament und Charakter, die ihn gezwungen haben, das väterliche Bauernerbe auszuschlagen, die Heimat zu meiden, öfter den Beruf zu wechseln und als

Lehrer, Soldat, Offizier, Dramaturg, Redakteur, Verleger und Schriftsteller sich allein und unabhängig die Welt zu erobern. Kehrte er einmal zu Besuch auf den väterlichen Hof zurück, wie er es in einem vorbildlich schönen Prosastück beschrieben hat, dann war er dort ein Fremder und völlig Unverstandener. Saß er aber im Gespräch einem aufgeregten jungen Literaten, einem nervösen Geschäftsmann, einem Regisseur oder Schauspieler gegenüber, dann wirkte schon seine bedächtige oldenburgische Sprache zähmend, beruhigend, zu Besinnung mahnend, und es sprach in guten Stunden die ganze geduldig-zähe Bauernweisheit seiner Väter aus ihm.

Seine Freude am Lesen wie am Schreiben litt in den letzten Jahren sehr und erstarb beinahe unter dem Druck der dauernden Überbürdung im Beruf. Seine Leidenschaft fürs Erziehen und die fürs Theater aber blieb bis zuletzt lebendig. Sein glühendes Interesse für die Bühne, für das Sichtbarmachen und Hörbarmachen der Dichtung war dem Gestaltungstrieb des passionierten Erziehers ebenso nah verwandt wie dem des Verlegers, das Schöne herzustellen, es so überzeugend, so einfach, so dauerhaft wie möglich herzustellen.

In unsrer Freundschaft gab es, wie in jeder, ein Fundament von Verwandtschaft, von Ähnlichkeit der Anlagen und der Einstellung zur Welt: beide hatten wir die Empfänglichkeit und den Eigensinn des Künstlers, das starke Bedürfnis nach Unabhängigkeit, beiden hatten die Vorfahren eine genaue, strenge Ordnung und Moral vererbt, die auch nach ihrer freiheitlichen Durchbrechung geheim und mächtig fortwirkte. Aber wie in jeder Freundschaft waren es dann, über diesem gemeinsamen Boden, gerade die Verschiedenheiten, an denen das Interesse und die Liebe sich immer wieder neu entfachte. Jeder von uns hatte Eigenheiten, Neigungen und Gewohnheiten, die zu bemängeln der andre beständig Lust spürte und die ihm doch anziehend, lustig oder rührend waren. Doch bestand zwischen uns eine gegenseitige Achtung, die es nie zu anderer als freundschaftlicher und schonender Kritik kommen ließ. Als Peter mich kennenlernte, war ich der Ältere, Arrivierte, den er als Knabe schon gelesen hatte, und später am entscheidenden Wendepunkt seiner Laufbahn nach dem Kriege, als er zwischen völliger Resignation und zögernder Bereitschaft zu Neubeginn schwankte, war ich die kräftigste seiner Stützen gewesen. Ich dagegen verehrte in ihm, noch mehr als den hochbegabten Verleger und Schriftsteller, den Dulder und Helden, den Mann, der unendlich viel mehr Furchtbares und Feindseliges ertragen und bestanden hatte als ich und als jeder meiner andern Freunde.

Freund Peter ist viel geliebt worden, sein Charme war groß, und nicht nur wenn er ihn bewußt spielen ließ. Auch in seinen finstern und selbstmörderischen Stunden, während man ihn vielleicht schalt oder doch zu schelten große Lust hatte, mußte man ihn lieben. Besonders gern hatte ich seinen Anblick bei der Arbeit, vormittags in meiner Bibliothek oder auf der Terrasse. Er hatte dann seine Papiere und Drucke samt Feder und Bleistift so anständig und ordentlich vor sich auf dem Tisch liegen und saß so still, aufmerksam, gesammelt und vertieft über der Arbeit wie ein Hieronymus. Viel gäbe ich dafür, das noch einmal sehen zu dürfen.

Nach seinem Tod bekam ich von Freunden, Kollegen und Lesern viele anteilnehmende Briefe, den schönsten von Rudolf Alexander Schröder. Es wurden mir auch manche Zeitungen mit Nachrufen zugesandt, alle des Lobes voll für den vorbildlichen Verleger sowohl wie für den tapferen Kämpfer und Dulder der Greuelzeit. Viel weniger war von seinem Werk als Schriftsteller und Dichter die Rede, ach viel zu wenig und viel zu ahnungslos! Sein literarisches Werk ist nicht sehr umfangreich. Wir, seine Autoren und Freunde, haben seine »Ausgewählten Schriften« in zwei schönen Bänden

herausgebracht, es geschah in zwei Malen, zu seinem 60. und seinem 65. Geburtstag, es war ein schönes Festgeschenk und hat ihm Freude gemacht. Aber diese beiden Bände sind nur in einer kleinen, nicht käuflichen Auflage erschienen, die in ihnen wiedergedruckten Schriften sind euch also nicht zugänglich, sofern ihr nicht etwa Besitzer der alten Jahrgänge der »Neuen Rundschau« seid.
Aber zum Glück konnten wir Suhrkamp dazu bewegen, die paar schönsten und am meisten dichterischen seiner Schriften im Jahr 1957 in einer hübschen und wohlfeilen Ausgabe herauszubringen. Ich habe damals manchen von euch das kleine liebenswerte Buch geschenkt. Es heißt »Munderloh«, dies war der Titel eines Romans, den Suhrkamp während der Untersuchungshaft als politischer Gefangener Ende 1944 zu schreiben begann. Er ist Fragment geblieben, aber die etwa hundert Seiten dieser bedeutenden Dichtung, die von Peters Leben als jungem Dorflehrer erzählen, sind mir lieber als manche berühmte Bücher unsrer Zeit und als manche avantgardistische Bücher, denen Peter als Verleger sich mit rührender Hingabe gewidmet hat. Und weiter enthält der kostbare Band einige Prosastücke, die ich für schlechthin klassisch halte und die in jedes deutsche Lesebuch gehören, namentlich den »Besuch« und den »Apfelgarten«. Bessere Prosa hat in unsrer Zeit niemand geschrieben.
Es ist nicht schwer, der Lebensleistung eines Mannes, der vorwiegend in der Öffentlichkeit gewirkt hat, annähernd gerecht zu werden. Viel verborgener und letztlich nur der liebenden Ahnung zugänglich bleibt das, was er gelitten hat. Je größer und tiefer das Leiden, desto weniger wird er davon reden. Nun, Peter hat von dem vielen Furchtbaren, das er erlebt hat, einiges auch den nahen Freunden erzählt, heiter und überlegen, etwa den Untergang seines schönen und geliebten Berliner Heims in einer Bombennacht oder die phantastische Odyssee seiner Rückkehr aus der Gefangenschaft. Es waren Leiden, Verluste, Prüfungen, die er bestan-

den hatte, mit denen er fertig war. An die schlimmsten Erlebnisse und Qualen in der Hitlerschen Hölle rührte er selten und scheu mit einem Wort, dorthin kann nur die Phantasie mitleidender Liebe ihm folgen. Vom schweren körperlichen Leiden seiner letzten Jahre wissen wir alle.

Aber das war nicht alles. Er, der so viel geliebt wurde und so mühelos Autorität zu wahren wußte, hat all die Jahre seit dem letzten Krieg in einer großen Einsamkeit gelebt, ohne Familie, ohne Behagen und Fürsorge, in einer nur zum Teil gewollten asketischen Primitivität, einer verzweifelt trotzigen Verlassenheit. Und dieser Vereinsamung und Verlorenheit, dieser äußern Heimatlosigkeit entsprach eine innere, die wir wenige Male im vertrautesten Gespräch nur tastend berührt haben. Er hatte Deutschlands unheimliche Geschichte miterlebt, die ruhmrednerischen »großen Zeiten«, die Kriege, die Niederlagen, die Revolution, die Barbarei, die Zerstörungen, und zuletzt den Wiederaufbau, er hatte in dem strebsamen, erfolgreichen, amerikanisierten Deutschland selber mit aufgebaut, mit gezaubert, mit Erfolg gehabt, und hatte doch mit seinen hellblauen traurigen Augen mit jedem Tag tiefer diesen Jahrmarkt des Fleißes, der Vergeßlichkeit, der Streberei und Großmannssucht durchschaut, er glaubte längst nicht mehr an die innere Wirklichkeit, an die Echtheit der Welt, in der er lebte und eine bedeutende Rolle spielte, es wurde ihm nicht warm und nicht wohl in dieser Welt, und er, der so gern lebte, der so wohlbeschaffen für den Genuß des Lebens gewesen wäre, ist vermutlich am Ende doch gern gestorben und hat den Kram hinter sich gelassen.

Ich wage die Indiskretion und zitiere einen Satz aus R. A. Schröders Brief: »In welcher Einsamheit hat Suhrkamp die Erdenhölle seiner letzten, qualvollen Jahre durchleiden müssen, dabei immer den Mut zu wohlwollender, großmütiger, auch in ihren Irrtümern ehrwürdiger Haltung aufbringend.«

Wenn ich irgendwo in Gespräch oder Lektüre der zum Cliché gewordenen Phrase vom »wahren« oder »echten« oder »heimlichen« Deutschland begegne, dann sehe ich Peters hohe, hagere Gestalt. Und auch Schröder gehört dazu.

Autoren · Quellenhinweise

THEODOR W. ADORNO

Am 11. 9. 1903 in Frankfurt am Main geboren, gestorben am 6. 8. 1969 in Visp bei Zermatt.

Zwergobst, S. 49

Aus: Minima Moralia. Suhrkamp Verlag Frankfurt am Main 1950, S. 55-57

Dank an Peter Suhrkamp, S. 255

Erstveröffentlichung: Frankfurter Allgemeine Zeitung, 9. 4. 1959. Aus: In memoriam Peter Suhrkamp. Herausgegeben von Siegfried Unseld. Suhrkamp Verlag Frankfurt am Main 1959 (Privatdruck), S. 11-18

SAMUEL BECKETT

Am 13. 4. 1906 in Dublin geboren, gestorben am 22. 12. 1989 in Paris.

Nichts zu machen, S. 97

Aus: Warten auf Godot. Suhrkamp Verlag Frankfurt am Main 1953, S. 7-26

Im Zimmer meiner Mutter, S. 143

Aus: Molloy. Suhrkamp Verlag Frankfurt Main 1954, S. 7-9

Die Hose, S. 225

Aus: Endspiel. Suhrkamp Verlag Frankfurt am Main 1957, S. 17-22

WALTER BENJAMIN

Am 15. 7. 1892 in Berlin geboren, gestorben am 27. 9. 1940 in Port Bou.

Zu spät gekommen; Knabenbücher; Wintermorgen, S. 66

Aus: Berliner Kindheit um neunzehnhundert. In: Gesammelte Schriften. Band VII-1. Nachträge. Herausgegeben von Rolf Tiedemann und Hermann Schweppenhäuser. Suhrkamp Verlag Frankfurt am Main 1989, S. 395-398

Über die Anthologie »Der Deutsche in der Landschaft«, S. 70

Rezension zu: Der Deutsche in der Landschaft. Besorgt von Rudolf Borchardt. München: Verlag der Bremer Presse 1927. In: Gesammelte Schriften. Band III. Herausgegeben von Hella Tiedemann-Bartels. Suhrkamp Verlag Frankfurt am Main 1972, S. 91-94

BERTOLT BRECHT

Am 10. 2. 1898 in Augsburg geboren, gestorben am 14. 8. 1956 in Berlin.

Brief an Peter Suhrkamp, S. 42
Aus: Briefe. Herausgegeben und kommentiert von Günter Glaeser. Suhrkamp Verlag Frankfurt am Main 1981, S. 640
Erinnerung an die Marie A.; Vom armen B. B., S. 43
Aus: Bertolt Brechts Hauspostille, Suhrkamp Verlag Frankfurt am Main 1951
Geschichten vom Herrn Keuner, S. 46
Aus: Geschichten vom Herrn Keuner. In: Gesammelte Werke. werkausgabe edition suhrkamp Band 12. Suhrkamp Verlag Frankfurt am Main 1967, S. 375, 377, 385, 387, 404
Aus Bertolt Brechts Nachlaß, S. 212
Aus: Flüchtlingsgespräche. In: werkausgabe edition suhrkamp In: Gesammelte Werke. werkausgabe edition suhrkamp Band 14. Suhrkamp Verlag Frankfurt am Main 1967, S. 1383-1391

HERMANN BROCH
Am 1. 11. 1886 in Wien geboren, gestorben am 30. 5. 1951 in New Haven.
Die Intellektuellen und der Kampf um die Menschenrechte, S. 77
Beitrag für den »Kongreß für kulturelle Freiheit« in Berlin, 1950. In: Hermann Broch, Politische Schriften (Kommentierte Werkausgabe Band 11). Suhrkamp Verlag Frankfurt am Main 1978, S. 453-459

TRUMAN CAPOTE
Am 30. 9. 1925 in New Orleans geboren, gestorben am 25. 8. 1984 in Los Angeles.
Wann war es, als ich zum ersten Male von der Grasharfe hörte?, S. 88
Aus: Die Grasharfe. Suhrkamp Verlag Frankfurt am Main 1952, S. 7-8

GÜNTER EICH
Am 1. 2. 1907 in Lebus an der Oder geboren, gestorben am 20. 12. 1972 in Salzburg.
Wacht auf, denn eure Träume sind schlecht!, S. 166
Aus: Träume. Suhrkamp Verlag Frankfurt am Main 1953, S. 189-190
Die Mädchen aus Viterbo, 8. Szene, S. 242
Aus: Stimmen. Sieben Hörspiele. Suhrkamp Verlag Frankfurt am Main 1958, S. 217-219

T. S. ELIOT

Am 26. 9. 1888 in St. Louis/Missouri geboren, gestorben am 4. 1. 1965 in London.
Wie heißen die Katzen?, S. 61
Aus: Old Possums Katzenbuch. Suhrkamp Verlag Frankfurt am Main 1952, S. 7-8

HANS MAGNUS ENZENSBERGER

Am 11. 11. 1929 in Kaufbeuren geboren, lebt in München.
Locklied; Ins Lesebuch für die Oberstufe; Verteidigung der Wölfe gegen die Lämmer, S. 231
Aus: Verteidigung der Wölfe. Suhrkamp Verlag Frankfurt am Main 1957

ERICH FRANZEN

Am 12. 12. 1892 in Bad Ems geboren, gestorben am 2. 11. 1962 in München.
Einführung in Becketts »Molloy«, S. 145
Aus: Dichten und Trachten III. Jahresschau des Suhrkamp Verlages im Frühjahr 1954, S. 61-64
Gedenkrede auf Bertolt Brecht, S. 197
Aus: Dichten und Trachten XIII. Jahresschau des Suhrkamp Verlages im Frühjahr 1959, S. 31-37

MAX FRISCH

Am 15. 5. 1911 in Zürich geboren, wo er heute auch lebt.
Kampen, Juli 1949, S. 52; *Brecht*, S. 204
Aus: Tagebuch 1946-1949. Suhrkamp Verlag Frankfurt am Main 1950, S. 400-411; S. 285-293
Ich bin nicht Stiller!, S. 130
Aus: Stiller. Roman. Suhrkamp Verlag Frankfurt am Main 1954, S. 9-18
Wiedersehen mit Hanna, S. 238
Aus: Homo Faber. Ein Bericht. Suhrkamp Verlag Frankfurt am Main 1957, S. 153, 156-160
Sirenen, S. 244
Aus: Biedermann und die Brandstifter. Ein Lehrstück ohne Lehre. Suhrkamp Verlag Frankfurt am Main 1957, S. 118-124

GEORG HENSEL

Am 13. 7. 1923 in Darmstadt geboren, wo er auch heute lebt.

Lebt Bernard Shaw noch?, S. 183
Aus: Dichten und Trachten VII. Jahresschau des Suhrkamp Verlages im Frühjahr 1956, S. 8-9

HERMANN HESSE
Am 2. 7. 1877 in Calw geboren, gestorben am 9. 8. 1962 in Montagnola.
Brief an seinen Sohn Bruno, S. 17
Aus: Hermann Hesse, Gesammelte Briefe. Vierter Band 1949-1962. In Zusammenarbeit mit Heiner Hesse und Ursula Michels herausgegeben von Volker Michels. Suhrkamp Verlag Frankfurt am Main 1986, S. 58-60
Glück, S. 20
Aus: Glück. Späte Prosa, Betrachtungen, Suhrkamp Verlag Frankfurt am Main (Bibliothek Suhrkamp Band 344) 1973, S. 42-56
Die Berufung, S. 32
Aus: Das Glasperlenspiel. Versuch einer Lebensbeschreibung des Magister Ludi Josef Knecht samt Knechts hinterlassenen Schriften. Suhrkamp Verlag Frankfurt am Main 1953, S. 63-71
Brief an Siegfried Unseld, S. 42
Aus: Briefe. Neue erweiterte Ausgabe. Suhrkamp Verlag Frankfurt am Main 1959, S. 297-300
Freund Peter, S. 262
Aus: In memoriam Peter Suhrkamp. Herausgegeben von Siegfried Unseld. Suhrkamp Verlag Frankfurt am Main 1959. S. 25-33

WALTER HÖLLERER
Am 19. 12. 1922 in Sulzbach-Rosenberg geboren, lebt in Berlin
Vorwort zu Transit, S. 161
Aus: Transit. Lyrikbuch der Jahrhundertmitte. Herausgegeben mit Randnotizen von Walter Höllerer. Suhrkamp Verlag Frankfurt am Main 1956

HERMANN KASACK
Am 24. 7. 1896 in Potsdam geboren, gestorben am 10. 1. 1966 in Stuttgart.
Aus den verschiedenen Berichten, S. 118
Aus: Das große Netz. Suhrkamp Verlag Frankfurt am Main 1952, S. 488-494

MARTIN KESSEL

Am 14. 4. 1901 in Plauen/Vogtland geboren, gestorben am 14. 4. 1990 in Berlin.

Als ich »Herrn Brechers Fiasko« schrieb, S. 175

Aus: Dichten und Trachten VII. Jahresschau des Suhrkamp Verlages im Frühjahr 1956, S. 35-39

WOLFGANG KOEPPEN

Am 23. 6. 1906 in Greifswald geboren, lebt in München.

Es war einmal eine Zeit, S. 138

Aus: Der Tod in Rom. In: Gesammelte Werke Band 2. Suhrkamp Verlag Frankfurt am Main 1986, S. 393-396. Der Roman *Der Tod in Rom* erschien erstmals 1954; das Werk von Wolfgang Koeppen wird seit 1972 vom Suhrkamp Verlag betreut

WILHELM LEHMANN

Am 4. 5. 1882 in Puerto Cabello / Venezuela geboren, gestorben am 17. 11. 1968 in Eckernförde.

An meinen ältesten Sohn; Das Trankopfer; Schwalbe; Mohn in der Vase, S. 221

Aus: Meine Gedichtbücher. Suhrkamp Verlag Frankfurt am Main 1957

WOLF VON NIEBELSCHÜTZ

Am 24. 1. 1913 in Berlin geboren, gestorben am 22. 7. 1960 in Düsseldorf.

Gebet Zeugnis, S. 58

Aus: Hugo von Hofmannsthal. Vortrag 1950. In: Über Dichtung. Suhrkamp Verlag Frankfurt am Main 1979 (Bibliothek Suhrkamp Band 637), S. 221-224

HANS ERICH NOSSACK

Am 31. 1. 1901 in Hamburg geboren, dort am 2. 11. 1977 gestorben.

Der Anfang, S. 196

Aus: Dichten und Trachten VI. Jahresschau des Suhrkamp Verlages im Herbst 1955, S. 38

Es war kein Traum, es war ein Erlebnis, S. 249

Aus: Unmögliche Beweisaufnahme. Suhrkamp Verlag Frankfurt am Main 1959, S. 40-44, 111-113, 202-203

ERNST PENZOLDT

Am 14. 6. 1892 in Erlangen geboren, gestorben am 27. 1. 1955 in München.
Lufteis, S. 89
Aus: Causerien (Gesammelte Schriften in Einzelbänden). Suhrkamp Verlag Frankfurt am Main 1962, S. 489-491

MARCEL PROUST

Am 10. 7. 1871 in Auteuil geboren, gestorben am 18. 11. 1922 in Paris.
Erste Begegnung mit Gilberte, S. 155
Aus: Auf der Suche nach der verlorenen Zeit. Band 1: In Swanns Welt. Suhrkamp Verlag Frankfurt am Main 1953 (Der Text folgt der Werkausgabe edition suhrkamp, 16. Tsd. 1961, S. 185-190)

MONIQUE SAINT-HELIER

Am 2. 9. 1895 in La Chaux-de-Fonds geboren, gestorben am 9. 3. 1955 in Chambines Pacy-sur-Eure.
Schneebälle, S. 92
Aus: Der Eisvogel. Roman. Ins Deutsche übertragen von Leonharda Gescher. Suhrkamp Verlag Frankfurt am Main 1954, S. 153-158

RUDOLF ALEXANDER SCHRÖDER

Am 26. 1. 1878 in Bremen geboren, gestorben am 22. 8. 1962 in Bad Wiessee.
Der Wanderer vor seiner Mutter, S. 74
Aus: Der Wanderer und die Heimat. Suhrkamp Verlag Frankfurt am Main 1951 (Bibliothek Suhrkamp Band 3), S. 139-142

CARL SEELIG

Am 11. 5. 1894 in Zürich geboren, dort am 17. 2. 1962 gestorben.
Wanderungen mit Robert Walser, S. 123
Aus: Wanderungen mit Robert Walser. Suhrkamp Verlag Frankfurt am Main 1977, S. 163-170 (Erstveröffentlichung: 1957)

BERNARD SHAW

Am 26. 7. 1856 in Dublin geboren, gestorben am 2. 11. 1950 in Ayot St. Lawrence.
Hitler, S. 179
Aus: Vorwort zu »Genf«. In: Vorreden zu den Stücken II. Suhrkamp Verlag Frankfurt am Main 1953, S. 739-742

DOLF STERNBERGER

Am 28. 7. 1907 in Wiesbaden geboren, gestorben am 27. 7. 1989 in Frankfurt am Main.

Blick der Liebenden, S. 63

Aus: Gebrauch von Sprichwörtern. In: Figuren der Fabel. Suhrkamp Verlag Frankfurt am Main 1950, S. 51-54

PETER SZONDI

Am 27. 5. 1929 in Budapest geboren, gestorben am 9. 11. 1971 in Berlin.

Bertolt Brecht und das Problem des sozialen Dramas, S. 189

Aus: Theorie des modernen Dramas. Suhrkamp Verlag Frankfurt am Main 1956, S. 115-121

FRANZ TUMLER

Am 16. 1. 1912 in Bozen geboren, lebt in Berlin.

Ad me ipsum, S. 185

Zu: Der Schritt hinüber. Roman.

Aus: Dichten und Trachten VIII. Jahresschau des Suhrkamp Verlages im Herbst 1956, S. 57-60

SIEGFRIED UNSELD

Am 28. 9. 1924 in Ulm geboren, lebt in Frankfurt am Main.

Wer war Peter Suhrkamp?, S. 11

Aus der Einleitung zu: Peter Suhrkamp. Zur Biographie eines Verlegers in Daten, Dokumenten und Bildern. Vorgelegt von Siegfried Unseld unter Mitwirkung von Helene Ritzerfeld. Suhrkamp Verlag Frankfurt am Main 1975 (suhrkamp taschenbuch 260)

PAUL VALÉRY

Am 30. 10. 1871 in Sète geboren, gestorben am 29. 7. 1945 in Paris.

Degas und die Revolution, S. 85

Aus: Tanz Zeichnung und Degas. Suhrkamp Verlag Frankfurt am Main 1951, S. 45-48

MARTIN WALSER

Am 24. 3. 1927 in Wasserburg geboren, lebt in Überlingen.

Die Klagen über meine Methoden häufen sich, S. 149

Aus: Ein Flugzeug über dem Haus und andere Geschichten. Suhrkamp Verlag Frankfurt am Main 1955

Der Schriftsteller und die Gesellschaft; S. 235

Ansprache bei der Verleihung des Hermann-Hesse-Preises 1957. In: Dichten und Trachten X. Jahresschau des Suhrkamp Verlages im Herbst 1957, S. 36-39

SV

DIE SECHZIGER JAHRE

Ein Suhrkamp Lesebuch

Erste Auflage 1990

Quellenhinweise am Schluß des Bandes
Druck: Ebner Ulm
Printed in Germany

DIE SECHZIGER JAHRE

Ein Wort zuvor

Dieses Buch ist eines der vier Lesebücher, die der Suhrkamp Verlag anläßlich seines vierzigjährigen Bestehens vorlegt: es sind die Fünfziger Jahre, die Sechziger Jahre, die Siebziger und Achtziger Jahre, deren Autoren hier versammelt und aus deren im genannten Zeitraum erschienenen Büchern Texte geboten werden.

Vor 40 Jahren gründete Peter Suhrkamp seinen Verlag neu; erste Autoren waren Hesse und Brecht, T. S. Eliot und Proust, Adorno und Benjamin; als »junger Autor« trat Max Frisch hinzu. 40 Jahre später ist dieses Verlagsprogramm wirksam entfaltet: herausragende zeitgenössische deutschsprachige Autoren; immer wieder der Versuch »der junge Autor«; ein Programm großer internationaler Autoren wie Joyce, Beckett, Duras, der Mexikaner Octavio Paz, der Peruaner Mario Vargas Llosa, der Japaner Yasushi Inoue, die Chinesin Ding Ling, die Russin Marina Zwetajewa, der Pole Czeslaw Milosz, der Spanier Jorge Semprun, die Katalanin Mercè Rodoreda, der Israeli Amos Oz. Die Basis Adorno/Benjamin wurde erweitert mit den Werken von Ernst Bloch, Michel Foucault, Herbert Marcuse, Alexander Mitscherlich, Max Raphael, Gershom Scholem, Georg Simmel, Claude Lévi-Strauss und Ludwig Wittgenstein bis hin zu den Werken von Jürgen Habermas, Niklas Luhmann, Dieter Henrich, Manfred Frank und vieler jüngerer Wissenschaftler.
Die vier Lesebücher, die sich auf Belletristisches konzentrieren und nur gelegentlich die wissenschaftliche Dimension des Programms, die eigens vorgestellt werden soll, andeuten, wollen ein Fazit verlegerischen Wirkens ziehen. Sie spiegeln die Geschichte des Verlages wie die Geschichte

der deutschsprachigen Literatur dieser vier Jahrzehnte. Den Lesern seien diese Kompendien angeboten, zum Überblick für die einen, den anderen, vor allem den jüngeren Lesern, zum Hinführen zu Werken, die entdeckt oder neuentdeckt werden sollten.

Eine Einladung zum Lesen also: Wie war es »damals« in den 50er, 60er, in den 70er Jahren und was ereignet sich heute in der Literatur der jüngsten Autoren.

Siegfried Unseld

Inhalt

UWE JOHNSON

Die Taube auf dem Dach

Gesine Cresspahl ist am Tage des ungarischen Aufstandes im November 1956 von Frankfurt am Main nach Magdeburg gereist, wo sie ihren Jugendfreund Jakob trifft. Jakob beschließt, sie heimlich bei Nacht und Nebel nach Jerichow an die Ostsee zu bringen, aber der Staatssicherheitsdienst ist ihnen schon auf der Spur. So reisen Gesine und Jakob mit einem, der Staatssicherheitsagent Rohlfs mit seinem Fahrer im anderen Wagen durch die Nacht, der Jäger immer schon auf der Spur des Gejagten.
Die Erzählung beginnt mit einem *Monolog* Gesines. Es folgt ein Stück Erzählung, dann ein *Monolog* des Agenten, ein Gespräch zwischen Gesine und Jonas, wieder ein *Monolog* Gesines und noch ein Gespräch zwischen Gesine und Jonas (die Monologe sind kursiv gesetzt).

Ich wartete unter dem Baum trotzig mit krummem Nacken. Jakob blieb stehen neben mir. Ich rührte mich nicht. Seine Hand griff so hart um meinen Hals dass ich gleich hochkam; er hatte mich gar nicht ansehen wollen. So schrägköpfig allein neben mir abseits im Dunkeln: als ob er nur die Hand frei hatte um sich meiner zu vergewissern. »Wenn ich deinen Schritt nicht kennte« sagte ich. Vor dem Hotel schlug eine Wagentür zu. Ich wandte mich um den Baumstamm und kam mit den Augen gerade in das Licht und war noch geblendet als Jakob mich an den Zaun zurückgerissen hatte zwei Meter in einen Sprung über den Bürgersteig. Er hielt mich noch am Handgelenk
in seinen Fingern spürte ich das weiche warme Waldgras und Baumduft Kiefernborkenduft und die Russen die auf uns zukamen. Lautlos drehte sich Jakobs Kopf auf seinem Hals

mir zu, mit seinen Augen duckte er meinen Nacken niedriger, seine Hand zwang meine Schultern eng an den Boden. Er spreizte die Blätter auseinander vor uns dass wir sie sehen konnten: die Uniformen, klapperndes Geschirr, müde Pferdehälse, Stimmen, dumpfes Hufklappern. Als ob die Erde hohl wäre. Die unendliche Stille über uns zwischen den Baumkronen. Jakobs Finger streckten sich, locker lagen unsere Arme nebeneinander

vor dem Hotel war eine Wagentür zugeschlagen. Der Wagen tobte mit harten wilden Katzenaugen vorbei an uns einsam auf dem breiten nassen Fahrdamm, kauerte auf dem öden Bahnhofsplatz, sprang knurrend in die Dunkelheit.

»Wann kannst du wieder hier weg?«

»Übermorgen früh auf der Autobahn.«

»Sei man nicht traurig. Du denkst wohl hier will dich keiner haben?«

»Nein. Darf ich dich einhaken« sagte ich.

Der Chauffeur des Taxis sagte:

»Ich sage: das kost Sie siebzig Mark, seit einer halben Stunde ist Nachttarif. Macht ihnen nichts aus. Gewiss ist das eine ungewöhnliche Strecke, aber ich krieg mein Geld fürs Fahren und nicht fürs Diskutieren, nich? Wenn sie von dem einen Bahnhof an den anderen wollten, wird ihnen der erste eben nicht gefallen haben: schon gut, Meister. Ich meine: sie hatten da keinen Anschluss mehr. Ich wollt erst nicht recht, mitten in der Nacht auf Chaussee mit meiner Kaffeemühle, ist ja nicht zu vergleichen mit Ihrem Schlitten. Eigentlich hab ich es ihretwegen gemacht. Er war so ein großer Ruhiger, und am Anfang dacht ich sie wär noch ein halbes Kind, aber sie hat dann alles mit mir abgemacht, sie hatte das Geld. Gepäck hatten sie keins. Ja, so eine Kollegtasche hatte er wohl. Waren beide angezogen als wollten sie tanzen gehen oder so. Fuhr ich los. Kümmert mich nicht was hinten passiert, wenn ich das Licht einmal ausgeschaltet habe; bloss bei Betrunkenen pass ich bisschen auf. Die waren sehr angenehm zu fahren. Geredet haben sie nicht, Namen hab ich keine verstanden. Wenn mir recht ist, ist sie nach der ersten halben Stunde eingeschlafen, so mit dem Kopf an seiner Schulter. Hat er sich aber nicht gerührt, sass ganz still und rauchte; hat mir auch Zigaretten durchgegeben, ganz gewöhnliche hiesige. Beurteile das so: die kennen sich seit lange. Wenn das ein Liebespaar ist, hätten sie längst verheiratet sein können. Ringe haben sie keine getragen. Sie war doch noch sehr jung; von weitem hätt einer sie für hochmütig halten können, lässt sich aber reden mit ihr. Wenn sie auch genau weiss was ihr zukommt. Hat mich sogar gefragt wann ich denn nun ins Bett komme; wenn sie bloss so zum Abschied reden wollte, hätt sie leicht was anderes finden können. Ich fand sie ganz nett. Das mag sein, weil sie ja ziemlich verschlafen hochkam, als wir da waren. Sind dann beide in den Bahnhof gegangen. Nein nicht Arm in Arm, so waren sie angekommen. Sie hatte die Hände in den Taschen und lehnte an seiner Schulter beim Gehen: als würd er sie tragen ohne sie anzufassen. Wie ich ja sage.«

Herr Fabian sagte:

»Wieviel kriegen Sie für fünf Minuten Warten nach Nachttarif? oder wie lange ich Sie aufgehalten habe. Nichts zu danken. Wiederhören, und noch so einen Fischzug, was? Vielleicht können Sie davon mal Ihre Handbremse reparieren lassen.«

»Mach das Radio aus«: sage ich. Jetzt muß ich auch noch vor meinem eigenen Fahrer mich in die Brust werfen. Er schaltet das Licht aus. Mitten in der Nacht stehen wir ohne Licht irgend wo in diesem verdammten schwarzen Wald als wüssten wir nicht weiter. »Mensch!« sage ich. Würgt die Kupplung rein wie ein Wilder, in einem einzigen Satz blindlings

sind wir durch den Graben zwischen die Bäume zurückgesprungen: bloss weil Lichter auf uns zukommen. Fernlastzug. Wenn sie aufgepasst haben, werden sie uns doch gesehen haben. »Da stand hinter der Kreuzung so ein langer Russenkarren halb im Wald, ohne Licht, hab ich doch gesehen, war kein Unfall, die sassen ganz aufrecht hinter der Scheibe und liessen sich bestrahlen von unseren Scheinwerfern, na, die werden wohl aus Versehen den falschen Sender erwischt haben.« »Chef« sagt Hänschen, »meinen Sie dass es stimmt?« Darauf kommt es nicht an. Wichtig ist wie lange die Leute hier in der Gegend schon vor den Lautsprechern sitzen und sich das erzählen lassen und es ebenso glauben wie dass heute Vollmond sein soll nach dem Kalender. Ich seh ihn nicht. »Als Sie mit dem Taxi zugange waren, hab ich an dem Kiosk darüber reden hören, die waren aber betrunken. Ich wollt mich bloss mal vergewissern« sagt er. Also gut. Das kann Jakob noch nicht gewusst haben.

Jakob kann das nicht gewusst haben. Das ist anders. Wo hätt er sie denn lassen sollen. Bartsch ist ihm wahrscheinlich zu nervös gewesen. Jöche ist weit weg, die anderen können den Mund nicht halten. Von Sabine hat er nun nicht verlangen mögen dass sie gerade Cresspahls Tochter aufnimmt und versteckt vor mir: da macht er es lieber selbst. Und bringt sie nach Jerichow als wär mir das egal. Wenn ich ihn mir vorstelle jetzt in dem Schnellzug, den sie also richtig gekriegt haben vom Taxi aus, so sehe ich ihn freundlich lächeln so: Ich gehe auf die Situation ein, Herr Rohlfs, ich kann es aber unmöglich ernst nehmen; er stellt es an wie ein Spiel. Oder er traut mir nicht zu dass ich begreife sie ist es wirklich auf ihren eigenen Füssen hier und nicht da. Ich begreife es hier viel besser. Ich wette dass sie nicht geradenwegs nach Jerichow weiterfahren sondern vorher aussteigen und dann noch ein Stück mit dem Bus in ganz anderer Richtung, das letzte Ende gehen sie zu Fuss. Und er weiss dass ich nur meine Hand ausstrecken muss und ich habe sie. Die Taube ist nicht

mehr auf dem Dach. Er spielt Versteck mit mir als wär ich kein Spielverderber und hätt das mit Handschlag versprochen. Bin ich einer?
»Hänschen« sage ich. »Wenn sie uns jetzt erkennen durch irgend einen dummen Zufall (der Taxichauffeur hört endlich die neuesten Westnachrichten und besinnt sich wie ich doch noch aussah. Und dann diese seltene Automarke Pobjeda) und uns anhalten, eh? und schmeissen unseren Wagen um, den du in persönlicher Pflege hast Hänschen, bis er ausbrennt, dann haben sie gut Licht, und können sich da den passenden Baum aussuchen, an dem sie mich aufhängen werden ohne Hosen und mit dem Kopf nach unten, und dich, Hänschen«: sage ich. Er hat immer noch ein schlechtes Gewissen wegen des Westsenders, und dann dieser Rückwärtsgang wie kopflos. »Das war Nervosität. Entschuldigen Sie, Chef« sagt er, endlich findet er sein Mundwerk wieder: »Ich würde Sie natürlich bis zu meinem letzten Blutstropfen verteidigen« sagt er. Wie man sich an die Dunkelheit doch langsam gewöhnt. Ich sehe ihn grinsen. Sonst noch was.
»Dann mach mal das Licht wieder an, wir wollen zu unseren lieben Verwandten fahren« sage ich. »In Ordnung« sagt er. Der Wagen klettert durch den Graben wie ein Bär. Am meisten spürt man seine Kraft, wenn er still zitternd dasteht bei laufendem Motor mit seinem Licht in der Nacht und auf den Absprung wartet. Der ist gar nicht so leicht umzuwerfen. Im Stillstand könnt ich es mir denken. Aber nicht solange ich fahre.

Das will ich sagen. Gewiss gehört er nicht zu denen, die vor drei Jahren sich die Abzeichen vom Rockaufschlag nahmen und die Hintereingänge benutzten, als die Arbeiter auf der Strasse waren und die Achtgroschenmänner die aufklärenden Pavillons ansteckten und niemand wusste wohin das kommen sollte. Ich möcht glauben er ist da genauso herren-

haft umhergegangen mit seinem Abzeichen ohne sich zu verstecken und war bereit jedem ins Gesicht zu schlagen, der ihn anfassen wollte als die Staatsmacht. Nicht auf sich, aber stolz ist er.
– Du meinst: die Radionachrichten an diesem Dienstagabend über den Aufstand in Ungarn hatten nichts damit zu tun dass er dich erst mal abfahren liess mit dem Schnellzug? Aber doch waren die Telefonleitungen blockiert, die er brauchte, und die drei Mann standen anderswo auf Posten, die zu deiner Verhaftung nötig waren. Überhaupt würde das bedeuten sollen die Staatsmacht hatte ein persönliches Verhältnis zu Jakob und wollte bestehen vor ihm in der Achtung und mochte freundlich gegrüßt werden von ihm. Wenn die Polizei dir den Reisepass verweigert (sie mag es meinen wie sie will), so hat sie auch ein einzelnes Gesicht und ist eine Person allein, aber sie achtet nicht auf deinen Verdruss, du kannst die Hände ruhig in den Taschen haben und dich abwenden, wenn sie vorüberkommt: das beunruhigt sie nicht, weil sie das Recht hat recht zu haben. Und hier war es eher so dass Jakob nicht zu früh verärgert werden durfte, wenn der Auftrag gelingen sollte.
– Ja. Solche auch. Jonas ich kann doch nicht reden für dein Haus. Von jenseits der Grenze, und für mich sind es alles Wünschenswerte; überdies habe ich nichts zu tun mit den Erlaubnissen eurer Polizei. Ich weiss nur dass ich diesen einen zu Gesicht bekommen habe. Sieh mal wie so zwei sich die Hand geben. Hätte der Jakob eine Reiseerlaubnis verweigert, so wollte er auch mit Jakob reden darüber. Das verstehst du nicht.
– Das verstehe ich nicht.
– Und sie hätten befreundet sein können, wenn sie nicht gestanden hätten an unvereinbaren Stellen, wenn dazu nicht der schmerzliche Unterschied der Meinungen gehört hätte. Du wünschst dir etwas, dir wird es vorenthalten; er hat nicht solche Wünsche. Und als er Jakob verändern wollte zu

seiner Wünschbarkeit, da redete er mit ihm als Staatsmacht: persönlich. Verstehst du es jetzt.

– Sie hätten eine so verdammt gute Zeit miteinander haben können.

– Ist es nicht hübsch sich das vorzustellen? Ich weiß nicht: vielleicht hat er doch angerufen wegen der drei Mann die er gebraucht hätte wie du sagst; da war die Leitung nicht frei.

Oh und wie mocht ich das Taxi leiden. Ich ging ganz harmlos neben Jakob auf die Bahnhofshalle zu und verhielt überrascht mit seinem Schritt vor einem greisenhaft dicken Kasten auf Rädern zum Fahren, und die ungeschickt vorstehenden Lampenköpfe waren zum Leuchten, die breite dellige Lederbank hinten war zum Sitzen der Fahrgäste, ein fünfspeichiges Rad zum Steuern, und all diese verschiedenen Zwecke sassen ungelenk und treuherzig nebeneinander in einem einzigen Auto. »Das kost' Sie fünvenachzich« sagte der Chauffeur. Er hatte uns Licht gemacht, blieb aber träg unentschlossen gelegen schräg über seine Lehne und sah Jakob an, der machte aber kein Rechengesicht sondern ein erstauntes und hob sein Kinn auf als hätt einer ihm die Frage nach der Uhrzeit mit der Wettervorhersage beantwortet: was man doch gar nicht wissen kann, da fing ich an zu lachen und sagte »Wenn es bloss nicht neunzig werden«, nun ging das Licht aus. Der Wagen versammelte seine steif gespreizten Beine unter sich und räusperte sich in seiner Brust und kriegte das Husten und rollte klappernd in die Strasse zurück, aus der wir gekommen waren, und glitt anmasslich behende alterseigensinnig unter den strahlenden Richtzeigern hindurch auf die Ausfahrtstrasse zwischen den Giebelhäusern und Lagerschuppen aus dem vorvorigen Jahrhundert, die Scheinwerfer pflückten Fetzen aus der Nacht ich dachte an Fackeln und rupfte das Klappern von Blech zu schnellen Hufschlägen auseinander und dachte Wenn er doch nur den Arm hochnehmen würde und Jakobs Arm stieg hinweg über meinen Kopf und liess mir den Platz frei an seiner Schulter, »Beschützu mich Jakob« sagte ich und fühlte in seiner Brust das leise Zittern von innerlichem Lachen und schlief ein und träumte von klopfenden Chausseebäumen, die sich vor uns verbeugten mit weissen Schürzen um den Bauch

und noch immer so steif schlaftrunken wie ich neben Jakob lehnte am Fahrkartenschalter stand ich am Schluss des Schnellzuges und hielt mich fest an den Griffen der verschlossenen Tür und sah die Gleise scharf sich aufbäumen hinter unserer heulenden Fahrt, zurückbleibende Signale schrien uns hinterher rot rot, der Wald lief weg mit ihnen als hätt er Augen bekommen und dann kam die große Wiese mit dem grauen Mondlicht und die eingeschlafenen Knicks rutschten zum Horizont hinunter mit den sanften Abhängen des nächtlichen Landes, bis die Wolken wieder zusammentrieben und wir schwarz durch das Schwarze jagten in dem engen schwankenden Gehäuse, dicht und finster und hoch standen Menschen um uns wie Bäume und schwiegen und ich schwieg und Jakob schwieg und das Land schloss sich ebenmässig über der aufgerissenen Lärmfurche hinter uns um uns zu Stille. Aber Jakob hielt mich fest an einer Schulter.

»Warum steigen wir hier aus, Jakob, ist die Verbindung anders inzwischen?« fragte ich, als wir ausstiegen mit allen anderen auf die riesigen unbeweglichen Plattforminseln um Mitternacht und sofort umklammert wurden von dem grossen fahlen Lampenlicht und dem heiseren Gebell aus den Lautsprechern BITTE ALLES AUSSTEIGEN DER ZUG ENDET HIER DIE NÄCHSTEN FERNANSCHLÜSSE IN FÜNF STUNDEN AM BAHNSTEIG GEGENÜBER DER TRIEBWAGEN NACH *und ich sagte: »Jakob das ist doch westlich, Jerichow liegt im Norden«. Ich bin umgegangen mit Leuten, die mir zusehen mit lächelndem ungläubigem Erstaunen, wenn ich etwas denke in meinem eigenen Kopf, das finden sie lustig und rührend*

und weiblichen Liebreiz, der sich versucht gegen den Anstand; Jakob nahm mich am Arm und hob mich die Eisenstufen hinauf und sagte »Wa denkst wo du büst«, gleich darauf stelzten die Falten quer über seine Stirn als ob er Ungerechtigkeit gesagt hätte, da sah ich es zum ersten Mal. Und zum zweiten Mal als wir dann wieder ausstiegen auf den Bahnsteig und er mir sein Handgelenk vorwies mit der Uhr shockproof und sagte: »Verspätung«; mit seinen schmalen gewaltsam ruhigen Augen stillstehend

wie ein Kind in der Schule, aller Hohn und Spott wird auf einen allein versammelt, ich wusste gar nicht wie dies vernünftig sein konnte vor lauter Zufälligkeit: warum lachen sie über meine Nase und lassen die roten Augen da in Ruhe, so dünnhäutig in die Wüste getrieben stand ich stockstill da drei Vormittage lang und ging Jakob mit Fäusten an, als er auf mich zukam im Garten und sagte Willn wi din Drachen nu loslaotn hüt, das sollte mich gar nicht ärgern. Ich duckte mich wie blind und trommelte blindwütig auf ihn ein, bis er meine Fäuste sehr sacht unüberwindlich auseinanderhielt und mich ansah Jakob ist mein grosser Bruder (de hett Nögl ünne de Schauh) hüt gaon wi uppe Rehbarg laotn Drachn stign

und finde deinen grossen Bruder wütend. Und kann ihm nicht beistehen mit Nögl ünne de Schauh. Und weiss nichts weiter als »Dat geit uns je niks an«.

Und es war als hätte ich ihn an den Schultern genommen und auf die andere Seite gekehrt, wo er mich stehen sieht naseweis und das stille innige Lachen ihn überrascht in den Augen. »Wat söln wi de brukn« sagte er.

– Um Mitternacht. Der Triebwagenführer mag bei der Aufsicht im Kiosk gesessen haben, da erzählten sie sich die Neuigkeiten, um diese Zeit kam es ja nicht mehr an auf pünktliche Abfahrt.

– Immerhin war die Strecke freigegeben, und wegen dieser sieben Minuten herzhaften Männergesprächs hat an der Abzweigung bei den großen Seen ein Güterzug auf unsern Triebwagen warten müssen, da war der Plan in Unordnung gleich zu Anfang des neuen Tages. Uns kam es nicht darauf an (als der Motor endlich ansprang und die warme stickige Luft fing an zu dröhnen im Vorwärtswälzen der Abfahrt, waren wir beide längst im Geschichtenerzählen und hatten kaum noch acht auf die Verspätung, wir hatten die Nacht vor uns), aber der Triebwagen sass voll mit Leuten, die aus dem Theater oder vom Nachtdienst nach Hause wollten zu ihrem knappen Schlaf; ich hätte Jakob doch nicht auffordern sollen zu unserer Besserwisserei: es geht uns nicht an, denn wir können es nicht bessern.

– Du meinst: er hat da zum ersten Mal verzichtet auf das Prinzip Pünktlichkeit und Rücksichtnahme. Das soll ein Anfang gewesen sein. Mit einem Mal war ihm gleichgültig dass einer es nicht genau nehmen konnte mit seiner Verantwortung für fremde Lebenszeit.

– Vielleicht. Ich möchte nur wahrhaben dass keiner sich hinstellen kann und sagen: So war es und nicht anders. Die Schuld hat der und der. Wenn du sie nun hättest Jonas.

KARL KROLOW

Schlaf

Während ich schlafe,
Altert das Spielzeug,
Das ein Kind in Händen hält,
Wechselt die Liebe ihre Farbe
Zwischen zwei Atemzügen.
Das Messer im Türpfosten
Wartet vergeblich darauf,
Von einem Vorübergehenden
Mir in die Brust gestoßen zu werden.
Auch die Mörder träumen jetzt
Unter ihren Hüten.
Eine stille Zeit. Schlafenszeit!
Man hört den Puls derer,
Die unsichtbar bleiben wollen.
Die Weisheit der unausgesprochenen Worte
Nimmt zu.
Behutsamer blühen nun
Die Pflanzen.
Es sind keine Augen da,
Die sie bestaunen können.

Erwachen

Sage ich zum erstenmal: Rose?
Ich nannte früher
Unrechte Namen.
Die Minuten, die
Meine Finger umschließen,
Haben kein Gewicht.
Wenn ich es spüre,
Wird es wieder zu spät sein.
Doch jetzt hat der Tag noch
Eben aufgeschlagene Augen.
Die Nacht zog sich
Hinter die Lider zurück.

ERNST BLOCH

Heimat

Das Morgen im Heute lebt, es wird immer nach ihm gefragt. Die Gesichter, die sich in die utopische Richtung wandten, waren zwar zu jeder Zeit verschieden, genauso wie das, was sie darin im einzelnen, von Fall zu Fall, zu sehen meinten. Dagegen die *Richtung* ist hier überall verwandt, ja in ihrem noch verdeckten Ziel die gleiche; sie erscheint als das einzig Unveränderliche in der Geschichte. Glück, Freiheit, Nicht-Entfremdung, Goldenes Zeitalter, Land, wo Milch und Honig fließt, das Ewig-Weibliche, Trompetensignal im Fidelio und das Christförmige des Auferstehungstags danach: es sind so viele und verschiedenwertige Zeugen und Bilder, doch alle um das her aufgestellt, was für sich selber spricht, indem es noch schweigt. Die Richtung auf dies materiell und nicht nur logisch Einleuchtende muß invariant sein; das ist an jedem Ort erkennbar, wo Hoffnung ihr Überhaupt aufschlägt und darin zu lesen versucht. Kein Zweifel allemal, und es wurde auch keiner daran gelassen: eine unerhellte, ungelenkte Hoffnung führt leicht nur abseits, denn der wahre Horizont reicht nicht über die *Erkenntnis der Realitäten*, aber gerade diese Erkenntnis, wenn anders sie marxistisch ist und nicht mechanistisch, zeigt die *Realität selber als eine – des Horizonts* und die informierte Hoffnung als eine dieser Realität gemäße. Das Ziel insgesamt ist und bleibt noch verdeckt, das Überhaupt des Willens und der Hoffnung noch ungefunden, im Agens des Existierens ist das Licht seiner Washeit, seines Wesens, seines intendierten Grundinhalts selber noch nicht aufgegangen, und doch steht das Nunc stans des treibenden Augenblicks, des mit seinem Inhalt erfüllten Strebens utopisch-deutlich voran.

»Terminus«, sagt der unruhige Scholastiker Abälard, »est illa civitas, ubi non praevenit rem desiderium nec desiderio minus est praemium«, Ziel ist jene Gemeinschaft, wo die Sehnsucht der Sache nicht zuvorkommt, noch die Erfüllung geringer ist als die Sehnsucht. Das ist Sein wie Hoffung, Quid pro Quod, das heißt ein solches Was und Wesen, daß die Intention darin aufgehoben werden mag. Gerade aber auch das menschliche Vermögen zu solch absolutem Zielbegriff ist das Ungeheure in einem Dasein, wo das Beste noch Stückwerk bleibt, wo jeder Zweck immer wieder Mittel wird, um dem noch gänzlich unsichtigen, ja an und für sich selbst noch unvorhandenen Grundziel, Endziel zu dienen. Marx bezeichnet als sein letztes Anliegen »die Entwicklung des Reichtums der menschlichen Natur«; dieser *menschliche* Reichtum wie der von *Natur* insgesamt liegt einzig in der Tendenz-Latenz, worin die Welt sich befindet – vis-à-vis de tout. Mit diesem Blick also gilt: Der Mensch lebt noch überall in der Vorgeschichte, ja alles und jedes steht noch vor Erschaffung der Welt, als einer rechten. *Die wirkliche Genesis ist nicht am Anfang, sondern am Ende,* und sie beginnt erst anzufangen, wenn Gesellschaft und Dasein radikal werden, das heißt sich an der Wurzel fassen. Die Wurzel der Geschichte aber ist der arbeitende, schaffende, die Gegebenheiten umbildende und überholende Mensch. Hat er sich erfaßt und das Seine ohne Entäußerung und Entfremdung in realer Demokratie begründet, so entsteht in der Welt etwas, das allen in die Kindheit scheint und worin noch niemand war: Heimat.

PETER WEISS

Durch die halboffene Tür

Durch die halboffene Tür sehe ich den lehmigen, aufgestampften Weg und die morschen Bretter um den Schweinekofen. Der Rüssel des Schweines schnuppert in der breiten Fuge wenn er nicht schnaufend und grunzend im Schlamm wühlt. Außerdem sehe ich noch ein Stück der Hauswand, mit zersprungenem, teilweise abgebröckeltem gelblichen Putz, ein paar Pfähle, mit Querstangen für die Wäscheleinen, und dahinter, bis zum Horizont, feuchte, schwarze Ackererde. Dies sind die Geräusche; das Schmatzen und Grunzen des Schweinerüssels, das Schwappen und Klatschen des Schlammes, das borstige Schmieren des Schweinerückens an den Brettern, das Quietschen und Knarren der Bretter, das Knirschen der Bretter und lockeren Pfosten an der Hauswand, die vereinzelten weichen Pfiffe des Windes an der Ecke der Hauswand und das Dahinstreifen der Windböen über die Ackerfurchen, das Krächzen einer Krähe das von weither kommt und sich bisher noch nicht wiederholt hat (sie schrie Harm), das leise Knistern und Knacken im Holz des Häuschens in dem ich sitze, das Tröpfeln der Regenreste von der Dachpappe, dumpf und hart wenn ein Tropfen auf einen Stein oder auf die Erde fällt, klirrend wenn ein Tropfen in eine Pfütze fällt, und das Schaben einer Säge, vom Schuppen her. Das ruckhafte, zuweilen kurz aussetzende und dann wieder heftig einsetzende Hin und Her der Säge deutet darauf hin, daß sie von der Hand des Hausknechts geführt wird. Auch ohne dieses besondere, oft von mir gehörte und durch Vergewisserung bestätigte Merkmal wäre es nicht schwer zu erraten, daß der Hausknecht die Säge handhabe, da außer ihm nur ich, und selten einmal der

Hauptmann, doch nur am frühen Morgen und mit unverkennbarer Langsamkeit, sich des Holzes im Schuppen annehmen; es sei denn, daß eben ein neuer Gast eingetroffen wäre und sich mit dem Werkzeug und dem straffen Vorbeugen und Zurückziehen des Rückens und der vorstoßenden und zurückschnellenden Armbewegung von der Steifheit in den Knochen nach der langen Wagenreise hierher erholen will. Doch ich habe den Wagen nicht kommen hören, weder das Scheppern der Räder und Riemen, noch das Poltern der Karosserie, weder das Hornsignal des Kutschers das dieser bei seiner Ankunft auszustoßen pflegt, noch sein Schnalzen mit der Zunge und seinen trommelnden Zungenlaut mit dem er das Pferd zum Halten mahnt, auch das Stampfen des Pferdes habe ich nicht gehört, und auf dem aufgeweichten Feldweg müßte es zu hören gewesen sein. Und wäre der Gast zu Fuß angelangt so ist es unwahrscheinlich, daß er sich gleich in den Schuppen begeben hat, und selbst wenn er, vielleicht aus Neugier, in den Schuppen getreten wäre, so hätte ihn die Müdigkeit nach dem langen Gehen (eine Tageswanderung zu Fuß von der nächsten Stadt aus) und die Dicke und Unförmigkeit der Wurzelstücke und Baumstümpfe von der Arbeit abgehalten. Ich bleibe also dabei, daß es der Hausknecht ist, der im Schuppen die Säge in die schweren Holzblöcke hineindrückt und in ihnen hin und her zieht; ich sehe ihn vor mir in seiner einmal blau gewesenen doch seit langem verblichenen und verkrusteten Bluse und den ebenso verkrusteten, einmal schwarz gewesenen Hosen die er in den Schaft der klobigen, auch einmal schwarz gewesenen doch von Dünger und Lehm verklebten Stiefel gesteckt hat. Ich sehe ihn vor mir, wie er mit der einen erdigen, dickgeäderten, kurzfingrigen Hand das Holzstück auf dem Bock festhält und mit der anderen den Bogen der Säge umspannt, wie er die lange Unterlippe über die kurze Oberlippe schiebt und die Feuchtigkeit wegschleckt die ihm aus der Nase sickert; ich höre ihn dazu, wie er es bei dieser

Tätigkeit, und auch bei anderen Tätigkeiten im Haus und im Freien zu tun pflegt, gurrend aus der Kehle summen; und in den kurzen, unregelmäßigen Aufenthalten zwischen dem Sägen kann ich mir vorstellen, wie er sich aufrichtet und weit zurückbeugt und die Arme zu den Seiten ausstreckt und knackend die Finger spreizt, oder wie er sich mit dem Zeigefinger und dem Daumen die Nase schneuzt und sie dann mit dem Handrücken abwischt, oder wie er sich die speckige Schirmmütze mit den aufgeschlagenen Ohrenklappen von der Stirn aus weit auf den Schädel schiebt und sich das dünne, strähnig verklebte Haar, in das der Schweißriemen der Mütze einen tiefen Rand gedrückt hat, krault. Erst jetzt (eben schreit die Krähe noch einmal Harm) empfinde ich die Kälte an meinem entblößten Gesäß. Die Niederschrift meiner Beobachtungen hat mich davon abgehalten, die Hose hinaufzuziehen und zuzuknöpfen; oder das plötzliche Einsetzen meines Beobachtens ließ mich vergessen, die Hose hinaufzuziehen; oder auch war es die herabgezogene Hose, das Frösteln, die Selbstvergessenheit die mich hier auf dem Abtritt überkam, die diese besondere Stimmung des Beobachtens in die Wege leitete. Ich ziehe jetzt die Hose hinauf, knöpfe sie zu und schließe den Gürtel, ich nehme den hölzernen Deckel, doch ehe ich ihn auf die Sitzöffnung lege blicke ich hinab in den Eimer der bis über den Rand mit der bräunlichen Masse des Kotes und mit braunfleckigen Papieren gefüllt ist; auch herab über den Rand des Eimers ist, soweit ich dies in der Dunkelheit des Kastens erkennen kann, der Darmabfall gequollen, das dicke Rinnsal verliert sich in einem lavaartigen Wall, in dem der Eimer halb vergraben steht; aus der Schwärze schimmern die Helligkeiten der Papierfetzen. Nachdem ich den Deckel aufgelegt habe setze ich mich wieder auf den Kasten, den Schreibblock auf den Knieen. Die Innenwand des Abtritts ist mit körniger Teerpappe bespannt, jedoch hat die Feuchtigkeit große Beulen in die Pappe getrieben und an einigen Stellen hängt sie mit aufgerissenen Fladen herab; die dünnen, schimmlig grauen Latten liegen entblößt darunter. Einige rostige Nägel ragen aus der Wand, ursprünglich vielleicht zum Aufhängen von Kleidungsstücken oder irgendwelchen Geräten gedacht, jetzt aber leer und verbogen; nicht einmal eine Schnur, ein Draht oder ein Papierbündel hängt daran. Das Papier reißt sich jeder zu seinem Bedarf aus den zerfledderten Zeitungen von denen ein Stoß in der Ecke des Sitzes liegt. Diese Zeitungen werden dann und wann, wenn man ihn lange darum gemahnt hat, vom Hausknecht aus dem Keller, wo sie verknüllt und verstaubt neben den Kohlen zuhaufen liegen, einmal verwendet als Packpapier um gelieferte Waren, oder von Reisenden zurückgelassen und wieder und wieder gelesen, fettig abgenutzt, oft in der Küche noch weiter benutzt, mit schwarzen Pfannenrändern, mit Abdrücken von Tellern und Bechern versehen, beklebt mit Kartoffelschalen und Fischgräten, herbeigetragen. Und hier im Abtritt geraten die Reste der Zeitungen mit ihren meist viele Jahre alten Nachrichten noch einmal an einen Lesenden; vorgebeugt sitzend, die Füße auf dem Absatz vor dem Kasten gestützt, vertieft man sich in kleine, durcheinandergewürfelte Bruchstücke der Zeit, in Ereignisse ohne Anfang und ohne Ende, oft auch in der Längsrichtung oder in der Quere geteilt; man folgt der Rede des einen und setzt dann mit der Rede eines anderen fort, man liest die Beschreibung des Schauplatzes einer Handlung und gleitet dann zum Schauplatz einer anderen Handlung über, man vernimmt etwas das auf dem nächsten Stückchen widerrufen wird und sich auf dem darauf folgenden doch wieder als vorhanden erweist; und gleichartige Ereignisse findet man immer wieder mit neuen Einzelheiten ausgestattet, oder auch stößt man auf das gleiche, nur hier mit gewissen Altertümlichkeiten und dort mit irgend einer Neuerung versehen. Ich schiebe den linken Fuß vor, auf das rechte Bein stütze ich den Arm mit der schreibenden Hand, und stoße die Tür etwas weiter auf. Ich sehe jetzt die gesamte Rückwand des Hauses, hoch und kahl über dem Schweinekofen aufragend, mit spitzem Giebel und weit über die Seitenwände vorstoßendem Dach, und die eine Seitenwand, perspektivisch verkürzt, mit den Steinstufen zum Kücheneingang, der Treppe zum Keller und den schmalen Vertiefungen der Fenster, von denen eines, das Fenster zum Zimmer der Familie, offen steht; ein paar Tücher, wahrscheinlich Windeln, liegen ausgebreitet auf dem Sims. Die Erde um das Haus ist, wie auf dem Weg und auf dem Acker, lehmig und von Pfützen durchsetzt; hier und da liegen Steine, größere und kleinere, manche als lockeres Geröll, manche mit einer weißlichen Rundung oder Kante aus dem Boden ragend, manche zu kleinen Pyramiden gehäuft, manche reihenweise aneinandergelegt, nach Form und Umfang geordnet; neben einem der Haufen steckt ein Brecheisen und eine Schaufel in der Erde. Am blanken Griff dieser Werkzeuge kann ich mir die Hände des Herrn Schnee denken, ungewöhnlich große, knöcherne Hände mit schildförmig vorgewölbten Fingernägeln, unter deren langen Kanten sich bei der Arbeit leicht der Schmutz sammelt, der nach der Arbeit jedoch mit einem silbernen Nagelreiniger, den Herr Schnee in der Tasche seiner Weste verwahrt, sogleich wieder sorgfältig entfernt wird. Auch die Steine sind durch Schnees Hände gegangen, sie sind von seinen Fingern abgetastet, gedreht und gewendet worden; es ist anzunehmen, daß er jetzt hinter dem Fenster seines Zimmers steht und auf den Hof hinabblickt, in Erwartung, daß die Sonne die aufgeschichteten Steine trocknen möge. Große Mengen von Steinen hat er schon im Laufe der Zeit aus der Erde gegraben und untersucht, zahlreiche Steine die er als unanwendbar betrachtete, hat er mit einem Schubkarren zu einem Haufen hinter dem Holzschuppen gefahren, andere Steine, denen er sein Studium widmet, hat er in sein Zimmer hinaufgetragen wo er sie in Regalen, die ringsum die Wände ausfüllen, verwahrt.

RAFAEL ALBERTI

Im Erlenschatten, Liebste

Im Erlenschatten, Liebste,
im Erlenschatten, nicht.

Unter der Pappel, ja,
dem Weiß und Grün der Pappel.

Weißes Blatt, du,
grünes Blatt, ich.

An mein Schiff

Denk an mich auf hoher See,
Freundin, dann wenn du gehst
und nicht wiederkommst.

Wenn der Sturmwind, Freundin,
einen Spieß in dein Segel bohrt.

Wenn, bolzengrad, der Kapitän
sich nicht vom Flecke rührt.

Wenn man den drahtlosen Funk
nicht mehr verstehen kann.

Wenn den Fockmast schon
eine hohe Welle holt.

Wenn auf dem Grunde des Meers
du eine Sirene bist.

HANS MAGNUS ENZENSBERGER

landessprache

ostendebat namque varium iracundum iniustum
inconstantem, eundem exorabilem clementem
misericordem, gloriosum excelsum humilem,
ferocem fugacemque et omnia pariter.
plinius, hist. nat. XXXV, XXXVI.

was habe ich hier verloren,
in diesem land,
dahin mich gebracht haben meine älteren
durch arglosigkeit?
eingeboren, doch ungetrost,
abwesend bin ich hier,
ansässig im gemütlichen elend,
in der netten, zufriedenen grube.

was habe ich hier? und was habe ich hier zu suchen,
in dieser schlachtschüssel, diesem schlaraffenland,
wo es aufwärts geht, aber nicht vorwärts,
wo der überdruß ins bestickte hungertuch beißt,
wo in den delikateßgeschäften die armut, kreidebleich,
mit erstickter stimme aus dem schlagrahm röchelt und ruft:
es geht aufwärts!
wo eine gewinnspanne weit von den armen reichen die
reichen armen
vor begeisterung ihre kinostühle zerschmettern,
da geht es aufwärts von fall zu fall,
wo die zahlungsbilanz hosianna und alles was recht ist singt
und ruft: das ist nicht genug,
daß da die freizeit spurt und gas gibt und hinhaut,
das ist das kleinere übel, das ist nur die hälfte,

das macht nichts, das ist nicht genug,
daß die tarifpartner durch die straßen irren
und mit geballten fäusten frohlocken
und singen und sagen:

hier geht es aufwärts,
hier ist gut sein,
wo es rückwärts aufwärts geht,
hier schießt der leitende herr den leitenden herrn mit dem
gesangbuch ab,
hier führen die leichtbeschädigten mit den schwer-
beschädigten krieg,
hier heißt es unerbittlich nett zueinander sein,

und das ist das kleinere übel,
das wundert mich nicht,
das nehmen die käufer in kauf,
hier, wo eine hand die andere kauft,
hand aufs herz, hier sind wir zuhaus,

hier laßt uns hütten bauen,
auf diesem arischen schrotthaufen,
auf diesem krächzenden parkplatz,
wo aus den ruinen ruinen sprossen,
nagelneu, ruinen auf vorrat, auf raten,
auf abruf, auf widerruf:

hiersein ist herrlich,
wo dem verbrauchten verbraucher,
und das ist das kleinere übel,
die haare ausfallen,
wo er sein erfolgreiches haupt verhüllt
mit wellpappe und cellophan
wo er abwesend aus der grube ruft:
hier laßt uns hütten bauen,

in dieser mördergrube,
wo der kalender sich selber abreißt vor ohnmacht und hast,
wo die vergangenheit in den müllschluckern schwelt
und die zukunft mit falschen zähnen knirscht,
das kommt davon, daß es aufwärts geht,
da tun wir fleckenwasser drauf,
das ist hier so üblich, das wundert mich nicht,

goldrichtig liegen wir hier,
wo das positive zum höchstkurs notiert,
die handelskammern decken sich damit ein
und bahren es auf unter panzerglas,

wo wir uns finden wohl unter blinden,
in den schau-, kauf- und zeughäusern,
und das ist nicht alles, das ist nur die hälfte,
das ist die tiefgefrorene wildnis,
das ist die erfolgreiche raserei, das tanzt
im notdürftigen nerz, auf zerbrochenen knien,
im ewigen frühling der amnesie,

das ist ein anderes land als andere länder,
das reut mich, und daß es mich reut,
das ist das kleinere übel, denn das ist wahr,
was seine opfer, ganz gewöhnliche tote leute,
aus der erde rufen, etwas laut- und erfolgloses,
das an das schalldichte pflaster dringt
von unten, und es beschlägt, daß es dunkel wird,
fleckig, naß, bis eine lache,
eine ganz gewöhnliche lache es überschwemmt,

und den butzemann überschwemmt,
das löweneckerchen, das allerleirauh,
und die schöne rapunzel, die sind nicht mehr hier,
und es gibt keine städte mehr, und keine fische,
die sind erstickt in dieser lache,

wie meine brüder, die tadel- und hilflosen pendler,
wie sie mich reuen, die frommen gerichtsvollzieher,
die gasmänner, wie sie waten zuhauf,
mit ihren plombierzangen, wie sie stapfen,
in ihren abwesenden stiefeln, durchs bodenlose,
die gloriole vorschriftsmäßig tief im genick:

ja wären's leute wie andere leute,
wär es ein ganz gewöhnliches, ein andres
als dieses nacht- und nebelland,
von abwesenden überfüllt,

die wer sie sind nicht wissen noch wissen wollen,
die in dieses land geraten sind
auf der flucht vor diesem land
und werden flüchtig sein bis zur grube:

wärs anders, wär ihm zu helfen,
wäre rat und genugtuung hier,
wär es nicht dieses brache, mundtote feindesland!

was habe ich hier verloren, was suche ich
und stochre in diesem unzuständigen knäuel
von nahkampfspangen, genußscheinen,
gamsbärten, schlußverkäufen, und finde nichts
als chronische, chronologisch geordnete turnhallen
und sachbearbeiter für die menschlichkeit
in den kasernen für die kasernen für die kasernen:

was soll ich hier? und was soll ich sagen?
in welcher sprache? und wem?
da tut mir die wahl weh wie ein messerstich,
das reut mich, das ist das kleinere übel,
das schreit und so weiter
mit kleinen schreien zum himmel

und gibt sich für größer aus als es ist,
aber es ist nicht ganz,
es ist nur die himmelschreiende hälfte,
es ist noch nicht genug:

denn dieses land, vor hunger rasend,
zerrauft sich sorgfältig mit eigenen händen,
dieses land ist von sich selber geschieden,
ein aufgetrenntes, inwendig geschiedenes herz,
unsinnig tickend, eine bombe aus fleisch,
eine nasse, abwesende wunde:

deutschland, mein land, unheilig herz der völker,
ziemlich verrufen, von fall zu fall,
unter allen gewöhnlichen leuten:

meine zwei länder und ich, wir sind geschiedene leute,
und doch bin ich inständig hier,
in asche und sack, und frage mich:
was habe ich hier verloren?

das habe ich hier verloren,
was auf meiner zunge schwebt,
etwas andres, das ganze,
das furchtlos scherzt mit der ganzen welt
und nicht in dieser lache ertrinkt,

verloren an dieses fremde, geschiedne geröchel,
das gepreßte geröchel im *neuen deutschland,*
das frankfurter allgemeine geröchel
(und das ist das kleinere übel),
ein mundtotes würgen, das nichts von sich weiß,

von dem ich nichts wissen will, musterland,
mördergrube, in die ich herzlich geworfen bin

bei halbwegs lebendigem leib,
da bleibe ich jetzt,
ich hadere aber ich weiche nicht,
da bleibe ich eine zeitlang,
bis ich von hinnen fahre zu den anderen leuten,
und ruhe aus, in einem ganz gewöhnlichen land,
hier nicht,
nicht hier.

MARTIN WALSER

Mehr kann eine Frau nicht erreichen

Wenn Sie ihre Wohnung vorbereitet hat, sperrt Sie ihren Vater in sein Zimmer (bei diesem Satz erwachte mein Interesse), geht noch einmal zwischen den Sesseln auf und ab, stellt fest, daß Sie mehr erreicht hat als Sauberkeit, nichts sieht eigentlich aufgeräumt aus, nichts glänzt und blitzt aufdringlich, die Stühle stehen nicht mit angehaltenem Atem da, die Kissen sind nicht vergewaltigt zu Zipfelplastiken nach Art des Hauses, alles hat nur seinen Platz und beansprucht nicht, gesehen zu werden. Mehr kann eine Frau nicht erreichen. Wenn Sie jetzt durch die Wohnung geht, lächelt Sie ihren Gegenständen wie fröhlichen Verschworenen zu und die lächeln zurück, die Luft ist ein Element freundlichster Erwartung, denn noch weiß niemand, daß Er an diesem Abend nicht kommen wird. Wenn es soweit wäre, daß Er jeden Augenblick eintreten könnte, setzt Sie sich, obwohl es jetzt ein bißchen schwierig wird, ungezwungen zu sitzen, Sie weiß nicht mehr, ob Sie gewöhnlich das linke Bein über das rechte, oder das rechte über das linke legt, Sie stützt den Ellbogen auf die Sessellehne und spürt, daß Sie in dieser Haltung innerhalb zweier Minuten verkrampft da sitzen wird, hingesetzt wie von einem Kleinstadtphotographen zum Paßbild, Sie steht auf, eine Zigarette, Sie zittert beim Anzünden und lächelt und denkt, daß Sie ihm das nachher alles erzählen wird und daß sie dann beide darüber lachen werden, zum Spiegel geht Sie, aber es wäre sinnlos an den Haaren herumzunesteln, weil die gar nicht besser liegen können als sie es ohnehin schon tun, Sie ärgert sich, schließlich ist es nicht das erste Mal, daß Er kommt und Er kommt sicher, Er hat doch angerufen, Er kam zwar schon einmal nicht, aber die Zeitung zu lesen, müßte doch noch gelingen, wenigstens die Überschriften und vielleicht hakt einer der Artikel ein, für fünf Minuten auf die Flugplätze in Nordafrika oder zu den Vereinten Nationen, Sie interessiert sich wirklich dafür, es ist nicht bloß ein Vorwand, wenn Sie jetzt den Bericht über die Abstimmung, nein, nein, Sie will es jetzt nicht wissen, warum denn lügen, schließlich kommt Er in ein paar Minuten, da ist es doch nicht nötig, sich über diese paar Minuten hinwegzutäuschen, ein paar Minuten kann man ja warten, ohne sich etwas vorzumachen, man kann sich doch eingestehen, daß man wartet, wenn es bloß ein paar Minuten dauert, aber weiß man das so sicher, warum hat Sie nicht die anderen Klips gewählt; die Amethyste passen besser als dieser grelle Beryll, das ist zu billig, Er würde das bemerken, Sie rennt ins Schlafzimmer, reißt die Schmuckdose auf, plötzlich verlangsamt Sie ihre Bewegungen, warum soll Sie hasten, Er kann ruhig hereinkommen, wenn Sie sich gerade schmückt, warum soll Sie aufgeputzt sein wie eine Schaufensterpuppe, wenn Er kommt, fertig auf dem Präsentierteller sitzen, liegen, denkt Sie und zwinkert sich im Spiegel zu, das findet Sie häßlich, nicht den Gedanken, aber daß Sie sich zuzwinkerte wie eine Prostituierte einem Sechsundfünfzigjährigen, einen Augenblick lang sah Sie ihr Gesicht durch dieses Zwinkern entstellt, es ist, als habe das Zwinkern in ihrem Gesicht Spuren zurückgelassen, unverwischbar, eingebrannt, Sie grimassiert heftig, erschrickt, wie schnell ihr Gesicht bei der geringsten Veränderung der Züge häßlich zu werden beginnt, Sie fährt mit den Händen in das Gesicht, um es zu verbergen, nur die Augen läßt Sie frei, die sind schön, findet Sie, an denen kann man nichts aussetzen, Sie geht ganz nahe an den Spiegel, aber je länger Sie sich in die Augen schaut, desto schwerer ist es auszuhalten, es ist, als schaue eine Fremde aus dem Spiegel zurück, Sie spürt, daß es höchste Zeit ist, sich abzuwenden, Sie muß sich die Stirne kühlen, ihr Make-up auffrischen, das

Fenster öffnen, Sie hört sich atmen, warum ist Sie eigentlich nicht mehr fröhlich, seit wann, Sie schwitzt, Sie könnte weinen, aber warum denn, wenn Er jetzt kommt, ist Er noch nicht einmal drei Minuten zu spät, drei Minuten, mein Gott, zweimal Rotlicht, ein dussliger Polizist, kein Parkplatz, aber Sie will sich nichts vormachen, Sie will sich eingestehen, daß diese drei Minuten sehr lange dauerten, Sie ist nicht mehr so gut vorbereitet, ihn zu empfangen, Sie ist häßlicher geworden in diesen drei Minuten, Er wird das bemerken, hoffentlich mache ich ihm keine Vorwürfe, wenn Er kommt, das mag Er nicht, aber schließlich kann Er mich auch nicht einfach warten lassen, Sie trinkt einen Kognak, spürt, daß ihre Augen wäßrig werden von diesem zu großen Schluck, hoffentlich kommt Er nicht gerade jetzt, sonst meint Er, ich hätte geweint, sorgfältig wischt Sie ihre Augen trocken, nicht zu stark reiben, sonst ist das Weiße der Augen nachher rot gefleckt, das sieht entzündet und widerlich aus, Sie prüft es vor dem Spiegel nach, lächelt aber dazu, um nicht noch einmal in einen solchen Krampf zu verfallen wie vorher, Sie schluckt zweimal hastig, schüttelt den Kopf und zieht die Brauen hoch, so wie Sie es macht, wenn Sie ironische Überlegenheit demonstrieren will, Sie läßt auch die Zunge für eine Sekunde zwischen die Lippen gleiten, um sie in einer ununterbrochenen Seitwärtsbewegung wieder nach innen rutschen und verschwinden zu lassen, aber Sie ist nicht zufrieden mit dieser Gebärde, Sie bemerkt, daß die Lippen der Zunge nicht rechtzeitig nachgegeben haben, sie waren offenbar wieder aufeinandergepreßt gewesen, ohne daß Sie es bemerkt hatte, deshalb war die Zungenspitze breitgequetscht worden, ein ordinärer roter Lappen, und Sie wußte doch, wie hübsch es aussehen konnte, wenn die Zungenspitze nur eben erschien, schmal, spitz, und wieder wegrutschte in einer winzigen und zärtlichen Kurve, wie mußte das auf ihn wirken, wenn ihr solche Fehler in seiner Gegenwart passierten, und wahrscheinlich passierten ihr diese Fehler auch wenn Er da war, viel eher als wenn Sie allein war, wie viele unschöne, mißglückte Gebärden Er wohl schon an ihr bemerkt hatte, wie oft hatte Er sein Gesicht schon beherrschen müssen, um beim Anblick einer ihrer verunglückten Bewegungen nicht zu verraten, daß Er darunter litt, und vielleicht ist im Unterbewußtsein eines Mannes, zumindest eines Mannes wie Anselm, eine Art Zähler, ein Nerv, der jede gescheiterte Bewegung, jede falsche Redewendung registrierte, der jedesmal, wenn es ihr nicht gelang, schön zu sein, verletzt wurde, bis dann eines Tages aus diesen kleinen und zuerst gar nicht bemerkbaren Verletzungen ganz von selbst ein Entschluß wird, diese Frau nicht mehr zu besuchen, Er fühlt sich zwar verpflichtet, klammert sich an Erinnerungen, aber trotzdem wächst, wenn Er an mich denkt, in ihm ein Widerwille, und schließlich kann Er nicht mehr anders, Er schreibt einen Brief, erfindet eine Lüge, die es mir leichter machen soll, auf ihn zu verzichten, Er sei krank oder homosexuell, ich darf nicht so weiterdenken, das Radio, nein, der Plattenspieler, aber nicht eine seiner Lieblingsplatten, das sähe zu dämlich aus, eine Art Stille und Heilige Nacht für Liebespaare, am besten eine, die Er noch gar nicht kennt, aber sobald die Musik den Raum eingenommen hat, fühlt man sich häßlicher als je zuvor, die Vollkommenheit der Musik macht einen häßlich, Sie weiß, daß Sie nicht schön ist, schöne Frauen sind ja auch wirklich selten, es muß genügen, gut auszusehen, aber wenn man nicht schön ist, dann weiß man nie sicher, ob man eigentlich gut aussieht, oder ob man nicht einfach unscheinbar oder gar häßlich ist, nur ein Mann kann einem da helfen, aber welche Worte müßte er erfinden, daß man's ihm wirklich glaubte, man weiß es ja im Grunde genommen ziemlich genau, daß man bestenfalls manchmal gut aussieht, man muß sich sorgfältig in acht nehmen, man muß wissen, wie weit man den Mund aufmachen darf, man muß wissen, daß es häßlich ist, wenn man zwinkert, daß es gefährlich ist, den

Kopf zurücksinken zu lassen, weil dann der etwas lange Hals noch länger wird und noch magerer, die Sehnen treten scharf hervor, Er könnte fürchten, sich zu schneiden, nein, das ist übertrieben, beruhigt Sie sich, aber wissen muß man doch, daß einem nicht alles erlaubt ist, wenn man bloß gut aussieht, es ist eine beschränkte Plattform, auf der man tanzen darf, jeder Schritt darüber hinaus zeigt einem Mann kraß, daß man auch häßlich und lächerlich aussehen kann, und welcher feinfühlige Mann kann einen solchen Augenblick je wieder vergessen, Sie war Gott sei Dank nicht naiv, Sie bildete sich nichts ein, Sie tröstete sich auch nicht mit Bette Davis und der Massina, von denen ihre Freundinnen, die auch nicht gerade schön waren, immerzu schwärmten und noch ihre Männer zwangen, eben von diesen Schauspielerinnen begeistert zu sein, anstatt sich den Hals nach den Lorens zu verrenken; die Freundinnen verkündeten als die tiefste Einsicht in die Gerechtigkeit der Schöpfung, daß die sogenannten schönen Frauen leere dumme Dinger seien, an denen ein intelligenter Mann keine Freude haben könne, sie lasen Bücher, von denen man ihnen sagte, daß sie von hohem literarischem Wert seien, rannten auch an heißen Tagen in Konzerte und machten eineinhalb Stunden lang ein benommenes Gesicht, das jeder andere Konzertbesucher auf die Wirkung der Musik zurückführen mußte, Sie hatte oft genug selbst in den Konzertsälen gesessen und dieses Theater mitgemacht, aber es hatte ihr nicht geholfen, Sie war auch nicht glücklicher geworden, wenn Sie sich sagte, daß Sie bessere Bücher lese als irgendeine dumme Blondine, die jetzt in den Armen eines Fernlastfahrers am Waldrand lag und vor Bewußtlosigkeit stöhnte, ihre Freundinnen sagten, solche Vorstellungen seien kitschig, sie wiesen darauf hin, wie in den Bildern der modernen Kunst Liebespaare dargestellt würden, aber Sie fand darin keinen Trost, Sie hatte alle ihre Möglichkeiten erprobt, hatte die schönen Frauen Kühe genannt, es hatte nichts genützt, Sie hatte es mit Ehrlichkeit probiert, aber wenn Sie einem Mann sagte, Sie wisse, daß Sie nicht schön sei, wenn Sie dann auf die sogenannten höheren Werte anspielte, dann spürte Sie, daß die Männer im Sessel zurücksanken, die gerade noch geöffneten Gesichter wurden streng und nachdenklich, Sie hörte den freundlichen unüberzeugten Widerspruch, Sie sah, daß Sie wieder einmal die Arbeit eines Mannes zerstört hatte, der ein bißchen in Sie verliebt gewesen war, der seine Phantasie darauf verwendet hatte, Sie schön zu finden und der Sie vielleicht sogar schön gefunden hätte, Minderwertigkeitskomplexe, ja, Sie hatte genug darüber gelesen, aber Sie wollte es eben manchmal ohne Pose versuchen, schließlich vermied Sie es überhaupt, darüber zu sprechen, vor allem die Worte Schönheit und schöne Frauen tilgte Sie aus jedem Gespräch, Sie würde bei dem Wort *schön* rot werden, stottern, weil Sie daran denken würde, daß Er nun dieses Wort wie einen Maßstab an Sie legen würde, es half nichts, sich über die böse Ungerechtigkeit der Natur zu beklagen, die gibt, was sie will und soviel sie will, da wird einer Frau ein Gesicht zugeteilt, wie wahrscheinlich die Kammerunteroffiziere die Drilliche ausgeben, in denen die Männer so komisch aussehen, Rechtsweg ausgeschlossen, verzweifeln oder sich daran gewöhnen, ein einziges Leben bloß und dieses einzige Leben ein Fluch, dies ist mein Gesicht, ein Mund, der zu dünne Lippen hat, um den Mund eines Mannes beim Küssen so zu schließen, daß man sich ineinandersaugen kann mit aller Kraft, immer spüre ich seine Bemühung, diesen Mangel auszugleichen, mein Hals, der so dünn aussieht, weil mein Unterkiefer gleich so breit ausschwingt, aber dafür habe ich ein Hirn bekommen, als Ersatz, ich kann denken, bessere Sätze formulieren, daß meine Brüste wie tote Vögel im BH liegen, soll mich nicht kümmern, warum hat denn der Spender dieses Ersatzes nicht auch Männer geschaffen, die diesen Ersatz nicht als Ersatz betrachten, denen dieser Ersatz ebensoviel wert ist wie Wohlgestalt, Fülle und Schönheit, ja da sind ein paar, die angeblich kluge Frauen vorziehen, aber was für Männer sind das, Ersatzmänner, und wer Ersatz ist, gebe sich mit Ersatz zufrieden, aber wer weiß denn, ob diese Männer einen nicht bloß anlügen, ein ganzes Leben lang anlügen, ob sie sich nicht heimlich nach den wahrhaft schönen Frauen sehnen und uns bloß nehmen, weil sie keine Aussicht haben, eine schöne Frau zu bekommen, deshalb werde ich nie heiraten, nie, nie, niemals, ich kann nicht mit Ersatz leben, ich will nicht meine Armut um die Armut eines Mannes vermehren, ich will nicht täglich diesen Trost, den sich zwei Zukurzgekommene spenden, lieber besorg ich mir's ein Leben lang mit der lauwarmen Dusche oder mit sonstwas, warum muß eine Frau widernatürlich schön sein, um schön zu sein, warum haben sie überall die Plakate aufgehängt, die Photographien, daß man keinen Schritt gehen kann, ohne daran erinnert zu werden, wie wenig man ist, man unterbricht das Gespräch fünfzigmal, wenn man mit einem Mann durch die Straßen geht, um ihn nicht zu stören, wenn so ein Bild ihm den Kopf im Vorbeigehen allmählich herumdreht, oder man spricht weiter und weiß, daß er jetzt nichts hört, warum darf denn ein Mann sein wie er ist, er darf schwitzen, dreckig sein, nach Mann riechen, bloß von uns hat man künstliche Bilder angefertigt, uns wird eingehämmert, es genügt nicht, normal zu sein, wenn er jetzt läutet, kann ich ihn nicht mehr einlassen, ich bin zu häßlich geworden, Warten macht häßlich, und er hat mich zu lange warten lassen, aber er läutet auch gar nicht, ich würde ja doch hinausrennen und öffnen, aber er kommt nicht, und ich muß froh sein, daß er nicht kommt, trotzdem gelingt es mir nicht, froh zu sein.

LUDWIG WITTGENSTEIN

Die Welt ist alles, was der Fall ist

1 Die Welt ist alles, was der Fall ist.

1.1 Die Welt ist die Gesamtheit der Tatsachen, nicht der Dinge.

1.11 Die Welt ist durch die Tatsachen bestimmt und dadurch, daß es *alle* Tatsachen sind.

1.12 Denn, die Gesamtheit der Tatsachen bestimmt, was der Fall ist und auch, was alles nicht der Fall ist.

1.13 Die Tatsachen im logischen Raum sind die Welt.

1.2 Die Welt zerfällt in Tatsachen.

1.21 Eines kann der Fall sein oder nicht der Fall sein und alles übrige gleich bleiben.

[...]

3.001 »Ein Sachverhalt ist denkbar« heißt: Wir können uns ein Bild von ihm machen.

3.01 Die Gesamtheit der wahren Gedanken sind ein Bild der Welt.

3.02 Der Gedanke enthält die Möglichkeit der Sachlage die er denkt. Was denkbar ist, ist auch möglich.

3.03 Wir können nichts Unlogisches denken, weil wir sonst unlogisch denken müßten.

3.031 Man sagte einmal, daß Gott alles schaffen könne, nur nichts, was den logischen Gesetzen zuwider wäre. – Wir könnten nämlich von einer »unlogischen« Welt nicht *sagen*, wie sie aussähe.

[...]

4.003 Die meisten Sätze und Fragen, welche über philosophische Dinge geschrieben worden sind, sind nicht falsch, sondern unsinnig. Wir können daher Fragen dieser Art überhaupt nicht beantworten, sondern nur ihre Unsinnigkeit feststellen. Die meisten Fragen und Sätze der Philosophen beruhen darauf, daß wir unsere Sprachlogik nicht verstehen.
(Sie sind von der Art der Frage, ob das Gute mehr oder weniger identisch sei als das Schöne.)
Und es ist nicht verwunderlich, daß die tiefsten Probleme eigentlich *keine* Probleme sind.

4.0031 Alle Philosophie ist »Sprachkritik«. (Allerdings nicht im Sinne Mauthners.) Russell's Verdienst ist es, gezeigt zu haben, daß die scheinbare logische Form des Satzes nicht seine wirkliche sein muß.

4.01 Der Satz ist ein Bild der Wirklichkeit.

Der Satz ist ein Modell der Wirklichkeit, so wie wir sie uns denken.

[...]

6.41 Der Sinn der Welt muß außerhalb ihrer liegen. In der Welt ist alles wie es ist und geschieht alles wie es geschieht; es gibt *in* ihr keine Wert – und wenn es ihn gäbe, so hätte er keinen Wert.

Wenn es einen Wert gibt, der Wert hat, so muß er außerhalb alles Geschehens und So-Seins liegen. Denn alles Geschehen und So-Sein ist zufällig.
Was es nicht-zufällig macht, kann nicht *in* der Welt liegen, denn sonst wäre dies wieder zufällig.
Es muß außerhalb der Welt liegen.

6.42 Darum kann es auch keine Sätze der Ethik geben. Sätze können nichts Höheres ausdrücken.

6.421 Es ist klar, daß sich die Ethik nicht aussprechen läßt.

Die Ethik ist transcendental.
(Ethik und Ästhetik sind Eins.)

[...]

Die Welt des Glücklichen ist eine andere als die des Unglücklichen.

6.431 Wie auch beim Tod die Welt sich nicht ändert, sondern aufhört.

6.4311 Der Tod ist kein Ereignis des Lebens. Den Tod erlebt man nicht.

Wenn man unter Ewigkeit nicht unendliche Zeitdauer, sondern Unzeitlichkeit versteht, dann lebt der ewig, der in der Gegenwart lebt.

Unser Leben ist ebenso endlos, wie unser Gesichtsfeld grenzenlos ist.

6.4312 Die zeitliche Unsterblichkeit der Seele des Menschen, das heißt also ihr ewiges Fortleben auch nach dem Tode, ist nicht nur auf keine Weise verbürgt, sondern vor allem leistet diese Annahme gar nicht das, was man immer mit ihr erreichen wollte. Wird denn dadurch ein Rätsel gelöst, daß ich ewig fortlebe? Ist denn dieses ewige Leben dann nicht ebenso rätselhaft wie das gegenwärtige? Die Lösung des Rätsels des Lebens in Raum und Zeit liegt *außerhalb* von Raum und Zeit.
(Nicht Probleme der Naturwissenschaft sind ja zu lösen.)

6.432 *Wie* die Welt ist, ist für das Höhere vollkommen gleichgültig. Gott offenbart sich nicht *in* der Welt.

6.4321 Die Tatsachen gehören alle nur zur Aufgabe, nicht zur Lösung.

6.44 Nicht *wie* die Welt ist, ist das Mystische, sondern *daß* sie ist.

6.45 Die Anschauung der Welt sub specie aerterni ist ihre Anschauung als – begrenztes – Ganzes.

Das Gefühl der Welt als begrenztes Ganzes ist das mystische.

6.5 Zu einer Antwort, die man nicht aussprechen kann, kann man auch die Frage nicht aussprechen.

Das Rätsel gibt es nicht.

Wenn sich eine Frage überhaupt stellen läßt, so *kann* sie auch beantwortet werden.

6.51 Skeptizismus ist *nicht* unwiderleglich, sondern offenbar unsinnig, wenn er bezweifeln will, wo nicht gefragt werden kann.

Denn Zweifel kann nur bestehen, wo eine Frage besteht; eine Frage nur, wo eine Antwort besteht; und diese nur, wo etwas *gesagt* werden *kann*.

6.52 Wir fühlen, daß selbst, wenn alle *möglichen* wissenschaftlichen Fragen beantwortet sind, unsere Lebensprobleme noch gar nicht berührt sind. Freilich bleibt dann eben keine Frage mehr; und eben dies ist die Antwort.

6.521 Die Lösung des Problems des Lebens merkt man am Verschwinden dieses Problems.

(Ist nicht dies der Grund, warum Menschen, denen der Sinn des Lebens nach langen Zweifeln klar wurde, warum diese dann nicht sagen konnten, worin dieser Sinn bestand.)

6.522 Es gibt allerdings Unaussprechliches. Dies *zeigt* sich, es ist das Mystische.

6.53 Die richtige Methode der Philosophie wäre eigentlich die: Nichts zu sagen, als was sich sagen läßt, also Sätze der Naturwissenschaft – also etwas, was mit Philosophie nichts zu tun hat –, und dann immer, wenn ein anderer etwas Metaphysisches sagen wollte, ihm nachzuweisen, daß er gewissen Zeichen in seinen Sätzen keine Bedeutung gegeben hat. Diese Methode wäre für den anderen unbefriedigend – er hätte nicht das Gefühl, daß wir ihn Philosophie lehrten – aber *sie* wäre die einzig streng richtige.

6.54 Meine Sätze erläutern dadurch, daß sie der, welcher mich versteht, am Ende als unsinnig erkennt, wenn er durch sie – auf ihnen – über sie hinausgestiegen ist. (Er muß sozusagen die Leiter wegwerfen, nachdem er auf ihr hinaufgestiegen ist.)

Er muß diese Sätze überwinden, dann sieht er die Welt richtig.

7 Wovon man nicht sprechen kann, darüber muß man schweigen.

INGEBORG BACHMANN

Ludwig Wittgenstein · Zu einem Kapitel der jüngsten Philosophiegeschichte

Als vor zwei Jahren Ludwig Wittgenstein in Cambridge starb, erschien in einigen Wiener Blättern eine kurze Notiz: »Im Alter von . . . verschied in . . . der bekannte Philosoph . . .« Nun, er war keineswegs bekannt; er war eigentlich der unbekannteste Philosoph unserer Zeit, ein Mann, auf den ein Wort seines Landsmannes Karl Kraus zutrifft, der von sich einmal sagte: »Ich bin berühmt, aber es hat sich noch nicht herumgesprochen.« Daß es sich nicht herumspreche, dafür hat Wittgenstein selbst gesorgt. Auch trägt das einzige Buch, das er zu seinen Lebzeiten herausgab, einen Titel so ohne »appeal«, daß sich, mit Ausnahme eines kleinen Kreises von Fachgelehrten, niemand dran vergriff. War er in seinem Werk nur wenigen erreichbar, so in seinem Leben keinem; er mied nach Abschluß des *Tractatus logico-philosophicus* die Welt und den Ruhm, verwischte seine Spuren, zog für Jahre als Dorfschullehrer auf das Land, und von seinen letzten Jahren in Cambridge, wo er als Nachfolger von G. E. Moore den Lehrstuhl für Philosophie innehatte, erzählte man, daß er eine Hütte bewohnt habe und darin nur einen einfachen Stuhl als Ausstattung duldete. So hat die Legende sein Leben abgelöst noch zur Zeit, als er lebte, eine Legende von freiwilliger Entbehrung, vom Versuch eines heiligmäßigen Lebens, vom Versuch, dem Satz zu gehorchen, der den *Tractatus* beschließt: »Wovon man nicht sprechen kann, darüber muß man schweigen.« Und es war – um es vorwegzunehmen – der Versuch, die Philosophie schweigend zu vollziehen, ein absurder Versuch, wie es scheint, aber der einzig legitime für ihn, nachdem er alles Sagbare klar dargestellt hatte (wie er es von der Philosophie forderte) alles Denkbare, das das Undenkbare von innen begrenzt und so auf das Unsagbare deutet.

Die Hauptthesen des Neopositivismus finden wir im *Tractatus logico-philosophicus* vorgebildet, der, formal gesehen, eine Kuriosität ist. Er besteht aus losen, brillant geschriebene, numerierten Aphorismen und beginnt mit dem lapidaren Satz: »Die Welt ist alles, was der Fall ist« (1). Wittgenstein geht von der Grundthese Bertrand Russells aus, wonach die Welt sich aus voneinander völlig unabhängigen Tatsachen zusammensetzt. Über die Gesamtheit der Tatsachen hinaus, in die sie zerfällt, ist sie nichts. Als Abbild dieser voneinander unabhängigen Tatsachen muß unsere Erkenntnis immer vereinzelt sein. Nun bilden wir aber allgemeine Sätze, die dies zu widerlegen scheinen. Etwa: »Alle Menschen sind sterblich.« Doch die Wahrheit einer solchen allgemeinen Aussage, auf deren Zuverlässigkeit wir uns stützen, wird bestimmt durch die Wahrheit etwa der Einzelaussagen »Peter ist sterblich« und »Hans ist sterblich«, wobei das verbindende »Und« die Funktion hat, die Wahrheit des allgemeinen Satzes zu gewährleisten. Ein neuer Sinn, eine neue, allgemeine Wahrheit, über die Wahrheit der Einzelaussagen hinaus, entsteht jedoch bei einem allgemeinen Satz nicht.

Dieses harmlose Beispiel aus der Logik hat nun weniger harmlose Folgen. Denn es demonstriert, daß die Logik – dies ist wörtlich und banal zu verstehen – gar nichts besagt. Sie hat – um mit Wittgenstein zu sprechen – rein tautologischen Charakter. Somit kann die Logik die Wirklichkeit nicht erforschen und nichts über sie lehren. Da die Philosophie nun als logische Analyse der Sprache definiert wird, kann auch sie nichts über die Wirklichkeit aussagen; sie ist nur eine Tätigkeit und übt eine Art Kontrolle aus.

Wittgenstein geht somit von der Erforschung der Logik aus, die gleichbedeutend mit der Erforschung aller Gesetzmäßigkeit ist: »Und außerhalb der Logik ist alles Zufall« (6.3). Die Gesetzmäßigkeiten, die erforscht werden, sind aber keine Erklärung. »Der ganzen modernen Weltanschauung liegt die Täuschung zugrunde, daß die sogenannten Naturgesetze die Erklärungen der Naturerscheinungen seien« (6.371). Geschieht doch in der Welt alles, wie es geschieht, und ist doch alles, wie es eben ist: »Nicht *wie* die Welt ist, ist das Mystische, sondern *daß* sie ist« (6.44)* »Sinn«, der aus einer Erklärung kommen müßte, ist nicht in der Welt.

Von der Welt als der Gesamtheit aller Tatsachen machen wir uns Bilder, die wiederum den Tatsachen zuzurechnen sind. Zwischen dem Bild nun und der Wirklichkeit, die es abbildet, ist etwas Gemeinsames, das die Abbildung ermöglicht: die Form (räumliche Form bei Abbildung von Räumlichem, farbige Form bei Abbildung von Farbigem und so weiter). Zudem ist jede Form, unter allen Umständen, logische Form, und jedes Bild ist daher auch ein logisches Bild. »Das logische Bild kann die Welt abbilden« (2.19). Mit anderen Worten: Da das logische Bild der Gedanke ist, ist alles, was denkbar ist, auch möglich, und da die Sprache die Gesamtheit der Sätze ist, muß Philosophie notwendig Sprachkritik – logische Analyse der Sprache – sein. Denn: »Die Gesamtheit der wahren Sätze ist die gesamte Naturwissenschaft« (4.11). »Die Philosophie ist keine der Naturwissenschaften« (4.111). »Das Resultat der Philosophie sind nicht ›philosophische Sätze‹, sondern das Klarwerden von Sätzen« (4.112).

Von der klaren Darstellung des Sagbaren ausgehend, ver-

* Ewald Wasmuth macht, mit Recht, darauf aufmerksam, daß das »Mystische« in diesem Satz an Platons »Staunen« und an Heideggers Frage: »Warum ist überhaupt Seiendes und nicht vielmehr nichts?« erinnere. Doch wäre es Wittgenstein unmöglich, eine solche Frage zu stellen, da er verneint, was Heidegger voraussetzt: daß im Denken das Sein zur Sprache komme.

weist Wittgenstein unvermutet darauf, daß die Philosophie damit das Unsagbare bedeute. Was ist nun dieses Unsagbare? Zuerst begegnet es uns als Unmöglichkeit, die logische Form selbst darzustellen. Diese zeigt sich. Sie spiegelt sich im Satz. Der Satz weist sie auf. Was sich zeigt, kann nicht gesagt werden; es ist das Mystische. Hier erfährt die Logik ihre Grenze, und da sie die Welt erfüllt, da die Welt in die Struktur der logischen Form eintritt, ist ihre Grenze die Grenze unserer Welt. So verstehen wir den Satz: »Die Grenzen meiner Sprache bedeuten die Grenzen meiner Welt« (5.6).

Diesseits der »Grenzen« stehen wir, denken wir, sprechen wir. Das Gefühl der Welt als begrenztes Ganzes entsteht, weil wir selbst, als metaphysisches Subjekt, nicht mehr Teil der Welt, sondern »Grenze« sind. Der Weg über die Grenze ist uns jedoch verstellt. Es ist uns nicht möglich, uns außerhalb der Welt aufzustellen und Sätze über die Sätze der Welt zu sagen. Darum kann es auch keinen Wert geben, – »und wenn es ihn gäbe, so hätte er keinen Wert« (6.41). Es kann keine Sätze der Ethik geben, da ein Satz nichts Höheres ausdrücken kann. Es kann auch der Wille nicht Träger des Ethischen sein, denn die Welt ist unabhängig von unserem Willen. Nichts, was die Sprache auszudrücken vermag – also die Tatsachen der Welt –, ist durch den Willen veränderbar. Veränderbar sind nur die Grenzen der Welt, und darüber müssen wir schweigen. Keine der Fragen, die wir an die Philosophie zu richten gewohnt sind, kann sie uns also beantworten. Mit der Frage nach dem »Sinn von Sein« werden wir auf uns selbst verwiesen.

Die Bewegung, die hinter diesem Philosophieren steht, das nicht zur Lösung unserer Lebensprobleme beitragen kann, das in seiner Leidenschaft nach der ganzen Wahrheit nur die dürre, formelhafte, »ewige« Wahrheit der Logik zu bieten hat – Sätze, die wir überwinden müssen, um die Welt richtig zu sehen –, ist die gleiche, von der Baudelaire in seinem Gedicht »Le gouffre« spricht. Wie Pascal bewegt sich Wittgenstein in und mit seinem Abgrund; von allen Grenzen strömt, was er nicht nennen darf, auf ihn ein und setzt ihn dem »drame cardinal« aus. »Ah, jamais sortir des nombres et des êtres!«

Im Wiener Kreis hat man sich allerdings darauf beschränkt, sich an das augenfällige Motto des *Tractatus* zu halten: »... und alles, was man weiß, nicht bloß rauschen und brausen gehört hat, läßt sich in drei Worten sagen.«* Die logische Analyse der Sprache wurde vervollkommnet, einem »Einheitssystem der wissenschaftlichen Erkenntnis« vorgearbeitet, einer Universalsprache, wie sie schon Leibniz anstrebte, in die alle wissenschaftlichen Teilsprachen übersetzbar sein sollen. Durch eine enge Zusammenarbeit mit der modernen Mathematik und Physik wurde eine Lücke im philosophischen Denken unserer Zeit geschlossen. Auf glänzenden internationalen Kongressen konnte die Wiener Schule ihren Einfluß auf die angelsächsischen und skandinavischen Länder ausdehnen. Deutschland, Frankreich und Italien standen dem Neopositivismus jedoch immer ablehnend gegenüber. In Wien selbst ist es um den Wiener Kreis still geworden. Zwischen 1933 und 1939 wurden seine hervorragendsten Vertreter an ausländische Universitäten berufen; einige gingen in die Emigration, andere wurden Opfer des Nationalsozialismus. Das Publikationsorgan des Kreises, die »Erkenntnis«, wurde als »zersetzend« verboten und mußte in England durch das »Journal of Unified Science« ersetzt werden. Wohin eine Entwicklung der Ideen unter

* Ferdinand Kürnberger, Wiener Publizist (1821-1879), im Jahre 1848 zur Flucht aus Österreich gezwungen, schrieb Romane und Erzählungen, vor allem jedoch kulturpolitische und gesellschaftskritische Arbeiten. Seine hervorragenden sprachkritischen Aufsätze und Verurteilungen der zeitgenössischen Presse lassen ihn als einen Vorläufer von Karl Kraus erscheinen.

günstigeren Umständen geführt hätte, läßt sich freilich schwer sagen. Die logistische Spezialliteratur, die uns heute von den ehemaligen Angehörigen der Arbeitsgemeinschaft erreicht – Rudolf Carnap, v. Mises, Popper und Reichenbach führen mit verwandten Denkern in den Vereinigten Staaten und England die Arbeit weiter –, läßt erkennen, daß die große Zeit des Neopositivismus vorbei ist, daß man sich in der Behandlung von Details erschöpft.

Aber die Zeit für die Entdeckung Wittgensteins dürfte gekommen sein. Aus England erfahren wir, daß eben ein zweites, bisher unbekanntes Werk, »Philosophische Untersuchungen«, erschienen ist; auch von der Existenz eines »Blaubuches«, das Wittgenstein erst nach seinem Tod veröffentlicht wissen wollte, weiß man zu berichten.

Ob er sein Schweigen aufgehoben und den Schritt zu einem Bekenntnis getan hat, ist ungewiß und wenig wahrscheinlich. »Gott offenbart sich nicht in der Welt« (6.432) ist einer der bittersten Sätze des *Tractatus.* Aber läßt Wittgenstein uns nicht wissen, daß die sittliche Form, die wie die logische nicht darstellbar ist, sich zeigt und Wirklichkeit ist? »Wovon man nicht sprechen kann, darüber muß man schweigen«, sagt er am Ende und meint eben diese Wirklichkeit, von der wir uns kein Bild machen können und dürfen. Oder folgerte er auch, daß wir mit unserer Sprache verspielt haben, weil sie kein Wort enthält, auf das es ankäme?

GIUSEPPE UNGARETTI

Sich gleich

Fährt, fährt das Schiff allein
in der Ruhe des Abends.

Manch ein Licht erscheint
von fern, von den Häusern.

In der äußersten Nacht
geht in Rauch auf von Grund auf das Meer.

Bleibt allein, sich gleich,
ein Geroll, das sich verliert . . .

Sich erneuert . . .

Lucca

Bei uns zuhaus, in Ägypten, nach dem Nachtmahl, nachdem der Rosenkranz gebetet war, sprach uns meine Mutter von diesen Orten.
Meine Kindheit war davon ganz verzaubert.
Die Stadt hat einen gottesfürchtigen und fanatischen Verkehr.
In diesen Mauern hält man sich nur vorübergehend auf.
Hier ist das Ziel: abreisen.
Ich habe mich in den Schatten an den Eingang des Wirtshauses gesetzt mit Leuten, die mir von Kalifornien erzählten wie von ihrem Besitz.
Ich entdeckte mich mit Entsetzen in der Personalbeschreibung dieser Leute.

Jetzt fühl ich es heiß durch meine Adern rinnen, das Blut meiner Toten.
Auch ich habe mich ins eigene Fleisch geschnitten.
In den rauchenden Schenkeln der Erde ist mir zum Lachen.
Lebt wohl, Wünsche, Sehnsüchte.
Ich weiß vom Vergangnen und von der Zukunft, was ein Mann drüber wissen kann.
Ich kenne allerdings mein Schicksal und meine Herkunft.
Nichts mehr bleibt mir zu schänden, nichts mehr zu träumen.
Ich habe von allem gehabt – und gelitten.
Ich werde also ruhig eine Nachkommenschaft aufziehen.
Wenn ein boshafter Appetit mich in die sterblichen Lieben trieb, lobte ich das Leben.
Jetzt da ich, *auch ich*, die Liebe zur Erhaltung der Art gut weiß, hab ich den Tod vor Augen.

Finale

Nicht mehr brüllt, nicht mehr flüstert das Meer,
Das Meer.
Ohne die Träume, ein unfarben Feld ist das Meer,
Das Meer.
Es macht Erbarmen auch das Meer,
Das Meer.
Es bewegen achtlose Wolken das Meer,
Das Meer.
Traurigem Rauch überläßt sein Bett jetzt das Meer,
Das Meer.
Gestorben ist auch, sieh nur, das Meer,
Das Meer.

ERNST BLOCH

Naturrecht und menschliche Würde

Der Philosoph Ernst Bloch kehrt nicht an den Ort zurück, wo man ihm seit Jahren die Freiheit zu lehren, zu publizieren und sonst zu wirken genommen hat. Die geistige Auseinandersetzung mit einem in Unterdrückung erstarrten Gesellschaftssystem, das Blochs Vorstellungen von einem sozialrevolutionären Humanismus nicht entspricht, wird ganz deutlich werden, wenn in den nächsten Wochen Blochs neues großes Buch »Naturrecht und menschliche Würde« erscheint. Bereits der Titel erregt Aufsehen, verheißt er doch nicht nur eine Kritik des Naturrechts, sondern auch eine Wiederherstellung seines humanistischen Sinnes. Der Schlußsatz des Buches ist ein Tacitus-Zitat, das Bloch folgendermaßen übersetzt: Der Beschränktheit derer läßt sich lachen, die glauben, daß durch gegenwärtige Gewalt die Erinnerung künftiger Zeiten ausgetilgt werden könne.

Frankfurter Allgemeine 21. 9. 1961

Selbstanzeige

Was rechtens sei, diese Frage läßt stets aufhorchen. Ein als naturrechtlich bezeichnetes Denken hat sich ihr gewidmet. Ganz gleich noch, wie man zum Naturrecht steht, ablehnend oder unentschlossen, das in ihm Gemeinte konnte nie ganz gleichgültig gemacht werden.

Grundüberzeugung vor allem des klassischen Naturrechts im 17. und 18. Jahrhundert war: Tausend Jahre Unrecht machen noch keine Stunde Recht. Das aufsteigende Bürgertum prüfte die überkommene »Satzung« am »Wahren«, aus »Vernunft« und »Natur« in neustoischer »Einheit« geschöpften Recht. Darin idealisierte das damalige Bürgertum gewiß zu großem Teil sich selbst und sein gesellschaftlich fälliges Anliegen, doch es braucht nur an die Frucht des klassischen Naturrechts, an die Erklärung der Menschenrechte, erinnert zu werden, um zu erkennen, daß hier nicht alles Ideologie für den damaligen Gebrauch ist, sondern weiterwirkende. Auch daß die Ideale, die die amerikanische, vor allem die französische Revolution befeuert haben, mit dem danach Erreichten und dadurch auch Entspannten, ja Demaskierten nicht erledigt sind; der Bourgeois hat den Citoyen nicht abgegolten. Das unter dem Citoyen Gedachte verdient es, durch Schaden klug geworden, sich so zu berichtigen wie richtig zu realisieren.

Bekannt ist, daß Interesse und Ansehen des Naturrechts im 19. Jahrhundert zurückgingen. Zuerst infolge der historischen Rechtsschule, der in der Restauration entstandenen, dann im Rechtspositivismus der zweiten Jahrhunderthälfte, dem äußerst anpassungsfähigen, also empiristischen. Beide Schulen haben zwar auf ihre Weise dem Naturrecht an seinem allzu rationalistischen, auch sternbestickten Zeuge allerhand zerrissen und nicht geflickt, trotzdem gelang es auch im 19. Jahrhundert nie ganz, die Frage, was rechtens sei, mit dem Hinweis auf gewordenes, auf faktisch geltendes Recht abzufertigen. Mindestens blieb die merkwürdige Stimme eines sogenannten Rechtsgefühls (auch über den eigenen Fall hinaus), eines Maßstab-suchenden Rechtsbewußtseins (auch in Spannung zum geschriebenen Recht der Faktizität). Dem liberalen Bürgertum schlug noch zuweilen, von Anselm Feuerbach her, dem großen Gegenspieler gegen juristische Reaktion, ein nachdenklich machendes Rechtsgewissen, so vag dergleichen auch dreinzusehen pflegte. Nicht zuletzt eben wegen der Abdankung der Gewissensschärfe des ehemals revolutionären, ob auch konstruktiven und abstrakten Naturrechts. Neukantianische Belebungsversuche, epigonal durchaus, mit aufgesetzten

Sonntagsidealen für gute Stube und Silberschrank, halfen da wenig. Aber Freiheit, Gleichheit, Brüderlichkeit, diese nur durch das Naturrecht so bezeichneten und bezeichenbaren Parolen wurden und blieben auch die sozialistischen, gerade diese. Freilich ohne daß die Anstrengung des Begriffs in diesem *leuchtenden* Feld der beabsichtigten Anstrengung im ökonomischen bisher recht vergleichbar wäre.

Was vergangen, kehrt nicht wieder, besonders nicht in abgelaufener Weise, doch es kann beim Wort genommen werden. Das Problem eines Erbes am klassischen Naturrecht ist vorhanden, nachdem ein Erbe an den sozialen Utopien theoretisch vorliegt. Soziale Utopien und Naturrecht hatten im gleichen humanen Raum ein verschiedenes Anliegen, getrennt marschierend und leider nicht vereint schlagend. Denn obwohl beide in jenem Entscheidenden einig waren, das menschlichere Gesellschaft und ihre, wenn auch noch abstrakt gebliebene, Antizipierung heißt, so bestehen doch zwischen Sozialutopien und Naturrechtslehren lehrreiche Unterschiede hinsichtlich ihrer Sorgen, Besorgungen und deren Schichten. Das läßt sich, sehr abgekürzt, so formulieren: Die Sozialutopie geht auf menschliches Glück, das Naturrecht auf menschliche Würde. Die Sozialutopie malte Verhältnisse voraus, in denen die Mühseligen und Beladenen aufhören, das Naturrecht konstruierte Verhältnisse, in denen die Erniedrigten und Beleidigten aufhören.

Vorliegendes Buch möchte ein so historischer wie eingedenkender Beitrag zu dem sein, was rechtens und doch noch offen ist: zu den Problemen des aufrechten Gangs.

PETER WEISS

Zwei Stationen

Der Tod des Vaters

Es war Anfang März, ein klarer Himmel, ein scharfes Sonnenlicht, ein kalter Wind über Gent. Ich ging die Straße am Bahndamm entlang, auf das Hospital zu, in dessen Kapelle mein Vater aufgebahrt lag. Auf den Geleisen, hinter den kahlen, gestutzten Bäumen, rangierten die Güterzüge. Die Wagen rollten und klirrten oben auf dem Bahndamm, als ich vor der Kapelle stand, die einer Garage glich und deren Türflügel mir eine Schwester öffnete. Darinnen lag, neben einem mit Blumen und Kränzen bedeckten Sarg, mein Vater auf einem tuchverhangenen Gestell, gekleidet in seinen schwarzen Anzug, der ihm zu weit geworden war, in schwarzen Socken, die Hände auf der Brust gefaltet, und im Arm das eingerahmte Foto meiner Mutter. Sein gemagertes Gesicht war entspannt, das kaum ergraute, dünne Haar lag in einer weichen Locke um seine Stirn, etwas Stolzes, Kühnes, das ich früher nie an ihm wahrgenommen hatte, prägte seine Züge. Vollendet waren seine Hände, mit den ebenmäßigen, bläulich schimmernden Muscheln der Fingernägel. Ich strich über die kalte, gelbliche, straffe Haut der Hand, während einige Schritte hinter mir die Schwester draußen in der Sonne wartete. Ich erinnerte mich an meinen Vater, so wie ich ihn zuletzt gesehen hatte, unter einer Decke auf dem Sofa im Wohnzimmer liegend, nach der Beerdigung meiner Mutter, sein Gesicht grau und undeutlich, von Tränen verwischt, sein Mund den Namen der Verstorbenen stammelnd und flüsternd. Ich stand gefroren, spürte den kalten Wind, hörte Pfiffe und Dampfstöße vom Bahndamm her, und vor mir war ein Leben völlig abgeschlossen, ein ungeheurer Aufwand von Energien zu Nichts zerflossen, vor mir lag der Leichnam eines Mannes in der Fremde, nicht mehr erreichbar, in einem Schuppen am Eisenbahndamm.

Das Elternhaus

Das Haus bleibt mir fremd, in seinem Innern finde ich mich nicht zurecht, doch den Garten nehme ich an mich, ich liege auf der Erde ausgestreckt unter den Büschen, fühle die trokkene Erde unter den Händen, nehme die Erde in den Mund, lasse die Erde zwischen den Zähnen knirschen, befühle die weißen, runden Kieselsteine, nehme die Kieselsteine in den Mund, fühle ihre Rundheit und Sonnenwärme an der Zunge. Im Haus herrschte das Dumpfe, das Eingeschlossene, und meine Sinne waren gefangen. Hier draußen öffneten sich meine Sinne, und als ich in die Laube trat, trat ich ein in ein Reich, das nur mir gehörte, mein selbstgewähltes Exil. Im schmalen Sonnenstreifen, der schräg durch das hochgelegene, von Efeu umspielte Fenster fiel, lenkte ich, zwischen aufgestapelten Gartenstühlen, Körben und Geräten mein Fahrzeug, den Leiterwagen, an der hochgestellten Deichsel, ich fuhr damit, schwamm damit, flog damit, vor mich hinsummend, vor mich hinmurmelnd. Dies ist wie ein Bild aus einem alten Märchenbuch, etwas Versunkenes steigt aus dem Bild auf, und etwas Erwartungsvolles. Das Abgeschiedene und Geheimnisvolle, das Verstecktsein mit mir selbst, mit meinen Spielen, das ist noch vorhanden und regt sich in dieser Stunde, es ist zu verspüren jedesmal, wenn ich in meine Arbeit eindringe. Ich war mein eigener Herr, ich schuf mir selbst die Welt. Doch irgendwo lag die Vorahnung des Rufs, des Rufs, der gleich erklingen, der über den Garten hin auf mich zurollen würde. Irgendwo lag immer die Erwartung dieses Rufs, bis in den heutigen Tag dringt die

Erwartung des Rufs vor, bis in den heutigen Tag dringt die Furcht, daß alles gleich zu Ende sein könne. Wenn es zum ersten Mal nach mir rief, stellte ich mich taub, ich hielt den Ruf von mir ab, in meinem Alleinsein hatte ich meinen Namen vergessen, ich tat, als gälte der Ruf nicht mir. Doch dann wurde der Name wieder und wieder in mich hineingeworfen, bis er mich ganz ausfüllte, bis ich fast von ihm zerplatzte, und ich mußte antworten, mußte bekennen, daß der Name mich gefunden hatte. Ich versuchte oft, mich anders zu nennen, doch wenn der Ruf meines einzigen Namens auf mich zuflog, schreckte ich zusammen, wie eine Harpune schlug er in mich ein, ich konnte ihm nicht entgehen. Flüsternd rufe ich mich an mit meinem eigenen Namen, und erschrecke mich damit, es ist als käme der Name weit von außen her auf mich zu, aus der Zeit, in der ich noch formlos war.

HERMANN HESSE

Ein Brief an Peter Weiss

im Mai 1961

Lieber Peter Weiss

Daß wir wieder von Ihnen hören, ist an sich schon eine Freude, denn Sie sind bei uns unvergessen, und daß es mit diesem großartigen Buch Ihrer Jugendgeschichte geschieht, verdoppelt die Freude. Ich sage Ihnen dafür herzlichen Dank, auch im Namen meiner Frau, die Ihr Buch jetzt, nach mir, auch liest und ebenfalls die Kraft Ihrer Darstellung bewundert.

Sie haben eine andere Kindheit gehabt als ich, eine viel ärmere, einsamere und geistfernere, und wenn ich an den P. W. denke, wie ich ihn damals in seiner Montagnolazeit kennen lernte, muß ich darüber staunen, wie verhältnismäßig heil Sie damals waren oder schienen. Und nun haben Sie aus Ihrer Kindheits- und Jugendgeschichte dies Buch gemacht, ein ebenso prachtvolles wie schreckliches Buch, das jeden Leser ergreifen und tief bewegen muß. Rein literarisch betrachtet, ist es vollkommen, Gedächtnis und Beobachtungsgabe von ungewöhnlicher Genauigkeit treffen da mit einem Sprachgewissen zusammen, dessen Sauberkeit und Intensität man lieben muß. Wenn sich bei mir ein Einwand erhebt, so gilt er lediglich einem Teil des Inhalts, der Geschichte Ihrer langdauernden Sexualhemmung. Das ist eine pathologische Privatsache, und ihre Darstellung wäre nach meinem Gefühl nur dann von Wert, wenn der Leser auch den genaueren Vorgang der Heilung erfahren würde.

Die Frage nach dem Wert des Inhalts stieg mir auch schon beim Schatten des Körpers d. K. auf, ich hätte damals Ihnen gern geschrieben, konnte aber, obwohl der Eindruck stark war, das Ganze nicht so unbedingt bejahen wie Ihr neues

Buch, es schien mir übermäßig viel Talent und Arbeit an eine Belanglosigkeit verschwendet, und die Collagen gefielen mir ganz und gar nicht.
Es freut mich, daß der »Abschied von den Eltern« bei Suhrkamp erschien, er kann sich dazu gratulieren, es gibt in der neuesten deutschen Literatur sehr wenige Werke von ähnlicher Stärke, und daß wir beide nun Autoren des gleichen Verlags sind, freut mich.

Ich bin kein Kritiker und erwarte nicht, daß man meine Urteile als Kritik im echten Sinn aufnehme, ich habe lediglich meinen privaten Eindruck (samt meiner privaten Freude) mitteilen wollen.

Herzlich grüßt Sie Ihr Hermann Hesse

UWE JOHNSON

Versuch, ein Kopiergerät zu kaufen

> Fünfzehn Jahre lang haben die Kritiker nun darüber gegrübelt, warum ausgerechnet das Thema der Themen, das Kardinalproblem jedes deutschen Schriftstellers: die Teilung Deutschlands, nicht gestaltet worden sei. Das große Thema bedurfte eines großen Schriftstellers, und ich glaube, daß der Autor, der jetzt als erster das Kardinalproblem auf der Ebene der Kunst analysiert hat, ein solcher Schriftsteller ist: Uwe Johnson . . . »Das dritte Buch über Achim« ist ein Buch auf der Schwelle der Meisterschaft, eine Epopöe . . .
> Es ist tröstlich zu wissen, daß in einem Augenblick, da die Politiker von »unseren Brüdern und Schwestern« wie von Gebrauchsgegenständen sprechen, gerade ein Schriftsteller, unpathetisch und sanft überzeugend, jenes »Etwas« exemplarisch demonstriert hat, an dessen Zustandekommen wir nicht minder beteiligt sind als die »drüben«: die Grenze, die Entfernung, den Unterschied.
>
> *Walter Jens*

Zu späterer Stunde an einem jener Tage im Frühling, da die weiche Luft die Passanten noch lange nach Schluß der Arbeit wie ziellos durch die Geschäftsstraßen treibt, betrat eine Dame in Begleitung eines Herrn die Verkaufsstelle für Büromaschinen, die als kleiner Laden am verbreiterten Auslauf einer Hauptstraße die Kunden anrief mit dem abendrötlichen Reklamegeleucht eines stilisierten Menschenkörpers über stilisierte Schreibmaschine gebückt; auch mag wohl ein Blick in die neu aufgestellte Verkaufseinrichtung aus dehnbaren Sesseln und gläserner Theke Manchen zumindest zum Nähertreten bewegen. Die Dame war im Alter eines möglichen Eheschlusses und keine von denen, die im Schoß geknickt werden von einem engen Rock, so daß der Saum in den Kniekehlen selbst die Oberschenkel noch nach vorn drücken würde; sie ging darin ganz aufrecht und ohne die Entstehung ihrer Bewegungen vorzuführen. Allerdings trat sie so fest und hart auf, daß ihr die Haut unter den Augen bis zum Kinn schütterte; sie ging als leiste sie eine Arbeit. Über den Herrn ist nur zu sagen daß er kurz und träge eintrat wie mitgezogen. Dies ist nach kurzem Bedenken der vollständig erhaltene Eindruck des Verkäufers von den Herrschaften, während er von sich das Bild wohlgefälliger Hemdkrageneleganz und fahriger Bereitschaft zu allem möglichen Dienst am Kunden in dem eingetretenen Paar hinterließ, das den Titel der Herrschaft schon durch Auftreten zu zweit hatte erwerben können, denn anders war die Sitte trotz einiger Veränderungen in der Gesellschaft immer noch nicht. Dies ist ein lokales Detail.

In kurzem Wortwechsel untereinander drückten beide dem Angestellten die Umrisse ihres Kaufwunsches aus, der sich also auf lange Lebenserwartung und geringes Gewicht einer Maschine zum Schreiben bezog, die Dame gebrauchte das Wort Erbstück, richtete aber den Blick so unbeirrbar in die Augen des Verkäufers, daß er über die allenfalls hierin geäußerte Wertung nicht ins reine kam. Mit stündlich eingeübter Handbewegung wies er die Herrschaften zur längeren Wand des Ladens, an der auf vier Tischen nebeneinander die beliebtesten Maschinen in der geforderten Schwere aufgereiht standen. Da die Güte sämtlicher Angebote unbestreitbar außer Frage kam, begann er die Unterschiede der einzelnen Fertigungen nach Farbe des Gehäuses und Zahl der technischen Tricks zu erläutern vor den Herrschaften, die wortlos dastanden und ihn ansahen. Er sprach zum Beispiel von der Delikatesse der Farbe Hechtgrau. Schließlich entschied sich die Dame, die ohnehin als der Käufer aufgetreten war, für eine der Maschinen, kippte sich zwischen Drehstuhl und Tischkante, legte die Hände auf den Rahmen der Maschine und blickte mit unbestimmbarer Erwartung zwischen ihrem Begleiter und dem Verkäufer hin und her aus über die Schultern gewandtem Kopf. Natürlich läßt es sich einfacher sagen. Von einer Maschine dieser Art dürfen einige Hauptleistungen erwartet werden: das ist das Anschlagen der Typen mit einem Farbband an den Papierträger vermittels eines Hebelgetriebes, sodann die Aneinanderreihung der Schriftzeichen durch den Querlauf der Walze zwecks Herstellung einer Zeile, darauf die Reihung der Zeilen untereinander durch Längslauf des Papiers; das weiß man ja. Ist einmal kein Zweifel an diesen wichtigsten Fertigkeiten mehr, wird die weitere Prüfung noch das Gefühl des Anschlags befassen, einige zufällige Proben anstellen und schließlich sogar die äußere Erscheinung der Maschine gegen das Aussehen anderer halten und je nach Lebensgefühl und Gang der Geschmacksbildung sogar nach diesem letzten Gesichtspunkt entscheiden. Der Überblick des Tastenfeldes offenbarte daß die Anzahl und Art der Buchstaben zur Anfertigung der meisten europäischen Schriftsätze hinreichte, vorhandene Zahlen boten ihre Vereinigung mit Klammern an, auch waren die Zeichen des Ausrufs des Erstaunens des Nichtglaubenwollens des schärfsten Mißbilligens der freudigen Zustimmung der harten Bekräftigung der eindeutigen Frage an auffälliger Stelle oberhalb der wichtigsten Satzzeichen zu erreichen. Während der Herr auf der einen Seite des Tisches und der Angestellte auf der anderen leicht geneigten Kopfes den Fingern der Dame zusahen, die nämlich aus waagerechter Hand niederstoßend in wechselnden Sprüngen einander näherkamen auf dem Tastenfeld und im gleichen Spiel nach Händen getrennt wiederum die äußersten Grenzen anstrebten: den Satz verlängernd und überdies das Abbild dieser Bewegungen klar und regelmäßig auf das quer und aufwärts laufende Probepapier druckend – empfanden sie alle eine Störung der Verkaufs-

verhandlung. Die Tür ging auf, und lautes sächsisches Gespräch trat ein auf einem Strom kühlerer Luft.
Mit der halb geschlossenen Tür in der Hand war ein älterer Mann auf der Schwelle stehengeblieben und so betroffen von der versammelten Aufmerksamkeit aller Anwesenden, daß ihm das völlige Schließen nur nach mehreren Ansätzen gelang; es lenkte ihn ab daß er zunächst lieber die Tageszeit geboten hätte und sich vorsichtshalber erst erkundigen wollte, ehe er diese Leute aufhielt. Der Verkäufer, der den Wunsch des hinzugekommenen Kunden in kurzer Zeit erledigt voraussah, trennte sich von seinen bisherigen Kunden. Einen einzelnen Mann aber zeichnete er aus mit der Anrede: Mein Herr.
– Ich wollt bloß mal was fragen: begann jener. Pausen in seinem Sprechen und ein breiter mundartlicher Untergrund festigten dem Verkäufer den Eindruck von linkischem Betragen in ungewohnter Umgebung. Er deutete mit sanftem Kopfneigen an daß er sich schon viel habe bieten lassen müssen: dessenungeachtet aber stets zu Diensten sei.
– Sie haben da im Schaufenster ein Kopiergerät, ein tschechisches, fünfhundert Blatt in der Stunde: sagte der Mann: kann man das kaufen?
Dem Verkäufer rannen mehrere denkbare Entwürfe zu Antworten in schnelles Stottern zusammen, kurz atmend brachte er einen Laut der Bestätigung zustande. Wieder gefaßt nannte er den sehr hohen Preis der Maschine in einem Ton, der zu sorgfältiger Überlegung aufrief und jegliche Verantwortung für eine haushaltliche Belastung des Kunden schon jetzt ablehnte.
– Ja das schon: sagte der Mann: Ich meine bloß . . . Er schien von gutmütigem herzlichem Wesen und in der Beherrschung seines Mienenspiels so wenig erfahren, daß er das seiner Umgebung kaum wahrnehmen konnte über der Anstrengung harmloser zu sein als seine Erkundigung.
– Ja: was meinen Sie denn: versuchte der Angestellte ihm

weiterzuhelfen. Er zeigt immer noch nicht Ungeduld. Da solltest du einmal in ein Lebensmittelgeschäft kommen. Nebenan ist eins, und du hast ja gehört was durch die offene Tür mitkam.

– Ich meine bloß . . . wird denn da die Nummer vom Personalausweis aufgeschrieben . . .: fuhr der Mann fort. In den Händen krümpelte er eine Mütze um und um wie sie vornehmlich von Arbeitern im Baugewerbe auf dem Weg zwischen Wohnung und Baustelle: aber auch vom Sachwalter bei Zusammenkünften mit größeren Mengen Volks getragen wurde.

– Daß jeder weiß . . .: versuchte er zu erklären. Der Verkäufer nutzte das verlegene Blicksenken zur Vorbereitung eines abfälligen Lächelns, das er den Herrschaften an der Wand hinüberreichen wollte. Die Dame hatte sich im Verlauf des letzten Absatzes unmerklich aber entschieden der Probemaschine zugekehrt, so daß der Lächelblick an ihrem Rücken ins Leere fiel und dann sich nicht mehr aufrichten konnte an der unverwandten Aufmerksamkeit des Begleiters.

Verdutzt erklärte der Verkäufer daß die Nummer des Personalausweises nur beim Kauf von Schreib- und Rechenmaschinen abgefordert werde für die Archive der Polizei, die über jeden Verstoß gegen die Bürgerrechte wachen wolle. Der Mann bedankte sich abermals im rückwärtigen Hinaustreten, er bot auch die Tageszeit, er ging nicht schnell und war doch nach wenigen Schritten kaum noch zu vermuten in dem vielfältig bewegten Vorübergehen anderer Passanten am Schaufenster. Statt seiner würde nächstens nun vielleicht ein junger Mann in verwechselbarer Lederjacke eintreten, einen oft gesehenen Haarschnitt schwenken und nach Durchsicht des gesamten Angebotes sich kurz und gut für eine tschechische Kopiermaschine entscheiden, so daß nach einigen Wochen erstaunte Haushaltungen in unbeschrifteten Briefumschlägen vervielfältigte Texte erhalten würden mit der Aufforderung: im Interesse der berufstätigen Bevölkerung doch nicht die Abendstunden für den Einkauf zu wählen; natürlich ist das nur eine Annahme. Aber wer wäre nach dem zufälligen Erscheinen und Verschwinden eines schlichten Mannes in zementstaubiger Kleidung eines Tages der vervielfältigten Maschinenschrift an der Hauswand gewiß, die den Notstand der Lebensmittelversorgung mit den Maßnahmen der Regierung in einen ursächlichen Zusammenhang oder einen der Folge bringen wird, je nach Betroffenheit und Gesinnung? Karsch sah ihn eintreten und mochte ihn augenblicklich wegen seines ungeschickten gutherzigen Betragens, er sah ihn aber wieder unter die (nicht im Laden anwesende) achthunderttausendköpfige Bevölkerung der Stadt zurückgehen und wußte weiter nichts von ihm.

Inzwischen legten die kaufwilligen Herrschaften ein nicht gewöhnliches Betragen an den Tag: indem nämlich die Dame ihren Begleiter vor die Brust schlug, dem ungebrochen Dastehenden hinter dieser Stelle der Jacke ein fremdländisches Ausweispapier hervorholte, es ihm und dem Verkäufer wies und so mit allen verständigt erklärte: man trete von dem Kaufwunsch zurück. Der Verkäufer verbreitete sich mit viel schüchternem Schulterzucken darüber wie wenig die Nummer und Machart dieses Ausweises in die landesüblichen Archive passen werde, es könne ja dieser Irrtum immerhin vorkommen, und so nahm das Gespräch eine Vertraulichkeit an, die der Dame die Frage laut werden ließ: ob denn die Typen einer bestimmten Sorte von Schreibmaschinen alle ununterscheidbar gleich wären?

Das wären sie nicht. Beim Guß der Typen entstehen Unterschiede, die schon mit einem Mikroskop festzustellen sind und dann nach Vergleich mit den einbehaltenen Schriftproben Nummer und Käufer auffinden lassen für die Maschine, mit der er etwa die Matrize für sein Kopiergerät vorgeschrieben hat.

– Ach: sagte die Dame im Ton vorausgesehener Genugtuung, und so war die Auskunft vervollständigt.

– Ein merkwürdiger Mensch: setzte der Verkäufer hinzu, und da die Herrschaften unter den möglichen Auffassungen auch diese für denkbar halten konnten, trennten sich alle in heiler Einmütigkeit. Ich habe in dieser unnötigen Geschichte genauere Angaben zu den beteiligten Personen unterlassen, denn sie möchte vielleicht jedem vorgekommen sein.

NELLY SACHS

Chor der Geretteten

Wir Geretteten,
Aus deren hohlem Gebein der Tod schon seine Flöten
schnitt,
An deren Sehnen der Tod schon seinen Bogen strich –
Unsere Leiber klagen noch nach
Mit ihrer verstümmelten Musik.
Wir Geretteten,
Immer noch hängen die Schlingen für unsere Hälse gedreht
Vor uns in der blauen Luft –
Immer noch füllen sich die Stundenuhren mit unserem
tropfenden Blut.
Wir Geretteten,
Immer noch essen an uns die Würmer der Angst.
Unser Gestirn ist vergraben im Staub.
Wir Geretteten
Bitten euch:
Zeigt uns langsam eure Sonne.
Führt uns von Stern zu Stern im Schritt.
Laßt uns das Leben leise wieder lernen.
Es könnte sonst eines Vogels Lied,
Das Füllen des Eimers am Brunnen
Unseren schlecht versiegelten Schmerz aufbrechen lassen
Und uns wegschäumen –
Wir bitten euch:
Zeigt uns noch nicht einen beißenden Hund –
Es könnte sein, es könnte sein
Daß wir zu Staub zerfallen –

Vor euren Augen zerfallen in Staub.
Was hält denn unsere Webe zusammen?

Wir odemlos gewordene,
Deren Seele zu Ihm floh aus der Mitternacht
Lange bevor man unseren Leib rettete
In die Arche des Augenblicks.
Wir Geretteten,
Wir drücken eure Hand,
Wir erkennen euer Auge –
Aber zusammen hält uns nur noch der Abschied,
Der Abschied im Staub
Hält uns mit euch zusammen.

GESCHIRMT sind die Liebenden
unter dem zugemauerten Himmel.
Ein geheimes Element schafft ihnen Atem
und sie tragen die Steine in die Segnung
und alles was wächst
hat nur noch eine Heimat bei ihnen.

Geschirmt sind die Liebenden
und nur für sie schlagen noch die Nachtigallen
und sind nicht ausgestorben in der Taubheit
und des Waldes leise Legenden, die Rehe,
leiden in Sanftmut für sie.

Geschirmt sind die Liebenden
sie finden den versteckten Schmerz der Abendsonne
auf einem Weidenzweig blutend –
und üben in den Nächten lächelnd das Sterben,
den leisen Tod
mit allen Quellen, die in Sehnsucht rinnen.

Immer
dort wo Kinder sterben
werden die leisesten Dinge heimatlos.
Der Schmerzensmantel der Abendröte
darin die dunkle Seele der Amsel
die Nacht heranklagt –
kleine Winde über zitternde Gräser hinwehend
die Trümmer des Lichtes verlöschend
und Sterben säend –

Immer
dort wo Kinder sterben
verbrennen die Feuergesichter
der Nacht, einsam in ihrem Geheimnis –
Und wer weiß von den Wegweisern
die der Tod ausschickt:
Geruch des Lebensbaumes,
Hahnenschrei der den Tag verkürzt
Zauberuhr vom Grauen des Herbstes
in die Kinderstuben hinein verwunschen –
Spülen der Wasser an die Ufer des Dunkels
rauschender, ziehender Schlaf der Zeit –

Immer
dort wo Kinder sterben
verhängen sich die Spiegel der Puppenhäuser
mit einem Hauch,
sehen nicht mehr den Tanz der Fingerliliputaner
in Kinderblutatlas gekleidet;
Tanz der stille steht
wie eine im Fernglas
mondentrückte Welt.

Immer
dort wo Kinder sterben
werden Stein und Stern
und so viele Träume
heimatlos.

Stimme des Heiligen Landes

O meine Kinder,
Der Tod ist durch eure Herzen gefahren
Wie durch einen Weinberg –
Malte *Israel* rot an alle Wände der Erde.

Wo soll die kleine Heiligkeit hin
Die noch in meinem Sande wohnt?
Durch die Röhren der Abgeschiedenheit
Sprechen die Stimmen der Toten:

Leget auf den Acker die Waffen der Rache
Damit sie leise werden –
Denn auch Eisen und Korn sind Geschwister
Im Schoße der Erde –

Wo soll denn die kleine Heiligkeit hin
Die noch in meinem Sande wohnt?

Das Kind im Schlafe gemordet
Steht auf; biegt den Baum der Jahrtausende hinab
Und heftet den weißen, atmenden Stern
Der einmal Israel hieß
An seine Krone.
Schnelle zurück, spricht es
Dorthin, wo Tränen Ewigkeit bedeuten.

Kommt einer
von ferne
mit einer Sprache
die vielleicht die Laute
verschließt
mit dem Wiehern der Stute
oder
dem Piepen
junger Schwarzamseln
oder
auch wie eine knirschende Säge
die alle Nähe zerschneidet

Kommt einer
von ferne
mit Bewegungen des Hundes
oder
vielleicht der Ratte
und es ist Winter
so kleide ihn warm
kann auch sein
er hat Feuer unter den Sohlen
(vielleicht ritt er
auf einem Meteor)
so schilt ihn nicht
falls dein Teppich durchlöchert schreit –

Ein Fremder hat immer
seine Heimat im Arm
wie eine Waise
für die er vielleicht nichts
als ein Grab sucht.

Du
in der Nacht
mit dem Verlernen der Welt Beschäftigte
von weit weit her
dein Finger die Eisgrotte bemalte
mit der singenden Landkarte eines verborgenen Meeres
das sammelte in der Muschel deines Ohres die Noten
Brücken-Bausteine
von Hier nach Dort
diese haargenaue Aufgabe
deren Lösung
den Sterbenden mitgegeben wird.

Diese kette von Rätseln
um den Hals der Nacht gelegt
Königswort weit fort geschrieben
unlesbar
vielleicht in Kometenfahrt
wenn die aufgerissene Wunde des Himmels
schmerzt

da
in dem Bettler der Raum hat
und auf Knien gehend
ausgemessen hat alle Landstraßen
mit seinem Leib

denn es muß ausgelitten werden
das Lesbare
und Sterben gelernt
im Geduldigsein –

So EINSAM ist der Mensch
sucht gen Osten
wo die Melancholia im Dämmerungsgesicht erscheint

Rot ist der Osten vom Hähnekrähen

O höre mich –

In der Löwensucht
und im peitschenden Blitz des Äquators
zu vergehn

O höre mich –

Mit den Kindergesichtern der Cherubim zu verwelken
am Abend

O höre mich –

Im blauen Norden der Windrose
wachend zur Nacht
schon eine Knospe Tod auf den Lidern

so weiter zur Quelle –

SAMUEL BECKETT

aber diese Geschichten

aber diese Geschichten von Stimmen ja quaqua ja von anderen Welten ja von jemandem in einer anderen Welt ja dessen Traum ich sein würde ja den er alle Zeit träumen würde ja alle Zeit erzählen würde ja sein einziger Traum ja seine einzige Geschichte ja

diese Geschichte von bereitgelegten Säcken ja am Ende eines Stricks wahrscheinlich ja von einem Ohr das auf mich horcht ja von einer Sorge um mich von einer Fähigkeit zu notieren ja das alles Quatsch ja Krim und Kram ja Quatsch ja

und diese Geschichten von dort oben ja das Licht ja die Himmel ja ein wenig Blau ja ein wenig Weiß ja die sich drehende Erde ja klar und weniger klar ja kleine Szenen ja Quatsch ja die Frauen ja der Hund ja die Gebete die homes ja Quatsch ja

und diese Geschichte von einer Prozession keine Antwort diese Geschichte von einer Prozession ja nie eine Prozession gegeben nein auch keine Reise nein nie einen Pim gegeben nein auch keine Bom nein nie jemanden gegeben nein nur mich keine Antwort nur mich ja das also war wahr ja ich war wahr ja und wie heiße ich keine Antwort WIE HEISSE ICH Gebrüll gut

nur mich jedenfalls ja allein ja im Dreck ja im Dunkel ja das stimmt ja der Dreck und das Dunkel stimmen ja da nichts zu bedauern nein mit meinem Sack nein wie bitte nein auch keinen Sack nein nicht einmal einen Sack bei mir nein nur mich ja allein ja mit meiner Stimme ja meinem Murmeln ja wenn es aufhört zu keuchen ja das alles stimmt ja keuchend ja immer lauter keine Antwort IMMER LAUTER ja platt auf dem Bauch ja im Dreck ja im Dunkel ja da nichts zu berichtigen nein die Arme wie ein Kreuz keine Antwort DIE ARME WIE EIN KREUZ keine Antwort JA ODER NEIN ja

MARGUERITE DURAS

Hiroshima mon amour

Exposé

Sommer 1957, August, in Hiroshima.
Eine Französin, an die dreißig Jahre alt, ist in dieser Stadt. Sie ist hingekommen, um einen Film über den Frieden zu drehen.
Die Geschichte beginnt am Vorabend der Rückkehr dieser Französin nach Frankreich. In der Tat ist der Film, in dem sie spielt, beendet. Nur mehr eine Sequenz ist zu drehen.
Am Vorabend ihrer Rückkehr nach Frankreich denn soll diese Französin, die niemals im Laufe des Films genannt wird – diese namenlose Frau – einem Japaner begegnen (einem Ingenieur, oder Architekten), und sie erleben eine sehr kurze Liebesgeschichte miteinander.
Wie sie einander begegneten, wird in diesem Film nicht näher klargestellt. Darum geht es nämlich nicht. Überall in der Welt begegnet man einander. Worauf es ankommt, das ist, was aus solchen Begegnungen entsteht. Dieses Zufallspaar sieht man zu Beginn des Films nicht. An ihrer Stelle sieht man verstümmelte Körper, in Höhe des Kopfes und der Lenden, in Bewegung, eine Beute sei es der Liebe, sei es des Todeskampfes, bedeckt nacheinander mit der Asche, den Tautropfen des Atomtodes und mit dem Schweiß vollbrachter Liebe.
Nur ganz allmählich gehen aus diesen formlosen, namenlosen Körpern die ihren hervor.
Sie liegen zu Bett in einem Hotelzimmer. Sie sind nackt. Glatte Körper. Unversehrte.
Wovon sprechen sie? Eben von Hiroshima.
Sie sagt ihm, sie habe alles gesehen in Hiroshima. Man sieht,

was sie sah. Es ist entsetzlich. Währenddessen nun bezeichnet seine Stimme, Stimme des Widerspruchs, die Bilder als verlogen, und wiederholt, unpersönlich und unerträglich, sie habe nichts gesehen in Hiroshima.

So ist denn ihr erstes Gespräch sinnbildhaft. Ein Opern-Dialog im Grunde. Es ist eben unmöglich, von Hiroshima zu sprechen. Alles was man tun kann, ist, darüber zu sprechen, wie unmöglich es ist, über Hiroshima zu sprechen. Das Wissen um Hiroshima ist dabei von vornherein als eine beispielhafte Selbsttäuschung des menschlichen Geistes gesetzt.

Dieser Beginn, diese offizielle Parade der bereits zelebrierten Greuel von Hiroshima, in einem Hotelbett beschworen, diese frevelhafte Beschwörung ist Absicht. Überall kann man von Hiroshima sprechen, selbst in einem Hotelbett, während einer zufälligen, einer ehebrecherischen Liebesbegegnung. Die beiden Körper unserer Helden, wirklich füreinander entbrannt, daran wollen wir erinnern. Was wirklicher Frevel ist, sofern von Frevel die Rede sein soll, das ist Hiroshima selbst. Es hat weiter keinen Sinn, heuchlerisch die Fragestellung zu verschieben.

So wenig man ihm von dem Denkmal Hiroshima gezeigt haben mag, diese kläglichen Spuren eines Denkmals der Leere, der Zuschauer sollte aus dieser Beschwörung gereinigt hervorgehen, gereinigt von mancherlei Vorurteilen, und bereit, alles hinzunehmen, was man ihm von unseren beiden Helden sagen wird.

Da sind sie nun also, soeben, zu ihrer eigenen Geschichte zurückgekehrt.

Eine urgewöhnliche Geschichte, die tausendmal an jedem Tag geschieht. Der Japaner ist verheiratet, er hat Kinder. Auch die Französin ist es, auch sie hat zwei Kinder. Ihr Abenteuer ist das Abenteuer einer Nacht.

Aber wo? In Hiroshima.

Diese so urgewöhnliche, so alltägliche Umarmung findet

statt an dem Ort der Welt, an dem sie am schwersten vorstellbar ist: Hiroshima. Nichts ist vorgegeben in Hiroshima. Ein besonderer Schimmer umgibt dort jede Bewegung, jedes Wort mit einem zusätzlichen Sinn, zu seinem buchstäblichen hinzu. Es ist das eine der eigentlichen Absichten dieses Films, Schluß zu machen mit der Schilderung des Entsetzlichen durch das Entsetzliche, denn das ist schon durch die Japaner selbst getan worden, sondern das Entsetzen wieder auferstehen zu lassen aus jener Asche und es sich einprägen zu lassen in einer Liebe, die notwendig zu einer besonderen werden muß, zu einer – hinreißenden. Und an die man eher glauben wird, als wenn sie sonstwo sich ereignet hätte auf der Welt, an einem Ort, den nicht der Tod »aufbewahrt« hätte.

Zwischen zwei Menschenwesen, die nach Herkunft, Weltanschauung, Geschichte, Wirtschaft, Rasse einander so fernstehen wie nur irgend möglich, wird nun Hiroshima den gemeinsamen Boden (den einzigen auf der Welt vielleicht?) bilden, auf dem die allgemeinen Gegebenheiten der Lust, der Liebe und des Leides in unerbittlichem Licht erscheinen. Überall sonst als in Hiroshima ist Scheinhaftigkeit am Platz. In Hiroshima kann es sie nicht geben, oder sie würde ihrerseits verleugnet.

Im Einschlafen sprechen sie erneut von Hiroshima. Anders jedoch. Im Liebesverlangen und, vielleicht ohne es zu wissen, in erwachender Liebe.

Ihre Unterhaltungen werden gleichzeitig auf sie selbst und auf Hiroshima sich beziehen. Und ihre Äußerungen werden ineinander vermengt sein, derart, daß sie nach jener Oper von Hiroshima, nicht mehr voneinander zu unterscheiden sind.

Immer wieder wird ihre eigene Geschichte, so kurz sie auch sein mag, über Hiroshima den Sieg davontragen.

Würde diese Bedingung nicht durchgehalten, so wäre dieser Film nichts weiter als wieder einmal ein bestellter Film

mehr, ohne irgendwelches Interesse außer dem einer Dokumentation in Form einer Spielhandlung. Wird jene Bedingung aber durchgehalten, so gelangt man zu einer Art von unechter Dokumentation, für die die aus Hiroshima zu ziehende Lehre viel beweiskräftiger als es ein als solcher in Auftrag gegebener Dokumentarfilm sein könnte.
Sie erwachen. Wieder sprechen sie, während sie sich anzieht. Von diesem und jenem, und auch von Hiroshima. Warum nicht? Es ist nur natürlich. Wir sind in Hiroshima.
Auf einmal erscheint sie, ganz angekleidet, gekleidet als Rote-Kreuz-Schwester.
In diesem Kleid, der Uniform schließlich der offiziellen Tugend, begehrt er sie erneut. Er will sie wiedersehen. Er ist wie jedermann, wie alle Männer, ganz genau wie sie, und es steckt ja in jener Verkleidung ein erotisches Element, das allen Männern gemeinsam ist. (Ewige Schwester in einem ewigen Krieg . . .)
Warum also, da ja auch sie ihn begehrt, will sie ihn nicht wiedersehen? Sie gibt keine eindeutigen Gründe dafür an.
Beim Erwachen aber sprechen sie auch von ihrer, der Frau, Vergangenheit.
Was geschah in Nevers, ihrer Geburtsstadt, in diesem Nevers, wo sie aufwuchs? Was ist geschehen in ihrem Leben, daß sie so wurde, so frei und so gejagt in einem, so redlich und so unredlich in einem, so zwielichtig und so klar? So begehrlich nach Zufallsliebschaften, so feige vor der Liebe?
Eines Tages, so sagt sie ihm, eines Tages in Nevers ist sie wahnsinnig gewesen. Toll aus Bosheit. Sie sagt es ganz auf die Weise, wie sie sagen würde, daß ihr einmal, in Nevers, eine entscheidende Einsicht zuteil wurde. Ganz auf die gleiche Weise.
Wofern jener Vorfall in Nevers ihr heutiges Betragen in Hiroshima erklärt, sie sagt nichts davon. Sie berichtet vom Vorfall in Nevers wie von etwas anderem. Ohne einen Grund zu nennen.

Sie geht. Sie hat beschlossen, ihn nicht wiederzusehen.
Jedoch sie werden sich wiedersehen.
Vier Uhr nachmittags. Friedensplatz in Hiroshima (oder vor dem Krankenhaus).
Kameraleute entfernen sich (man sieht sie in diesem Film immer nur, wie sie mit ihrem Gerät sich entfernen). Man reißt Tribünen ab. Man entfernt Spruchbänder.
Die Französin schläft (etwa) im Schatten einer abzureißenden Tribüne.
Man hat soeben einen erbaulichen Film über den Frieden gedreht. Durchaus keinen lächerlichen Film; einen Film mehr halt.
Ein japanischer Mann kommt mit der Menge vorbei, die wieder einmal an den Dekorationen des soeben beendeten Films vorbeizieht. Der Mann ist jener, den wir morgens in dem Zimmer sahen. Er erblickt die Französin, bleibt stehen, geht zu ihr hin, sieht ihr zu, wie sie schläft. Dieser sein Blick weckt sie. Sie sehen einander an. Sie begehren einander sehr. Er ist nicht aus Zufall hier. Er ist gekommen, sie wiederzusehen.
Der Umzug findet fast im sofortigen Anschluß an ihre Begegnung statt. Es ist die letzte Sequenz des Films, den man da dreht. Vorbeimarsch von Kindern, von Studenten. Hunde. Katzen. Gaffer. Ganz Hiroshima ist da, wie es immer da ist, wenn es gilt, dem Frieden in der Welt zu dienen. Es ist ein schon wieder barocker Umzug.
Die Hitze muß groß sein. Der Himmel drohend. Sie werden warten, bis der Zug vorbei ist. Während der noch dauert, sagt er ihr, er glaube sie zu lieben.
Er führt sie zu sich. Jeder berichtet knapp über sein Leben.
Sie sind beide glücklich in ihrer Ehe, suchen zusammen keinerlei Ausgleich für eheliches Mißgeschick.
In seinem Haus, und während sie sich lieben, beginnt sie zu ihm von Nevers zu sprechen.

Und wieder flieht sie, flieht aus seinem Haus. Sie gehen in ein Café über dem Fluß, um »die Zeit totzuschlagen bis zu ihrer Abfahrt«. Es ist schon Nacht.

Da werden sie noch einige Stunden bleiben. Ihre Liebe wird wachsen im Maße, da die Zeit schwindet, die ihnen verbleibt bis zum Abflug des Flugzeugs am nächsten Morgen.

In diesem Café sagt sie ihm, warum sie wahnsinnig war in Nevers.

Sie ist geschoren worden in Nevers, 1944, mit zwanzig Jahren. Ihr erster Liebhaber war ein Deutscher. Wurde bei der Befreiung getötet.

Geschoren ist sie in einem Keller geblieben, in Nevers. Erst als Hiroshima sich begab, sah sie anständig genug aus, um den Keller zu verlassen und sich unters frohe Volk auf den Straßen zu mischen.

Wozu dies persönliche Unglück wählen? Wohl, weil auch dieses ein Absolutes darstellt. Ein Mädchen scheren, weil es in Liebe einem offiziellen Feind seines Landes angehört, ist ein Absolutes an Scheußlichkeit und an Dummheit zugleich.

Man sieht wieder Nevers, so wie man es im Zimmer sah.

Und wieder sprechen sie von sich selbst. Noch einmal Verzahnung von Nevers und Liebe, von Hiroshima und Liebe. Alles vermischt sich ohne vorgegebenes System, und auf jene Weise, wie jene Vermischung tagtäglich vor sich gehen muß, überall, wo es Paare gibt, redselig im Anbruch der Liebe.

Auch von da geht sie weg. Flieht wieder.

Sie versucht, ins Hotel zurückzukehren, ihre Stimmung zu mäßigen; es gelingt ihr nicht; sie verläßt das Hotel erneut, geht wieder zum Café, dessen Betrieb nun geschlossen ist. Dennoch bleibt sie da. Denkt an Nevers (innerer Monolog), an die Liebe selbst also.

Der Mann ist ihr gefolgt. Sie bemerkt es. Sie sieht ihn an. In höchster Liebe sehen sie einander an. Ungenutzt ist diese

Liebe, wie jene von Nevers. Dem Vergessen denn anheimgegeben. Nicht endend also. (Im Vergessen selbst bewahrt.)
Sie schließt sich ihm nicht an.
Sie lungert durch die Stadt. Und er wird ihr folgen, als folge er einer Unbekannten. In einem bestimmten Augenblick spricht er sie an, bittet sie, wie im Selbstgespräch, in Hiroshima zu bleiben. Sie sagt nein. Eine Allerweltsweigerung. Alltägliche Feigheit.*
Wirklich, für sie beide ist das Spiel zu Ende.
Er wird nicht weiter in sie dringen.
Herumlungernd geht sie zum Bahnhof. Er kommt ihr dorthin nach. Wie Schatten sehen sie einander an.
Kein Wort gibt es von nun an mehr, das sie einander zu sagen hätten. Die bevorstehende Abfahrt schließt sie ein in düsteres Schweigen.
Es ist tatsächlich Liebe am Werk. Sie vermögen nur mehr zu schweigen. Eine äußerste Szene findet noch in einem Café statt. Man findet da die Frau wieder in Gesellschaft eines andern Japaners.
Und an einem Tisch entdeckt man jenen, den sie liebt, ganz regungslos, ohne andere Reaktion als die frei hingenommene Verzweiflung, eine Verzweiflung freilich, die physisch über ihn hinweggeht. Es ist bereits, als gehöre sie »anderen«.
Und er kann nichts dazu tun, als es verstehen.
Bei Tagesanbruch kehrt sie in ihr Zimmer zurück. Einige Minuten später wird er an die Tür klopfen. Das hat er nicht vermeiden können. »Es war mir nicht möglich zu vermeiden, daß ich käme.« So entschuldigt er sich.
Und in dem Zimmer wird nichts geschehen. Beide sind sie zu erschreckender, beiderseitiger Machtlosigkeit verurteilt.
Das Zimmer »Ordnung dieser Welt« wird bleiben, und nie

* Einige, die den Film sahen, dachten »am Ende« bleibe sie doch in Hiroshima. Möglich. Ich kann mich dazu nicht äußern. Wir haben sie bis zur Grenze ihrer Weigerung gebracht, in Hiroshima zu bleiben; es hat uns nicht gekümmert, ob sie, nach Ende des Films, doch soweit kommt, über ihre Weigerung hinwegzugehen.

mehr werden sie es in Unordnung bringen. Kein Austausch von Bekenntnissen. Keine Geste mehr.
Nur einfach, sie werden noch nach einander rufen. Was? Nevers, Hiroshima. Noch ist, in der Tat, noch keiner Person in den Augen des anderen. Ortsnamen haben sie, Namen, die keine sind. Es ist, als entsprächen einander der Jammer einer Frau, die zu Nevers geboren wurde, und der Jammer Hiroshimas ganz genau.
Sie sagt zu ihm: »Hiroshima; das ist dein Name.«

MAX FRISCH

Andri und der Pater

Andri raucht

ANDRI Sie wollen mir sagen, man soll halt nicht zu einem Soldat gehn und ihm die Mütze vom Kopf hauen, wenn man weiß, daß man Jud ist, man soll das überhaupt nicht tun, und doch bin ich froh, daß ich's getan habe, ich hab etwas gelernt dabei, auch wenn's mir nichts nützt, überhaupt vergeht jetzt, seit unserm Gespräch, kein Tag, ohne daß ich etwas lerne, was mir nichts nützt, Hochwürden, so wenig wie Ihre guten Worte, ich glaub's daß Sie es wohl meinen, Sie sind Christ von Beruf, aber ich bin Jud von Geburt, und drum werd ich jetzt auswandern.

PATER Andri –

ANDRI Sofern's mir gelingt.

Andri löscht die Zigarette.

Das wollte ich niemand sagen.

PATER Bleib sitzen!

ANDRI Dieser Ring wird mir helfen.

Daß Sie jetzt schweigen, Hochwürden, daß Sie es niemand sagen, ist das Einzige, was Sie für mich tun können.

Andri erhebt sich.

Ich muß gehn.

Andri lacht.

Ich hab so etwas Gehetztes, ich weiß, Hochwürden haben ganz recht . . .

PATER Sprichst du oder spreche ich?

ANDRI Verzeihung.

Andri setzt sich.

Ich höre.

PATER Andri –

ANDRI Sie sind so feierlich!
PATER Ich bin gekommen, um dich zu erlösen.
ANDRI Ich höre.
PATER Auch ich, Andri, habe nichts davon gewußt, als wir das letzte Mal miteinander redeten. Er habe ein Judenkind gerettet, so hieß es seit Jahr und Tag, eine christliche Tat, wieso sollte ich nicht dran glauben! Aber nun, Andri, ist deine Mutter gekommen –
ANDRI Wer ist gekommen?
PATER Die Senora.

Andri springt auf.

PATER Andri – du bist kein Jud.

Schweigen

PATER Du glaubst nicht, was ich dir sage?
ANDRI Nein.
PATER Also glaubst du, ich lüge?
ANDRI Hochwürden, das fühlt man.
PATER Was fühlt man?
ANDRI Ob man Jud ist oder nicht.

Der Pater erhebt sich und nähert sich Andri.

ANDRI Rühren Sie mich nicht an. Eure Hände! Ich will das nicht mehr.
PATER Hörst du nicht, was ich dir sage?

Andri schweigt.

PATER Du bist sein Sohn.

Andri lacht.

PATER Andri, das ist die Wahrheit.

ANDRI Wie viele Wahrheiten habt ihr?

Andri nimmt sich eine Zigarette, die er dann vergißt.

Das könnt ihr nicht machen mit mir . . .

PATER Warum glaubst du uns nicht?

ANDRI Euch habe ich ausgeglaubt.

PATER Ich sage und schwöre beim Heil meiner Seele, Andri: Du bist sein Sohn, unser Sohn, und von Jud kann nicht die Rede sein.

ANDRI 's war aber viel die Red davon . . .

Großer Lärm in der Gasse.

PATER Was ist denn los?

Stille

ANDRI Seit ich höre, hat man mir gesagt, ich sei anders, und ich habe geachtet drauf, ob es so ist, wie sie sagen. Und es ist so, Hochwürden: Ich bin anders. Man hat mir gesagt, wie meinesgleichen sich bewege, nämlich so und so, und ich bin vor den Spiegel getreten fast jeden Abend. Sie haben recht: Ich bewege mich so und so. Ich kann nicht anders. Und ich habe geachtet auch darauf, ob's wahr ist, daß ich alleweil denke ans Geld, wenn die Andorraner mich beobachten und denken, jetzt denke ich ans Geld, und sie haben abermals recht: Ich denke alleweil ans Geld. Es ist so. Und ich habe kein Gemüt, ich hab's versucht, aber vergeblich: Ich habe kein Gemüt, sondern Angst. Und man hat mir gesagt, meinesgleichen ist feig. Auch darauf habe ich geachtet. Viele sind feig, aber ich weiß es, wenn ich feig bin. Ich wollte es nicht wahrhaben, was sie mir sagten, aber es ist so. Sie haben mich mit Stiefeln getreten, und es ist so, wie sie sagen: Ich fühle nicht wie sie. Und ich habe keine Heimat. Hochwürden haben gesagt, man muß das annehmen, und ich hab's angenommen. Jetzt ist es an Euch, Hochwürden, Euren Jud anzunehmen.

PATER Andri –

ANDRI Jetzt, Hochwürden, spreche ich.

PATER – du möchtest ein Jud sein?

ANDRI Ich bin's. Lang habe ich nicht gewußt, was das ist. Jetzt weiß ich's.

Pater setzt sich hilflos.

ANDRI Ich möchte nicht Vater noch Mutter haben, damit ihr Tod nicht über mich komme mit Schmerz und Verzweiflung und mein Tod nicht über sie. Und keine Schwester und keine Braut: Bald wird alles zerrissen, da hilft kein Schwur und nicht unsre Treue. Ich möchte, daß es bald geschehe. Ich bin alt. Meine Zuversicht ist ausgefallen, eine um die andere, wie Zähne. Ich habe gejauchzt, die Sonne schien grün in den Bäumen, ich habe meinen Namen in die Lüfte geworfen wie eine Mütze, die niemand gehört wenn nicht mir, und herunter fällt ein Stein, der mich tötet. Ich bin im Unrecht gewesen, anders als sie dachten, allezeit. Ich wollte recht haben und frohlocken. Die meine Feinde waren, hatten recht, auch wenn sie kein Recht dazu hatten, denn am Ende seiner Einsicht kann man sich selbst nicht recht geben. Ich brauche jetzt schon keine Feinde mehr, die Wahrheit reicht aus. Ich erschrecke, so oft ich noch hoffe. Das Hoffen ist mir nie bekommen. Ich erschrecke, wenn ich lache, und ich kann nicht weinen. Meine Trauer erhebt mich über euch alle, und so werde ich stürzen. Meine Augen sind groß von Schwermut, mein Blut weiß alles, und ich möchte tot sein. Aber mir graut vor dem Sterben. Es gibt keine Gnade –

PATER Jetzt versündigst du dich.

ANDRI Sehen Sie den alten Lehrer, wie der herunterkommt und war doch einmal ein junger Mann, sagt er, und ein großer Wille. Sehen Sie Barblin. Und alle, alle, nicht nur mich. Sehen Sie die Soldaten. Lauter Verdammte. Sehen Sie sich selbst. Sie wissen heut schon, was Sie tun werden, Hochwürden, wenn man mich holt vor Ihren guten Augen, und drum starren die mich so an, Ihre guten guten Augen. Sie werden beten. Für mich und für sich. Ihr Gebet hilft nicht einmal Ihnen, Sie werden trotzdem ein Verräter. Gnade ist ein ewiges Gerücht, die Sonne scheint grün in den Bäumen, auch wenn sie mich holen.

HANS ERICH NOSSACK

Rede vor der Sahitya Academy in Neu Delhi

Wenn wir die Frage, die uns alle bewegt und von der jeder Autor sich Nacht für Nacht gequält fühlt, einmal stark vereinfacht stellen, würde sie lauten: Hat jemals ein Werk der Weltliteratur einen Krieg verhindert? Die Antwort, die wir ehrlicherweise nur darauf geben können, wäre ein striktes Nein. Es lassen sich ein paar Bücher nennen, welche gesellschaftliche Veränderungen, wenn auch nicht hervorgerufen, so doch der breiten Masse zum Bewußtsein gebracht und damit gefördert haben. Aber diese Bücher zählen literarisch überhaupt nicht; sobald die Tendenz, die sie vertreten, erfüllt ist, wirken sie veraltet und unlebendig, ja, meistens reichlich naiv und sogar etwas komisch.

Dies strikte Nein ist äußerst deprimierend. Angesichts des Notstands, in der sich die Welt befindet, scheint es untragbar und geradezu sträflich, sich mit der absoluten Machtlosigkeit der Literatur abfinden zu sollen. Wozu die Mühe des Schreibens auf sich nehmen und die Entsagung, die dazu gehört, wenn sich in fast allen andern Berufen rascher ein politischer oder wirtschaftlicher Erfolg erzielen läßt und wenn noch dazu auf sämtliche andern Betätigungen von Regierungen und Parteien mehr Rücksicht genommen wird?

Wir haben uns die schmerzliche Frage zu stellen, ob es überhaupt noch lohnt, Bücher im Sinne der schöpferischen Literatur zu schreiben. Ob das nicht ein altmodisches Verhalten ist? Ob wir Schriftsteller nicht archaische und museumsreife Figuren sind, wenn wir uns noch um den Menschen Sorge machen?

Darauf läßt sich natürlich nur eine ganz persönliche Auskunft erteilen, die keinen Anspruch auf allgemeine Gültigkeit erhebt: Wäre ich überzeugt von der Überflüssigkeit der Literatur, würde ich das Schreiben und das Suchen nach meiner Wahrheit sofort aufgeben und mich einer Tätigkeit zuwenden, mit der ich dem Tagesbedarf nützlich sein kann. Aber trotz allem Pessimismus kann ich nicht von dem Glauben lassen, daß es Menschen gibt und immer geben wird, die darauf warten, daß jemand sich zu sich selbst bekennt und es ihnen dadurch erleichtert, sich ihrerseits zu sich zu bekennen. Ich gestehe offen, daß ich das Leben nicht für lebenswert hielte, wenn ich diesen Glauben nicht besäße. Ich erachte es nach wie vor als die einzige Aufgabe der Literatur, für dies im Dickicht des Kollektivismus hilflos umherirrende Wesen zu sprechen, ganz gleich, ob wir es in einem Luxusauto oder in der Untergrundbahn, im Chefzimmer eines Industriepalastes oder in der Hütte eines Dorfes entdecken. Solange von Literatur die Rede sein kann, wird ihre Aktion immer darin bestehen, für den Menschen gegen jede Art Diktatur einzutreten.

Aber täuschen wir uns nicht: heute für den Menschen gegen eine ausschließlich pragmatisch und kollektivistisch denkende Welt Partei zu nehmen, ist eine hochpolitische und revolutionäre Tat. Wer das tut, gerät sofort in Widerspruch zur Abstraktion der Zeit. Sämtliche Parteien, nicht etwa nur eine bestimmte, werden ihn mit Mißtrauen betrachten, weil es ihr Dogma entwertet, wenn jemand gegen das Abstrakt-Dogmatische Stellung nimmt. Im günstigsten Fall wird man ihn mit dem Hochmut, der allen Dogmatikern eigen ist, als Outsider belächeln und durch Totschweigen zu beseitigen versuchen. Das erklärt auch den eindeutig monologischen Charakter der heutigen Literatur. Es gilt weiterzusprechen, ohne das Gegenüber zu kennen, doch in der Zuversicht, daß jemand, der sich in derselben Not befindet, die Stimme vernimmt. Ist es denn jemals anders gewesen? Ist es nicht gerade das Monologische, was uns über die Zeiträume hinweg aus den Werken unserer großen Vorfahren anspricht? Mir jedenfalls will es so erscheinen und darum halte ich es für die Pflicht der Schriftsteller, den großen zeitlosen Monolog des Menschen fortzuführen. Im Augenblick bedarf es dazu eines so unvorstellbaren Maßes an Entsagung, daß man geneigt ist, jeden jungen Menschen vor dem Beruf der Literatur zu warnen. Aber ich spreche ja in einem Lande, dem Askese nichts Fremdes ist.

Diese Askese, dies Bekennen zu sich selbst und damit zum Menschen halte ich für die einzige wirksame Haltung gegen die entsetzliche Vernichtung, die uns allen durch den abstrakten Funktionalismus droht. Ich bin mir jedoch bewußt, daß ich einen Standpunkt einnehme, der durch die europäische oder westliche Situation bedingt ist. Bei uns ist die Lage so, daß Optimismus nicht nur als stumpfsinnige, sondern als strafbare Handlung bezeichnet werden muß. Doch zweifellos mögen die Sorgen und Probleme für andere Erdteile und Nationen ganz anders liegen. Jeder kann nur seine Wahrheit sagen. Trotzdem bilde ich mir ein – und darin sehe ich das uns alle menschlich Verbindende –, daß das von mir angedeutete Problem auch das Motiv des Mannes gewesen ist, zu dessen Ehren wir hier versammelt sind: Rabindranath Tagore.

HANS MAGNUS ENZENSBERGER

Absicht

Kritiker pflegt man, wie Obst, zu sortieren und in Handelsklassen geschieden auf den Markt zu bringen, als Gesellschafts-, als Kultur-, als Buch-, als Filmkritiker; und so fort. Jeder dieser Namen scheint mir eine Schar von Urteilen und Attitüden ins kritische Geschäft einzuschleppen, die selten deklariert, meistens stillschweigend vorausgesetzt werden. Der Gesellschaftskritiker, als Unteroffizier einer intellektuellen Heilsarmee, hat eine Vorliebe für Slums, verabscheut den Wohlstand und hält Sattheit für ein Laster. Der Kulturkritiker läßt seine schlechte Laune am Kaugummi und an der Rechenmaschine aus, mißbilligt die Perfektion der Technik und den Verlust der Mitte und hält sich die Ohren zu, wenn er Jazzmusik hört. Der Buchrezensent würdigt echte Werte und legt zeitlose Maßstäbe an. Der Filmkritiker geht ins Kino. Auf diese Art und Weise schafft man sich Kritik schon vom Halse, indem man sie tauft; indem sie auf die Namen hört, die man ihr gibt, wird sie zu ihrem eigenen Surrogat.

Ich halte dafür, daß die kritische Position unteilbar ist Sie gäbe sich selber preis, ließe sie sich auf eine Sparte ihres Gegenübers reduzieren. Zu den großen, nie wieder auszulöschenden Folgen der Französischen Revolution gehört es, daß fortan jede Herrschaft von der Zustimmung der Beherrschten abhängig ist; sie muß nach dieser Zustimmung trachten, sie muß sich unablässig selbst rechtfertigen auch dort noch, wo sie sich auf die Gewalt der Waffen stützt. Das Bewußtsein, das der einzelne sowie das Gemeinwesen von sich selber hat, ist damit zum Politikum geworden. Eine ganze Industrie ist entstanden, die nicht Güter, sondern Bewußtsein erzeugt und verändert. Sie heißt gemeinhin Kulturindustrie; aber dieser Name ist irreführend. Er verharmlost das Phänomen, indem er es ins Feuilleton verweist. Die Bewußtseinsindustrie hat den Umkreis dessen, was bei uns Kultur heißt, längst gesprengt. Journalismus und Reklame, Public relations und Propaganda, die großen Medien Film, Funk und Fernsehen gehören ihr an; Tourismus, Mode und »Gestaltung« sind einige ihrer peripheren Sparten; ihr Kernstück wird eines Tages die Erziehung sein, deren Industrialisierung in unseren Tagen erst beginnt. Je weiter sich die Produktion materieller Güter ausdehnt, je müheloser sie uns mit dem Notwendigen versorgt, desto deutlicher wird sich zeigen, daß die Bewußtseinsindustrie zur eigentlichen Schlüsselindustrie der Moderne geworden ist. Ihre Zweideutigkeit liegt darin, daß sie Bewußtsein, Urteil, Fähigkeit zur Entscheidung bei einem jeden Bürger voraussetzt und sie zugleich, im Dienste der Herrschaft, zu neutralisieren geneigt ist. Sie degeneriert vollends zu einem Instrument des Zwanges, wenn sie nicht einer ständigen Kritik ausgesetzt wird.

Diese Kritik verliert ihren Sinn, wenn sie die Bewußtseinsindustrie in Bausch und Bogen verwirft, wenn sie nicht mit der Möglichkeit rechnet, daß die Funktion der großen Beeinflussungsapparate veränderlich sei. Sie bedarf also eines utopischen Horizonts. Andrerseits darf sie sich mit allgemeinen Perspektiven nicht zufriedengeben. Sie bleibt unverbindlich und wird zum Abiturientenaufsatz, wenn sie den Widerstand des Details scheut. Sie wird sich also auf »Einzelheiten« einlassen müssen, die stellvertretend fürs Ganze sind. Dabei kommt es darauf an, Methoden zu entwickeln, die auf andere Gegenstände übertragbar sind und die zu einer kritischen Beobachtung der Bewußtseinsindustrie überhaupt auffordern. Essay und Glosse, Analyse und Polemik sind bei dieser Arbeit Formen von gleichem Recht und gleicher Würde.

Die Bewußtseinsindustrie ist aber kein perpetuum mobile; sie ist auf die Zufuhr produktiver Energien allemal angewiesen. Eine ihrer wichtigsten Energiequellen ist die Literatur. Literatur und Bewußtseinsindustrie sind einander Partner und Feind zugleich; es findet zwischen ihnen ein höchst kompliziertes, aufs äußerste gespanntes Verhältnis statt. Verloren wäre eine Literatur, die auf ihre eigene Verbreitung verzichten wollte; eine Literatur aber, die sich als bloße Lieferantin der Industrie ausliefern würde, wäre gerichtet. Ohne Einsicht in diese Zusammenhänge und Gefahren kann die neueste deutsche Literatur nicht richtig studiert und beurteilt werden. Aufs äußerste aber spitzt sich die Dialektik von Bewußtseinsindustrie und schöpferischer Arbeit im Dasein der Poesie zu: sie unterliegt, wie jede geistige Äußerung, den Zwängen des historischen Augenblicks, die sie zugleich transzendiert.

Ein Buch, das sich im einzelnen, geduldig, in verschiedenen Formen, aus verschiedenen Anlässen, von verschiedenen Seiten her an diese schwierigen Sachen macht, wird nichts »bewältigen« und nichts aus den Angeln heben. Seine Kritik hat nicht revolutionäre, sondern revisionistische Absichten; sie will ihre Gegenstände nicht liquidieren, sondern der Revision, dem zweiten und genaueren Blick aussetzen. Sie vertraut darauf, daß ein erwachtes Bewußtsein auf die Dauer nicht zu manipulieren ist; ja daß eine Industrie, die das versucht, dem Zauberlehrling ähnlich, Kräfte zitiert und in Bewegung setzt, denen sie nicht gewachsen ist. Der historischen List des Bewußtseins möchte die Kritik zu Hilfe kommen. Es gibt in der heutigen Gesellschaft mächtige Instanzen, die da meinen, Bewußtsein ließe sich auf Flaschen ziehen. Zuweilen mag der unscheinbare Handgriff eines Machtlosen genügen, um die Flaschengeister zu befreien.

THOMAS MANN

Ernst Penzoldt zum Abschied

Er war mein Freund, war mir gerecht und treu. In München sah man sich oft; in meinem trauten Küsnachter Exil, zur Hitlerzeit, scheute er sich nicht, mich zusammen mit seinem Schwager Heimeran zu besuchen; und als ich 1949 zum ersten Mal wieder in München war, war er es, der mir in schönen, warmherzigen Sätzen die Begrüßungsrede hielt. Aber den Jüngling schon, siebzehn Jahre nach mir geboren, lernte ich kennen: im Hause Bernstein zu München las er mit taktvoll gedämpfter Dramatik seine Novelle »Der arme Chatterton« vor, und gleich spürte ich Reiz und Rang seines Talentes, etwas unverkennbar Musisches, einen Geist zart schwebender Leichtigkeit und des romantischen Spottes über die plumpe und häßliche Mühsal eines von den Grazien ungesegneten Lebens, eingeschlossen das Erbarmen mit den Beleidigten, Verstoßenen und Darbenden, den Opfern einer verhärteten Gesellschaft – eine Sozialkritik des Herzens also, die unüberhörbar mitklang in all seiner Produktion, ohne ihrer poetischen Unschuld irgend etwas anhaben, ihre Leichtigkeit, ihre spielende Scherzhaftigkeit durch irgendwelche Schärfe stören zu können.

Aufgewachsen in einem fränkischen Gelehrtenhause von musischer Atmosphäre, war er Künstler durch und durch, versucht von allen Erscheinungsformen der Kunst, begabt für alle. Er war Graphiker, Musiker, Bildhauer und nichts davon bloß in dilettantischer Weise. Aber die Literatur, der Dichter in ihm obsiegten über all diese Neigungen und Berufungen: es war wohl die »Powenzbande«, deren ausgreifender Erfolg ihm bewies, wo seine eigentliche und tiefste Berufung lag – im Zauber des Wortes, im Spiel der Idee, in der geistigen Formung. Ein lustiges Buch, diese »Powenzbande«, ein Schelmenstück, die kindlich-drollige Verschwörung kleiner sozialer Selbsthelfer gegen die »Ordnung« und ihre grimmige Dummheitsmiene und also so ganz und gar harmlos nicht. Das kann die Kunst nie sein, und gerade die Dichtkunst nicht; denn sie ist Harm von Natur, Produkt der Sensibilität, des Leidens am Groben, Schweren, Rohen, Häßlichen der Welt, dem sie das Feine, Leichte, Heitere, Gütige, Schöne in mahnendem Spott entgegenhält. Kunst ist Opposition, und so hat Ernst Penzoldt sie geübt sein Leben lang.

Als Schriftsteller, als ein Leidender und Mitleidiger hat er gelebt und erlebt, hat, Sanitäter in zwei Weltkriegen, das Äußerste an grobem, grausamem Erdenernste erfahren und davon berichtet in dem Buche »Zugänge«, in der Erzählung »Die Sense«, die Suhrkamp sehr passend, aufs bitterste passend, in der Reihe »Beiträge zur Humanität« veröffentlichte. Beiträge zur Humanität – in diese Kategorie gehört alles, was er tat, gehört vor allem zuletzt noch das Höchste, Liebenswerteste, das ihm kurz vor dem Ende gelang: – »Squirrel«, ein Stück ursprünglich, das ich nicht kannte, ein schmaler Roman sodann von unbeschreiblichem Zauber, der mich tagelang glücklich machte. In einer Welt der Schwere und Plackerei, deren Bürger mühselig im Morast der Materie stapfen – die Erscheinung von etwas ganz Leichtem, Sorg- und Nutzlosem, kurzum: Poetischem, in der geheimnisvollen Person eines jungen Vagabunden, den man halb erfroren und verhungert auf der Straße findet und der während seines kurzen Verweilens, mit Ausnahme von ein paar ganz Gottverlassenen, alle Herzen gewinnt, allen etwas befreiend Überirdisches mitteilt, alle einen Augenblick bessert und dann wieder entschwindet – mehr ist es nicht, aber es ist entzückend. Nie ist das Lieblingsmotiv dieses Dichters, das im Grund der Ausdruck seiner eigenen Sendung ist, zu so vollem, reinem, spöttisch-sublimem, amüsantem und herzbewegendem Erklingen gekommen. Es war um die Zeit, als eben meine Krull-Memoiren erschienen waren und aus den und den Gründen viel gelesen und belobt wurden. Penzoldts Geschichte schien ein Kleines dagegen, aber ich fand sie besser. »Ich lasse mir nichts vormachen«, schrieb ich ihm. »Ihr ›Squirrel‹ ist eine poetischere Konzeption als der ganze Krull. Das ist eine Epiphanie.«

»Sie sind eben ein guter Mensch«, antwortete er mir. Nein, *er* war gut. Alles wurde gut, freundlich, stachellos, unpolemisch in seinem Munde, auch wenn es aus bitterem Leiden kam am hoffnungslos Dummen und Gemeinen. Er tat das Gute und redete zum Guten – eine Stimme in der Wüste natürlich; aber die Wüste schien bewohnbarer zu werden durch sein gütliches Wort.

Friede deinem Staube, Ernst Penzoldt! Leben und Liebe dem, was du uns gabst!

HERMANN HESSE

Brief im Mai

[Mai 1962]

Nein, lieber Freund, ich will Dir weder von den Krankheiten und anderen Plagen des Winters noch von diesem stürmischen und üppigen Frühling berichten, sondern von den kleinen Erlebnissen, Freuden und Mahnungen, die auch dem müden Alter noch gegönnt sind. Je kleiner der Raum wird, in dem ich lebe (schon mein Garten ist mir längst zu groß, es können Monate vergehen, ehe ich bis zur Quelle oder bis zur Einfahrt komme), je weiter die Welt abrückt (schon Lugano, schon unser eigenes Dorf werden mir allmählich fremd), desto wichtiger und nachwirkender werden die Eindrücke, Spiele und Träume jener Stunden, in denen die Seele offensteht und alterslos auf die Rufe und Bilder antwortet, die ihr wie Schneeflocken oder wie Blätter vom Lebensbaum vorüberwehen.

In der Karwoche, Du weißt es längst, habe ich beinah in jedem Jahr meines Lebens eines der großen Oratorien gehört, einst in Kirchen oder Konzertsälen, jetzt am Radio oder von Platten. Auch diesmal konnte ich eine Aufführung der Matthäuspassion hören. Es war schön und herzbewegend und brachte wie jedesmal eine Flut von Erinnerungen heran, bis in die Knabenzeit zurück. Stärker und intensiver nachwirkend aber war diesmal ein anderes Werk der alten Kirchenmusik, das ich nie gehört und von dessen Schöpfer ich nichts gewußt hatte. Es heißt »Auferstehungshistorie«, ist im Jahr 1621 vom Braunschweiger Kantor Siegfried Otto Harnisch komponiert und bringt jene so eigen und erregend zwischen Bericht und Fabel schwebende Legende vom leeren Grab Christi und von seinen Erscheinungen vor den

Frauen und den Emmaus-Jüngern zur Darstellung. Wie in andern ähnlichen Werken ist die Hauptrolle die des Evangelisten, und sie ist hier streng und sachlich die des Berichters, beinahe völlig frei von Ornament, Koloratur und Lyrik. Kein Orchester, keine Orgel, nicht einmal ein Cembalo. Schöne, kurze Chöre, herrliche zwei- und vierstimmige Arien. Und nun das Unerwartete und im ersten Augenblick Beklemmende, dann wunderbar Beglückende und als richtig Empfundene: alle Worte Christi werden nicht von einem Solisten gesungen, sondern sind zwei- bis vierstimmige Gebilde zartester Lyrik, tönen geisterhaft aus unirdischen Fernen her und beschwören in ihrem Gegensatz zum beinah nüchternen Erzähler die so seltsam und unheimlich widersprüchliche, überwirkliche Stimmung dieser Historie oder Legende mit unwiderstehlicher sanfter Gewalt. Es ist, als habe dieser Kantor, indem er die Jesusworte, statt von einem Jesus, von Frauen- und Jüngerstimmen singen läßt, geradezu der heimlichen Fragwürdigkeit dieser Geschichte zum Ausdruck verholfen, als habe er das Phantom wissentlich als nur in den Seelen der Gläubigen existent darstellen wollen (was ich jedoch nicht behaupten möchte). Der Komponist, Zeitgenosse von Schütz und der großen Kirchenlieddichter, ist jung gestorben, viel mehr konnte ich mit meinen Hilfsmitteln nicht über ihn in Erfahrung bringen. Aber da war noch sein Name! Er war mir beim Lesen des Programms nicht weiter merkwürdig erschienen; erst als ich sein herrliches Werk angehört hatte, gewann auch er für mich Bedeutung. Harnisch hieß er, und ich mußte mich eine kleine Weile besinnen, ehe mir bewußt wurde, woher der Name mir teuer und wichtig war. Und jetzt sehe ich den Braunschweiger Kantor als Großvater oder eher Urgroßvater des Schultheißen Harnisch im Dorf Elterlein, dessen Söhne Walt und Vult zu den geliebtesten Gestalten der deutschen Dichtung gehören.

Das erinnert mich daran, daß ich Dich auf eine sehr merkwürdige Dichtung aus unsrer Zeit aufmerksam machen wollte, die ich weder Deiner Frau noch Deinen Kindern, wohl aber Dir empfehle. Es ist ein sehr umfangreicher, sehr anspruchsvoller, sehr kühn und männlich fabulierter Roman von Wolf von Niebelschütz, heißt »Die Kinder der Finsternis« und spielt in einem irrealen, erfundenen Land, aber einer genau historischen Zeit, nämlich dem zwölften Jahrhundert. Erfundene und echt geschichtliche Personen und Taten spielen ineinander, und es wird langsam, Zelle um Zelle, eine kleine Modellwelt aufgebaut, in der und an der die europäische Geschichte jenes Jahrhunderts sich abspielt und in der weder Barbarossa noch der Herr von Dassel noch die Reihe der Päpste und Gegenpäpste gut wegkommen, noch weniger Minnesang und kokettes Ritterwesen. Erzählt wird in kurzen, harten Sätzen, äußerst konkret und dicht; die Erfindungskraft des Dichters scheint unerschöpflich, seine Lust am Fabulieren ebenso unbändig wie sein von diskretem Humor gefärbtes Ausspielen einer primitiv natürlichen, sinnlich derben, bäurischen und im Grunde heidnischen Volkswelt gegen das schön kostümierte, ins Preziöse verkleidete Barbarentum der Großen, der Machthaber, Ritter und Pfaffen. Ich hatte mir das sehr stattliche Buch zur Weihnacht gewünscht, hatte mich eine Weile nicht an die Lektüre getraut, da der schwere dicke Band schon den Händen bang machte, dann aber war das Werk manche Wochen hindurch meine Abendlektüre gewesen, von der ich, als sie zu Ende ging, nicht ohne eine gewisse Trauer Abschied nahm. Diese Dichtung hatte mir nun so lange Zeit jeden Abend bis zum Lichtlöschen Gesellschaft geleistet, hatte mich mit unzähligen Bildern beschenkt, mir über viele schlaflose Stunden weggeholfen – es schien mir unrecht, diese Wohltaten so ohne Sang und Klang hinzunehmen. Ich schrieb also dem Dichter einen kleine Dankbrief. Antwort kam aber nicht von ihm, sondern von seiner Frau, die mir mitteilte, daß er schon seit zwei Jahren nicht mehr am Leben sei.

Als Kind habe ich mehrmals von meiner Mutter, von deren Schwägerin und anderen Missionarsfrauen erzählen hören, wie sie nach ihrer ersten Landung in Bombay über das schöne Wetter und den wolkenlosen Himmel entzückt waren, wie diese sonnige Klarheit auch am nächsten Morgen und weiter Tag um Tag und Woche um Woche anhielt, wie man ihrer und der Hitze und Trockenheit müde wurde und sich nach Wolken, Dunkel, Regen sehnte. Da kam mir nun ein kleines Geschenk aus Indien zugereist, jemand in New Delhi schickte mir als Dankeszeichen für eine Gefälligkeit eine Grammophonplatte mit indischer Musik. Das Stück, das der Hindukünstler spielte, heißt Rag Surmalahar und drückt die Freude über das Nahen des Regens aus. Vermutlich hat meine Mutter vor etwa hundert Jahren dieses selbe Stück spielen hören und sich mit dem Musikanten nach langer Dürre auf den ersten Regen gefreut. Man hatte dies Geschenk für mich gewählt, weil man meine lebenslangen liebevollen Beziehungen zu Indien und ebenso Josef Knechts urzeitlichen Beruf als Regenmacher kannte. In der Tat schien denn auch dieses gewiß uralte Regenlied nicht nur die Hoffnung auf Feuchte und die Freude über die Vorzeichen der kommenden Regenzeit auszudrücken, es schien auch eine magische, regenmacherische Beschwörung zu sein. Gespielt wurde es auf jene Weise, die den Reiz und Zauber aller primitiven Volksmusik ausmacht, kindlich fromm nämlich und mit naiver Hingabe, dabei aber höchst genau und differenziert, mit virtuoser Technik. Über das Instrument, auf dem es geblasen wurde, war ich nicht recht im klaren. Ich neigte anfangs dazu, es für eine Nasenflöte zu halten, mußte aber beim zweiten Anhören unserm Gast, der Herrin des Hügels, rechtgeben, die es als eine Art Dudelsack erkannte. Es war zweistimmig und sehr in die Oktave verliebt. Der Klang war beim Anschwellen und Forte stark näselnd wie so viele Musik des Fernen Ostens, ich hatte malaiische und japanische Lieder so durch die Nase gesungen gehört; in den hohen Lagen aber und im Piano verlor der Klang diese Färbung und wurde zum zartesten Flöten- oder Fistelton. Das Stück begann mit der Anrufung des kommenden Regens durch das Blasinstrument allein, einem rein lyrischen Singsang. Aber es blieb nicht dabei, es wurde der ersehnte Regen nicht nur begrüßt und gepriesen, er wurde bald auch beschworen und herangezaubert, und zwar durch lockende Nachahmung. So wie einst der Regenmacher durch Grünholzfeuer mit schwelendem Rauch den Himmel zur Bildung von Wolken angeregt und überredet hatte, so begann jetzt die Hindumusik dem Himmel zu zeigen, was Regen ist: leise erst und tröpfelnd setzte eine Trommel ein, eine Holz- oder Rindentrommel vermutlich, ahmte gefühlig das zarte Klopfen anhebenden Regens nach und begleitete von da an bis zum Schluß, angenehm abgestimmt, den auf und ab schwellenden Gesang des Dudelsacks. Und während ich aufmerksam und erfreut zuhörte, lief irgendwo in mir innen ein Band mit Bildern ab, meist lang vergessen, von Flöte und Trommel wieder geweckten und belebten Bildern: meine Mutter an ihrem Nähtischchen sitzend und uns Kindern von Indien erzählend, mein Großvater, bärtig und stark, im weißen Tropenkleid, im Ochsenwagen wochenlange Reisen durch indische Länder bestehend, mein Vater, krank auf der Veranda eines Bungalows liegend, mit dem kleinkarierten, großen schottischen Shawl bedeckt, den ich später erbte, kanaresische Vokabeln memorierend oder Notizen in Gabelsberger Stenographie in sein Merkbuch schreibend. Und weiter Bild an Bild, bis zu denen meiner eigenen Indienreise, mit badenden Elefanten, Höhlentempeln und gewaltigen Nachtgewittern.

Du weißt, daß ich auch das Träumen unter Umständen zu den Dingen zähle, die ich Erlebnisse nenne. Ohne daß ich mit Freud und Jung gebrochen hätte, bin ich doch – Ausnahmen zugegeben – des Verstehen- und Deutenwollens müde geworden und zu der naiven und kindlichen Weise zurückgekehrt, mit der die Künstler die Welt und also auch die Traumwelt betrachten, als Erscheinung, als Bild, als Augen- und Sinnenerlebnis oder dann als groteskes Gedankenspiel. Ob ein Traum mich auf Trübungen meines Verhältnisses zu Freunden, auf Störungen in meinem seelischen Haushalt, auf baldigen Tod oder andre drohende Gefahren aufmerksam machen wolle, lasse ich gern ununtersucht; er muß schon stark anklopfen, wenn ich mich darauf einlassen soll. Aber wenn er mich zum Staunen über die Buntheit und Pracht seiner Kulissen und Kostüme, zum Entzücken über ideale Landschaften und Phantasiegärten, zur frohen Rührung über die Wiederkehr geliebter, lang verstorbener Menschen, zum Lachen über ein ausgelassenes Spielen mit gedanklichen, sprachlichen oder visuellen Kombinationen und Verrenkungen bringt, dann gehört ihm meine Aufmerksamkeit, meine Hingabe und Dankbarkeit.

Zwei kleine aparte Traumbruchstücke aus den letzten Tagen (nein, Nächten) will ich Dir ihrer Kuriosität wegen mitteilen. Ich bin etwa zwanzigjährig und Buchhändler in Tübingen. Es ist, glaube ich, das erstemal, daß ich im Traum mit meinem damaligen Prinzipal, dem Herrn Sonnewald, zu tun habe. Er war ein noch junger, etwas lungenkranker, ein wenig ängstlich oder schüchtern wirkender Mann mit hellblondem Vollbart, verheiratet mit einer Engländerin, die während der dreieinhalb Jahre meiner dortigen Tätigkeit nicht ein einziges Mal unsre Räume im Erdgeschoß, den Buchladen, das Kontor und das Antiquariat, betreten hat, sondern unsichtbar mit drei hübschen kleinen Kindern eine Treppe höher in Räumen wohnte, die uns Unteren ebenso unbekannt und unbetretbar blieben wie ihr das Kontor. Im Traum nun war ich wieder der junge Untergebene und er der nicht gerade gefürchtete, aber doch in hohem Respekt stehende Herr Prinzipal, Herr sowohl unten im Laden wie oben in der Wohnung. Im Traum aber hatte er überdies ein privates Büro für sich allein, vor dessen Tür ich stand und anklopfte. Ich trat ein und sah ihn in einem erstaunlich großen, höchst komfortabel ausgestatteten Raume sitzen. Er hieß mich näher treten, er saß hinter einem riesigen Tisch, der voll großer Blätter lag, neben sich hatte er eine Staffelei stehen und auf ihr eines dieser Blätter aufgestellt, es war ein Aquarell, ein wenig an die meinen erinnernd, aber weit größern Formats, auch gekonnter und mit tief glühenden Farben. Ich stand und staunte bald das große Aquarell, bald den auf so ungewöhnliche Art beschäftigten Herrn Sonnewald an. Er schien zu merken, wie erstaunt und neugierig ich war, wußte auch sehr wohl, daß es mir nicht zustand, dieser Neugierde mit einer Frage Ausdruck zu geben, und verharrte eine gute Weile schweigend. Dann erbarmte er sich meiner, wies mit großer Gebärde erst auf den papierbedeckten Tisch, dann auf das schöne leuchtende Staffeleiblatt und sagte mit einiger Feierlichkeit: »Ich muß da ein Inselbändchen zusammenstellen.« Ob es hier um eine Auswahl meiner eigenen, durch Zauber verschönerten Malereien, ob um Werke eines mir unbekannten Malers ging oder gar er selbst der Urheber dieser Werke war und wie er dazu kam, im Auftrag des Inselverlags tätig zu sein, diese Fragen blieben offen.

Die andere Traumszene spielte in einem völlig veränderten Montagnola. Überraschend war hoher Besuch erschienen: André Gide stand da, wollte mich noch einmal sehen, war aber wortkarg und schlechter Laune und zog sich bald ins Gastzimmer zurück. Als er sich wieder zeigte, trat er mit mir vor die Haustür, vermutlich zu einem Spaziergang entschlossen, blieb aber dicht vor dem Haus stehen, zögerte wie im Nachdenken versunken und vollführte dann eine tiefe Kniebeuge. Aus dieser ohnehin schon mühsamen Stellung streckte er ein Bein nach vorn in die Luft, etwa wie slawische Tänze es verlangen, nur viel langsamer und feierlicher, es war ein unverkennbar religiöser, sakraler Akt, dessen Bedeutung ich nicht erraten konnte. Als er sich wieder aufgerichtet hatte, gab er mir eine Erklärung mit den Worten: »Alles ist. Alles ist nicht. Es ist indisch.« »Ah«, sagte ich, »also die coincidentia oppositorum.« Er starrte mich verloren an, offensichtlich überlegend, ob er mir zustimmen solle oder nicht, sagte aber nichts. Und plötzlich stand noch ein dritter Mann bei uns, ein sehr französisch aussehender Herr, brünett mit Schnurrbart, und alsbald war ich für Gide nicht mehr vorhanden, er begann mit seinem Landsmann zu plaudern und ging in lebhaftem Gespräch mit ihm fort. So ließ er mich stehen, ohne Erklärung, ohne Abschied, dem Pariser zu liebe. Es war nicht hübsch.

Lebe wohl, Du hast lang genug mit meinen Histörchen Geduld gehabt. Schreibe wieder Deinem

HERMANN HESSE

Die letzten Gedichte

Lej Nair
Kleiner schwarzer Waldsee im Engadin

Hinter strengem Felsenriegel,
Den die Weidenrosen mildern,
Dehnt sich dunkeln Wassers Spiegel
Wolken, Wald und See zu schildern.

Schwarze Bläue, kühle Feuchte
Füllt die Mulde satt, ihr Schweigen
Scheint vom See hinauf zur Leuchte
Frischen Gipfelschnees zu steigen.

Talwärts mit verschlafenem Rieseln
Träge Wasserfäden schleichen,
Über Schlamm und braunen Kieseln
Alte Baumgerippe bleichen.

Arve starrt und Lärche schattet,
Selbst der Wind, noch eben rege,
Zögert jetzt und sucht ermattet,
Wo er sich zur Ruhe lege.

August 1961

Louis Soutter

Schöne, korrekte Bilder malen,
Schöne Sonaten tadellos geigen,
Frühlings- und Kreutzersonate
Lernt' ich einst und war jung,
Lief in die offene lichte Welt,
War jung, wurde gelobt, wurde geliebt . . .
Aber einmal sah mir durchs Fenster
Lachend mit kahlen Kiefern
Der Tod herein, und das Herz
Fror mir im Leibe, fror mir,
Friert mir noch heut. Ich floh,
Irrte hin, irrte her.
Aber sie fingen mich, sperrten mich ein,
Jahr um Jahr. Durch mein Fenster
Hinter dem Gitter glotzt er,
Glotzt und lacht. Er kennt mich. Er weiß.

Männer male ich oft auf rauhes Papier,
Male Weiber, male den Jesus Christ,
Adam und Eva, Golgatha,
Nicht korrekt, nicht schön, sondern richtig
Mal' ich mit Tinte und Blut, male wahr.
  Wahrheit ist schrecklich.
Aber ich decke mein Blatt mit Strich an Strich,
Loser, dichter, grau, silbern, schwarz,
Lasse die Züge der Hieroglyphen
Wollig wuchern wie Moos,
Prasseln wie trockner Hagel, kämmen wie Fischgeripp,
Schleiere graue Netze aus Liniendünn, Spinnweb,
Wind im Gras, Wurzelgeflecht, Kalligraphie,
Kratze Lage um Lage zehntausend Striche,
Glatte, schwellende, haaresträubende,

Fedrig geflammte, stehende, fliehende,
Spare aus ihrem Gekräusel schneeweißen Leib,
Drücke den Jesus zu Boden
Mit Kreuzes Last. Vogelgeflatter
Geistert durch Traumgehölz, flockige Blumen
Lachen traurig aus welkem Gekräut.
Manchmal vergeß ich,
Manchmal bann ich die Angst,
Manchmal hör ich aus Fernen
Dunkler Jahre, vieler Jahre, Musik,
Kreutzersonate . . . Aber am Fenster
Weiß ich, in meinem Rücken,
Jenen stehen und lachen.
Er kennt mich. Er weiß.

September 1961

Einst vor tausend Jahren
Zweite Fassung

Unruhvoll und reiselüstern
Aus zerstücktem Traum erwacht
Hör ich seine Weise flüstern
Meinen Bambus in der Nacht.

Statt zu ruhen, statt zu liegen
Reißt michs aus den alten Gleisen,
Weg zu stürzen, weg zu fliegen,
Ins Unendliche zu reisen.

Einst vor tausend Jahren gab es
Eine Heimat, einen Garten,
Wo im Beet des Vogelgrabes
Aus dem Schnee die Krokus starrten.

Vogelschwingen möcht ich breiten
Aus dem Bann, der mich umgrenzt,
Dort hinüber, zu den Zeiten,
Deren Gold mir heut noch glänzt.

Dezember 1961

Nachts im April notiert

O daß es Farben gibt:
Blau, Gelb, Weiß, Rot und Grün!

O daß es Töne gibt:
Sopran, Baß, Horn, Oboe!

O daß es Sprache gibt:
Vokabeln, Verse, Reime,
Zärtlichkeiten des Anklangs,
Marsch und Tänze der Syntax!

Wer ihre Spiele spielte,
Wer ihre Zauber schmeckte,
Ihm blühte die Welt,
Ihm lacht sie und weist ihm
Ihr Herz, ihren Sinn.

Was du liebtest und erstrebtest,
Was du träumtest und erlebtest,
Ist dir noch gewiß,
Ob es Wonne oder Leid war?
Gis und As, Es oder Dis –
Sind dem Ohr sie unterscheidbar?

April 1962

Kleiner Gesang

Regenbogengedicht,
Zauber aus sterbendem Licht,
Glück wie Musik zerronnen,
Schmerz im Madonnengesicht,
Daseins bittere Wonnen . . .

Blüten vom Sturm gefegt,
Kränze auf Gräber gelegt,
Heiterkeit ohne Dauer,
Stern, der ins Dunkel fällt:
Schleier von Schönheit und Trauer
Über dem Abgrund der Welt.

Mai 1962

Knarren eines geknickten Astes
Dritte Fassung

Splittrig geknickter Ast,
Hangend schon Jahr um Jahr,
Trocken knarrt er im Wind sein Lied,
Ohne Laub, ohne Rinde,
Kahl, fahl, zu langen Lebens,
Zu langen Sterbens müd.
Hart klingt und zäh sein Gesang,
Klingt trotzig, klingt heimlich bang
Noch einen Sommer,
Noch einen Winter lang.

8. August

PETER WEISS

Auf dem Damm der Seine

Bis ich mich, an einem Spätnachmittag, wiederfand, unter den Bäumen der Allee auf dem Damm in der Mitte der Seine, und meine Dimensionen zurückgewann. Ich stand still, sah Boote vorbeifahren, sah den Abglanz der gesunkenen Sonne auf der Spitze des Eiffelturms, wußte, wie ich hieß, woher ich kam und wohin ich weiterreisen würde, obgleich ich dort nur ein Provisorium fand, ein Dach über dem Kopf, und dies war kein Umherirren mehr, sondern eine bestimmte Bewegung auf der Erdoberfläche, ich war ansässig in einem Land, ich hatte ein paar Wochen in Paris verbracht, mein Geld war verbraucht, ich würde einmal wieder hierher zurückkehren, Austellungen besuchen, Theater- und Filmvorstellungen beiwohnen, vielleicht einmal mit eigenen Arbeiten kommen, vielleicht einmal mit einer Geliebten hierher reisen, Arm in Arm mit ihr die Allee entlanggehen, mit ihr in einem der Hotelzimmer wohnen, in denen es eine Sünde war, allein im breiten Bett zu liegen, und die Allee, auf der wir gehen würden, war jetzt schon da, und das Hotelzimmer stand bereit, selbst wenn es noch Jahre bis zu unserm Einzug dauern würde. Was sich an diesem Abend auf dem Seinedamm zeigte, war nicht ein Weg, oder ein Wissen, ich hatte keinen Begriff von diesem Dasein gewonnen, hatte keine Absichten, ich spürte nur die Klarheit der Luft, spürte, wie ich dastand und atmete, und daß ich aus der Umnachtung, in die mich der Schock der Freiheit geworfen hatte, herausgeraten war. Die Freiheit war noch vorhanden, doch ich hatte Boden in ihr gewonnen, sie war keine Leere mehr, in der ich im Alptraum der Anonymität lag und in der alle Bezeichnungen ihren Sinn verloren, es war eine Freiheit, in der ich jedem Ding einen Namen geben konnte. Ich hatte nur den Blickpunkt geändert. Ich hatte noch einmal bis zum Grunde die Furcht vor der Selbständigkeit ausgekostet, ich hatte mich fallen gelassen und alle Ansichten, alle Bestrebungen, die meine Identität ausgemacht hatten, aufgegeben, und jetzt stand ich hier, unter den Bäumen der Allee des Sygnes, und dies war eine einfache Tatsache. Ich stand in der Mitte zwischen den Polen, die es von Anfang an gegeben hatte, dem Pol des Diebs von Bagdad und dem Pol des Tabu, dem Pol des unbändigen Lebens und dem Pol des Vergehens. Die Freiheit war absolut, ich konnte mich darin verlieren, und ich konnte mich darin wiederfinden, ich konnte alles aufgeben, alle Bestrebungen, alle Zusammengehörigkeit, und ich konnte wieder beginnen zu sprechen. Und die Sprache, die sich jetzt einstellte, war die Sprache, die ich am Anfang meines Lebens gelernt hatte, die natürliche Sprache, die mein Werkzeug war, die nur mir selbst gehörte, und mit dem Land, in dem ich aufgewachsen war, nichts mehr zu tun hatte. Diese Sprache war gegenwärtig, wann immer ich wollte und wo immer ich mich befand. Ich konnte in Paris leben oder in Stockholm, in London oder New York, und ich trug die Sprache bei mir, im leichtesten Gepäck. In diesem Augenblick war der Krieg überwunden, und die Jahre der Flucht waren überlebt. Ich konnte sprechen, konnte sagen, was ich sagen wollte, und vielleicht hörte mir jemand zu, vielleicht würden andere zu mir sprechen und ich würde sie verstehen. Alles was geschehen war, lag noch da, doch wir konnten uns darüber äußern, nichts mehr brauchte verborgen zu werden. Und ich konnte mir Papier kaufen, eine Feder, einen Zeichenstift, einen Pinsel, und Bilder entstehen lassen, wann immer und wo immer ich wollte. Und wenn es schwer war, an Worte und an Bilder heranzukommen, so war es nicht deshalb, weil ich nirgends hingehörte, und keine Verständigungsmöglichkeiten erkennen konnte, sondern nur deshalb, weil manche Worte und Bilder so tief lagen, daß sie erst lange gesucht, abgetastet und miteinander verglichen werden mußten, ehe sie ein Material hergaben, das sich mitteilen ließ. An diesem Abend, im Frühjahr 1947, auf dem Seinedamm in Paris, im Alter von dreißig Jahren, sah ich, daß es sich auf der Erde leben und arbeiten ließ und daß ich teilhaben konnte an einem Austausch von Gedanken, der ringsum stattfand, an kein Land gebunden.

MARTIN WALSER

Der Monolog des Alois Grübel

Heiter, ohne Sentimentalität: Ich freu mich. Ich hab ja gewußt, ein Gesangverein kann nicht untergehn. Das hab ich gewußt, weil ich gern sing. Auch wenn Anna dagegen ist. *Er schaut sich um. Heiterkeit.* Eine Frau begreift nicht alles. Insbesondere nicht einen Gesangverein. *Heiterkeit. Bravo, bravo.* Mir fällt ein der Unterscharführer Schöck, der gesagt hat: Alois, Männersachen sind Männersachen. *Leichtes Befremden.* Ich freu mich, daß ich jetzt ein Mitglied bin. Natürlich häng ich an meinen Hasen. Ich häng ja auch an Anna. Aber mit Anna kann ich genau so wenig singen wie mit den Hasen, das ist der Nachteil. *Heiterkeit.* Jetzt gehör ich zum Liederkranz, hab Anna, hab meine Hasen, mehr kann ein Mensch nicht verlangen. Entschuldigen Sie, daß ich aufgeregt bin vor Freude. Ich seh alles doppelt und dreifach, so gut geht es mir. Daß wir überhaupt durchgekommen sind und jetzt dastehen, wieder an Führers Geburtstag! *Befremden.* Es ist schon gut, wenn man nicht immer alles weiß. Verfolgt sind wir worden, jetzt ist es herausgekommen. Ich bin schön erschrocken, wie ich neulich auf der Gemeinde gehört hab, wie ich verfolgt worden bin damals. *Heiterkeit.* Aber weil man nie weiß, wann eine Verfolgung aufhört und eine andere anfängt, muß man froh sein, solange man überhaupt noch lebt. Darum singt man, wenn man plötzlich drandenkt, daß man ja noch lebt. *Beifall.* Der Unterscharführer Schöck hat gesagt: Alois, wer die Idee begriffen hat, der kommt durch. Und dann hat er zu den anderen gesagt: schaut den Alois an, ein einfacher Mensch, aber die Idee hat er begriffen. *Befremden.* Nicht, daß ich mir jetzt was einbilden will, mich überheben will. Der Unterscharführer war ein lustiger Mensch und ich hab, wie man so sagt, einen Stein im Brett gehabt bei ihm. *Gorbach gibt Potz immer wieder ein Zeichen, daß der endlich den Einsatz zum Gesang geben soll. Ein Polizist nähert sich. Wartet noch ab. Dr. Zerlebeck zieht sein Notizbuch.* Genau wie beim Herrn Kreisleiter. Jetzt ist er keiner mehr. Wir sind alle heilfroh, daß wir eine Ruhe haben im Land wie noch nie. Was hat unser lieber Dirigent für einen Kummer gehabt mit mir, wie er noch die verhaßte Uniform hat tragen müssen. Jetzt mag er mich. Das kommt vom Singen. Also kann man sagen, der Gesang hat eine Kraft. Mehr als ein Ochs. Die Krähen da, die immer dabei sind an Führers Geburtstag, die treuen Krähen, die haben's auch gehört damals, wie ich meinen schlimmen Rückfall gehabt hab ins Bolschewistische, daß ich glatt die Stadt verraten hab, was andererseits ja ein Vorteil war, wie sich herausgestellt hat durch die Tafel da. Ich denk mir, vor den Krähen muß man sich nicht genieren. Immer schauen sie zu und begreifen doch nicht, daß der Mensch unzuverlässig ist, solang er lebt. Es sei denn, er ist ein Mitglied und hat die Idee begriffen. Jetzt bin ich ein Mitglied! Euer Mitglied! Ich hab das Gefühl, mir kann nichts mehr passieren . . .

Potz hat endlich den Einsatz gegeben. Der Liederkranz singt: »Wer hat dich, du schöner Wald . . .« Gorbach hat Alois während der letzten Sätze an der Hand genommen und führt ihn mit sanftem Zwang nach links ab. Alois sträubt sich. Gorbach überläßt das Abführen Maschnik und dem Polizisten. Alois stimmt ein in den Gesang, man hört, wie er mit seiner hellen Stimme das »Lebewohl, lebewohl« singt. Er begreift nicht, warum er abgeführt wird. Er singt, solange er als Gefangener widerwillig die Bühne verlassen muß.

Die Bühne wird dunkel.

WOLFGANG HILDESHEIMER

Wirklichkeit

Wirklichkeit? Es ist an der Zeit, daß ich meine Suche beschließe, ich stoße ja wahrhaftig schon auf die ausgefallensten und lächerlichsten Begriffe! Was ist denn die Wirklichkeit anderes als eine irreführende Erfindung? Sie entstand am 9. Mai 1311 in einem Gasthaus westlich von Straßburg. Hier saß der Dominikanerprovinzial, Meister Eckhart, der sich auf der Reise nach Paris befand, bei einem Schoppen Elsässerwein und einer Übersetzung aus dem Lateinischen, stieß auf das Wort ›actualitas‹, das eigentlich etwas ganz anderes bedeutet, aber er saß, wie gesagt, beim Wein, und so übersetzte er das Wort mit ›Wirklichkeit‹, hat damit einen meist mißverstandenen und viel mißbrauchten Begriff geprägt und damit das Ding erfunden, das er ausdrückt. Zu Anfang unseres Jahrhunderts wollte man an diesem Gasthaus eine Bronzeplakette anbringen, es wurde eine Kommission tonangebender Philosophen bestellt, um den Wortlaut aufzusetzen, aber bevor sie einig wurden, fiel das Gasthaus einem Weltkrieg zum Opfer. Die Ruine steht heute noch, aber ohne Plakette, da die inzwischen stark gealterte Kommission befand, daß eine Tafel zur Erinnerung an die Erfindung der Wirklichkeit an einer Ruine fehl am Platze sei, meiner Überzeugung nach zu Unrecht.

Recht oder Unrecht, hier hätte kein Stoff gelegen, hier nicht, keiner für mich, auch keiner für andere, aber die anderen wissen es vielleicht nicht. Der Nachmittag meiner Suche ist auch vorbei, es ist dunkel, ich werde kaum noch den Weg zurück finden, werde durch den Sand der Dünen stolpern, fast schon wie ein Seemann wanken, dem Gasthaus zu, das mir fremd ist, aber nicht so fremd wie dieses Meer.

Ich habe keinen Stoff gefunden, es ist mir nichts eingefallen. Das Unerwartete ist, wie ich es erwartet hatte, nicht eingetroffen. Und selbst wenn es eingetroffen wäre – es ist kaum zu gebrauchen. Geister und Götter: ja, – aber Geister und Götter ex machina: nein. Dieser Geist von Hamlets Vater: ein wunder Punkt, einer großen Geschichte einzige Schwäche. Der ist aus Marmor oder Gips oder aus dem gilbenden Papier einer schlecht übersetzen Prachtausgabe von achtzehnhundertneunzig, oder ein steinerner Gast auf einem Piedestal, das von vier Bühnenarbeitern auf die Bretter geschoben wird. Ich höre in der Dunkelheit das Knirschen der im Jenseits gerosteten Scharniere seiner eisernen Rüstung. Ein Heldenvater vor dem Bühnenbild eines nordischen Schlosses, entworfen vom Präsidenten der bayerischen Akademie der schönen Künste, das an einem anderen Abend für den zweiten Akt Tristan herhalten muß. Hier denn taucht er von hinten auf, in der bewährten geisterhaften Scheinwerfereinstellung, wenn nicht gerade, wie neulich in Wien, die Beleuchter streiken, stimmt die Ballade seiner Ermordung in d-moll an, wechselt nach kurzem Orchesterzwischenspiel Tonart und Tempo, singt seine Rachearie – man kennt sie von Schallplatten berühmter russischer Bässe – und verschwindet, um aus dem Jenseits hinter der Bühne noch mehrmals auf dem tiefen gis – Ganznote mit Fermate, nicht jeder hält es durch! – den Befehl »Schwöret!« ertönen zu lassen. »Schwöret!« Dann kann er heimgehen, denn zuhause ist eine kleine Familienfeier im Gang, sein fünfzigjähriges Bühnenjubiläum vielleicht, oder goldene Hochzeit. Er ist der altbewährte Heldenbaß des Stadttheaters, der auch den Komtur singt, mit dem Hamlets Vater viel gemeinsam hat.

Und was er uns da vorsingt! Gewiß, der Mord ist geschehen, tot ist er. Wahr ist auch, daß seine Königin und sein sauberer Bruder die Mörder sind. Aber wie der Mord geschah, das nehmen wir diesem Baß-Geist nicht ab. Er sei, so singt er,

bei seinem nachmittäglichen Nickerchen im Garten vergiftet worden. Die Mörder hätten ihm den mit einem Hexenfluch beladenen Saft von Bilsenkraut in die Ohren geträufelt. Dieser habe sein Blut gerinnen lassen wie saure Milch und einen harten Aussatz gleich einer ekelhaften Rinde um seinen Leib gelegt. Ein grauenhafter Bericht, aber als Ausgangspunkt und Auftakt, als Ursache und Vorbedingung einer exemplarischen Geschichte, der Geschichte von dem tragischsten Nachtwandler aller Zeiten, unwürdig und unwahr. Lassen wir das! Diese Geschichte ist erzählt und damit geschehen, mehr als geschehen. Dazu fällt mir nichts mehr ein, und dazu hat mir auch nichts mehr einzufallen.
Und doch –
– Bilsenkraut! Hebona. Selbst hier hat die neuere Forschung, die vor nichts mehr haltmacht, angesetzt. Sie hat festgestellt, daß es sich nicht um das einheimische Bilsenkraut handelt, mit dem, vor den bösen Zerrspiegeln unserer Hausmärchen die Stiefmütter ihre Stieftöchter zu vergiften trachteten, um Platz für ihren eigenen häßlichen Nachwuchs zu schaffen, sondern um das asiatische Guaiacum oder Lignum vitae, deutsch auch Franzosenholz genannt, mit dem man jahrhundertelang die Syphilis vergebens zu heilen suchte. Seiner angeblich unfehlbaren Heilkraft hat Ulrich von Hutten die Schrift »De Guaiaci medicina et morbo gallico« gewidmet, kurz bevor er, fünfunddreißigjährig, an eben dieser Syphilis elend zugrunde ging. Das ist wieder eine andere Geschichte, die Geschichte einer tragischen Täuschung, der Entwürdigung eines Würdigen, wie der Tod sie sich so gern ins Fäustchen lacht. Niemand hat sie geschrieben, dafür ist sie geschehen. Alles ist schon geschehen oder geschrieben oder beides. Für mich ist nichts übrig geblieben. Mir fällt nichts ein.
Vielleicht noch ein letzter Blick durch den Feldstecher? Aber inzwischen ist alles dunkel, Meer, Himmel, Strand und Landzunge, alles indigofarben, auch das Geringe, was sich

an Möglichkeit zu bieten schien, ist verhüllt. Es leuchtet auch kein einziger Stern, der mir etwas vermitteln würde. Das vermutete – oder vielmehr: das für möglich gehaltene – Hoch ist nicht eingetroffen, dafür ist aber auch das Tief als solches nicht mehr erkenntlich, ich sehe nichts, fast nichts. Und plötzlich bemächtigt sich meiner das Gefühl, als habe ich, zumindest hier, in diesem Raum, aufgeräumt, als habe ich selbst, einem Drang nach absoluter Klarheit, nach unbedingter Übersichtlichkeit folgend, hier mit letztem Aufwand solch radikale Ordnung geschaffen, daß jetzt nichts mehr da ist. Ich habe alles verworfen was zu finden war, und was ich verworfen habe, ist für mich unwiederbringlich verschwunden. Es hat auch nichts getaugt, es war nichts als ein letzter ausgelaugter Rest erschöpften Stoffes, aller Stoff ist erschöpft. Vielleicht war dies der falsche Ort, aber letzten Endes sind alle Orte gleich, und gerade um dieses letzte Ende hätte es sich gehandelt, handelt es sich immer. Mir ist nichts eingefallen, ich habe es redlich versucht und habe mir nichts vorzuwerfen. Ich gehe.

GERSHOM SCHOLEM

Die 36 verborgenen Gerechten in der jüdischen Tradition

Mit der Veröffentlichung des Romans von André Schwarz-Bart, »Der Letzte der Gerechten«, der durch seine Themenstellung und Ausführung so viele Leser ergriffen hat, ist die Aufmerksamkeit auch auf die dem Aufbau des Buches zugrundeliegende jüdische Volkslegende gerichtet worden. Diese Legende, die in der jüdischen Folklore weit verbreitet ist, spricht von den 36 Zaddikim oder Gerechten, auf denen, wenn sie auch unbekannt oder verborgen sind, das Schicksal der Welt ruht. Der Verfasser jenes Buches gibt dieser Überlieferung eine sehr phantasiereiche Wendung. Nach einigen Talmudisten geht sie, sagt er, bis auf die ältesten Zeiten zurück. Als Romancier ist Schwarz-Bart nicht an die Konventionen der Gelehrten gebunden und kann seiner spekulativen Phantasie freien Lauf lassen. Viele Leser des Buches dürften sich aber gefragt haben, was eigentlich die Quelle und welches die Belege für diese Legende sind, die gerade auf jüdische Schriftsteller der letzten Generationen, vor allem solche, die Hebräisch und Jiddisch schrieben und schreiben, eine besondere Anziehungskraft ausgeübt hat.

Welches sind die historischen Ursprünge dieser Legende und wie entwickelte sie sich in späterer Zeit? Es ist merkwürdig, daß trotz der Popularität dieser Idee in weiten jüdischen Kreisen keinerlei gelehrte Studien über ihre Entwicklung vorliegen. Freilich ist dies weniger überraschend als es auf den ersten Blick scheinen möchte. Denn als eine Vorstellung der jüdischen Volksreligion gewann sie erst zu einer recht späten Zeit feste Gestalt, und man würde sie in den vielen Bänden vergeblich suchen, in denen die jüdische Erbauungs- und Moralliteratur des Mittelalters die Botschaft des Judentums dem gewöhnlichen Juden nahezubringen suchte.

In den alten jüdischen Quellen der Überlieferung ist das Motiv der 36 Gerechten durchaus von dem des Vorhandenseins verborgener Gerechter getrennt. Daß der Gerechte das Fundament der Welt sei, also sozusagen die Welt trage, sagt schon ein Wort in den Sprüchen Salomons in der Bibel. Talmudische Überlieferung kennt verschiedene Äußerungen, wonach in jeder Generation es eine Anzahl von Gerechten gibt, die in ihrer Würde dem Range Abrahams, Isaaks und Jakobs entsprechen. Am häufigsten ist dabei die Rede von 30 Gerechten, welche Zahl aus einer zahlenmystischen Deutung eines Wortes in Genesis 18:18 herausgelesen wurde. Danach habe Gott dem Patriarchen Abraham geschworen, die Welt würde nie ohne 30 Gerechte wie er selber sein. Aussprüche dieser Art wurden verschiedenen palästinensischen und babylonischen Gelehrten des 2. bis 4. Jahrhunderts zugeschrieben, vor allem dem berühmten Rabbi Simon ben Jochai. Einer dieser Schriftgelehrten, Josua ben Lewi, gab der Meinung Ausdruck, daß, falls Israel dessen würdig sei, 18 unter diesen 30 Gerechten im Lande Israel leben würden und 12 außerhalb. Andere wiederum kannten die Vorstellung, daß gerade die nichtjüdischen Völker durch diese 30 Gerechten, die aus ihnen selber hervorgehen oder aber in ihrer Mitte wohnen, bestehen. Diese Gerechten beschützen die Welt, wie Abraham zu seiner Zeit. Andere Traditionen im babylonischen Talmud kennen die Zahl von 45 Gerechten, die diese Funktion ausüben.

Nur der babylonische Lehrer Abbaji im 4. Jahrhundert führte hier die Zahl 36 ein: »Die Welt ist niemals ohne 36 Gerechte, die das Antlitz der Gottheit an jedem Tage empfangen.« Hier ist das Motiv von der Erhaltung der Welt durch das andere von der Schau der Gottheit, deren diese Gerechten gewürdigt sind, ersetzt. Die Begründung der

Zahl 36 ist ebenfalls zahlenmystisch und beruht auf der Deutung des Zahlenwertes eines Wortes in Jesaja 30:18: »Wohl denen, die auf ihn hoffen«, wobei der Zahlenwert des hebräischen Wortes »ihn« – im Hebräischen hat jeder Buchstabe zugleich auch einen Zahlenwert – eben 36 ist, so daß man den Vers auch verstehen könne, als ob er sagen wolle: »Wohl denen, die auf die 36 hoffen«, das heißt auf diese 36 Gerechten sich verlassen.

Die Exegese, aus der diese später so populär gewordene Ziffer der 36 Gerechten heraussprang, ist evidenterweise so künstlich, daß es unwahrscheinlich ist, daß Abbaji sie in Wirklichkeit aus dem Jesaja-Vers heausgelesen hat. Vielmehr dürfte er einen Gedanken, der ihm aus anderen Quellen oder Anschauungen her bekannt war, auf diese Weise in die Schrift hineingelesen haben, um auch dort für sie einen Anhalt zu entdecken. Zofia Amaisenowa hat zuerst die Vermutung ausgesprochen, die vielleicht nicht von der Hand zu weisen ist, daß diese Ziffer aus der antiken Astrologie stammt. Dort wurde der Himmelskreis von 360 Grad in 36 Dekaden eingeteilt, sogenannte Dekane, und über jeden Abschnitt des so eingeteilten Zodiakalkreises regierte eine Dekan-Gottheit, die zehn Tage des Jahres oder, in anderer Entwicklung, zehn Grade des Tierkreises beherrschte. Über diese Dekane und Dekan-Götter haben wir eine reiche Literatur, vor allem aus ägyptisch-hellenistischen Quellen. Die Dekane wurden hier auch als Wächter und Hüter des Universums angesehen, und es ist durchaus denkbar, daß die Ziffer 36, wie sie Abbaji in die Schrift hineinlas, eine Verwandlung dieser kosmologischen Mächte oder Kräfte in humane Gestalten vollzog. Daß im Mittelalter solche Beziehung der beiden Sphären aufeinander dem Bewußtsein mancher jüdischer Autoren nicht fremd war, wird durch ein hebräisches Manuskript in München erwiesen, das astrologische Losfragen an die Figuren des Tierkreises enthält. Jedes Tierkreiszeichen ist hierbei in drei »Gesichter« geteilt, wobei sich die klassische Zahl der 36 Dekane ergibt, und jedem Dekan ist hier der Name einer von 36 biblischen Figuren zugeordnet, von Adam und Henoch bis Daniel und Esra.

Jedenfalls verdrängte im Mittelalter diese Zahl 36 alle anderen älteren Ziffern und wurde auch in das kabbalistische Schrifttum übernommen. Aber weder die alte jüdische Legende noch die spätere rabbinische und kabbalistische Literatur vor dem 18. Jahrhundert wissen etwas davon, daß diese 36 Zaddikim unbekannt und verborgen seien. Auch wo von Frommen erzählt wird, die ihr Tun ganz im verborgenen vollbringen, wird kein Zusammenhang zu dem Motiv der Welterhaltung durch die 36 Gerechten hergestellt. Solche Legenden über Gerechte oder Fromme, deren gute Taten ihren Mitmenschen unbekannt bleiben oder die ihre Tugenden unter mehr oder weniger paradoxen Verkleidungen praktizieren, sind schon sehr alt. Die älteste Legende dieser Art stammt aus dem 3. Jahrhundert und wird im palästinensischen Talmud, im Traktat von den Fasttagen, erzählt: »Rabbi Abbahu sah im Traume, daß, wenn ein gewisser Pentakaka beten würde, Regen fallen würde. Der Rabbi ließ ihn kommen und fragte ihn: Was ist deine Beschäftigung? Ich begehe an jedem Tag fünf Sünden [daher wohl der Name Pentakaka, in welchem das griechische Wort Penta-Kaka, fünf schlechte Taten, steckt]. Ich vermiete Huren, reinige das Theater, trage den Huren die Kleider ins Badehaus und tanze und schlage dabei die Pauke vor ihnen. Der Rabbi fragte: Und was hast du Gutes getan? Er antwortete: Einmal machte ich das Theater rein, da kam ein Weib, stellte sich hinter die Säule und weinte. Ich fragte sie: Was fehlt dir? Sie antwortete: Mein Mann ist im Gefängnis, und ich möchte ihn gerne freikaufen. Da verkaufte ich mein Bett und meine Decke und gab ihr den Erlös mit den Worten: Hier hast du Geld, kaufe deinen Mann los und werde keine Hure. Der Rabbi sprach zu ihm: Du bist in der Tat würdig, zu beten und erhört zu werden.« Diese alte Legende ist der Prototyp für viele Geschichten, wie sie dann im Mittelalter erzählt werden, etwa in der Legendensammlung des Nissim ben Jakob, die im 11. Jahrhundert in Kairawan in Nordafrika verfaßt wurde, oder in dem »Buch der Frommen« des Rabbi Juda des Frommen, der im 12. Jahrhundert in Regensburg und Speyer lebte. Nirgends aber findet sich bei solchen Geschichten eine Andeutung darauf, daß deren Helden zu einer besonderen Kategorie von Gerechten gehören, deren Verborgenheit für die Erfüllung ihrer Funktion wesentlich ist.

Es ist aber sehr wohl möglich, daß diese Vorstellung schon sehr früh aufgekommen ist und in populären Fassungen der Legende von den 36 Gerechten überliefert wurde, auch wenn sie nicht schriftlich auf uns gekommen sind. In der Tat tritt sie, worauf zuerst Rudolf Mach hingewiesen hat, in der islamischen mystischen Tradition gerade an Stellen auf, die diese jüdische Vorstellung übernommen und in eigener Weise weiterentwickelt haben. Hiernach hat Gott die Heiligen zu den Lenkern der Welt bestimmt. Schon im 10. und 11. Jahrhundert finden wir bei islamischen Mystikern, daß es unter diesen Heiligen 4000 gibt, die verborgen sind und einander nicht kennen, ja nicht einmal der besonderen Auszeichnung ihres Rangs bewußt sind, sondern vielmehr unter allen Umständen sich selbst und der Menschheit verborgen sind, wie es in einem aus dem 11. Jahrhundert stammenden Traktat des persischen Mystikers Hudschwiri heißt. Noch ältere islamische Quellen erwähnen die Ziffer von 40 Heiligen, die eine besondere Kategorie bilden, deren Angehörige unerkannt unter ihren Mitmenschen leben und durch ihre guten Taten mit zum Bestand der Welt beitragen. Wir können vorläufig nicht bestimmen, ob diese Vorstellung zuerst aus jüdischer Tradition stammte, die schon, als sie in islamische Kreise eindrang, eine neue Wendung genommen hatte, oder ob sie im Islam entstanden ist und dann in dieser neuen

Metamorphose zu einer noch unbestimmten Zeit ins Judentum zurückgewandert ist. Gerade in jüdisch-orientalischen Quellen, die ihrer Nähe zum Islam nach am ehesten solchen Einfluß widerspiegeln würden, haben wir keinerlei Belege für das Vorkommen dieser Idee. Es gibt Gerechte, die ihren Wandel verbergen, aber nirgends heißt es, daß gerade sie es sind, von denen das Bestehen der Welt abhängt.

Andrerseits wäre es auch durchaus denkbar, daß die Vorstellung von den verborgenen Gerechten aus der volkstümlichen Erbschaft der großen religiösen Bewegung stammt, die das deutsche Judentum im 13. Jahrhundert ergriffen hatte und als deutscher Chassidismus (im Unterschied zu dem viel späteren polnischen) bezeichnet wird. Zu der ganzen Lebenseinstellung dieser Gruppe würde die Kristallisation der Idee durchaus passen. Jedenfalls tritt sie unter dem deutschen und polnischen, dem sogenannten aschkenasischen Judentum des Ostens zum erstenmal ans Licht. Die jiddische Sprache hat sogar ein eigenes Wort für diese verborgenen Gerechten geprägt, welche im populären Sprachgebrauch »Lamedwowniks« heißen. Lamed = Waw ist die hebräische Ziffer für 36. Als im 18. Jahrhundert in Polen die chassidische Bewegung hochkam, fand sie diese Vorstellung schon weit verbreitet. Die chassidischen Autoren sprechen häufig von den zwei Kategorien von Zaddikim, solchen, die verborgen sind und sich zu sich selber halten, und solchen, die ihren Mitmenschen bekannt sind und gleichsam unter dem kritischen Auge der Öffentlichkeit ihre Aufgabe erfüllen. Der Gerechte der ersten Kategorie heißt »Nistar«, das heißt verborgen, der der letzteren »Mephursam«, das heißt berühmt. Die verborgenen Zaddikim gehören einer höheren Ordnung an, weil sie der Versuchung der Eitelkeit, die von einer öffentlichen Laufbahn fast untrennbar ist, nicht unterliegen. Manche von ihnen wenden besondere Mühe daran, ihren Mitmenschen ein Bild von sich zu bieten, das im schärfsten Gegensatz zu ihrer eigenen Natur steht. Andere wiederum mögen nicht einmal dieser ihrer Natur bewußt sein und ihre Heiligkeit und Gerechtigkeit in verborgenen Taten ausstrahlen, ohne auch nur zu wissen, daß sie zu jenen erkorenen 36 gehören. Die jüdische Folklore des 18. und 19. Jahrhunderts gerade des Ostjudentums war unermüdlich in der Ausarbeitung dieser Seiten der Vorstellung, und je paradoxer, desto besser. Aus dieser Überlieferung stammen zum Beispiel mehrere der Geschichten, wie sie in Ernst Blochs »Spuren« von solchen verborgenen Gerechten erzählt werden. Nach manchen dieser Legenden ist einer der 36 Verborgenen der Messias. Wäre das Zeitalter dessen würdig, würde er als solcher offenbar werden. Nach anderen stirbt ein verborgener Gerechter in dem Moment, wo er als solcher erkannt wird. In den Schriften des großen hebräischen Erzählers S. J. Agnon finden sich einige wunderbare Geschichten dieser Art. Von einem der berühmtesten chassidischen Heiligen des 18. Jahrhunderts, dem Rabbi Leib Sores (das heißt dem Sohn der Sara), hieß es allgemein, daß er in geheimer Verbindung mit den verborgenen Gerechten stünde und für ihre dringendsten leiblichen Bedürfnisse sorge. Noch später wurde dieses Motiv dann auf den Gründer der chassidischen Bewegung selber, Israel Baal-Schem, übertragen.

Wir kennen mindestens zwei kabbalistische Bücher aus dem 18. Jahrhundert, deren Autoren im Rufe standen, zu den verborgenen Gerechten gehört zu haben, Rabbi Neta aus Szinawa und Rabbi Eisik, der als Schächter in dem kleinen Dorf Zurawitz bei Przemyśl lebte. Ihre Schriften wurden natürlich erst nach ihrem Tode gedruckt, und in den Einleitungen erzählen die Zeitgenossen von den Gerüchten, die über ihren wahren Charakter umgingen. Als vor etwa fünfzig Jahren einige begeisterte Chassidim in Rußland eine ganze Korrespondenz des Rabbi Israel Baal-Schem fälschten, um sozusagen authentisches Material für die Legenden um ihn zu liefern, vergaßen sie auch nicht, mehr oder weniger rührende Briefe zu produzieren, die zwischen dem Meister und einigen der verborgenen Gerechten gewechselt wurden. Überhaupt haben uns die Sammlungen chassidischer Legenden aus dem 19. Jahrhundert eine beträchtliche Anzahl solcher Überlieferungen und Anekdoten über die Lamedwowniks aufbewahrt. Nichts natürlich konnte dieser Tradition ferner liegen als die Vorstellung, die sich Schwarz-Bart in poetischer Lizenz zurechtgelegt hat, wonach dieser Zustand der Zugehörigkeit zu den 36 Gerechten ein Familienerbe sein könne, das (und noch dazu bewußt) vom Vater auf den Sohn übergehen könnte. Familien verborgener Gerechter gibt es nicht. Der verborgene Gerechte, wenn er irgend etwas ist, ist eben dein und mein Nachbar, dessen wahre Natur uns ewig unergründlich bleibt und über den kein moralisches Urteil abzugeben uns diese Vorstellung ermahnen will. Es ist eine von einer etwas anarchischen Moral getragene, aber eben deswegen um so eindrucksvollere Warnung. Der Mitmensch mag der verborgene Gerechte sein.

PAUL NIZON

Mein Fall

Ich habe immer das Gefühl, die Leute lebten eigentlich in der Partei, in der Milchwirtschaft, in der Ehe, im Pudelklub oder Touringklub, in der Versammlung oder in der Verantwortung für das Gemeinwesen oder Unternehmen: in irgendwelchen Fraktionen der großen Betriebsverwaltung jedenfalls und nicht in ihrem Leben. Natürlich wölbt sich über diesen Ausschnittbereichen der eine Himmel, und die Betriebe, Institutionen und Interessengemeinschaften unterstehn auch den Jahreszeiten, der Zeit. Aber im Tempel des Torfverwertungsunternehmens Gallhagen thront in einer Apsis des Angestelltenweltbildes ein Gallhagener Gott, der bei der Belegschaft und im Betrieb das Schicksal macht. Mit seinem furchtgebietenden Schatten wirft er sich doch sehr über das eigentliche Lebensgeschehen und bricht alles in ein gallhagisch getöntes Schicksal um. Und der wechselnde Himmel muß durch die banale Düsternis des Firmengewölbes hindurch aufgenommen werden. In der Trambahn und vor der Zeitung ragen die Leute schon eher ins Freie, aber ragen sie in ihr Leben?

Das läßt die Vorstellung zu, die zu all diesen Parzellen, Sektoren und natürlich Einzelmenschen zugehörige Wirklichkeit finde abgetrennt auf einem andern Stern statt. Die Leute hätten sich vor der überspannenden und ihrer Wirklichkeit in Verliese verkrochen, sie lebten in lächerlich verkleinerten Vorstellungsräumen aufgehoben, dabei aber in der Meinung, am großen Spiel wichtigen Anteil zu nehmen, Welt und Verantwortung im Mund; überhaupt Selbstgefallen in Positur. Im Grunde aber würden sie gespielt von diesem fürchterlich lebendigen Geschehen, das die große Zeit und

die Minuten und Spannen des Einzeldaseins pausenlos anfüllt, treibt und bestimmt. Die Leute lebten aber dieser ihrer Wirklichkeit fern, nie habhaft, verpassend. Leben sie?
Ich hatte immer das Gefühl, alles richte sich gegen diese Wirklichkeit ein, statt in ihr, Institutionen und Worte, die sich brüsten, ihr zu gelten, hätten nichts mit ihr zu tun, sie träten schon im Zustand ihrer Errichtung das Los überholter, unbrauchbarer, unbewohnter und stehengelassener Baracken an. Die Schritte der Gehenden tappten am Takt vorbei, die Spieler spielten falsch und jedenfalls nicht nach der Musik. Die werde hartnäckig überhört. Obwohl sie immerzu das Spiel bestimme, ein undurchschaubares, das alogisch läuft, wild; das sich rigoros hinwegsetzt über alle Glaubensbastionen, Hebelwerke, Vorstellungsräume, die den Lauf im Griff zu haben wähnen; das sich längst von allen Fassungen emanzipiert hat, undomestiziert sich pausenlos ereignet und voranstößt; alle soldatischen Vaterunser und patriotischen Merkbücher und Dogmen und Glaubenssätze überspringt und widerlegt mit der produzierten Wirklichkeit.
Die Wirklichkeit, die ich meine, ist nicht ein für alle Mal abzuziehen oder abzufüllen und in Tüte, Schachtel oder Wort mitzunehmen. Sie ereignet sich. Sie will verdeutlichend mitgemacht werden und eigentlich mehr als das: sie muß hergestellt werden, zum Beispiel im Medium der Sprache. Deshalb schreibe ich. Die in der Sprache zustandekommende Wirklichkeit ist die einzige, die ich kenne und anerkenne. Sie gibt mir das Gefühl, vorhanden zu sein und einigermaßen in Übereinstimmung zu sein mit dem, was sich insgeheim wirklich tut, zu mindest in Kontakt damit. Mein Leben, von dem ich annehme, es sei einmal und einmalig, läuft auf diese Weise weniger Gefahr, in blind übernommenen Konventions- oder in irgendwelchen Idealkanälen zu fahren, und auch nicht die andere: auf Lebzeit in Untermiete eingelagert zu bleiben. Es setzt sich nicht auf Dienst-

wegen mit der treibenden Instanz auseinander, sondern empfängt seine Impulse direkt.

Ich glaubte lange, man müßte über die Kuppel eines festen Weltgebäudes verfügen, um die Steinchen, die Einzelheiten, die ich fand, an denen ich hing, die mich faszinierten, beschäftigten, reizten, die herrenlosen Einzelheiten, unter Dach bringen zu können. Hatte keinen Plan, keine Kuppel, keinen Hut. Also blieb ich in der grotesken Situation, Murmeln in Fingern zu drehen, Lehmkügelchen zu kneten, Fäden zu knüpfen und nicht zu wissen wozu. Wozu dies, wenn sich keine Story, kein vertretenswertes Manifest, keine lebenswerte Idee einstellt? Tausendmal sagte ich mir, ich sei kein Schriftsteller, und die Passion, die mich vor Einzelnem, Kleinstem, wie vor einem Weltwunder erstarren ließ, neugierig, anbetend, es wiedermurmelnd, es drehend, knetend, spitzend, zungenschlagend, kostend, erprobend, ergreifend, verbetmühlend, die Passion an Einzelheiten, nach denen ich griff, wie ein Taumelnder, aber auch wie ein Süchtiger, diese Passion sei der Schabernack eines Schöpfers, der sich den Spaß leistete, einen Einzelnen ungenügend ausgerüstet aber hochalarmiert loszuschicken.

Als ich ein Schüler war, zögernd an den Schwellen der Fächer, die sich scheunentorgroß auftaten, ich blickte hinein und blickte weg, immer Unerfülltes mitschleppend, präokkupiert und keine Zeit . . . wenn ich da ausfiel aus dem Betrieb und mich die Ahnung überkam, ein Beruf könnte sein, so vor dem Teppich der Erscheinungen zu sitzen, vor dieser Arena, den Schienensträngen, der rostbetäubten Sabbia mit dem Funken, den Rauchstößen und -schwänzen der Lokomotiven, vor diesem zuckenden Vielgeflecht, am Rand der Fußgängerstraße, ihren Stoßzeiten, selber geschützt durch eine Hecke, die vielleicht den halbprivaten Park zu Füßen des Gerichtsgebäudes einfaßt, die aber auch Blicke erlaubt zu Balkonen von Häusern, die unten citywärts sich wolkenkratzerartig in den Himmel stemmen, Balkonen, hinter welchen man Ehezwist mitzubekommen wähnt, harte Worte im Rauch der Zigarette, während das Fuhrwerk der Güterzustellung wie ein Nomadengefährt den Berg hinanächzt . . . Erscheinungen, Nebeneinander, das in Atem hält, das ein angespanntes Beobachterauge am Leben erhält, den Beobachter in den Zeugenstand hebt, wer sonst hat Zeit? wer ist unvoreingenommen wie er? wer kann die Hauptsachen, in denen die einzelnen wie in Gefängnissen sich auflehnen, wer kann diese Hauptsachen entschärfen, diese scharf ragenden Wichtigkeiten niederstoßen in die Teppichebene des Vielgeflechts? kann den Teppich weben? Wer, wenn er nicht? Ein Beruf. Dies. Diese Ahnung. Damals.

Ich lebte auf. Ich sauste den Lift meines Inneren bis zu einer atemlos hohen Ausguck- und Andachtsstelle empor, stand auf einer unerhörten Estrade, lauschend, in Feuer.

Dieser Eigenbereich. Auf dem Ausguck. Die Augen unersättlich. Diese Anspannung des Mitgehens, dies Gefühl, ganz nah am Wichtigsten zu sein, beteiligt, ja, aber vor lauter Aufmerken kalt beinah, nicht einzuschüchtern. Ganz hell, ganz durchlässig, ganz leer und voll, ganz Ding. Und dies Entflammen, wenn ich so etwas mitknetete, mit leerer Mühle mitbetete, dies Gefühl, Wirklichkeit zu machen und selber wirklich zu sein.

Es kam keine Story-Idee, blieb der Zweifel, ob das Schriftsteller-Disposition sein könne, aber blieb auch die Passion, die ich mir immer wieder verbot.

Ging folgerichtig auf vielerlei Berufe, als Gymnasiast schon, als Werkstudent später. Nicht unbedingt aus Geldnot, mehr noch aus Neugierde. Die Welt des Bauplatzes, die Welt des Magaziner-Gehülfen, als Nachtarbeiter auf dem Bahnhof, Bahnpostgehilfe, als Zeitungsausträger, die Stadt immer aus anderer Perspektive, zu ungewohnten Zeiten, – die gleiche Stadt immer in anderen Aspekten, nicht unter den Stadtbegriff zu bekommen. Die Stadt aus der Sicht des Vermessungsgehilfen, stabhaltend am Stadtrand herumstehen, in der Nachbarschaft von Schrebergärten, wenn die großen Laster einfahren; aus dem Blickwinkel des Eilpostzustellers, Einblicke in Familien, Durchfahrten durch Quartiere, die fernstes Ausland sein könnten; die Stadt und die Länder von der Verhandlerschranke des Reisebüros aus, die Stadt aus der Perspektive des im Graben Schaufelnden, aus der Fronperspektive, von da aus die frei trippelnden Einkaufsfrauen; und die Stadt im halboffiziellen Auge des Verkehrszählers. Dann das Schnuppern am Freiberuf, als Radiosprecher und -schreiber, einmal als Reporter, der mit Technikerwagen unterwegs ist, sich einmischt mit dem Mikrophon in der Hand; als Berichterstatter. Einblicke in lauter Absoluta, die sich dem Hospitierenden als Relativitäten erweisen. Wollte lange nicht an die Universität, verabscheute die noble Dispensierung im Studentenstand, hungerte nach anderer Tuchfühlung. Erarbeitete ein Sümmchen, um nach Kalabrien auszuwandern, wanderte aus und kam zurück. Vergebliche Reise. Studierte Kunstgeschichte, weil ich Literaturverhandlung unter gemeinem Volk nicht ertragen hätte, erwarb mir bessere Augen. Wurde gar Kunstkritiker, zuerst nebenamtlich, neben einer Assistentenstelle, die ich an einem Museum innehatte. Mit den Kunstausstellungsbesuchen und dem nachfolgenden Zwang zur exakten Formulierung und Ausponderierung des Feuilletons schuf ich ein Gegengewicht zur Beamtennummer, die ich zu geben hatte. Nahm ernsthaft das Schreiben wieder auf. Griff auf meine Einzelheiten, sah zu, wohin das führte, wie so ein Kuchen aufging. Publizierte einige Prosastücke in einem ersten Buch. Erfuhr dabei, daß das Glück im Herstellen liegt. Etwas mit Sprache dicht machen, retten. Nicht die Idee zählt für mich, nicht der Einfall. Mein Element ist der Pflasterstein, den ich sprachlich herstelle und wirklich mache. Was früher quälte und hinderte, das Fehlen von Plan und Idee, ist jetzt meine Freiheit. Ich brauche das nicht. Ich halte mich an das kleine sprachliche Meterstück, vielleicht wird's zum

Motiv, ich weiß noch nicht, zu was es dient, ich mache es. Mache viele solche Stückchen, hänge sie vor mich hin, lasse sie in Spannung zueinander geraten. Vielleicht ergibt sich ein Zusammengehöriges daraus, ein Komplex, das sehe ich erst später. Jedenfalls: ich kann jederzeit anfangen.
Ich schreibe aus einem Lebendigkeits- und Wirklichkeitsanspruch heraus. Große Themen habe ich nicht an Mann zu bringen oder in die Welt zu setzen. Ich möchte keinerlei Einfluß nehmen mit Geschriebenem, nicht belehren, nicht bekehren, nicht moralisieren, nicht aufrichten, aufbauen, nicht verändern. Herstellen und vielleicht mich bekennen. Aus dem mag hervorgehn, daß mein persönliches Leben für meine Arbeit von beträchtlichem Belang ist. Es ist zunächst der einzige Komplex, an den heranzukommen ich mir zutraue, es ist mein »Fall«, und ich bin der Fall meiner Recherchen, der strapaziert werden muß.
Ich möchte hoffen, die Ebene, auf der ich mich lebensbewußt und schreibend bewege, werde immer mehr mit dem »Schlachthausboden« identisch, wie Armin Kesser die Geschehensebene von Ferdinand Céline (den ich liebe) prägte. Den Begriff nehme ich, um den Unterschied zu irgendwelchen Bühnenwirklichkeiten zu unterstreichen. Einziges Wertkriterium ist mir das der Intensität, einer Intensität, die im Sprachzentimeter vibrieren muß. Ich kann mir nicht vorstellen, wo anders das Leben sonst zum Ausschlag kommen sollte, wo es in Fabelkonstruktionen, Weltanschauungssysteme, Sinnbilder kaum noch zu pressen ist.

BERTOLT BRECHT

Leben des Galilei

1633-1642. GALILEO GALILEI LEBT IN EINEM LANDHAUS IN DER NÄHE VON FLORENZ, BIS ZU SEINEM TOD EIN GEFANGENER DER INQUISITION. DIE »DISCORSI«.

Sechzehnhundertdreiunddreißig bis
sechzehnhundertzweiundvierzig
Galileo Galilei ist ein Gefangener der Kirche
bis zu seinem Tode.

Ein großer Raum mit Tisch, Ledersthul und Globus. Galilei, nun alt und halbblind, experimentiert sorgfältig mit einem kleinen Holzball auf einer gekrümmten Holzschiene, im Vorraum sitzt ein Mönch auf Wache. Es wird ans Tor geklopft. Der Mönch öffnet, und ein Bauer tritt ein, zwei gerupfte Gänse tragend. Virginia kommt aus der Küche. Sie ist jetzt etwa vierzig Jahre alt.

DER BAUER Ich soll die abgeben.
VIRGINIA Von wem? Ich habe keine Gänse bestellt.
DER BAUER Ich soll sagen: von jemand auf der Durchreise. *Ab.*

Virginia betrachtet die Gänse erstaunt. Der Mönch nimmt sie ihr aus der Hand und untersucht sie mißtrauisch. Dann gibt er sie ihr beruhigt zurück, und sie trägt sie an den Hälsen zu Galilei in den großen Raum.

VIRGINIA Jemand auf der Durchreise hat ein Geschenk abgeben lassen.
GALILEI Was ist es?
VIRGINIA Kannst du es nicht sehen?

GALILEI Nein. *Er geht hin.* Gänse. Ist ein Name dabei?

VIRGINIA Nein.

GALILEI *nimmt ihr eine Gans aus der Hand:* Schwer. Ich könnte noch etwas davon essen.

VIRGINIA Du kannst doch nicht schon wieder hungrig sein. Du hast eben zu Abend gegessen. Und was ist wieder mit deinen Augen los? Die müßtest du sehen vom Tisch aus.

GALILEI Du stehst im Schatten.

VIRGINIA Ich stehe nicht im Schatten. *Sie trägt die Gänse hinaus.*

GALILEI Gib Thymian zu und Äpfel.

VIRGINIA *zu dem Mönch:* Wir müssen nach dem Augendoktor schicken. Vater konnte die Gänse vom Tisch aus nicht sehen.

DER MÖNCH Ich brauche erst die Erlaubnis vom Monsignore Carpula. – Hat er wieder selber geschrieben?

VIRGINIA Nein. Er hat sein Buch mir diktiert, das wissen Sie ja. Sie haben die Seiten 131 und 132, und das waren die letzten.

DER MÖNCH Er ist ein alter Fuchs.

VIRGINIA Er tut nichts gegen die Vorschriften. Seine Reue ist echt. Ich passe auf ihn auf. *Sie gibt ihm die Gänse.* Sagen Sie in der Küche, sie sollen die Leber rösten, mit einem Apfel und einer Zwiebel. *Sie geht in den großen Raum zurück.* Und jetzt denken wir an unsere Augen und hören schnell auf mit dem Ball und diktieren ein Stückchen weiter an unserem wöchentlichen Brief an den Erzbischof.

GALILEI Ich fühle mich nicht wohl genug. Lies mir etwas Horaz.

VIRGINIA Erst vorige Woche sagte mir Monsignore Carpula, dem wir so viel verdanken – erst neulich wieder das Gemüse –, daß der Erzbischof ihn jedesmal fragt, wie dir die Fragen und Zitate gefallen, die er dir schickt. *Sie hat sich zum Diktat niedergesetzt.*

GALILEI Wie weit war ich?

VIRGINIA Abschnitt vier: Anlangend die Stellungnahme der Heiligen Kirche zu den Unruhen im Arsenal von Venedig stimme ich überein mit der Haltung Kardinal Spolettis gegenüber den aufrührerischen Seilern . . .

GALILEI Ja. *Diktiert:* . . . stimme ich überein mit der Haltung Kardinal Spolettis gegenüber den aufrührerischen Seilern, nämlich, daß es besser ist, an sie Suppen zu verteilen im Namen der christlichen Nächstenliebe, als ihnen mehr für ihre Schiffs- und Glockenseile zu zahlen. Sintemalen es weiser erscheint, an Stelle ihrer Habgier ihren Glauben zu stärken. Der Apostel Paulus sagt: Wohltätigkeit versaget niemals. – Wie ist das?

VIRGINIA Es ist wunderbar, Vater.

GALILEI Du meinst nicht, daß eine Ironie hineingelesen werden könnte?

VIRGINIA Nein, der Erzbischof wird selig sein. Er ist so praktisch.

GALILEI Ich verlasse mich auf dein Urteil. Was kommt als nächstes?

VIRGINIA Ein wunderschöner Spruch: »Wenn ich schwach bin, da bin ich stark.«

GALILEI Keine Auslegung.

VIRGINIA Aber warum nicht?

GALILEI Was kommt als nächstes?

VIRGINIA »Auf daß ihr begreifen möget, daß Christus liebhaben viel besser ist denn alles Wissen.« Paulus an die Epheser III,19.

GALILEI Besonders danke ich Eurer Eminenz für das herrliche Zitat aus den Epheser-Briefen. Angeregt dadurch, fand ich in unserer unnachahmbaren Imitatio noch folgendes. *Zitiert auswendig:* »Er, zu dem das ewige Wort spricht, ist frei von vielem Gefrage.« Darf ich bei dieser Gelegenheit in eigener Sache sprechen? Noch immer wird mir vorgeworfen, daß ich einmal über die Himmelskörper ein Buch in der Sprache des Marktes verfaßt habe. Es war damit nicht meine Absicht, vorzuschlagen oder gutzuheißen, daß Bücher über so viel wichtigere Gegenstände, wie zum Beispiel Theologie, in dem Jargon der Teigwarenverkäufer verfaßt würden. Das Argument für den lateinischen Gottesdienst, daß durch die Universalität dieser Sprache alle Völker die heilige Messe in gleicher Weise hören, scheint mir wenig glücklich, da von den niemals verlegenen Spöttern eingewendet werden könnte, keines der Völker verstünde so den Text. Ich verzichte gern auf billige Verständlichkeit heiliger Dinge. Das Latein der Kanzel, das die ewige Wahrheit der Kirche gegen die Neugier der Unwissenden schützt, erweckt Vertrauen, wenn gesprochen von den priesterlichen Söhnen der unteren Klassen mit den Betonungen des ortsansässigen Dialekts. – Nein, streich das aus.

VIRGINIA Das Ganze?

GALILEI Alles nach den Teigwarenverkäufern.

Es wird am Tor geklopft. Virginia geht in den Vorraum. Der Mönch öffnet. Es ist Andrea Sarti. Er ist jetzt ein Mann in den mittleren Jahren.

ANDREA Guten Abend. Ich bin im Begriff, Italien zu verlassen, um in Holland wissenschaftlich zu arbeiten, und bin gebeten worden, ihn auf der Durchreise aufzusuchen, damit ich über ihn berichten kann.

VIRGINIA Ich weiß nicht, ob er dich sehen will. Du bist nie gekommen.

ANDREA Frag ihn.

Galilei hat die Stimme erkannt. Er sitzt unbeweglich. Virginia geht hinein zu ihm.

GALILEI Ist es Andrea?

VIRGINIA Ja. Soll ich ihn wegschicken?

GALILEI *nach einer Pause:* Führ ihn herein.

Viginia führt Andrea herein.

VIRGINIA *zum Mönch:* Er ist harmlos. Er war sein Schüler. So ist er jetzt sein Feind.

GALILEI Laß mich allein mit ihm, Virginia.

VIRGINIA Ich will hören, was er erzäht. *Sie setzt sich.*

ANDREA *kühl:* Wie geht es Ihnen?

GALILEI Tritt näher. Was machst du? Erzähl von deiner Arbeit. Ich höre, es ist über Hydraulik.

ANDREA Fabrizius in Amsterdam hat mir aufgetragen, mich nach Ihrem Befinden zu erkundigen.

Pause.

GALILEI Ich befinde mich wohl. Man schenkt mir große Aufmerksamkeit.

ANDREA Es freut mich, berichten zu können, daß Sie sich wohl befinden.

GALILEI Fabrizius wird erfreut sein, es zu hören. Und du kannst ihn informieren, daß ich in angemessenem Komfort lebe. Durch die Tiefe meiner Reue habe ich mir die Gunst meiner Oberen so weit erhalten können, daß mir in bescheidenem Umfang wissenschaftliche Studien unter geistlicher Kontrolle gestattet werden konnten.

ANDREA Jawohl. Auch wir hörten, daß die Kirche mit Ihnen zufrieden ist. Ihre völlige Unterwerfung hat gewirkt. Es wird versichert, die Oberen hätten mit Genugtuung festgestellt, daß in Italien kein Werk mit neuen Behauptungen mehr veröffentlicht wurde, seit Sie sich unterwarfen.

GALILEI *horchend:* Leider gibt es Länder, die sich der Obhut der Kirche entziehen. Ich fürchte, daß die verurteilten Lehren dort weitergefördert werden.

ANDREA Auch dort trat infolge Ihres Widerrufs ein für die Kirche erfreulicher Rückschlag ein.

GALILEI Wirklich? *Pause.* Nichts von Descartes? Nichts aus Paris?

ANDREA Doch. Auf die Nachricht von Ihrem Widerruf stopfte er seinen Traktat über die Natur des Lichts in die Lade.

Lange Pause.

GALILEI Ich bin in Sorge einiger wissenschaftlicher Freunde wegen, die ich auf die Bahn des Irrtums geleitet habe. Sind sie durch meinen Widerruf belehrt worden?

ANDREA Um wissenschaftlich arbeiten zu können, habe ich vor, nach Holland zu gehen. Man gestattet nicht dem Ochsen, was Jupiter sich nicht gestattet.

GALILEI Ich verstehe.

ANDREA Federzoni schleift wieder Linsen, in irgendeinem Mailänder Laden.

GALILEI *lacht:* Er kann kein Latein.

Pause.

ANDREA Fulganzio, unser kleiner Mönch, hat die Forschung aufgegeben und ist in den Schoß der Kirche zurückgekehrt.

GALILEI Ja.

Pause.

GALILEI Meine Oberen sehen *meiner* seelischen Wiedergesundung entgegen. Ich mache bessere Fortschritte, als zu erwarten war.

ANDREA So.

VIRGINIA Der Herr sei gelobt.

GALILEI *barsch:* Sieh nach den Gänsen, Virginia.

Virginia geht zornig hinaus. Im Vorbeigehen wird sie vom Mönch angesprochen.

DER MÖNCH Der Mensch mißfällt mir.

VIRGINIA Er ist harmlos. Sie hören doch. *Im Weggehen:* Wir haben frischen Ziegenkäse bekommen.

Der Mönch folgt ihr hinaus.

ANDREA Ich werde die Nacht durch fahren, um die Grenze morgen früh überschreiten zu können. Kann ich gehen?

GALILEI Ich weiß nicht, warum du gekommen bist, Sarti. Um mich aufzustören? Ich lebe vorsichtig, und ich denke vorsichtig, seit ich hier bin. Ich habe ohnedies meine Rückfälle.

ANDREA Ich möchte Sie lieber nicht aufregen, Herr Galilei.

GALILEI Barberini nannte es die Krätze. Er war selber nicht gänzlich frei davon. Ich habe wieder geschrieben.

ANDREA So?

GALILEI Ich schrieb die »Discorsi« fertig.

ANDREA Was? Die »Gespräche, betreffend zwei neue Wissenszweige: Mechanik und Fallgesetze?« Hier?

GALILEI Oh, man gibt mir Papier und Feder. Meine Oberen sind keine Dummköpfe. Sie wissen, daß eingewurzelte Laster nicht von heute auf morgen abgebrochen werden können. Sie schützen mich vor mißlichen Folgen, indem sie Seite für Seite wegschließen.

ANDREA O Gott!

GALILEI Sagtest du etwas?

ANDREA Man läßt Sie Wasser pflügen! Man gibt Ihnen Papier und Feder, damit Sie sich beruhigen! Wie konnten Sie überhaupt schreiben mit diesem Ziel vor Augen?

GALILEI Oh, ich bin ein Sklave meiner Gewohnheiten.

ANDREA Die »Discorsi« in der Hand der Mönche! Und Amsterdam und London und Prag hungern danach!

GALILEI Ich kann Fabrizius jammern hören, pochend auf sein Pfund Fleisch, selber in Sicherheit sitzend in Amsterdam.

ANDREA Zwci neue Wissenszweige so gut wie verloren!

GALILEI Es wir ihn und einige andre ohne Zweifel erheben zu hören, daß ich die letzten kümmerlichen Reste meiner Bequemlichkeit aufs Spiel gesetzt habe, eine Abschrift zu machen, hinter meinem Rücken sozusagen, aufbrauchend die letzte Unze Licht der helleren Nächte von sechs Monaten.

ANDREA Sie haben eine Abschrift?

GALILEI Meine Eitelkeit hat mich bisher davon zurückgehalten, sie zu vernichten.

ANDREA Wo ist sie?

GALILEI »Wenn dich dein Auge ärgert, reiß es aus.« Wer immer das schrieb, wußte mehr über Komfort als ich. Ich nehme an, es ist die Höhe der Torheit, sie auszuhändigen. Da ich es nicht fertiggebracht habe, mich von wissenschaftlichen Arbeiten fernzuhalten, könnt ihr sie ebensogut haben. Die Abschrift liegt im Globus. Solltest du erwägen, sie nach Holland mitzunehmen, würdest du natürlich die gesamte Verantwortung zu schultern haben. Du hättest sie in diesem Fall von jemandem gekauft, der Zutritt zum Original im Heiligen Offizium hat.

Andrea ist zum Globus gegangen. Er holt die Abschrift heraus.

ANDREA Die »Discorsi«!
Er blättert in dem Manuskript.
Liest: »Mein Vorsatz ist es, eine sehr neue Wissenschaft aufzustellen, handelnd von einem sehr alten Ge-

genstand, der Bewegung. Ich habe durch Experimente einige ihrer Eigenschaften entdeckt, die wissenswert sind.«

GALILEI Etwas mußte ich anfangen mit meiner Zeit.

ANDREA Das wird eine neue Physik begründen.

GALILEI Stopf es untern Rock.

ANDREA Und wir dachten, Sie wären übergelaufen! Meine Stimme war die lauteste gegen Sie!

GALILEI Das gehörte sich. Ich lehrte dich Wissenschaft, und ich verneinte die Wahrheit.

ANDREA Dies ändert alles. Alles.

GALILEI Ja?

ANDREA Sie versteckten die Wahrheit. Vor dem Feind. Auch auf dem Felde der Ethik waren Sie uns um Jahrhunderte voraus.

GALILEI Erläutere das, Andrea.

ANDREA Mit dem Mann auf der Straße sagten wir: Er wird sterben, aber er wird nie widerrufen. – Sie kamen zurück: Ich habe widerrufen, aber ich werde leben. – Ihre Hände sind befleckt, sagten wir. – Sie sagen: Besser befleckt als leer.

GALILEI Besser befleckt als leer. Klingt realistisch. Klingt nach mir. Neue Wissenschaft, neue Ethik.

ANDREA Ich vor allen andern hätte es wissen müssen! Ich war elf, als Sie eines andern Mannes Fernrohr an den Senat von Venedig verkauften. Und ich sah Sie von diesem Instrument unsterblichen Gebrauch machen. Ihre Freunde schüttelten die Köpfe, als Sie sich vor dem Kind in Florenz beugten: die Wissenschaft gewann Publikum. Sie lachten immer schon über die Helden. »Leute, welche leiden, langweilen mich«, sagten Sie. »Unglück stammt von mangelhaften Berechnungen.« Und: »Angesichts von Hindernissen mag die kürzestes Linie zwischen zwei Punkten die krumme sein.«

GALILEI Ich entsinne mich.

ANDREA Als es Ihnen dann 33 gefiel, einen volkstümlichen Punkt Ihrer Lehren zu widerrufen, hätte ich wissen müssen, daß Sie sich lediglich aus einer hoffnungslosen politischen Schlägerei zurückzogen, um das eigentliche Geschäft der Wissenschaft weiter zu betreiben.

GALILEI Welches besteht in . . .

ANDREA . . . dem Studium der Eigenschaften der Bewegung, Mutter der Maschinen, die allein die Erde so bewohnbar machen werden, daß der Himmel abgetragen werden kann.

GALILEI Aha.

ANDREA Sie gewannen die Muße, ein wissenschaftliches Werk zu schreiben, das nur Sie schreiben konnten. Hätten Sie in einer Gloriole von Feuer auf dem Scheiterhaufen geendet, wären die andern die Sieger gewesen.

GALILEI Sie sind die Sieger. Und es gibt kein wissenschaftliches Werk, das nur ein Mann schreiben kann.

ANDREA Warum dann haben Sie widerrufen?

GALILEI Ich habe widerrufen, weil ich den körperlichen Schmerz fürchtete.

ANDREA Nein!

GALILEI Man zeigte mir die Instrumente.

ANDREA So war es kein Plan?

GALILEI Es war keiner.

Pause.

ANDREA *laut:* Die Wissenschaft kennt nur ein Gebot: den wissenschaftlichen Beitrag.

GALILEI Und den habe ich geliefert. Willkommen in der Gosse, Bruder in der Wissenschaft und Vetter im Verrat! Ißt du Fisch? Ich habe Fisch. Was stinkt, ist nicht mein Fisch, sondern ich. Ich verkaufe aus, du bist ein Käufer. O unwiderstehlicher Anblick des Buches, der geheiligten Ware! Das Wasser läuft im Mund zusammen, und die Flüche ersaufen. Die Große Babylonische, das mörderische Vieh, die Scharlachene, öffnet die Schenkel, und alles ist anders! Geheiliget sei unsre schachernde, weißwaschende, todfürchtende Gemeinschaft!

ANDREA Todesfurcht ist menschlich! Menschliche Schwächen gehen die Wissenschaft nichts an.

GALILEI Nein?! – Mein lieber Sarti, auch in meinem gegenwärtigen Zustand fühle ich mich noch fähig, Ihnen ein paar Hinweise zu geben, was die Wissenschaft alles angeht, der Sie sich verschrieben haben.

Eine kleine Pause.

GALILEI *akademisch die Hände über dem Bauch gefaltet:* In meinen freien Stunden, deren ich viele habe, bin ich meinen Fall durchgegangen und habe darüber nachgedacht, wie die Welt der Wissenschaft, zu der ich mich selber nicht mehr zähle, ihn zu beurteilen haben wird. Selbst ein Wollhändler muß, außer billig einkaufen und teuer verkaufen, auch noch darum besorgt sein, daß der Handel mit Wolle unbehindert vor sich gehen kann. Der Verfolg der Wissenschaft scheint mir diesbezüglich besondere Tapferkeit zu erheischen. Sie handelt mit Wissen, gewonnen durch Zweifel. Wissen verschaffend über alles für alle, trachtet sie, Zweifler zu machen aus allen. Nun wird der Großteil der Bevölkerung von ihren Fürsten, Grundbesitzern und Geistlichen in einem perlmutternen Dunst von Aberglauben und alten Wörtern gehalten, welcher die Machinationen dieser Leute verdeckt. Das Elend der Vielen ist alt wie das Gebirge und wird von Kanzel und Katheder herab für unzerstörbar erklärt wie das Gebirge. Unsere neue Kunst des Zweifelns entzückte das große Publikum. Es riß uns das Teleskop aus der Hand und richtete es auf seine Peiniger. Diese selbstischen und gewalttätigen Männer, die sich die Früchte der Wissenschaft gierig zunutze gemacht haben, fühlten zugleich das kalte Auge der Wissenschaft auf ein tausendjähriges, aber künstliches Elend gerichtet, das deutlich beseitigt werden konnte, indem sie beseitigt wurden. Sie überschütteten uns mit Drohungen und Bestechungen, unwiderstehlich für schwache Seelen. Aber können wir uns der Menge verweigern und doch Wissenschaftler bleiben? Die Bewegungen der Himmelskörper sind übersichtlicher geworden; immer noch unberechenbar sind den Völkern die Bewegungen ihrer Herrscher. Der Kampf um die Meßbarkeit des Himmels ist gewonnen durch Zweifel; durch Gläubigkeit muß der Kampf der römischen Hausfrau um Milch immer aufs neue verlorengehen. Die Wissenschaft, Sarti, hat mit beiden Kämpfen zu tun. Eine Menschheit, stolpernd in diesem tausendjährigen Perlmutterdunst von Aberglauben und alten Wörtern, zu unwissend, ihre eigenen Kräfte voll zu entfalten, wird nicht fähig sein, die Kräfte der Natur zu entfalten, die ihr enthüllt. Wofür arbeitet ihr? Ich halte dafür, daß das einzige Ziel der Wissenschaft darin besteht, die Mühseligkeit der menschlichen Existenz zu erleichtern. Wenn Wissenschaftler, eingeschüchtert durch selbstsüchtige Machthaber, sich damit begnügen, Wissen um des Wissens willen aufzuhäufen, kann die Wissenschaft zum Krüppel gemacht werden, und eure neuen Maschinen mögen nur neue Drangsale bedeuten. Ihr mögt mit der Zeit alles entdekken, was es zu entdecken gibt, und euer Fortschritt wird doch nur ein Fortschreiten von der Menschheit weg sein. Die Kluft zwischen euch und ihr kann eines Tages so groß werden, daß euer Jubelschrei über irgendeine neue Errungenschaft von einem universalen Entsetzensschrei beantwortet werden könnte. – Ich hatte als Wissenschaftler eine einzigartige Möglichkeit. In meiner Zeit erreichte die Astronomie die Marktplätze. Unter diesen ganz besonderen Umständen hätte die Standhaftigkeit eines Mannes große Erschütterungen hervorrufen können. Hätte ich widerstanden, hätten die Naturwissenschaftler etwas wie den hippokratischen Eid der Ärzte entwickeln können, das Gelöbnis, ihr Wissen einzig zum Wohle der Menschheit anzuwenden! Wie es nun steht, ist das Höchste, was man erhoffen kann, ein Geschlecht erfinderischer Zwerge, die für alles gemietet werden können. Ich habe zudem die Überzeugung gewonnen, Sarti, daß ich niemals in wirklicher Gefahr schwebte. Einige Jahre lang war ich ebenso stark wie die Obrigkeit. Und ich überlieferte mein Wissen den Machthabern, es zu gebrauchen, es nicht zu gebrauchen, es zu mißbrauchen, ganz wie es ihren Zwecken diente. *Virginia ist mit einer Schüssel hereingekommen und bleibt stehen.* Ich habe meinen Beruf verraten. Ein Mensch, der das tut, was ich getan habe, kann in den Reihen der Wissenschaft nicht geduldet werden.

VIRGINIA Du bist aufgenommen in den Reihen der Gläubigen.

Sie geht weiter und stellt die Schüssel auf den Tisch.

GALILEI Richtig. – Ich muß jetzt essen.

Andrea hält ihm die Hand hin. Galilei sieht die Hand, ohne sie zu nehmen.

GALILEI Du lehrst jetzt selber. Kannst du es dir leisten, eine Hand wie die meine zu nehmen? *Er geht zum Tisch.* Jemand, der hier durch kam, hat mir Gänse geschickt. Ich esse immer noch gern.

ANDREA So sind Sie nicht mehr der Meinung, daß ein neues Zeitalter angebrochen ist?

GALILEI Doch. – Gib acht auf dich, wenn du durch Deutschland kommst, die Wahrheit unter dem Rock.

ANDREA *außerstande, zu gehen:* Hinsichtlich Ihrer Einschätzung des Verfassers, von dem wir sprachen, weiß ich Ihnen keine Antwort. Aber ich kann mir nicht denken, daß Ihre mörderische Analyse das letzte Wort sein wird.

GALILEI Besten Dank, Herr. *Er fängt an zu essen.*

VIRGINIA *Andrea hinausgeleitend:* Wir haben Besucher aus der Vergangenheit nicht gern. Sie regen ihn auf.

Andrea geht. Virginia kommt zurück.

GALILEI Hast du eine Ahnung, wer die Gänse geschickt haben kann?

VIRGINIA Nicht Andrea.

GALILEI Vielleicht nicht. Wie ist die Nacht?

VIRGINIA *am Fenster:* Hell.

GÜNTER EICH

Die Herkunft der Wahrheit

Die Herkunft der Wahrheit bedenken:
ihre mit Sand behafteten Wurzeln,
ihre Fußspur,
die meßbare Bewegung der Luft,
wenn sie als Vogel kam.

Einsichten aus Pervitin,
zum Abflug gesammelt mit den Schwalben.
Fort, fort, in den Abend und übers Gebirge!

Andere, Steinmetzzeichen im Laub,
nur begreiflich dem Schlafe
und eins mit den Scherzen der Großmütter:
Mach die Augen zu,
was du dann siehst,
gehört dir.

Zum Beispiel

Zum Beispiel Segeltuch.

Ein Wort in ein Wort übersetzen,
das Salz und Teer einschließt
und aus Leinen ist,
Geruch enthält,
Gelächter und letzten Atem,
rot und weiß und orange,
Zeitkontrollen
und den göttlichen Dulder.

Segeltuch und keins,
die Frage
nach einer Enzyklopädie
und eine Interjektion
als Antwort.

Zwischen Schöneberg
und Sternbedeckung
der mystische Ort
und Stein der Weisen.

Aufgabe, gestellt
für die Zeit nach dem Tode.

Rest

Gebleicht die Minuten,
die mir für Träume bleiben,
ein Strychnin an der Theke bestellt,
deinen Augen gehorsam.
Ich kann gehen und komme wieder
in die Muster deiner Bluse,
wenn es längst dämmert
über den Schiffslichtern.
Komm! Die Rechnungen
sind geschrieben,
aus den Trompeten fährt Staub.

PETER WEISS

Gespräch über Tod und Leben

Die Zeitschrift ›Theater heute‹ schrieb über Peter Weiss' Schauspiel ›Die Verfolgung und Ermordung Jean Paul Marats, dargestellt durch die Schauspielgruppe des Hospizes zu Charenton unter Anleitung des Herrn de Sade‹:
»Das Stück ist philosophisch-politischer Dialog, der im Spiel, pantomimisch-exzessivem Spiel unter Irren, aufgeht; imaginärer Dialog zwischen Sade und Marat in dessen letzter Stunde, bevor die Corday ihn, den in der Badewanne Sitzenden, ermordet. Weiss betreibt das Spiel im Spiel mit bestürzender Radikalität, die dieser Form ganz neue Kraft abgewinnt, und er öffnet sie für ganz neue ›Inhalte‹, für eine eminent ›politische‹, in solcher Konsequenz auf dem deutschen Theater seit langem nicht durchformulierte Aussage: für die Kontrastierung von Sades grenzenlosem Individualismus mit Marats ›frühreifen‹ sozialistischen Ideen und der pazifistischen Agitation des Priesters Roux.«

Die 12. Szene:

Im Hintergrund tritt Ruhe ein.
Die Schwestern murmeln eine kurze Litanei.

MARAT
über die leere Spielfläche zu Sade sprechend
Ich las bei dir Sade
in einer deiner unsterblichen Schriften
das Prinzip alles Lebendigen sei der Tod

SADE
Und dieser Tod besteht nur in der Einbildung
nur wir stellen ihn uns vor
die Natur kennt ihn nicht
Jeder Tod auch der grausamste
ertrinkt in der völligen Gleichgültigkeit der Natur
Nur wir verleihen unserm Leben irgendeinen Wert
die Natur würde schweigend zusehn
rotteten wir unsere ganze Rasse aus
Ich hasse die Natur
ich will sie überwinden
ich will sie mit ihren eigenen Waffen schlagen
in ihren eigenen Fallen fangen
steht auf
Dieses reglose Zusehn dieses Gesichts aus Eis
Daß nichts sie erschüttern kann
daß sie alles erträgt
das spornt uns zu immer größeren Leistungen an
schwer atmend
Wie versuchten wir nicht seit jeher
ihren Grundsatz zu erfüllen
nach dem der Schwache dem Starken
auf Gnade und Ungnade ausgeliefert ist
Wie fielen wir nicht in allen Hierarchien über sie her
in immerwährender Infamie und Schadenfreude
Wie überwältigten wir nicht die falsche Tugend
mit unsrer gemeinsten Geschicklichkeit
Wie experimentierten wir nicht in unsern Laboratorien
ehe wir zur letzten Behandlung schritten
Laß mich erinnern an die Hinrichtung des Damiens
nach dessen mißglücktem Anschlag
auf den seligen fünfzehnten Louis
Wie milde ist unser Beil gegen die Folter
die er erdulden mußte
vier Stunden lang während das Volk sich daran ergötzte

und während Casanova oben hinter dem Fenster
seiner zuschauenden Dame unter die Röcke griff
mit einem Blick auf die Tribüne Coulmiers
Brust Arme und Schenkel wurden ihm aufgeschlitzt
geschmolzenes Blei wurde in die Wunden gegossen
überschüttet wurde er mit siedendem Öl brennendem Pech
Wachs und Schwefel
die Hand sengte man ihm mit Feuer ab
Taue befestigte man an seinen Gelenken
vier Pferde spannte man dran und trieb diese an
eine Stunde lang zerrten sie ungewohnt dieser Aufgabe
ohne ihn zu zerreißen
bis man ihm die Schultern ansägte und die Hüften
so verlor er den ersten Arm und dann den zweiten
und er sah zu was man mit ihm trieb und er wandte
sich an uns
und machte sich uns verständlich mit seiner Stimme
und als sie ihm das erste Bein ausrissen und dann das
zweite
lebte er immer noch doch seine Stimme war schwächer
geworden
und schließlich hing er als blutiger Stumpf mit
wackelndem Kopf
und er stöhnte nur noch und starrte das Kruzifix an
das der Beichtvater ihm vorhielt.

Im Hintergrund ertönt eine halblaut gemurmelte Litanei.

Das
war ein Volksfest
mit dem sich unsere heutigen Volksfeste nicht messen
können
Unsere Inquisition macht uns schon keinen Spaß mehr
obgleich wir eben erst begonnen haben
Unsere Morde haben kein Feuer

weil sie zur täglichen Ordnung gehören
Ohne Leidenschaft verurteilen wir
kein schöner individueller Tod mehr
stellt sich uns dar
nur ein anonymes entwertetes Sterben
in das wir ganze Völker schicken könnten
in kalter Berechnung
bis es einmal soweit ist
alles Leben
aufzuheben

MARAT
Bürger Marquis
obgleich du in unsern Tribunalen sitzt
und beim Sturm im September dabei warst
spricht aus dir noch der alte Höhenmensch
und was du die Gleichgültigkeit der Natur nennst
ist deine eigene Apathie

SADE
Mitleid Marat
ist eine Eigenschaft der Privilegierten
Wenn der Mitleidige sich niederbeugt
um ein Almosen zu geben
so ist er voller Verachtung
er heuchelt Rührseligkeit zugunsten seines Reichtums
und mit seiner Gabe versetzt er dem Bettelnden
nur einen Tritt

Lautenakkord

Nein Marat
keine kleinlichen Gefühle
ich weiß es geht dir um anderes

Für dich wie für mich
gelten nur die äußersten Extreme

MARAT

Wenn es Extreme sind
dann sind es andere Extreme als deine
Gegen das Schweigen der Natur
stelle ich eine Tätigkeit
In der großen Gleichgültigkeit
erfinde ich einen Sinn
Anstatt reglos zuzusehn
greife ich ein
und ernenne gewisse Dinge für falsch
und arbeite daran sie zu verändern und zu verbessern
Es kommt drauf an
sich am eigenen Haar in die Höhe zu ziehn
sich selbst von innen nach außen zu stülpen
und alles mit neuen Augen zu sehn

JÜRGEN BECKER

Ein Weg zurück

Ein Weg zurück ist oft kein Weg zurück. Es fragt sich dann, ob ein Weg zurück sich lohnt. Man kann auch sagen, ein Weg zurück ist nicht gegeben, wenn man sich verändert hat; oder der Ort hat sich verändert, wohin der Weg zurück gehen soll. Wir stellen uns einen Mann vor, der an einem schönen Morgen aus seinem Haus hinausgeht. Er steht dann auf der Straße. Die Straße kann ihn veranlassen, ein Stück zu gehen, zum Beispiel in die nächste Straße. Die nächste Straße ist schon die übernächste Straße. Hier sieht er ein Haus, das ihn erinnert an ein Haus in einer Straße in einer anderen Stadt. Er befindet sich jetzt in einer anderen Stadt, dann ist er wieder da, sagen wir, er geht über einen großen Platz. Indem er dort geht, weiß er nicht eigentlich, ob er weiter und wenn überhaupt, wohin er gehen soll. Wir können uns vorstellen, daß sein Fortbewegen kein Ziel hat, das heißt, wir müssen es genauer sagen, sein Fortbewegen hat ein mögliches Ziel, das er nicht kennt; das heißt, indem er sich fortbewegt, erfährt er, schrittweise, wohin er sich fortbewegt, und, an einem Ende, vielleicht, wenn er nicht unter die Räder gekommen ist, welches sein Ziel gewesen ist. Die Situation ist uns im allgemeinen Sinn bekannt, indessen, das hilft uns nicht über den besonderen Fall. Denn wir erfahren an unserem Mann, den wir durchaus nicht ausgedacht und also abgerichtet haben, nicht mehr, als wir selber wissen. Was wir jetzt wissen, wissen wir erst jetzt. Wir können topographisch bestimmen, welche Straßen er passiert hat, nicht aber, welche Straßen er passieren wird. Anders: wir lenken ihn nicht, wir verfolgen seine Spur. Wir sind ungemein gespannt, wohin sie verläuft. Sie verflüchtigt sich oft.

Unser Mann ist oft anderswo, in freier Gegend, zwischen Hügeln, in erinnerter Landschaft, an vergangenem Ort. Nicht immer ist er kenntlich. Ein Geräusch kann ihn schrumpfen lassen, eine Wahrnehmung ihn blähen. Regen verändert ihn, Nebel verändert ihn, Sonnenschein, Schnee, Wind. Was er mitbekommt, verändert ihn. Er geht vermummt. Er geht in Sandalen. Indem er durch die Stadt geht, nein, indem er in der Stadt hin und her geht, bewegt er sich im Bereich seiner Erfahrung. Im Grunde kommt es weniger auf die Stadt (er mag hier geboren sein und leben, wie er anderswo geboren sein und leben mag) als auf das an, was er aus diesem Bereich an Erfahrung herausholt. Diesen Bereich bestimmt die unmittelbare Gegenwart dessen, was vergangen, erdacht, möglich, anwesend und augenblicklich wirksam ist. Einiges davon tritt konkret in Erscheinung. Einiges existiert in der Vorstellung (gewisse unserer Freunde nun werden mit gewisser Genugtuung die Wiederherstellung, wenn nicht hohnlachend die Zuhilfenahme dessen konstatieren, was wir einmal als *Fiktion* bezeichnet und für unser Tun zurückgewiesen haben. Langsam. Indem wir eine Vorstellung errichten, veranschaulichen wir eine Projektion von Äußerem in unser Inneres. Unsere Vorstellung stellt kein Modell her, das über Selbständigkeit verfügte und entweder autonom oder nach Maßgabe des Wirklichen funktionierte. Nichtsdestoweniger bestreiten wir nicht die Anwesenheit des Fiktiven. Es *ist* ja da, immer, es umgibt uns und zeigt sich als *Welt, in der wir leben,* als sei sie übersehbar wie diese Fläche Papier. Der Umgang mit solcher Fiktivität ist notwendig kritisch; nur die Zerstörung des Fiktiven setzt frei, was nun wirklich ist, was nun wirklich gewesen ist, oder was sein könnte; ein Unternehmen, das so lange nicht abzubrechen ist, wie jedes Loch, das geschlagen ist, schlimmstenfalls gar von dem, der es geschlagen hat, alsbald und unwissentlich wieder verstopft und verklebt wird. Es ist nicht unsere Aufgabe und Absicht, vorgefundene Fiktionen zu reproduzieren. Wir demonstrieren aber, wie sie auf uns einwirken; und wir gestehen, daß wir nicht immun sind. Wir glauben die Verstörungen zu kennen, die sie in uns hinterlassen haben. Indem wir diese Hinterlassenschaft wörtlich zu kennen geben, geben wir jedermann Gelegenheit, den eigenen Bewußtseinsstand daran zu messen. Wir sind nicht allein unter Verschüttungen verschwunden. Die Notwendigkeit des Veränderns versteht sich dann von selbst.) Einiges bereits hinfällig und nicht mehr vorhanden. Unser Mann befindet sich stets in der Gleichzeitigkeit von Altem und Neuem. Bekanntes sieht er plötzlich als Wünschenswertes. Fremdes fällt ihm heute nicht auf. Tote Leute können ihm begegnen. Jahre zurück. Die Vergegenwärtigung dessen, was einmal war. Ein Name wie Rose ist eine Zeit. Schwund der Augenblicke. Was unser Mann wahrnimmt, nimmt nicht unbedingt ER wahr. Wenn er den Mund auftut, redet ER nicht allein. Der Aufenthalt im allgemeinen Leben bleibt nicht ohne Folgen auf die Art und Weise des Wahrnehmens und Sichäußerns. Beides wird von Verhältnissen bestimmt, in die er, unterwegs, hineingerät, an denen er teilhat. Indem er gewisse Phänomene akzeptiert, wird er ihnen ähnlich. Indem er mit gewissen Zeitgenossen umgeht, paßt er sich ihnen an. Er wird aufgesaugt und verschluckt. Er läßt sich aufsaugen und wartet darauf, verschluckt zu werden. Ihm wird beigebracht, so zu sein, wie man's ihm beibringt. Er vervielfältigt sich in die Figuren, die alle er vorgespielt findet. Auf sich selber gestellt, übersieht er sich kaum, hört er alle die Stimmen, die durcheinanderreden in seinen Köpfen. Er in der Mehrzahl sieht, hört und spricht in der Mehrzahl. Das Wort *wir* drückt diesen Sachverhalt ungenau aus (er spricht darum oft immer anders und falsch). Es täuscht einen Verein vor. Die erste Person Mehrzahl ist, vergleichsweise, nur ein Aufenthaltsraum; Gedränge oft, und manchmal leer. Man liegt sich in den Haaren; man geht sich aus dem Weg; man macht sich Komplimente; man befördert sich durch die Türen. Wir. Wir erinnern uns, daß wir uns einen Mann vorstellen, der an einem schönen Morgen aus seinem Haus hinausgeht. Wir wissen ihn unterwegs. Das kann so bleiben. Indem er sich fortbewegt, bewegt er sich auf etwas zu. Wie lange schon, wie lange noch. Drei Jahre sind keine Zeit. Ein Vormittag währt viele Vormittage. Wir können sagen, daß sein Haus inzwischen ein Gegenstand des Erinnerns ist. Falls er dorthin zurückfinden möchte (weil es vielleicht sein Ziel ist), wer weiß, ob es noch sein Haus ist. So lange wartet man nicht. Man kann auch leben, ohne daß er dort wohnt. Er wohnt wohl auch in einem anderen Haus. Dort wohnt er auch nicht mehr. Er wohnt überhaupt nicht, das heißt, etwas von ihm kann wohnen, etwas von ihm geht hin und her. Nein, das bleibt so nicht. Es kommt die Zeit, in der er erfährt, daß etwas zu Ende geht, daß er nun in einen Bereich gerät, der vergleichsweise anders, in jedem Fall so ist, daß er sich anders verhält. Eine andere Stadt, ein anderes Land. Wir müssen wohl warten. Wir können uns nichts vorstellen, was unser Mann nicht weiß. Wir haben nur seine Spuren im Auge. Sie führen nicht in Gegenden zurück, die er schon durchschritten hat (oder die Gegenden sind andere jetzt). Wenn er von vorn anfängt, wenn er ein Haus verläßt und steht auf der Straße, wenn er sich auf den Weg macht, wenn er einen Nachmittag benutzt, um viele Nachmittage unterwegs zu sein, dann geschieht das alles nicht heute, nicht hier. Wir wissen nicht, ob es je geschieht. Seine Absichten sind uns nicht bekannt. Wir sehen keine Pläne. Wir haben keine Sorge. Es gibt keinen Zustand, der bleibt. Es gibt kein Haus, das Grund gibt, es nicht zu verlassen.

HEINAR KIPPHARDT

Ein Zeuge sagt aus

MARKS Dr. Rabi, wie lange kennen Sie Dr. Oppenheimer?

RABI Seit 1928, ich habe während des Krieges eng mit ihm zusammengearbeitet, und ich habe das bis vor kurzem getan.

MARKS Kennen Sie den Bericht, den FBI der Atomenergiekommission über Dr. Oppenheimer zuleitete?

RABI Ja.

MARKS Kennen Sie den Brief, der die Beschuldigungen gegen Dr. Oppenheimer enthält?

RABI Aus den Zeitungen, ja. Es war keine angenehme Lektüre.

MARKS Würden Sie Dr. Oppenheimer danach für ein Sicherheitsrisiko halten?

RABI Nein. Ich halte ihn für den loyalsten Menschen, den ich kenne, mich eingeschlossen.

MARKS Danke, Dr. Rabi.

GRAY Mr. Robb.

ROBB Dr. Rabi, in welcher Form haben Sie den Bericht über Dr. Oppenheimer kennengelernt?

RABI Es war ein Auszug von vierzig Seiten, den man mir gab, aus einer viel dickeren Akte, die ich auch hätte sehen können. Ich muß aber sagen, daß mich schon diese vierzig Seiten angekotzt haben.

ROBB Was hat Sie »angekotzt«?

RABI Die Hintertreppe, Mr. Robb. Ein Informant war ein neunjähriger Junge.

ROBB Hat es Sie nicht überrascht zu lesen, daß Dr. Oppenheimer, den Sie hier den loyalsten Menschen genannt haben, den Sie kennen, die Sicherheitsbehörden bei einem ernsten Spionageverdacht wissentlich belogen hat?

RABI Das hat mich damals überrascht, ich fand sein Verhalten töricht, ich muß aber sagen, daß mich heute sein Verhalten weniger überrascht, und daß ich es besser verstehen kann, auch wenn ich es nicht billige.

ROBB Wieso?

RABI Seitdem ich es erlebt habe, was mit unschuldigen Menschen geschehen ist, die in einen solchen Verdacht geraten waren, überrascht es mich etwas weniger, wenn jemand seinem Freund dieses Schicksal ersparen wollte.

ROBB Wenn Sie sich in die Lage von Dr. Oppenheimer versetzen, würden Sie wie er die Sicherheitsbehörden belogen haben?

RABI Weiß der Himmel.

ROBB Ich möchte es von Ihnen wissen.

RABI Ich glaube nicht.

ROBB Aber Sie bleiben bei Ihrem Urteil, daß er der loyalste Mensch ist, den Sie kennen?

RABI Richtig. Denn ich kenne Robert Oppenheimer seit 25 Jahren, und wenn es heute eine amerikanische Physik gibt, die nicht mehr nach Europa wallfahren muß, dann ist dies das Verdienst Oppenheimers und weniger anderer Physiker unserer Generation.

ROBB Das habe ich nicht bezweifelt, Dr. Rabi. Ich wollte nur wissen, ob Sie vollkommene Loyalität damit vereinbaren, daß jemand die Sicherheitsbehörden absichtlich belügt?

RABI Das habe ich beantwortet. Und Oppenheimer hat das beantwortet, indem er nach der bedeutungslosen Chevalier-Episode die Atombombe gemacht hat, eine ganze Kollektion verschiedener Atombomben! Was wollen Sie noch? – Wasserjungfern? Ist das Ende dieses Weges diese Art von Verhör? Das finde ich demütigend, das ist eine schlechte Show.

ROBB Danke, Dr. Rabi.

ROLANDER Ist es zutreffend, Sir, daß Sie Geld in einen Verteidigungsfond für Dr. Oppenheimer eingezahlt haben?

RABI Ja.

ROLANDER Ist es zutreffend, daß Sie einer Versammlung der Nationalen Akademie der Wissenschaften eine Resolution zugunsten von Dr. Oppenheimer vorgeschlagen haben?

RABI Da es der Verteidigungsminister für richtig gehalten hat, Oppenheimer vor der Presse zu verdächtigen, habe ich es für richtig gehalten, daß die Wissenschaftler die Öffentlichkeit auf die Gefahren dieses Verfahrens aufmerksam machen.

ROLANDER Danke, Sir.

EVANS Welche Gefahren meinen Sie?

RABI Ich mache mir große Sorgen, ich glaube, die ganze Gemeinde der Wissenschaftler ist tief besorgt, daß hier ein Mann vor einem Tribunal steht, weil er entschiedene Ansichten entschieden vertreten hat. Es ist die Grundlage für unsere Art des Zusammenlebens. Wenn ein Mann deswegen verurteilt wird, so begeben wir uns des Anspruches, ein freies Land fernerhin genannt zu werden, und jeder von uns kann morgen an der Stelle von Dr. Oppenheimer sein. – Ich beneide Sie nicht.

YASUSHI INOUE

Das Jagdgewehr

Die letzte Nummer des ›Jägerfreundes‹, einer wenig umfangreichen Zeitschrift des ›Japanischen Jägerclubs‹, hat von mir ein Gedicht mit dem Titel ›Das Jagdgewehr‹ gebracht. So liegt es vielleicht nahe zu vermuten, ich sei am Jagen interessiert, aber meine Mutter, die mich erzog, hat leidenschaftlich jede Art von Töten gehaßt, und ich hielt bis heute nie auch nur ein Luftgewehr in der Hand. Das Gedicht erschien vielmehr deswegen, weil ein ehemaliger Klassenkamerad aus dem Obergymnasium die Zeitschrift ›Jägerfreund‹ herausgibt und mich, der ich noch immer, auf meine Weise, dichte und in privaten Literatur-Blättchen publiziere, um ein Gedicht für eben diese Zeitschrift gebeten hat. Vielleicht entsprang seine Initiative einer flüchtigen Laune, vielleicht wollte er sich auf diese Weise bei mir entschuldigen, daß er schon lange nichts mehr von sich hatte hören lassen. Es handelt sich hier jedenfalls um eine Fachzeitschrift, mit der ich imgrunde nicht das Geringste zu tun habe. Normalerweise hätte ich, da der Herausgeber wünschte, ich sollte das Thema meines Gedichts aus dem Bereich der Jagd wählen, einen solchen Auftrag gar nicht angenommen, aber dank irgendeines Zufalls hatte damals der Zusammenhang zwischen der Jagd und der Einsamkeit des Menschen mein Interesse als Dichter erregt, und ich spürte den Drang, darüber ein Gedicht zu schreiben. So fand ich diese Zeitschrift nicht ungeeignet, saß Ende November, als man schon die Winterkälte langsam aufsteigen fühlte, bis nach Mitternacht vor meinem Tischchen, schrieb ein Prosagedicht in meinem Stil und sandte es am nächsten Tag ungesäumt an die Redaktion des ›Jägerfreundes‹.

Dieses Prosagedicht ›Das Jagdgewehr‹ steht mit gewissen Vorgängen, die ich hier aufzeichnen will, in Zusammenhang und so möchte ich es hier einmal niederschreiben.

Eine große Matrosenpfeife im Mund,
läßt er Setter-Hunde vor sich her laufen,
stapft mit hohen Stiefeln über die Eiszapfen der Erde
und steigt auf engem Pfad durch das Gestrüpp hinauf zum frühwinterlichen Amagi-Berg.
An seinem Gurt trägt er 25 Schuß Jagdmunition,
seine Lederjacke ist dunkelbraun
und darüber hängt die Churchill-Doppelflinte.
Was bewog ihn wohl, sich so kalt zu bewaffnen
mit diesem schimmernden Stahlrohr, das Leben vernichtet?
Warum bewegt mein Herz so
der Rücken dieses großen, zufällig vorüberschreitenden Jägers?

Seit diesem Tag,
auf Großstadt-Bahnhöfen und spät in der Nacht in Amüsierlokalen,
überfällt mich unversehens
ach, der Wunsch, wie dieser Jäger dahinzugehen,
gemächlich, ruhig und kalt.
In solchen Augenblicken sehe ich immer,
was hinter dem Jäger sich breitet:
nicht etwa die frühwinterliche Landschaft des Amagi-Bergs,
sondern ein verödetes, weißes Flußbett.
Das schimmernd geputzte Jagdgewehr
drückt seine ganze Last.
tief in Seele und Leib des einsamen Mannes von mittleren Jahren,
strahlt eine seltsame, blutbefleckte Schönheit aus,

die, wenn das Gewehr auf Lebendes zielt,
niemals erscheint.

Als mir mein Freund die Nummer mit diesem Gedicht zuschickte und ich flüchtig darin blätterte, entdeckte ich in meiner Zerstreutheit nun zum ersten Mal, daß dieses Gedicht trotz seines scheinbar passenden Titels überhaupt nicht in diese Zeitschrift hineingehörte und nur zu offensichtlich mit den dort häufig wiederholten Schlagworten ›Die hohe Kunst des Jagens‹, ›Sportgeist‹, ›Gesunde Liebhaberei‹ in nicht übersehbarem Widerspruch stand. Die Stelle auf der Seite, wo mein Gedicht stand, schien innerhalb der Nummer einen ganz besonderen Bereich zu bilden und war gleich einer Ausländischen Niederlassung von den anderen Beiträgen isoliert. Was ich in meinem Gedicht gesagt hatte oder doch zum Ausdruck bringen wollte, betraf gleichwohl das Wesen der Jagdflinte, so wie ich es intuitiv erschaut zu haben glaubte. Ich brauchte mich dieses Gedichts nicht zu schämen, ich empfand sogar etwas wie Stolz. Wäre es in einer anderen Zeitschrift erschienen, hätte niemand etwas dagegen einwenden können, aber diese hier war das Organ des ›Japanischen Jäger-Clubs‹, der es sich zur Aufgabe gemacht hatte, die Jagd als einen außerordentlich gesunden und männlichen Sport zu propagieren. In einer solchen Zeitschrift war meine Auffassung vom Jagen geradezu ketzerisch und hätte entschieden zurückgewiesen werden müssen. Kaum war ich mir dessen klar geworden, erkannte ich, in welcher Verlegenheit sich mein Freund befunden haben mußte, und ich war ihm für seine Liebenswürdigkeit, mein Gedicht, wenn auch wohl erst nach einigem Zögern, abzudrucken, von Herzen dankbar, ja, ich fühlte mich fast ein wenig bedrückt. Ich rechnete damit, daß nun ein oder zwei Mitglieder des Jäger-Clubs empört bei mir protestieren würden, allein, diese Angst war unbegründet, und auch noch viel später kam mir nicht eine einzige solche Reaktion zu Gesicht. Mag es ein Glück oder Unglück sein, ich wurde von den Jägern Japans mit stummer Verachtung bedacht, aber vielleicht komme ich der Wirklichkeit am nächsten, wenn ich annehme, daß auch nicht einer von ihnen mein Gedicht gelesen hat.

Es waren etwa zwei Monate vergangen, und ich hatte das Ganze schon beinahe vergessen, da brachte mir der Postbote von einem mir völlig unbekannten Manne namens Josuke Misugi einen versiegelten Brief.

Ein Historiker hat über die in das Steinmonument auf dem Taishan-Berg eingeritzten Schriftzeichen einmal geschrieben, sie sähen wie heller Sonnenschein nach herbstlichen Regenschauern aus. Ich übertreibe vielleicht ein wenig, aber die Schriftzeichen auf dem weißen Umschlag des Briefes von Josuke Misugi machten einen ähnlichen Eindruck auf mich. Wir kennen die wirkliche Schönheit und den Stil jener Schriftzeichen auf dem Taishan-Monument nicht, weil dieser Gedenkstein verfallen und nicht einmal eine Stein-Abreibung erhalten ist. Josuke Misugis riesige Schriftzeichen drohten von dem Umschlag geradezu herabzuspringen. Sie wirkten großzügig, prachtvoll und verrieten erstaunliche Geschicklichkeit, aber ich fühlte, während ich sie betrachtete, aus jedem von ihnen unerwartet eine seltsame Leere dringen, und da fiel mir ein, was jener Historiker über die Steininschrift gesagt hat. Ich hatte das Gefühl, daß Josuke Misugi seinen Pinsel sich mit Tusche hatte vollsaugen und, ihn in der linken Hand haltend, dann schwungvoll über das Papier hat gleiten lassen. Aber ich entdeckte in dieser Schrift eine seltsam ausdruckslose Kälte und eine Gleichgültigkeit, die mit der Schlichtheit der Reife nichts gemein hat. Mit anderen Worten, ich spürte deutlich, daß er sich auf seine Geschicklichkeit durchaus nichts einbildete, hier vielmehr eine starke Persönlichkeit modernen Stils zum Ausdruck kam, frei von jener banalen und peinlichen Atmosphäre der Schreibkünstler.

Der Brief war jedenfalls so prachtvoll hingepinselt, daß der rohe Holzbriefkasten, in den er eingeworfen war, mir höchst unangemessen erschien. Als ich den Umschlag öffnete, fand ich, daß er auf langes chinesisches Papier geschrieben hatte; jede Zeile enthielt nur fünf oder sechs riesige Schriftzeichen, die genauso wie die auf dem Umschlag aussahen.

»Ich bin ein wenig am Jagen interessiert«, schrieb Misugi. »Und ich bekam neulich ganz zufällig Ihr Gedicht in die Hand. Ich bin kein Mann von erlesenem Geschmack und ich verstehe nichts von Poesie. Verzeihen Sie gütigst, daß mir Ihr Name bis dahin unbekannt gewesen ist. Aber Ihr Gedicht bewegte mich so tief wie kaum irgend etwas je zuvor.«

So also begann der Brief. Während ich seine Worte überflog, fühlte ich bei dem Gedanken an das schon fast vergessene Gedicht, wie sich mein Herz zusammenkrampfte. Zunächst war ich überzeugt, daß dieser Brief endlich den schon lange fälligen Protest brachte, und zwar nicht von einem gewöhnlichen Jäger. Doch als ich weiterlas, entdeckte ich, daß sich der Inhalt sehr von dem unterschied, was ich erwartet hatte. Misugi schrieb mir von Dingen, die ich mir wahrlich nie hätte träumen lassen. Seine Worte waren dabei sehr höflich und wie seine Schriftzeichen ungemein gewichtig, sie zeugten von bedeutendem Selbstvertrauen und einer tiefen, inneren Ruhe.

»Was sagen Sie, wenn ich Ihnen jetzt verrate, daß der Mann, über den Sie Ihr Gedicht ›Das Jagdgewehr‹ geschrieben haben, niemand anderer ist als ich? Sie sahen wohl von hinten meine große Gestalt bei dem Dorf am Fuß des Amagi-Berges, als ich in den ersten Novembertagen dort jagen ging. Mein schwarzer und mein weißer Setter, die auf Fasanenjagd besonders abgerichtet sind, und auch die Churchill-Flinte, die mir mein verehrter Lehrer in London geschenkt hat, ja, sogar meine geliebte Pfeife erregten anscheinend Ihre Aufmerksamkeit. Daß ich, ein Mann von vielen, schweren Fehlern, Sie zu einem Gedicht inspiriert habe, das ehrt und verwirrt mich zugleich. Und ich bewunderte zum ersten Mal in meinem Leben die ungewöhnlich tiefe Einsicht eines Dichters.«

Als ich das gelesen hatte, versuchte ich mir den Jäger ins Gedächtnis zurückzurufen, dem ich vor fünf Monaten auf meinem Spaziergang durch den Kryptomerienwald begegnet war, der, wie Misugi schrieb, nahe einem kleinen Badeort am Fuß des Amagi-Bergs auf der Izu-Halbinsel lag. Aber ich konnte mich nur mehr an den verschwommenen Eindruck erinnern, den der wunderlich einsam wirkende Rücken des Jägers in mir hervorgerufen hatte. Mir fiel ein, daß der Mann von großer Gestalt und mittleren Jahren gewesen war, aber auf sein Gesicht und irgendwelche Details seiner Erscheinung vermochte ich mich nicht mehr zu besinnen.

Natürlich hatte ich ihn damals nicht allzu aufmerksam betrachtet. Er sah, während er mit seiner Flinte über der Schulter und einer Pfeife im Mund auf mich zuschritt, anders aus, als Jäger gewöhnlich sind. Irgend etwas Gedankenvolles war an ihm, und das erschien mir in der kalten Luft des frühwinterlichen Morgens wunderbar reinlich und frisch. Nachdem wir aneinander vorbeigegangen waren, wandte ich mich unwillkürlich um und sah ihm nach. Er verließ den Pfad, den er gekommen war, und schritt den ziemlich steilen Hang gemächlich hinauf, wobei er, als fürchte er, seine hohen Stiefel könnten ausgleiten, sorgfältig Fuß vor Fuß setzte. Als ich seiner entschwindenden Gestalt so nachblickte, kam er mir, wie ich das in meinem Gedicht auch zum Ausdruck brachte, plötzlich unsagbar einsam vor. Ich konnte sofort erkennen, daß die beiden Jagdhunde sehr wertvolle Setter waren, aber da ich mit der Jagd noch nie etwas zu tun gehabt hatte, ahnte ich natürlich nicht, welche Flinte er trug. In der Nacht, als ich das Gedicht schrieb, erfuhr ich aus ein paar Büchern, daß die besten englischen Jagdflinten die Typen Richard und Churchill waren, und daher ließ ich meinen Jäger eine Churchill auf der Schulter tragen. Dies war nun dank eines Zufalls eben die Flinte, die Misugi tatsächlich mitgeführt hatte. Obgleich mir Misugi schrieb, er sei der Held meines Gedichts, blieb er, der eigentliche Kern meiner Idee, doch weiter ein geheimnisvoll unbekanntes Wesen.

In seinem Briefe hieß es weiter: »Vielleicht mißtrauen Sie mir, weil ich Ihnen mit so absonderlichen Dingen komme. Ich habe hier drei Briefe liegen, die man mir geschickt hat. Ursprünglich wollte ich sie verbrennen, aber nachdem ich Ihr wundervolles Gedicht gelesen hatte, war ich plötzlich entschlossen, sie Ihnen zu zeigen. Es täte mir leid, wenn ich die Ruhe Ihres Herzens störte, aber ich will sie Ihnen gleichwohl mit gesonderter Post einmal zugehen lassen. Ob Sie sie nicht in einer Mußestunde lesen könnten? Damit wäre ich zufrieden. Sie sollen doch wissen, wie das ›weiße Flußbett‹ aussieht, in das ein Mann namens Josuke Misugi einmal geblickt hat. Natürlich ist es sehr töricht, um jeden Preis von anderen verstanden werden zu wollen. Mir war das früher auch gleichgültig, aber als ich sah, daß Sie an einem Menschen wie mir doch irgendwie interessiert sind, war ich auf der Stelle entschlossen, Ihnen alles zu zeigen. Bitte, verbrennen Sie die drei Briefe nachher. Ich glaube, Sie sahen mich in Izu, kurz nachdem ich diese Briefe erhalten hatte. Am Jagen finde ich erst seit wenigen Jahren Gefallen. Ich bin zwar heute ein einsamer Mann, aber ich war früher, in meinem öffentlichen wie privaten Leben, sehr erfolgreich und glaubte, die Flinte über meiner Schulter nicht entbehren zu können. Verzeihen Sie mir, daß ich Ihnen dies alles schreibe, damit Sie mich besser begreifen.«

Am übernächsten Tag trafen die drei angekündigten Briefe ein. Auf dem Umschlag, der sie enthielt, stand ebenso wie auf Misugis erstem Schreiben: »Josuke Misugi, Izu-Hotel«.

Jeder der drei Briefe war von einer anderen Frau verfaßt worden. Ich las sie und – nein, ich möchte Ihnen lieber nicht mitteilen, was ich dabei empfand. Ich will diese Briefe nun hier abschreiben, doch vorher noch bemerken, daß ich, da Misugi offenbar eine hohe gesellschaftliche Stellung innehat, im Who's Who, dann aber auch im Adreßbuch nach seinem Namen suchte, aber ihn nirgends fand. Ohne Zweifel hat er ein Pseudonym benutzt. Beim Abschreiben der drei Briefe füllte ich die vielen Stellen, wo die Tuschstriche seinen wahren Namen offenbarten, mit »Josuke Misugi« aus. Ich verwendete auch Pseudonyme für die anderen in diesen Briefen erwähnten Personen.

ALEXANDER MITSCHERLICH

Über die deutschen Einfamilienweiden

Dieses Buch* gehört zu der in Vergessenheit geratenen Gattung der Pamphlete. Es möchte keinen einzelnen Missetäter anprangern, sondern den Trübsinn der Zeit in einer Sache, die sich ändern ließe – mit etwas Mut zur Einsicht. Aber dieser Mut ist nicht gefragt; der Motivation dieser Mutlosigkeit gilt der Hauptstoß, den das Pamphlet versetzen will.
Wer ein Pamphlet verfaßt, muß sich klar darüber sein, daß er nicht bloß Zustimmung zu erwarten hat. Nur seine Feinde werden vom Autor auch noch die Lösungen der angeklagten Mißstände verlangen. Seine Aufgabe ist die Anklage, das fordert genug Anstrengung für *einen* Mann.
Zudem ist der Autor sich im klaren, daß ein Volksaufstand zu befürchten ist, wenn eine starke Gruppe seine These von der Neuordnung der Besitzverhältnisse an Grund und Boden in unseren Städten sich zu eigen machen würde. Das wäre ihm ein Trost, denn dann käme die seit Jahrhunderten fällige deutsche Revolution; der Anlaß wäre ihrer würdig.
Deutschland, beruhige dich – sie wird nicht kommen, die Revolution. Es wird alles beim alten bleiben. Diese Seiten werden vergilben wie Manifeste und Pamphlete vor diesem.
Darum widmet der Autor es auch gleich jenen Leuten, die dem Todestrieb unserer Zivilisation mit soviel naiver Emsigkeit und durchtriebener Schläue dienen:

den Hausbesitzern in Deutschland
und anderswo.

* Die Unwirtlichkeit unserer Städte

Jeder hat seine Augenblicke, die ihn schockieren und zu neuem Bedenken eines Zustandes provozieren. Bei mir waren es Gänge durch Villenvororte in verschiedenen Ländern: Deutschland, Italien, Holland, England, die mich zur Rechenschaft zwangen.

Durchstreift man diese oft reichen Einfamilienweiden, so ist man überwältigt von dem Komfortgreuel, den unsere technischen Mittel hervorzubringen erlauben. Deutschland und Italien bilden dabei eine echte »Achse« der rücksichtsfreien Demonstration von pekuniärer Potenz und dem Geschmacksniveau von Devotionalienhändlern. Von Sanssouci-Assoziationen über Alpenchalets zu Breeker'scher Versicherungspracht ist alles zu haben: eine Anhäufung von Zufälligkeiten des Gestaltungswillens, ob er nun unter einer stolzen Pineta unterkriecht, wie in der Umgebung Roms, oder die Apfelwiesen des südlichen Taunus überzieht. Ich nehme an, daß diese Häuser neben dem Rasen, der sie alle in schöner Klassenbewußtheit umgibt, auch noch anderes gemein haben, zum Beispiel perfekt getüftelte Kücheneinrichtungen, störungsfreie automatische Heizanlagen etc. Hier wirkt das technische Zeitalter für seine Produkte stilbildend, und keiner kann aus der Reihe tanzen; der Fortschritt läßt ausnahmsweise keinen Rückschritt zu; das heiligste Ziel der Epoche: Bedürfnis-, Markterschließung, Designer und die Industrie schreiben diktatorisch vor, und der Bauherr kuscht wie selbstverständlich. Nicht so, wo es seinen Schmucktrieb, die Lust des Herzeigens betrifft. Da schwelgt er in Rundbögen und vorgekragten Blumenfenstern, in mosaikumrandeten Entrées, getriebenen kupfernen Dachrinnen und schmiedeeiserner Künstlichkeit.

Natürlich hat es immer Epochen des Protzentums gegeben. Darum geht es jetzt aber gar nicht, sondern darum, daß die – wie man in der Schweiz sagt – vermöglichen Leute aus den Städten ausgezogen sind und in den Vorstädten und Vororten jeden Halt, jeden Rest von städtischer Würde und stadtbürgerlicher Obligation verloren haben. Mit Verlust der Obligation an die Stadt meine ich, daß dem sozial uralten Bedürfnis des Bauherrn, seinen Status zu demonstrieren, kein Kanon mehr vorgeschrieben ist, höchstens Firsthöhe und Abstand von der Straße. Er hat sich in eine Pseudo-Privatheit zurückgezogen, wofür es viele gewichtige Gründe in unseren lärmenden, verpesteten Städten gibt. Vom Geist der bürgerlichen Stadt her betrachtet, hat diese Entbindung eine schlimme Wirkung. Es werden, je nachdem, von welchen zufälligen Sympathiegefühlen man bewegt ist, Fragmente aus vorgegebenen, einmal verbindlich gewesenen Formgebungen aufgenommen und der Versuch gemacht, sie als Merkmal der eigenen Identität auszugeben. Was herauskommt – mit Hilfe des willigen Architekten – ist eine permanente Maskerade in Architektur und keine Identitätsfindung durch den Zwang, Verbindendes, Verbindliches zu variieren, ohne aus der Rolle, aus der Ästhetik der Gruppe zu fallen. Denn ein Teil der eigenen Identität ist immer Stoff, der aus der Gruppe stammt; diese Verzahnung von Individuum und Gruppe wird im Stil bewußt. Mindestens wird bewußtseinsnäher, daß man im individuellen Ausdruck nicht aus der Reihe tanzen darf, dem Ganzen eines Platzes, einer Melodie der Straßenfronten sich einzuordnen hat. Das Vorort-Einfamilienhaus, dieser Nachkömmling der noch stadtbezogenen Villa des späten 19. Jahrhunderts, ist der Begriff städtischer Verantwortungslosigkeit: Dem Bauherrn ist gestattet, seine Wunschträume mit seiner Identität zu verwechseln. Für diesen Sachverhalt müssen wir einen klaren Blick gewinnen.

HANS MAYER

Brecht und die Humanität

Der Dramatiker nimmt das Thema auf in seiner Chronik aus dem Dreißigjährigen Krieg, *Mutter Courage und ihre Kinder,* einem der großen Werke, die in der dänischen Emigration der dreißiger Jahre entstehen. In den Anmerkungen zu seiner Chronik sagt der Stückeschreiber, das Werk sei *keine* Tragödie, handle *nicht* von Schuld und Sühne, sondern lasse sich eher dem Shakespearischen Begriff der »Historien« angleichen. Eine Historie also, keine Tragödie, keine Wandlung der Mutter Courage, keine Schuld und Sühne. Die drei Kinder stehen gleichberechtigt mit der Mutter Courage im Titel. Eigentliches Grundmotiv der *Mutter Courage* ist wieder das Thema des klassischen Idealismus, das Thema des Gutseinwollens, gehen doch alle drei Kinder der Mutter Courage an ihren guten Eigenschaften zugrunde. Der Eilif wird ein Opfer seiner Kühnheit, der Schweizerkas seiner Redlichkeit, die unvergeßliche Gestalt der stummen Kattrin wird ein Opfer ihrer weiblich-mütterlichen Empfindungen. Sie ist durch die Soldateska mißbraucht und geschändet worden, wird der Mutterschaft unfähig sein, kann nicht sprechen, aber sie hört. Sie hört, wie die Söldner einen nächtlichen Überfall auf die Stadt Halle verabreden, wobei alle, die Greise und auch die Kinder, zugrundegehen sollen. Das darf nicht sein! Die Kinder sollen gerettet werden. Man kennt die Szene: Kattrin steigt auf das Dach der Hütte, trommelt die Stadt Halle aus dem Schlaf, die Sturmglocke wird geläutet, der Überfall mißlingt, die Kinder sind gerettet, sie selbst wird niedergeschossen, ist ein Opfer ihrer guten Eigenschaften geworden.

Wie sieht eine Welt aus, worin die Menschen an ihren guten Eigenschaften zugrundegehen? Der gute Wille, ein subjektiv ethischer, sinnvoller guter Wille hatte sich in allen verwirklicht. Was ist schöner, als das Lied vom »braven Mann«, vom Schweizerkas, der die Kasse eines Regiments, das nicht einmal sein eigenes Regiment ist, in Verwahrung bekommt, weil es heikel wurde, sie zu verwahren, denn der Feind ist da und will sich der Kasse bemächtigen. Er wird gefoltert und soll sagen, woher die Regimentskasse kommt, und wagt nicht zu sagen, daß es die Kasse ist, die ihm anvertraut wurde, weil sie dann in die Hände der Leute fiele. Er schweigt; und er stirbt. Ein Opfer seiner guten Eigenschaften. Wie nun hat er gehandelt? Im Sinne des kategorischen Imperativs? Soll man sagen: das Handeln des Schweizerkas war so, daß die Maxime seines Handelns allgemeine Gesetzlichkeit werden könnte? Und die Courage selbst? Sie wandelt sich nicht; wird nicht sehend, begreift vor allem nicht, daß eine Marketenderin mit geringen Kapitalmitteln in einem großen Kriege nicht vom Kriege profitieren kann. Es ist dies nicht, wie die Kritiken nach der Züricher Uraufführung 1941 schrieben, ein »niobehaftes Mutterschicksal«. Mutter Courage hat bis zum Schluß nichts begriffen. Gewiß ist eine Form der Sympathie, eines achselzuckenden Mitleids, vor ihrem Treiben am Platze. Sie zieht, als sie die Kinder verloren hat, allein mit dem Planwagen durch den Krieg, und hofft immer noch auf den Profit, ist immer noch dagegen, daß Frieden werde: immer noch der Meinung, sie könne am Kriege profitieren. Als man Brecht einmal fragte, warum er die Mutter Courage nicht »sehend« werden lasse, damit sie erkenne, worin ihre Fehler bestanden, damit sie gleichsam wie die Heilige Johanna der Schlachthöfe in Form des Monologes ad spektatores ihre neue, gewandelte Erkenntnis verkünde, antwortete er hart und klar:

»Es interessiert den Stückeschreiber nicht, daß die Courage sehend wird, ihn interessiert es, daß der Zuschauer sieht.« –

Das heißt: daß der Zuschauer sieht, indem er einsieht, daß und warum Mutter Courage nicht sieht.
Nun *Der gute Mensch von Sezuan.* Auch er ist eine weitere Etappe auf eben diesem Wege. Der gute Mensch von Sezuan ist zugleich der letzte Mensch in Sezuan: Shen Te, die Prostituierte, die Bajadere. Zu ihr kommen die Götter. Götter, die ohnmächtig sind und für Brecht als Repräsentanten des klassischen Idealismus dastehen. Es ist dies kein blasphemisches Stück. Die Götter sind Ideen und repräsentieren deren Ohnmacht: die Ohnmacht der Idee vor der Wirklichkeit. Es sind die drei obersten Götter, es ist nicht »Gott«; kein Stück um Probleme der Religion; durchaus ein Stück der Immanenz und nicht der Transzendenz. Die Götter sind Repräsentanten einer Idee, für die ein Satz des jungen Karl Marx zutrifft: »Die Idee hat sich noch stets blamiert, wenn sie ohne ein sie begleitendes Interesse in die Wirklichkeit trat.« Die Götter im *Guten Menschen von Sezuan* repräsentieren die Idee, leider aber nicht ein die Idee stärkendes, materialisierendes Interesse. Das Ergebnis ist, daß es ihnen – im Stück – sehr schlecht ergeht. Da sie im wahrsten Wortsinne nicht »interessant« sind, finden sie keine Unterkunft: in Sezuan.
Sezuan ist die Welt der modernen, gespaltenen, pluralistischen Gesellschaft. »Sezuan« ist ebenso ein Modellfall wie – einige Jahre vorher – »Mahagonny«. Brecht hätte genau so gut den Titel »Der gute Mensch von Mahagonny« wählen können. Es handelt sich nicht um eine Chinoiserie, sondern um das Modell einer modernen, zerrissenen Gesellschaft. Der gleichen Gesellschaft, die später ein Mann, der bei Brecht sehr viel lernte, Friedrich Dürrenmatt, im *Besuch der alten Dame* mit der Bezeichnung »Güllen« versah. Denn auch Güllen ist nicht irgendein Ort in der Schweiz: Güllen ist Sezuan, und Güllen ist Mahagonny. Vom Schweizerischen her gesehen könnte man sogar sagen: Güllen ist eine Schweiz, die sich aus Seldwyla entwickelte. Der Weg vom

Seldwyla Gottfried Kellers bis zum Güllen oder Andorra Max Frischs und Friedrich Dürrenmatts wäre einer genaueren Untersuchung wert.

Sezuan also ist ein Modell, ist die moderne Welt, worin ein guter Mensch, und das ist Shen Te, zugrundegehen muß. Sie will die sittliche Forderung erfüllen, »kantianisch« sein, die Ethik des guten Willens praktizieren: aber ein »begleitendes Interesse« hat der gute Mensch nicht, und diejenigen, die Gutsein von ihm fordern, können es ihm auch nicht geben: die Götter. So entsteht, als Ausweg, die Persönlichkeitsspaltung in dem Vetter Shui Ta, der gar nicht der böse Vetter ist, wie man gesagt hat – denn die Begriffe des Guten und Bösen sind hier ganz unsinnig –, sondern der realistische Vetter. Man würde das Stück vollkommen mißverstehen, sähe man es anders. Die Persönlichkeitsspaltung bedeutet nicht, daß in irgend einem Augenblick der Zuschauer glauben könnte, Shui Ta sei wirklich ein Shui Ta. Es ist natürlich Shen Te, die sich in den Vetter verwandelt. Ein guter Mensch, der in der Realität sich abmüht, so »gut« es geht, gut sein zu können, und der noch als Vetter die schreckliche Verführung zur Güte und die schreckliche Verführung zur Liebe spürt, als der Flieger auftritt. Die schreckliche Verführung. Auch an anderen Stellen seines Werks zeigt sie Brecht immer wieder: im Salomonsong etwa, jenem Salomonsong, der dann von Dürrenmatt abgewandelt in die *Physiker* übernommen wurde.

Die schreckliche Verführung zur Weisheit, zur Tugend, zum Gutseinwollen, zur Liebe: es ist Verlockung zu einer wahren Humanität, die bewirkt – um ein anderes Stück von Brecht zu erwähnen, den *Kaukasischen Kreidekreis* –, daß sich das Dienstmädchen Grusche als einzige des Fürstenkindes annimmt, weil die Mutter mit Einpacken der Kleider und Kostbarkeiten sehr beschäftigt ist und das eigene Kind vergißt. Grusche nimmt sich des Kindes an, auch sie hat wegen ihrer guten Eigenschaften nur Unannehmlichkeiten davon, gerät von einer Gefahr in die andere, weil sie zum guten Menschen von Grusinien geworden war. Mit der Maßgabe freilich, daß Brecht am Schluß dieses Schauspiels oder Parabelspiels, wie man's wohl auch nennen könnte, dieser Guten wegen erwiesener und bewiesener Gutheit die Möglichkeit gibt, das Kind zu behalten: gegen die eigene Mutter. Eine – wie man mit Recht bemerkt hat – sehr fragwürdige, nur allzu dialektische Lösung: die Kinder den »Mütterlichen«.

Die Frage wäre berechtigt: Wer entscheidet über Mütterlichkeit im Verhältnis von Mutter und Kind? Wie in manchen anderen Werken Brechts gerät hier der Wille zu einer neuen Humanität oft hart an die Grenze einer neuen Inhumanität. Der Exzeß seines humanistischen Protestierens brachte auch hier – wie in der *Maßnahme* – Brecht selbst an die Grenze der Unmenschlichkeit. Im *Guten Menschen von Sezuan* gelingt es der Shen Te trotz allem, der schrecklichen Verführung zur Liebe und Güte nachzugeben, guter Mensch zu bleiben – und doch sich von Zeit zu Zeit in den Vetter zu verwandeln, um nicht völlig am Gutsein zugrunde zu gehen. Sie erleidet also nicht das Schicksal der drei Kinder der Mutter Courage. Auch sinkt sie nicht zusammen, wie die Heilige Johanna der Schlachthöfe. Aber sie gelangt auch nicht, wie die Heilige Johanna der Schlachthöfe, zur neuen Erkenntnis, daß es nicht auf das Gutseinwollen ankomme, sondern auf die Gestaltung einer guten Welt, wie immer sich diese Johanna Dark des Bertolt Brecht, oder wie immer sich Bertolt Brecht selbst die Schaffung dieser guten Welt vorstellen mochte. Shen Te merkt nicht, daß die Götter ihr nicht helfen können. Nur: sie muß sich von Zeit zu Zeit immer wieder in den Shui Ta verwandeln. Grotesk und herzzerreißend, wie sie die Götter bittet, ihr ein Mittel zu geben, um wahrhaft gut sein zu können. Die Götter haben es nicht, und so kommt es zu einem Feilschen darüber, wie oft man sich in den Shui Ta verwandeln dürfe: ob einmal in

der Woche, im Monat, im Jahr. Das heißt: ein ethisch-qualitatives Problem wird von den Göttern in ein reines Quantitätsproblem verwandelt, eben dadurch aber gerade nicht verwandelt und nicht gelöst.
Es schließt mit einer gräßlichen Demonstration von Ohnmacht, als die Götter verschwinden. Shen Te befragt sie: die Ideen und Vertreter einer idealistischen Ethik und Humanität, wie sie es anstellen solle, ohne den Vetter auszukommen. Hier nun zeigen die Götter in einer ganz kurzen Wendung, wie das echte ethische Problem bei uns bis ins Sprachliche herunterkam. Die Götter winken nämlich mit einer lächelnden Geste: »Mach's gut!« Damit, durch die Verabschiedungswendung »Mach's gut«, wurde die völlige Verdinglichung der humanen Forderung demonstriert. Das Ende? Natürlich nicht. So möge am Schluß dieser Betrachtungen über »Brecht und die Humanität« der Epilog zum *Guten Menschen von Sezuan* stehen, der alles noch einmal zusammenfaßt. Vor den Vorhang tritt ein Spieler und wendet sich entschuldigend an das Publikum. Nachdem die Götter falsch, schal, verlogen harmonisierend ihren Gesang angestimmt hatten, »Gepriesen sei, gepriesen sei der gute Mensch von Sezuan«; während Shen Te verzweifelt die Arme nach ihnen ausbreitet, verschwinden sie oben lächelnd und winkend. Nun aber der Epilog:

Verehrtes Publikum, jetzt kein Verdruß;
Wir wissen wohl, das ist kein rechter Schluß.
Vorschwebte uns: die goldene Legende.
Unter der Hand nahm sie ein bitteres Ende.
Wir stehen selbst enttäuscht und sehn betroffen,
Den Vorhang zu und alle Fragen offen.
Dabei sind wir doch auf Sie angewiesen,
Daß Sie bei uns zu Haus sind und genießen.
Wir können es uns leider nicht verhehlen:
Wir sind bankrott, wenn Sie uns nicht empfehlen!

Vielleicht fiel uns aus lauter Furcht nichts ein.
Das kam schon vor. Was könnt die Lösung sein?
Wir konnten keine finden, nicht einmal für Geld.
Soll es ein anderer Mensch sein? Oder eine andere Welt?
Vielleicht nur andere Götter? Oder keine?
Wir sind zerschmettert und nicht nur zum Scheine!
Der einzige Ausweg wär' aus diesem Ungemach:
Sie selber dächten auf der Stelle nach,
Auf welche Weis dem guten Menschen man
Zu einem guten Ende helfen kann.
Verehrtes Publikum, los, such' dir selbst den Schluß!
Es muß ein guter da sein, muß, muß, muß!

Der goldenen Legende war in diesem Parabelstück scheinbar nachgestrebt worden, der Legenda Aurea. Eine Märtyrergeschichte, eine Glorifizierung. Aufgebaut wie die *Heilige Johanna der Schlachthöfe.* Das Parabelstück jedoch gelangte nicht zur Gloriole. Warum gab es keine Schlußharmonie? »Wir konnten keine finden, nicht einmal für Geld.« Und: »Vielleicht fiel uns aus lauter Furcht nichts ein.« Wir denken an Brechts Traktat über die Schwierigkeiten beim Schreiben der Wahrheit. Warum, kann man fragen, wurde nicht ein Schluß gegeben, der zeigt und zeigen sollte, daß man in der Welt von Sezuan und Mahagonny kein guter Mensch zu sein vermag, und daß die Thesen der klassischen Humanität sich an den Realitäten immer wieder stoßen müssen? Schluß-Appell an das Publikum und an das Selbstdenken. Ein Epilog, der einer der Verfremdung ist und es dem Publikum nahelegt, selbst nachzudenken, einen eigenen Schluß zu finden, der allerdings hinausreicht über die Zeit von halb elf Uhr abends, wo alles zu Ende ist und der Vorhang fiel. Ein Schluß, der das Leben durch Nachdenken verändert.

So verstand Brecht das Problem der Humanität, als er zu erkennen glaubte, daß alle anderen Lösungen, die aus der

Renaissance hinüberführten zu Aufklärung, Klassizität, zur späten bürgerlichen Gesellschaft, zu einer epigonalen Philosophie und klassizistisch epigonalen Dichtung, hier versagen müssen. So daß jede andere Betrachtung des Problems der Humanität zurückführen müsse in die Position der Götter: des Lächelns, Winkens, der Festreden-Phraseologie vom Wahren, Guten, Schönen, der Redewendung »Mach's gut«.

THOMAS BERNHARD

Rede

Verehrter Herr Minister,
verehrte Anwesende,
es ist nichts zu loben, nichts zu verdammen, nichts anzuklagen, aber es ist vieles lächerlich; es ist alles lächerlich, wenn man an den *Tod* denkt.
Man geht durch das Leben, beeindruckt, *un*beeindruckt, durch die Szene, alles ist austauschbar, im Requisitenstaat besser oder schlechter geschult: ein Irrtum! Man begreift: ein ahnungsloses Volk, ein schönes Land – es sind tote oder gewissenhaft gewissenlose Väter, Menschen mit der Einfachheit und der Niedertracht, mit der Armut ihrer Bedürfnisse . . . Es ist alles eine zuhöchst philosophische und unerträgliche Vorgeschichte. Die Zeitalter sind schwachsinnig, das Dämonische in uns ein immerwährender vaterländischer Kerker, in dem die Elemente der Dummheit und der Rücksichtslosigkeit zur tagtäglichen Notdurft geworden sind. Der Staat ist ein Gebilde, das fortwährend zum Scheitern, das Volk ein solches, das ununterbrochen zur Infamie und zur Geistesschwäche verurteilt ist. Das Leben Hoffnungslosigkeit, an die sich die Philosophien anlehnen, in welcher alles letztenendes verrückt werden muß.
Wir sind Österreicher, wir sind apathisch; wir sind das Leben als das gemeine Desinteresse am Leben, wir sind in dem Prozeß der Natur der Größenwahn-Sinn als Zukunft.
Wir haben nichts zu berichten, als daß wir erbärmlich sind, durch Einbildungskraft einer philosophisch-ökonomisch-mechanischen Monotonie verfallen.
Mittel zum Zwecke des Niedergangs, Geschöpfe der Agonie, erklärt sich uns alles, verstehen wir nichts. Wir bevöl-

kern ein Trauma, wir fürchten uns, wir haben ein Recht, uns zu fürchten, wir sehen schon, wenn auch undeutlich im Hintergrund: die Riesen der Angst.

Was wir denken, ist *nach*gedacht, was wir empfinden, ist chaotisch, was wir sind, ist unklar.

Wir brauchen uns nicht zu schämen, aber wir *sind* auch nichts und wir verdienen nichts als das Chaos.

Ich danke in meinem und im Namen der hier mit mir Ausgezeichneten, dieser Jury, ganz ausdrücklich allen Anwesenden.

HERMANN KASACK

Ende

Die Flaggen gehn von Bord,
Der Atem schleift.
Der Kompaß zeigt nach Nord.
Das Herz begreift:
Mit dieser letzten Fahrt
Endet die Welt.
Der Tod wird Gegenwart.
Die Maske fällt.

Der Schneefall

Der Schlaf, des Todes milde Macht,
Nimmt mich gefangen, daß ich meine,
Ich hätte diesen Erdenweg vollbracht.
Doch das Erwachen zeigt die Steine
Von Heut auf Morgen, zeigt das Tal
Zu wessen Glück? Zu wessen Qual?
Der Schneefall hat doch längst begonnen.

MARTIN WALSER

Brief Anselm Kristleins an seinen Verleger

Die Redaktion von ›Dichten und Trachten‹ bat Martin Walser um eine persönliche Äußerung zu seinem Roman ›Das Einhorn‹. Er hat diese Bitte an die Hauptfigur seines Buches, einen gewissen Herrn Anselm Kristlein, weitergeleitet. Anselm Kristlein, den die Leser Martin Walsers bereits aus dem Roman ›Halbzeit‹ kennen, schrieb folgenden Brief an seinen Verleger:

Anselm Kristlein München, den 23. 3. 66
8 München 2
Marsstr. 5

Sehr geehrter Herr Doktor,
Birga hat mir Ihren Brief auf die Bettdecke gelegt. Ich las ihn, stand auf wie von selbst, ging hinher, ein Auge fast feucht. Lassen Sie mich auch einmal übertreiben. Eine plötzliche Vermehrung des Sauerstoffs also, bei geschlossenen Fenstern. Ich bin so. Mich freut es, daß ich mit meiner Lebensgeschichte schon das 2. Buch bestreiten darf, obwohl meine Verbrechen sich in so gewöhnlichen Grenzen halten. Spürt man das, daß ich mich zu beherrschen versuche? Auf dem Papier, meine ich. Manchmal neigt sich ja plötzlich die ganze Stadt und man rutscht weg, der Neigung nach, bis man die Stirn gegen die zurückkippende Erde schlägt. Oder mitten in einer Feindseligkeit wird einem die rechte Hand warm. Die will also streicheln. Ich beteure Ihnen noch einmal: ich habe nichts dagegen, wenn ich durch dieses neue Buch undeutlicher werde. Die Möglichkeit, mich richtig dargestellt zu haben, nimmt dadurch zu. Bitte,

Herr Doktor, erschrecken Sie mich nicht so. Hatten Sie je das Gefühl, ich wolle mich einprägen? Dann hinge man mir besser jenen Mühlstein um den Hals und versenkte mich. Ich will sowieso sehr wenig. Gern würde ich aufgehen in einem Muster. Wenn Sie eines wissen, dem ich dienen kann? Unsere Kinder wollen immer die Tapeten bemalen am Tag bevor wir umziehen. Ja, umziehen würde ich gern. Immer mal wieder. Viel öfter als möglich. Im Augenblick jedenfalls scheint es mir so. Ich möchte weg. Bitte, erwähnen Sie nie mehr, daß ich »endlich« meinen Namen dem Buch auf die Stirn schreiben soll. Ich habe Verwandte. Die schlagen zwar Bücher nicht auf. Zwischen zwei Buchdeckeln bin ich also sicher. Aber einer meiner Verwandten wird einmal beim Stadtbesuch wegen einer siegreich heimkehrenden Fußballmannschaft vor einer Buchhandlung auf seinem Weg gestoppt und ans Schaufenster gepreßt werden, dann läse er also seinmeinen Namen. Erwähnen Sie das nie mehr. Ich bin schreckhaft. Auch begreife ich nicht, was Sie gegen den Namen Walser haben. Ein ganzer, allerdings rein alpiner Volksstamm trägt diesen Namen seit langem mit Geduld. Ich würde mich sofort Herr Franke, Herr Friese oder Herr Sachse nennen, wären mir diese Stämme nur näher. Also lassen wir's bitte bei W., ja! Wenn Sie schon entlarven wollen, setzen Sie von mir aus mein wahres Alter ein. Es macht mir unsagbar viel Mühe, den Vierziger zu spielen. Sollten Sie mir gestatten, in meine reißenden Fünfzig zu verfallen, wäre ich Ihnen sehr dankbar. Allerdings entschwände damit der letzte Grund für Sie, meine Lebensgeschichte zum Roman zu ernennen. Das wird uns sowieso noch Scherereien machen. Ich lese mich doch selber durch Bücher hindurch, die als modernste Exemplare dieser Gattung gelten. Da dreht einer den Schlüssel um. 12 Seiten lang. Danach wissen Sie, wie das zugeht, wenn einer einen Schlüssel umdreht in einem modernen Roman. Aber der Autor kann die Gewähr nicht übernehmen. Vor Feinfühligkeit. Auf 24 Seiten be-

weist er ergreifend, daß er wirklich nicht weiß, ob er das Schlüsselumdrehen selber erlebt hat oder ob er es nur gelesen hat. Und auf weiteren 48 Seiten – und die sind ganz toll – erläutert er, daß auf jenen 12 Schlüsseldrehseiten wahrscheinlich zum Ausdruck gekommen sei, was er gegen seinen Vater oder gegen seinen Bruder empfinde. Also werden die nächsten 96(!) Seiten benutzt, den Schlüssel wieder zurückzudrehen. Allerdings zerbricht einmal einer vorbeirasenden Kutsche das Rad oder Pferde gehen durch. Das fasziniert mich am meisten, daß die wirklich moderne Prosa auf einsamen Gehöften, zugigen Clos, bei abbröckelndem Putz und in krächzend möbilierten Zimmern blüht. Also über alte Möbel und schlechtes Wetter erfährt man da wirklich was. Bringe ich mich nicht gerade selber um, wenn ich mich in eine Gattung hineindränge, in der aus so wenig so viel gemacht wird? Solcher Autoren wegen darf und muß das Wort »schöpferisch« noch weiter verwendet werden. Auf mich trifft viel eher das Gegenteil zu. Wie wenig mache ich aus so viel!
Sie sollten einmal alle im Buch auftretenden Personen nach Frankfurt einladen. Zu einer Ihrer Buchmessen. Dann ein Gruppen-Photo. Mit mir. Dieser Einfall stammt sicher aus der Zeit, als ich alles in seinem Werbewert messen mußte. Gar zu gern schickte ich Ihnen das gewünschte Photo von Orli. Wenn Sie sie bloß sehen könnten! Aber ich habe kein Photo. Ich wollte doch einmal Orlis Feuerzeug als Souvenir. Das nahm sie übel. Schließlich hatten wir uns gerade zusammengetan für immer und ewig. Danach wagte ich nicht mehr, um ein Photo zu bitten. Und die Bilder, die ich von jener Eiche aus aufnahm, waren in ihrer Handtasche, als sie so plötzlich verschwand. Die sind also auch verloren.
Gegen Ihren Titel *Das Einhorn* hätte ich höchstens einzuwenden, daß er dann von einem Autor, der wirklich auf ihn angewiesen wäre, nicht mehr benutzt werden kann. Daß mir dieses unerlegbare Tier imponiert, wissen Sie. Ich leide

unter 17 Beziehungen zu ihm. Aber bitte, lassen Sie um Gottes willen die Sätze in fremden Sprachen nicht verbessern, sonst können die doch nicht mehr von mir sein. Mit einer Verbesserung deutscher Sätze bin ich immer gern einverstanden. Aber nur soweit es das Hochdeutsche betrifft; das ist mir oft ganz unheimlich. Änderungen in Dialekt-Sätzen würde ich mir gerne vor dem Druck vorlegen lassen. In der Zeichensetzung ist die Grenze zwischen Fehler und Absicht nicht ein für alle Mal zu ziehen. Sie haben recht, ich muß aufpassen. Meistens richte ich mich nach meinem Kreislauf. Der schwankt aber. Widersetzlicher werde ich, wenn es um die von mir erreichten Wörter geht. Sie täuschen sich nämlich. Bei mir gibt es keinen Überfluß. Ich habe immer zu wenig Wörter. Und in Augenblicken großer Not, bzw. Wortdürftigkeit, jagen dann mehrere Wortstämme zusammen, tun sich zusammen, wollen mir in letzter Sekunde zu Hilfe kommen. Ich, dann meist schon atemlos, schreibe blind und dankbar und skrupellos hin. Also: ich kann nichts verteidigen, aber auch nicht viel preisgeben. Sehr dankbar bin ich Ihnen für den Hinweis auf den Vertrag mit Melanie Sugg. Ich muß Sie bitten, mich da herauszuboxen. Zum Glück hat sie selber den Vertrag gebrochen durch die Einstellung der Zahlungen. Auch hoffe ich, sie geniert sich dafür ein bißchen. Daß ich sie im Buch darstelle, nimmt sie nicht krumm, das weiß ich. Höchstens, daß ich sie zu wenig darstelle. Wie Sie aber Fragen nach meiner Person beantworten sollen, kann ich Ihnen auch nicht sagen. Für den W-Namen haben wir doch inzwischen eine sanft normale Vita. Es war ein guter Einfall von Ihnen, die Zahl seiner Kinder der Zahl der meinigen anzugleichen. Aber der Dr. phil.? Darf man das? Ihr Einfall, den W. immer noch in Friedrichshafen wohnen zu lassen, liefert der W-Figur ein zu Herzen gehendes Hellgrau als Hintergrund. Trotzdem, als Fachmann für Werbung muß ich sagen: ein wenig Berlin könnte ihm nichts schaden. Bitte, überlegen wir doch, ob wir ihn nicht auch mal umziehen lassen. Wären Sie lieber sparsamer und vorsichtiger, wenn es um Umfragen, Aufrufe, Unterschriftenaktionen geht! Diesen Namen unter schlechterdings alles zu setzen, was ins Haus kommt, heißt, ihn ruinieren. Aber vielleicht wollen Sie das. Geht das so weiter, werde ich die Verwaltung unseres Namens selber übernehmen. Inzwischen habe ich mich übrigens damit abgefunden, daß Sie einen unglücklichen Kollegen unter unserem W-Namen Stücke schreiben lassen. Grüßen Sie ihn bitte von mir. Sollten Sie unseren Namen aber auch noch mit Lyrik ausstatten wollen, so bitte ich, mir die Gedichte zuerst zu zeigen. Ein gewisses Niveau muß gewahrt werden! Nein, Einladungen möchte ich lieber nicht annehmen. Antworten Sie ausweichend. Meine Gesundheit, zum Beispiel. Aber nicht mich ernsthaft krank machen! Einem Kranken traut man nicht! Am besten wäre, Sie deuteten an, es gebe mich vor allem auf dem Papier, sonst aber kaum. Ein wenig Irrlicht kann mir nur gut tun. Aber nur ein wenig. Nein, gar keins. Bitte, kein Irrlicht. Mir ist kaum etwas so fremd wie die Persönlichkeit, die ihr normales Essentrinkenliebensterbenmüssen mit Bizarrerie und biographischem Gefletsche vertuscht. Ihnen und mir wünsche ich, daß unser Buch sich bis zu seinen Lesern durchfinden möge.

Ihr Anselm Kristlein

VOLKER BRAUN

Nach dem Treffen der Dichter gegen den Krieg

Was bleibt, frage ich mich, von euern Worten
Keiner sonst hält sie, und das Gedächtnis
Ist sterblich, und das Papier bricht
Einer redet dem andern zu, beide werden begraben
Vom gelben Blatt eh es verfallen ist
Schreibt sich das blanke her, zahllose Neudrucke
Behaupten jeden Satz neu, riesige Auflagen
Retten den Satz des Sokrates, durch den er berühmt ist.

Aber das fragt ihr euch nicht, ist das nicht viel
Was die geduldige Luft trägt, aber ihr redet
Und ruft, wen alles, und an berufener Stätte –
Hier sprachen schon andere, sag ich, (ganz andere) und die
Hatten den Hexameter auch nicht selber erfunden:
Ist es der Mai, aber ihr fragt nicht, oder weil ihr
von weither
Gekommen seid aus unsern finsteren Zeiten
Und aus den fünfzig Landschaften und in die alte
Stadtschaft
Wo jeder Rinnstein großherzoglich-weimarsch riecht: hier
Redet ihr, wer zählt die Worte, die kleinen
Gewichte, die die Seele auslasten: was
Bleibt, frage ich mich, von euern Worten

Oder von dieses Baums Blüten, aus dem Park
Aus diesem Mai (beides Berühmtheiten), jede Wiese
Geht aus sich, nicht weil hier Goethe ging
Jeder Busch bauscht sich über dem Sommer auf, der Wind
Orgelt in tausend Zeugungsorganen, das wirbelt

Staub aus allen Gefäßen – wozu
Der Aufwand an Absenkern, warum nicht, Linde,
gelindert?
So große Verschwendung: was schwände
Nicht ohne sie? Ohne Überfluß: wo
Flösse der Fluß noch? Nur was so aufsteht
Setzt sich durch. Nach dem maßlosen Mai, mäßig
Erhält die Natur sich und

Die Menschheit auch. So bäumt ihr euch auf
Und zeigt Blätter. Zahllose, mit euern Worten
Randvoll: was bleibt, aber so
Bleiben wir leben. Mit großem Aufwand
Dies Mindeste. Da ist so viel zuviel, doch weniger
Wäre zuwenig. Denn noch sind wir, redend zwar
Natur. Und wieviel Kraft ist vertan
In unserm Dickicht. Die Gesetze
Die allen den Plan geben und die Tropfen dem Eimer
Sind kaum erkannt und
Fast unbekannt. So fehlt dem Leben die Kunst.

THEODOR W. ADORNO

Über Walter Benjamins »Deutsche Menschen. Eine Folge von Briefen«

Das Buch »Deutsche Menschen. Eine Folge von Briefen« hat Walter Benjamin unter dem Pseudonym Detlef Holz 1936, während der Emigration, in der Schweiz erscheinen lassen. Vorher bereits, in den Jahren 1931/32, publizierte er die Briefe, mit den Einleitungen, einzeln in der Frankfurter Zeitung. Dabei schon mußte er den eigenen Namen verschweigen: der Faschismus warf seinen Schatten lange voraus. Indessen hatte die Veröffentlichung in der Frankfurter Zeitung, wie jüngst Zuschriften auf einen Aufsatz Benno Reifenbergs bestätigten, außerordentlich gewirkt.

Der Gedanke an die Wirkung erklärt den Titel. Er sollte, Benjamins eigener Angabe zufolge, ermöglichen, das Buch ins Dritte Reich zu importieren. Zugleich enthüllte das Motto den Lesern, auf die es abgesehen war, das Buch als oppositionell. Durch den puren Kontrast prangerte es das zerstörerische Selbstlob an; die Prunksucht, welche die der Gründerjahre zum Wahnsinn steigerte; den Eigennutz derer, die diesen auszurotten vorgaben. Besonders freute Benjamin Max Rychners Scherz über das Motto, Goethes Größe habe doch wohl nicht ganz des Glanzes ermangelt, eine jener witzigen Bemerkungen, die, nach einem wahrhaft chinesischen Satz Nietzsches, das kaum bemerkbare Lächeln erzeugen. Tatsächlich gelangte das Buch ungefährdet nach Deutschland; freilich ohne politischen Effekt. Die damals solche Literatur lasen, waren ohnehin Gegner des Regimes, neue schuf es ihm schwerlich. Benjamin teilte mit uns anderen Emigranten den Irrtum, Geist und List vermöchten etwas auszurichten wider eine Gewalt, die den Geist gar nicht mehr als Selbständiges kennt, sondern nur als ein Mittel zu ihren Zwecken, und darum keine Konfrontation mit ihm zu fürchten hat. Seine Abschaffung vermag der Geist kaum in sich hineinzunehmen.

Das Briefbuch begehrt auf gegen die Vernichtung des von den Nationalsozialisten vollends zur Ideologie erniedrigten deutschen Geistes. Es erinnert an diejenigen seiner Positionen, die sich rein hielten vom Schein, und deren Sachlichkeit »mit keiner neuen den Vergleich zu meiden hat«. Es möchte eine unterirdische deutsche Tradition aufdecken; die dessen, was vom Nationalsozialismus schlechterdings nicht angeeignet werden konnte, der ja, gleichgültig gegen die spezifischen Differenzen, in denen der Geist sein Leben hat, alles, auch das ganz Heterogene, beschlagnahmte. Jener Unterstrom ist tief verwandt der Aufklärung, die in Deutschland nie recht gelang, während doch die großen idealistischen Philosophen alle, mit der einen Ausnahme Schellings, zu ihr sich bekannten. Weil es an dieser Tradition in Deutschland immer noch gebricht, weil die Verleumdung der Aufklärung das Dritte Reich überlebte, ist Benjamins Intention heute noch so aktuell wie vor dreißig Jahren. Zur katastrophischen Raschheit der geschichtlichen Veränderungen in der gegenwärtigen Epoche bildet es das Komplement, wie wenig durch diese veraltet, was dem Unheil nicht gleicht.

Der Briefband hat seine Einheit in dieser Intention, nicht in der Bedeutung der einzelnen Dokumente. Unter diesen finden sich neben solchen des obersten Rangs solche von bescheidenem, peinliche wie das von Seume. Auch die Auswahl der Korrespondenten hat kaum eigenes Gewicht. Benjamin zögerte nicht, in demselben Buch, das mit einem Brief Overbecks an Nietzsche endet, einen des von diesem verachteter David Friedrich Strauß abzudrucken: den über Hegels Tod. Seiner Neigung fürs Entlegene, vom offiziellen Geistesleben noch nicht Zermahlene hat Benjamin widerstanden. Neben ganz unbekannte stellt er berühmte Briefe wie den, in welchem Hölderlin sich einen von Apollo Geschlagenen nennt, den Goethes an Seebeck, den Hilfe heischenden Büchners an Gutzkow. Die Briefschreiber erscheinen in dem Band als Sozialcharaktere, nicht als individuelle. Sie verbindet eine Sprache, die so unvereinbar ist mit der zurichtenden des Befehls wie mit der hochtrabenden Phrase.

Wer über den Details jenen Ton ignorieren wollte, verstünde das Buch falsch. Nicht minder jedoch, wer es auf einen Begriff von Aufklärung festnagelte, der sich nicht darum kümmert, wie sehr diese selbst unterdessen in den Strudel der Unfreiheit hineingerissen wurde. Karl Löwith schrieb in der Abhandlung über Heidegger und Rosenzweig, beide hätten dadurch zusammengehört, »daß sich das Denken des einen wie des anderen von der Bewußtseinsmetaphysik des deutschen Idealismus abwandte, ohne dem Positivismus zu verfallen, und positiv durch ihren gemeinsamen Ausgang von der ›Faktizität‹ des menschlichen Daseins«. Im selben Zusammenhang erwähnt Löwith Eugen Rosenstock, Buber, Hans Ehrenberg und andere. So sehr Benjamin in seiner reifen Zeit ihnen allen entgegen war, heute zeigt sich ein Gemeinsames zwischen ihm und ihnen, seinen Altersgenossen, in der Konzeption des Konkreten. Während diese dem Idealismus sich entgegensetzt, trägt sie theologische Farbe selbst dort, wo der Gedanke gegen Theologie sich spröd macht. Weil in einer Gesellschaft, deren Gesetz alle Beziehungen zwischen den Menschen zur Abstraktheit verurteilt, keine Konkretion mehr ist, möchte Philosophie diese verzweifelt beschwören, ohne über das Sinnlose des Daseins zu betrügen, aber auch ohne darin aufzugehen. Dies Motiv ist eines von Bewegungen der zwanziger Jahre wie dem sogenannten Patmoskreis, dem Hofmannsthals – der mit jenem durch Florens Christian Rang, einem Freund Benjamins, zusammenhing –, den dialektischen Theologen und der weit davon abliegenden Phänomenologie. All ihre Bemühungen stehen ausdrücklich unter der Maxime, das Einzelne sei weder bloß Exemplar seiner Gattung noch bloß Daseiendes. Sein Sinn, das, wodurch das Einzelne mehr ist als nur es selber, wird aufgesucht in den Bestimmungen seines Jetzt und Hier, nicht in der klassifikatorischen Ordnung. Rücksichtsloser als jene anderen hat Benjamin diesen Impuls verfolgt. Nichts erhoffte er sich von der Beschwörung: Rettung einzig von einer Profanität ohne Dunstkreis. Uneingeschränkt, in einem paradoxen Nominalismus, den das Barockbuch auch erkenntniskritisch begründete, hat er ins Einzelne sich versenkt, ohne alle Rückendeckung bei der Idee. Der Intention aufs Konkrete mischt er das materialistische Salz bei: das bestimmte Daseiende wird zum Substantiellen als in sich gesellschaftlich Vermitteltes. Wie Benjamin in den letzten Jahren seines Lebens dem Idol nachhing, seine eigene Philosophie nicht sowohl zu schreiben als womöglich deutungslos aus Materialien zu montieren, die selber reden, so verfuhr er auch im Briefbuch. Es will durch Auswahl und Anordnung Benjamins Philosophie durchschlagen lassen, ohne sie auf eine allgemeinbegriffliche Form zu bringen, die ihr selbst widerspräche. Es ist ein philosophisches Werk, kein geistesgeschichtliches oder literarisches.

Die Briefe sind allesamt asketisch, sei's in der Haltung, sei's im Verhältnis zum Ideal. Der Nachdruck ihres Prosaischen, ihre Widerborstigkeit verklagt aber das prosaische Unwesen, dem die deutsche Tradition der Freiheit unterlag: Gegenteil von Anpassung. Der Utopie widerfährt Ehre durch Enthaltsamkeit gegenüber jedem positiv gesetzten Sinn. Dem eifern Benjamins Kommentare nach. Mit keinem Wort verrät der zu dem Brief Collenbuschs, der ihm der liebste war, welches Pathos bei Benjamin das Wort Hoffnung besaß, um das jener Brief zentriert ist wie Benjamins Interpretation der Wahlverwandtschaften; auch bei dem unvergleichlichen Schreiben der Annette von Droste-Hülshoff wird nicht enträtselt, wogegen die Dichterin sich sträubt wie gegen die Verkündigung eines Engels. Die Spannung des Prosaischen und Utopischen ist das Lebenselement der Briefe. Keines ist ohne das andere. Die Gewalt der Ernüchterung rührt her von der unbestechlichen Treue zum Traum, der nicht aufgezehrt werden soll von seiner Anrufung. Die Utopie flüchtet sich in die bittere Scham, daß es noch nicht gelang; ihr Ausdruck ist das Tabu über ihren Ausdruck. Alle Sachgehalte werden in dem Buch beredt, indem sie des Scheins sich entäußern; aller Geist darin sättigt sich mit der Schwere der Stoffe, die unversöhnt auf dem Schreibenden lastet; Idealität bewährt sich, indem sie das nicht verleugnen, keine Versöhnung vortäuschen. Die Kraft dazu aber eignet ihnen, weil zu jener Epoche in den Sachgehalten noch die Möglichkeit gefühlt werden konnte, an die rechte Stelle zu kommen, im citoyen die Humanität.

Das hintersinnige Buch erschließen hilft die Besinnung auf das, was Benjamin aussparte. Es enthält keine Texte der Philosophen des Jahrhunderts, sie werden nur an Reflexen spürbar; auch Briefe der Brüder der Philosophie fehlen, der großen Komponisten. Erst die Veröffentlichung von Benjamins eigenen Briefen wird seine Gegenposition zum Idealismus ganz ins Licht rücken; einem an Scholem ist zu entnehmen, wie antithetisch seine Verehrung für Kant war, wie sehr er in diesem die höchste Verkörperung dessen erblickte, wogegen er anging. Das erst verleiht dem Collenbuschbrief seinen Stellenwert. Aber während Benjamin gelegentlich von den Verwüstungen sprach, die der deutsche Idealismus anrichtete, und das ihm Exterritoriale liebte, war sein historisches Ingenium doch zu hellsichtig, als daß er danach Grenzen gezogen hätte. Er wußte, wieviel von der Bestimmung des Menschen im Idealismus wider die damals bereits heteronome Gesellschaft sich verkörperte. Der Idealismus selbst war, in der Zeit seiner Würde, der eigenen Zusammensetzung nach durchdrungen von jener Gegenständlichkeit, der Benjamin nachhing; nach der Sprache Hegels muß die

Idee sich entäußern, um zu sich selbst zu kommen. Erst als er sich zur feiertäglichen Weltanschauung neutralisierte, gleichgültig gegen die verändernde Praxis, ging der Idealismus unter in der Ideologie, die er immer auch gewesen war. Die Gründerjahre, historisch und sachlich das Gegenbild des Buches, waren die Ära des vulgären Materialismus und Idealismus zugleich.

Was Benjamin dagegen versammelt, fügt sich zu einer Exegese der Hölderlinschen Formel von der heiligen Nüchternheit. Nüchtern sind die Briefe vermöge des praktischen Sinns der Bürger, den sie zu jener Epoche guten Gewissens noch in ihren sublimsten Äußerungen duldeten. Das Beschränkende und Beschränkte behütet sie vor der Hybris, ihr Bewußtsein und der reale Zustand wären schon ein wahres Ganzes. Das unverschleierte Eingeständnis partikularer Eigeninteressen durch einen Ton, der die Lüge verschmäht, weist über sich hinaus. Es ist nicht nur die Wahrheit über die Schreibenden selbst, sondern auch die Ahnung, keine Wahrheit sei, solange nicht alle zu dem Ihren kommen. Auf solcher Stufe des Bewußtseins ist Wahrheit der Inbegriff bestimmter Negation, so wie der späte Benjamin Wahrheit daran erkannte, daß sie nicht gibt, sondern nimmt. In diesem Geist errettet das Buch die tiefsten Schatten des bürgerlichen Charakters, das versagende Prinzip. In der Einleitung des an Kant von dessen Bruder gerichteten Briefs ist provokatorisch von Bedingungen und Grenzen der Humanität die Rede. Nichts anderes kann damit gemeint sein, als daß die bürgerliche Notdurft, welche die Subjekte in ihren Umkreis bannt und in sich selbst modelt, eine Zeitlang ihnen jene Konkretion verlieh, die dann im Zustand losgelassener Produktion zerfiel, in dem sie nur noch Objekt sind, Konsumenten. Alle humanen Eigenschaften bilden sich in solcher Konkretion. In ihrer gesellschaftlichen Entstellung werden die Menschen der eigenen Fehlbarkeit inne, und das eigentlich ist das Humane. Auf den bürgerlichen Charakter, wie er bis ins jüngste Zeitalter überlebte und noch von der Freudischen Schule als analer verklagt wurde, fällt angesichts seines Untergangs versöhnliches Licht. Karg ist der Brief von Kants Bruder, Bertrams mahnender Glückwunsch an Sulpiz Boisserée, Kellers verschnörkelte Sorge, Storm möge bei seinen Briefen ihm das Nachporto ersparen; noch Overbecks vorsichtige Anregung, Nietzsche, bereits der Autor des Zarathustra, solle Gymnasialprofessor werden. Die stolze Gegenwehr freier Subjekte gegen Armut und einen Reichtum, dem sie als Bedrohung ihrer Autonomie mißtrauen, erzeugt Wärme zwischen ihnen und den Dingen, mit denen sie sparsam verfahren. Das ist das Klima, in dem Tradition gedeiht. Selbst die aneignende Manie des Sammlers ist auch ihr Gegenteil, konserviert die leibhafte Fühlung mit den sich entfernenden Objekten.

Die sprachliche Form der bedeutenden Nüchternheit ist der Lakonismus. Überflüssiges wird fortgelassen, aber das Fortgelassene zum Unsagbaren erhöht durch die Kraft, die es ins Wort ausstrahlt wie am Ende des Zelterbriefs. So nahe ist der Lakonismus seiner Sache, daß diese gleichsam zum Diesda zusammenschrumpft. In diesem Schrumpfungsprozeß wird sie aber zu mehr als bloß sie selber.

Jene Nähe bedarf einer gewissen Naivetät. Damit auch das Briefschreiben. Das Jahrhundert der Briefe war im Deutschen der Korrespondenz günstig, weil bürgerliche Beschränktheit, bei allem Bewußtsein, etwas von solcher Naivetät ererbte und zeitigte: auch sie Bedingung und Grenze der Humanität in eins. Hätte das Bewußtsein die Enge kleinen Eigentums und unmittelbarer Zwecke ganz durchbrochen, so wäre es nicht mehr fähig gewesen, unmittelbare Erfahrung so aufzuheben, wie es jedem dieser Briefe glückte. Daß Goethe, nach Benjamins schöner Prägung, in den Spätbriefen das eigene Innere nur noch als Kanzlist seiner selbst verlautbart, antizipiert das geschichtliche Urteil über den Brief als Form. Sie ist veraltet; wer ihrer noch mächtig ist, verfügt über archaische Fähigkeiten; eigentlich lassen sich keine Briefe mehr schreiben. Benjamins Buch setzt ihnen das Denkmal. Die noch entstehen, haben etwas Falsches, weil sie durch den Gestus unmittelbarer Mitteilung Naivetät bereits erschleichen. Benjamins Buch lockt nicht zur Nachahmung der Texte, die es darbietet, sondern lehrt die Distanz von ihnen. Ihre Unwiederbringlichkeit wird zur Kritik des Weltlaufs, der, indem er das Beschränkende der Humanität tilgte, ohne diese zu verwirklichen, gegen Humanität sich kehrte.

HANS BLUMENBERG

Begriffsstatus*

Was der Ausdruck ›Verweltlichung‹ besagt, scheint unvermittelt und leicht einzugehen. Jedermann kennt, als Feststellung, als Vorhaltung, als Bestätigung, diese Bezeichnung für einen langfristigen Prozeß, durch den ein Schwund religiöser Bindungen, transzendenter Einstellungen, lebensjenseitiger Erwartungen, kultischer Verrichtungen und festgeprägter Wendungen im privaten wie täglich-öffentlichen Leben vorangetrieben wird. Man braucht sich dabei nicht einmal an die, freilich empirisch-statistisch am besten faßbaren, Daten der institutionellen Zugehörigkeiten und Einflüsse zu halten, denen ein höheres Maß an Inertialität zukommt als ihrer lebensweltlichen Motivationsbasis. Es gehörte einst in den Sprachbereich jener stehenden Wendungen zu beklagen, die Welt sei ›immer weltlicher‹ geworden (statt dies immer weniger zu werden), während jetzt darauf zu bestehen ist, die Neuzeit sei eine Epoche der puren ›Weltlichkeit‹ und ihr Staat folglich der säkulare.

Wir würden die Formeln der ›Verweltlichung‹ nicht so selbstverständlich hinnehmen können, wenn wir selbst nicht noch im Auslaufhorizont dieses Prozesses uns befänden. Wir beschreiben etwas, was es für uns gar nicht gäbe, wenn wir nicht noch zu verstehen imstande wären, was dem vorauszugehen hatte, was Heilserwartung, Jenseitshoffnung, Transzendenz, Gottesgericht, Weltenthaltung und Weltverfallenheit einmal bedeutet hatten – also die Elemente jener ›Unweltlichkeit‹, die doch als Ausgangslage impliziert

* Der Text *Begriffsstatus* ist das erste Kapitel des ersten Teils *Säkularisierung – Kritik einer Kategorie des geschichtlichen Unrechts* des Buches *Die Legitimität der Neuzeit.*

sein muß, wenn von ›Säkularisierung‹ soll gesprochen werden können. Daß es der sakralen Güter weniger, der profanen mehr gibt, ist eine quantitative Feststellung, der beliebig viele Differenzierungen hinzugefügt werden könnten, um eben diesen Schwund zu beschreiben. Dessen Endstufe wäre, daß keine Reste jener Elemente mehr übrig wären, aber dann schließlich auch nicht mehr verstanden werden könnte, was der Ausdruck ›Verweltlichung‹ überhaupt besagt. In diesem deskriptiven Sinne kann man alles mögliche als Folge der Säkularisierung angeben, ihr bestimmte Verluste zuschreiben, wie etwa, wenn man sagt, die Krise aller Autorität sei eine Erscheinung oder ein Resultat der Säkularisierung. Da ist etwas weg, was vorher dagewesen sein soll. Es ist damit der Verlust kaum erklärt, sondern nur in den großen fatalen Schwundbestand mit aufgenommen.

Hinzu kommt, daß die Verwendung des Ausdrucks keine eindeutige Wertung mehr impliziert. Selbst wer Säkularisierung als Verfall einstiger Transzendenzfähigkeit beklagt, tut dies mit kaum geringerer Gelassenheit als der, der sie als den Triumph der Aufklärung nimmt – da es sich doch nun einmal nicht als ihr letzter notwendiger erwiesen hat. Dem Historiker wird beides fernliegen. Aber was liegt ihm nahe, wenn er von ›Säkularisierung‹ spricht? Man sollte denken, das sei einigermaßen geklärt. Eben dies ist zu bestreiten.

Ausdrücke solcher Großzügigkeit, von diesem Allgemeinheitsgrad, dieser intransitiven Unbestimmtheit läßt man in unserem überreichen Sprachangebot hingehen, bis sie sich fast unvermerkt und unvermutet in einer präzisierten Funktion einstellen. Die Welt, die immer weltlicher wurde, war ein Subjekt von so extensiver Undeutlichkeit wie das Impersonale in dem Satz »Es regnet«. Aber in der präzisierten Funktion treten Sätze von einem ganz anderen Typ auf: B ist das säkularisierte A, also etwa: Das moderne Arbeitsethos ist die verweltlichte mönchische Askese, die Weltrevolution die säkularisierte Endzeiterwartung, der Bundespräsident der säkularisierte Monarch. Solche Sätze bestimmen einen eindeutigen Zusammenhang des Woher und Wozu, eine Deszendenz, einen Substanzwandel. Der große übergreifende Prozeß der Verweltlichung der Welt erscheint jetzt nicht mehr als ein quantitativer Schwund, sondern als Inbegriff spezifizierbarer und transitiver qualitativer Umformungen, in denen jeweils das Spätere nur unter der Voraussetzung des ihm vorgegebenen Früheren möglich und verständlich wird. Hier gibt es den Komparativ einer nur ›weltlicher‹ gewordenen Welt nicht mehr, sondern in jedem behaupteten Falle nur die spezifische Mutation zum Säkularisat.

Ich biete hier kein Sprachverbot an. Wer von Säkularisierung als einer Flutwelle sprechen möchte, die in einem bestimmten Augenblick einen bestimmten Punkt erreicht hat, die vielleicht unaufhaltsam weiter vordringt oder sich als eindämmbar erweisen könnte, die hier oder dort einen Dammbruch bewirkt, an anderer Stelle zurückzuweichen scheint, der mag unbetroffen von dem, was hier strittig ist, an seiner Beschreibung der Zustandsänderung und ihrer generellen Richtungen festhalten. Nur dem Anspruch, in dieser Sprache etwas verstehbar machen zu wollen, was dieses sonst nicht oder weniger wäre, wird hier widersprochen.

Sofern ›Verweltlichung‹ nichts anderes bedeutet als ein geistliches Anathema gegenüber dem, was nach dem Mittelalter Geschichte geworden ist, gehört sie in ein Vokabular, dessen Aufschlußwert von Voraussetzungen abhängt, die theoretisch nicht verfügbar sind und dem als ›weltlich‹ gekennzeichneten Verständnis der Wirklichkeit nicht zugetraut oder zugemutet werden können. Aber auch dort, wo man die theologischen Prämissen mitzumachen nicht bereit sein konnte, ist die Säkularisierung als Kategorie der Interpretation historischer Sachverhalte und Zusammenhänge akzeptiert worden. Dabei liegt die Differenz von theologischem und historischem Gebrauch der Kategorien Weltlichkeit und Verweltlichung weder in einer Änderung des Wertvorzeichens noch in der Umdeutung des Verlustes zur Emanzipation. Denn ein positives Wertvorzeichen der Säkularisierung kann es durchaus auch theologisch geben; gerade die Versuche, zur Radikalität der genuinen religiösen Weltdistanz zurückzukehren und die Transzendenzaussagen der Theologie ›dialektisch‹ zu erneuern, konnten in der massiven Deutlichkeit der Manifestation von Welt als ›Weltlichkeit‹ den Vorteil der Unübersehbarkeit und Unverwechselbarkeit dieses Immanenzcharakters wahrnehmen. Das der Welt Fremde und ihr als paradoxe Zumutung der Selbstaufgabe Begegnende sollte sich in neuer Deutlichkeit der Verflechtung und Verkleidung wieder entziehen, in der es sich – etwa zum Zweck des registrierbaren Erfolges – zu falscher Vertrautheit und Annehmlichkeit angebiedert hatte. Einer Theologie der ›Scheidung‹, der Krisis, mußte an der Verdeutlichung der Weltlichkeit der Welt, statt an ihrer sakralen Überlagerung, liegen. Das gab dem Gebrauch von ›Säkularisierung‹ sein eigentümliches theologisches Pathos.

Es bedarf des Unheils der Welt, aber eben: der ›Welt‹ im Vollsinne, um dem Heil dessen, was ›nicht von dieser Welt‹ sein soll, seine Erwartungsevidenz zu verschaffen – was auch immer epochal oder episodisch als solches Unheil und Heil gesehen werden mag. Nachdem ›Säkularisierung‹ zum kulturpolitischen Programmwert der Emanzipation von allen theologisch-kirchlichen Dominanzen, der Liquidation von Restbeständen des Mittelalters geworden war, ließ sie sich ebenso zum Postulat der Klärung der Fronten, der entschlossenen und zur Entschließung zwingenden Scheidung der Geister im Vorwege jenes endgültig ›diese Welt‹ und ›jene Welt‹ trennenden eschatologischen Gerichts formulieren. Danach brauchte, was faktisch im Prozeß der Verweltlichung geschehen war, nicht als Verlust an Substanz reklamiert zu werden, sondern konnte als Preisgabe von Belastungen erscheinen. Die Säkularisierung, die derart die Fronten klären sollte, wechselte als Programmwort zugleich in einem nicht untypischen Vorgang der Rezeption – härter ausgedrückt: des Wegnehmens der Sprache – diese Fronten. ›Säkularisierung‹ ist dafür nicht das letzte Beispiel.

Was nach der Theologie der Krisis (und ihren existentialtheologischen Ausläufern) kam, lag in derselben Tendenzrichtung einer theologischen Rechtfertigung der Säkularisierung. Feuerbach bekam recht, von unerwarteter Seite, von der Theologie selbst, daß sie sich nur als den Umweg der Anthropologie verstehen könne. Die Figuren und Schemata der Heilsgeschichte sollten sich als Chiffren und Projektionen innerweltlicher Probleme, als eine Fremdsprache für den Absolutismus der Welt, des Menschen, der Gesellschaft erweisen, alle Unweltlichkeit also als eine Metapher, die in das eigentliche Idiom zurückzubringen wäre. Dann ist, ganz konsequent, nicht mehr die Säkularisierung das Problem, sondern der Umweg, der sie überhaupt erforderlich machte. Für Umwege allerdings gibt es das bewährte Schema des zu sich selbst findenden Bewußtseins. Was nach diesem Umwege ansteht, ist nicht mehr die Scheidung der Geister, die Klärung der Fronten, sondern die Enthüllung der Identität des *einen* Interesses, zu dessen Realisierung ein Gott allenfalls Erfüllungsgehilfe zu sein hätte. Aber wäre er dann nicht besser gleich nicht?

Der philosophische Betrachter dieser Szene der theologischen Selbstverständigung erkennt die vertrauten Muster aller Selbsterhaltungen: das der Reduktion der gefährdeten Substanz auf einen intangiblen Kernbestand, das der hingenommenen Verwechselbarkeit mit vermeintlich oder reell ›relevanten‹ theoretischen Dienstleistungen für diese oder jene Praxis, schließlich das der Einnistung ins letztaktuelle Interesse. Die Stärke dieser Säkularisierungstheoreme liegt darin, daß sie eine Zusatztheorie enthalten, die nicht nur nachträglich als gut befinden läßt, was da an Geltungsschwund und Deutungsverlust hereingebrochen ist, sondern dies selbst als Heilsvorgang aufzuwerten verhilft. So kann ein Verlust an Herrschaft, Einfluß, besetzter Position und kulturellem Ambiente *als providentieller Vorgang von reinigender Kraft für das Christentum* verstanden werden. Dann war die Einschätzung der Säkularisierung als Gefährdung der Existenz religiöser Formen und Gehalte in der Welt, als Niedergang des Geltungswertes theologischer Aussagen und ihrer Umsetzung in Handlungswerte nur eine ihrerseits ›verweltlichte‹ Furchtsamkeit, die der Vertrauensimplikation des Glaubens ebenso ungemäß war wie die Verkennung des Verzichtes auf Herrschaft in der biblischen Grundfigur der *Kenosis* als der Knechtsgestalt des Heilbringers. Nicht die Säkularisierung selbst wird abgelehnt, sondern der Dienst, den sie als Argument der Rechtfertigung für die ›Bedeutung‹, den ›Kulturwert‹ des Christentums innerhalb der Welt leisten sollte. Nicht erst das Ende der Geschichte ist Reservat der Theologie, sondern der geschichtliche Prozeß selbst wird (gegen allen Anschein des Mißerfolgs früherer Ansprüche, die Welt, wenn nicht zu gewinnen, so doch wenigstens zu erklären) einem Verständnis erschlossen, das dem Schema einer zeitgenössischen Paratheorie entspricht, der Widerstand gegen die Therapie sei das Hauptsymptom ihres zielgerechten Vordringens.

Die Weltlichkeit, auf diese Weise nicht nur zugelassen und geduldet, sondern systematisch selbst ›vorgesehen‹, kann sich ihrer Einplanung in den Heilsplan ebensowenig widersetzen, wie sie etwas dazu zu tun braucht, um eine Rolle zu übernehmen, die selbst nicht zu verstehen eben die Pointe dieser Rolle ist. Dann wäre das Unverständnis des historischen oder philosophischen Kritikers gegenüber der Kategorie ›Säkularisierung‹ genau das, was von ihm erwartet werden muß. Aber zugleich kann diese Erwartung nicht das Motiv sein, welches ihn dazu bestimmt, nicht weiter nach seiner eigenen und authentischen Verständnismöglichkeit dessen zu suchen, was durch den Ausdruck ›Säkularisierung‹ geleistet werden kann.

Die Schwierigkeit, die hier beginnt, beruht darauf, daß jedermann ›noch‹ einigermaßen zu verstehen meint, was mit dem Ausdruck ›Verweltlichung‹ gemeint ist, und dies dem geläufigen Gebrauch zuschreibt. Die Rückfrage, was denn damit bezeichnet und behauptet werden soll, muß mit einem gewissen Unwillen ihres Adressaten rechnen. Genügt es nicht, eben jene quantitative Aussage über die Minderung eines Einflusses, den Schwund eines Gepräges, das Absinken einer Intensität hinzunehmen, um den Grenzwert zu erfassen, der mit der Formel von der Weltlichkeit als der Signatur der Neuzeit intendiert wird?

Es geht nicht nur um die genuine Zugehörigkeit eines sprachlichen Elements, nicht nur um Worte, sondern um Sachen. Es muß daran erinnert werden, daß die Signatur der Neuzeit nicht nur als Weltgewinn und Weltzuwachs, sondern auch als Weltverlust beschrieben worden ist. An dieser These von Hannah Arendt, die gegen das Säkularisierungsdogma gesetzt ist, läßt sich zumindest verdeutlichen, was an Präzisierung einem historisch leistungsfähigen Begriff von Verweltlichung hinzugewonnen werden müßte.

Hannah Arendt spricht von einer *Weltlosigkeit ohnegleichen* als Gepräge der Neuzeit. Der Mensch sei, als er die Hoffnung auf das Jenseits verlor, nicht mit der dadurch freigewordenen Intensität des Bewußtseins auf das Diesseits eingegangen; vielmehr wurde er *aus der jenseitigen und der diesseitigen Welt auf sich selbst zurückgeworfen.* Die Wirklichkeit der Welt, der er sich gegenüber sah, sei ihm nun gerade zweifelhaft geworden, indem sich der unmittelbare Sinneskontakt durch die mathematisierte Physik als Darbietung nur der vordergründigen Erscheinung soliderer Realitäten erwies. Auch in dieser These wird die Neuzeit zur Fortsetzung des Christentums mit anderen Mitteln, aber in derselben Richtung der Entweltlichung. Der Mensch habe sich *erheblich weiter von der Erde und der sinnlich gegebenen Realität entfernt, als irgendeine christliche Jenseitshoffnung ihn je von ihr entrückt hatte.* Wie auch immer man das Gewicht dieser Feststellungen bewertet, ergeben sie in jedem Falle, daß die ›Weltlichkeit‹ der Neuzeit nicht als Rückgewinnung des Wirklichkeitsbewußtseins beschrieben werden kann, das vor der christlichen Epoche unserer Geschichte bestanden hatte. Es gibt keine historische Symmetrie, in der diese Weltlichkeit so etwas wie die Disposition für die Wiederkehr des Kosmos der Griechen wäre. Die Renaissance war nur das erste Mißverständnis dieser Art, der Versuch, den sich ankündigenden neuen Wirklichkeitsbegriff als Wiederkehr einer schon erfahrenen, in vertrauten Kategorien zu bewältigenden Struktur aufzufangen. Worauf es ankommt: ›Welt‹ ist keine Konstante, deren Zuverlässigkeit erwarten ließe, daß im geschichtlichen Prozeß ein ursprünglicher Bestand unverhüllt wieder zutage treten müßte, sobald die epochale Überlagerung mit Elementen theologischer Herkunft und Spezifität abgetragen wäre. Diese ungeschichtliche Vorstellung entstellt die Authentizität der Neuzeit zu dem Restbestand, zu einem paganen Substrat, das im Rückzug der Religion auf deren autarke Weltunbezogenheit einfach übrig bliebe. Zu einem geschichtlichen Verständnis von Säkularisierung gelangt man jedenfalls nicht, indem man ihre Implikation von ›Welt‹ als Rückgewinn einer mit dem Christentum verlorenen ›Ursprünglichkeit‹ auffaßt. *Was immer wir meinen mögen, wenn wir von Säkularisierung sprechen, historisch kann sie auf keinen Fall als ein Verweltlichungsprozeß im strengen Sinne des Wortes angesehen werden; denn die Moderne hat nicht eine diesseitige Welt für eine jenseitige eingetauscht, und genau genommen hat sie nicht einmal ein irdisches, jetziges Leben für ein jenseitig-künftiges gewonnen; sie ist bestenfalls auf es zurückgeworfen.*

Es kommt hier auf diese These der Entweltlichung von

Hannah Arendt als solche nicht an; aber was sie zeigt, ist die Fragwürdigkeit der Differenz von Weltlichkeit und Unweltlichkeit als einer Alternative, die in der Geschichte einmal so und einmal anders entschieden werden könnte, so daß bei der Preisgabe transzendenter Bindungen und Hoffnungen das Resultat immer schon determiniert wäre. Sobald man aus dem Bannkreis des theologischen Kategoriensystems heraustritt, kann die Welt, zu der sich die Neuzeit als entschlossen gibt, unter dem Aspekt des Wirklichkeitsbegriffs oder unter dem einer der Antike zugetrauten Unmittelbarkeit der Anschauung eine ›unweltliche‹ Welt sein. Nur wo die Kategorie der Substanz das Geschichtsverständnis beherrscht, gibt es Wiederholungen, Überlagerungen und Dissoziationen, aber auch Verkleidungen und Enthüllungen.

Die Frage, wie der Ausdruck ›Säkularisierung‹ in Texten gegenwärtiger Geschichtstheorie gebraucht wird, zielt vor allem auf die Differenz von deskriptiver und erklärender Verwendung. Ein bestimmter Typus von Aussagen steht dabei seinem Anspruch nach gar nicht zur Diskussion, weil sich gegen ihn nicht mehr einwenden läßt, als daß durch ihn auch nur sehr wenig behauptet werde. Auch wenn nicht nur der quantitative Schwund von Merkmalen sakraler und kirchlicher Herkunft gemeint ist, sondern eine Änderungsform dieses Herkunftsbereiches selbst, also eine *Änderung der Sozialform der Religion* auf eine ›kulturreligiöse‹ Funktion und damit eine *Tendenz zur inneren ›Säkularisierung‹* der religiösen Institutionen selbst, so bedeutet dies doch nur die Nivellierung von Abgrenzungen, die Annäherung und Anähnlichung an die Erwartungen (oder auch nur die unterstellten Erwartungen) der sozialen Umwelt. Nun könnte man sagen, es sei reine Willkür und Überforderung, mehr als diesen deskriptiven Befund methodisch zu verlangen. Ich verlange dieses Mehr auch nicht, sondern ich finde es vor, und zwar erkennbar an einer spezifisch anderen Rede-

weise. Es ist eben etwas anderes zu sagen, in einem bestimmten Staat sei die *›Säkularisierung‹ des Landes* weit fortgeschritten und dies sei erkennbar an der empirischen Abnahme der Kirchenbindung in den Landgemeinden, als die These zu formulieren, die kapitalistische Bewertung des Erwerbserfolges sei die Säkularisierung der Heilsgewißheit unter der Voraussetzung des reformatorischen Prädestinationsglaubens. Denn ganz unverkennbar wird in dieser Musterthese für das Theorem der Säkularisierung ein bestimmter spezifischer Inhalt durch einen anderen, ihm vorhergehenden erklärt, und zwar so, daß die behauptete Umwandlung des einen in den anderen weder eine Steigerung noch eine Verdeutlichung, sondern eine Entfremdung von der ursprünglichen Bedeutung und Funktion ist.
Offenkundig genügt die Qualifizierung einer historischen Abhängigkeit mit den Elementen ›ursprünglich‹ und ›entfremdet‹ nicht, um die signifikante Verwendung von ›Säkularisierung‹ zu bestimmen. Und hier fragt sich, ob das, was noch zur Integration der Bedeutung hinzukommen muß, nicht unvermeidlich ein theologisches Element ist. Geht also der Begriff der Säkularisierung über das hinaus, was im Verstehen geschichtlicher Prozesse und Strukturen geleistet werden kann, indem er nicht nur eine Abhängigkeit, sondern so etwas wie einen Weltenwechsel, eine radikale Diskontinuität der Zugehörigkeiten bei gleichzeitiger Identität impliziert? Wird mit diesem Begriff nicht das Paradox in unser Geschichtsverständnis eingebracht, den neuzeitlichen Grundcharakter der ›Weltlichkeit‹ nur unter Bedingungen erfassen zu können, die ihm wegen dieser Qualität gerade unzugänglich sein müssen?
Hermann Lübbe hat darauf hingewiesen, daß *der Gebrauch ideenpolitisch aktueller Begriffe nicht folgenlos ist* und daß, wer hier nicht unversehens in Frontstellungen geraten wolle, an Aufklärung und Neutralisierung der begrifflichen Latenzen interessiert sein muß. Lübbe hält es für *möglich,*

einen rein wissenschaftsimmanenten Gebrauch des Säkularisierungsbegriffs auszugrenzen. Eben das stehe in *Übereinstimmung mit den Einsichten und Absichten der jüngsten Säkularisierungs-Theologie.* Hier mag man fragen, ob solche Konvergenz der Einsicht und des Interesses nicht dort ihre Grenze haben muß, wo ›Aufklärung‹, die nach einer Definition von C. H. Ratschow nichts anderes als *akute Säkularisierung* ist, die Säkularisierung des Begriffs der Säkularisierung selbst betrifft.

Wenn hier nach der Möglichkeit der Wissenschaftsimmanenz von ›Säkularisierung‹ gefragt wird, so ist das Kriterium der Wissenschaftsimmanenz nicht identisch mit dem Postulat der Wissenschaftsimmanenz. Diese Klarstellung ist geboten im Hinblick auf die jüngst ausgebrochene freudige Solidarität derer, die sich die Überwindung solcher Wissenschaftsimmanenz teilen zu können glauben mit der enharmonischen Verwechslung von Interdisziplinarität mit Überdisziplinarität. Die bloße Symbiose der Gegnerschaft gegen den ›Positivismus‹ (oder das, was je dafür gehalten wird) legitimiert noch nicht jede der heterogenen Voraussetzungen, die in dieses Verhältnis eingebracht worden sind.

MARIE LUISE KASCHNITZ

Beschreibung eines Dorfes

I

Eines Tages, vielleicht sehr bald schon, werde ich den Versuch machen, das Dorf zu beschreiben. Ich werde überlegen, womit anfangen, mit dem Oberdorf, mit dem Unterdorf, mit dem Friedhof, mit dem Wald. Oder mit den Höhlen, die hoch oben am Ölberg liegen, Wasser, so geht die Sage, erfüllte die Talbucht, wie jetzt zuweilen der Nebel, an den Felsen waren einmal Ringe, an den Ringen Boote befestigt, während in Wirklichkeit nur eines feststeht, nämlich, daß diese Höhlen die Zuflucht nacheiszeitlicher Jägerhorden waren

schließlich werde ich mit der Vogelschau beginnen, mit dem, was ein Vogel sieht, oder ein Fluggast aus seinem Kabinenfenster, schwarzen Wald auf der einen Seite des Tales, mit Buchengrün an den Rändern, Buchenwald auch an der anderen Seite, von Ahornen und Lärchen durchsetzt

übergehend in den Rebberg, und auf dem Talgrund das Dorf, zwischen Wiesen und Obstbäumen, die mächtige Lindenkuppel des Hauses Nr. 84 und die vielen Glasfenster der Gärtnerei

ich werde das alles beschreiben und besonders ausführlich über die Rebhänge sprechen, die viele Jahrzehnte lang vernachlässigt waren, Brachland und Kartoffeläckerchen hier und dort

die aber jetzt neu angepflanzt und von blauen Asphaltstraßen durchzogen sind. Ich werde bei dieser Gelegenheit auch erwähnen, daß noch vor vielen Jahren, aber schon zu meiner Lebenszeit, die Trauben mit den Füßen gestampft oder in der Eichentrotte gepreßt wurden

daß aber jetzt der Wein gemeinschaftlich behandelt und in große Behälter gefüllt wird, die nicht mehr aus Holz, sondern aus Glas oder Beton bestehen.

2

Am nächsten Tag, meinem zweiten Arbeitstag, werde ich zu der Vogelschau zurückkehren. Ich werde zuerst die schönen Waldränder bekanntgeben, dann das Wiesenvorland, das das Rheintal, die Vogesen, den Schweizer Jura und die Burgundische Pforte, die man übrigens auch von den Mansardenfenstern des Hauses Nr. 84 sieht. Ich werde den historischen Charakter der Landschaft betonen und behaupten, daß, wer Einbildungskraft besitzt, noch heute die Heere durch die Ebene ziehen sehen kann

die Kelten und Germanen, kämpfend mit Cäsars Legionären, die Alemannen und Franken, die Bauern aus Staufen, die das Schloß der Herren Schnaevelin von Bärenlapp im Dorf zerstörten

die Schweden, die dreihundert Kirchhofener Bauern erschlugen und das Kloster Sölden in Brand steckten

die Truppen des Marschalls Turenne, der über das Kuckuckbad und durch das Hexental gegen die Bayern zog

die Truppen Ludwigs XIV., die von Breisach her Freiburg eroberten

die Heere des Pfälzischen Erbfolgekrieges, des Spanischen Erbfolgekrieges, des Österreichischen Erbfolgekrieges, des 1. Koalitionskrieges, des 2. Koalitionskrieges, des 3. Koalitionskrieges und der Freiheitskriege

was alles für die Dörfer des Hexentals bedeutete Plünderung, Kontributionen, Bauern, zum Schanzen gezwungen, Hafer, Feldfrüchte, Wein, Gold, Vieh, Schweine, Hühner weggeführt, Brandschatzung, Flucht in die Wälder, Elend, Tränen und Angst.

3

Nachdem ich von diesen lang zurückliegenden Kriegswirren gesprochen, aber auch die Orte Chemin-des-Dames und Hartmannsweilerkopf und den vor dem letzten Krieg angelegten Westwall erwähnt habe, werde ich, was aber mit dem Dorf nicht unmittelbar zu tun hat, die oberrheinische Tiefebene beschreiben

und zwar so, wie sie ist, wenn man sie durchquert, wenn sich die Gebirge wie ängstliche Hunde gegen den Boden drücken, während die Könige des Flachlandes, Mais, Weizen und Tabak, ihre Häupter erheben

ohne die poetische Schnakenwildnis der Altwasser, mit der es schon seit Jahrzehnten vorbei ist, wie mit den Libellen, die einst über die libellenflügelfarbigen Sumpflachen schwirrten

mit statt dessen Jungwäldern aus märkischen Kiefern, grünkronig, roststämmig, die sich unter weißgetürmten Schönwetterwolken erheben

indem ich die Veränderungen der Landschaft damit erkläre, daß man dem Rhein das Wasser abgegraben und die Autobahn gebaut hat, und indem ich von diesen Veränderungen ausführlich berichte, schlage ich bereits den Grundton meiner eben begonnenen Arbeit an. Das Schild ›Baden verboten‹ mitten im Forst, und was ein Mensch erleben kann, auch wenn er nicht sehr alt wird

letzter Aufruf für die Libellen, letzter Aufruf für die Schmetterlinge, von denen auch noch die Rede sein soll, wie von den Baggern, die in den Kiesgruben wühlen und mondbleiche Seen ausheben von den weißbestäubten Kalkwerken, die an die alte Festung, den Isteiner Klotz sich lehnen

von den spitzen Hügeln, dem Auswurf des Kaliwerks Buggingen, und den Straßen des kleinen Thermalbades, durch die am Sonntag in dicken blauen Uniformen die französischen Flieger ziehen, von den Geißblattranken, die sich an die alten, verfallenen Bunker des Westwalls schmiegen, und wie meine Mutter, nicht weit davon, im Sterben lag, und die französischen Gefangenen ihr mit Wintergrün das Totenbett schmückten. Wie kein Schuß hinüber, herüber, keiner fiel.

PETER HANDKE

Das Kartenspiel

Einmal saß ich unter dem Tisch, während sie Karten spielten, und konnte nicht mehr heraus. Ich hatte dort unten geschlafen, und als ich erwachte, sah ich um mich acht Schuhe und acht Beine gestellt, die die Pfosten meines Geheges waren. Ich hockte mich auf und schlug mit dem Scheitel unter den Tisch, daß das Besteck in der Lade klirrte. Ich duckte mich und beobachtete mit der Nase die Gerüche der spielenden Männer, mit dem Gehör die Laute, die sie von sich stießen, und mit den Fingern die Saftflecken, die sie durch die Schenkel, indem sie diese spreizten, unter sich auf den Boden spien. Meist traf die Hand, da sie darüberging, auf die schon harten glasigen Kuppen des Saftes von den vergangenen Sonntagen und wurde so von den vereinzelten noch frischen Würfen, in die die Finger ausglitten, überlistet und überrascht. Ich hockte in Gedanken unter dem Tisch, indem ich mit dem Kopf hin und her nach einem Ausweg überlegte: die Schuhe meines Vaters, die ich erkannte, weil die offenen Bänder unter den Sohlen steckten und weil die Laschen (wie Zungen) aus dem Schnürspalt hingen, waren breit auseinander gestellt, während darüber in der Hose die Knie sich eng aneinander rieben; dazwischen war ein weiter Raum, der nach oben hin sich verjüngte, so daß einer, der hinaus wollte, nur sich anzuspornen und hindurchzuschieben brauchte, und er wäre im Freien. Ich kroch eine Handbreit zurück, bis ich mit den Fersen hinten die Schuhe des Dritten Spielers berührte, und maß die Strecke des Anlaufs: Trumpf! schrie mein Vater. Ich hob mich ab und fuhr zwischen die Pfosten des Geheges, doch mein Vater, während er mächtig über den Tisch her die Karten zu sich an den Leib fing, preßte sogleich die Knie, kehrte die Füße zusammen und klemmte den Hals seines Sohnes fest in den Schraubstock: der ist durchgegangen! triumphierte er, die flache Hand auf dem Packen der Karten; er strich das Spiel ein und mischte die Blätter durcheinander, ohne die Arme dabei vom Tisch zu erheben, ohne zu atmen, ohne unter sich die Umklammerung aufzulösen; er schnappte mit dem linken Daumen, den er fortwährend an der unteren Lippe abzog, die Karten einzeln von dem Packen, den er in der Rechten hielt, und steckte dann die noch übrigen Karten einzeln zwischen die geschnappten in die hohle linke Faust, bevor er, nachdem rechts von ihm auch der Erste Spieler die Faust auf den Packen gesetzt hatte, die Karten nach links, wie der Uhrzeiger geht, im Kreise verteilte, jetzt mit der Hilfe des rechten Daumens (früher hatte er den linken verwendet), den er feucht von der Lippe abzog, dazu den Leib an die Lehne gereckt, von wo aus er jedwedem das Blatt gab, welches ihm zukam. Als ich den Kopf mit den vorgestülpten Ohren nach innen riß, hinderte der Vater den Sohn nicht daran; der wird nicht durchgehn! schrie er dem Vorspieler zu, worauf der Vorspieler schrie: das werden wir ja! worauf sein Partner schrie: wer zuletzt lacht! worauf sie leise der letzte fragte, was sie aber nun sagten, und den anderen so streng über den Mund fuhr. Seine Beine waren geschlossen, jedoch zu beiden Seiten konnte einer hindurch; wie ich aber dazukam, steckte er flink hierhin, dann dorthin den Schuh vor, während er oben, die Augen spöttisch auf dem einen und andern, die Karten still aus der Hand gab. Ich setzte mich nieder und schaute zur Lade hinauf, die hinten an ihrem Rücken den Fingern noch eine Fuge gewährte: was ist! schrie mein Vater, hin! schrie der Vorspieler, nichts für ungut! schrie sein Partner, indes: wartet nur ab! warnte sie alle leise der letzte, als ich die Lade ihm tief in den Bauch stieß und als er sie leise wiederum herruckte: hab ich zuviel versprochen? trumpfte er dann auf, indem er den anderen schweren Verdruß auflegte, der ihnen den Atem benahm. Ich hörte ihn mit dem ganzen gebeugten Arm, ohne daß er die gestochenen Karten umdrehte oder auch nur verdeckte, die Stiche zu sich auf den Haufen schaufeln. Das geht nicht mit rechten Dingen zu! schrie nach einer geraumen Zeit der Vorspieler, der seinen Platz auf der Bank an der Wand hatte und mir demgemäß, wiewohl er unter den Worten die Schuhe hob, nicht behilflich sein konnte. Ich schluffte an ein Tischbein und untersuchte mit den Augen die Socken seines Partners, welchen das Spiel zu erregen schien: wahrhaftig! schrie er über mir in den Tisch, da steckt etwas dahinter! Dabei jedoch, als er aus seinem Mund diese Worte entließ, trat er den Schuh vor und stellte ihn aufrecht vor mein Gesicht. Ich kroch darauf in die Mitte zurück. Ich legte mich auf den Rücken. Ich rollte mich auf den Bauch. Ich faltete mich zusammen und machte mich daran, auf den Knien im Kreis zu gehen. Ich ging mit den Knien im Kreis, so daß die Schultern die Stangen meines Geheges anstreiften; die Männer ließen sich jedoch nicht überrumpeln. Ich faßte die Beine des Vaters über den Knöcheln und schaute durch sie in das Zimmer: in der Ecke auf dem Bett hockte verschlafen mein Bruder und schaute zurück; ich eröffnete ihm mit beredten Blicken meinen Notstand, ohne daß er sich anstellig zeigte, darauf einzugehen; vielmehr schützte er, indem er starr, ohne etwas zu sehen, unter den Tisch schaute, nach dem Schlaf eine Schlaftrunkenheit vor, die ihn einigermaßen gedankenlos machte, sei es auch angesichts dieses Kopfes, der sich durch die Knie des sitzenden Mannes schob. Dieser aber, mein Vater, indem er den Fächer der Karten mit einem Handstreich zu einem Packen auf den Tisch schlug, bückte sich mit dem anderen Arm unter den Tisch und befreite sich von den Griffen des Sohnes, zu welcher Tat seine Stimme oben den Ton gab, dadurch, daß er sie schürte und (mit anderen Worten) schweratmend in seinen Wortschwall einstreute, er könne es, so wahr, wie er hier sitze, nicht länger mitansehen, daß sein Hausrecht über Gebühr beansprucht und gar durch einen Hergelaufenen, einen Freibeuter, verunglimpft werde. Er maßregelte weiter die Anwesenden, ohne daß indes selbst aus dem Folgenden mit Gewißheit hervorging, wer oder was ihm derart mißlich war, daß er den Unmut nicht länger beherrschen konnte; damit nicht zufrieden, schärfte er allen ein, sie sollten die Ohren aufsperren und bedacht sein, welche Lügen und Fälschungen heutzutage man ihnen auftische, solche, weissagte er, daß der Nachbar dem Nachbarn, und der Mann der Frau auf die Finger schauen müsse, damit man nicht eines Tages beim Erwachen die Scheunen und Ställe verwüstet fände; denn das, stellte er ihnen dar, würde ihnen kein sanftes Erwachen mehr sein! Spiel aus! schrie er darauf verderblich, über und über rot, leidige Flecken im Gesicht. Man muß der Sache auf den Grund gehen! schrie zustimmend der Vorspieler. Selbstverständlich! schrie sein Partner. Aber du hast ja geteilt, reinigte sich leise der letzte von dem ungerechtfertigten Vorwurf. Und schlecht geteilt! nahm der Vorspieler die Zurückweisung auf. Hättest du richtig abgehoben! gab mein Vater den Tadel in der Richtung des Uhrzeigers weiter. Richtig abgehoben! erfrechte sich der Partner zu wehren, als ob es am Abheben liege! Ein Wort noch! bedeutete ihm mein Vater gefährlich. Kommen wir zur Sache! sagte der letzte. Zur Sache! fiel der Vorspieler ein. Und ohne Verzug! erläuterte der Partner. Spiel schon aus! gab endlich mein Vater klein bei, nachdem er eine Zeitlang mutwillig mit den Augen einen nach dem andern gemustert hatte. Ich ließ meinem Bruder ein Zeichen zukommen; ich ließ ihm ein zweites Zeichen zukommen; ich stammelte gleichsam die Zeichen. Dann wurde ich selber eines, indem ich von unten den Tisch auf den Kopf und auf die von den Schultern sich stemmenden offenen Hände nahm; ich fügte die Füße Ferse an Ferse zusammen und spreizte sie vorn auseinander; die Ballen krampften sich ein; als ich über die Wangen auf die Arme schielte, konnte ich durch das Hemd die zitternden Muskeln sehen. Die Kniescheiben wurden weiß zugespitzt, die Zehen sah ich sich eng übereinander schlingen und den Boden verlieren, in den Geschlechtsteilen spürte ich, kaum daß der Tisch unter sich Luft hatte, das Zerren der Furcht, und die Augen gingen mir über. Ich hob den Tisch mit seinen vier Beinen gerade von der Erde, so daß die Männer allesamt ihre Schuhe hätten darunter schieben können und der Tisch, hätte es ihnen beliebt, wäre auf ihren Schuhen gestanden. Als ich aber schwerköpfig mich zu meinem Bruder drehte, rutschte der Tisch seitwärts und auf die Schulter hinab; ich hörte ihn mit zwei Beinen wieder schief den Boden berühren. Da senkte ich den Kopf, und er berührte auch mit den anderen Beinen den Boden und stand dort wie ehedem; nur die Summen Geldes über mir klimperten und klangen ein wenig, wie die Männer einander später erzählten. Wer ist also dran? schrie oben mein Vater, ja, wer? schrie der Vorspieler, das frage ich mich auch! schrie sein Partner, du bist dran, gab der letzte still zu verstehen, ich! schrie der Vorspieler, das ist mir dunkel! schrie sein Partner, teil schon, zerstreute leise der letzte ihre Bedenken, er ließ keinen mehr zu Wort kommen, so daß sie sich lebhaft ärgerten und ihres Lebens nicht mehr froh wurden.

WOLFGANG HILDESHEIMER

Von der Herrlichkeit, widerlegt zu werden

Dankrede anläßlich der Verleihung des Bremer Literaturpreises 1966

Meine Damen und Herren,
lassen Sie mich zuerst für den Preis danken. Ich bin nicht erhaben über die Freude an seiner materiellen Seite, denn ich gehöre nicht zu jenen, denen es auf zehntausend Mark mehr oder weniger nicht ankommt. Damit soll nicht gesagt sein, daß ich den Wert des Preises im Geldgeschenk sehe. Mehr als dies freut mich die Anerkennung meiner Arbeit durch Vertreter einer Stadt, die sich einer guten Vergangenheit rühmen darf. Mit Vergangenheit meine ich hier nicht die hanseatische, sondern vielmehr jene Vergangenheit, die man noch immer als »die Jüngste« bezeichnet, obgleich sie ziemlich alt ist, wenn auch leider noch nicht vom Tode durch Bewältigung gezeichnet. Hier in dieser Stadt aber hat sich Hitler nicht wohl gefühlt, und er hat sie daher kaum je besucht. Möge der Glanz einer solchen Abwesenheit niemals stumpf werden.

Dies ist indessen vor allem die Gelegenheit, der Stadt Bremen für den Preis als Institution zu danken. Es bieten sich verschiedene Möglichkeiten der Deutung einer solchen Institution. Ich wähle die beste: ein alljährlicher Akt der Reverenz vor der schöpferischen Arbeit und ihrer Kritik durch den Intellekt. Somit wäre denn dieser Akt das Gegenteil jenes sinnlosen Pflichtpensums der Anerkennung, zu dessen Entledigung sich hierzulande hin und wieder ein Regierungsmitglied verpflichtet fühlt, entweder um den Ruf des Banausen abzustreifen oder um den bellenden Hund als Haustier zu gewinnen, bevor er beißt.

Diese Bemühungen sind Demonstrationen der Vergeblichkeit. Nicht etwa deshalb, weil Schriftsteller sich auf die Rolle des Gegners als ein althergebrachtes Privileg versteifen, sondern weil die gemeinsame Sprache fehlt. Politiker wollen sich durchsetzen und reden von Politik, Schriftsteller wollen ein wenig tiefer an der Wurzel ansetzen und sprechen von moralischen Grundlagen der Politik, einem Gebiet also, das den regierenden Politikern bei uns wenig geläufig ist, weil es sie nicht interessiert, weil es ihnen als wirklichkeitsfremd erscheint. Und wenn es doch einmal einem führenden Politiker einfällt, diesen Drang zur Expansion auf das Feld der Gedanken zu übertragen, so öffnet sich vor seinen Hörern ein Panorama leerer Gemeinplätze, von nichts belebt als hier und dort von einer Stilblüte.

Da wird denn selten etwas gesagt, was nicht schon immer gesagt wurde. Schablone schiebt sich über Schablone. Der Atem des Geistes weht schwach auf den Höhen unserer Regierung; die Worte, ihn zu fassen, sind dürftig. Es ist meines Wissens in unserem politischen Leben selten ein Satz gesagt worden, der vor geistiger Subtilität geleuchtet, geschweige denn in seinem Schliff geglitzert hätte. Niemals ist eine Äußerung bekanntgeworden, die eine Sicht unserer Wirklichkeit in souveräne Worte gekleidet hätte, kein Wort ist gefallen, das wiederholenswert gewesen wäre, außer als unfreiwilliger Witz, keines, das genug Gewicht hätte, um als Zitat weiterzuleben.

Nichts, das in unserem Hohlraum stehenbliebe wie ein Stern, anstatt zu zerbröckeln oder zu verdunsten. In unserer politischen Rede finden wir bestenfalls die Bemühung, den Gegenstand redlich zu umreißen, meist aber finden wir bestürzende Banalität, wenn nicht gar die klägliche Floskel, bedenkenlos oder zynisch angewandt. Nur nach unten reicht die Skala weit. Hinab nämlich zur dumpfen und militanten Lautmalerei, dorthin, wo der Affekt der Unbelehrbaren sein widerliches Wesen treibt, wo jedes Wort der Vernunft als Zumutung zurückgewiesen wird.

Ein erleuchtendes Wort ist seit den Tagen des Theodor Heuss nicht mehr gesagt worden, ein bedeutendes wohl kaum mehr seit Bismarck. Ja, meine Damen und Herren, ich meine Bismarck. »Geistiges Format« ist von politischer Überzeugung weder bestimmt noch abhängig, solange diese Überzeugung nicht Terror und Unterdrückung in sich einschließt. Konservativsein braucht nicht unbedingt den Wunsch zu bedeuten, die Gewalt zu konservieren. Im übrigen ist auch der Reaktionär nicht mehr das, was er einmal war – im vorigen Jahrhundert. Eher schon trägt er beängstigende Züge dessen, was er vor einem Vierteljahrhundert einmal war. Bei der Rede bleibt es nicht, nicht bei ihrem unheilkündenden Unterton. Aus Implikation wird Forderung, aus ihr Wirklichkeit.

Es ist mancher hoffnungsvoller Tage Spätnachmittag geworden, alles wird dunkler – außer der Rede Sinn; der ist nur allzu klar. Portugals politisches System sei beherzigenswert, die Russen seien zu Tieren degeneriert – Meinungen wie diese fallen wie faule Äpfel. Die eine ist die eines Ministers, die andere die eines Kardinals (Beide heißen übrigens Jaeger, aber daran – wenigstens! – sind sie schuldlos.) Geleitet von solcherlei Rede treiben wir einem Gebiet entgegen, wo unsere Freiheit langsam gelähmt wird, dorthin, wo der Faschismus auf uns wartet, um uns wieder aufzunehmen. Franco, Salazar und Verwoerd sind unsere Bundesgenossen.

Das ist eine schwere Belastung für jeden, dem Worte wie Gerechtigkeit und Freiheit und Moral eine genauere Vorstellung vermitteln als unseren Politikern; für jeden, der mehr in ihnen hört als Töne, die eine Wahlrede oder eine Predigt oder eine Jubiläumsansprache in edles Schwingen versetzen. Mancher möchte sich mit Recht fragen, ob dieser Westen denn überhaupt noch der seine sei, hätte er nicht Angst vor der Antwort. Denn, meine Damen und Herren, täuschen wir uns nicht: die Entscheidungen der Welt fallen nicht zwischen links und einer wohltemperierten Mitte. Sie fallen zwischen links und rechts. Ein Extrem hält nur dem anderen Extrem die Waage, nicht aber dem Zünglein. Die linke Position ist vergeben. Links, das sind die »anderen«, die im Osten, der potentielle Feind. Die rechte Position wird soeben eingenommen, und zwar von uns. So will es unsere Politik.

Ich wünsche mir, meine Damen und Herren, daß Sie diesen minimalen Exkurs in die politische Spekulation angesichts einer Preisverleihung nicht als befremdlich empfinden. Aber die Gelegenheit zu einer öffentlichen Ansprache ungenutzt vorbeiziehen zu lassen oder sie gar in einer ästhetischen Abschweifung zu vergeuden, wäre mir als ein Akt lebensfremden Leichtsinns erschienen. Zudem – das gestehe ich ein – wollte ich mir damit auch einen Platz im Zwinger jener Hunderasse sichern, deren Namen ich nicht mehr auszusprechen wage, denn er ist geflügeltes Wort geworden; eine Frucht des Zorns ist als Pegasus entfleucht, auf dem so mancher Unbefugte gern reiten möchte. Ob ich selbst zu diesem Ritt befugt bin, das mögen die potentiellen Dresseure am Zwinger entscheiden.

Kehren wir zum Sinn unserer Zusammenkunft zurück! Wir wollten feiern, und ich feiere sehr gern. Nehmen wir also für den kurzen Augenblick dieser Stunde an, ich sähe – wie man so schön sagt – die Dinge zu schwarz. In der Tat hege ich keinen sehnlicheren Wunsch als den: Unrecht zu haben. Für den ehrlichen und überzeugten Pessimisten kann es nichts Herrlicheres geben, als sich selbst endgültig widerlegt zu sehen. Wohlgemerkt: es ist zwar noch kein Pessimist widerlegt worden, keiner hat unrecht behalten. Dennoch: das Streben danach bleibt seine Lebensaufgabe. So betrachte ich es auch als die meine. Ich arbeite an dieser Aufgabe auf meine Weise, und der Preis, über den ich mich freue, soll mich darin bestätigen.

HANS CHRISTOPH BUCH

Historische Begebenheit

Ich will schildern, wie die Armee des Generals Pontoppidan im Sumpf versank. Um sich den Vorgang in seinem ganzen Ausmaß zur Anschauung zu bringen, muß man sich zurückversetzen an den Vorabend der Sumpfdurchquerung, an dem der General in einer kurzen Ansprache vor den versammelten Offizieren die Richtlinien des geplanten Unternehmens skizzierte: jeder Soldat, so lautete die Weisung, sollte wie gewöhnlich in die Fußstapfen des Vordermannes treten; der General selbst würde, zusammen mit einem ortskundigen Führer, dem Heer voranreiten. Dadurch erklärt es sich, daß die Mehrzahl von Pontoppidans Truppen den Sumpf beschritt, ohne überhaupt Kenntnis von der Existenz eines Sumpfes zu haben, während der Generalstab, das heißt: der General, sein Adjutant, der einheimische Führer, ein Fahnenträger, der Trommler Per Pedersen, zwei Trompeter sowie ein Dutzend hoher Offiziere, sich bereits auf sicherem Boden am jenseitigen Ufer befanden. Die Offiziere plauderten zwanglos, der Einheimische bot den Musikern von seinem mitgebrachten Wein an, der General wandte sich im Sattel um und blickte auf die gewundene Schlange seiner Soldaten, die sich mit Roß und Wagen bis zu den Bäumen eines diesseits gelegenen Wäldchens hinzog, und beglückwünschte sich schon zu dem gelungenen Unternehmen, während der Adjutant dem Fahnenträger Befehl gab, die Fahne zu heben, die sich gleich darauf rauschend über den Köpfen entfaltete. Zur gleichen Zeit geschah eine halbe Meile zurück folgendes: ein junger Fähnrich und angehender Leutnant aus dem zweiten Glied der ersten Pioniereinheit, Holger Bruuns, Heimatort Wiibroe, war im Begriff, seine Pfeife anzuzünden, als diese ihm, da er die Kiefer nicht fest genug geschlossen hielt, infolge ihres Gewichts aus dem Mund glitt, zu Boden fiel und in Sekundenschnelle im schwarzen Morast versank. Nicht gewillt, das kostbare Stück, eine Meerschaumpfeife, die er von seinem Großvater geerbt hatte, so rasch verloren zu geben, bückte er sich und begann, mit den Fingerspitzen den Boden abzusuchen. Während aber beim marschmäßigen Ausschreiten die Schuhsohlen der Soldaten sich mit Leichtigkeit von dem zähen Grund hatten lösen können, drangen durch den Stillstand die Stiefel des Fähnrichs rasch bis zu den Absätzen ein, und von da ab immer schneller und tiefer. Noch dazu hatte er die Hand bis zum Gelenk in den schwarzen Moorboden eingesenkt und, da er noch immer keine Spur von seiner Pfeife fühlte, bald den halben Arm. Als er endlich die sinnlose Suche aufgegeben und den Arm aus dem zähen Erdreich befreit hatte, hatten sich durch den Gegendruck seine Beine nur um so tiefer gestemmt, so daß der Schlamm bereits zu den Stiefelschäften hineinquoll. Im Begriff, seinen Unterarm von dem daran haftenden Unrat zu säubern, stellte er fest, daß bei der ärgerlichen Suchaktion zusätzlich zu seiner Pfeife auch noch die Armbanduhr abhanden gekommen war; es hätte nicht viel gefehlt, und er hätte sich fluchend darangemacht, von neuem den Boden zu durchfurchen, wäre er nicht in diesem Augenblick, wahrscheinlich durch einen unterirdischen Hohlraum, ruckartig bis zu den Hüften herabgezogen worden; gleichzeitig gab der Boden, wie ein Esser, der sich mutwillig über die geltenden Tischsitten hinwegsetzt, ein schauerliches Schmatzen und Gurgeln von sich. Der Fähnrich, der als Knabe im Wattenmeer in der Umgebung seiner Heimatstadt Wiibroe gefischt hatte und mit dem dortigen Schlick vertraut war, mochte bisher die Tücke des hiesigen Bodens unterschätzt haben – in diesem Augenblick begriff er, was die Stunde geschlagen hatte; schweigend, das Gesicht gerötet vor Anstrengung, kämpfte er, beschleunigte durch sein planloses Arbeiten jedoch nur das Verhängnis und war binnen kurzem bis zur Brust, zu den Achseln, dann bis zum Hals eingesunken; er warf einen letzten Blick auf seine Kameraden, die starr vor Schreck um ihn standen, dann hinüber zu dem entfernten Hügel, von dem die Fahne bunt im Winde entfaltet herübergrüßte, und war verschwunden. An der Stelle, wo der Boden ihn aufgenommen hatte, stieg eine Luftblase auf, spannte sich behäbig, daß ihre Wölbung in allen Regenbogenfarben schillerte, und zerplatzte mit einem dumpfen, häßlichen Ton. Dann war eine quirlende Bewegung zu sehen wie von einem Strudel, und, vom Auftrieb erfaßt, tauchte die weiße Meerschaumpfeife aus der Erde. Man will gesehen haben, daß die Pfeife, obwohl sie minutenlang vom Sumpf verschluckt gewesen war, noch rauchte.

BOHUMIL HRABAL

Die Sonne ging unter

Die Sonne ging unter, und Fräulein Kamila stand auf der Leiter, aß Kirschen und lächelte auf den Greis hinab, der ihr täglich Rosen brachte, die er in fremden Gärten pflückte, der ihr Versprechungen machte, daß er mit ihr per Aeroplan nach Wien und Budapest fliegen wolle, um ihr alle die Örtlichkeiten zu zeigen, wo er zu Zeiten Altösterreichs gewesen war, daß sie zusammen im D-Zug nach Proßnitz fahren würden, um die riesige schwarze Gruft des Hoflieferanten Weinlich zu besichtigen, bei dem er gearbeitet hatte, daß er sie auf eine Auto-Tour nach Kokor mitnehmen werde, um sie zum Geburtshaus des berühmten Římský zu führen, der vor nichts auf der Welt zurückgeschreckt und mit Wucht ins Reich Gottes gerammt war, sie schaute und lächelte den Greis an, mit dem seine Familie ihre liebe Not hatte, weil er sich nicht wusch, so daß sie ihm, damit er wenigstens ein bißchen abgespült wurde, bei Regen gleich eine Kanne gaben und ihn ans andere Ende der Stadt um Milch schickten, der auch jetzt in dieser Hitze drei Hosen anhatte und darunter noch eine vierte, eine Trainingshose, die unten ganz ausgefranst war, so daß er an die belatschten, ruksenden Trommeltauben erinnerte, der verdreckte Schuhe trug und die Socken so geschickt übereinanderzog, daß man die Löcher nicht sah, von dem die Familie behauptete, er sei früher schrecklich schüchtern, sogar menschenscheu und eine Zeitlang voller Furunkel gewesen, so daß ihn die Frauen verspottet hatten, der ihr gegenüber jedoch so voll ehrlichen Gefühls und ihr ein so höflicher Gesellschafter war, daß sie, auf der Leiter stehend, den funkelnden Fluß hinter sich, auf dem eine Frau in rotem Kopftuch Heu flößte, einen guten

Einfall hatte, das Fräulein nickte zum eigenen Einfall, der sie andererseits erschreckte, und sie stieg hinab, setzte einen Fuß nach dem anderen auf die Sprossen, stand in ihren Shorts zwischen den sechs Körben mit den nachmittags gepflückten Kirschen, schritt zur Hütte, nahm einen Eimer, schob dann den Brunnendeckel zur Seite und füllte am Seilhaken den Eimer mit frischem Wasser, hob die Arme, zog die mit Kirschsaft befleckte Bluse hoch, machte den Knopf an den Shorts auf, die Bluse glitt hinauf, die Shorts glitten herunter, sie schüttelte sich und glitt aus den Kleidern, war nackt und wusch sich auf der Lichtung des Obstgartens von oben bis unten, und der Greis, der einen Nachmittag lang erzählt hatte, war jetzt zutiefst getroffen, er umklammerte mit gefalteten Händen das gebeugte Knie und blickte an ihr vorbei, starr, überwach und taktvoll, während sie ihn beschenkte, wie nur eine Frau einen Mann beschenken kann, sie wusch sich in der Dämmerung für seine entzückten Augen . . .

GEORGE STEINER

An den deutschen Leser

Das Erscheinen dieses Buches in Deutschland ist für mich ein komplexes Ereignis. »Sprache und Schweigen« kommt in mehreren Übersetzungen heraus, auf ungarisch, schwedisch und sogar auf japanisch. Die deutsche Ausgabe jedoch ist eine Sache für sich.

Mein Vater stammt aus einem kleinen Dorf nördlich von Prag. Er kam in jungen Jahren nach Wien, später machte er Karriere in Paris und New York. Diese Wanderschaft, diese Verquickung des Privaten mit den Weltkrisen lassen seine persönliche Existenz als typisch für unser verworrenes Jahrhundert erscheinen. Er starb als ein Reisender. Meine Mutter ist Wienerin, ihre Vorfahren kommen teils aus Osteuropa, teils aus dem Elsaß, und die Vielfalt der Kulturen und Sprachen hat ihr Naturell geprägt. Ich wurde in Paris geboren und ging dort auf eine amerikanische Schule. In New York,wohin ich im Krieg übersiedelte, besuchte ich das französische Lyzeum, das damals, in dieser Periode des Exils, hervorragende Lehrer hatte. Beendet habe ich meine Ausbildung in Oxford, und seit einigen Jahren lebe ich meist in England.

Aber obwohl ich in Frankreich aufgewachsen bin und auf der Schule eine englische Ausbildung erfahren habe (da mein Vater im Englischen die Kraft der Zukunft spürte), sind mein intellektueller Hintergrund und meine Empfindungsweise mitteleuropäisch geblieben. Mein Vater vertrat in seinem geistigen Habitus, in den intellektuellen wie psychologischen Werten, die er mir übermittelte, jenen spezifischen Humanismus, der von Lessing bis zu Freud reicht. Einen Humanismus, der seine Wurzeln im Hellenismus

Winckelmanns und im Rationalismus der Aufklärung hatte; der in Goethe den Meister europäischen Geistes und in Heine das besondere Genie des Unbehausten sah. Es war eine Tradition, die deutliche Spuren des Radikalismus von Ibsen, Zola und Tolstoi aufnahm und ein ambivalentes Verhältnis zu Wagner entwickelte. Die Dreyfus-Affäre war die Siegesstunde solcher Geisteshaltung; aber auch Anlaß zu böser Vorahnung. Mit Marx, Freud und Einstein, mit Schönberg, Kafka und von Neumann schuf dieser mitteleuropäische Humanismus, in seiner jeweiligen Beziehung zu Berlin, Wien, Prag, Paris und Budapest, ein gut Teil des Stils und der geistigen Verfassung moderner Gesinnung.

Es handelt sich natürlich um ein vielseitiges Phänomen. Ganze Welten trennen den messianischen Radikalismus eines Marx vom Stoizismus Freuds oder der rationalen Mystik Wittgensteins. Aber eine der Hauptenergien in dieser ganzen Bewegung läßt sich dennoch klar definieren: es war die – teils harmonische, teils gespannte – Kongruenz von Deutschen und Juden. Dieser Kongruenz entspringt eine der tragischsten, aber auch phantastisch-produktivsten Mutationen der Geschichte. Von ungefähr 1790 bis 1933 (danach kam noch der bemerkenswerte Epilog des amerikanischen Exils) hatte der sich emanzipierende Jude an der deutsch-österreichischen Kultur regen intellektuellen, künstlerischen und wissenschaftlichen Anteil. Die Ursache dafür, daß die Juden gerade im deutschen Bereich Möglichkeiten der Selbstverwirklichung fanden, wie sie ähnlich, hundert Jahre früher, nur das arabische Spanien geboten hatte, hängt vielleicht damit zusammen, daß auch Deutschland selbst erst spät – und nach einer langen Zeit grausamer Zerstückelung – seine Identität erfuhr. In der Bibliothek meines Vaters – und diese Bibliothek war mein eigentliches Schulzimmer – standen Lessing, Goethe, Schopenhauer und Thomas Mann neben Spinoza und Herzl als die selbstverständlichen Stimmen europäischer Menschlichkeit. Sogar das Wort »Mensch« hat für mich einen klaren deutsch-jüdischen Klang.

Der Nazismus und sein natürlicher Verbündeter, der Stalinismus, haben diesen mitteleuropäischen Humanismus eingeäschert. Das Menschenbild, mit dem mein Vater aufwuchs und das er mir weitergab, wurde unter Folterqualen ausgelöscht. Im Rückblick heute sieht man das Wetterleuchten des aufkommenden Unheils. Mag sein, daß die Beziehungen zwischen Deutschen und Juden von Anfang an zu intensiv gewesen sind. In beiden Völkern war ein Potential für das menschliche Äußerste angelegt: auf der einen Seite die Latenz der unbedingten Bestialität, der willkürlichen Ausbreitung des Menschen bis an die Grenze des Unmenschlichen; auf der anderen Seite eine furchtbare Fähigkeit zum Leiden. Diese beiden Anlagen hatten sich ineinander verstrickt wie Folterknecht und Opfer. Kafkas »In der Strafkolonie« ist die große Parabel dieser obszönen Verkettung. Wie bei einem Brudermord war auch hier das Ergebnis das eines desolaten Gleichgewichts: das europäische Judentum und jener Teil des europäischen Genius, der dem Judentum zu sich selbst verhalf, sind vernichtet, und Deutschland ist in gewisser Hinsicht genauso zersplittert, genauso seiner menschlichen Zukunft beraubt wie nach dem Dreißigjährigen Krieg.

Ein Schriftsteller kann das Thema, das ihn gefangenhält, nicht wählen; es wählt ihn. Meine ganze Arbeit dreht sich um die vordringliche Frage: verflechten sich die Wurzeln des Unmenschlichen mit denen der Hochzivilisation? Auschwitz kam nicht aus dem Dschungel, nicht aus der Steppe. Die Barbarei überfiel den modernen Menschen im Zentrum der Kultur, der Künste, der universellen Bildung und des naturwissenschaftlichen Wunders. Nur wenige Kilometer entfernt von einigen der schönsten Museen, Bibliotheken, Konzertsäle verpestete Dachau die Luft. Männer, die bei Tag folterten, Kinder erhängten, lasen abends Rilke, hörten Schubert. Das ist ein ontologisches Rätsel, das Mysterium des zivilisierten ennui oder des Bösen, und es stellt für mich die Zukunft des Menschen überhaupt in Frage. Wenn die humanistischen Wissenschaften nichts zur Humanisierung beitragen, wenn derselbe Mensch Bach spielen und das Wilnaer Ghetto in Brand stecken kann, wo bleibt da die Zivilisation? Warum erziehen, warum lesen? Ist es möglich, daß im klassischen Humanismus selbst, in seiner Neigung zur Abstraktion und zum ästhetischen Werturteil, ein radikales Versagen angelegt ist? Kann es sein, daß Massenmord und jene Gleichgültigkeit gegenüber den Greueln, die dem Nazismus Vorschub geleistet hat, nicht Feinde oder Negationen der Zivilisation sind, sondern ihr gräßlicher, aber natürlicher Komplize?

Solche Fragen zu beantworten wird in der vorliegenden Sammlung von Essays nicht einmal versucht. Mein Buch soll dazu beitragen, diese Fragen klarer zu stellen. Es will darauf hinaus, daß die Hoffnung des Menschen auf den Menschen überprüft werde.

Beinahe zwangsläufig befaßt sich »Sprache und Schweigen« immer wieder mit Fakten des Nationalsozialismus und mit dem inneren Leben der deutschen Sprache. In dem Maße, wie die Sprache das eigentliche Element menschlichen Verhaltens ist, äußern sich in ihr auch die Spuren der extremen Krise des Menschlichen. Die schlimmste Barbarei hätte auch anderswo ausbrechen können: das Frankreich nach der Dreyfus-Affäre schien das gegebene Terrain. Aber der Ausbruch geschah in Deutschland, und wer immer sich mit der verletzlichen und möglicherweise dämonischen Natur der Zivilisation beschäftigt, wird nicht umhin können, Beziehungen aufzudecken zwischen der Welt Goethes und dem Lager Belsen. Was ich 1958 über die deutsche Sprache geschrieben habe, war vielleicht überspitzt oder gar irrig. Die Entwicklung der deutschen Literatur in jüngster Zeit mag es widerlegen. Ich bin solcher Widerlegung aber nicht gewiß – jedenfalls nicht in einem Augenblick, da führende deutsche

Autoren sich zum Schweigen entschließen, in einem Augenblick, da es so deutliche Anzeichen eines gewalttätigen Philistertums, eines neuen Angriffs auf die Werte von Bildung und Toleranz gibt.

Es wäre für einen Juden und einen Humanisten müßig, Deutschland »zu verzeihen«. Niemand hat ein Recht, das Wort Verzeihung zu gebrauchen, schon gar nicht der, der selbst die Todeslager nicht erlebt hat. Es gibt Realitäten, die zu groß sind für Haß oder Vergebung. Nur eins darf man nicht zulassen: das Vergessen. Mit jedem Vergessen sterben die Gefolterten und Verbrannten ein zweites Mal. Daher hat das Erscheinen meines Buches auf deutsch für mich Vorrang, bedeutet aber auch besondere Pein. Denn es liegt nun in einer Sprache vor, die zum großen Teil meine eigene ist, aber auch die des exemplarischen menschlichen Versagens. Dialog ist ein leichtfertiger Ausdruck, und es ist daher noch viel zu früh. Vielleicht sollten Deutsche und Juden nicht miteinander sprechen, sondern jeder mit sich selbst, so klar und unerbittlich wie nur möglich. Dann wird der andere zuhören. Und in diesem Hinhören ereignet sich vielleicht aufs neue das verlorene Wunder eines lebendigen Echos.

Juni 1969 George Steiner

HERBERT MARCUSE

Zum Begriff der Negation in der Dialektik

Ich glaube, wir sind alle darin einig, daß es gewisse Schwierigkeiten bereitet, den Inhalt der gegenwärtigen geschichtlichen Periode und besonders die Entwicklung des Spätkapitalismus in den originären Begriffen und selbst in den entfalteten Begriffen der Marxschen Theorie zu bestimmen, oder vielmehr, man kann sie so bestimmen, aber das bringt uns zu einer neuen Verlegenheit. Wenn dieselbe Theorie sowohl die Entwicklung A wie nicht-A, die Prosperität sowohl wie die Krise, die Revolution sowohl wie das Ausbleiben der Revolution, die Radikalisierung der Arbeiterklasse sowohl wie die Integrierung der Arbeiterklasse in das bestehende System begreifen kann, dann mag das zwar für die Gültigkeit der Theorie sprechen, aber es spricht auch für ihre Gleichgültigkeit. Und man hat in der Tat der Marxschen Theorie unter diesem Gesichtspunkt den Vorwurf gemacht, daß sie einen eingebauten Mechanismus enthält, der sie gegen jede Widerlegung durch die Wirklichkeit abdichtet.

Nun, ich meine, daß diese Schwierigkeiten mit dem Ursprung der Marxschen Dialektik in der Hegelschen zu tun haben, und möchte dieses Verhältnis deswegen unter dem eben angedeuteten Gesichtspunkt hier kurz diskutieren.

Was wir in der gegenwärtigen Periode sehen, scheint so etwas zu sein wie eine Stillstellung der Dialektik der Negativität. Wir stehen vor neuen Formen des Spätkapitalismus und deshalb auch vor der Aufgabe, den diesen Formen angepaßten dialektischen Begriff zu entfalten. Lassen Sie es mich allgemein formulieren: die Hauptschwierigkeit scheint mir in dem dialektischen Begriff zu liegen, nach dem die negativen Kräfte sich innerhalb eines bestehenden antagonistischen Systems entwickeln. Es scheint, daß diese Entwicklung der Negativität innerhalb des antagonistischen Ganzen heute schwer demonstrierbar ist. Ich möchte deshalb in meinem kurzen Referat mit der Diskussion des Negativen beginnen, und zwar möchte ich ausgehen von der Kontroverse, die heute in Frankreich um den Versuch Althussers geht, die Beziehung der Hegelschen zur Marxschen Dialektik neu zu bestimmen. Man hat oft genug den positiv-konformistischen Charakter der Hegelschen Dialektik betont. Ich möchte so weit gehen, zu sagen, daß die Negation in der Hegelschen Dialektik Scheincharakter annimmt, indem durch alle Negation hindurch, durch alle Destruktion hindurch sich letzten Endes doch immer nur das schon an sich Seiende entfaltet und durch die Negation auf eine höhere geschichtliche Stufe gehoben wird. Es sieht so aus, als ob durch alle explosiven und radikalen revolutionären Übergänge und Untergänge in der Hegelschen Philosophie sich immer nur das eine Wesen entfaltet, dessen in ihm selbst gefangenen und verhinderten Möglichkeiten durch die Negation freigesetzt werden. Ich bin der Meinung, daß dieser konformistische Charakter nicht eine Akkomodation Hegels an äußere Verhältnisse, sondern im Begriff seiner Dialektik selbst angelegt ist, in der sich schließlich doch die Positivität der Vernunft, der Fortschritt, durchsetzt.

Althusser hat nun behauptet, daß, wenn Marx wirklich nur die Hegelsche Dialektik vom Kopf auf die Füße gestellt hätte, er zwar die Basis des Systems umgewandelt, aber nur ein anderes System der Vernunft dem Hegelschen entgegengesetzt haben würde. Das heißt, er wäre innerhalb der Philosophie verblieben, anstatt die Philosophie aufzuheben. In Wirklichkeit, nach Althusser, habe aber Marx mit der Hegelschen Dialektik gebrochen, indem er sie auf dem Boden der »wirklichen Entwicklung« – ein Ausdruck von Engels – als eine neue, eigenständige Dialektik entwickelt habe.

Ich möchte Ihnen nun zu dieser These von Althusser die

Gegenthese vorlegen, nämlich, daß auch die materialistische Dialektik noch im Bann der idealistischen Vernunft, in der Positivität bleibt, solange sie nicht die Konzeption des Fortschritts destruiert, nach der die Zukunft immer schon im Innern des Bestehenden verwurzelt ist; solange die Marxsche Dialektik nicht den Begriff des Übergangs zu einer neuen geschichtlichen Stufe radikalisiert, das heißt: die Umkehr, den Bruch mit der Vergangenheit und dem Bestehenden, die qualitative Differenz in der Richtung des Fortschritts in die Theorie einbaut. Dies ist keine abstrakte Forderung, sondern ein sehr konkretes Problem angesichts der Frage, ob und inwieweit die westliche Spätstufe der Industriegesellschaft wenigstens in dem, was die *technische* Grundlage der Entwicklung der Produktivkräfte angeht, als Modell für die Konstruktion einer neuen Gesellschaft dienen kann.

Ich möchte den Sachverhalt erläutern an den beiden dialektischen Zentralbegriffen: der Negation der Negation als innere Entwicklung eines antagonistischen gesellschaftlichen Ganzen, und dem Begriff des Ganzen, in dem jede Einzelposition ihren Wert und ihre Wahrheit findet. Zunächst zum ersten Begriff, dem Begriff der Negation als Aufhebung. Wesentlich sowohl für Marx wie für Hegel ist es, daß die negierenden Kräfte, die die in einem System sich entfaltenden Widersprüche sprengen und zu der neuen Stufe führen, sich *innerhalb* dieses Systems entwickeln. So zum Beispiel die Bourgeoisie innerhalb der feudalen Gesellschaft, so das Proletariat als revolutionäre Kraft innerhalb des Kapitalismus: bestimmte Negation im Sinne dieser Stellung gegen das Ganze schon innerhalb des Ganzen. Mehr noch. Durch diese Negation, die sich aus dem Innern eines Systems entwickelt, wird die Bewegung auf die neue Stufe hin notwendig zur *höheren* Stufe, indem sie die in dem etablierten System gefesselten Produktivkräfte entfesselt. Also auch hier noch in aller revolutionären Umwandlung des bestehenden

Ganzen die Entfaltung eines an sich schon daseienden Wesens, das im Rahmen des Bestehenden nicht Wirklichkeit werden kann. Und so existiert auch schon in der hochentwickelten technischen Basis der kapitalistischen Produktion die materielle Grundlage für die Entfaltung der sozialistischen Produktivität. Ist das aber nicht wieder eine Form des Fortschritts der objektiven Vernunft und eine neue Form der sich reproduzierenden Übermacht der vergangenen, im technischen Apparat vergegenständlichten Arbeit über die lebendige Arbeit?

Ich stelle gegenüber der eben angedeuteten Konzeption der Dialektik die Gegenfrage: kommen die negierenden Kräfte innerhalb eines antagonistischen Systems mit historischer Notwendigkeit in dieser fortschrittlichen, befreienden Weise zur Entfaltung, müssen die Klassen und Klassenkämpfe in eine solche positive Dynamik eingelegt werden? Dieses Problem betrifft den Historischen Materialismus als Ganzes in seinem Verhältnis zur idealistischen Dialektik. Nämlich: reduziert nicht der Dialektische Materialismus seine eigene materielle Basis, indem er die Wirkung der gesellschaftlichen Institutionen auf das Sein und Bewußtsein der Menschen nicht tief genug ansetzt; indem er die Rolle der Gewalt, der brutalen Gewalt sowohl wie der Gewalt der Tatsachen (z. B. der steigenden Produktivität der Arbeit und des steigenden Lebensniveaus) verkleinert; indem er die Rolle der mit Gewalt gepaarten Wissenschaft und Technik in der Formung und Bestimmung der Bedürfnisse und Befriedigung unterschätzt? Das heißt: unterschätzt der marxistische Materialismus nicht die Kräfte der Integrierung und Kohäsion, die auf der Spätstufe des Kapitalismus wirksam sind?

Worum es sich handelt, sind keine geistigen, ideologischen Kräfte, es sind gesellschaftliche Kräfte, die stark und materiell genug sind, um für eine ganze Periode die Gegensätze zu neutralisieren, zu suspendieren oder sogar die negativen, sprengenden Kräfte in positive zu verwandeln, welche das Bestehende reproduzieren anstatt es zu sprengen. Resultat dieser Hypothese: die Fragwürdigkeit des Begriffs der sich *im Innern* eines bestehenden Ganzen als Befreiung entfaltenden Negation. Damit aber auch Fragwürdigkeit dieses materialistischen Begriffs der Vernunft in der Geschichte. Und daher die Notwendigkeit, den Begriff der Praxis von der Koppelung an dieses Schema zu lösen und das Innerhalb wieder mit dem Außerhalb zu verbinden, auf das es in der Geschichte angewiesen ist.

Mit diesem absichtlich undialektisch formulierten Gegensatz von Innerhalb und Außerhalb komme ich nun zu dem zweiten Begriff, den ich kurz diskutieren will: den Begriff des Ganzen.

Die hier aufgeworfenen Fragen betreffen die reale Möglichkeit, daß in der geschichtlichen Dynamik ein bestehendes antagonistisches Ganzes *von außen* negiert und aufgehoben wird und daß auf diese Weise die nächste geschichtliche Stufe erreicht wird. Ich glaube, daß dieser Begriff des Außen, den ich noch kurz erörtern will, auch in der Hegelschen Philosophie und speziell in der Rechtsphilosophie seine Stelle gefunden hat. Ich denke an das Verhältnis der bürgerlichen Gesellschaft zum Staat. Trotz allen sehr geschickt ausgearbeiteten dialektischen Übergängen, die den Staat von innen heraus mit der bürgerlichen Gesellschaft verbinden, bleibt doch entscheidend, daß Hegel den Staat von außen der bürgerlichen Gesellschaft aufzwingt, und zwar in seinem Argument mit gutem Grund, weil nur eine Macht, die außerhalb des ganzen Interessensystems, des »Systems der Bedürfnisse« der bürgerlichen Gesellschaft steht, in dieser hoffnungslos antagonistischen Gesellschaft das Allgemeine vertreten kann. Das Allgemeine bleibt in diesem Sinne außerhalb des Systems der bürgerlichen Gesellschaft. Wenn es nun für ein solches Außen einen geschichtlichen Ort gibt, dann muß jedes bestimmte gesellschaftliche Ganze

selbst Teil einer größeren Totalität sein, innerhalb derer es von außen her betroffen werden kann. Diese größere Totalität muß selbst wieder eine konkrete, geschichtliche sein. Für Marx ist der nationale Kapitalismus ein solches Teilganzes des globalen Kapitalismus. Aber auch hier, meine ich, gibt es schon den Unterschied zwischen Innen und Außen, besonders im Begriff des Imperialismus: die interimperialistischen Konflikte erscheinen als eine Außenmacht der Zerstörung gegenüber der inneren revolutionären Aktion des Proletariats, welche die entscheidende Kraft ist.
Wie steht es nun mit diesem Verhältnis von Teilganzem und Totalität? Wir haben das globale System des Kapitalismus, das für Marx noch die Totalität war, heute als Teilganzes im Weltsystem der Koexistenz von Kapitalismus und Sozialismus; und innerhalb dieser Totalität das Phänomen der Aufsaugung des revolutionären Potentials im Spätkapitalismus selbst. Als Folge dieser Aufsaugung tritt die Negation heute der Negativität als geographisch und gesellschaftlich getrenntes und selbständiges Ganzes gegenüber. Der innere Widerspruch entfaltet sich und transformiert sich in diesem globalen Gegensatz. Ich bin der Meinung, daß die Dialektik heute vor der Aufgabe steht, diese wesentlich neue Situation theoretisch zu verarbeiten, ohne sie einfach in die überlieferten Begriffe einzuzwängen. Hier nur einige Andeutungen: Das Außen, von dem ich gesprochen habe, ist nicht mechanistisch im räumlichen Sinn zu verstehen, sondern als die qualitative Differenz, welche die im Innern des antagonistischen Teilganzen bestehenden Gegensätze, zum Beispiel den Gegensatz von Kapital und Arbeit, übersteigt und auf diese Gegensätze nicht reduzierbar ist. Das heißt: Außen im Sinne von gesellschaftlichen Kräften, die Bedürfnisse und Ziele repräsentieren, welche in dem bestehenden antagonistischen Ganzen unterdrückt sind und in ihm nicht zur Entfaltung kommen können. Die qualitative Differenz der neuen Stufe der neuen Gesellschaft wäre dann nicht nur in

der Befriedigung der vitalen und geistigen Bedürfnisse (welche allerdings die Basis aller Entwicklung bleibt), sondern vielmehr in der Entstehung und Erfüllung *neuer*, in der antagonistischen Gesellschaft erstickten Bedürfnisse zu sehen. Solche neuen Bedürfnisse würden ihren Ausdruck finden in radikal veränderten Beziehungen der Menschen und in einer radikal anderen sozialen und natürlichen Umwelt: Solidarität anstelle des Konkurrenzkampfes; Sinnlichkeit anstelle von Repression; Verschwinden der Brutalität, Vulgarität und ihrer Sprache; Friede als Dauerzustand.

Ich spreche hier nicht von Werten und Zielen, sondern von *Bedürfnissen*. Denn solange diese Ziele und Werte nicht reale Bedürfnisse werden, so lange wird die qualitative Differenz zwischen der alten und der neuen Gesellschaft nicht zur Entfaltung kommen können. Dieser Humanismus jedoch kann zur konkreten gesellschaftlichen Kraft nur dann werden, wenn er von den bereits existierenden neuen sozialen und politischen Mächten getragen wird, die gegen das alte, repressive Ganze aufgestanden sind und aufstehen.

In dem Maß, in dem die antagonistische Gesellschaft sich zu einer ungeheuren repressiven Totalität zusammenschließt, verlagert sich sozusagen der gesellschaftliche Ort der Negation. Die Macht des Negativen erwächst außerhalb dieser repressiven Totalität aus Kräften und Bewegungen, die noch nicht von der aggressiven und repressiven Produktivität der sogenannten »Gesellschaft im Überfluß« erfaßt sind, oder die sich von dieser Entwicklung schon befreit und deshalb die historische Chance haben, einen wirklich anderen Weg der Industrialisierung und Modernisierung, einen humanen Weg des Fortschritts zu gehen. Und dieser Chance entspricht die Kraft der Negation innerhalb der »Gesellschaft im Überfluß«, die gegen dieses System als Ganzes rebelliert. Die Kraft der Negation, wir wissen es, ist heute in keiner Klasse konzentriert. Sie ist heute eine noch chaotische, anarchische Opposition, politisch und moralisch, rational und instinktiv: die Weigerung, mitzumachen und mitzuspielen, der Ekel vor aller Prosperität, der Zwang zu protestieren. Es ist eine schwache, eine unorganisierte Opposition, die aber doch, glaube ich, auf Triebkräften und Zielsetzungen beruht, die mit dem bestehenden Ganzen in unversöhnlichem Widerspruch stehen.

PETER HANDKE

Als ich »Verstörung« von Thomas Bernhard las

Nachdem ich auf dem Hauptbahnhof in Hannover angekommen war, rief ich die Nummer des Bekannten an, den ich aufsuchen wollte. Es meldete sich niemand. Weil ich aber auf jeden Fall über Nacht in Hannover bleiben wollte, beschloß ich zu warten und später dieselbe Nummer noch einmal anzurufen. Dann kaufte ich eine Zeitung und ging mit meinem kleinen Gepäck die Treppe hinauf in das Banhofscafé von Hannover. Ich bestellte etwas zu trinken und las ein wenig in der Zeitung. Ich war recht müde, aber das Buch ließ mir keine Ruhe.

Die Krankenbesuche des Arztes, bei denen ihn sein Sohn begleitet, hatte ich schon hinter mir, nur der Besuch bei dem Fürsten von Saurau auf der Burg Hochgobernitz stand noch aus. Vater und Sohn gingen unten von der Schlucht, wo sie kurz in der Mühle gewesen waren, auf dem gefährlichen Steig zur Burg hinauf. Es war nicht ratsam, sich umzuschauen. Was sie vorher gesehen hatten, waren *Vor*zeichen gewesen: ein Totschläger, noch nicht eingefangen, trieb sich in der Gegend herum, in allen Häusern, in denen die beiden bisher gewesen waren, lagen oder liefen elend Sterbende herum, in einem Nebenbau der Mühle waren tote Vögel aufgereiht, der Hund des Müllers rannte, gefährlich in seiner Verstörung, zwischen den verfaulenden Müllersleuten hin und her, alle lebenden Wesen schienen vollkommen ihrem Nervensystem unterworfen. Dem Erzähler, dem jungen Studenten der Montanistik in Leoben, erschien, an der Seite seines Vaters, Leoben allmählich schon als die Außenwelt, alle wurden immer mehr voneinander abgeschieden, ein Kranker, kurz vor seinem Tod, zeichnete »im Gehen Erstickte«. Alle Personen gestanden etwas: der Vater gab zu, hieß es.

Kurz bevor die beiden die Burg des Fürsten erreichten, besuchten sie noch in einem Vorhaus den verrückten jungen Krainer, dem sein Kopf viel zu eng war und der daran war, durch die Veränderungen an seinem Körper die Sprache gänzlich zu verlieren. Früher hatte er harmonische Musik komponiert, jetzt, so sagte seine Schwester, sei seine Musik entsetzlich.

Als die beiden auf der Burg ankamen, ging der Blick tatsächlich Hunderte von Kilometern weit.

Sie sahen den Fürsten auf der äußeren Burgmauer, sie trafen ihn auf der innern. Er begrüßte sie, ohne stehenzubleiben. Sie schlossen sich ihm an. Er setzte sein Selbstgespräch, das er schon den ganzen Tag lang führte, sogleich mit ihnen fort. Dem Fürsten war es in jedem Augenblick natürlich, daß die Welt auseinanderbricht. Er redete immer von sich selber wie von der ganzen Welt und von der ganzen Welt wie von sich selber. Der Vater hatte dem Studenten schon gesagt, der Fürst sei total wahnsinnig, auch die Müllersburschen unten hatten erzählt, daß der Fürst Unglaubliches rede.

Der Fürst redete wie zur Lebensrettung. Er wiederholte viele Sätze wieder und wieder, wobei er nur immer die Worte umstellte. Seinen endlosen Verallgemeinerungen schloß er plötzlich den Satz an: Diese riesige Mure! Diese riesige Mure! Der Fürst sagte nicht, daß er verzweifelt sei, er sagte: Diese riesige Mure! Alle Namen, selbst die Ortsnamen, waren für den Fürsten Verzweiflungsnamen. Schon am Vormittag hatte er drei Bewerber um den Verwalterposten zu Besuch gehabt, von denen er wieder den einen mit Wörtern quälen konnte. Er fand im Gespräch heraus, welche Wörter der Bewerber nicht ertragen konnte, und verwendete diese Wörter immer wieder, etwa Maulwurf, Leinwand, Bergmann, Strafanstalt. Qualvoll reagierte der Bewerber auf diese Wörter.

Welche Wörter auch der Fürst gegenüber seinen Zuhörern gebrauchte, es waren Empfindlichkeitswörter, Qualwörter. Ich las, wie der Fürst seinen Besuchern stundenlang von den Bewerbern erzählte, wobei er immerfort vom Anschaulichen der konkreten Angaben über die Personen – einer lebte in einer Landschaft, die so finster war, daß sie Selbstmorde schon wieder ausschloß, und seine Kleidung war so adrett, daß sie wohl immer an einer Tür hing, nicht in einem Kasten – zu den sich immer wiederholenden abstrahierenden Unanschaulichkeiten übersprang, die aber gerade den redenden Fürsten anschaulich machten. Der Fürst war besessen vom Reden, er sprach, so sagte er, aus Angst zu ersticken.

Er redete viel in Gemeinplätzen, aber gerade die Häufung der Gemeinplätze zeigte seine hellhörige Verfinsterung. Er kümmerte sich nicht um eine Logik der grammatikalischen Modelle, er konnte sagen, daß Selbstgespräche genauso sinnlos seien wie Gespräche, wenn auch viel weniger sinnlos, er konnte sagen: er ist durchaus vernünftig, aber ohne die geringste Vernunft, er konnte den Satz sagen: »Moser sagte, aber er getraute sich nicht zu sagen . . .« – ich las, wie der Fürst die eigenen Satzmodelle immerfort umkehrte, wie er, sprechend, die Auflösung aller Begriffe möglich machte.

Was er von der Außenwelt erwähnte, war nur ein Zeichen seiner Innenwelt. Der Fürst sprach nicht in Metaphern, sondern in Zeichen. Das Hochwasser, von dem er sprach, ver*glich* er nicht mit seinem Innern, sondern das Hochwasser, das es tatsächlich gegeben hatte, vor einigen Wochen, *war* sein Inneres, und das Lusthaus, in dem einst sein toter Vater aufgebahrt worden war und das sonst zu Theateraufführungen diente, *war* das, was in seinem Kopf vor sich ging, und selbst, wenn der Fürst über die Postzustellung in der Landschaft Bundau sprach, die katastrophal sei, meinte er damit sein katastrophales Inneres. Die Namen für die Dinge und Vorgänge, so erkannte ich, waren nur Zeichen für seine Zustände. Die Ortsnamen Köflach und Stiwoll standen für Verstörtheit und Verzweiflung. Die Landwirtschaft, sagte zum Beispiel der Fürst, ist ein Irrtum: er sprach, als ob die Landwirtschaft eine Lebenshaltung wäre.

Jeder Mensch hat seine Ache, sagte der Fürst mit der Banalität der Verstörten, Wahnsinnigen, und schon ist die Ache, die *wirklich* durch die Schlucht fließt, nur ein anderes Wort für Irrsinn geworden. Ich erinnerte mich beim Lesen, daß schon vorher ein anderer Kranker zu dem Arzt gesagt hatte, nur seine Besuche hinderten ihn, die »Konsequenz Hauenstein« zu ziehen: der Kranke hauste in der Ortschaft Hauenstein, er gebrauchte das Wort Hauenstein für das Wort Selbstmord. Der Fürst sprach mit einem grammatikalischen Irrsinn, er bildete neue Wörter, wie es bei Schizophrenen üblich ist, und er fügte manierierte Fremdwörter ein: auch deren Gebrauch war wie der Gebrauch der ständig wechselnden Phrasen über die Menschen ein Zeichen seiner Verstörung. Der Fürst dachte in Selbstmordmöglichkeiten. Es interessierte ihn nicht, wer als erster auf dem Mond sein, sondern wer als erster die Erde durchqueren würde. Auf der Burg herrschten die Naturgesetze des Saurauschen Denkens.

Es ist immer deine Geschichte, die dir erzählt wird, sagte der Fürst. Nichts auf der Welt war ihm erträglich. Wenn ihm etwas doch beinahe erträglich war, sagte er: am wenigsten *un*erträglich, oder er sagte: das Lesen ist noch das erträglichste Ekel. Wenn er von einem Normalzustand berichtete, mußte er erst das Schlimme, das für *ihn* der Normalzustand ist, vermeinen. Wenn sein Kopf einmal ruhig war, sagte der Fürst: ohne den geringsten Schwächezustand. Sein Sprechen war ein Krankheitsbericht.

Nachdem die drei auf der inneren Burgmauer zu gehen angefangen hatten, setzten sie ihren Rundgang auf der äußeren Burgmauer fort. Sie gingen immer schneller, und es wurde dunkler. Der Fürst redete weiter, um die Geräusche in seinem Kopf zu übertönen. Er unterstrich gleichsam jedes Wort, er gebrauchte jedes Wort, nicht nur die Eigenschaftswörter, in den Superlativen: sein Sohn, der nach seinem Tod die Burg übernehmen sollte, würde ALLES GANZ VERFAULEN lassen.

Wie viele Wahnsinnige verglich der Fürst die Vorgänge oft mit Theatervorgängen. Er geriet von einer Sprechweise in die andre, von einer philosophischen etwa in eine juristische: alle Handlungen sind strafbare Handlungen, sagte er. Dann gebrauchte er, der nur noch Zeitungen las, freilich nur alte, auf einmal Zeitungswendungen: von seinem tot aufgefundenen Vater sagte er, der »Unglückliche« sei mit durchschossenem Kopf aufgefunden worden. Der Fürst sprach in fremden Sprechweisen, die aber insgesamt seine eigne Sprechweise waren: selbst die fremden Sprechzustände waren Verstörungszeichen.

Auf den Burgmauern ertrug er noch am besten sein Alleinsein.

Zwischendurch fragte er ganz schnell und achtlos den Arzt: Haben Sie meine Pillen mit? Ist es sehr anstrengend für Sie, heraufzukommen? Was macht Ihr Sohn? und fuhr dann, ohne eine Antwort abzuwarten, in seinem Selbstgespräch fort.

Der Sohn hörte zu.

Der Fürst wollte jeden durch sein eigenes Gehirn führen, »bis ihm übel wird«.

Folgendes erzählte er dazu von einem Gespräch, das er vor kurzem mit dem Arzt geführt hatte: der Fürst hatte vom Hochwasser reden wollen, der Arzt aber vom kürzlich aufgeführten Schauspiel: »Je intensiver ich über das Hochwasser redete, desto mehr war Ihr Herr Vater vom Hochwasser *abgelenkt*. Und zwar‹, sagte der Saurau, ›*durch das Schauspiel* [. . .] in dem Augenblick, in welchem ich angefangen habe, von dem Hochwasser zu reden, hat Ihr Herr Vater vom Schauspiel zu reden angefangen. Ihr Herr Vater war, je mehr ich mich mit dem Hochwasser beschäftigte, mehr und mehr mit dem Schauspiel beschäftigt. Ich redete vom Hochwasser und er redete vom Schauspiel.‹ Mein Vater sagte: ›Ich habe immer gedacht, du mußt vom Hochwasser reden, habe aber vom Schauspiel geredet.‹ Der Saurau sagte: ›Ich habe aber vom Hochwasser und nicht vom Schauspiel geredet, denn von was sonst hätte *ich* an diesem Tag reden sollen, wenn nicht vom Hochwasser! [. . .] Und Ihr Herr Vater hat an nichts anderes als an das Schauspiel *gedacht*. Wie ich mehr und mehr mit dem Hochwasser beschäftigt gewesen bin, war Ihr Herr Vater mehr und mehr mit dem Schauspiel beschäftigt, und in dem Grade, in welchem ich, vom Hochwasser sprechend, von Ihrem Vater, der vom Schauspiel sprach, irritiert gewesen bin, ist Ihr Herr Vater, vom Schauspiel sprechend, von mir, der ich nur vom Hochwasser sprach, irritiert gewesen [. . .] Immer wieder hörte ich Ihren Herrn Vater, in meine endlose Hochwasserrederei hinein, das Schauspiel kommentieren. Das ist die unglaubliche Auffälligkeit gewesen‹, sagte der Fürst, ›daß ich nämlich mit dem Fortschreiten der Zeit immer mehr und von nichts anderem mehr als vom Hochwasser gesprochen habe, Ihr Herr Vater von nichts anderem mehr als vom Schauspiel. Und immer lauter hat Ihr Herr Vater vom Schauspiel gesprochen und immer lauter ich vom Hochwasser. Laut, gleich laut, gleichzeitig laut, haben wir beide, Ihr Herr Vater von einem *ungeheuerlichen* Schauspiel, ich von einem *ungeheuerlichen* Hochwasser, gesprochen. Und dann‹, sagte der Fürst, ›ist eine Periode eingetreten, da haben wir beide nur noch ausschließlich vom Hochwasser gesprochen, und darauf eine, in welcher nur noch vom Schauspiel die Rede gewesen ist. Aber während wir da beide vom Schauspiel redeten, habe ich doch nur an das Hochwasser gedacht, und während wir vom Hochwasser redeten, Ihr Herr Vater nur an das Schauspiel [. . .] Redeten wir vom Hochwasser, so dachte ich, daß Ihr Herr Vater vom Schauspiel reden will, redeten wir vom Schauspiel, wollte ich von nichts als vom Hochwasser reden [. . .] Wenn wir vom Schauspiel redeten‹, sagte mein Vater, ›so riefen Sie, Fürst, andauernd *Hohe Kosten*! oder *Ungeheure Kosten!* aus, während ich, wenn wir vom Hochwasser redeten, ununterbrochen solche Wörter wie das Wort *Schnürboden, Mimik, Exaltation, Marionettismus* sagte. Im Grunde aber‹, sagte der Fürst, ›haben wir an dem Tag, gleich wovon, doch nur über das Hochwasser gesprochen.‹«

Ich war inzwischen aus dem Bahnhofscafé weggegangen und hatte noch einmal angerufen. Wieder meldete sich niemand. Beim Sprechen, sagte der Fürst, könne er wenigstens *miß*verstanden werden. Es war recht dunkel geworden. Ich ging in einen Park in der Nähe der Hannoverschen Oper und las dort beim Laternenschein weiter. Der Fürst konnte die beiden nicht ins Haus führen, weil alles in Unordnung war. Ich war dann aufgestanden und hatte in einer Gaststätte, zur Musik eines Stehgeigers, weitergelesen. Ich hatte noch einige Male vergebens angerufen. Ich hatte etwas getrunken und weitergelesen. Der Fürst war ganz gegen die Wirklichkeit konstruiert. Er erfor von innen heraus. Ich las und las und las . . .

PAUL CELAN

Geschriebenes

Das Geschriebene höhlt sich, das
Gesprochene, meergrün,
brennt in den Buchten,

in den
verflüssigten Namen
schnellen die Tümmler,

im geewigten Nirgends, hier,
im Gedächtnis der überlauten Glocken in –
wo nur?,

wer
in diesem
Schattengeviert
schnaubt, wer
unter ihm
schimmert auf, schimmert auf,
schimmert auf?

BEDA ALLEMANN

Zu Paul Celans neuem Gedichtband »Atemwende«

In seiner Büchner-Rede »Der Meridian« spricht Paul Celan vom Weg und der Richtung der Kunst. Es ist der Weg, den die Dichtung zu gehen hat, auch wenn und eben weil er sie vor das Medusenhaupt und das Absurde führt. »Dichtung eilt voraus.« Celan spricht in diesem Zusammenhang auch von der Dunkelheit, die man der Dichtung heute so gerne vorhält. Sie ist »die der Dichtung um einer Begegnung willen aus einer – vielleicht selbstentworfenen – Ferne oder Fremde zugeordnete Dunkelheit«. In diese dunkle Ferne und Fremde ist Lenz im Büchnerschen Fragment, ist Büchner selbst unterwegs. Vom Gedicht als Artefakt her betrachtet, führt der Weg des Dichters mit dem letzten Schritt ins Verstummen, »es ist ein furchtbares Verstummen, es verschlägt ihm – und auch uns – den Atem und das Wort«.

Aber die dunkle Ferne und Fremde kann auch etwas ganz anderes sein. Auf diese Hoffnung legt Celan sich, mit der notwendigen Vorsicht, in der Büchner-Rede fest. Das Verschlagen des Atems und des Wortes ist dann etwas anderes. Deshalb schließt sich an den zuletzt angeführten Satz, mit einem der taubenfüßig-paradoxen Umschläge, die Celans Sprache auszeichnen, auf neuer Zeile der andere Satz an:

»Dichtung: das kann eine Atemwende bedeuten.«

Damit sind wir beim Titel des neuen Gedichtbandes. In der Atemwende gewinnt das Aussetzen des Atems und des Wortes offenbar einen neuen Sinn. Es wird seiner schlichten Negativität enthoben. Celan drängt das in gewöhnlicher Auffassung recht sinnenfällig-anschauliche Bild vom Verschlagen des Atems über das Bildhafte hinaus oder holt es von da her zurück in seinen primären Wortlaut. Er befreit es in die Dimension, in der sich das ganz Andere zeigen kann. Das Dunkel und die Fremdheit werden dadurch nicht beseitigt, im Gegenteil. Sie werden auf noch verborgene Möglichkeiten der Differenzierung hin freigelegt. Es ist deshalb gut, hier ausdrücklich zu fragen, was die Chiffren vom verschlagenen »Atem« und »Wort« genau meinen. Schon am Beginn der Büchner-Rede findet sich die Passage, die in diesem Zusammenhang wichtig ist und vollständig angeführt sei:

»Aber es gibt, wenn von der Kunst die Rede ist, auch immer wieder jemand, der zugegen ist und . . . nicht richtig hinhört. Genauer: jemand, der hört und lauscht und schaut . . . und dann nicht weiß, wovon die Rede war. Der aber den Sprechenden hört, der ihn »sprechen sieht«, der Sprache wahrgenommen hat und Gestalt, und zugleich auch – wer vermöchte hier, im Bereich dieser Dichtung, daran zu zweifeln? –, und zugleich auch Atem, das heißt Richtung und Schicksal.«

Gedacht ist hier konkret an die Figur der Lucile aus »Dantons Tod«, und es spricht sich an ihrem Beispiel die Auffassung aus, daß es ein Erkennen der dichterischen Sprache und Gestaltung gibt, das nur sehr mittelbar mit dem Hinhören auf die semantischen Inhalte des Gesagten zu tun hat. Wer das dichterische Gespräch so wahrnimmt, wie Lucile es tut, von seinem Atem her, läßt sich nicht mehr auf die Position eines Empfängers von Informationen reduzieren. Er hat sich schon zu sehr in die Spannungen eines Weges engagiert, der vor das Absurde führt. Deshalb würde es zum Verständnis der Stelle wenig beitragen, wollten wir sie im Sinne einer planen Definition der Chiffre »Atem«, auslegen. Atem, in der Dichtung, ist Richtung und Schicksal. Aber das will nicht besagen, daß »Atemwende« lediglich ein anderer, ungewöhnlicher Ausdruck sei für das, was man wohl auch eine Schicksalswende nennen könnte. Solche semantischen Über- und Umsetzungen verbieten sich, wo es auf die Wörter selbst ankommt.

Auf die Wörter selbst – aber nicht in der künstlichen Isolierung des sogenannten Wortkunstwerkes. Eine thematische Eigentümlichkeit der Dichtung Celans, die im Lauf der Zeit immer deutlicher zum Vorschein kam und im jüngsten Gedichtband ein Grundmotiv bildet, ist die enge Verflechtung und gegenseitige Durchdringung der Wort- und der Ding-Sphäre. Es gibt im »Atemwende«-Band kaum ein Gedicht, das nicht durch diese Verflechtung geprägt ist. Sie geht so weit, daß es kaum mehr erlaubt ist, überhaupt mit dem abstrakten Gegensatz von »Wort« und »Ding« zu operieren, wenn man dem wirklichen poetologischen Verhältnis auf die Spur kommen will. Wörter, Namen, Silben, Buchstaben, Satzzeichen erscheinen ohne weiteres als Bestandteile der vom Gedicht evozierten Landschaft:

> Das Geschriebene höhlt sich, das
> Gesprochene, meergrün,
> brennt in den Buchten,
> in den
> verflüssigten Namen
> schnellen die Tümmler . . .

Diesen Anfangsstrophen aus dem vierten Teil ließen sich viele verwandte Beispiele an die Seite stellen. Ihre Wort-Landschaft in ihrer Eigentümlichkeit ergibt sich daraus, daß Sprache auf eine unvermittelte Weise real genommen, nicht als System von Bedeutungsträgern den außersprachlichen Realien konfrontiert wird.

Im Rahmen dieser Voraussetzung ist die Atemwende ein Vorgang, an dem Richtung und Schicksal der Wörter wie der dichterischen Existenz, die sich in ihnen ausspricht, im selben Maß teilhaben. Die Wende tritt ein, wo es den Wörtern und dem, der sie spricht, in gleicher Weise den Atem verschlagen hat. Dieser Vorgang ist – wieder nach Ausweis der

Büchner-Rede – zugleich einmalig und wiederholbar. Einmalig insofern er sich, an der Grenze zum Fremden und ganz Anderen, der Berechnung entzieht. Wiederholbar insofern das Gedicht den Weg zu dieser Wende stets aufs neue zu gehen versuchen kann, von immer wieder anders gearteten Anlässen her.

Es wäre voreilig und gefährlich, den Wendepunkt als eine gesicherte Landmarke festlegen zu wollen. Er liegt außerhalb der Reichweite des deskriptiven Zugriffs. Das Gedicht selbst »beschreibt« die Wende im Sinne des Vollzugs. Eine vollständige Analyse dieses Vollzugs wäre identisch mit einer Totalinterpretation Celanscher Dichtung. Inzwischen liegt für uns ein authentischer Hinweis auf die schwer zu fassende Topographie der Wende darin, daß der erste der sechs Teile von »Atemwende«, der bereits selbständig in beschränkter Auflage publiziert worden ist, im Erstdruck den Titel »Atemkristall« trägt. Das letzte Gedicht dieses ersten Teils beginnt mit der Strophe:

Weggebeizt vom
Strahlenwind deiner Sprache
das bunte Gerede des Anerlebten –
das hundertzügige Mein-
gedicht, das Genicht.

Hier ist genannt, wovon das der Atemwende zustrebende Gedicht sich abkehrt: vom Mein-/gedicht (zu verstehen wie Meineid, als Nicht-Gedicht, Genicht). Die dritte und letzte Strophe dagegen gibt ein Ziel an, auf das hin das Gedicht unterwegs ist:

Tief
in der Zeitenschrunde,
beim
Wabeneis
wartet, ein Atemkristall,

dein unumstößliches
Zeugnis.

Daraus ergibt sich, wie gesagt, ein Hinweis, der sich als solcher noch nicht in eine handliche Interpretationsformel ausmünzen läßt. Kann der Atem des Gedichts kristallisieren? Er kann es in der paradoxen Zone des Medusenblicks und des Absurden. Wer aber das unumstößliche Zeugnis des Atemkristalls als positive Konfession und Aussage verstehen möchte, sei auf die Schlußstrophe eines anderen »Atemwende«-Gedichts aufmerksam gemacht:

Niemand
zeugt für den
Zeugen.

Mit diesen Worten ist das ganze Wagnis lapidar fixiert, dem sich eine Dichtung aussetzt, die ein Zeugnis zu geben gewillt ist aus einer Grenzzone jenseits des nach üblicher Vorstellung noch Sagbaren. Die im Gedicht vollzogene Wende führt in die Region des unsichtbaren Atemkristalls. In diesem Wort ist der Topos von der kristallinen Struktur der dichterischen Sprache lebendig. In der richtigen Transformation aufgefaßt, scheint er geeignet, die Struktur des neuen Gedichtbandes prägnant zu offenbaren.

PAUL CELAN

Briefe an Nelly Sachs

1

am 20. Feber 1960

Nelly Sachs, liebe Nelly Sachs!
Ich danke Ihnen, ich danke Ihnen von Herzen!
Was kann ich sagen? Täglich kommt mir die Gemeinheit ins Haus, täglich, glauben Sie's mir.
Was steht uns Juden noch bevor?
Und wir haben ein Kind, Nelly Sachs, ein Kind!
Sie ahnen nicht, wer alles zu den Niederträchtigen gehört, nein, Nelly Sachs, Sie ahnen es nicht.
Denn es ist nicht allein Indolenz, es ist Niedertracht und Gemeinheit.
Soll ich Ihnen Namen nennen? Sie würden erstarren. Es sind solche darunter, die Sie kennen, gut kennen.
Sie wissen nicht, wieviel Freundschaft ich diesen Menschen (Menschen?) entgegengebracht habe! Einige schreiben sogar Gedichte. Sie schreiben, diese Menschen, *Gedichte*! Was schreiben sie nicht alles, die Verlogenen!
Ach, könnte ich in Ihrer Nähe sein, oft, mit Ihnen sprechen!
Gott schütze Sie!

Immer Ihr Paul Celan

2

Paris, am 1. Juli 1960

Liebe Nelly! Gute Nelly!

Von Herzen danken wir Dir für Dein Buch – für das Buch und für die Worte, um die Du es vermehrt hast!

Vierzehn Tage sinds nun, daß du wieder oben bist, droben in Deinem nördlichen Zuhause: das Jahr, das jetzt anfängt – denn, ja, es fängt *jetzt* an, ohne Rücksicht auf das Kalenderjahr! –, ist das Jahr unserer Schweden-Reise; wir leben darauf zu.

Ein Buch, Die Judenbuche, ist unterwegs zu Dir; es war vor ein paar Tagen auf einmal da, beim Buchhändler; ich hatte es, auf der Suche nach anderem – das ja, hier bestätigt sich's wieder, das Selbe bleibt – herausgegriffen; die Flechtheims, die es haben drucken lassen, dürften Juden sein . . .

Es ist still hier. Fast alle jene, die Deine Nähe wieder nah sein ließ, sind auf die ihnen so eigene, mir so unverständliche Weise in die Bereiche zurückgetreten, wo Deutlichkeit nicht als Gesetz gilt. Es gehört zum Schwersten dieser Zeit, daß so viele vom Wort abfallen – vom eigenen so leicht wie von dem ihnen zugesprochenen.

Es ist still hier. Eigentlich hätten wir schon in der Bretagne sein sollen, aber Eric hat sich schnell noch die Masern geholt, und nun warten wir, geduldig, bis er wieder reisefähig ist; in zehn bis zwölf Tagen ists wohl so weit.

Heute morgen kam der beiliegende Brief von Dr. Weber – bitte, gib ihm etwas: er ist aufrichtig bemüht.

Sei von Herzen gegrüßt, liebe Nelly!
Dein Paul

Sag uns, bitte, wie es um Dein Wohnen bestellt ist. Grüß, bitte, Eva-Lisa Lennartsson.

3

»Kermorvan«, Trébabu par Le Conquet (Finistère) – *bis Ende Juli* –

am 20. Juli 1960.

Liebe Nelly! Liebe, gute Nelly!
Wir sind seit acht Tagen in der Bretagne, unter heiteren Himmeln, in einem kleinen Häuschen am Rande eines riesigen und auf das menschen- weil hasenfreundlichste verwilderten Parks. Das Meer ist nahe, die Menschen, denen wir begegnen, einfach und freundlich. Wir denken, wie jeden Tag, zu Dir hinüber.
Und Du? Du kannst sicher nicht so gut radfahren wie Eric – das können nur wenige! –, also mußt Du wohl Gedichte schreiben. Was, wie ich Dir nicht verschweigen kann, bei weitem nicht so schwer ist. Weil man dabei bekanntlich nicht selbst fährt, weil da immer irgendeiner mithilft, besonders wenn's bergauf geht, und weil's da ja auch nicht zwei, sondern gleich mehrere Räder – für gewöhnlich fünf – gibt. Ob man dabei auch in entlegene Gehöfte gelangt, wo's soeben zur Welt gekommene Ferkelchen zu sehen gibt? – Manchmal, sagst Du? Aber doch wohl nur ausnahmsweise – in Schaltjahren zum Beispiel . . . Wie? Wir haben gerade ein solches? Nun ja, dann laß es eben dauern, schalte da nicht um! Wir tun dann dasselbe bzw. wir verlassen uns auf Dich! Denn daß wir uns auf Dich verlassen können und dürfen, das wissen wir.
Mit Heidekraut und Tausendgüldenkraut, mit Geißblatt und Fingerhut sowie einigem noch blühenden (Besen-, nicht Stech-)Ginster

Dein Paul

4

Paris, am 28. Juli 1960

Meine liebe, liebe Nelly!

Es geht Dir besser – ich weiß.

Ich weiß es, weil ich spür, daß das Böse, das Dich heimsucht – das auch mich heimsucht –, wieder fort ist, ins Wesenlose zurückgewichen, in das es gehört; weil ich spür und weiß, daß es nie wiederkommen kann, daß es sich aufgelöst hat in ein kleines Häuflein Nichts.

So, jetzt bist Du frei, ein für allemal. Und – wenn Du mir diesen Gedanken erlaubst – ich mit Dir, wir alle mit Dir.

Ich schicke Dir hier noch etwas, das gegen die kleinen Zweifel hilft, die einem manchmal kommen; es ist ein Stück Platanenrinde. Man nimmts zwischen Daumen und Zeigefinger, hälts recht fest und denkt sich etwas Gutes dazu. Aber – ich kanns Dir nicht verschweigen – *Gedichte*, zumal die Deinen, sind *noch* bessere Platanenrinden. Bitte, schreib also wieder. Und laß es zu unseren Fingern wandern. Du weißt, wie sehr wir – und nicht nur wir – das brauchen.

Und wenn Du Lust hast, daß ich nach Stockholm komm, um noch einige schwedische Dialekte hinzuzulernen, so sag mir, bitte, auch das. Aber: ich kann mir vorstellen, daß ich nicht nur dieser Dialekte wegen käme.

Von ganzem Herzen
Dein Paul

Eric schickt Dir ein selbstgemaltes Glasfenster – aus *echtestem* Glas!

5

Paris, am 9. August 1960

Nelly, Du Liebe, Du sorgst Dich, Du fragst, wie es uns geht –
Gut geht es uns, Nelly, wirklich gut.
Laß es Dir ebensogut gehn, Nelly, bitte!
Es sind so viele freundliche Herzen und Hände um uns, Nelly!
Sieh, bitte, wie nah sie sind, wie viele es sind!
Ja, es ist wieder hell – das Netz, das dunkle, ist fortgezogen – nicht wahr, Nelly, Du siehst es jetzt, Du siehst, daß Du im Freien bist, im Hellen, mit uns, unter Freunden?
Ja, Du siehst es, Nelly, wie ich, wie wir: unbehindert können wir atmen und dasein, Du und wir und die Freunde um uns her, die vielen.
Und ich sehe auch die Worte auf Dich warten, Nelly, die Worte, die Du mit Dir und Deinen neuen Helligkeiten beseelst – zu unser aller Freude.

Immer Dein Paul

6

am 19. August 1960

Meine liebe, meine gute Nelly,
hab Dank, hab von Herzen Dank für Deinen Brief!
Du hast es immer noch so schwer und Du findest, Du Liebe, dennoch Worte – nein, *Wortgeschenke* für uns!
Nelly, Liebe! Ich sehe, das Netz ist noch da, es läßt sich nicht im Handumdrehn entfernen . . . Und doch: es *ist* zu entfernen, es *kann* und *soll* entfernt werden, um aller jener willen, denen Du Dich nahe weißt, um dieser Nähe, um *Deiner lebendigen Nähe* willen! Du hast Deine Hände, Du

hast die Hände Deiner Gedichte, hast Gudruns Hände – nimm, bitte, die unsern hinzu! Nimm hinzu, was sonst noch Hand ist und hilfreich – und Hand und hilfreich bleiben möchte durch Dich, durch Dein Dasein, Dein Da- und Bei-Dir- und Bei-Dir-im-Freien-Sein, nimm es, bitte, laß es da sein, durch dieses Heute-und-Morgen-und-lange-zu-Dir-Können!

Ich denke an Dich, Nelly, immer, wir denken, immer an Dich und an das durch Dich Lebendige! Weißt Du noch, wie, als wir ein zweites Mal von Gott sprachen in unserm Haus, das das Deine, das Dich erwartende ist, der goldene Schimmer auf der Wand stand? Von Dir, von Deiner Nähe her wird solches sichtbar, es bedarf Deiner, bedarf, auch im Auftrag derer, denen Du Dich so nah weißt und denkst, Deines Hier- und Unter-den-Menschen-Seins, es bedarf Deiner noch lange, es sucht Deinen Blick –: schick ihn, diesen Blick, wieder ins Offene, gib ihm Deine wahren, Deine befreienden Worte mit, vertrau Dich ihm an, vertrau uns, Deine Mit- und Mit-Dir-Lebenden diesem Blick an, laß uns, die schon Freien, die Allerfreiesten sein, die Mit-Dir-im-Licht-Stehenden!

Schau-Nelly: Das Netz wird fortgezogen!

Schau, Nelly: da ist die Hand Gudruns, sie hat geholfen, sie hilft! Schau, es helfen noch andere Hände! Schau: die Deine hilft mit! Schau: Es wird hell, Du atmest, Du atmest frei! Du bleibst uns, ich weiß, Du bleibst uns, wir wissens, Du bist, mit allem Dir Nahen, auch mit allem Dir von so weit her Nahen, da und hier und bei Dir und bei uns!

Dein dankbarer, Dein Dir
aus tiefstem Herzen dankbarer Paul

7

8. XII. 67

Meine liebe Nelly,
es war so gut Deinen Brief in Händen zu haben und von Dir selbst an das Licht erinnert zu werden, das in Zürich überm Wasser und dann in Paris aufschien. Einmal, in einem Gedicht, kam mir, über das Hebräische, auch ein Name dafür.
Von da her die herzlichsten Glückwünsche zu Deinem Geburtstag!

Dein Paul

Bitte beachte die Adresse auf dem Umschlag

8

Meine liebe Nelly,
hab Dank für deine Zeilen, für die Erinnerung an jenes Licht.
Ja, jenes Licht. Du wirst es genannt finden in meinem nächsten Gedichtband, der im Herbst erscheint, genannt – benannt mit einem hebräischen Namen.

Das Herzlichste!

45, rue d'Ulm Paul
Paris, am 22. März 1968

PETER HANDKE

Über meinen neuen Roman ›Der Hausierer‹

›der hausierer‹ hat eine geschichte. jemand kommt irgendwohin, wird hier zeuge eines mordes, wird verdächtigt, weil er (hier) fremd ist, verdächtigt selber, sucht *anhalts*punkte, wird verfolgt, wird zusammengeschlagen und zum *singen* gebracht, kommt wieder frei, sitzt untätig herum, kommt zu einem zweiten mord dazu, wird wieder verdächtigt, verhaftet, eingesperrt, freigelassen, sitzt herum, grübelt, geht herum, grübelt, kommt auf etwas drauf, das allen entgangen ist, macht sich auf den Weg, entlarvt den *wahren* mörder, und *alles* ist in ordnung. – aber diese geschichte habe ich nicht *er*funden; es ist eine *ge*fundene geschichte, und zwar im großen und ganzen die übliche geschichte in einem kriminalroman. dieses geschichtenschema ist das modell für die darstellung von furcht, angst, schrecken, verfolgung, folterung, beklemmung, schmerz gewesen. am kriminalromanschema werden diese zustände und vorgänge literarisch ausprobiert: was gibt eine darstellungsweise, die schon längst kanonisiert ist, noch her für eine darstellung der wirklichkeit, *meiner* wirklichkeit? ich habe also das kriminalromanschema nach *mir* abgesucht, und umgekehrt habe ich *mich* abgesucht, was von mir schon so weit literarisch durch schemata bestimmt war, daß es dem kriminalromanschema entsprach. indem ich das schema prüfte, es abstrahierte, mir seine unbewußten regeln bewußt machte, hoffte ich, auch zu neuen darstellungs*möglichkeiten* meiner wirklichkeit zu kommen, weil mir die bisherigen darstellungsmöglichkeiten *unmöglich* geworden sind und mir weder etwas sagen noch mir etwas zu denken oder zu spielen geben: ich wollte ein darstellungsschema aus der ›trivialliteratur‹

wieder *wirklich* machen und neue möglichkeiten auch den lesenden zeigen: neue möglichkeiten zu lesen, zu spielen, zu überlegen: zu leben. mich faszinierten die kanones der verbrechensdarstellung: warum werden vor dem eintritt des mordes plötzlich nur noch *dinge* beschrieben, warum werden vor der entdeckung eines bewegungslosen toten in der regel *gegenstände* beschrieben, die sich heftigst bewegen: ein schlagender fensterladen, eine rhythmisch klopfende tür – diese schemata des schreckens wollte ich wieder erlebbar, wirksam machen. wenn ich mir vorgenommen hatte, eine welt des schreckens und *er*schreckens darzustellen, konnte ich nicht um die literarischen darstellungsweisen herum, die davon schon bestanden: ich mußte mich, indem ich sie überdachte, mit ihnen beschäftigen und ihre brauchbarkeit noch einmal überprüfen; denn meine darstellung des schreckens, sogar mein erleben des schreckens mußte schon von allen darstellungen des schreckens bisher bestimmt sein: der schrecken *selber* war durch das darstellungsschema zu einem erlebnis*schema* geworden – das vor allem mußte ich bewußt machen. vielleicht konnte so das schema wieder zu einer möglichkeit werden.

ich wollte verfolgung, folterung und tod auch nicht mit den üblichen mitteln der logisch glatt aufeinanderfolgenden sätze zeigen: die anordnung der sätze zueinander sollte schon an der darstellung des schreckens mitwirken; die schnittstellen der sätze sollten *bedeutungen* haben: die alogische struktur der sätze sollte die geschichte des schreckens erzählen. wie im schrecken die gegenstände nichts mehr miteinander zu tun zu haben scheinen, so scheinen hier die *sätze* im schrecken nichts mehr miteinander zu tun zu haben. jeder satz steht für sich allein. der leser, wenn er eine geschichte zusammensuchen will, kann sich nur an das äußere kriminalgeschichtenschema halten, es *gibt* keine geschichte zum zusammensuchen, die sätze lassen sich nicht logisch zusammensetzen; eine *besondere*, *erfundene* geschichte wird ihm nicht erzählt, er wird nur satzreflexionen und satzreflexe auf das äußere handlungsschema finden: darin *kann* der leser seine *eigene* geschichte finden: die sätze des romans geben ihm material dazu; sie lenken ihn nicht mit einer fabulierten geschichte von sich ab, sondern lassen es auf seine sensibilität, seine antwortbereitschaft, seinen *möglichkeitssinn* ankommen. der roman spielt weder in los angeles noch in westberlin, weder im winter noch im herbst: er spielt im leser, wenn dieser ihn liest, unter diesen umständen vielleicht auch in los angeles und in westberlin, im herbst und im winter, im kino zwischen vorfilm und hauptfilm.

KARL KROLOW

Pomologische Gedichte

I

Kirschen

Achim von Arnims Kirschbaum
blühte sechs Zeilen lang.

Das 17. Jahrhundert züchtet zum erstenmal
die helle Glaskirsche.
Die Knorpelkirsche das nächste.

Ihr festes Fleisch hat
die Süße der Juliverstecke
mit den festen Lippen
der Liebe.

Château Morel
ist unschuldig daran, daß
Schattenmorellen den Mund
verziehen.

Dunkle Frauenhaut
der Weichseln.

In der Thomasnacht
der von Volkskundlern geschüttelte Baum
taugt für Eheorakel.

Der Tod kommt
als Möbeltischler.

II

Äpfel

Aller Äpfel Anfang
im Pastorengarten von einst –
Borsdorfer und rote Renette.

Das Lexikon sagt, daß
das Holz der Bäume
sehr polierbar,
auch zur Herstellung
von Holzschnitten geeignet
sei.

Dagegen
der mythologische Apfel,
von Nymphen gehütet.
Die Hesperiden starben
wie Herakles.
Im äußersten Westen
trägt niemand mehr
den Himmel.

Im August beißen
die ersten Zähne
in die nicht gedichtete Frucht –
frühe Natur
des Herbstes.

III

Birnen

Wespen ertrinken
im Saft der Bergamotten.

Mit gelben Birnen hänget –
und der Birnbaum im Garten
des havelländischen Herrn
von Ribbeck:
zur Familie der Rosengewächse
gehörend.

Ihr nachgiebiges Fleisch
in der Tagesklarheit,
berühmt als Williams Christ.

Es duftet ohne
pomologische Namen
für Konserve und Obst.

Dreieckige Frucht
in einem russischen Gedicht,
sonst nichts als
die reife Geometrie
der Kegel- und Flaschenform.

Bildschnitzer befühlen
die Härte des Stammes.

(Und die Birnen leuchteten
weit und breit).

IV

Pflaumen

Von Cato maior
nach Rom gebracht.
Christus wurde
mehr als ein Jahrhundert
später geboren.

Laute aus einem Glockenspiel –
Mirabelle, Reineclaude.

Langsam sinken sie
aus dem spätsommerlichen Tagebuch
in einen offenen Mund.

Kandiertes Blau. Glasiertes Gelb.

Im Mittelalter allgemein
Myrobalanen genannt:
Beitrag zur Biographie einer Frucht.

Dem Trinker hält sich
ihr gebrannter Geist
als Feuer in der Kehle.

Mädchenatem – Geschmack
von Prünelle.

V

Pfirsiche

Wachsen auf
durchlässigem Kalkboden.

Am Geländer reifen
Pfirsiche mit Streifen
rot und weiß bemalt,
im Herbst 1782
für Johann Gaudenz von
Salis-Seewis.

Glatte Haut der Nektarinen.
Licht raschelt im Spalier –
eine exotische Schlange.

Senkrechter Mittag
verbrennt die Hülle aus Samt:
das Fleisch, entblößt
von der Windstille.

Les péches pour la bouche
d'un baron
der »Italienischen Reise«
duften im Staub
eines süddeutschen Marktes.

VI

Aprikosen

Lohnender Alexanderzug.
Seine Beute: die Aprikose.

Frühe Lyrik der Blüte,
rosa Tapete der Luft.

Später das Fruchtfleisch.
Sein Kern: süße Mandel.
Bei Mainz
hat die hitzige Landschaft
seinen Geruch.

Unter dem Marillenbaum
Alt-Österreichs
träumt es sich gut
von Knödeln.

Aber in Holland
bleibt man bei abrikoos.

VII

Quitten

Äpfel der Venus –
das Glück auf griechisch.
Die gerade Verheirateten
mußten sich
in einer Quitte teilen.
Darauf ihre Nacht.

Gelbsüchtige Früchte.
Gold für Anakreontiker.
Jedenfalls leuchtend durchs Laub
in allen Sorten: Bereczki,
portugiesische Birn-Quitte.

Vornehmes Aroma für Kenner.
Sie wissen, was sie sagen,
wenn sie von Gelee sprechen.

Vor allem
das gelbe Blitzen im Gartenkorb.
Das Obstgehölz versprüht
im Halbschatten das Licht
des Riesen von Lecovač.

GÜNTER EICH

Maulwürfe

Präambel

Was ich schreibe, sind Maulwürfe, weiße Krallen nach außen gekehrt, rosa Zehenballen, von vielen Feinden gern als Delikatesse genossen, das dicke Fell geschätzt. Meine Maulwürfe sind schneller als man denkt. Wenn man meint, sie seien da, wo sie Mulm aufwerfen, rennen sie schon in ihren Gängen einem Gedanken nach, an eingesteckten Grashalmen könnte man ihre Geschwindigkeit elektronisch filmen. Andern Nasen einige Meter voraus. Wir sind schon da, könnten sie rufen, aber der Hase täte ihnen leid. Meine Maulwürfe sind schädlich, man soll sich keine Illusionen machen. Über ihren Gängen sterben die Gräser ab, sie machen es freilich nur deutlicher. Fallen werden gestellt, sie rennen blindlings hinein. Manche schleudern Ratten hoch. Tragt uns als Mantelfutter, denken sie alle.

Winterstudentin mit Tochtersohn

Meine Maulwürfe werden täglich gewaschen und gestriegelt. Das besorgt eine Fachkraft, eine Winterstudentin, 30, mit ihrem vierzehnjährigen Zwitterkind. Vergebens habe ich versucht, eine Sodomitin anzuwerben, die gibt es nur in psychoanalytischen Berichten und im Alten Testament. Ich bin mit der Winterstudentin sehr zufrieden, abends lernt sie Yogatechnik, will dann im Sommer in Indien Examen machen. Das ist den Maulwürfen ausgefallen genug, Stewardessen mögen sie nicht.

Die Winterstudentin ist abhängig von Liebesbeweisen aller Art. Eine Viertelstunde täglich muß ich sie unter der Fußsohle kitzeln. Mehr, sagt sie. Mit ihrer Tochter ruht sie verschlungen, oft schaue ich ratlos hin, und bin froh, die indischen Techniken nicht zu beherrschen. Meine Winterstudentin hat blaue Haare, was zu den Maulwurfsfellen gut kontrastiert. Sie ist gutmütig, spricht aber nur mangelhaft deutsch. Andere Sprachen kennt sie nicht, es ist angeboren. Ihr Sohn spricht noch einige Brocken tibetisch, vielleicht vom Vater her. Seine Haare sind rot mit schwarzen Strähnen, von Vererbungslehre verstehe ich nichts.
Ja, sage ich zu meiner Winterstudentin, das begreift sie noch am besten. Du bist schön, sage ich, aber da wird es schon schwieriger, sie streckt mir die Fußsohle hin. Einige Maulwürfe kommen begeistert herbei, die Tochter brummt auf tibetisch. Du hast blaue Haare, sage ich eindringlich, und sie greift nach der Badeseife, die meisten meiner Sätze interessieren sie nicht.
Es ist schwierig, an den Sommer zu denken. Die Maulwürfe werden melanchonisch werden und ich weiß nicht, wie ich sie erheitern soll. Auch Maulwürfe sind abhängig von Liebesbeweisen und ich bin nicht begabt genug dafür, zumal es jetzt schon über fünfzig sind, alle individuell ausgeprägt.
Oft schlage ich die Beine übereinander, das einzige, was ich von Yogatechnik spontan verstehe, und denke nach. Aber ohne Ergebnis.

Kehrreim

Ein Fenster, dem Gewöhnlichen geöffnet. Puls und Blätter sind Schritte, die nicht eintreten. Graut nicht schon der Schnee? Was alles kann geschehen sein, und deinen Maulwürfen entgehst du nicht.

Redet man sich in der zweiten Person an, in der dritten oder in der ersten? Hier ist es gleichgültig, dort entscheiden sich die Meditationen. Hier ist es die Straße des Verliebten, der Monologe führt, dort ist der Morgen stumm.
Die Besorgnis deiner Milz, deiner Bauchspeicheldrüse, deines Darms. Die Hautenden, das Mineralwasser in den Gliedern. Und deinen Maulwürfen entgehst du nicht.
Das wußte keine Provence, so alt ist es nicht. Es ist das geöffnete Fenster in einem Winter, der Schnee fällt leise und hier. Sind es Schritte, müssen da Hausschuhe sein und sie sind zum ersten Mal.
Worauf willst du horchen? Fall in den Schlaf, da gehen die Zeiten hin und her, die Kümmernisse sprechen sich von weither aus, von der Provence, von hier.
Nein, deine Nacht ist immer diese, die Milznacht, die Aschermittwochsnacht, die man mit du anredet, mit schweigenden Klavieren, schweigenden Spiralnebeln. Deinen Maulwürfen entgehst du nicht.

Kalauer

Die Etymologie hat nachgewiesen, daß Kalauer nicht aus Calau stammen. Sie stammen aus Luckau. Ich weiß es, ich bin im Grenzgebiet beider Kreise aufgewachsen. Luckau hat eine Strafanstalt, Calau hat garnichts.
Die kleinen, doldenförmig angeordneten Blüten brechen schon zeitig im Frühjahr aus dem noch gefrorenen Boden. Sie sind anspruchslos; wenn es keinen Regen gibt, ist ihnen auch ein Vortrag recht. Für Sonne bedanken sie sich. Sie sind lila und haben meine Jugend koloriert. Ich fände die Neubildung Kaluckauer recht glücklich.
Luckau hat keine großen Söhne, nur Zugereiste, was durch die Strafanstalt bedingt ist. Liebknecht hat hier Briefe geschrieben, es hat nichts genützt.

Wie gesagt, Kalauer sind keine Steigerung von Calau. Aber mir sind sie recht. Eine Möglichkeit, die Welt zu begreifen, vielleicht die einzige, anspruchslos und lila.

TANKRED DORST

Toller

Unten. Verteilung von Waffen an streikende Arbeiter.

ARBEITER *singen:*

Unter den flatternden roten Fahnen
stehn wir zusammen in jeder Fabrik,
alle, die wollen, alle, die ahnen
das Dämmern der Arbeiterrepublik.
Uns schreckt der Tod nicht der roten Legionen,
die Noskes Söldlinge mordeten hin.
Wir gehn im Gleichschritt mit all den Millionen,
die rings auf Erden folgen Lenin.
Hoch Lenin!
Wir sind die Rote Garde,
die, zu jedem Kampf bereit,
Bahn bricht zu Macht und Herrlichkeit
dem Proletariat.
Gefoltert, geknechtet, geschmäht und geschlagen,
Karrengaul Molochs, Arbeitervolk,
nach so viel Hunger- und Elendsjahren
recke dich endlich als Löwe empor!
Jage die Wuch'rer, Steuerbetrüger,
jag die Faschisten zum Lande hinaus
und bau auf Äckern, Fabriken und Gruben
der freien Arbeiter herrliches Haus.
Reck dich auf!
Her zur Roten Garde,
die, zum letzten Kampf bereit
einst mit Waffenmacht befreit,
dich, Proletariat!

Rechts Ebert, Links Noske. Sie telefonieren.

EBERT Sagen Sie mal, Noske –
NOSKE Ja, Herr Reichspräsident?
EBERT Die Münchner Vorgänge, Noske – machen mir von Tag zu Tag mehr Sorge. Was schlagen Sie vor? Sollen wir intervenieren?
NOSKE Die Regierung Hoffmann hat uns bisher nicht um Hilfe gebeten.
EBERT Aber wir können doch nicht länger zusehen, Noske!
NOSKE Hoffmann sagt, die Mißstimmung in München wächst, er hofft, die Bande wird durch einen Putsch beseitigt.
EBERT Und wenn der schiefgeht, Noske?
NOSKE Dann schaffen wir das mit der Reichswehr.
EBERT Wie lange brauchen Sie denn dazu, schätzungsweise?
NOSKE Fünf bis sechs Tage,
EBERT Danke, Noske!
NOSKE Herr Reichspräsident!

Unten. Mühsam, im Schlafanzug, wird von Männern weggeschleppt. Er wehrt sich.

MÜHSAM Schweinebande! – Einen so früh ausm Bett – Was für welche seid ihr denn? Weiße oder Rote? Laßt mich doch erst mal die Brille aufsetzen – – *Einer der Männer hat seinen Mantel ausgezogen und wirft ihn Mühsam über die Schultern. Sie fesseln ihn damit. Mühsam sieht jetzt, daß der Mann eine Leutnantsuniform trägt.* – Ach so, aus der Ecke . . . Gibt das nen Nahkampforden? *Einzelne Bürger sehen stumm und bewegungslos zu.* – Wo solls hingehen? Bamberg – Ohne Billett? Mensch, da mach ich mich doch strafbar! Ich bin nich so fürs Illegale! Die kriegens fertig und buchten mich ein! Wegen Fahr-

preishinterziehung! – Nee, kommt mich in Frage! *Er läßt sich fallen. Sie drehen ihm die Arme nach hinten und schleifen ihn weiter. Mühsam, plötzlich in Angst* – Ihr werdet mir doch nich zur Wasserleiche machen wie Rosa – oder –
Ab.

Rechts kommen Arbeiter. Oben Leviné. Er hält eine Rede in der Räteversammlung. Unten verdrücken sich die Bürger. Die Bühne füllt sich mehr und mehr mit Arbeitern.

LEVINÉ Unter der Regierung Toller ist es möglich, daß eine Handvoll Banditen nachts in die Häuser dringt, Leute herausholt und nach Bamberg verschleppt! Fast wäre denen der Putsch gelungen – wenn die Arbeiter nicht aufgepaßt hätten! Bravo, Münchner Arbeiter! Ihr habt in dieser Nacht den Realitätssinn und die Tatkraft gezeigt, die diesen Schwabinger Möchte-gern-Sozialisten abgeht! Die reden und regieren weiter! Die haben in dieser Nacht nicht mal die Stiefel der weißen Banditen auf dem Pflaster gehört! Wahrscheinlich haben sie sich die Ohren zugehalten! Sie hören ja sowas nicht gern! Bloß keinen Ärger! Das sollen dann die Kommunisten ausbaden! Sie schwätzen weiter von Frieden und Menschenliebe! Und dabei behaupten sie noch, Toller und Genossen, sie stehen auf der Seite der Arbeiter! Etwa nicht? Das haben sie gesagt, ja! Auf der Seite der kämpfenden Arbeiter – wir haben ja noch keine Sowjetrepublik, die fest und gesichert dasteht, sondern wir müssen kämpfen! Noskes Schlächter stehn schon vor Dachau. Es wird in den nächsten Tagen in Dachau scharf geschossen werden. Und was hat Toller hier in der Stadt für die Sicherheit des Proletariats getan? Er hat wortreiche Befehle erlassen, über die die Bourgeoisie gelacht hat. Die Erfahrungen der Russischen Revolution haben doch gezeigt, wie wichtig es ist, sofort die Arbeiter zu bewaffnen. Die Gewehre fehlen – ich habe Toller gefragt, wieviel haben wir denn? Wußte er nicht! – Die Bourgeoisie hat ihre Gewehre natürlich nicht abgeliefert. Die wollen Spatzen schießen, wahrscheinlich! Oder wozu behalten sie die?

Erregung unter den Arbeitern.

LEVINÉ Spatzen?
ZWISCHENRUF Rausholen!
ZWISCHENRUF Kommunisten ran!
LEVINÉ Kein Blutvergießen! Um Gottes willen! ruft der empfindliche Student Herr Toller. Die Moral verbietet ihm zu töten. Was für eine Moral denn, müssen wir da noch fragen! Eine Moral, die ihm vorschreibt: keine bewaffnete Aktion gegen die Mörder unserer Revolution! Wo hat er diese Moral denn her? Wer ist ihm denn dafür dankbar? Wir?

Erregung unter den Arbeitern.

Wir nicht! Wir denken da an das Wort unseres Karl Liebknecht: eure Ehre ist nicht unsere Ehre. Uns interessiert nicht die Moral der Bourgeoisie und nicht die Moral des Herrn Toller. Was der Revolution nützt, das ist für uns moralisch. Dafür habe ich schon als Student in zaristischen Zuchthäusern gesessen. Und empfindlich sind wir auch, Herr Toller! Da nämlich, wo wir sehen, daß man Menschen ausbeutet und unterdrückt und auf die Schlachtfelder schickt um des Profits willen! Genosse Toller kann kein Blut sehen, da wird ihm übel, – schlimm für ihn! Denn durch sein leeres Gerede wird er bald das Blut der Arbeiter auf den Straßen Münchens vergossen sehen!

MAENNER *rechts:* Wir müssen mit den Weißen verhandeln! Unbedingt!

LEVINÉ Herr Maenner schlägt vor, zu verhandeln! Toller hat auch diesen Vorschlag gemacht. Und wir wissen, warum. Und deshalb sagen wir: nein. Wir stehen hier auf vorgeschobenem Posten. Es kommt nur darauf an, ein paar Wochen auszuhalten. Auch die russischen Arbeiter haben auf einem vorgeschobenen Posten gestanden, sie haben ausgehalten und sie haben recht behalten.

SPRECHCHOR *unten:* Ko-mmu-nisten! Ko-mmu-nisten ran!

LEVINÉ Wenn wir mitmachen, dann nur, wenn wir auch die Führung haben! Wir lassen uns nicht als Strohpuppen für eine Sabotagepolitik mißbrauchen! Das Blut der Arbeiterschaft ist uns zu schade, um es für ein paar neugebakkene Pazifisten und hysterische Tanten zu vergießen. Wie diese Herren Toller und Genossen!

Erregung unter den Arbeitern.

Blutgierig sind wir angeblich. Kennt er die Tatsachen nicht oder will er sie jetzt nicht mehr kennen? Genossen, wir sind es doch nicht, die mit Kanonen und Söldnern kommen, um andere niederzuschlagen! Uns liegt doch nichts daran, zu kämpfen! Und niemand wäre froher als wir, wenn es den wehleidigen Pazifisten gelänge, die Schlächter Noskes nach Hause zu schicken! Bloß uns sollen sie mit ihrem Geschwätz in Ruhe lassen! Wir haben jetzt anderes zu tun!

Erregung unter den Arbeitern.

ZWISCHENRUF *rechts:* Laßt den Toller sprechen! Toller!

STIMMEN *unten:* Toller!

LEVINÉ Schwärmer und Narren habt ihr in der Führung! Da schwärmen sie immer von einer besseren Welt, und jetzt sagt man ihnen: handelt! Und da sind sie furchtbar erschrocken – man hat sie aufgeweckt und jetzt laufen sie kopflos herum und heben abwehrend die Hände! In Rußland, Genossen, haben wir mit diesen gefährlichen Narren kurzen Prozeß gemacht.

REICHERT *oben:* Abservieren! An die Wand!

Erregung unter den Arbeitern.

ZWISCHENRUF *rechts:* Mir san da net in Rußland!

LEVINÉ Weg mit ihnen! Weg! Bevor es zu spät ist! Und macht endlich Ernst mit der Bewaffnung der Arbeiter! Geht auf die Straße! Öffnet die Safes! Holt euch, was ihr braucht! Noske hat in Berlin erklärt, er wird mit den Münchner Tollhäuslern aufräumen. Er hat bereits mit den Tollhäuslern aufgeräumt in andern Städten. Er hat die Arbeiter in Bremen, in Berlin, in Sachsen zusammenschießen lassen. Wenn ihr nicht das gleiche Ende wollt – wehrt euch!

Oben. Ein Rotgardist spricht mit Leviné. Dann ab.

LEVINÉ Genossen, man sagt mir eben, Toller wollte den Saal betreten. Im Interesse der Arbeiterschaft habe ich Befehl gegeben, ihn zu verhaften.

Große Erregung. Die Bühne ist jetzt ganz voll mit Arbeitern.

LEVINÉ *schreit in den Saal:* Die Räterepublik ist in den Händen der Kommunisten!

Tumult.

JÜRGEN BECKER

Über die »Ränder«

Für die Lesung des ersten Kapitels seines neuen Buches, »Ränder«, erhielt Jürgen Becker den Preis der Gruppe 47. Die Redaktion von ›Dichten und Trachten‹ stellte Jürgen Becker einige Fragen, die dieser in einem zusammenhängenden Text beantwortete. Wir verzichten darauf, die Fragen dem Leser vorzulegen; sie sind aber möglicherweise aus dem Text noch zu erkennen.

In einem Brief 1960 hatte mir Hans Magnus Enzensberger zu bedenken gegeben, daß *das problem der ränder so einfach nicht vom tisch zu wischen* sei, und weiter hatte er sich in seiner Vorzeichen-Einführung im Hinblick auf die »Felder« mit dem *Prinzip der Randlosigkeit* auseinandergesetzt. Das Problem beschäftigte mich gleich lange, und im Titel des neuen Buches ist es schließlich fixiert worden. Indessen meint dieser Titel nicht mehr allein ein literarisches Problem, das mit dem Vorgang der Auflösung und Verschmelzung der Gattungen verbunden ist, mit der Verwischung der Grenzen, die einem Text den Austritt aus dem Bereich der literarischen Reglements verwehren. Indem ich nämlich dieses praktizierte, geriet ich in einen Bereich jenseits der Literatur, an die Ränder schließlich des Wirklichen, des Erfahrbaren und Sprechbaren. Dieser Bereich schließt konkrete Zeit, konkrete Umstände nicht aus, im Gegenteil: er offenbart sich mitten im Vertrautesten. So ist der Ort, an dem ich mich jeweils befinde, für mein Schreiben immer bestimmend gewesen, ebenso die Zeit, die täglich vergehende Zeit, die Zeit des Schreibens selber. Die »Ränder« sind zur einen Hälfte am Mittelmeer, in Rom entstanden, und, dies kommt nun hinzu, Rom war für mich ein Ort, wo ich mich oft mehr am Rand als inmitten der Wirklichkeit und der im Jahre 1967 aktuellen Ereignisse fühlte. Zur anderen Hälfte sind die »Ränder« im Rheinland entstanden, nach meiner Rückkehr in eine Gegend, die ich vier Jahre lang gemieden hatte. Dort, am Rande von Köln, erfuhr ich die Distanz zu der Zeit, in der ich in dieser Stadt gelebt und zuletzt die »Felder« geschrieben hatte. Dieses Buch hätte ich ein zweites Mal nicht schreiben können, und das heißt, ich habe es nur schreiben können auf Grund bestimmter Erfahrungen in einer bestimmten Stadt. So gesehen stellte sich mir nie das Problem, ob ich die Methode der »Felder« weiterführen sollte oder könnte oder nicht. Ich hatte ja gar keine Methode, und es wäre der Art meines Schreibens, das ich als eine Verhaltensweise verstehe, als eine Art zu leben, zu sehen, zu hören, zu erinnern etc., zuwider gewesen, wenn sich die in den »Feldern« praktizierte Schreibweise zur Methode verfestigt hätte. Eine Gewißheit hatte ich mit den »Feldern« freilich gewonnen, nämlich daß der Abschied von den Gattungen die reine Willkür, daß freies Schreiben jede Beliebigkeit miteinschloß. Noch begann ich die »Ränder« ohne formalen Plan, im weiteren Verlauf der Arbeit entwickelte sich jedoch die Struktur, in der dieser Text erscheint. Und zwar entstand diese Struktur aus dem Wechsel der Schreibweisen, der einen sprachlichen Handlungsverlauf demonstriert, das Fortschreiten auf ein Verstummen hin, aus dem wiederum ein Sprechverlauf hervorgeht. Einige Kritiker haben dieses Verfahren ein künstliches oder schematisches genannt, und zu einem Reglement geriete es sicher, wenn ich es als Methode in der weiteren Praxis anwenden wollte. Hier in den »Rändern« bin ich lediglich einem kompositorischen Weg gefolgt, der sich im Verlauf des Schreibens von selber vorschlug, und mit dem Ergebnis denke ich ein formales Modell entwickelt zu haben, das an die Stelle eines Romans oder eines Gedichtes getreten ist. Dieses Modell ist unwiederholbar; es verwirklicht, für mich, nur einmal die Möglichkeit des literarischen Ausdrucks. Ob ich damit dem Leser Schwierigkeiten bereite, ich weiß nicht. Sicher, man trifft schon mal auf einen Leser und man weiß dann wieder, daß man ein schwieriger Autor ist. Aber schwierig zu lesen bin ich nur in dem Maß, in dem in meinem Schreiben die Schwierigkeit wirksam geworden ist zu leben, sich selber auszuhalten, die Leute auszuhalten, zu vergessen, zu erinnern, gleichgültig zu werden, nicht gleichgültig zu bleiben, die Erstarrungen aufzulösen, weiterzumachen und frei zu kommen.

THEODOR W. ADORNO

Resignation

Uns älteren Repräsentanten dessen, wofür der Name Frankfurter Schule sich eingebürgert hat, wird neuerdings gern der Vorwurf der Resignation gemacht. Wir hätten zwar Elemente einer kritischen Theorie der Gesellschaft entwickelt, wären aber nicht bereit, daraus die praktischen Konsequenzen zu ziehen. Weder hätten wir Aktionsprogramme gegeben noch gar Aktionen solcher, die durch die kritische Theorie angeregt sich fühlen, unterstützt. Ich sehe ab von der Frage, ob das von theoretischen Denkern, einigermaßen empfindlichen und keineswegs stoßfesten Instrumenten, verlangt werden kann. Die Bestimmung, die ihnen in der arbeitsteiligen Gesellschaft zugefallen ist, mag fragwürdig, sie selber mögen durch sie deformiert sein. Aber sie sind durch sie auch geformt; gewiß können sie, was sie wurden, nicht aus bloßem Willen abschaffen. Das Moment subjektiver Schwäche, das der Einengung auf Theorie anhaftet, möchte ich nicht verleugnen. Für wichtiger halte ich die objektive Seite. Der Einwand, der leicht abschnurrt, lautet etwa: einer, der an der Möglichkeit eingreifender Veränderung der Gesellschaft zu dieser Stunde zweifelt und der darum weder an spektakulären, gewaltsamen Aktionen teilnimmt noch sie empfiehlt, habe entsagt. Er halte, was ihm vorschwebe, nicht für realisierbar, eigentlich wolle er es nicht einmal realisieren. Indem er die Zustände so lasse, wie sie sind, billige er sie uneingestandenermaßen.

Distanz von Praxis ist allen anrüchig. Beargwöhnt wird, wer nicht fest zupacken, nicht die Hände sich schmutzig machen möchte, als wäre nicht die Abneigung dagegen legitim und erst durchs Privileg entstellt. Das Mißtrauen gegen den der

Praxis Mißtrauenden reicht von solchen, welche die alte Parole »Genug des Geredes« auf der Gegenseite nachreden, bis zum objektiven Geist der Reklame, die das Bild – das Leitbild nennen sie es – des aktiv tätigen Menschen, sei er Wirtschaftsführer oder Sportsmann, verbreitet. Man soll mitmachen. Wer nur denkt, sich selbst herausnimmt, sei schwach, feige, virtuell ein Verräter. Das feindselige Cliché des Intellektuellen wirkt, ohne daß sie es merkten, tief hinein in die Gruppe jener Oppositionellen, die ihrerseits als Intellektuelle beschimpft werden.

Von denkenden Aktionisten wird geantwortet: zu verändern gelte es, neben anderem, eben den Zustand der Trennung von Theorie und Praxis. Gerade um der Herrschaft der praktischen Leute und des praktischen Ideals ledig zu werden, bedürfe es der Praxis. Nur wird daraus fix ein Denkverbot. Ein Minimales reicht hin, den Widerstand gegen die Repression repressiv gegen die zu wenden, welche, sowenig sie das Selbstsein verherrlichen mögen, doch nicht aufgeben, was sie geworden sind. Die vielberufene Einheit von Theorie und Praxis hat eine Tendenz, in die Vorherrschaft von Praxis überzugehen. Manche Richtungen diffamieren Theorie selber als eine Form von Unterdrückung; wie wenn nicht Praxis mit jener weit unmittelbarer zusammenhinge. Bei *Marx* war die Lehre von jener Einheit beseelt von der – schon damals nicht realisierten – präsenten Möglichkeit der Aktion. Heute zeichnet eher das Gegenteil sich ab. Man klammert sich an Aktionen um der Unmöglichkeit der Aktion willen. Schon bei Marx allerdings verbirgt sich da eine Wunde. Er mochte die elfte Feuerbachthese so autoritär vortragen, weil er ihrer nicht ganz sicher sich wußte. In seiner Jugend hatte er die »rücksichtslose Kritik alles Bestehenden« gefordert. Nun spottete er über Kritik. Aber sein berühmter Witz gegen die Junghegelianer, das Wort »kritische Kritik«, war ein Blindgänger, verpuffte als bloße Tautologie. Der forcierte Vorrang von Praxis stellte die Kritik, die

Marx selbst übte, irrational still. In Rußland und in der Orthodoxie anderer Länder wurde der hämische Spott über die kritische Kritik zum Instrument dafür, daß das Bestehende furchtbar sich einrichten konnte. Praxis hieß nur noch: gesteigerte Produktion von Produktionsmitteln; Kritik wurde nicht mehr geduldet außer der, es werde noch nicht genug gearbeitet. So leicht schlägt die Subordination von Theorie unter Praxis um in den Dienst an abermaliger Unterdrükkung.

Die repressive Intoleranz gegen den Gedanken, dem nicht sogleich die Anweisung zu Aktionen beigesellt ist, gründet in Angst. Man muß den ungegängelten Gedanken und muß die Haltung, die ihn nicht sich abmarkten läßt, fürchten, weil man zutiefst weiß, was man sich nicht eingestehen darf: daß der Gedanke recht hat. Ein uralt bürgerlicher Mechanismus, den die Aufklärer des achtzehnten Jahrhunderts gut kannten, läuft erneut, doch unverändert ab: das Leiden an einem negativen Zustand, diesmal an der blockierten Realität, wird zur Wut auf den, welcher ihn ausspricht. Der Gedanke, die ihrer selbst bewußte Aufklärung, droht die Pseudorealität zu entzaubern, in der, nach der Formulierung von *Habermas,* der Aktionismus sich bewegt. Diesen läßt man nur darum gewähren, weil man ihn als Pseudorealität einschätzt. Ihr ist, als subjektives Verhalten, Pseudo-Aktivität zugeordnet, Tun, das sich überspielt und der eigenen publicity zuliebe anheizt, ohne sich einzugestehen, in welchem Maß es der Ersatzbefriedigung dient, sich zum Selbstzweck erhebt. Eingesperrte möchten verzweifelt heraus. In solchen Situationen denkt man nicht mehr, oder unter fiktiven Voraussetzungen. In der verabsolutierten Praxis reagiert man nur und darum falsch. Einen Ausweg könnte einzig Denken finden, und zwar eines, dem nicht vorgeschrieben wird, was herauskommen soll, wie so häufig in jenen Diskussionen, bei denen feststeht, wer recht behalten muß, und die deshalb nicht der Sache weiterhelfen, sondern unweigerlich in Taktik ausarten. Sind die Türen verrammelt, so darf der Gedanke erst recht nicht abbrechen. Er hätte die Gründe zu analysieren und daraus die Konsequenz zu ziehen. An ihm ist es, nicht die Situation als endgültig hinzunehmen. Zu verändern ist sie, wenn irgend, durch ungeschmälerte Einsicht. Der Sprung in die Praxis kuriert den Gedanken nicht von der Resignation, solange er bezahlt wird mit dem geheimen Wissen, daß es so doch nicht gehe.

Pseudo-Aktivität ist generell der Versuch, inmitten einer durch und durch vermittelten und verhärteten Gesellschaft sich Enklaven der Unmitelbarkeit zu retten. Rationalisiert wird das damit, die kleine Veränderung sei eine Etappe auf dem langen Weg zu der des Ganzen. Das fatale Modell von Pseudo-Aktivität ist das »Do it yourself«, Mach es selber: Tätigkeiten, die, was längst mit den Mitteln der industriellen Produktion besser geleistet werden kann, nur um in den unfreien, in ihrer Spontaneität gelähmten Einzelnen die Zuversicht zu erwecken, auf sie käme es an. Der Unsinn des »Mach es selber« bei der Herstellung materieller Güter, auch bei vielen Reparaturen, liegt auf der Hand. Er ist allerdings nicht total. Bei der Verknappung von sogenannten services, Dienstleistungen, erfüllen zuweilen nach dem technischen Stand überflüssige Maßnahmen, die ein Privatmensch durchführt, einen quasi rationalen Zweck. Das »Mach es selbst« in der Politik ist nicht ganz vom selben Schlag. Die Gesellschaft, die undurchdringlich den Menschen gegenübersteht, sind sie doch selbst. Das Vertrauen auf die limitierte Aktion kleiner Gruppen erinnert an die Spontaneität, die unter dem verharschten Ganzen verkümmert und ohne die es nicht zu einem Anderen werden kann. Die verwaltete Welt hat die Tendenz, alle Spontaneität abzuwürgen, nicht zuletzt sie in Pseudo-Aktivitäten zu kanalisieren. Das wenigstens funktioniert nicht so umstandslos, wie die Agenten der verwalteten Welt es sich erhofften. Jedoch Spontaneität ist nicht zu verabsolutieren, so wenig von der objektiven Situation abzuspalten und zu vergötzen wie die verwaltete Welt selber. Sonst schlägt die Axt im Haus, die nie den Zimmermann erspart, die nächste Tür ein, und das Überfallkommando ist zur Stelle. Auch politische Tathandlungen können zu Pseudo-Aktivitäten absinken, zum Theater. Kein Zufall, daß die Ideale unmittelbarer Aktion, selbst die Propaganda der Tat, wiederauferstanden sind, nachdem ehemals progressive Organisationen sich willig integrieren und in allen Ländern der Erde Züge dessen entwickeln, wogegen sie einmal gerichtet waren. Dadurch aber ist die Kritik am Anarchismus nicht hinfällig geworden. Seine Wiederkehr ist die eines Gespensts. Die Ungeduld gegenüber der Theorie, die in ihr sich manifestiert, treibt den Gedanken nicht über sich hinaus. Indem sie ihn vergißt, fällt sie hinter ihn zurück.

Erleichtert wird das dem Einzelnen durch seine Kapitulation vorm Kollektiv, mit dem er sich identifiziert. Ihm wird erspart, seine Ohnmacht zu erkennen; die Wenigen werden sich zu Vielen. Dieser Akt, nicht unbeirrtes Denken ist resignativ. Keine durchsichtige Beziehung waltet zwischen den Interessen des Ichs und dem Kollektiv, dem es sich überantwortet. Das Ich muß sich durchstreichen, damit es der Gnadenwahl des Kollektivs teilhaftig werde. Unausdrücklich hat sich ein wenig Kantischer kategorischer Imperativ aufgerichtet: du mußt unterschreiben. Das Gefühl neuer Geborgenheit wird bezahlt mit dem Opfer autonomen Denkens. Trügend der Trost, im Zusammenhang kollektiver Aktion werde besser gedacht: Denken, als bloßes Instrument von Aktionen, stumpft ab wie die instrumentelle Vernunft insgesamt. Keine höhere Gestalt der Gesellschaft ist, zu dieser Stunde, konkret sichtbar: darum hat, was sich gebärdet, als wäre es zum Greifen nah, etwas Regressives. Wer aber regrediert, hat *Freud* zufolge sein Triebziel nicht erreicht. Rückbildung ist objektiv Entsagung, auch wenn sie sich für das Gegenteil hält und arglos das Lustprinzip propagiert.

Demgegenüber ist der kompromißlos kritisch Denkende, der weder sein Bewußtsein überschreibt noch zum Handeln sich terrorisieren läßt, in Wahrheit der, welcher nicht abläßt. Denken ist nicht die geistige Reproduktion dessen, was ohnehin ist. Solange es nicht abbricht, hält es die Möglichkeit fest. Sein Unstillbares, der Widerwille dagegen, sich abspeisen zu lassen, verweigert sich der törichten Weisheit von Resignation. In ihm ist das utopische Moment desto stärker, je weniger es – auch das eine Form des Rückfalls – zur Utopie sich vergegenständlicht und dadurch deren Verwirklichung sabotiert. Offenes Denken weist über sich hinaus. Seinerseits ein Verhalten, eine Gestalt von Praxis, ist es der verändernden verwandter als eines, das um der Praxis willen pariert. Eigentlich ist Denken schon vor allem besonderen Inhalt die Kraft zum Widerstand und nur mühsam ihr entfremdet worden. Ein solcher emphatischer Begriff von Denken allerdings ist nicht gedeckt, weder von bestehenden Verhältnissen, noch von zu erreichenden Zwecken, noch von irgendwelchen Bataillonen. Was einmal gedacht ward, kann unterdrückt, vergessen werden, verwehen. Aber es läßt sich nicht ausreden, daß etwas davon überlebt. Denn Denken hat das Moment des Allgemeinen. Was triftig gedacht wurde, muß woanders, von anderen gedacht werden: dies Vertrauen begleitet noch den einsamsten und ohnmächtigsten Gedanken. Wer denkt, ist in aller Kritik nicht wütend: Denken hat die Wut sublimiert. Weil der Denkende es sich nicht antun muß, will er es auch den anderen nicht antun. Das Glück, das im Auge des Denkenden aufgeht, ist das Glück der Menschheit. Die universale Unterdrückungstendenz geht gegen den Gedanken als solchen. Glück ist er, noch wo er das Unglück bestimmt: indem er es ausspricht. Damit allein reicht Glück ins universale Unglück hinein. Wer es sich nicht verkümmern läßt, der hat nicht resigniert.

JÜRGEN HABERMAS

Das philosophische Testament Adornos

Den Impetus, von dem die »Dialektik der Aufklärung« getragen war, hat Adorno in der »Negativen Dialektik«, die nun sein philosophisches Testament geworden ist, wieder aufgenommen: zu retten, was der identifizierende Geist am Objekt abschneiden muß – das Nichtidentische.

Der Begriff des Nichtidentischen ist in der Deutung des Odysseus vorgebildet: Er zielte dort auf das vorgeschichtlich amorphe Selbst, das der Disziplinierung eines mit sich identischen, und darum des identifizierenden Denkens fähigen Ichs verfällt. Nun aber steht Nichtidentität für alles, »was an Wahrheit durch die Begriffe über ihren abstrakten Umfang hinaus getroffen wird . . . Die Utopie der Erkenntnisse wäre, das Begriffslose mit Begriffen aufzutun, ohne es ihnen gleichzumachen«. Damit ist die von Hegel einst entfaltete Dialektik des Allgemeinen und des Besonderen aufgenommen. Sie ist am Modell der umgangssprachlichen Kommunikation gewonnen worden und kann daran auch plausibel gemacht werden.

Daß wir konkrete Gegenstände in explizierter Rede niemals vollständig beschreiben können, ist eine triviale Einsicht: indem wir über ein Besonderes, eben ein Ding, ein Ereignis oder eine Person eine Aussage machen, wird es jeweils im Hinblick auf eine allgemeine Bestimmung erfaßt. Doch läßt sich die Bedeutung des Besonderen durch fortgesetztes Subsumieren unter solche Allgemeinheiten nicht »erschöpfen«. Sobald aber Subjekte *miteinander* (und nicht nur *über* objektivierte Sachverhalte) sprechen, treten sie sich mit dem Anspruch gegenüber, als unvertretbare Individuen in ihrer absoluten Bestimmtheit anerkannt zu werden. Diese Anerkennung verlangt die paradoxe Leistung, mit Hilfe prinzipiell allgemeiner Bestimmungen und gleichsam durch diese hindurch, die volle Konkretion desjenigen, der mit diesen Allgemeinheiten gerade nicht identisch ist, zu fassen. Dieses Moment Nichtidentität in den unvermeidlichen Identifizierungen wendet Adorno gegen den Zwang der formalen Logik, welche das Verhältnis von Allgemeinem und Besonderem undialektisch bestimmen muß.

Insoweit erneuerte er nur Hegels Kritik an den Schranken des Verstandesdenkens, ohne die freilich Denken prinzipiell unmöglich wäre. Adorno kehrt aber diese Kritik noch einmal gegen Hegel selber. Auch Hegels Dialektik erweist sich am Ende als gleichgültig gegenüber dem Eigengewicht des individuierten Einzelnen. Hegel begreift nämlich Totalität, beispielsweise eine Gesellschaft, die das Besondere, die miteinander verkehrenden Individuen, durch Allgemeines, durch die Kategorien der gesellschaftlichen Arbeit, der politischen Herrschaft und deren Legitimationen, vermittelt, keineswegs als einen Zwangszusammenhang. Er hat deshalb nicht gesehen, daß die rekonstruierende Kraft der Dialektik nur solche Beziehungen aufschließen kann, die sich erst aus der Unterdrückung zwangloser Kommunikationen ergeben: nämlich die Gewaltverhältnisse systematisch verzerrter Kommunikation, unter denen die Individuen einander nicht als die erkennen, wozu ein objektiver Zusammenhang sie macht. Gesellschaft ist, nach einem Wort Adornos, ebenso ein Inbegriff von Subjekten wie deren Negation – wäre sie es nicht mehr, dann wäre auch der Zwangszusammenhang zerfallen, dessen Dialektik sich inwendig bemächtigt, um ihn zu lösen. In diesem Sinne gilt Adorno das Ganze, das dialektisches Denken zu entschlüsseln trachtet, als das »Unwahre« – obgleich dann Hegels Kategorie der Unwahrheit nur mehr ironisch gegen Hegel gedacht sein kann.

Das Schlüsselwort der Negativen Dialektik ist der »Vorrang

des Objektiven«. Mit ihm verbindet Adorno einen vierfachen Sinn. Zunächst bezeichnet Objektivität das Zwingende eines welthistorischen Zusammenhangs, der unter der Kausalität des Schicksals steht. Er kann durch Selbstreflexion aufgebrochen werden und ist im ganzen kontingent. Vorrang des Objektiven meint sodann das Leiden an dem, was auf den Subjekten lastet. Erkenntnis des objektiven Zusammenhangs entspringt daher dem Interesse an der Abwendung des Leidens. Weiter meint das Wort die Priorität der Natur vor aller Subjektivität, die sie aus sich heraussetzt. Das reine Ich, kantisch gesprochen, ist durchs empirische vermittelt. Dieser materialistische Vorrang des Objektiven ist schließlich unvereinbar mit einem absolutistischen Erkenntnisanspruch. Selbstreflexion, und gerade sie, ist eine endliche Kraft, denn sie gehört dem objektiven Zusammenhang, den sie durchdringt, selber an. Diese prinzipielle Fehlbarkeit veranlaßt Adorno, für einen »Zusatz von Milde« zu plädieren: »Auch der Kritischste wäre im Stande der Freiheit ein ganz anderer gleich denen, die er verändert wünscht. Wahrscheinlich wäre für jeden Bürger der falschen Welt eine richtige unerträglich, er wäre zu beschädigt für sie. Das sollte dem Bewußtsein des Intellektuellen, der nicht mit dem Weltgeist sympathisiert, inmitten seines Widerstands ein Quentchen Toleranz beimischen.«

Auch das Vermögen des Erkennens ist der Hinfälligkeit des Subjektes und seinen Beschädigungen nicht enthoben. Wenn es sich so verhält, kehrt aber die Frage wieder, wie kritisches Denken selber zu rechtfertigen sei. Unsere psychologische Antwort genügt dieser Frage nicht; sie verlangt, daß wir die Rechtsgründe der Kritik namhaft machen.

Adorno hat sich hartnäckig geweigert, eine affirmative Antwort zu geben. Er hat auch bestritten, daß der Hinweis auf die Negation des erfahrenen Leids solche Rechtsgründe enthalte. Dieser Hinweis, ohnehin das Äußerste, habe keine Implikate im Sinne einer bestimmten Negation. Und doch untersteht Adorno dem systematischen Zwang, immer wieder die Idee der Versöhnung in Anspruch zu nehmen. Dem kann Adorno sich nicht entziehen. Sobald nämlich Leiden sublimiert ist als der unmittelbar physische Schmerz, läßt es sich nur negieren, wenn zugleich ausgesprochen wird, was denn eigentlich das unter der Objektivität des gesellschaftlichen Zwanges Unterdrückte sei. Das hat Adorno einmal anknüpfend an Eichendorffs Wort von der »Schönen Fremde«, das sich über das sentimentalische Leiden an der Entfremdung, über Romantik erhebt, getan: »Der versöhnte Zustand annektierte nicht mit philosophischem Imperialismus das Fremde, sondern hätte sein Glück daran, daß das Fremde in der gewährten Nähe das Ferne und Verschiedene bleibt, jenseits des Heterogenen wie des Eigenen.« Wer sich auf diesen Satz besinnt, wird gewahr, daß der umschriebene Zustand, obgleich nie real, uns doch der nächste und bekannteste ist. Er hat die Struktur des Zusammenlebens in zwangloser Kommunikation. Und ein solches antizipieren wir notwendig, seiner Form nach, jedesmal dann, wenn wir Wahres sagen wollen. Die Idee der Wahrheit, die im ersten gesprochenen Satz schon impliziert war, läßt sich nämlich allein am Vorbild der idealisierten, in herrschaftsfreier Kommunikation erzielten Übereinstimmung bilden. Insofern ist die Wahrheit von Aussagen an die Intention eines wahren Lebens gebunden. Nicht mehr als dieses in alltäglicher Rede Implizierte, aber auch nicht weniger nimmt Kritik ausdrücklich in Anspruch. Nicht mehr und nicht weniger als diese formale Antizipation richtigen Lebens muß auch Adorno unterstellen, wenn er mit Hegel das identifizierende Denken des Verstandes und an Hegel wiederum den Identitätszwang der idealistischen Vernunft kritisiert. Gleichwohl hätte Adorno dieser Konsequenz nicht zugestimmt und darauf beharrt, daß die Metapher der Versöhnung das einzige ist, was sich sagen läßt, und auch das nur, weil diese Metapher dem Bilderverbot genügt und sich selbst gleichsam durchstreicht. Das ganz andere läßt sich nur in unbestimmter Negation bezeichnen, nicht erkennen.

Diese Inkonsequenz, die Adornos Philosophie einem vermeidbaren Einwand aussetzt, hat ein tiefliegendes Motiv. Wenn die Idee der Versöhnung in der Idee der Mündigkeit, des Zusammenlebens in zwangloser Kommunikation »aufginge« und in Form einer noch ausstehenden Logik der Umgangssprache sich entfalten ließe, dann wäre diese Versöhnung nicht universal. Sie enthielte nicht die Forderung, daß Natur die Augen aufschlägt – daß wir im versöhnten Zustand mit Tieren, Pflanzen und Steinen reden. Im Namen einer Humanisierung der Natur hat auch Marx an dieser Idee festgehalten. Wie er hegte Adorno, und hegen mit ihm ein Kreis von Denkern: Benjamin, Horkheimer, Marcuse, natürlich Bloch, Zweifel, ob Emanzipation der Menschen ohne Resurrektion der Natur möglich sei. Könnten die Menschen ohne Unterdrückung und angstfrei miteinander sprechen, ohne daß sie zugleich mit der sie umgebenden Natur geschwisterlich umgingen? Die »Dialektik der Aufklärung« bleibt im Tiefsten unentschieden darin, ob nicht mit jenem ersten Akt der gewaltsamen Selbstbehauptung, der zugleich technische Verfügung über die äußere Natur und Repression der eigenen bedeutet, ein sympathetischer Zusammenhang zerrissen ist, den Versöhnung wiederherstellen müßte; oder ob universale Versöhnung nicht vielmehr eine überschwengliche Idee ist.

Vielleicht kann man sagen, daß wir Natur, in der methodischen Einstellung von Wissenschaft und Technik, gewissermaßen »unterdrücken«, weil wir sie nur im Verhältnis unserer eigenen Imperative »zu Wort kommen« lassen – statt sie von ihr selber her aufzufassen und zu behandeln. Der Schmerz darüber ist von einer Jahrtausende währenden jüdisch-christlichen Überlieferung verschüttet worden, wenn auch nicht ohne Spuren in deren apokryphem Untergrund. Ungekränkt machen wir uns die Erde, und nun ein geheimnisloses Universum, untertan. Dagegen kann »Dialektik der Aufklärung« geltend machen, daß wir uns der so nachhaltig verdrängten Trauer über das, was wir einer technisch beherrschten Natur antun, erinnern müssen, um der Repression der eigenen Natur, und das heißt der Entstellungen der Subjektivität innezuwerden. Offensichtlich können wir aber um der Aufhebung vermeidbarer gesellschaftlicher Repressionen willen auf die lebensnotwendige Ausbeutung der externen Natur nicht verzichten. Der Begriff einer kategorial anderen Wissenschaft und Technik ist so leer wie die Idee der universalen Versöhnung grundlos. Diese hat ihren Grund vielmehr in einem anderen: im Bedürfnis der Tröstung und der Zuversicht angesichts des Todes, das die inständigste Kritik nicht erfüllen kann. Dieser Schmerz ist ohne Theologie untröstlich, obgleich nicht einmal er indifferent sein dürfte gegenüber einer Gesellschaft, deren Reproduktion der Ausbeutung unserer unterdrückten Ängste nicht mehr bedürfte.

Adorno, ganz unbeirrt atheistisch, hat gleichwohl gezögert, die Idee der Versöhnung zu der der Mündigkeit zu mildern. Er hätte gefürchtet, das Licht der Aufklärung zu trüben, denn »kein Licht ist auf den Menschen und Dingen, in dem nicht Transzendenz widerschiene«.

Damit mag des weiteren zusammenhängen, daß Adorno, dem theoretische Anstrengung zweite Natur war, den Ansprüchen regelrechter Theorie mißtraut hat. Adorno hat sich mit »Modellen« absichtlich beschieden. Ein junger Kritiker, der seines Hegel noch sicher ist, hat ihm einmal vorgehalten, daß die Theorie, die das Ganze der Gesellschaft als das Unwahre begreife, eigentlich eine Theorie der Unmöglichkeit von Theorie sei. Verhältnismäßig mager sei denn auch der materiale Gehalt der Theorie der Gesellschaft: eine Reprise der Marxschen Lehre. Das wird man nach Adornos

Einleitungsvortrag zum 16. Deutschen Soziologenkonkreß über »Spätkapitalismus oder Industriegesellschaft« so nicht aufrechterhalten können. Aber ein Punkt ist doch berührt.

Adorno war überzeugt, daß das Identitätsprinzip in dem Maße zur universalen Herrschaft gelangt ist, als die bürgerliche Gesellschaft dem Organisationsprinzip des Tausches unterworfen worden ist: »Am Tausch hat es sein gesellschaftliches Modell; durch ihn werden nichtidentische Einzelwesen und Leistungen kommensurabel, identisch. Die Ausbeutung des (Tausch)prinzips verhält die ganze Welt zum Identischen, zur Totalität.« Der Tausch vollzieht die abstrahierende Operation handgreiflich real. In dieser »Urverwandtschaft« zwischen identifizierendem Denken und Tauschprinzip hat Adorno das Bindeglied zwischen der Kritik des instrumentellen Geistes und der Theorie der bürgerlichen Gesellschaft gesehen. Die Verbindung als solche hat ihm genügt, um für diese Theorie dann ein wenig zu rasch die von Marx überlieferten Analysen einzusetzen. Mit politischer Ökonomie hat Adorno sich nicht befaßt. Albrecht Wellmer hat in seinem jüngst erschienenen Buch über »Kritische Gesellschaftstheorie und Positivismus« auf die Gefahr aufmerksam gemacht, die eintritt, wenn die Dialektik der Aufklärung als eine geschichtsphilosophische Verallgemeinerung der Kritik der politischen Ökonomie mißverstanden und stillschweigend an deren Stelle gesetzt wird. Dann nämlich kann die Kritik des instrumentellen Geistes als Schlüssel zu einer Ideologiekritik, zu einer an beliebigen Objektivationen des beschädigten Lebens ansetzenden Tiefenhermeneutik dienen, die sich selbst genug ist und der empirischen Fortbildung der Gesellschaftstheorie nicht mehr bedarf. Adorno hat sich dieses Mißverständnis natürlich niemals zuschulden kommen lassen. Aber der Aktionismus einiger Schüler läßt vermuten, daß sie die ideologiekritische Entschlüsselung des objektiven Geistes, an die Adorno in seinen materialen Arbeiten bewunderungswürdig alle Energie gewendet hat, mit einer Theorie der spätkapitalistischen Gesellschaft schlicht verwechseln. Daß Praxis mißlingt, läßt sich nicht allein dem geschichtlichen Augenblick zurechnen. Dazu mag auch der Umstand beitragen, daß die ungeduldigen Praktiker von der Unvollkommenheit der Theorie keinen rechten Begriff haben. Sie wissen nicht, was alles, beim gegenwärtigen Stand, sie gar nicht wissen können.

Bei diesem Stand war Adornos Hilfe unentbehrlich. Sie ist uns durch seinen Tod genommen. Für sie ist kein Ersatz, kein noch so schmächtiger.

JAMES JOYCE

Eveline

Sie saß am Fenster und sah zu, wie der Abend in die Straße eindrang. Ihr Kopf war an die Fenstervorhänge gelehnt, und in ihrer Nase war der Geruch von staubigem Kretonne. Sie war müde.

Wenige Menschen gingen vorüber. Der Mann aus dem letzten Haus kam auf dem Heimweg vorbei; sie hörte seine Schritte auf dem Betonpflaster klappern und später auf dem Schlackenweg vor den neuen roten Häusern knirschen. Früher einmal war da ein Feld gewesen, auf dem sie jeden Abend mit den Kindern von andren Leuten gespielt hatten. Dann kaufte ein Mann aus Belfast das Feld und baute Häuser darauf – nicht solche kleinen braunen Häuser wie ihre, sondern helle Backsteinhäuser mit glänzenden Dächern. Die Kinder der Straße spielten immer zusammen auf jenem Feld – die Devines, die Waters, die Dunns, der kleine Krüppel Keogh, sie und ihre Brüder und Schwestern. Ernest jedoch spielte nie mit: er war zu erwachsen. Ihr Vater jagte sie oft mit seinem Schwarzdornstock aus dem Feld in die Häuser; aber gewöhnlich stand der kleine Keogh immer Schmiere und rief, wenn er ihren Vater kommen sah. Trotzdem waren sie damals anscheinend ganz glücklich gewesen. Ihr Vater war damals noch nicht so schlimm; und außerdem lebte ja ihre Mutter noch. Das war lange her; sie und ihre Brüder und Schwestern waren alle erwachsen; ihre Mutter war tot. Tizzie Dunn war auch tot, und die Waters waren nach England zurückgekehrt. Alles ändert sich. Jetzt würde sie fortgehen wie die anderen, ihr Elternhaus verlassen.

Elternhaus! Sie blickte sich im Zimmer um, musterte alle seine vertrauten Gegenstände, die sie so viele Jahre lang einmal die Woche abgestaubt hatte, und fragte sich, wo in aller Welt der ganze Staub bloß herkomme. Vielleicht würde sie diese vertrauten Gegenstände, von denen jemals getrennt zu werden sie sich nie hatte träumen lassen, nie mehr wiedersehen. Und doch hatte sie während all der Jahre nie den Namen des Priesters herausbekommen, dessen vergilbende Photographie an der Wand über dem kaputten Harmonium neben dem Farbdruck der Verheißungen hing, die der Seligen Margareta Maria Alacoque gemacht worden waren. Er war ein Schulfreund ihres Vaters gewesen. Wann immer ihr Vater die Photographie einem Besucher zeigte, ging er mit einem beiläufigen Wort darüber weg:

– Er ist jetzt in Melbourne.

Sie hatte eingewilligt fortzugehen, ihr Elternhaus zu verlassen. War das klug? Sie versuchte, beide Seiten der Frage gegeneinander abzuwägen. Im Elternhaus hatte sie auf jeden Fall ein Dach überm Kopf und zu essen; um sich hatte sie die, die sie ihr ganzes Leben gekannt hatte. Natürlich mußte sie zu Hause und im Geschäft hart arbeiten. Was würden sie im Laden von ihr sagen, wenn herauskam, daß sie mit einem Burschen davongelaufen war? Daß sie närrisch war vielleicht; und ihre Stelle würde durch eine Anzeige neu besetzt werden. Miss Gavan wäre froh. Sie hatte sie immer auf dem Kieker gehabt, vor allem immer dann, wenn Leute zuhörten.

– Miss Hill, sehen Sie denn nicht, daß diese Damen warten?

– Nicht so verschlafen gucken, Miss Hill, bitte.

Dem Laden würde sie nicht viele Tränen nachweinen.

Aber in ihrem neuen Heim in einem fernen unbekannten Land würde es anders sein. Sie wäre dann verheiratet – sie, Eveline. Die Leute würden sie dann mit Respekt behandeln. Sie würde nicht behandelt werden wie einst ihre Mutter. Selbst jetzt, obwohl sie doch über neunzehn war, fühlte sie sich manchmal nicht sicher vor der Gewalttätigkeit ihres Vaters. Sie wußte, es war das, was ihr das Herzklopfen verursacht hatte. Als sie heranwuchsen, war er nie auf sie losgegangen, so wie er immer auf Harry und Ernest losging, weil sie ein Mädchen war; aber seit einiger Zeit hatte er angefangen, ihr zu drohen und zu sagen, was er mit ihr machen würde, wenn er sich nicht um ihrer toten Mutter willen zurückhielte. Und jetzt hatte sie niemanden, der sie in Schutz nahm. Ernest war tot, und Harry, der im Devotionalienhandel war, reiste fast immer irgendwo im Land umher. Außerdem hatten die unvermeidlichen Geldzankereien am Samstagabend angefangen, ihr unaussprechlich lästig zu werden. Sie gab stets ihren ganzen Lohn – sieben Shilling –, und Harry schickte immer, was er konnte, aber die Schwierigkeit war, irgendwelches Geld von ihrem Vater zu bekommen. Er sagte, sie verschwende immer das Geld, sie habe nichts im Kopf, er würde ihr doch nicht sein schwerverdientes Geld geben, damit sie es zum Fenster hinausschmeiße, und vieles mehr, denn an Samstagabenden war er gewöhnlich ziemlich schlimm. Schließlich gab er ihr das Geld dann doch und fragte sie, ob sie eigentlich die Absicht habe, das Sonntagsessen einzukaufen. Dann mußte sie so schnell wie möglich hinausstürzen und ihre Einkäufe machen, ihre schwarze Lederbörse fest in der Hand, während sie sich mit den Ellbogen den Weg durch die Menge bahnte, und erst spät kehrte sie, beladen mit ihren Vorräten, nach Hause zurück. Es war harte Arbeit für sie, den Haushalt in Ordnung zu halten und dafür zu sorgen, daß die beiden jüngeren Kinder, die ihr anvertraut waren, regelmäßig zur Schule gingen und regelmäßig zu essen bekamen. Es war harte Arbeit – ein hartes Leben –, aber jetzt, da sie im Begriff war, es zu verlassen, fand sie es kein gänzlich unerträgliches Leben.

Sie war im Begriff, mit Frank ein neues Leben zu erforschen. Frank war sehr gut, männlich, offenherzig. Sie sollte mit ihm auf der Nachtfähre wegfahren, um seine Frau zu werden und mit ihm in Buenos Aires zu leben, wo sein Heim auf sie wartete. Wie gut erinnerte sie sich an das erste Mal, als sie ihn sah; er logierte in einem Haus an der Hauptstraße, wo sie immer Besuche machte. Es schien erst einige Wochen her zu sein. Er stand am Tor, die spitze Mütze nach hinten geschoben, und sein Haar fiel nach vorne in ein bronzenes Gesicht. Dann hatten sie sich kennengelernt. Jeden Abend holte er sie vor dem Laden ab und brachte sie nach Hause. Er ging mit ihr in *Die Zigeunerin*, und sie war in gehobener Stimmung, als sie mit ihm zusammen in einem ungewohnten Teil des Theaters saß. Er hatte Musik schrecklich gern und sang selber ein wenig. Die Leute wußten, daß sie miteinander gingen, und wenn er sang vom Mädchen, das den Seemann liebt, fühlte sie sich stets angenehm verwirrt. Aus Spaß nannte er sie immer Poppens. Zuerst war es ihr aufregend vorgekommen, einen Burschen zu haben, und dann hatte sie Gefallen an ihm gefunden. Er wußte Geschichten von fernen Ländern. Er hatte als Schiffsjunge für ein Pfund im Monat auf einem Schiff der Allan-Linie im Kanadadienst angefangen. Er nannte ihr die Namen der Schiffe, auf denen er gewesen war, und die Namen der verschiedenen Linien. Er war durch die Magellan-Straße gefahren, und er erzählte ihr Geschichten über die schrecklichen Patagonier. Er sei in Buenos Aires auf die Füße gefallen, sagte er, und in die alte Heimat sei er nur herübergekommen, um Ferien zu machen. Natürlich hatte ihr Vater von der Affäre Wind bekommen und ihr verboten, irgendetwas mit ihm zu tun zu haben.

– Ich kenne diese Seesäcke, sagte er.

Eines Tages hatte er mit Frank gestritten, und danach mußte sie ihren Geliebten heimlich treffen.

Der Abend wurde dunkler auf der Straße. Das Weiß der beiden Briefe auf ihrem Schoß wurde undeutlich. Der eine war an Harry; der andere an ihren Vater. Ernest war ihr der liebste gewesen, aber auch Harry mochte sie gern. Ihr Vater wurde in letzter Zeit alt, stellte sie fest; er würde sie vermissen. Manchmal konnte er sehr nett sein. Vor noch nicht so langer Zeit, als sie einen Tag lang das Bett hüten mußte, hatte er ihr eine Gespenstergeschichte vorgelesen und am Feuer für sie Toast gemacht. Ein andermal, als ihre Mutter noch am Leben war, hatten sie alle zusammen einen Ausflug zum Hill of Howth gemacht. Sie erinnerte sich, wie ihr Vater sich die Haube ihrer Mutter aufgesetzt hatte, um die Kinder zum Lachen zu bringen.

Ihre Zeit wurde allmählich knapp, aber sie blieb weiter am Fenster sitzen, lehnte den Kopf an den Fenstervorhang und atmete den Geruch von staubigem Kretonne ein. Weit entfernt auf der Straße konnte sie eine Drehorgel hören. Sie kannte die Melodie. Seltsam, daß sie ausgerechnet an diesem Abend zu hören war und sie an das Versprechen erinnerte, das sie ihrer Mutter gegeben hatte, ihr Versprechen, das Elternhaus so lang sie konnte zusammenzuhalten. Sie mußte an die letzte Nacht der Krankheit ihrer Mutter denken; wieder war sie in dem engen dunklen Zimmer auf der anderen Seite des Flurs, und draußen hörte sie eine wehmütige italienische Melodie. Den Drehorgelmann hatte man aufgefordert, zu verschwinden, und ihm Sixpence gegeben. Sie mußte daran denken, wie ihr Vater zurück ins Krankenzimmer gestelzt war und gesagt hatte:

– Diese verdammten Italiener! hier herüber zu kommen!

Während sie so sann, drang ihr die Vorstellung von dem kläglichen Leben ihrer Mutter wie eine Verwünschung bis ins Mark – dieses Leben aus banalen Opfern, das schließlich im Wahnsinn endete. Sie zitterte, als sie ihre Mutter wieder mit törichter Hartnäckigkeit sagen hörte:

– Derevaun Seraun! Derevaun Seraun!

Von jähem Schrecken gepackt, stand sie auf. Fliehen! Sie mußte fliehen! Frank würde sie retten. Er würde ihr Leben schenken, vielleicht auch Liebe. Aber sie wollte leben. Warum sollte sie unglücklich sein? Sie hatte ein Anrecht auf Glück. Frank würde sie in seine Arme nehmen, sie in seine Arme schließen. Er würde sie retten.

. . . .

Sie stand in der hin- und herdrängenden Menge auf den Landungsbrücken am North Wall Quay. Er hielt ihre Hand, und sie wußte, daß er auf sie einsprach, daß er immer wieder etwas von der Überfahrt sagte. Die Landungsbrücken waren voller Soldaten mit braunen Gepäckstücken. Durch die weiten Türen der Schuppen erblickte sie ein Stück der schwarzen Masse des Schiffes, das mit erleuchteten Bullaugen an der Mauer des Quays lag. Sie antwortete nichts. Ihre Wangen fühlten sich bleich und kalt, und aus einem Labyrinth der Seelennot heraus bat sie Gott, ihr den Weg zu weisen, ihr zu zeigen, was ihre Pflicht war. Die Schiffssirene tönte lang und kummervoll in den Nebel. Wenn sie ginge, wäre sie morgen mit Frank auf dem Meer, unterwegs nach Buenos Aires. Ihrer beider Überfahrt war gebucht. Konnte sie noch zurück nach allem, was er für sie getan hatte? Ihre Seelennot verursachte ihrem Körper Übelkeit, und immerfort bewegte sie die Lippen in stummem inbrünstigen Gebet.

Eine Glocke dröhnte gegen ihr Herz. Sie fühlte, wie er ihre Hand packte:

– Komm!

Alle Wasser der Welt brandeten um ihr Herz. Er zog sie in sie hinein: er würde sie ertrinken lassen. Sie klammerte sich mit beiden Händen an das Eisengitter.

– Komm!

Nein! Nein! Nein! Es war unmöglich. Wild umklammerten ihre Hände das Eisen. Inmitten der Wasser stieß sie einen Schrei der Qual aus!

– Eveline! Evvy!

Er trat schnell hinter die Absperrung und rief ihr zu, ihm zu folgen. Er wurde angebrüllt, er solle weitergehen, aber immer noch rief er nach ihr. Sie richtete ihr weißes Gesicht auf ihn, passiv, wie ein hilfloses Tier. Ihre Augen gaben ihm kein Zeichen der Liebe oder des Abschieds oder des Erkennens.

ALEXANDER MITSCHERLICH

Thesen über Grausamkeit

1. Die Grausamkeit war stärker als jede Kultur

Das Bild des Gekreuzigten hat unsere Kultur seit vielen Jahrhunderten begleitet. Freilich wird es selten mit vollem Bewußtsein betrachtet: eine Folterung mit Tötungsabsicht. Für die christliche Religion war dies die höchste Unrechtstat. Lösen wir die Kreuzigungsszene aus dem Zusammenhang gläubiger Überlieferung: der Tod am Kreuz wurde unzählige Male verhängt und erlitten. Ein Mensch, unbotmäßig gegen die herrschende Macht, wird um Leib und Leben gebracht. Es gibt aber sanfte Tode. Man hätte ihm die Pulsadern öffnen, ihn den Schirlingsbecher trinken lassen können. Aber diese letzte Güte in der Menschentötung durch Menschen wird ihm vorenthalten. Der schmerzlose Tod wird verweigert. Tod an sich ist noch nicht Strafe genug.

Wenn es so sein sollte, daß nicht Platz für beide ist, wenn einer den anderen töten will, so ist das noch keine Begründung für die Grausamkeit. Sie kommt erst als zweites Motiv zur Tötungsabsicht hinzu. Denn Grausamkeit ist Lustgewinn aus den Leiden des Gefolterten. In stilleren Zeiten, in kleinen Mengen im Alltag verteilt, bricht Grausamkeit periodisch in einem Sturm der Vernichtungswut über jene herein, die im Augenblick die Schwächeren sind.
Das an so vielen Plätzen aufgestellte Kreuz mit dem unter Qualen Verstorbenen ist ein Mahnmal: Töten heißt Schuld auf sich laden. Schuldgefühle sollen der Lust am Foltern entgegentreten. Wir müssen uns eingestehen, die Mahnung hat

versagt. Zu viele Menschen foltern nach Jahrtausenden der Predigt, des Gebots, nicht zu töten.
Lust ist erfinderisch, auch Folterlust. So ist es unausbleiblich, daß der Anblick des Gekreuzigten wider alle bewußte Absicht nicht nur Mitleid, Schuld erweckt, sondern verborgene, verbotene Lust am Töten und Zerstören.
Die Folterknechte sind keine andere, keine fremde Rasse. Mehr oder weniger sind wir alle verführbar, den Mitmenschen zu qälen. Auch die sind es, die solches weit von sich weisen. Sie wissen nur nicht, was sie tun.

2. *Weisheit wurde nicht angenommen*

Verlassen wir den uns gewohnten Kulturhorizont: versetzen wir uns in die indisch-chinesische Kulturwelt. Die großen Figuren des Buddha, des Konfuzius, Laotses haben hier als weisheitsgesättigte Weltüberwinder eine Ruhe vermittelt, die auch uns erhaben erscheint. Weisheit heißt hier Überlegenheit über den verblendenden Zwang, dem Verlangen nach Lust folgen zu müssen.
Wem ist aber die Selbstüberwindung, wie Buddha auf seinem Weg ins Nirwana bewies, gelungen? Das große Problem der Askese taucht auf. Bringt die Bekämpfung der Sinnlichkeit schon Freiheit? Welchen Einfluß hatte die großartige innere Freiheit Laotses auf die Milderung der ausgeklügeltsten Folterlüste, an denen die chinesische Geschichte so reich ist?
Weisheit wurde nicht angenommen, nicht bei uns aus der Vorbildlichkeit des Gekreuzigten, noch dort aus der Vorbildlichkeit des vom Zwang der Wiedergeburten Erlösten.
Man hat unserem Jahrhundert schon viele Namen gegeben, auch den eines »Jahrhunderts der Folter«. Einen Unterschied in der erbarmungslosen Verfolgung und lustvollen

Erniedrigung des Gegners kann man zwischen dem Westen und dem Fernen Osten beim besten Willen nicht entdecken.

3. »Erlösung« kommt nicht von außen

Die Kulturleistungen der großen Religionen nehmen sich aus wie der Diamant in der Kohlenhalde. An der vitalen Kraft, aus der Grausamkeit und Zerstörungslust leben, hat sich im Grundsatz nichts geändert. Unser Jahrhundert der Folter setzt mit neuem Schwung und ungeniert fort, worüber sich zuletzt auch das bürgerliche Jahrhundert in seinen imperialen Besitzungen nicht geschämt hat: den Stolz auf seine Brutalität.

Die Produktionskraft der Industriegesellschaften ist in wenigen Jahren schwindelhaft gestiegen. Aber auch das Ausmaß der Schrecken tat es. Es ist nicht mehr Not wie vor 30 Jahren, die neidisch, hämisch, unversöhnlich, boshaft machen müßte. Es ist überhaupt nicht nur die böse Gesellschaft, die uns da entfremdet.

Die Quellen der *Aggression* sind vielmehr Quellen, die *in* uns fließen, zu unserer Natur gehören.

Zu hoffen, daß wir von außen, von einem Heilbringer, von unseren Triebwünschen erlöst werden, ist leere Hoffnung. Wir können uns nur so weit frei oder unfrei fühlen, wie wir Kenntnis von uns selbst haben: nicht verklärte, sondern unbeschönigte Kenntnis. Zu dieser Einsicht gehört, daß wir in dauerndem *Konflikt* mit den Triebbedürfnissen, den Glückswünschen der anderen leben. Im besten Fall ist Kultur Anweisung zur Harmonisierung unserer Bedürfnisse. Dieser beste Fall ist selten. Erst wenn wir in uns erfahren haben, wie zäh wir an den Befriedigungen, die wir einmal kennengelernt haben, hängen, wie sehr uns der Sinn auch nach der kleinen Münze der Grausamkeit steht, können wir uns selbst Verzichte auferlegen.

4. *Autorität soll befreien, nicht zwingen*

Angesichts der verdeckten und unverdeckten Grausamkeit in aller Welt, müssen wir uns eingestehen, daß die großen Sittenlehrer und Sittenlehren der Menschheit gescheitert sind. So wenige sich ans große Vorbild halten konnten, wo sie selbst ins Gedränge der Versuchung kamen, so viele vergaßen total am Wochentag, was sie am Sonntag vielleicht dumpf zu begreifen begonnen hatten. Freud nannte das »Kulturheuchelei« und fand das durchschnittliche Individuum der Kultur von seiner Moral und ihrem Anspruch auf Triebverzicht überfordert. Hier scheint abermals die Grausamkeit geheimer Sieger zu bleiben. Verbirgt sie sich nicht in jenen verbietenden Moralen, die dem schwächlichen Individuum immer die Fehlerrechnung präsentieren und sich an der Qual seines Versagens verlustieren?

Der große Rückzug aus dem moralischen Engagement, die verächtliche Auflehnung gegen die Großmeister der Verbotsmoral, hat seine starke Wurzel darin, daß wir heute den geschichtlichen Weg der Menschheit besser kennen als je Menschen zuvor. Wir wissen, z. B., daß während wir uns noch vom Exzeß unserer kollektiven Grausamkeit im Zweiten Weltkrieg erholten, an anderen Stellen der Erde schon neue Exzesse aufbrachen.

Die Ermahnung, nett zueinander zu sein und einen Völkerbund zu gründen, ist eben keine Vorbeugung. Die Autorität, die uns belehren könnte, müßte uns durch *mehr* Wissen über uns befreiend helfen, statt uns vorzuspiegeln, mit gutem Willen wären in Jahrtausenden ausgetretene Fußstapfen der Brutalität zu vermeiden.

5. Die Lust an der Zerstörung bewußt machen

Von den wissenschaftlichen Erforschern des menschlichen Verhaltens haben wir zu lernen, daß die Zerstörungsleidenschaft einem Trieb in uns korrespondiert; und zwar geschieht das in jedem von uns. Diese Zerstörleidenschaft entspringt einer der Anlagen des Menschen, keine noch so fürsorgliche Gesellschaft kann uns die Aufgabe der Aggressionsmeisterung abnehmen. Dazu gehört die Überwindung des Wunsches, den Schwächeren zu quälen und in seinem Selbstwert zu erniedrigen. Unsere Gesellschaft kann uns zur Aufmerksamkeit erziehen, Selbsteinsicht nicht aufzugeben, wo wir rücksichtslos fordern und handeln wollen. Meist verdeckt sie aber gerade diese Aufgabe, wo geheiligte Vorrechte zu opfern wären.

Soll Moral im Zeitalter perfekter Vernichtungsmittel nicht zur privaten Kuriosität absinken, zum Deckmantel für Taten, die es zu verschleiern gilt, dann kann die Funktion der Moral nur darin bestehen, uns sanft, aber beharrlich zur Erweiterung unserer Selbstwahrnehmung anzuhalten. Wo sie sinnlos Tugenden fordert, die nicht ohne Schaden erreichbar sind, arbeitet sie im Dienst der Zerstörung: die verwüsteten Landschaften, die ermordeten namenlosen Scharen der Geschichte beweisen es. Sie wurden immer im Namen einer Tugend vernichtet, die sich selbst als die höhere – und deshalb zur Zerstörung privilegierte – verstand. Produktives Schuldgefühl (und nicht bloß quälendes) kann erst entstehen, wo die Lust an der Zerstörung innerlich voll erlebbar wird. Erst dann kann man darangehen, sich von ihrer überrumpelnden Herrschaft zu befreien.

Auf Vorbilder wird es auch weiterhin in jeder menschlichen Gesellschaft ankommen; die, nach denen wir suchen, müssen Ähnlichkeit mit uns selber haben. Sie müssen die Spuren unserer Sorgen und Nöte verraten. Auch die rettende Moral kann nicht mehr von außen erwartet werden: vielmehr geht die Forderung dahin, uns nach Kräften so zu entscheiden, daß andere sich nach uns richten können, ohne dadurch allzu heftig Schaden zu nehmen. Das erspart das Warten auf Wunder, die sicher nicht eintreten werden.

H. C. ARTMANN

DIE ANATOMIE

meiner antonia
sagt anselmo
vergleiche ich
mit der stunde
bevor es
regnet . .
bevor der
regen kommt
zwitschern
die vögel
eine weile . .
wenn dann
der regen
da ist und
leise in
den sommer
strömt
wird das gras
das wir leider
beim draufliegen
verdrückt hatten
wiederum
ganz
frisch . .

9. 4. 1955

DAS MÜSST IHR
gehört haben!
diese nachricht
ist ein wundervogel . .
paßt · eins
gut · zwei
auf · drei:
meine frau
ist so klein
und fein
daß sie in einem
seidenen holländerschuh
bequem
schlafen kann!
daher
sind auch
meine nächte
entsprechend
einsam . .
aus verzweiflung
habe ich mir nun
ein velociped
gekauft
und fahre seither
abstraktionen
in den schönen
asfalt der nacht . .
wirklich . . !
es heißt
das soll
abkühlen . . .

1. 4. 55

UM DER WAHRHEIT
die ehre zu geben
sagt der böse kaspar
muß ich gestehen
daß ich eigentlich
schon genügend frauen
geschändet habe . .
seid gerecht:
ich verdiene
ein sehr gut!
wohlan:
ich will versuchen
es aufzugeben
um brandstifter
zu werden . . .
ein bedeutungsvoller
wechsel zum schaden
der agricultur . . .
und kaspar tritt
an das letzte
seiner opfer heran
und spricht:
luzia mein schönes
vergiß o vergiß
was einstmals war
und sei
ein gutes gutes kind . .
hier!
nimm und wirf dies laternchen
dem bauer ins heu . . .
und luzia mit bebender hand
nimmt und wirft
das gläserne kästchen

sswscht
durch die nacht . .
heii
wie da die flammen hochzuckeln
bis hinauf
in die verschwindenden sterne . . .
welch exempel der pyrofilie!
. . . .
wie merkwürdig
denkt kaspar . .
was doch eine sittlich gefährdete
frau nicht alles im stande ist . . .

31.3.55

PETER HANDKE

Lebensbeschreibung

Was nützt es dem Menschen,
wenn er an der Seele gewinnt,
an der Welt aber Schaden leidet?

Gott erblickte das Licht der Welt in der Nacht vom vierundzwanzigsten zum fünfundzwanzigsten Dezember.

Die Mutter Gottes wickelte Gott in Windeln. Auf einem Esel flüchtete er sodann nach Ägypten. Als seine Taten verjährt waren, kehrte er in sein Geburtsland zurück, weil er fand, daß dort der Ort sei, an welchem ein jeder am besten gedeihen könnte. Er wuchs auf im stillen und nahm zu an Alter und Wohlgefallen. Es litt ihn in der Welt. Er wurde die Freude seiner Eltern, die alles daransetzten, aus ihm einen ordentlichen Menschen zu machen.

So erlernte er nach einer kurzen Schulzeit das Zimmermannshandwerk. Dann, als seine Zeit gekommen war, legte er, sehr zum Verdruß seines Vaters, die Hände in den Schoß.

Er trat aus der Verborgenheit. Es hielt ihn nicht mehr in Nazareth. Er brach auf und verkündete, daß das Reich Gottes nahe sei.

Er wirkte auch Wunder.

Er sorgte für Unterhaltung bei Hochzeiten. Er trieb Teufel aus. Einen Schweinezüchter brachte er auf solche Art um sein Eigentum. In Jerusalem verhinderte er eines Tages im Tempel den geregelten Geldverkehr. Ohne das Versammlungsverbot zu beachten, sprach er oft unter freiem Himmel. Aus der Langeweile der Massen gewann er einigen Zulauf. Indes predigte er meist tauben Ohren.

Wie später die Anklage sagte, versuchte er das Volk gegen

die Obrigkeit aufzuwiegeln, indem er ihm vorspiegelte, er sei der ersehnte Erlöser. Andererseits war Gott kein Unmensch. Er tat keiner Fliege etwas zuleide. Niemandem vermochte er auch nur ein Haar zu krümmen.

Er war nicht menschenscheu. Unbeschadet seines ein wenig großsprecherischen Wesens war er im Grunde harmlos.

Immerhin hielten einige Gott für besser als garnichts. Die meisten jedoch erachteten ihn für so gut wie nichts.

Deshalb wurde ihm ein kurzer Prozeß gemacht. Er hatte zu seiner Verteidigung wenig vorzubringen. Wenn er sprach, sprach er nicht zur Sache. Im übrigen blieb er bei seiner Aussage, daß er der sei, der er sei. Meist aber schwieg er.

Am Karfreitag des Jahres dreißig oder neununddreißig nach der Zeitwende wurde er, in einem nicht ganz einwandfreien Verfahren, ans Kreuz gehenkt.

Er sagte noch sieben Worte.

Um drei Uhr am Nachmittag, bei sonnigem Wetter, gab er den Geist auf.

Zur gleichen Zeit wurde in Jerusalem ein Erdbeben von mittlerer Stärke verzeichnet. Es ereigneten sich geringe Sachschäden.

Autoren · Quellenhinweise

THEODOR W. ADORNO

Am 11. 9. 1903 in Frankfurt am Main geboren, gestorben am 6. 8. 1969 in Visp bei Zermatt

Über Walter Benjamins »Deutsche Menschen«, S. 205

Aus: Über Walter Benjamin. Herausgegeben von Rolf Tiedemann. Suhrkamp Verlag Frankfurt am Main 1970 (Bibliothek Suhrkamp Band 260)

Resignation, S. 298

Aus: Theodor W. Adorno zum Gedächtnis. Eine Sammlung. Herausgegeben von Hermann Schweppenhäuser. Suhrkamp Verlag Frankfurt am Main 1971, S. 9-13

RAFAEL ALBERTI

Am 16. 12. 1902 in Cadiz geboren.

Im Erlenschatten, Liebste; An mein Schiff, S. 32

Aus: Zu Lande zu Wasser. Übertragung und Nachwort von Erwin Walter Palm. Suhrkamp Verlag Frankfurt am Main 1960 (Bibliothek Suhrkamp Band 60)

BEDA ALLEMANN

Zu Paul Celans neuem Gedichtband »Atemwende«, S. 263

Aus: Dichten und Trachten 29. Suhrkamp Verlag Frankfurt am Main 1967. S. 6-11 (Auch in: Über Paul Celan. Herausgegeben von Dietlind Meinecke. edition suhrkamp Band 495. Suhrkamp Verlag Frankfurt am Main 1970)

H. C. ARTMANN

Am 12. 6. 1921 in Wien geboren, lebt in Salzburg.

die anatomie; das müßt ihr; um der wahrheit, S. 324

Aus: ein lilienweißer brief aus lincolnshire. gedichte aus 21 jahren. herausgegeben und mit einem Nachwort von gerald bisinger. mit einem porträt h. c. artmanns von konrad bayer. Suhrkamp Verlag Frankfurt am Main 1969

INGEBORG BACHMANN

Am 25. 6. 1926 in Klagenfurt geboren, gestorben am 16. 10. 1973 in Rom.

Ludwig Wittgenstein. Zu einem Kapitel der jüngsten Philosophiegeschichte (gekürzte Fassung), S. 52

Aus: Ludwig Wittgenstein, Schriften. Beiheft. Suhrkamp Verlag Frankfurt am Main 1960

JÜRGEN BECKER

Am 10. 7. 1932 in Köln geboren, lebt dort.
Ein Weg zurück, S. 169
Aus: Felder. Suhrkamp Verlag Frankfurt am Main 1964 (edition suhrkamp Band 61), S. 127-133
Über die »Ränder«, S. 295
Aus: Dichten und Trachten 30. Suhrkamp Verlag Frankfurt am Main 1968, S. 27-29

SAMUEL BECKETT

Am 13. 4. 1906 in Dublin geboren, gestorben am 22. 12. 1989 in Paris.
aber diese Geschichten, S. 85
Aus: Wie es ist. Übertragen von Elmar Tophoven. Suhrkamp Verlag Frankfurt am Main 1961, S. 393-397

THOMAS BERNHARD

Am 9. 2. 1931 in Heerlen/Holland geboren, gestorben am 12. 2. 1989 in Gmunden/Oberösterreich.
Rede, S. 195
Danksagung bei der Entgegennahme des Österreichischen Staatspreises für Literatur 1968. Aus: Über Thomas Bernhard. Herausgegeben von Anneliese Botond. Suhrkamp Verlag Frankfurt am Main 1970 (edition suhrkamp Band 401), S. 7-8

ERNST BLOCH

Am 18. 7. 1885 in Ludwigshafen geboren, gestorben am 4. 8. 1977 in Tübingen.
Heimat, S. 25
Aus: Das Prinzip Hoffnung. Suhrkamp Verlag Frankfurt am Main 1959, S. 1627-1628
Selbstanzeige zu ›Naturrecht und menschliche Würde‹, S. 61
Aus: Dichten und Trachten 17. Jahresschau des Suhrkamp Verlages im Frühjahr 1961, S. 20-22

HANS BLUMENBERG

Am 13. 7. 1920 in Lübeck geboren, lehrte zuletzt in Münster Philosophie.
Begriffsstatus, S. 213
Aus: Die Legitimität der Neuzeit. Suhrkamp Verlag Frankfurt am Main 1966. Erneuerte Ausgabe 1988, S. 11-19

VOLKER BRAUN
Am 7. 5. 1939 in Dresden geboren, lebt in Berlin.
Nach dem Treffen der Dichter gegen den Krieg, S. 203
Aus: Vorläufiges. Gedichte. Suhrkamp Verlag Frankfurt am Main 1966, S. 36–37

BERTOLT BRECHT
Am 10. 2. 1898 in Augsburg geboren, gestorben am 14. 8. 1956 in Berlin.
Leben des Galilei, S. 147
Aus: Leben des Galilei. In: Große kommentierte Berliner und Frankfurter Ausgabe. Herausgegeben von Werner Hecht, Jan Knopf, Werner Mittenzwei, Klaus-Detlef Müller. Band 5. Suhrkamp Verlag Frankfurt am Main 1988, S. 275-285

HANS CHRISTOPH BUCH
Am 13. 4. 1944 in Wetzlar geboren, lebt in Berlin.
Historische Begebenheit, S. 237
Aus: Unerhörte Begebenheiten. Sechs Geschichten. Suhrkamp Verlag Frankfurt am Main 1966

PAUL CELAN
Am 23. 11. 1920 in Czernowitz geboren, gestorben am 5. 5. 1970 in Paris.
Geschriebenes, S. 262
Aus: Atemwende. Suhrkamp Verlag Frankfurt am Main 1969
Briefe an Nelly Sachs, S. 268
Aus: Paul Celan. Herausgegeben von Werner Hamacher und Winfried Menninghaus. Suhrkamp Verlag Frankfurt am Main 1988 (suhrkamp taschenbuch materialien Band 2083), S. 14–19

TANKRED DORST
Am 19. 12. 1925 in Oberlind bei Sonnenberg/Thüringen geboren, lebt in München.
Toller, S. 289
Aus: Toller. Suhrkamp Verlag Frankfurt am Main 1968 (edition suhrkamp Band 294), S. 54-60

MARGUERITE DURAS
Am 4. 4. 1914 in Giadinh/Indochina geboren, lebt in Paris.
Hiroshima mon amour. Exposé, S. 87
Aus: Hiroshima mon amour. Übertragen von Walter Maria Gug-

genheimer. Suhrkamp Verlag Frankfurt am Main 1961 (suhrkamp taschenbuch Band 112, 1973), S. 7-15

GÜNTER EICH

Am 1. 2. 1907 in Lebus an der Oder geboren, gestorben am 20. 12. 1972 in Salzburg.
Die Herkunft der Wahrheit; Zum Beispiel; Rest, S. 161
Aus: Zu den Akten. Suhrkamp Verlag Frankfurt am Main 1964
Maulwürfe, S. 285
Aus: Maulwürfe. Prosa. Suhrkamp Verlag Frankfurt am Main 1968, S. 7, 8-9, 11, 13

HANS MAGNUS ENZENSBERGER

Am 11. 11. 1929 in Kaufbeuren geboren, lebt in München.
Landessprache, S. 34
Aus: Landessprache. Gedichte. Suhrkamp Verlag Frankfurt am Main 1960
Absicht, S. 103
Zu: Einzelheiten. In: Dichten und Trachten, 19. Folge. Suhrkamp Verlag Frankfurt am Main, Frühjahr 1962, S. 15-18

MAX FRISCH

Am 15. 5. 1911 in Zürich geboren, lebt dort.
Andri und der Pater, S. 95
Aus: Andorra. Suhrkamp Verlag Frankfurt am Main 1961, S. 83-88

JÜRGEN HABERMAS

Am 18. 6. 1929 in Düsseldorf geboren, lebt in Frankfurt am Main.
Das philosophische Testament Adornos, S. 304
Aus: Theodor W. Adorno wäre am 11. September 66 Jahre alt geworden. In: Theodor W. Adorno zum Gedächtnis. Suhrkamp Verlag Frankfurt am Main 1971, S. 32-38

PETER HANDKE

Am 6. 12. 1942 in Griffen/Kärnten geboren, lebt in Paris.
Das Kartenspiel, S. 228
Aus: Die Hornissen. Roman. Suhrkamp Verlag Frankfurt am Main 1966, S. 193-198
Als ich »Verstörung« von Thomas Bernhard las, S. 255
Aus: Über Thomas Bernhard. Herausgegeben von Anneliese Botond. Suhrkamp Verlag Frankfurt am Main 1970 (edition suhrkamp Band 401), S. 100-106

Über meinen neuen Roman »Der Hausierer«, S. 275
Aus: Dichten und Trachten 29. Suhrkamp Verlag Frankfurt am Main 1967, S. 27-29
Lebensbeschreibung, S. 328
Aus: Peter Handke: Prosa Gedichte Theaterstücke Hörspiel Aufsätze. Suhrkamp Verlag Frankfurt am Main 1969, S. 99-100

HERMANN HESSE

Am 2. 7. 1877 in Calw geboren, gestorben am 9. 8. 1962 in Montagnola.
Ein Brief an Peter Weiss, S. 67
Aus: Dichten und Trachten 24. Suhrkamp Verlag Frankfurt am Main, 2. Halbjahr 1964, S. 40-42
Brief im Mai, S. 109
Aus: Gesammelte Briefe. Unter Mitwirkung von Heiner Hesse herausgegeben von Ursula und Volker Michels. Vierter Band 1949-1962. Suhrkamp Verlag Frankfurt am Main 1986, S. 418-424
Die letzten Gedichte, S. 117
Aus: Hermann Hesse zum Gedächtnis. Herausgegeben von Siegfried Unseld. Suhrkamp Verlag Frankfurt am Main 1962 (Privatdruck)

WOLFGANG HILDESHEIMER

Am 9. 12. 1916 in Hamburg geboren, lebt in Poschiavo/Schweiz.
Wirklichkeit, S. 129
Aus: Vergebliche Aufzeichnungen. Suhrkamp Verlag Frankfurt am Main 1963 (edition suhrkamp Band 23), S. 35-39
Von der Herrlichkeit, widerlegt zu werden, S. 233
Dankrede anläßlich der Verleihung des Bremer Literaturpreises 1966. Aus: Dichten und Trachten 27. Suhrkamp Verlag Frankfurt am Main, 1. Halbjahr 1966, S. 61-65

BOHUMIL HRABAL

Am 28. 3. 1914 in Brünn geboren, lebt in Prag.
Die Sonne ging unter, S. 240
Aus: Tanzstunden für Erwachsene und Fortgeschrittene. Übertragen von Franz Peter Künzel. Suhrkamp Verlag Frankfurt am Main, 1965, S. 82-83

UWE JOHNSON

Am 20. 7. 1934 in Cammin/Pommern geboren, gestorben am 23. 2. 1984 in Sheernes-on-Sea.

Die Taube auf dem Dach, S. 13
Aus: Mutmassungen über Jakob. Roman. Suhrkamp Verlag Frankfurt am Main 1959, S. 157-167
Versuch, ein Kopiergerät zu kaufen, S. 69
Aus: Das dritte Buch über Achim. Roman. Suhrkamp Verlag Frankfurt am Main 1961, S. 114-120

YASUSHI INOUE
Am 6. 5. 1907 in Asahikawa geboren, lebt in Tokio.
Das Jagdgewehr, S. 176
Aus: Das Jagdgewehr. Aus dem Japanischen von Oskar Benl. Suhrkamp Verlag Frankfurt am Main 1964 (Bibliothek Suhrkamp Band 137), S. 7-18

JAMES JOYCE
Am 2. 2. 1882 in Dublin geboren, gestorben am 13. 1. 1941 in Zürich.
Eveline, S. 312
Aus: Dubliner. Übertragen von Dieter E. Zimmer. Werke. Frankfurter Ausgabe Band 1. Herausgegeben von Klaus Reichert unter Mitwirkung von Fritz Senn. Suhrkamp Verlag Frankfurt am Main 1969, S. 35-40

HERMANN KASACK
Am 24. 7. 1896 in Potsdam geboren, gestorben am 10. 1. 1966 in Stuttgart.
Ende; Der Schneefall, S. 197
Aus: Wasserzeichen. Neue Gedichte. Suhrkamp Verlag Frankfurt am Main 1964, S. 62, 11

MARIE LUISE KASCHNITZ
Am 31. 1. 1901 in Karlsruhe geboren, gestorben am 10. 10. 1974 in Rom.
Beschreibung eines Dorfes, S. 224
Aus: Beschreibung eines Dorfes. Suhrkamp Verlag Frankfurt am Main 1966 (edition suhrkamp Band 188), S. 7-12

HEINAR KIPPHARDT
Am 8. 3. 1922 im Schlesischen geboren, gestorben am 18. 11. 1982 in München.
Ein Zeuge sagt aus, S. 173
Aus: In der Sache J. Robert Oppenheimer. Schauspiel. Suhrkamp

Verlag Frankfurt am Main 1964. Der Text folgt der überarbeiteten Fassung von 1977 (edition suhrkamp Band 64), S. 128-131

KARL KROLOW

Am 11. 3. 1915 in Hannover geboren, lebt in Darmstadt.
Schlaf; Erwachen, S. 23
Aus: Fremde Körper. Neue Gedichte. Suhrkamp Verlag Frankfurt am Main 1959
Pomologische Gedichte, S. 278
Aus: Alltägliche Gedichte. Gedichte 1965 bis 1967. Suhrkamp Verlag Frankfurt am Main 1968 (Bibliothek Suhrkamp Band 219), S. 37-47

THOMAS MANN

Am 6. 6. 1875 in Lübeck geboren, gestorben am 12. 8. 1955 in Kilchberg bei Zürich.
Ernst Penzoldt zum Abschied, S. 106
Aus: Gesammelte Werke in 13 Bänden, Band X, Reden und Aufsätze. 2. $ 1960, 1974 S. Fischer Verlag GmbH, Frankfurt am Main (auch in: Dichten und Trachten. 20. Folge. Jahresschau des Suhrkamp Verlages im Frühjahr 1962)

HERBERT MARCUSE

Am 19. 7. 1898 in Berlin geboren, gestorben am 29. 7. 1979 in Starnberg.
Zum Begriff der Negation in der Dialektik, S. 247
Aus: Ideen zu einer kritischen Theorie der Gesellschaft. Suhrkamp Verlag Frankfurt am Main 1969 (edition suhrkamp Band 300), S. 185-190

HANS MAYER

Am 19. 3. 1907 in Köln geboren, lebt in Tübingen.
Brecht und die Humanität (Auszug), S. 187
Aus: Anmerkungen zu Brecht. Suhrkamp Verlag Frankfurt am Main 1965 (edition suhrkamp Band 143), S. 98-107

ALEXANDER MITSCHERLICH

Am 20. 9. 1908 in München geboren, gestorben am 26. 6. 1982 in Frankfurt am Main.
Über die deutschen Einfamilienweiden, S. 184
Aus: Die Unwirtlichkeit unserer Städte. Anstiftung zum Unfrieden. Suhrkamp Verlag Frankfurt am Main 1965 (edition suhrkamp Band 123), S. 9-13

Thesen über Grausamkeit, S. 318
Aus: Die Idee des Friedens und die menschliche Aggressivität. Suhrkamp Verlag Frankfurt am Main 1969 (Bibliothek Suhrkamp Band 233), S. 99-104

PAUL NIZON
Am 19. 12. 1929 in Bern geboren, lebt in Paris.
Mein Fall, S. 141
Zu: Canto. Aus: Dichten und Trachten. 22. Folge. Jahresschau des Suhrkamp Verlages, Herbst 1963, S. 3-9

HANS ERICH NOSSACK
Am 31. 1. 1901 in Hamburg geboren, dort gestorben am 2. 11. 1977.
Rede vor der Sahitya Academy in Neu Delhi, S. 100
Aus: Dichten und Trachten XVIII. Jahresschau des Suhrkamp Verlages im Herbst 1961, S. 58-60

NELLY SACHS
Am 10. 12. 1891 in Berlin geboren, gestorben am 12. 5. 1970 in Stockholm.
Chor der Geretteten; Geschirmt sind die Liebenden; Immer; Stimme des Heiligen Landes; Kommt einer; Du; Diese Kette; So einsam, S. 76
Aus: Fahrt ins Staublose. Die Gedichte der Nelly Sachs. Suhrkamp Verlag Frankfurt am Main 1961

GERSHOM SCHOLEM
Am 5. 12. 1897 in Berlin geboren, gestorben am 20. 2. 1982 in Jerusalem.
Die 36 verborgenen Gerechten in der jüdischen Tradition, S. 133
Aus: Judaica 1. Suhrkamp Verlag Frankfurt am Main 1963 (Bibliothek Suhrkamp Band 106), S. 216-234

GEORGE STEINER
1929 geboren, lehrt in Cambridge.
An den deutschen Leser, S. 242
Vorwort zur deutschsprachigen Ausgabe: Sprache und Schweigen. Essays über Sprache, Literatur und das Unmenschliche. Deutsch von Axel Kaun. Suhrkamp Verlag Frankfurt am Main 1969, S. 7-10

GIUSEPPE UNGARETTI

Am 10. 2. 1888 in Alexandria geboren, gestorben am 1. 6. 1970 in Mailand.
Sich gleich; Lucca; Finale, S. 58
Aus: Gedichte. Deutsch von Ingeborg Bachmann. Suhrkamp Verlag Frankfurt am Main 1961 (Bibliothek Suhrkamp Band 70)

MARTIN WALSER

Am 24. 3. 1927 in Wasserburg geboren, lebt in Überlingen.
Mehr kann eine Frau nicht erreichen, S. 40
Aus: Halbzeit. Roman. Suhrkamp Verlag Frankfurt am Main 1960, S. 121-128
Der Monolog des Alois Grübel, S. 127
Aus: Eiche und Angora. Eine deutsche Chronik. Suhrkamp Verlag Frankfurt am Main 1962, S. 80-82
Brief Anselm Kristleins an seinen Verleger, S. 198
Zu: Das Einhorn. Roman. In: Dichten und Trachten 28. 2. Halbjahr 1966. Suhrkamp Verlag Frankfurt am Main, S. 5-10

PETER WEISS

Am 18. 11. 1916 in Nowawes bei Berlin geboren, gestorben am 10. 5. 1982 in Stockholm.
Durch die halboffene Tür, S. 27
Aus: Der Schatten des Körpers des Kutschers. Suhrkamp Verlag Frankfurt am Main 1960, S. 7-11
Zwei Stationen, S. 64
Aus: Abschied von den Eltern. Erzählung. Suhrkamp Verlag Frankfurt am Main 1961, S. 8-9, S. 18-20
Auf dem Damm der Seine, S. 124
Aus: Fluchtpunkt. Roman. Suhrkamp Verlag Frankfurt am Main 1962. S. 304-307
Gespräch über Tod und Leben, S. 164
Aus: Die Verfolgung und Ermordung Jean Paul Marats, dargestellt durch die Schauspielgruppe des Hospizes zu Charenton unter Anleitung des Herrn de Sade. (12. Szene). Suhrkamp Verlag Frankfurt am Main 1964, S. 35-39

LUDWIG WITTGENSTEIN

Am 26. 4. 1889 in Wien geboren, gestorben am 29. 4. 1951 in Cambridge.
Die Welt ist alles, was der Fall ist, S. 47
Aus: Tractatus logico-philosophicus. Suhrkamp Verlag Frankfurt Main 1960

SV

DIE SIEBZIGER JAHRE

Ein Suhrkamp Lesebuch

Erste Auflage 1990

Quellenhinweise am Schluß des Bandes
Satz: IBV Satz- und Datentechnik GmbH, Berlin
Druck: Ebner Ulm
Printed in Germany

DIE SIEBZIGER JAHRE

Ein Wort zuvor

Dieses Buch ist eines der vier Lesebücher, die der Suhrkamp Verlag anläßlich seines vierzigjährigen Bestehens vorlegt: es sind die Fünfziger Jahre, die Sechziger Jahre, die Siebziger und Achtziger Jahre, deren Autoren hier versammelt und aus deren im genannten Zeitraum erschienenen Büchern Texte geboten werden.

Vor 40 Jahren gründete Peter Suhrkamp seinen Verlag neu; erste Autoren waren Hesse und Brecht, T.S. Eliot und Proust, Adorno und Benjamin; als »junger Autor« trat Max Frisch hinzu. 40 Jahre später ist dieses Verlagsprogramm wirksam entfaltet: Herausragende zeitgenössische deutschsprachige Autoren; immer wieder der Versuch »der junge Autor«; ein Programm großer internationaler Autoren wie Joyce, Beckett, Duras, der Mexikaner Octavio Paz, der Peruaner Mario Vargas Llosa, der Japaner Yasushi Inoue, die Chinesin Ding Ling, die Russin Marina Zwetajewa, der Pole Czesław Miłosz, der Spanier Jorge Semprun, die Katalanin Mercè Rodoreda, der Israeli Amos Oz. Die Basis Adorno/Benjamin wurde erweitert mit den Werken von Ernst Bloch, Michel Foucault, Herbert Marcuse, Alexander Mitscherlich, Max Raphael, Gershom Scholem, Georg Simmel, Claude Lévi-Strauss und Ludwig Wittgenstein bis hin zu den Werken von Jürgen Habermas, Niklas Luhmann, Dieter Henrich, Manfred Frank und vieler jüngerer Wissenschaftler.

Die vier Lesebücher, die sich auf Belletristisches konzentrieren und nur gelegentlich die wissenschaftliche Dimension des Programms, die eigens vorgestellt werden soll, andeuten, wollen ein Fazit verlegerischen Wirkens ziehen. Sie spiegeln die Geschichte des Verlages wie die Geschichte

der deutschsprachigen Literatur dieser vier Jahrzehnte. Den Lesern seien diese Kompendien angeboten, zum Überblick für die einen, den anderen, vor allem den jüngeren Lesern, zum Hinführen zu Werken, die entdeckt oder neuentdeckt werden sollten.

Eine Einladung zum Lesen also: Wie war es »damals« in den 50er, 60er, in den 70er Jahren, und was ereignet sich heute in der Literatur der jüngsten Autoren.

Siegfried Unseld

Inhalt

THOMAS BERNHARD

... tatsächlich habe Konrad im Zimmer seiner Frau wochenlang eine Hacke versteckt gehabt

... tatsächlich habe Konrad im Zimmer seiner Frau wochenlang eine Hacke versteckt gehabt, eine ganz gewöhnliche Holzhacke, er, Konrad, habe aber seine Frau nicht mit dieser Hacke erschlagen, sagt Höller, sondern erschossen, die Hacke sei wochenlang hinter dem Krankensessel auf der Fensterbank gelegen und dort verstaubt. Als Tatzeit wird drei Uhr früh vermutet, aber es ist auch von anderen Zeiten die Rede, so heißt es im Lanner immer wieder, Konrad habe seine Frau um *vier Uhr* früh umgebracht, im Laska, um *ein Uhr,* im Stiegler, um *fünf Uhr* früh, im Gmachl um *zwei.* Niemand, auch Höller nicht, hat einen Schuß gehört. Während er selbst das Sickinger Kalkwerk als den einzigen ihm noch möglichen Ort bezeichnete, sagt Wieser, sei ihm, Konrad, Sicking in Wahrheit nach und nach und in den letzten beiden Jahren, so Fro, mit geradezu bösartiger Schnelligkeit zum Verhängnis, im Grunde ihm selber auf das Tödlichste bewußt zu einer einzigen deprimierenden Niederlage geworden, Wieser sagt auf seine Art ganz pathetisch: zur Tragödie. Während er, Konrad, schon sehr früh alles versucht habe und auch alles getan habe, in den Besitz des Kalkwerks zu kommen, das zwar immer schon in der Familie der Konrad, aber durch Erbschliche, wie Konrad einmal Fro anvertraut haben soll, zwischen den beiden Weltkriegen in die Hände von Konrads Neffen Hörhager gespielt worden sei, das Kalkwerk käuflich zu erwerben, war an die drei oder gar vier Jahrzehnte Konrads Wunschtraum gewesen, der sich, das muß gesagt werden, meinte Fro, immer schwieriger, aber dann auf einmal doch über Nacht, wie Wieser meint, verwirklichen habe lassen, Konrad habe schon in der Kindheit an der Vorstellung gearbeitet, sich einmal im Kalkwerk niederzulassen, meint Fro, von frühester Jugend an habe er den Plan, einmal in das Kalkwerk einziehen und in ihm hausen zu können verfolgt, Besitz zu ergreifen von dem alten Mauerwerk, den Rest des Lebens in der, wie Konrad selbst einmal zu Fro gesagt haben soll, absoluten Isolierung von Sicking auf seine ihm mehr und mehr zur Notwendigkeit gewordenen intensiven Art und vor allem immer von seinem ihm tatschächlich noch immer vollkommen gehorchenden Kopfe aus zu verbrauchen, habe er sich schon früh vorgenommen, aber der unaufhörlich von seinem Neffen Hörhager in die Höhe getriebene Kaufpreis und das fortwährende Ja und Nein des Neffen, den Verkauf des Kalkwerks an Konrad betreffend, die ihn, Konrad, geradezu sadistisch anmutende fortwährende Willensänderung des Neffen, der alle Augenblicke einmal zusicherte, das Kalkwerk zu verkaufen, dann aber wieder plötzlich von einem Verkauf an Konrad nichts wissen wollte, der immer wieder drohte, er werde wohl das Kalkwerk verkaufen, aber nicht an Konrad, dann wieder versprach, das Kalkwerk nur an Konrad zu verkaufen, der an einem Tag Konrad die Zusicherung gab, das Kalkwerk zu verkaufen, am nächsten diese Zusicherung wieder zurückzog oder von einer solchen an Konrad gegebenen Zusicherung auf einmal immer wieder nichts mehr wissen wollte, dieses ständige Verkaufenwollen und Nichtverkaufenwollen, die unaufhörliche, in Wahrheit durch nichts gerechtfertigte Preishinauftreibung (Fro), von Tag zu Tag hatte das Kalkwerk einen höheren, immer einen immer noch höheren Preis, zermürbten Konrad, aber er wäre nicht er selbst gewesen, wenn er nicht gegen und vor allem gegen alle diese, wie er gesagt haben soll, unmenschlichen Widerstände schließlich doch in den Besitz des Kalkwerks gekommen und in das Kalkwerk eingezogen wäre. Während man aber also ruhig sagen kann, meint Wieser, daß

Konrad jahrzehntelang alles getan habe, um schließlich und endlich in den Besitz des Kalkwerks zu kommen und mit immer rücksichtsloserer Schärfe diesen Plan vorangetrieben und verfolgt und eines Tages tatsächlich verwirklicht habe, habe seine Frau, die, und das hängt mit ihrer Verkrüppelung und Unbeweglichkeit zusammen, solange sie im Kalkwerk gelebt hat, außer dem Höller, dem Bäcker, dem Rauchfangkehrer, dem Friseur, dem Gemeindearzt und der Störschneiderin kein Mensch je zu Gesicht bekommen hat, die Konrad, von welcher gesagt wird, daß sie zwar verkrüppelt, aber von großer Schönheit gewesen sei, habe also die Konrad alles versucht und auch alles getan, um nicht in das Kalkwerk gehen zu müssen, er, ihr Mann, meint Wieser, habe naturgemäß immer nur an seine Studie gedacht, für die ihm immer das Kalkwerk als ein ideales erschienen war, sie aber befürchtete schon zu der Zeit, in welcher ihr Mann die ersten, damals von ihr kaum noch ernst genommenen Gedanken an das Kalkwerk wie sie später immer wieder gesagt habe, regelmäßig, ja mit einer in der Folge zunehmenden leidenschaftlichen Gewohnheit, gehabt habe, daß ihr ja schon genug trauriges Leben mit der Verwirklichung des Vorhabens ihres Mannes, ins Kalkwerk einzuziehen, in eine mehr oder weniger fürchterliche Existenz einmünden werde, was sich auch, wie man heute weiß, bewahrheitet hat; sie hat nach Toblach, in ihren Elternort und in ihr Elternhaus, zurückgehen wollen, aber nach Toblach zurückgehen hätte für ihn nichts anderes als die endgültige Aufgabe seiner Studie und also auch seines Existenzzweckes und in der Folge auch für seine Frau, in Wahrheit Konrads Halbschwester, nichts anderes als die totale mutwillige Existenzvernichtung noch dazu im Ausland bedeutet, denn die Abhängigkeit seiner Frau von ihm war die vollkommenste, die man sich vorstellen kann, sagt Wieser, und es habe in jedem Falle immer nur eine tödliche Wirkung, aus Verzweiflung und Ratlosigkeit und letzter Lebensanstrengung und also aus doppelter Verzweiflung und doppelter Ratlosigkeit, weil man ganz einfach keinen anderen Ausweg mehr weiß und weil man weiß, daß es ganz einfach keinen Ausweg mehr gibt, keinen Ausweg mehr geben kann, schließlich das Elternhaus im Elternort und in der Elternlandschaft wieder aufzusuchen, den sogenannten Rettungsort. Tatsächlich wäre seiner Frau immer Toblach als der alleridealste Rettungsort unter allen anderen Rettungsorten im Gedächtnis gewesen, das alleridealste Toblach fortwährend im Gegensatz zu dem für sie furchtbaren Sicking, das sie fürchtete. Aber gerade nach Sicking sind die beiden gegangen, er, sagt Fro, habe sich durchgesetzt, sie habe das Kalkwerk immer gehaßt, sie habe immer alles versucht, ihn von der Idee, in das Kalkwerk zu gehn, abzubringen, seinen Neffen Hörhager habe sie zuerst zu überreden versucht, das Kalkwerk nicht oder jedenfalls nicht an Konrad zu verkaufen, dann habe sie den Neffen Konrads zu bestechen versucht, habe dem Neffen, sagt Fro, sogar eine sechsstellige Summe angeboten, für den Fall daß er das Kalkwerk nicht an Konrad, sondern an einen andern verkauft, schließlich habe sie dem Hörhager gedroht, ihn abwechselnd erpreßt und gewarnt und ihm gedroht, aber das alles habe nichts genützt, sagt Fro, Konrad habe sich durchgesetzt, wie er sich immer und in jedem Falle immer durchgesetzt habe, wie Fro sagt.

UWE JOHNSON

29. Oktober, 1967

29. Oktober, 1967 Sonntag. Wechsel von Sommer- auf Winterzeit

Gestern, gegen Mittag, in der 53. Straße an der Fünften Avenue, händigten Schauspieler einer Passantin eine Wasserpistole aus rotem Kunststoff aus, drängten sie in einen Kreis und forderten sie auf, einen Halbwüchsigen zu erschießen, der ihr als Angehöriger der Viet Cong vorgestellt wurde. Das Mädchen, eine zwanzig Jahre alte Deutsche zu Besuch in der Stadt, richtete ihre Waffe direkt auf den Jungen und löste den Schuß aus. Das Opfer fiel, lag in Spreizhaltung auf dem Bürgersteig. Als die Schauspieler inmitten der Schaulustigen sich davongemacht hatten, war der Vorfall für Fräulein Gritli Kux noch lange nicht klar.

Die evangelische Kirche zu Jerichow, bei der Cresspahl wegen Anmeldung eines Kindes vorsprach, war immer noch die Kirche von Pastor Methling, so lange war er in der Stadt gewesen, sichtbar, fühlbar, hörbar.

Sichtbar, ein Mann von bald zwei Metern und noch fast zwei Zentnern, dem der Talar um den Bauch weit genug war, jedoch um die Knöchel zu kurz, so daß er unter dem schwarzen Kittel oft lehmige Stiefel zeigte beim Abschreiten der Stadtstraße, erhobenen Kopfes unterwegs zu Hausbesuchen, gesenkten Kopfes hinter Swensons Leichenwagen her, und wie seine Gemeindemitglieder ihn bei dem einen Mal hätten zum Säcketragen schicken mögen, so trauten sie bei dem anderen nicht seiner Darstellung von Demut. Denn er schrie sie an. Als er im Herbst 1927 von Probst Swantenius eingeführt wurde, hatten sie einen abgekämpften Seelenhirten erwartet, zum Abverdienen der Pension in eine kleine Stadt abgeschoben, gerade noch tüchtig genug zur Ausschmückung der Feste. Mit Milde fing der Neue gar nicht erst an. Ebenso ließ er sich nicht ein auf die Gewohnheit, daß die Kirche zu den feierlichen Gelegenheiten nur bestellt wurde, damit an der Hochzeit oder Geburt nichts fehlte (»damit alles seine Ordnung hat«). Er kam auch ungebeten ins Haus, da mußte gar nicht jemand krank sein, und setzte sich so breit, daß allenfalls Einer wie Peter Wulff um Bewirtung herumkam. Und er brachte die Kirche mit zu Festen, die sein Vorgänger zu Hause begangen hatte: Tag der Reichsgründung, Kaisers Geburtstag, Schlacht bei Tannenberg. Er gründete ein Gemeindeblatt »Rund um die Petrikirche«, und ließ es sich nicht pro Stück bezahlen, sondern gleich das ganze Unternehmen, mit Spenden. Er mußte nur ein paar Sonntage hintereinander über die »Trägheit des Herzens« unter besonderer Berücksichtigung von Jerichow predigen (»wüten« nannte Ottje Stoffregen das), und Maaß am Markt bekam nicht nur das Geld für seine Druckerrechnung auf Vorlage, sondern zusätzlich Aufträge, für Plakate. Er brachte es fertig, in Jerichow, wo schon ein zehnjähriger Junge zum Mitarbeiten angehalten wurde, eine Gruppe »Eiserner Ring« zu gründen, und hielt die Kinder mit Übungen in Kluft und Abzeichen auf, und wenn er ihnen auch die Mitgliedschaft in politischen Vereinigungen verbot, die »Schildschaft« mußte bei Versammlungen doch in Uniform auftreten, und ihr Spruch war »Grip tau – Holl wiss«, und damit war gewiß nicht gemeint, ein Deutscher solle loslassen was er besaß, in der Hand oder in Gedanken. Pastor Methling zeigte sein hartes Ei von einem Kopf, an dem vorn ganz wenig Gesicht angebracht war, freundlich angehobenen Kinnes auf den Familienfotos und im Gneezer Tageblatt, denn er war eingenommen von der ausgeprägten Form und hielt sie für echt mecklenburgisch und niederdeutsch, und so ließ er sich auch vernehmen gegenüber den Stadtverordneten, die nun mit einem Mal in ihren Beratun-

gen ein »Interesse der Kirche« berücksichtigen mußten, von dem sie früher weniger bemerkt hatten. Und die Adligen, die den neuen Pastor bei Dienstantritt zur Vorstellung beordert hatten, wurden seine Besuche nicht mehr los, und wenn er eine Freifrau von Plessen auf der Straße grüßte, so tat er das nicht mit dem Versuch angenommener Gleichberechtigung, wie doch immerhin der alte Papenbrock, sondern führte die Hand recht langsam an die Hutkrempe und kippte die Kopfbedeckung im Drehen des Handgelenks so feierlich, daß die Herablassung auffiel, und wenn Louise Papenbrock das mit seiner besseren Kenntnis der Bibel rechtfertigte, so mußte Pächter Kleineschulte etwas anderes verstanden haben, seit er vor Pastor Methling nicht mehr den Hut schwenkte, sondern die Peitsche.
Er machte sich fühlbar. Er begann mit der Aufforderung an die Gemeinde, im Gottesdienst die Hüte und Mützen nicht auf die Bankwagen zu hängen; er ging weiter mit dem Verlangen an Wöchnerinnen, für die Genesung mit einem Kirchgang zu danken; er hatte sich durchgesetzt, als er durch Beschluß des Kirchgemeinderats Frakturbuchstaben (statt Antiqua) auf Grabsteinen zur Bedingung machte, damit ein Deutscher deutsch sei, auch im Verrotten. Kam die Mutter eines unehelichen Kindes nicht freiwillig, so konnte er sie sich schicken lassen durch eine Gutsverwaltung, und hatte auf dem selben Wege genug erfahren zur Demütigung der Mädchen, und ließ es ohne Tränen nicht abgehen. Er hatte dem Fleischer Methfessel die Taufe seines Sohns verweigert, weil Methfessel nur mit der Gebühr bezahlen wollte, nicht aber mit dem Aufsagen der Versicherung, er werde den jungen Erdenbürger in chrislichem Geiste erziehen und zu christlichen Taten anhalten. Nicht nur Methfessel hatte klein beigegeben. Sie ließen sich Methlings joviales Betragen gefallen, weil es ihn wenn nicht neben die so doch in die Nähe der Herrschaften rückte. Seine Vertraulichkeiten, seine Starrhalsigkeit, seine Salbaderei auf vaterländi-

schen Kundgebungen lud auch ein zu Unternehmungen gegen ihn. Mit ihm sich anlegen, es mochte Geld kosten, es konnte Spaß einbringen. Ein Mädchen hatten sie ihm noch nicht anhängen können. Daß er gern einen trank, gab er selbst zu oft zu, als daß es für eine Beschwerde bei der Superintendentur in Gneez gereicht hätte. Aber schon die Erde am Stiefel, die Jerichows ländliche Umstände bloßstellen sollte, war gut für Kopfschütteln oder Vergnügen daran, daß ein Endsechziger so sich gehen ließ. Und einmal hatten sie ihn hereingelegt, zum Reformationsfest 1931, als das Handwerk nicht wie er dachte mit Zylindern gegen den Bau einer katholischen Kirche demonstrierte, sondern die Einkünfte aus dem Auftrag feierte. In der Stadt galt Papenbrock als der einzige, der Methling gewachsen war; hatte er seine jüngste Tochter für Methling arbeiten lassen, so doch nicht ohne einen Gewinn, mochte er vorläufig undeutlich sein.

Und Pastor Methling machte sich hörbar. Leider hatte Methling eine Sorge. Oder war es eine Konkurrenz, oder geradezu ein Feind? Manchmal nannte er ihn das Element der Gottlosen, und seine Zuhörer hätten an die Kommunistische Partei denken können. Im Frühjahr 1932 wurde der Irrtum offenbar. Methling predigte über die Namensgebung und warnte vor jüdisch-griechischen Ableitungen, aber der plattdeutsche Akzent in seinem tönenden Baß war in siebzehn Dienstjahren an der Grenze zu Brandenburg ein wenig ausgewaschen. Methling, Mitglied und Abonnent aller mecklenburgischen Heimatbünde, sprach von der Kanzel herab über die völkische Forderung nach reinrassigen Ehen und nannte sie berechtigt. Unter der Kanzel saß Methlings Frau, klein, schmächtig, auffällig älter als er, mit einem vor Verschüchterung fast tauben Blick, mit blanken schwarzen Haaren in einem Dutt, kinderlos, von Kindern auf der Straße umlaufen, nicht Methlings Rasse. Rasse hielt Methling für eine irdische Schranke, die in der Ewigkeit aufgelöst werde; er wollte die Juden achten und lieben und zum rechten Glauben bekehren – regiert werden wollte er nicht von ihnen, (das sei nicht christlich). Er sagte den Juden Geldgier nach, und seine Gemeinde entsann sich Methlings Vorliebe, kirchliche Dienstleistungen in Bargeld zu beziehen. Dr. Semig hatte oft genug im Preis nachgelassen. Er sprach von der jüdischen Gleichgültigkeit gegen die Idee der Nation, aber er hatte in der Heimat gepredigt, als Semig im Graben lag. Er meinte gar nicht Semig selbst, er meinte nicht den Kleiderhändler Taunebaum in der Kurzen Straße, obgleich er beiden Kaufgräber auf seinem Friedhof nur mit 100% Aufpreis abgelassen hätte; er meinte Volkstum, germanisches Erbe, Rassenehre. Jetzt ging Semig nicht mehr auf die Straße und nicht ins Hotel Stadt Hamburg. Jetzt saß Semig zu Hause, neben einem stillen Telefon, vor einem Terminblock, auf dem noch im Dezember einige Bestellungen standen, jetzt fast keine.

Wilhelm Methling war noch in Jerichow, obwohl er nach seiner Verabschiedung ein geerbtes Haus in Gneez bezogen hatte. Von da aus redigierte er weiterhin sein Blatt rund um den Turm der Petrikirche, mit der Unterstützung des Lehrers Stoffregen. Stoffregen schrieb kleine Aufsätze über Ortsgeschichte in der Umgebung von Jerichow, er tat auch eingesandten Kindermund und Familiennachrichten und Fotos von übriggebliebenen Windmühlen ins Blatt, aber Methling saß in Gneez und schrieb über Bäume, Bäume im Volkslied, in der Sage, notfalls an der Chaussee, und kam von jedem auf die Stammbäume, auf Staemmlers Gesetzentwurf zur Rassenscheidung, auf Eheverbot und Vorfahrenforschung (siehe den Stammbaum Jesu im Buch Lukas), nur daß er jetzt Geld verlangte für das Amt des Schriftleiters, das er vorher Ehren halber verwaltet hatte. Und Methling war es, der in einer Einwohnerversammlung in Gneez das Glückwunschtelegramm an den neuen Reichskanzler formuliert hatte, beim Verlesen fotografiert vom Gneezer Tageblatt, ein alter Mann voll kindlicher Freude, seine Lebens-

ziele nicht übergangen sondern an der Regierung zu sehen, ein großes glänzendes mecklenburgisches Ei von einem Kopf, oben etwas flächig und an den Seiten leicht zusammengedrückt und knitterig.
Da wollte Cresspahl sein Kind anmelden.
Als er vor dem Pfarrhaus stand, sah er das Schild des neuen Pastors, Brüshaver, und erinnerte sich. Die Vordertür war verschlossen. Cresspahl ging seitlich um das Haus, über die matschige Einfahrt der Gärtnerei Creutz, aber die Pforte des Pfarrgartens war verschlossen, und hinter den rötlich spiegelnden Fenstern regte sich Keiner.
Bei uns, an der nördlichen Grenze unseres Viertels, steht die Kirche des Heiligen Johannes von Gottes Gnaden, die größte gotische Kathedrale der Welt, drei Blocks breit, von der 111. bis zur 113. Straße an der Amsterdam Avenue, begonnen 1891, nicht weitergebaut seit 1941, nicht fertig ohne die geplante Mittelkuppel und die beiden Türme zum Westen hin. Wir haben sie schon immer die Kathedrale des Unvollendeten Johannes genannt. Jetzt soll sie es bleiben, solange Horace W. B. Donegan Bischof von New York ist, bis die Qual der benachteiligten Bürger in den umgebenden Slums gelindert ist. Das sind zwei verschiedene Daten.

– Das verstehe ich nicht: sagt Marie: Wieso hab ich durch die Umstellung der Uhr eine Stunde zurückbekommen?
– Weil du am 30. April eine Stunde weniger schlafen konntest. Die Sommerzeit hatte dich zu früh aus dem Bett geholt.
–Und wenn ich mich nun nicht erinnere, ist es dann auch noch wirklich?

GÜNTER EICH

Ein Tibeter in meinem Büro

Mein Gedächtnis ist so gut geworden, daß ich die vielen Erinnerungen nicht mehr unterbringe. Wohin damit, in meine Steinzeit oder mein Quattrocento? Ich habe kein Datum mehr frei. Aber sie sind nicht wegzubringen, vermehren sich noch und ich könnte mit dem gleichen Recht sagen, mein Gedächtnis sei schlechter geworden. Ich habe mir eine Registratur einrichten müssen, Lochkarten, doppelte bis dreifache Buchführung, Ordnung nach Alphabet und Sachgruppen.

Ich verbringe dort den ganzen Tag und denke streng behördlich. Parteienverkehr von 8 mit 12. Meine Erinnerungen im Vorzimmer, Gewerbetreibende, Bittsteller, halten sich nicht an die Zeiten, kein Essen, kein Trinken, ganz bedürfnislos, sie warten. Sie haben alle Gestalt angenommen, das werfe ich ihnen vor. Ich wage mich nicht mehr hinaus, beobachte sie durchs Schlüsselloch, aber das Schlüsselloch ist kein gesunder Zustand.

Einer, der ist neu, hat einen Röhrenhut auf, höher als ein Zylinder, auch schwarz. Tibetischer Lama, denke ich mir gleich, aber wieso trägt er blonde Haare bis auf die Schulter? Om mani padme hum kann es nicht sein, auch nicht a plus b ins Quadrat, das wäre kürzer geschoren. Bestimmt kenne ich ihn gut, bestimmt eine Sentenz. Die Tiefe der Dinge ist ihre Oberfläche. Von Nietzsche. Aber ich will garnicht wissen, woher. Wohin mit dem Tibeter, wieso ist er geblieben, und gerade jetzt? Mein Tibetisch ist nicht besonders.

Mich stört auch, daß sie miteinander sprechen, Freundschaften schließen, Verbindungen eingehen, womöglich Kinder zeugen, die dann mit zu meinen Erinnerungen gehören, das wird mir wie gesagt zuviel. Der Tibeter zum Beispiel mit der Pik sieben. Ist das Junge dann eine Sentenz oder ein Liebesverhältnis oder eine Mischung, das stelle ich mir furchtbar vor. Mein Büro käme durcheinander und Fluchtwege habe ich nicht, ich müßte immer durch die Gesellschaft hindurch und alle würden mich am Ärmel zupfen und mich Vater nennen.

Exkurs über die Milz

Halten wir die Milz in Reserve! Wenn wir zum Beispiel der Zeit auf die Sprünge kommen, kann das die Milz übernehmen. Da hat sie zu tun ohne sich zu überanstrengen. Aber wie ich die Milz kenne, wird sie wieder alles den Geisteswissenschaften überlassen wollen und das gibt Ärger.
Die Milz ist ein faules Organ. Komm, alte Milz, sag mir, was ich am Eschersheimer Tor gesagt habe. Das Eschersheimer Tor habe ich nicht aufgenommen, es steht außerhalb meines Lebens. Gewiß gibt es Punkte auf der Welt, die ich milzähnlich verwende, ich weise ihnen Funktionen zu, sie übernehmen mein Gedächtnis, so habe ich mich auf vier Kontinenten eingerichtet, muß fleißig herumfahren, um alles beisammen zu haben. Aber das Eschersheimer Tor? Ich weiß nicht einmal, ob es nicht Turm heißt.
Was sagte ich am Eschersheimer Turm? Ariadnefaden, Leuchtfeuer? Orientierung braucht man nicht nur in Frankfurt. Schon die Oder kann zu Irrtümern verleiten. Ach liebe Milz, erinnere dich an die Oderbuhnen, bring alles durcheinander! Es ist so selten, daß man alles in einem Punkt beisammen hat, in einem zugespitzten Augenblick, der den ganzen Bleistift enthält.
Am Eschersheimer Turm sagte ich was ich immer sage. Aber dort sprach ich es aus, wie man mir sagt. Ich sprach es am Eschersheimer Turm aus wie in Kyoto und Vézelay,

– zwei meiner Milzorte. Einmal ausgesprochen ist für immer gesagt, zu meinem Leidwesen. Man möchte manches wieder einatmen und in der Milz hinterlegen, ziemlich tief links außen, man möchte seine bescheidenen Geheimnisse behalten.

für Uwe Johnson

ÖDÖN VON HORVÁTH

Original Zaubermärchen

Erstes Bild

Schauplatz: Im Hintergrund ein Regiment Soldaten mit Fahne in Paradeaufstellung. Daneben die Musik.
Johann, ein Soldat. Feldwebel. Musikmeister.

FELDWEBEL Stillgestanden! Rührt euch! Stillgestanden! Rührt euch! Daß mir nur alles klappt! Ihr Sauhorde! Wie stehst denn du schon wieder da? Gleich laß ich dich umanand, daß mit dem Arsch auf die Uhr schaust!

MUSIKMEISTER Apropos Uhr: du Feldwebel – wir haben doch noch Zeit, bis die Exzellenzen kommen?

FELDWEBEL Oh noch lang!

MUSIKMEISTER Dann ist schon gut – wir haben nämlich heut Abend ein Ständchen zum Spielen zugunsten der Mutterhilfe, und die kleine Nachtmusik klappt noch nicht ganz – wir werden pianissimo inzwischen üben. Also los!
Sie üben pianissimo.

FELDWEBEL *schreitet die Front ab, bleibt vor Johann stehen:* Was soll das?

JOHANN Melde gehorsamst, was, Herr Feldwebel?

FELDWEBEL Der Knopf.

JOHANN Melde gehorsamst, wieso, Herr Feldwebel?

FELDWEBEL Wieso? Was ist denn mit dem Knopf los? Ist das aber ein Saustall! In so einem Knopfe muß sich der Himmel spiegeln! Siehst du den Himmel, du Drecksau?

JOHANN Melde gehorsamst, nein, Herr Feldwebel!

FELDWEBEL Nein? Und ausgerechnet heut! Bei der Herbstparade! Umdrehen! *Johann dreht sich um.*
Hinten gehts ja – aber vorn! Der Knopf wird uns blamie-

ren! Der Knopf wird unser Unglück! Wenn der Kriegsminister den Knopf sieht, wird er demissionieren müssen! Da beschwört so ein Lümmel eine Krise hervor! Na wart!

JOHANN Melde gehorsamst, Herr Feldwebel, ich hab den Knopf geputzt.

FELDWEBEL Geputzt?

JOHANN Ich hab ihn drei Tage und drei Nächte geputzt. Ich hab meinen ganzen Urlaub damit verbracht. Ich bin nirgends hin. Meine Braut hat sich beschwert und ihre Freundinnen haben mich ausgelacht – ich hab den Kopf geputzt, aber er wird nicht blank.

FELDWEBEL Das gibt es nicht!

JOHANN Aber ich habe mein Möglichstes getan. Vielleicht liegt es am Knopf.

FELDWEBEL Am Knopf? Du weißt wohl nicht, was du da sprichst! Den Knopf hat der Staat geliefert – der Staat liefert keine schlechten Knöpfe! Das ist eine Beleidigung des Staates! Ich hätt gut Lust und tät dich einkerkern lassen!

Hauptmann kommt.

Feldwebel schlägt die Hacken zusammen. Zur Stelle! 1458 Mann, Herr Hauptmann, 798 Kanonen, 40 Tanks, 126 Pferde, 586 Doppeldecker, 12 Maschinengewehre leichte und schwere, 800 Minenwerfer, 10000 Fahnen, 1238452 Knöpfe!

HAUPTMANN Danke! Na? Alles in Ordnung? Klappts?

FELDWEBEL Alles, Herr Hauptmann! Die Kanonen sind sauber! Die Pferde zahm, die Flugzeuge gut – alles klappt, bis auf einen Knopf.

HAUPTMANN Knopf?

FELDWEBEL Er ist nicht geputzt, Herr Hauptmann.

HAUPTMANN Skandal! Wer ist denn der Kerl!

FELDWEBEL Der Dritte von rechts!

HAUPTMANN Soll mal her! *Tritt auf ihn zu.* Also das ist er. Ich sehe, ich sehe. Ja was bilden Sie sich denn ein?! Mit einem solchen Knopf zur Parade! Na jetzt ist nichts mehr zu ändern! Aber wenn die Exzellenz das sieht, dann ist es aus!

JOHANN Melde gehorsamst, Herr Hauptmann – ich habe den Knopf geputzt, aber er wird nicht anders.

HAUPTMANN Also das ist eine Unverschämtheit!

Posaune in der Ferne; Defiliermarsch.

Der General! Jetzt ist schon alles wurscht!

Hauptmann zieht den Säbel und salutiert.

General mit Gefolge, darunter der Erfinder in Frack, kommt.

General schreitet die Front ab, stutzt etwas vor Johann; dann zum Hauptmann.

HAUPTMANN *erstattet Bericht:* Melde gehorsamst, Herr General! 1458 Mann, *usw.* – 10000 Fahnen, 1238453 Knöpfe.

GENERAL *zählt für sich nach:* 1238453 Knöpf – stimmt! Aber ein Knopf war dazwischen, der mir nicht gefallen hat. Zur Kritik, meine Herren! Sowas, wie das mit dem Knopf darf nicht vorkommen – es gefährdet zuguterletzt das Ansehen des Staates. Der Mann gehört exemplarisch bestraft. Festung, Folterung. Schad, daß die Folter schon abgeschafft ist, meiner Seel! – Es fällt auch auf Sie ein schlechtes Licht. Daß mir das nicht wieder vorkommt! So! Und jetzt wollen wir weitergehen – Meine Herren! Der Herr hier hat eine Kanone erfunden, und die wollen wir prüfen! Wenn das stimmt, was der Herr hier sagt, dann meine Herren, ist das grandios! Stellen Sie sich eine Kanone vor, mit deren Hilfe man eine Mücke treffen kann, und zwar auf zehn Kilometer Länge, in der Stratosphäre!

ERFINDER Verzeihung, aber auf unbeschränkte Länge!

GENERAL Unfaßbar!

ERFINDER Ich kann auch eine Fliege treffen, die sich im Weltraum bewegt – sagen wir mal eine Fliege zwischen

Venus und Merkur, oder in der Nähe des Saturn oder Mars.

GENERAL Mars! Bravo! Wenn es klappt, so ist das etwas ganz Großes.

Die Kanone wird hereingezogen – sie ist sehr klein.

ERFINDER Die Kanone hat den Vorteil der großen Wendigkeit, großer Tragbarkeit.

GENERAL Bravo!

HAUPTMANN Verzeihung, aber ich komm noch nicht ganz mit. Sie schießen also mit dieser Kanone nach Mücken, Fliegen –

ERFINDER Nach Bienen, Wespen, Brummer, – kurz alle Insekten!

GENERAL Auch Flöhe, Läuse?

ERFINDER Natürlich! Wanzen alles! Aber das hat keinen praktischen Wert.

GENERAL Richtig!

HAUPTMANN Aber wir sind doch Soldaten! Wir schießen doch auf Menschen, auf die Leut und nicht auf Mücken!

ERFINDER Bitte mich nur anzuhören! Es ist gewissermaßen ein indirektes Kriegführen, Herr Sachverständiger! Die Sache ist so: mit dieser Kanone schießen wir jedes einzelne feindliche Insekt tot – dann gibt es aber auch keine Befruchtung auf der Erde unter Pflanzen, stellen Sie sich das vor: die Leut verhungern einfach, sie haben keine Äpfel, keine Birnen, nichts wächst mehr –

HAUPTMANN Und der Weizen? Und der Hafer?

GENERAL Weizen, Hafer! Ist doch wurscht! Aber wenn der Feind keine Äpfel mehr hat, keine Birnen – stellens Ihnen das vor, wenns kein Zwetschendatschi mehr gibt!

ERFINDER Und keine Blumen!

GENERAL Und keine Blumen! Da freut einen ja das ganze Leben nicht mehr! Wenn man die kleinen Blümlein nicht mehr hat unter Strauch und Baum. Sie berücksichtigen eben nicht das seelische Moment, das mythische – die seelische Widerstandskraft wird gebrochen, trotz Weizen, Hafer und Gerste, Hopfen und Malz! Stellens Ihnen vor, eine Welt ohne Blumen!

HAUPTMANN Richtig!

GENERAL Nun wollen wir aber doch mal eine Probe machen!

ERFINDER Sofort! *Er schießt.* Ich stelle ein auf 347 Meter. Es war eine weibliche Stechmücke. Lateinisch: Culicida. Sie ist getroffen. Die Kugel hat ihr das Herz zerschmettert. *Ein Soldat bringt die Mücke.* Hier! *Die Mücke wird von Hand zu Hand gereicht.* Herr Generaloberarzt!

ARZT Der Mücke wurde das Herz zerschmettert. Ausschuß. Einschuß – sofort tot.

GENERAL Fabelhaft! Grandios!

HAUPTMANN Darf ich etwas fragen? Was kostet so ein Schuß?

ERFINDER Ja, er ist relativ teuer. Sechzehntausend Gulden.

GENERAL Pst! Zu teuer!

ERFINDER Wir könnten ihn eventuell auf fünfzehntausendneunhundertneunundneunzig Gulden – wenn ich noch daran arbeite.

GENERAL Das wäre tragbar.

HAUPTMANN Das schon.

GENERAL Also ich danke meine Herren! Ich finde es wunderbar – hoffentlich wird es zur Ehre und Würde unserer Nation beitragen! Zum Wohle unseres Vaterlandes! Für ein starkes Reich!

Musiktusch.

Was ich aber noch sagen wollte – vergessen Sie das nicht, das mit dem Knopf. Exemplarische Strafe, bitt ich mir aus! *Ab.*

HAUPTMANN *zum Feldwebel:* Da haben wir den Saustall! Warum geben Sie auch nicht mehr obacht! Der Kerl gehört gebügelt! *Ab!*

FELDWEBEL Na wart, Johann! Wie heißt denn du?

JOHANN Johann.

FELDWEBEL Du kommst noch vor ein Kriegsgericht. Nehmt ihm die Gewehre ab! Säbel ab! Rechts um! Marsch!

CLAUDE LÉVI-STRAUSS

Bororo-Gesang

a) Arie des Vogelnestaushebers

Die Bororo-Indianer Zentralbrasiliens, deren Gebiet sich einst vom oberen Tal des Rio Paraguay bis jenseits des Araguaya-Tals erstreckte, erzählen sich unter anderem folgenden Mythos:

M I (Referenzmythos). Bororo: o xibae e iari, »die Aras und ihr Nest«

In sehr alter Zeit trug es sich zu, daß die Frauen in den Wald gingen, um die Palmzweige zu sammeln, die zur Herstellung der *bá* dienten: der Penisbeutel, die den Jünglingen bei der Initiation übergeben werden. Ein Knabe folgte heimlich seiner Mutter, überraschte und vergewaltigte sie.

Als sie nach Hause kam, bemerkte ihr Ehemann die ausgerupften Federn, die noch an ihrem Rindengürtel hafteten und denen glichen, mit denen sich die jungen Leute schmücken. Da er ein Abenteuer witterte, befahl er, daß ein Tanz stattfinden sollte, denn er wollte herausbekommen, welcher Jüngling einen solchen Schmuck trug. Zu seiner großen Bestürzung stellt er fest, daß nur sein Sohn in Frage kommt. Der Mann fordert einen neuen Tanz – mit demselben Ergebnis.

Überzeugt von seinem Unglück und rachedurstig schickt er seinen Sohn zum »Nest« der Seelen, mit dem Auftrag, ihm die große Tanzklapper *(bapo)* zu bringen, nach der ihn gelüstet. Der junge Mann zieht seine

Großmutter zu Rate, und diese verrät ihm, welch tödliche Gefahr mit diesem Unternehmen verbunden ist; sie empfiehlt ihm, sich der Hilfe des Kolibris zu versichern.

Als der Held in Begleitung des Kolibris an das Wasser gelangt, in dem die Seelen wohnen, wartet er am Ufer, während der Kolibri hurtig hinüberfliegt und die Schnur durchhackt, an der die Klapper hängt: das Instrument fällt ins Wasser und tönt: »jo!« Von diesem Geräusch aufgeschreckt, schießen die Seelen Pfeile ab. Aber der Kolibri fliegt so schnell, daß er mit seiner Beute unversehrt das Ufer erreicht.

Nun befiehlt der Vater seinem Sohn, ihm die kleine Klapper von den Seelen zu holen, und es wiederholt sich die gleiche Geschichte in allen Einzelheiten, wobei das hilfreiche Tier diesmal der schnelle Juriti-Vogel (*Leptoptila* sp., eine Taube) ist. Im Laufe einer dritten Expedition bemächtigt sich der Sohn der *buttoré:* rasselnde Schellen aus den Hufen des Caetetu-Wildschweins *(Dicotyles torquatus),* die auf eine Schnur gezogen sind; man trägt sie um den Knöchel gerollt. Es hilft ihm die große Heuschrecke (*Acridium cristatum*, E. B., Bd. I, S. 780), die etwas langsamer fliegt als die Vögel, so daß die Pfeile sie öfters treffen, ohne sie jedoch zu töten.

Wütend darüber, daß seine Pläne vereitelt wurden, fordert der Vater seinen Sohn auf, mit ihm zu kommen, um Aras zu fangen, die an den Felswänden nisten. Die Großmutter weiß nicht so recht, wie dieser neuen Gefahr zu begegnen sei, gibt ihrem Enkel aber einen Zauberstab, an dem er sich festhalten kann, falls er abstürzen sollte.

Die beiden Männer gelangen zum Fuß der Felswand; der Vater stellt eine lange Stange dagegen und befiehlt seinem Sohn, hinaufzuklettern. Kaum hat dieser die

Höhe der Nester erreicht, schlägt sein Vater die Stange nieder; der Knabe hat gerade noch Zeit, seinen Stab in einen Felsspalt zu stecken. Er bleibt im Leeren hängen und schreit um Hilfe, während sein Vater von dannen geht.

Unser Held entdeckt eine Liane in Reichweite; er packt sie und zieht sich mühsam zum Gipfel hinauf. Nachdem er sich ausgeruht hat, macht er sich auf die Suche nach Nahrung, fertigt aus Zweigen einen Bogen und Pfeile, jagt die Eidechsen, von denen es auf dem Plateau wimmelt. Er tötet eine Menge von ihnen und hängt sich, als er satt ist, die restlichen an den Gürtel und die Baumwollbänder, die seine Arme und Knöchel umschlingen. Aber die toten Eidechsen verwesen und verströmen einen so widerlichen Gestank, daß der Held in Ohnmacht fällt. Die Aasgeier *(Cathartes urubu, Coragyps atratus foetens)* stürzen auf ihn nieder, verschlingen zuerst die Eidechsen und wagen sich dann an den Körper des Unglücklichen, wobei sie bei den Hinterbacken beginnen. Durch den Schmerz kommt der Held wieder zu sich und verjagt seine Angreifer, die ihm bereits sein ganzes Hinterteil abgenagt haben. So gesättigt werden die Vögel zu Rettern: mit ihrem Schnabel packen sie den Helden an seinem Gürtel und seinen Bein- und Armbändern, fliegen davon und legen ihn sanft am Fuß des Berges nieder.

Der Held kommt zu sich, »so, als erwache er aus einem Traum«. Er hat Hunger, ißt wilde Früchte, muß aber feststellen, daß er, mangels einer Unterlage, die Nahrung nicht bei sich behalten kann. Sie entweicht seinem Körper, ohne verdaut worden zu sein. Zuerst ratlos, erinnert sich der Knabe sodann an eine Erzählung seiner Großmutter, wo der Held ein ähnliches Problem löste, indem er sich aus einem Teig aus zerdrückten Knollen ein künstliches Hinterteil knetete.

Nachdem er auf diese Weise seine physische Integrität wiedererlangt und sich endlich sattgegessen hat, kehrt er in sein Dorf zurück, das er verlassen vorfindet. Lange irrt er umher auf der Suche nach den Seinen. Eines Tages entdeckt er Fußspuren sowie die Spuren eines Stockes, die er als die seiner Großmutter erkennt. Er folgt ihnen, aber da er fürchtet, sich zu zeigen, nimmt er die Gestalt einer Eidechse an, deren Treiben lange Zeit die alte Frau und ihren zweiten Enkel, den jüngeren Bruder des Helden, neugierig macht. Endlich beschließt er, sich ihnen in seiner wahren Gestalt zu erkennen zu geben. [Um zu seiner Großmutter zu gelangen, verwandelt sich der Held nacheinander in vier Vögel und einen Schmetterling, nicht identifiziert, Colb. 2, S. 235 f.]

In dieser Nacht gab es einen heftigen Sturm, begleitet von einem Gewitter, und alle Feuerstellen des Dorfes wurden ausgelöscht, außer der der Großmutter, zu der am folgenden Morgen alle Leute kamen und um Glut baten, vor allem die zweite Frau des mörderischen Vaters. Sie erkennt ihren tot geglaubten Stiefsohn und rennt weg, um ihren Mann zu benachrichtigen. So als wäre nichts geschehen, ergreift dieser seine rituelle Rassel und heißt seinen Sohn mit den Gesängen willkommen, mit denen die Rückkehr der Reisenden begrüßt wird.

Der Held indessen sinnt auf Rache. Eines Tages, als er mit seinem kleinen Bruder im Wald spazieren geht, bricht er vom Api-Baum einen Ast, der verzweigt war wie ein Geweih. Nach den Anweisungen des Älteren erbittet und erhält das Kind vom Vater das Versprechen, daß er eine gemeinsame Jagd anordnet; in ein kleines Mea-Nagetier verwandelt, erkundet er, ohne sich blicken zu lassen, wo sein Vater auf der Lauer liegt. Der Held bewaffnet sodann seine Stirn mit dem falschen Geweih, verwandelt sich in einen Hirsch und stürzt mit solcher Wucht auf seinen Vater los, daß er ihn aufspießt. Immer noch galoppierend, lenkt er seine Schritte zu einem See, in den er sein Opfer wirft. Alsbald wird dieses von den Buiogoé-Geistern, kannibalischen Fischen, aufgefressen. Von dem makabren Festmahl bleiben auf dem Grund des Wassers nur die entfleischten Knochen übrig sowie die Lungen, die in Form von Wasserpflanzen auf der Oberfläche schwimmen, und ihre Blätter, so heißt es, sehen aus wie Lungen.

Wieder ins Dorf zurückgekehrt, rächt sich der Held auch an den Frauen seines Vaters (von denen die eine seine eigene Mutter ist).

Dieser Mythos ist Gegenstand eines Liedes, genannt *xobogeu,* das dem Paiwoé-Clan gehört, dem Clan des Helden (Colb. *3*, S. 224 bis 229; 343-347). Eine ältere Version schließt wie folgt: Der Held erklärte: Ich will nicht mehr mit den Orarimugu leben, die mich schlecht behandelt haben, und ich werde ihnen Wind, Kälte und Regen schicken, um mich an ihnen und an meinem Vater zu rächen. Dann führte er seine Großmutter in ein fernes, schönes Land und kehrte zurück, um die Indianer zu bestrafen, so wie er gesagt hatte (Colb. 2, S. 236).

LUDWIG WITTGENSTEIN

Über Gewißheit

106. Ein Erwachsener hätte einem Kind erzählt, er wäre auf dem Mond gewesen. Das Kind erzählt mir das, und ich sage, es sei nur ein Scherz gewesen, Soundso sei nicht auf dem Mond gewesen; niemand sei auf dem Mond gewesen; der Mond sei weit, weit von uns entfernt, und man könne nicht hinaufsteigen oder hinfliegen. – Wenn nun das Kind darauf beharrte: es gebe vielleicht doch eine Art, wie man hinkommen könne, und sie sei mir nur nicht bekannt, etc. – was könnte ich erwidern? Was könnte ich Erwachsenen eines Volksstamms erwidern, die glauben, Leute kämen manchmal auf den Mond (vielleicht deuten sie ihre Träume so), und die allerdings zugeben, man könnte nicht mit gewöhnlichen Mitteln hinaufsteigen oder hinfliegen? – Ein Kind wird aber für gewöhnlich nicht an so einem Glauben festhalten und bald von dem überzeugt werden, was wir ihm im Ernst sagen.

107. Ist dies nicht ganz so, wie man einem Kind den Glauben an einen Gott, oder daß es keinen Gott gibt, beibringen kann, und es je nachdem für das eine oder andere triftig scheinende Gründe wird vorbringen können?

108. »Aber gibt es denn da keine objektive Wahrheit? Ist es nicht wahr, oder aber falsch, daß jemand auf dem Mond war?« Wenn wir in unserm System denken, so ist es gewiß, daß kein Mensch je auf dem Mond war. Nicht nur ist uns so etwas nie im Ernst von vernünftigen Leuten berichtet worden, sondern unser ganzes System der Physik verbietet uns, es zu glauben. Denn diese verlangt Antworten auf die

Fragen: »Wie hat er die Schwerkraft überwunden?«, »Wie konnte er ohne Atmosphäre leben?« und tausend andere, die nicht zu beantworten wären. Wie aber, wenn uns statt allen diesen Antworten entgegnet würde: »Wir wissen nicht, *wie* man auf den Mond kommt, aber die dorthin kommen, erkennen sofort, daß sie dort sind; und auch du kannst ja nicht alles erklären.« Von Einem, der dies sagte, würden wir uns geistig sehr entfernt fühlen.

109. »Ein Erfahrungssatz läßt sich *prüfen*« (sagen wir). Aber wie? und wodurch?

110. Was *gilt* als seine Prüfung? – »Aber ist dies nicht eine ausreichende Prüfung? Und, wenn ja, muß sie nicht in der Logik als solche erkannt werden?« – Als ob die Begründung nicht einmal zu Ende käme. Aber das Ende ist nicht die unbegründete Voraussetzung, sondern die unbegründete Handlungsweise.

111. »Ich *weiß*, daß ich nie auf dem Mond war.» – Das klingt ganz anders unter den tatsächlichen Umständen, als es klänge, wenn manche Menschen auf dem Mond gewesen wären und vielleicht mancher, ohne es selbst zu wissen. In *diesem* Falle könnte man Gründe für dies Wissen angeben. Ist hier nicht ein ähnliches Verhältnis, wie zwischen der allgemeinen Regel des Multiplizierens und gewissen aufgeführten Multiplikationen?
Ich will sagen: Daß ich nicht auf dem Mond gewesen bin, steht für mich *ebenso* fest, wie irgendeine Begründung dafür feststehen kann.

112. Und ist [es] nicht das, was Moore sagen will, wenn er sagt, er *wisse* alle jene Dinge? – Aber handelt sich's wirklich darum, daß er's weiß, und nicht darum, daß gewisse dieser Sätze für uns feststehen müssen?

113. Wenn Einer uns Mathematik lehren will, wird er nicht damit anfangen, uns zu versichern, er *wisse*, daß a + b = b + a ist.

114. Wer keiner Tatsache gewiß ist, der kann auch des Sinnes seiner Worte nicht gewiß sein.

115. Wer an allem zweifeln wollte, der würde auch nicht bis zum Zweifel kommen. Das Spiel des Zweifelns selbst setzt schon die Gewißheit voraus.

116. Hatte Moore, statt »Ich weiß...«, nicht sagen können »Es steht für mich fest, daß...? Ja auch: »Es steht für mich und viele Andre fest...«

117. Warum ist es mir nicht möglich, daran zu zweifeln, daß ich nie auf dem Mond war? Und wie könnte ich versuchen, es zu tun?
Vor allem schiene mir die Annahme, vielleicht sei ich doch dort gewesen, *müßig*. Nichts würde daraus folgen, dadurch erklärt werden. Sie hinge mit nichts in meinem Leben zusammen.
Wenn ich sage »Nichts spricht dafür und alles dagegen«, so setzt dies schon ein Prinzip des Dafür- und Dagegensprechens voraus. D. h. ich muß sagen können, was dafür *spräche*.

118. Wäre es nun richtig zu sagen: Niemand hat bisher meinen Schädel geöffnet, um zu sehen, ob ein Gehirn drin ist; aber alles spricht dafür und nichts dagegen, daß man eins drin finden würde?

119. Kann man aber auch sagen: Nichts spricht dagegen und alles dafür, daß der Tisch dort auch dann vorhanden ist, wenn niemand ihn sieht? Was spricht denn dafür?

120. Wenn aber nun Einer es bezweifelte, wie würde sich sein Zweifel praktisch zeigen? Und könnten wir ihn nicht ruhig zweifeln lassen, da es ja gar keinen Unterschied macht?

121. Kann man sagen: »Wo kein Zweifel, da auch kein Wissen?«

122. Braucht man zum Zweifel nicht Gründe?

123. Wohin ich schaue, ich finde keinen Grund, daran zu zweifeln, daß...

124. Ich will sagen: Wir verwenden Urteile als Prinzip(ien) des Urteilens.

ALEXANDER MITSCHERLICH

Versuch, die Welt besser zu bestehen

In einer seiner letzten Arbeiten zitiert Freud eine der Bosheiten seines Landsmannes Johann Nestroy, der einmal gesagt hat: »Ein jeder Fortschritt ist nur immer halb so groß, als wie er zuerst ausschaut.« Auf die Psychoanalyse angewandt, könnte man den Sarkasmus fortsetzen: Selbst wenn sie nur halb so weit getragen hätte, als ihre Freunde erhofft haben, sie ist immer noch in erheblichem Vorsprung von ihren Feinden, die sie seit einem halben Jahrhundert von Jahrzehnt zu Jahrzehnt totsagen. Zwei Fragen sind zulässig nahezu ein Lebensalter nach dem Tode des Begründers der psychoanalytischen Methode: Was haben die Psychoanalytiker mit ihrer Wissenschaft inzwischen angefangen? Und: Was fängt die Welt mit der Psychoanalyse an?

Die Entwicklung der Psychoanalyse in einem Längsschnitt darzustellen, wäre ein lohnendes Unternehmen. Eine Ahnung davon erhält der Leser der dreibändigen Biographie Freuds von Ernest Jones. Sie ist auch deshalb beachtlich, weil sie das Buch eines Psychoanalytikers über einen Psychoanalytiker ist. Man fühlt die Liebe und Verehrung, die der Schüler und Biograph für die Persönlichkeit empfand, deren Leben und deren Leistung er darstellt. Ziemlich spürbare Opfer wurden damals für das Anwenden der Psychoanalyse gefordert. 1910 hat Jones als Neurologe seine Stellung in London verloren, weil er nach dem Sexualleben der Patienten fragte. Es ist aber ein neues Element in seiner Darstellung am Werk; man sieht den Autor sich seines Gegenstandes in Ambivalenz bewußt. Es ist nicht seine Tendenz zu verschönen und zu verklären, Verehrung wirkt nicht verflachend und nicht monumentalisierend. Der Autor versteht seine eigenen Gefühle; das bedeutet für den Leser, Freuds Leben in einer sehr aufmerksamen, sehr bedachtsamen Atmosphäre verfolgen zu können. Es ist etwas von der Ruhe des analytischen Behandlungszimmer fühlbar, in der doch gleichzeitig alle menschlichen Gefühle sich unverhüllt zeigen dürfen.

Aber nicht nur diese unvergleichliche Mischung von Distanz, Disziplin und einfühlender Gegenwart, die Freud vorgelebt hat, und die seither den guten Psychoanalytiker auszeichnet, machen die Biographie von Jones so lesenswert. Die Schilderung gibt zugleich einen äußerst lebhaften Eindruck von der Größe des Unternehmens, das hier in Gang gekommen ist und von den weiten Auswirkungen der psychoanalytischen Methode über die Krankenbehandlung hinaus. Kaum ein Forschungsbereich über den Menschen selbst, zu dem der psychoanalytische Ansatz des Fragens nicht einen fruchtbaren, Vorurteile, Denkgewohnheiten korrigierenden Beitrag zu leisten hätte.

Um aber mit einigen Stichworten die Frage beantworten zu können, was die Psychoanalytiker heute mit ihrem Instrument anfangen, lassen wir am besten einige Sätze vorangehen, mit denen Freud selbst sein Werk historisch darzustellen versuchte; sie finden sich im »Kurzen Abriß der Psychoanalyse« aus dem Jahre 1924. Die Arbeit beginnt sehr charakteristisch: »Die Psychoanalyse ist sozusagen mit dem 20. Jahrhundert geboren; die Veröffentlichung, mit der sie als etwas Neues vor die Welt tritt, meine ›Traumdeutung‹, trägt die Jahreszahl 1900.« Die geniale Entdeckung, den »Traum als eine (verkappte) Erfüllung eines (verdrängten) Wunsches« zu erkennen, bezog sich auf eine seelische Erscheinung, an der das Ungewollte, im Sinne des wachen Willens, an der die Herkunft aus einem Bereich verminderter Bewußtheit, dem Schlaf, hervorsticht.

Die Arbeit der ersten Generation der Analytiker war infolge dessen sehr stark von der Erprobung und Verfeinerung der

Traumanalyse bestimmt. Man muß aber sogleich noch hinzufügen, daß das 7. Kapitel der Traumdeutung einer jener dichten Texte Freuds bildet, dessen gedankliches Konzept weit über den unmittelbaren Anlaß der Traumdeutung hinausreicht und eine völlig neue dynamische Psychologie skizziert. Es scheint mir keine Schande, einzugestehen, daß wir mit unserer Bewußtseinshöhe den Reichtum und die Schärfe dieses Konzepts der Jahrhundertwende sicher nicht überschritten haben. Als Wissenschaft hat die Psychoanalyse das seltene Glück eines Begründers von außerordentlicher Schärfe des Intellektes und, wie Kurt Eissler unlängst betonte, Schärfe der Beobachtungsgabe. Die Freudschen Ideen sich nicht aphoristisch, Zeugen eines intuitiven Tiefblicks, der sich in den großen psychologischen Begabungen immer wieder auftat; sie rühren von Beobachtungen her und gehen immer in der Richtung eines funktionalen Zusammenhanges. Das kommt sehr gut zum Beispiel im Titel einer von Freuds Schriften zum Ausdruck: »Triebe und Triebschicksale«; wobei »Schicksal« durch die Gesetze von Ursache und Wirkung, durch Motivation zustande kommt.

So gewinnt man den Eindruck, daß es Freud und seinen ersten Schülern gelungen ist, die psychische Arbeit, die Dynamik innerseelischer Abläufe, in einem Modell zusammenzufassen, dessen Brauchbarkeit inzwischen nicht fragwürdig geworden ist. Im Gegenteil, es ist erstaunlich, daß die erwähnten experimental-psychologischen Untersuchungen amerikanischer Forscher über die Traumphasen, die aus der Sinnanalyse des Traumes stammende psychoanalytische Hypothese von seiner wunscherfüllenden Funktion auch von ihrer Seite zu bestätigen beginnen.

In ihrer Bedeutung für psychologische Theorien und für die Krankenbehandlung ist Freuds »Traumdeutung« zu einem Klassikum geworden. Hier zentriert sich heute nicht mehr die besondere Aufmerksamkeit einer in Richtung von Neuland zielenden Forschung. Ähnlich geht es mit dem solange und so emphatisch mißverstandenen Konzept der Sexualentwicklung. Da sie ein Teil des biologischen Reifens ist, war es kaum anders zu erwarten, als daß Früh- und Vorformen der Sexualität in der Kindheit zu finden sein würden. Dies verstieß, wie rückblickend nun mit ungefährlichem Lächeln auf vorväterliche Befangenheit leicht festzustellen ist, gegen hochempfindliche Tabus der Umwelt Freuds. Für jeden, dem die Lust noch nicht abhanden gekommen ist, sich auszudenken, welche Züge der eigenen Zeit in einem halben Jahrhundert der Lächerlichkeit preisgegeben sein werden, und der sich in der Schärfung seines Blickes dafür einüben möchte, ist in der Tat der zitierte erste Band der Biographie von Jones recht empfehlenswert. Aus den Reaktionen der zeitgenössischen Kapazitäten wird man darüber belehrt, daß deren im Stil superioren Wissens geäußerte Befangenheit keineswegs durch einen hohen erworbenen Bildungsstand ausgeglichen wird.

Wir stoßen hier auf zwei ganz verschiedene Quellen der Bildung: die Sachbildung und die Gefühlsbildung. Soweit der Grad der Sachbildung und die Klassen- oder Statuszugehörigkeit einer Person zusammenfallen, beeinflussen sie sich wechselseitig, denn eine Klasse ist sehr tief durch Gefühlsbildung an ihresgleichen zusammengehalten. Gegen die Überzeugung, es sei undenkbar, daß auch Kinder mit sexuellen Triebbedürfnissen leben, in welchen biologischen Frühformen auch immer sie sich zu erkennen geben mögen – gegen diese Überzeugung kommt dann nicht so sehr der fein Gebildete als vielmehr der Mutige und Neugierige an. Aber er muß sich dessen bewußt bleiben, daß seine Klasse oder Gruppe ihn nur noch sehr bedingt zu ertragen bereit ist – wie Freuds Schicksal zeigt.

Auch die Theorie der kindlichen Sexualität ist kein Affront mehr. Sie ist zu einem Teil unseres Wissens um die Entwicklungspsychologie des Menschen geworden. Die infantilen

Formen der Sexualität werden als erster Abschnitt der gesamten Entwicklungsbiologie gesehen.

Hören wir weiter, wie ihn Freud im »Kurzen Abriß der Psychoanalyse« inhaltlich kennzeichnet. Er hatte dabei die Theorie der Neurosen im Auge, also jener Krankheiten, die aus verletzenden, nicht einfach verblassenden, vielleicht darf man sagen: aus nicht verheilenden Erlebnissen ihren Anfang nehmen. Sie sind das Zeichen einer im Bewußtsein mit Erfolg abgewerten Erinnerung, die einen Menschen nichtsdestoweniger begleiten, nicht loslassen, seine Erwartungen von der Zukunft bestimmen kann. Von dieser Theorie heißt es: »Ich will die Momente, welche den Inhalt dieser Theorie ausmachen, nochmals zusammenstellen. Es sind: die Betonung des Trieblebens (Affektivität), der seelischen Dynamik, der durchgehenden Sinnhaftigkeit und Determinierung auch der anscheinend dunkelsten und willkürlichsten seelischen Phänomene, die Lehre vom psychischen Konflikt und von der pathogenen Natur der Verdrängung, die Auffassung der Krankheitssymptome als Ersatzbefriedigung, die Erkenntnis von der ätiologischen Bedeutung des Sexuallebens, insbesondere der Ansätze zur kindlichen Sexualität. Diese Theorie mußte den Standpunkt einnehmen, daß das Seelische nicht mit dem Bewußten zusammenfalle, daß die seelischen Vorgänge an sich unbewußt seien und nur durch die Leistung besonderer Organe (Instanzen, Systeme) bewußt gemacht würden. Ich füge ergänzend zu dieser Aufzählung hinzu, daß sich unter den affektiven Einstellungen der Kindheit die komplizierte Gefühlsbeziehung zu den Eltern, der sogenannte Ödipuskomplex, hervorhob, in welchem man immer deutlicher den Kern eines jeden Falles von Neurose erkannte, und daß im Benehmen des Analysierten gegen den Arzt gewisse Erscheinungen der Gefühlsübertragung auffielen, welche eine für die Theorie wie für die Technik gleich große Bedeutung gewannen. Dieser Katalog wird dem Leser vor Augen führen, daß es alles andere als übervereinfachte Denkmodelle sind, mit deren Hilfe die Psychoanalyse menschliches Verhalten – normales und krankhaftes – zu verstehen oder zu verändern versucht. Überblickt man die psychoanalytische Fachliteratur des letzten Jahrzehntes, so wird sehr deutlich wie sich das Hauptinteresse hinsichtlich der Behandlungstechnik gewandelt hat. Die Anfangszeit bediente sich der Traumanalyse, um unverständliche Verhaltensäußerungen (zum Beispiel einen Zwang, sich immer und immer wieder waschen zu müssen oder eine panische Angst bei der Überquerung einer Brücke) in ihrer Motivation aufzuhellen. In den zwanziger und zu Beginn der dreißiger Jahre konzentrierte sich die Anstrengung auf jenen wiederum unverständlich erscheinenden Widerstand des Kranken, krankmachende Erfahrungen und mit ihnen verknüpfte Gefühle wiederzuerinnern, »nachzufühlen«. Die Orientierung wurde dabei immer breiter, es waren jene Jahre, in denen Freud schon hoch im sechsten Lebensjahrzehnt stehend, seine Triebtheorie neu formulierte, in denen einer der eifrigsten Verfechter der Widerstandsanalyse, Willi Reich, sein Buch »Charakteranalyse« schrieb. Die »besonderen Organe« des Seelischen, so entdeckte man jetzt in aller Deutlichkeit, schienen nicht dazu imstande, des Vergessens wieder habhaft zu werden – jedenfalls dann nicht, wenn schmerzhafte Eindrücke die Widerstandsfähigkeit des Kranken überlasteten. Langsam zeichnete sich die Erkenntnis ab, daß andere, dem Bewußtsein nahe Leistungen, Ich-Leistungen – aber unbewußt verlaufende Ich-Leistungen – die Wiedererinnerung aktiv verhinderten.

INGEBORG BACHMANN

Ich habe den sibirischen Judenmantel an

Ich habe den sibirischen Judenmantel an, wie alle anderen. Es ist tiefer Winter, es kommt immer mehr Schnee auf uns nieder, und unter dem Schnee stürzen meine Bücherregale ein, der Schnee begräbt sie langsam, während wir alle auf den Abtransport warten, auch die Fotografien, die auf dem Regal stehen, werden feucht, es sind die Bilder aller Menschen, die ich geliebt habe, und ich wische den Schnee ab, schüttle die Fotografien, aber es fällt weiter Schnee, meine Finger sind schon klamm, ich muß die Fotos vom Schnee begraben lassen. Ich verzweifle nur, weil mein Vater mit ansieht, was ich zuletzt noch versuche, denn er gehört nicht zu uns, ich will nicht, daß er meine Anstrengung sieht und errät, wer auf diesen Fotografien ist. Mein Vater, der auch einen Mantel anziehen möchte, obwohl er zu dick ist dafür, vergißt die Bilder, er bespricht sich mit jemand, zieht den Mantel wieder aus, um nach einem besseren zu suchen, aber dann ist zum Glück kein Mantel mehr da. Er sieht, daß ich abreise mit den anderen, und ich möchte noch einmal mit ihm reden, ihm endlich begreiflich machen, daß er nicht zu uns gehört, daß er kein Recht hat, ich sage: Ich hab keine Zeit mehr, ich habe nicht genug Zeit. Es ist einfach nicht mehr die Zeit dazu. Ringsum beschuldigen mich einige Leute, daß ich mich nicht solidarisch erkläre, ›solidarisch‹, seltsames Wort! es ist mir gleichgültig. Ich soll eine Unterschrift geben, aber mein Vater gibt sie, er ist immer ›solidarisch‹, ich weiß aber nicht einmal, was das heißt. Zu ihm rasch gesagt: Leb wohl, ich habe keine Zeit mehr, ich bin nicht solidarisch. Ich muß jemand suchen! Ich weiß noch nicht genau, wen ich suchen muß, es ist jemand aus Pécs, den ich suche zwischen allen Leuten, in diesem furchtbaren Chaos. Es vergeht auch noch die letzte Zeit, die ich habe, ich fürchte schon, daß er vor mir abtransportiert worden ist, obwohl ich nur mit ihm darüber sprechen kann, mit ihm allein und bis ins siebente Glied, für das ich nicht einstehen kann, weil nach mir nichts mehr kommen wird. In den vielen Baracken, im hintersten Zimmer, finde ich ihn, er wartet dort müde auf mich, es steht ein Strauß Türkenbund in dem leeren Zimmer, neben ihm, der auf dem Boden liegt, in seinem schwärzer als schwarzen siderischen Mantel, in dem ich ihn vor einigen tausend Jahren gesehen habe. Er richtet sich verschlafen auf, er ist ein paar Jahre älter geworden, und groß ist seine Müdigkeit. Er sagt mit seiner ernsten Stimme: Ach endlich, endlich bist du gekommen! Und ich falle nieder und lache und weine und küsse ihn, da bist du ja, wenn du nur da bist, ach endlich, endlich! Ein Kind ist auch da, ich sehe nur eines, obwohl mir ist, als müßten da zwei Kinder sein, und das Kind liegt in einer Ecke. Ich habe es sofort erkannt. In einer anderen Ecke liegt die Frau, sanft und duldsam, von der sein Kind ist, sie hat nichts dagegen, daß wir uns hier miteinander vor dem Abtransport niederlegen. Plötzlich heißt es: Aufstehen! Wir stehen alle auf, brechen auf, der Kleine ist schon auf dem Lastwagen, wir müssen uns beeilen, damit wir auch hinaufkommen, ich muß nur noch die schützenden Regenschirme für uns finden, und ich finde sie auch alle, für ihn, für die sanfte Frau, für das Kind, auch für mich, aber mein Schirm gehört nicht mir, es hat ihn einmal jemand stehengelassen in Wien, und ich bin konsterniert, weil ich ihn immer zurückgeben wollte, nur jetzt bleibt uns keine Zeit mehr dazu. Es ist ein toter Fallschirm. Es ist zu spät, ich muß diesen Schirm nehmen, damit wir durch Ungarn kommen, denn ich habe meine erste Liebe wiedergefunden, es regnet, prasselnd gießt es auf uns alle nieder, vor allem auf das Kind, das so heiter und gefaßt ist. Es fängt wieder an, ich atme zu schnell, wegen des Kindes vielleicht, aber mein Geliebter sagt: Sei ganz ruhig, sei du auch ruhig wie wir! Es wird jetzt gleich der Mond aufgehen. Nur ich habe immer noch Todesangst, weil es wieder anfängt, weil ich wahnsinnig werde, er sagt: Sei ganz ruhig, denk an den Stadtpark, denk an das Blatt, denk an den Garten in Wien, an unseren Baum, die Paulownia blüht. Sofort bin ich ruhig, denn uns beiden ist es gleich ergangen, ich sehe, wie er auf seinen Kopf deutet, ich weiß, was sie mit seinem Kopf gemacht haben. Der Lastwagen muß durch einen Fluß, es ist die Donau, es ist dann doch ein anderer Fluß, ich versuche ganz ruhig zu bleiben, denn hier, an den Donauauen, sind wir einander zum erstenmal begegnet, ich sage, es geht schon, aber dann reißt es mir den Mund auf, ohne einen Schrei, denn es geht eben nicht. Er sagt zu mir, vergiß es mir nicht wieder, es heißt: Facile! Und ich verstehe es falsch, ich schreie, ohne Stimme, es heißt: Facit! Im Fluß, im tiefen Fluß. Kann ich Sie sprechen, einen Augenblick? fragt ein Herr, ich muß Ihnen eine Nachricht überbringen. Ich frage: Wem, wem haben Sie eine Nachricht zu geben? Er sagt: Nur der Prinzessin von Kagran. Ich fahre ihn an: Sprechen Sie diesen Namen nicht aus, niemals. Sagen Sie mir nichts! Aber er zeigt mir ein vertrocknetes Blatt, und da weiß ich, daß er wahr gesprochen hat. Mein Leben ist zu Ende, denn er ist auf dem Transport im Fluß ertrunken, er war mein Leben. Ich habe ihn mehr geliebt als mein Leben.

Malina hält mich, er ist es, der sagt: Bleib ganz ruhig! Ich muß ruhig bleiben. Aber ich gehe auf und ab mit ihm in der Wohnung, er möchte, daß ich mich hinlege, aber ich kann mich nicht mehr auf das zu weiche Bett legen. Ich lege mich auf den Boden, stehe sofort wieder auf, weil ich so auf einem andren Boden gelegen bin, unter dem sibirischen Mantel, der warm war, und ich gehe, sprechend, redend, Worte auslassend, Worte einlassend, mit ihm auf und ab. Ich lege meinen Kopf verzweifelt an seine Schulter, da, in dieser Schulter muß Malina ein gebrochenes Schlüsselbein mit einem Stück Platin haben, seit einem Autounfall, er hat es mir einmal erzählt, und ich merke, daß mir kalt wird, ich fange wieder zu zittern an, es kommt der Mond hervor, er ist von unsrem Fenster aus zu sehen, siehst du den Mond? Ich sehe einen anderen Mond und eine siderische Welt, aber es ist nicht der andere Mond, von dem ich sprechen will, nur reden muß ich, immerzu reden, um mich zu retten, um Malina das nicht anzutun, mein Kopf, mein Kopf, ich werde wahnsinnig, aber Malina soll das nicht wissen. Trotzdem weiß Malina es, und ich bitte ihn, während ich, an ihn gekrampft, auf und ab renne in der Wohnung, mich niederfallen lasse, wieder aufstehe, mir das Hemd aufmache, mich wieder hinfallen lasse, denn ich verliere den Verstand, es kommt über mich, ich verliere den Verstand, ich bin ohne Trost, ich werde wahnsinnig, aber Malina sagt noch einmal: Sei ganz ruhig, laß dich ganz fallen. Ich lasse mich fallen und ich denke an Ivan, ich atme etwas regelmäßiger, Malina massiert meine Hände und meine Füße, die Gegend um das Herz, aber ich werde ja wahnsinnig, nur eines bitte, ich bitte dich nur um eines... Aber Malina sagt: Warum denn bitten, doch nicht bitten. Ich sage aber, wieder mit meiner heutigen Stimme: Bitte, Ivan darf das nie erfahren, nie wissen (und benommen weiß ich doch, daß Malina nichts von Ivan weiß, warum jetzt über Ivan reden?) – Ivan darf nie, versprich es mir, und solange ich noch reden kann, rede ich, es ist wichtig, daß ich rede, weißt du, ich rede nur noch, und bitte, red du doch mit mir, Ivan darf nie, nie etwas wissen, bitte erzähl mir etwas, rede mit mir über das Abendessen, wo warst du essen, mit wem, rede zu mir, über die neue Schallplatte, hast du sie mitgebracht, O alter Duft! rede mit mir, es ist gleichgültig, was wir miteinander reden, nur irgend etwas, reden, reden, reden, dann sind wir nicht mehr in Sibirien, nicht mehr in dem Fluß, nicht mehr in den Auen, den Donauauen, dann sind wir wieder da, in der Ungargasse, du mein gelobtes

Land, mein Ungarland, rede mit mir, mach überall Licht an, denk nicht an unsre Lichtrechnung, es muß überall Licht sein, dreh alle Schalter an, gib mir Wasser, mach Licht, mach das ganze Licht an! Zünd auch den Leuchter an.
Malina macht Licht, Malina bringt das Wasser, die Verstörung läßt nach, die Benommenheit nimmt zu, habe ich etwas zu Malina gesagt, habe ich Ivans Namen genannt? Habe ich ›Leuchter‹ gesagt? Weißt du, sage ich, weniger aufgeregt, du mußt es nicht zu ernst nehmen, Ivan lebt und er hat früher einmal gelebt, seltsam, nicht? Vor allem, mach dir nichts daraus, nur ich mache mir heute alles daraus, ich bin deswegen sehr müde, laß das Licht aber brennen. Ivan lebt noch, er wird mich anrufen. Wenn er anruft, dann sag ihm – Malina geht wieder mit mir auf und ab, weil ich nicht still liegen kann, er weiß nicht, was er Ivan sagen soll, ich höre das Telefon läuten. Sag ihm, sag ihm, bitte sag ihm! Sag ihm nichts. Am besten: Ich bin nicht zu Hause.

Mein Vater muß uns die Füße waschen, wie alle unsere Apostolischen Kaiser ihren Armen, an einem Tag im Jahr. Ivan und ich nehmen schon ein Fußbad, das Wasser läuft schwarz schäumend und schmutzig an, wir haben uns lange die Füße nicht gewaschen. Wir waschen sie uns besser selber, denn mein Vater hält sich nicht mehr an die ehrwürdige Pflicht. Ich bin froh, daß unsere Füße jetzt rein sind, daß sie sauber riechen, ich trockne Ivan die Füße und dann mir, wir sitzen auf meinem Bett und sehen einander voller Freude an. Aber jetzt kommt jemand, zu spät, die Tür fliegt auf, es ist mein Vater. Ich zeige auf Ivan, ich sage: Er ist es! Ich weiß nicht, ob ich deswegen die Todesstrafe zu erwarten habe oder nur in ein Lager komme. Mein Vater sieht das schmutzige Wasser, aus dem ich meine weißen, wohlriechenden Füße hebe, und ich mache ihn stolz auch auf Ivans reine Füße aufmerksam. Mein Vater soll nicht merken, trotz allem, obwohl er seine Pflicht wieder nicht getan hat, daß ich

froh bin, alles abgewaschen zu haben von dem langen Weg. Es war ein zu langer Weg von ihm zu Ivan, und meine Füße sind schmutzig geworden. Nebenan spielt es aus dem Radio: dadim, dadam. Mein Vater brüllt: Das Radio aus! Es ist nicht das Radio, du weißt es genau, sage ich bestimmt, denn ich habe nie eines gehabt. Mein Vater brüllt wieder: Deine Füße sind ja völlig verdreckt, und das habe ich jetzt auch allen Leuten gesagt. Damit du es nur weißt. Verdreckt, verdreckt! Ich sage lächelnd: Meine Füße sind gewaschen, ich hoffe, daß alle so reine Füße haben.
Was ist das für eine Musik, Schluß mit der Musik! Mein Vater tobt wie noch nie. Und sag sofort, am wievielten hat Columbus Amerika erreicht? Wie viele Grundfarben gibt es? Wie viele Farbtöne? Drei Grundfarben. Ostwald gibt sie mit 500 an. Alle meine Antworten kommen rasch und richtig, aber sehr leise, ich kann nichts dafür, wenn mein Vater sie nicht hört. Er schreit schon wieder, und jedesmal wenn er die Stimme erhebt, fällt ein Stück Mörtel von der Wand oder es springt ein Stück Holz aus dem Parkettboden. Wie kann er bloß fragen, wenn er die Antworten doch nicht hören will.

Es ist finster vor dem Fenster, ich kann es nicht öffnen und drücke das Gesicht an die Scheibe, es ist fast nichts zu sehen. Langsam kommt es mir in den Sinn, daß die düstere Lache ein See sein könnte, und ich höre die betrunkenen Männer einen Choral auf dem Eis singen. Ich weiß, daß hinter mir mein Vater eingetreten ist, er hat geschworen, mich zu töten, und ich stelle mich rasch zwischen den langen schweren Vorhang und das Fenster, damit er mich nicht überrascht beim Hinausschauen, aber ich weiß schon, was ich nicht wissen soll: am Seeufer liegt der Friedhof der ermordeten Töchter.

PAUL NIZON

Wenn es Nachmittag

und heiß ist, die Väter an der Arbeit, die Mütter noch tief im Haus drinnen, allein im Haus, wo das Essen abgeräumt, aber das Geschirr erst einmal zusammengestellt, noch nicht gespült ist... Für die Mütter ist jetzt Pause. Sie sind in den noch ungelüfteten, unordentlichen, jedenfalls menschenleeren Räumen der Wohnung, bewegen sich zögernd und gedankenverloren. Vielleicht möchten sie sich jetzt hinlegen, aber sie tun es nicht. Sie entdecken da etwas, dort etwas, öffnen Schränke und Kommoden, möchten, wer weiß, schnell auf den Estrich – jedenfalls ist es still in der Wohnung und uninteressant für das Kind.
und draußen nicht Stoßzeit.
Draußen sind die Schaufenster der Bäckereien und Metzgereien halb verhängt oder hinter Storen verborgen, die Geschäfte leer. Die Straßenbahn fährt in so langen Abständen, daß man sie verloren glaubt. Ein Lastauto brummt einzeln durch die Gegend. In der Straße die Sonne, an den Häuserwänden die Sonne, an den abgeschirmten Schaufenstern die Sonne. Alles besonnt, die Langeweile hell beschienen. Ein Summton in der Luft wie von der Hummel. Oder auch nur ein Hitzeton und Himmelston. Und das Kind drückt sich an den Eingängen vorbei, an den in sich verkrochenen Häuserwänden vorbei, die alle das Wort Pause atmen. Das Kind drückt sich an den eisernen Gittern der Vorgärtchen entlang, langweilt sich am Anblick einzelner Nadeln von Kiefern oder Tannen, die auf Treppenstufen knistern. Das Kind langweilt sich an all dem vorbei und entlang. Es weiß nicht was anfangen mit einer langen Straße, auf der nichts geschieht, die sich nur feilhält.

Es kommt am großen Tor der Papierfabrik vorbei, wo tatsächlich ein Lastwagen vor der Rampe hält, um Papierrollen aufgeladen zu bekommen. Ereignisstill harrt der Wagen der Ladung im Hof, wo Sonne und Schatten ist. Ein Männchen erscheint auf der Rampe, beugt sich über die Ladebrücke des Wagens. Sonst nichts.

Das Kind geht weiter und es nimmt diesen Eindruck mit: Großer Lastwagen vor der Rampe der Fabrik, erspäht durch das schwarze Gitter des Tors; da geschieht etwas, etwas Planvolles geschieht da im Innern des Hofes, wozu Männer und ein Wagen und eine Fabrik gehören; geschieht unauffällig und fahrplanmäßig. Da hängen Dinge zusammen. Da ist eine Verschwörung, da hat es eine Verschwörunge ganz zufällig mitbekommen, denn die Fabrik fabriziert ja nicht für sich, sondern für wer weiß wie entfernt wohnende Abnehmer. In der Fabrik arbeiten Männer wie die Mütter zuhaus, nur daß sie jetzt den Kindern entrückt sind. Sie arbeiten nach einem Plan, sie arbeiten an Gütern mit einer Bestimmung, auf die andere warten, wie das Auto jetzt wartet, das die Güter befördern wird, unter der Plane verborgen durch Straßen befördern wird, den Passanten unsichtbar. Unsichtbar wie die auf die Ware wartenden anderen Geschäfte oder Handelshäuser, deren Männer (in Schürzen vielleicht) jetzt vor Eingängen aufgeregt Ausschau halten. Oder auf die Uhr schauen in ihren Büros oder sich ans Telephon hängen oder andere Angestellte anbrüllen.

Das alles fällt ihm nun ein, fällt ein in den Hof, im Kopf des Kindes, das schon längst weiter und weg ist, aber an diesem Ereignis kaut im Weitergehen. An diesem Ereignis, das jetzt zur Station wird in seiner Vorstellung. Zum Knotenpunkt eines schwindelerregenden Systems.

Jetzt fühlt es sich leicht erregt. Die Lebensgeister gesteigert. So ist das. Die Erwachsenen. Die kommen angefahren, Männer in blauen Überkleidern zum Beispiel, springen vom Wagen, gruppieren sich, indem die einen den Deckel einer

Sandkiste hochklappen, während die anderen schon von der Wagenbrücke Sand abschaufeln. Was nur so nach Sand und Blau aussieht, ist nicht Stillstand, sondern läuft nach Order und Faden.

Also ist kein Stillstand, also sind die besonnten langweiligen Straßen nicht langweilig, bloß vorübergehend nach außen unbewegt.

Jetzt sieht alles unheimlich aus hinter der starren Sonne auf den Häuserwänden. Die Häuser sehen ausgehöhlt aus. Jetzt wird einem angenehm schwarz vor den Augen bei der Vorstellung dessen, was im Innern sich abspielt.

Jetzt hat man lüsterne Augen für jede Bewegung und wähnt unerfindliche Dienstordern und Marschrouten. Auch der Früchteverkäufer, dessen behaarte Arme unterm Sonnendach in die Fruchtkisten greifen, ist jetzt ein Spion, der fahrplanmäßig aus seinem Verschlag schaut. Alle sind nun Übermittlungsagenten, Wachbeauftragte, Botenleute. Jetzt fällt nur bloß eine Flaute über die Straße, jetzt sitzen alle am Draht oder auf Draht. Jetzt ist etwas Schwarzes durch die Sonnenhelle gespannt. Jetzt ist eine Stille wie ein Loch: ein Schalloch, ein Horchloch, ein Aufpaßloch. Jetzt trippelt das Kind, läuft schon unter Schwarzsegeln und an Mauerlöchern entlang, jetzt hat es kaum Lust, den gemausten Rhabarber zu lutschen, wirft ihn weg. Jetzt kommt mit großen breiten Bahnen von Sprühregen das Spritzauto angefahren und spritzt die Bahn frei, jetzt kommen dann die Soldaten in den Straßenschlauch marschiert in eisernen Reihen, und die Tanks und Panzerwagen fahren auf.

Dann belebt sich der Nachmittag, man weiß nicht wie. Plötzlich regnet's von überallher Hausfrauen über die Straße. Die trippeln und strömen immer dichter, die Türen der Läden werden aufgerissen, die Frauen sturzfluten in die Eingänge. Jetzt fährt die Bahn in rascheren Abständen, spuckt Männer aus, die sich wiederum wie unter Alarm in alle Richtungen zerstreuen, die Straße durchschattend. Jetzt läuten Glocken und bellen und platzen und alle Richtungen knurren von Motoren. Und jetzt kommt Regen über die Straße und wirft bemannte Ballone hernieder. Jetzt lecken finstere Flecke über die hellen Mauern, jetzt knallen Schüsse, jetzt ist der Teufel los, jetzt ist's schön, jetzt gehts mit den Erfahrungen ins Haus, in den bekannten Eingang und die Treppe hinauf und rein in die vertrauten Gänge und jetzt wird dann gegessen und dann gehts mit all den neuen Erlebnissen ins Bett. Im Bett kann alles noch einmal aufsteigen und ablaufen, wenn die Lichter der Wagen durch die Vorhänge fahren und der Film läuft, bis du schläfst.

GERTRUDE STEIN

Erzählen

Es ist eine recht seltsame Sache daß es hundert Jahre dauern soll um irgendein Ding zu verändern also etwas zu verändern, es ist die menschliche Gewohnheit in Jahrhunderten zu denken und Jahrhunderte sind mehr oder weniger hundert Jahre und das ergibt einen Großvater eine Großmutter pro Enkel oder Enkelin wenn alles geht wie es soll und es geht oft ungefähr so wie es soll. Ist es die menschliche Gewohnheit in Jahrhunderten zu denken von Großeltern bis Enkelkind weil es eben tatsächlich ungefähr hundert Jahre dauert bis die Dinge aufhören die gleiche Bedeutung zu haben die sie vordem hatten, es ist eine seltsame Sache eine sehr seltsame Sache daß alles eine natürliche Sache ist aber so ist es es ist eine natürliche Sache und daß es eine natürliche Sache ist macht es zu einer seltsamen Sache einer sehr seltsamen Sache für das Gefühl von fast jedem. Man muß es sich immerzu vorsagen daß eine natürliche Sache in Wirklichkeit nicht eine sonderbare und eine eigentümliche und eine seltsame Sache ist. So also steht es hundert Jahre ergibt tatsächlich mehr oder weniger ein Jahrhundert und dieses wird durch die Tatsache bestimmt daß es einen Großelternteil pro Enkelkind einschließt und daß das es ist was es ein ums andre Mal endgültig anders macht und für gewöhnlich gibt es einen Krieg oder eine Katastrophe um das hervorzuheben damit jeder es wissen kann. Es ist eine sehr sonderbare Sache daß eine so natürliche Sache für uns alle zwangsläufig eine so sonderbare Sache ist eine so auffallende Sache eine so bestürzende Sache.

Das achtzehnte Jahrhundert schloß mit der Französischen Revolution und den Napoleonischen Kriegen das neunzehnte Jahrhundert mit dem Weltkrieg, aber in jedem Fall war die Sache natürlich schon getan die Veränderung war vollzogen aber die Kriege machten es allen bewußt und befreiten sie vom nicht Wissen davon dem nicht Wissen daß alles nicht einfach genau das war was es gewesen war. Ich bin ganz überzeugt daß die Geschichte der Welt der Welt die aus Menschen besteht sich in dieser Weise aus ungefähr immer einem Jahrhundert zusammensetzt und sie bestimmt wird das heißt erzeugt durch das natürliche Ausfüllen von Zeit von einem Großelternteil zu einem Enkelkind. Fünfundzwanzig Jahre laufen sehr rasch ab aber viermal fünfundzwanzig Jahre ergibt ein Jahrhundert und dieses läuft in Wirklichkeit überhaupt nicht ab es erzeugt eine totale Veränderung aber es läuft nicht ab wenigstens nicht für das Gefühl von irgendwem.

Darin besteht das Erzählen daß fünfundzwanzig Jahre so rasch ablaufen aber daß hundert Jahre überhaupt nicht ablaufen sondern daß sie enden, das Jahrhundert endet als eine völlig andere Sache und so kommt jedes Jahrhundert an seinen Anfang und kommt an sein Ende. Das stellt eine der großen Schwierigkeiten des Erzählens dar anzufangen und aufzuhören und ich glaube es hat mit der Tatsache zu tun daß ein Jahrhundert beginnt und endet daß aber kein Teil davon beginnt und kein Teil davon endet und dieses ernste Problem am Erzählen will ich sehr viel später aufgreifen aber jetzt zuerst fragen was englische Literatur ist in Verbindung mit englischem Leben und was amerikanische Literatur ist in Verbindung mit deren Leben und deren einzelnen Leben denn natürlich ist die meiste Literatur erzählend das heißt in der einen oder anderen Weise das Erzählen davon wie irgendwer wie jeder etwas tut und alles tut. Um also zu beginnen mit englischer Literatur und was sie ist und amerikanischer Literatur und was sie ist.

Doch bevor ich in dieser Sache fortschreite ist mir eben in den Sinn gekommen daß der Bürgerkrieg in Amerika ein weiterer Fall ungefähr eines Jahrhunderts war, siebzehnsechzig bis achtzehnsechzig ergab wiederum einen Großvater pro Enkelin eine Großmutter pro Enkel und so wie gewöhnlich veärnderte sich alles wie es das immer getan hat sehr wahrscheinlich wieder tun wird, sehr wahrscheinlich wird ein Jahrhundert immer wieder tun was ein Jahrhundert immer schon getan hat.

Um aber wieder davon anzufangen was englische Literatur getan hat indem sie alles erzählte und was amerikanische Literatur getan hat indem sie alles erzählte und wie obwohl sie sich voneinander völlig unterscheiden und sie dieselbe Sprache verwenden um alles zu erzählen das sich zutragen kann es natürlich sehr natürlich keineswegs dieselbe Sache ist.

Ich habe schon eine Menge darüber geschrieben was das englische Volk ist und was seine Literatur ist und wie sie sich in jedem Jahrhundert veränderte nicht wie das englische Volk sich veränderte das englische Volk veränderte sich nicht. Das ist etwas woran wir wieder uns erinnern müssen als einen Widerspruch der aus allem das gleiche macht. Hat eine Nation einmal lang genug irgendwo gelebt um diese Nation zu sein und das setzt sehr bald ein nachdem sie dort zu leben begonnen haben wo sie weiterhin leben werden kann sich der Charakter dieser Nation natürlich nie mehr verändern. Als man mich fragte als ich nach Amerika zurückkam finden Sie Amerika verändert sagte ich nein weder Amerika noch die Amerikaner schließlich wenn Sie sagen verändert wie könnten sie sich verändern zu was schließlich könnten sie sich verändern, und wenn Sie das fragen gibt es freilich keine Antwort. Wie könnte es da auch eine Antwort geben. Wie könnten sie sich schließlich verändern zu was könnten sie sich verändern. Verschiedene Dinge geschehen und am Ende von mehr oder weniger einem Jahrhundert veranlassen die verschiedenen Dinge die geschehen sind alle dazu die verschiedenen Dinge die geschehen sind sehr anders zu tun, aber sie als Nation obwohl sie die Dinge tatsächlich anders tun tun diese verschiedenen Dinge auf die Weise anders auf die sie wie diese Nation sie immer getan hat sie immer tun werden. Und daher ist die Literatur jeder Nation eine homogene Sache obwohl in jedem Jahrhundert alles anders ist.

Ich weiß jedenfalls von der englischen Literatur daß sie bestimmt worden ist durch die Tatsache daß England eine Insel ist und daß das tägliche Leben auf dieser Insel ein vollständig tägliches Leben war, daß sie nicht anders konnten als ein tägliches Leben auf dieser Insel zu führen und daß je mehr sie alles außerhalb dieser Insel besaßen sie um so unvermeidlicher und vollständiger gezwungen waren das tägliche Leben in einer noch täglicheren Weise zu leben, denn wenn sie alles draußen besaßen konnten sie es sich einfach nicht erlauben das Innen mit dem Außen zu vermengen. Alle hundert Jahre etwa veränderte sich alles, daß sie Engländer waren die auf einer Insel lebten änderte sich nicht, aber Dinge ein Ding zum andern in Beziehung veränderten sich und das ist es was ein Jahrhundert macht und in jedem Jahrhundert veränderten sich die Beziehungen von allem zu allem und die Veränderung ist es was Geschichte macht, und das ist wirklich etwas das wir alle uns einprägen und begreifen müssen denn es wird die interessante Sache sehr klar machen daß zumeist Geschichte nicht Literatur ist daß Literatur nicht Geschichte ist.

Literatur können wir sagen ist was die ganze Zeit vor sich geht Geschichte ist was von Zeit zu Zeit vor sich geht und das ist es worüber in Verbindung mit dem Erzählen nachzudenken ungeheuer wichtig ist.

Doch um wieder auf die englische Literatur zurückzukommen.

Wie gesagt das englische Volk tat verschiedene Dinge die Nationen in seiner Nähe oder ringsum taten verschiedene Dinge und ungefähr einmal alle hundert Jahre wurde sich jeder der Sache bewußt daß jeder dahin gelangt war andere

Dinge zu tun das heißt dahin gelangt war die gleichen Dinge auf eine andere Art zu tun auf eine Art die so anders war daß ein jeder dahin gelangen konnte diese Sache zu wissen wissen daß es eine wirklich andere Art war und daher natürlich eine andere Art die gekommen war um zu bleiben. Unvermeidlich gelangt ein jeder einmal alle etwa hundert Jahre wirklich dahin das zu behaupten. Und dies war in England in der gleichen Weise geschehen wie es überall geschieht wo es einen Großvater oder eine Großmutter pro Enkel oder Enkelin gibt. Aber die ganze Zeit lebten die Engländer ihr Leben jeden Tag, das mußte so sein denn ihr Inselleben hatte sie dazu gebracht so zu sein daß sie ihr tägliches Leben jede Minute des Tages lebten. Und die ganze englische Literatur war eine Beschreibung dieses täglichen Lebens das sie jeden Tag lebten. Und nun ist da noch etwas zu sagen. Wenn Sie ein tägliches Leben jede Minute des Tages leben muß die Beschreibung dieses jeden Tag täglichen Lebens bewegend sein, sie muß Sie mit totaler Emotion erfüllen und sie muß zur gleichen Zeit beruhigend sein. Sie muß ausfüllend sein als Emotion und sie muß beruhigend sein. Wenn Sie Ihr tägliches Leben jede Minute des ganzen Tages leben darf es wirklich nur sehr wenig Erregung in der Erzählung geben mit der Sie sich die Zeit vertreiben das ist ganz natürlich wenn Sie es bedenken und ein Großteil der englischen erzählenden Literatur hat mit dieser Sache zu tun, sie wollen sie brauchen erzählende Literatur denn da sie ihr tägliches Leben jede Minute des Tages leben hat erzählende Literatur so viel zu sagen sie hat zu sagen daß das tägliche Leben jede Sekunde dieses Tages gelebt wird. Und das ist es was die Literatur tut sie stellt was jeder einzelne hat als das Leben der Nation dar wozu das Leben jedes einzelnen in dieser Nation es macht. Das ist es was Literatur ist wie jeder sehen kann wenn er das Geschriebene liest wie eine Nation es entstehen läßt.

DJUNA BARNES

Wächter. Was spricht die Nacht?

Es war gegen drei Uhr morgens, als Nora an das kleine Fenster der Portiersloge klopfte und fragte, ob der Doktor zu Hause sei. Wütend über die gestörte Nachtruhe hieß sie die Concierge, sechs Stockwerke zu ersteigen: dort oben, unter dem Dachstuhl links, würde sie den Doktor finden.

Nora nahm die Stufen langsam. Sie hatte nicht gewußt, daß der Doktor so arm sei. Sie tastete, klopfte, suchte die Klinke. Not der Seele mochte ihren Besuch entschuldigen; doch wußte sie auch, daß ihr Freund spät aufblieb. Sie hörte sein ›Herein!‹ öffnete die Tür und stand sekundenlang gebannt: so erschütternd war die Unordnung, der ihr Blick begegnete. Der Raum war so klein, daß es eben noch möglich war, seitwärts zum Bett vorzudringen, als hätte ein zum Grabe Verdammter beschlossen, sich wenigstens hier keinen Zwang aufzuerlegen.

Ein Stapel medizinischer Bücher, neben Wälzern verschiedenster Arten, reichte beinah bis zur Decke, wasserfleckig, staubbedeckt; darüber ein kleines vergittertes Fenster, die einzige Lüftung. Auf einer Kommode aus Ahorn, offenbar nicht europäischer Herkunft, lagen ein paar verrostete Geburtszangen, ein verrostetes Skalpell, ein paar andere seltsame Instrumente, deren Zweck ihr rätselhaft war, ein Katheter, einige zwanzig zumeist leere Parfumflaschen, Pomaden, Cremes, Lippenstifte, Puderdosen, Puderquasten. Die Schubladen dieser *chiffonière* waren halb geöffnet, und über die Ränder quollen Spitzen, Bänder, Damenstrümpfe, Damenwäsche und ein Bruchband, das aussah, als habe es dem gesamten Weibertand Notzucht angetan. Ein Abfalleimer stand am Kopfende des Bettes, bis zum Rand mit widerlichstem Unrat angefüllt. Der Raum hatte etwas erschreckend Entwürdigendes, ähnlich einem Zimmer im Bordell, wo selbst den Unschuldigsten das Gefühl überkommt, Mitschuldiger gewesen zu sein. Dennoch hatte er auch etwas Muskulös-Männliches an sich, war ein Mittelding zwischen einem *chambre à coucher* und dem Trainingsring eines Boxers. Ein Fluidum der Feindseligkeit herrscht in einem Raum, den eine Frau nie betreten hat. Jeder Gegenstand bekämpft die eigene Fessel, und über allem liegt metallisches Aroma, wie von Schmiedeeisen auf dem Amboß.

Auf schmalem, eisernem Bett, zwischen groben, dreckigen Leinentüchern lag der Doktor, in einem Damennachthemd aus Flanell.

Sein Kopf mit den übergroßen, schwarzen Augen, den vollen Wangen, dem unrasierten, gewehrstahlfarbenen Kinn, war vom goldenen Halbrund einer Perücke gerahmt. Lange Hängelocken berührten die Schultern, fielen locker auf das Kissen und zeigten dort die schattige Seite der Spirale; Schminke war dick aufgetragen, die Wimpern waren geschwärzt. Nora durchfuhr der Gedanke: ›Mein Gott, Kinder wissen etwas, was sie nicht sagen können. Sie mögen Rotkäppchen und den Wolf im Bett!‹ Aber dieser Gedanke, nicht mehr als das Gefühl eines Gedankens, dauerte nur die Sekunde, während der sie die Tür öffnete; schon in der nächsten hatte der Doktor sich die Perücke vom Kopf gerissen, er sank im Bett zurück und zog sich die Decken weit über die Brust. Als Nora sich wieder gefaßt hatte, sagte sie: »Doktor, ich bitte Sie, mir alles zu sagen, was Sie von der Nacht wissen.« Während sie es sagte, wunderte sie sich ihrer Bestürzung, den Doktor zu einer Stunde überrascht zu haben, da er Vorgeschriebenes abgelegt und zu der ihm eigenen Kleidung zurückgefunden hatte. Der Doktor sagte: »Wie du siehst, kannst du mich fragen, was du willst«, womit er für sie und für sich die Verlegenheit beiseite legte. Sie fragte sich: ›Drückt sich nicht die allerletzte Verzweiflung am natürlichsten im Kleid aus? Welche Nation, welche Religion, welches Gespenst, welcher Traum hat dieses Gewand nicht schon getragen? Kinder, Engel, Priester, die Toten! – warum sollte nicht auch der Doktor, am schweren Scheideweg seiner Alchimie, sein Kleid anlegen dürfen!‹ Sie dachte: ›Er zieht sich an, um neben sich zu liegen, er, der so beschaffen ist, daß Liebe für ihn nur eine Sonderheit sein kann; in einem Zimmer, das in Verwüstung wie vom Todeskampf die Art seiner Benutzung widerspiegelt.‹

»Hast du jemals über die Nacht nachgedacht?« fragte der Doktor ein wenig ironisch. Er war völlig verstört, denn er hatte jemand anderen erwartet. Dennoch: sein liebstes Thema, über das er immer sprach, wenn die Gelegenheit sich bot, war die Nacht. »Ja«, sagte Nora und setzte sich auf den einzigen Stuhl. »Ich habe wohl darüber nachgedacht, aber über etwas nachzudenken, von dem man nichts weiß, hat keinen Sinn.«

»Hast du«, fragte der Doktor, »jemals an die sonderbare Polarität von Zeit und Zeit gedacht? Und an den Schlaf? Schlaf, den erschlagenen weißen Stier? – Nun gut, ich, der Gewaltige-Doktor-Matthew-Mächtig – cum grano salis Dante-O'Connor, will dir erklären, wie Tag und Nacht eben durch ihre Trennung verwandt sind. Schon die Einrichtung des Zwielichts ist eine mythische Nachbildung der Angst; Angst, bodenlos, auf den Kopf gestellt. Jeder Tag ist vorbedacht und aufgeteilt, die Nacht aber ist nicht eingeplant. Die Bibel liegt in der einen, das Nachthemd aber in der anderen Richtung. – Nacht: ›Hüte dich vor der dunklen Tür!‹«

»Ich dachte immer«, sagte Nora, »daß die Leute einfach schlafen gehn, oder, wenn sie nicht schlafen gingen, ihr Selbst behielten, aber nun –«, sie zündete sich eine Zigarette an, und ihre Hände zitterten, »nun sehe ich, daß die Nacht auf die Identität eines Menschen wirkt, auch wenn er schläft.«

»Ah«, rief der Doktor, »laß einen Menschen sich niederlegen in das große Bett, und seine Identität ist nicht mehr die seine, sein Vertrauen hat ihn verlassen, seine Bereitschaft ist umgewandelt und gehorcht einem anderen Willen. Sein Schmerz ist wild und namenlos. Er schläft in einer Stadt der Finsternis, Mitglied geheimer Bruderschaften. Er erkennt weder sich selbst noch seine Vorreiter, wütet in Dimensionen des Entsetzens und steigt aus dem Sattel – wie durch ein Wunder – ins Bett!

Sein Herz springt in seiner Brust, einem finsteren Ort. Gewiß, einige steigen in die Nacht, wie ein Löffel in leichtes Wasser taucht; andere wieder stoßen, Kopf voran, gegen neuen Hinterhalt. Ihre Hörner geben ein trockenes Knirschen, wie der Flügel einer Heuschrecke, die ihre Haut zu spät im Jahr abwirft.

Hast du an die Nacht gedacht, jetzt, zu anderen Zeiten, in fremden Ländern – in Paris? Als der Straße die Galle hochkam, vor Dingen, die du um keiner Wette willen getan hättest – und wie es damals war? Als Fasanenhälse und Gänseschnäbel gegen die Hechsen der Galane schlugen? – Nirgends Gehsteig oder Pflaster, alles Gosse, meilenweit ein Gestank, der einen schon zwanzig Meilen außerhalb der Stadt an der Nase packte. Die Marktschreier verkündeten Weinpreise zu solch gutem Nutzen, daß die Morgendämmerung auf wackere Schreiberlein voller Pisse und Essig schien. In seitlichen Gassen ließ man zur Ader, dort heulte eine tolle Prinzessin in samtenem Nachtgewand unter dem Blutegel; nicht zu reden von den Schlössern in Nymphenburg; bis nach Wien widerhallten sie vom nächtlichen Wandel verstorbener Könige, die ihr Wasser in Plüschkannen und feinste Holzarbeit abschlugen – nein«, sagte er und sah sie scharf an, »ich sehe dir an, daß du darüber noch nicht nachgedacht hast. Aber tu es! Denn die Nacht gibt es schon lange.«

PAUL CELAN

Ein blatt, baumlos
für Bertolt Brecht:

Was sind das für Zeiten,
wo ein Gespräch
beinah ein Verbrechen ist,
weil es soviel Gesagtes
mit einschließt?

LUDWIG HOHL

Das Blatt

Ein Mann, in seiner Verlassenheit, kam stadtauswärts gegangen, er setzte sich auf eine Bank an einer großen proletarischen Straße, die sie »Gürtel« nennen. Da fiel ein Blatt auf ihn herunter, denn es stehen Bäume am Gürtel. Das Blatt hätte er um alles nicht wegzuwerfen gewagt, es war ein Zeichen von oben, und er behielt das Blatt.
Er sollte nach Hause gehn, wo er etwas zu essen hingelegt hatte; kein Hunger trieb ihn, aber er mußte sich ernähren – oder sollte er vielleicht gleich für ewig hier bleiben und sterben? Nun aber entstand eine ganz besondere Frage. Seltsam ist es, wenn ein Mann mit einem Blatt in der Hand durch die Straßen geht, und doch durfte er vom Blatt sich nicht trennen; denn es war ein Zeichen von oben. Da hielt er es in den Händen am Rücken und drehte es, als ob er gedankenlos sei: dem Lächerlichen entging er so. Er drehte es und drehte es, aber auf einmal fiel das Blatt auf die Erde, in der letzten Gasse vor seinem Hause geschah es. Und er ging weiter, denn die Feigheit war doch zu groß in ihm, und das Blatt lag hinter ihm auf der Erde.
Immer einen Schritt und immer einen Schritt ging er und das Blatt lag immer weiter hinter ihm auf der Erde. Er spürte die Feigheit anwachsen, er dachte an Riesenfelder, die beim Einbrechen der Nacht anwachsen, die Gedanken an das Blatt kamen immer und starben. Aber einmal war er doch zu sehr erschrocken, und es entstand und es geschah doch: er wandte sich mechanisch, das Blatt zu holen.
In der letzten Entscheidung um sein Glück und sein Leben hatte er doch alles getan und drum schritt er freudig, als er

einmal zurückzugehen begonnen hatte, denn er fürchtete keine Menschen und er ging, um das Blatt zu holen.
Es war ein kleines und etwas welkes Blatt und man sah es nicht gut auf den Pflastersteinen.

Er ging sehr weit, und er sah nicht mehr das Blatt. Und er wußte, der Wind hat es weggenommen oder der Schritt eines Menschen. Da sank auf ihn die große Traurigkeit. Und dann sang doch wieder eine ferne Freude: denn an ihm lag es nicht, wenn das Unglück kam. Er ging zurück und mit froherem Schritt nach Hause.
Da sah er das Blatt, wie er den halben Weg gegangen. Er sah es deutlich und einfältig liegen auf den Pflastersteinen. Weil es so klein und deutlich dalag, verstand er auch, wie er es hatte übersehen können. Er hob es auf mit Freudigkeit und achtete nicht der Fenster, aus denen Weiber schauten, die eben ihre Wäsche schüttelten.
Jetzt war der Sieg sein und unverschleiert in klarer Nähe. Mit dem Blatt in der Hand kam er aufgerichtet nach Hause.

MAX FRISCH

Die Säule

Der Große Brockhaus nimmt sich ihrer nicht an. Ab und zu ein Gast, der sie anfaßt, um mit der Hand festzustellen: Granit, ja, Granit. Eine grobe und rührende Säule. Manche fragen auf den ersten Blick: War die schon immer da? Unser Dorf hat keine Chronik, nur Inschriften an der verlassenen Kapelle und an einigen Häusern: 1682, 1664 usw. Wahrscheinlich ein Steinmetz von Beruf, tätig außerhalb seines heimatlichen Tals, das keine Aufgaben hatte für ihn, hat die Säule gehauen für sich selbst. Er hat nichts erfunden, kein Carlo Madermo, der auch aus dieser Gegend stammte. Eigentlich ist nichts zu sagen, nachdem man sie mit der Hand berührt hat und mit Kenntnis: Toskanisch! Am Sockel übrigens ist etwas abgesprengt, nicht schlimm. Sie wird uns überdauern. Ein grauer und spröder Stein aus der Gegend. Der Große Brockhaus meldet zuverlässig: Die dorische Säule, die ionische Säule, die korinthische Säule, wie in der Schule gelernt und später gesehen in Sunion, Korinth, Olympia, Athen, Delphi, Paestum, Selinunt, Baalbek usw.; aber die Säule, die unsere kleine Loggia hält, erinnert mich nie an Reisen. Wenn wir den schwarzen Kaffee trinken, teilt sie für uns das Tal. In ihrer unteren Hälfte ist sie etwas bauchig, überhaupt nicht glücklich in den Proportionen. Man sitzt in Korbsesseln, Nacht mit Wetterleuchten, davor die Säule, von der man nur weiß: Einer hat sie gehauen, denn da steht sie und trägt. In den Sommern, so nehme ich an, hat er bei fremden Herrschaften gehauen oder an Kirchen im Süden, wo er einen Meister hatte; im Winter mußte er nachhause und hatte Zeit, viel Zeit für Granit. Warum er nachhause mußte, weiß ich nicht; wahrscheinlich hatte er hier die Familie. Granit ist nicht Marmor; die Form, die er im Gedächtnis hatte, bleibt schwächer als der körnige Stein. Und dann vorallem: sie steht allein. Alles andere an dem Haus ist gewöhnlich und recht; das bäurische Gebälk, die Fensterbänke aus dem gleichen Granit, der große Kamin usw. sind nicht verwandt mit ihr. Eine Säule wie ein Gast. Sie ist nicht ganz mannshoch, steht aber auf einer Brüstung; man kann, wenn man steht und mit jemand redet, die Hand an ihr Kapitell legen und tut es auch ab und zu, denn sie ist nicht feierlich. Es kommt vor, daß ich die Pfeife dran ausklopfe. Wir kennen natürlich ihre große Familie, inbegriffen die glatten Bastarde an den Banken in aller Welt. Sie aber kennt ihre Herkunft nicht. Manche bemerken sie auch gar nicht, so scheint es, und dann stelle ich die Säule nicht vor. Später dann, wenn unser Gespräch einmal stockt, wieder die Frage: War diese lustige Säule schon immer hier? Immer nicht; einmal hat einer sie gehauen. Ich könnte mir denken, daß er stolz darauf war. Nur der Kranz unter dem Kapitell liegt klassisch, aber auch er ist zufällig-prall wie eine Wurst. Wenn man die Zeitungen vom Tage gelesen hat und zur Seite legt, eine Weile müßig in dem Bewußtsein unsrer Ohnmacht, steht sie unerschüttert, nicht stolz, aber brav. Faßt man sie an: körnig, die steinerne Wärme des vergangenen Tages. Gegen die Blässe des Abendhimmels zeigt sie ihre Entschuldigung: Verwittert durch Jahrhunderte, ihr verwaschenes Profil schwarz gegen die präzis-lichte Dämmerung, die gerade den ersten Stern zuläßt.

PETER HANDKE

Mit meinem letzten Geld fuhr ich im Taxi durch den Staat Oregon

Mit meinem letzten Geld fuhr ich im Taxi durch den Staat Oregon. Es war ein dunkler Tag, wie geschaffen fürs Unterwegssein, nur im Regen hellte es sich ab und zu auf. Ich hatte die Kamera auf den Knien, es gab viel zu sehen, hinauf und hinab, links, rechts, aber ich war zu traurig zum Fotografieren.

Ab und zu schließ ich ein; wenn ich aufwachte, streckte sich eine Flußebene aus, wo ich gerade noch einen kahlen Felskegel gesehen hatte, und beim nächsten Aufwachen fuhren wir schon wieder durch finstere Nadelwälder, und ich mußte mich aus dem Fenster beugen, um etwas vom Himmel zu sehen. »Nicht das Fenster aufmachen, die Klimaanlage funktioniert sonst nicht!« sagte der Taxifahrer. Das Wachsein bei geschlossenen Augen hielt ich nicht aus, weil dabei alles, was ich mit dem letzten Blick noch aufgenommen hatte, sofort näherrückte und mir den Atem nahm; erst wenn ich die Augen öffnete, wich es an seine Stelle zurück. Wieder einmal ging ein Schauer nieder, die Scheiben wurden undurchsichtig, ich mußte geschlafen haben, denn im nächsten Augenblick waren die Scheiben rein und trocken, die Sonne schien schwach, vor dem Fenster ragte eine riesenhafte graue Felswand empor. Ich richtete mich auf, schüttlelte mich, die Felswand breitete sich aus, bis an den Horizont, es war der Stille Ozean. Der Fahrer stellte das Radio an; es rauschte nur. Nach einigen Minuten hielten wir in Twin Rocks, wo die Möwen auf dem Dach der einzigen Tankstelle saßen.

Hinaus! »In dem Ort wohnen nicht viel mehr als hundert

Leute.« Aber auch solche Sätze halfen jetzt nicht mehr. Ich wollte den Koffer abstellen, dann trug ich ihn doch immer weiter. Der Himmel war hier sehr hell; wenn die Sonne durch die Wolken kam, schimmerte der Belag an den Autoschildern. Einmal stand ich da, ohne den Koffer abzusetzen, dann sah ich in einem Fenster ein Kind, das mich beobachtete und traumverloren meine Miene nachahmte. Ich ging weg; viele Schwalben flogen herum, so schnell, daß man sie fast nur als Bewegungen sah, wie Fledermäuse in der Dämmerung.

»Sitzen auf der Hobelbank,
warten bis die Mutter kommt,
kommt der schwarze Widder,
stößt uns alle nieder,
kommt die weiße Fledermaus,
hebt uns alle wieder auf.«

In den letzten Häuserscheiben spiegelte sich schon das Meer. Wirklich: ausgebrannte Abfallkörbe! Vor einem Haus drehte sich ein weißblauer Zylinder: ein Friseurgeschäft. Eine einzige Frau saß darin, bis zu den Augen unter einer Haube, das Friseurmädchen hockte davor auf den Fersen und lackierte ihr die Zehennägel. Sie spreizte die Zehen, die ziemlich krumm und verwachsen waren. Hornhaut an den Gelenken; und daran erkannte ich Judith: sie war als junges Mädchen Verkäuferin gewesen und hatte sich dabei die Füße verdorben. Jetzt sah ich auch an der Garderobe die braune Wildledertasche stehen; halb offen, Judith hatte wohl daraus den Pudermantel genommen, den sie jetzt um die Schultern trug. Er war aus Brokat und leuchtete tief in der untergehenden Sonne. »Sie ist mit dem Pudermantel nach Amerika gereist!« dachte ich laut. Während die Friseuse ihr nun auch noch die Fingernägel lackierte, beobachtete ich, wie Judith mit zwei Zehen des einen Fußes die große Zehe des andren Fußes umklammerte. Träume, am

Morgen aufzuwachen und einen Regenwurm aus dem Mund zu spucken. Ich konnte nicht wegschauen. Judith bewegte sich auf dem Stuhl, mit einem zornigen Ruck, als nähme sie etwas vorweg. In einer unerklärlichen Erinnerung quietschte durchdringend ein Korken, der mit dem Mund aus einer Flasche gezogen wurde. Die Friseuse schaute auf, halbblind von den Fingern, die sie sich so nah vors Gesicht gehalten hatte, ich trat schnell aus ihrem Blickfeld.

Fischskelette zwischen den Kanalgittern; Schwärme in den Ritzen der Blockhütten; Leute, die vor die Häuser traten, zum Himmel schauten und wieder hineingingen; als Pionierdenkmäler diesmal Fässer mit Schmierseife und Schweineschmalz vor dem Supermarkt, mit Inschriften, die von der Gründung des Ortes erzählten. Ein Betrunkener mit offenem Hosenschlitz, die nackte Haut darunter, bog ab und kam steif auf mich zu. Ich machte ihm Platz, und er stolperte über die Stelle, an der ich gerade noch gestanden hatte, fiel mit dem Bauch in eine Regenlache.

Die Neonstraßenbeleuchtung wurde angeschaltet, obwohl es noch hell war; eine der Röhren flackerte. Ich hatte ein Haar im Mund, das ich nicht loswurde. Es war mir auch angenehm, so hatte ich beim Gehen eine Geste, mit der ich mich beschäftigen konnte. Ab und zu lief ich. Ich ging die Küstenstraße entlang, wo schon keine Häuser mehr standen, bis ich im Meer die zwei schwarzen Klippen sah. Hier überquerte ich die Straße und ließ mich an der Ausbuchtung, die auf der Ansichtskarte angekreuzt war, auf dem Koffer nieder. Die Sonne war gerade untergegangen, es war windig geworden. Die Ausbuchtung war Aussichtsplatz und zugleich Bushaltestelle. Selten fuhr ein Auto vorbei. Ich schaute auf den Strand, der ziemlich tief unter mir lag. Er war felsig, in dem schäumenden Wasser schwammen Holzprügel. Der Aussichtsplatz war durch ein Geländer gesichert. Eine Frau stand noch dort, neben ihr ein idiotisches

Kind, das immer wieder auf das Geländer stieg. Die Frau hielt es fest, es schrie immer wieder das Meer unten an und ließ sich herunterheben. Ein Bus mit der Aufschrift BAY CITY hielt an, sie stiegen ein, und ich blieb allein zurück.

Ich schaute auf den Stillen Ozean hinaus. Obwohl das Wasser von der Sonne noch nachglänzte, war es tief dunkel. Ich wollte den ersten Eindruck von ihm wiederholen, die steif aufragende Felswand: aber es blieb als flaches Meer vor mir liegen, bis sich das Gehirn verkrampfte.

Der erste Eindruck von Judith: warum konnte ich ihn nicht mehr zurückrufen? Ich versuchte es: eine süße Zuneigung, die mich aufhob und federleicht machte. War das nicht das Maß, mit dem wir immer miteinander hätten umgehen müssen? Ich hatte es vergessen, wir konnten einander nur noch mit verzerrten Gesichtern betrachten.

Wieder der Blick auf das Meer: es war so leer, daß ich mir wie davon aufgefressen vorkam. Nebelschwaden zogen über den Strand. Vor Erschöpfung klafften die symmetrischen Teile meines Körpers auseinander, mir wurde übel von den unausgefüllten Zwischenräumen. Verstolpert, verdreckt, verhunzt. In den beliebig verfügbaren Posen der Entfremdung hatte ich mich nun zu lange schon wohlgefühlt; von allen hatte ich mich distanziert, indem ich sie zu »Wesen« werden ließ: *dieses Lebewesen,* hatte ich von Judith gesagt, *dieses Ding: dieser, diese, dieses.* Ich steckte mir beide Hände zwischen die Beine und krümmte mich zusammen. Ein Hubschrauber flog niedrig über die Straße, blinkte den Asphalt an.

Es wurde still. Von ganz weitem hörte man ein Flugzeug; sein Dröhnen war so leise, daß vom Lauschen der Kopf wehtat.

Ich schaute mich um und sah Judith mit der Tasche zwischen den letzten Häusern von Twin Rocks hervorkommen. An der anderen Straßenseite blieb sie stehen, schaute nach links und nach rechts, kam dann herüber. Sie hatte ein

Kopftuch auf, vielleicht waren die Haare noch nicht trokken. Hinter ihr war es schon fast dunkel, sie hatte den Revolver auf mich gerichtet. »Sie nimmt mich ernst!« dachte ich. »Wirklich, sie nimmt mich ernst!« Sie spannte den Hahn. Das Geräusch war so leise, daß man es nur in der Vorstellung hörte und gar nicht daran glauben wollte. Ich war zu Asche verbrannt, aber noch ganz, würde nur bei der kleinsten Berührung auseinanderfallen. Das war es also! Und dafür hatte ich geglaubt, geboren zu sein! Enttäuscht stand ich vom Koffer auf und ging ihr entgegen. Mit götzenhaft starren Gesichtern gingen wir aufeinander zu; auf einmal drehte sie den Kopf weg und schrie, so schrill, daß ihr, wie bei einem brüllenden Kind, die Luft aussetzte. Ich hielt den Atem an, bis sie weiterschreien würde, sie mußte gleich weiterschreien, noch einmal so laut; sie blieb aber still, verschluckte sich nur, es würgte sie, und ich nahm ihr den Revolver aus der Hand.

Wir standen nebeneinander, traten von einem Fuß auf den andern, ratlos und mißmutig. Ich warf den Revolver ins Meer, er fiel auf eine Klippe, ein Schuß löste sich, es zischte im Wasser, Judith drückte sich mit der Faust die Lippen an die Zähne.

Wir gingen auf und ab; wenn der eine sich bewegte, blieb der andere stehen. Es wurde Nacht, und ein hellbeleuchteter Autobus schwenkte herein; es war ein Greyhound-Bus, nur wenige Leute darin, Kissen in den Nacken. Der Fahrer winkte uns. Ich fragte, wohin er fuhr, und er sagte: »Nach Süden.« Wir stiegen ein, und schon am nächsten Morgen waren wir in Kalifornien.

PETER HUCHEL

Die Begrüßung

Am Zaun des Nachbarn vorbei,
argwöhnisch betrachtend
die Doppelreihe hoher Tulpen,
Meßlatte und Schnur verhalfen,
den richtigen Abstand zu nehmen,
gestutzte Taxushecken stehen wuchtig
im Rasen, grüne Marmorblöcke.

Noch halb im Schatten des Tulpenbeets,
sandig und heimlich angesiedelt
der Wegerich,
er hebt die rauhen Rispen
als Widerpart geharkter Ordnung.

Die Begrüßung ist stumm
und brüderlich. Der Grubber liegt am Weg;
mit Eisenzähnen auszureißen
die Wurzeln erdiger Metaphern.

Unkraut

Auch jetzt, wo der Putz sich beult
und von der Mauer des Hauses blättert,
die Metastasen des Mörtels
in breiten Strängen sichtbar werden,
will ich mit bloßem Finger

nicht schreiben in die porige Wand
die Namen meiner Feinde.

Der rieselnde Schutt ernährt das Unkraut,
Brennesseln, kalkig blaß,
wuchern am rissigen Rand der Terrasse.
Die Kohlenträger, die mich abends
heimlich mit Koks versorgen,
die Körbe schleppen zur Kellerschütte,
sind unachtsam, sie treten
die Nachtkerzen nieder.
Ich richte sie wieder auf.

Willkommen sind Gäste,
die Unkraut lieben,
die nicht scheuen den Steinpfad,
vom Gras überwachsen.
Es kommen keine.

Es kommen Kohlenträger,
sie schütten aus schmutzigen Körben
die schwarze kantige Trauer
der Erde in meinen Keller.

Das Gericht

Nicht dafür geboren,
unter den Fittichen der Gewalt zu leben,
nahm ich die Unschuld des Schuldigen an.

Gerechtfertigt
durch das Recht der Stärke,
saß der Richter an seinem Tisch,
unwirsch blätternd in meinen Akten.

Nicht gewillt,
um Milde zu bitten,
stand ich vor den Schranken,
in der Maske des untergehenden Monds.

Wandanstarrend
sah ich den Reiter, ein dunkler Wind
verband ihm die Augen,
die Sporen der Disteln klirrten.
Er hetzte unter Erlen den Fluß hinauf.

Nicht jeder geht aufrecht
durch die Furt der Zeiten.
Vielen reißt das Wasser
die Steine unter den Füßen fort.

Wandanstarrend,
nicht fähig,
den blutigen Dunst
noch Morgenröte zu nennen,
hörte ich den Richter
das Urteil sprechen,
zerbrochene Sätze aus vergilbten Papieren.
Er schlug den Aktendeckel zu.

Unergründlich,
was sein Gesicht bewegte.
Ich blickte ihn an
und sah seine Ohnmacht.
Die Kälte schnitt in meine Zähne.

ADOLF MUSCHG

Ein ungetreuer Prokurist

Er hatte sich manchmal eine Geliebte gewünscht, nicht weil andere im Geschäft auch eine hatten, das Geschäft hatte damit gar nichts zu tun, sondern weil er auch gern einmal ein Mensch gewesen wäre mit allem, was dazugehört. Natürlich nahm er an, daß eine Geliebte in so geregelten Verhältnissen wie den seinen Komplikationen schaffen würde, aber wenn man leben wollte, mußte man auch bereit sein, hier vielleicht etwas zuzulegen, dort etwas abzubuchen. Er erwartete nur, daß es einmal mit ihm persönlich etwas zu tun hatte; so viel darf man vom Leben verlangen.

Es ergab sich dann so. Bei einer Werbeveranstaltung, um die neue automatische Saftpresse der Firma vorzustellen, kam er mit einer Journalistin ins Gespräch, die, wie sie ihm bald erzählt hatte, wieder in ihrem alten Beruf arbeitete, nachdem ihre Kinder halbwüchsig geworden waren und sie nicht mehr täglich nötig hatten. Freilich hatte sie sich früher, als Zwanzigjährige, eher mit kulturellen Ereignissen befaßt.

Als die Saftpresse vorgestellt und nicht mehr allzu viel darüber zu reden war – das Reden besorgte ohnehin eine jüngere Kraft der Firma, ein zuversichtlicher Typ im lila Jakkett, während er, der Prokurist, sich zurückhielt, noch betonter vielleicht, seit er erfahren hatte, daß seine Gesprächspartnerin früher über kulturelle Ereignisse berichtet habe –, um etwa halb zehn Uhr also nahm er zu seinem Erstaunen den Rand ihres Ellbogens und führte sie daran zur Tür hinaus. Ich bin hier nicht nötig, sagte er ihr. Daraus, daß sie ohne weiteres mitkam, folgerte er noch nichts.

Er hatte nicht einmal Lust auf eine Fortsetzung des Gesprächs oder einen Drink; das gab es ja auch hier, im Überfluß, er hatte die Bestellung selbst überwacht. Es schien nur plötzlich richtig, er sagte sogar: nötig, hier wegzugehen, fünf Minuten vor dem Auspendeln der Veranstaltung zu zeigen: man war noch sein eigener Herr. Ganz zwischendurch, gar nicht elektrisierend, ging ihm durch den Kopf, daß man auch mit ihr schlafen könnte, ohne daß sie viel dagegen einzuwenden hätte. Sie war ja die Mutter mehrerer Kinder usw., würde es nicht so genau nehmen; damit meinte er gleich zu Beginn nichts Verwegenes, eher eine gewisse Sicherheit: was soll da viel kaputtgehen.

Sie war eigentlich nicht hübsch genug für Gedanken daran, aus der Nähe besehen. Vielleicht war sie sogar etwas älter als er. Das erlaubte ihm, am Ecktisch drüben im »Excellence« unaufdringlich nett zu sein, fast bis zum Eingeständnis seiner Müdigkeit zu gehen; sie nahm ihm nicht übel, daß er in einer Haushaltfabrik arbeitete, wirklich nicht, sie sagte es nicht nur so. Das Leben schien sie bescheiden gemacht zu haben, zur Teilnahme fähig. Öfters blieben ihre braunen, etwas kurzsichtigen Augen in seinen Augen hängen. Er brauchte kaum zu betonen, daß er in seinem Saftladen etwas Gehobenes sei, sie wußte es schon, es machte keinen Unterschied für sie. Hier sitzt ja doch ein Mensch, dachte er.

Er erzählte von sich und Familie, die Familie brachte er in den ersten Sätzen herein. Es sollte alles in Ordnung gehen, er war nicht dafür, etwas zu unterschlagen (unterdrücken, etc.). Was er so äußerte über Haus und Garten, klang heute abend mühelos, unschwierig; so kannte er sich gern. Der Alkohol hatte nichts damit zu tun, sie hatten nur Bier bestellt, allerdings ein dänisches. Zu Whisky etc. wollte sie sich nicht einladen lassen, übrigens aus keinem besonderen Grund; da waren nirgends besondere Gründe, das war einfach so. Er brauchte seine Asche nicht kurzfristig abzuklopfen, durfte ruhig rauchen und sie ansehen, wenn er ihr den Rauch nicht gerade ins Gesicht blies. Ein paar Mal lachten sie; zum Schweigen war es noch zu früh. Sie hatte einen kleinen Kummer im Gesicht, aber der war wohl meistens dort, er brauchte wahrscheinlich nicht zu stören. Manchmal fehlte ihm ein Wort; dann wieder gelang ihm ein lustiger Satz, ohne daß er gelingen mußte. Sie bestrafte ihn für nichts. Das gefiel ihm, und sie schien sich dabei nicht zu langweilen.

Manchmal strich er ihr mit den Augen eine Haarsträhne hinter ihr Ohr zurück, dachte daran, wie es wäre, mit einem Menschen wie diesem zu schlafen; dann vergaß er es wieder. Wenn sie die Schultern zusammenzog, dachte er wieder stärker daran, aber so, wie man an ein Fest im Kalender denkt; es hatte nichts Diebisches.

Als es elf Uhr war, begleitete er sie in ihr Hotel zurück, ein Hotel der mittleren Klasse, wo der Portier auch im Restaurant nebenan aushelfen muß. Sie gingen an der leeren Loge vorbei über ein paar Treppen auf ihr Zimmer; er hatte wieder ihren Ellbogen in der Hand, aber mit einem schwächeren Griff. Das Zimmer, dessen Tür sie rasch zuzog, war eng und eckig und nur mausgrau zu beleuchten; er löschte das Licht wieder, und sie lehnte sich im Dunkel mit einem kleinen stummen Aufschnupfen gegen seine Stirn. Dann zogen sie sich aus, daß es knisterte, ohne zu eilen; erst die letzte Bewegung, mit der sie in das gerade noch erkennbare, dann elend knappe Bett krochen, hatte etwas Linkisches; sie stießen an ein paar falschen Stellen zusammen; er hatte sich die ganze Minute leisten können, teils an etwas anderes, teils an nichts zu denken. Wild wurde es nicht, aber doch so, daß sie heftiger klammerte, als er vorausgesehen hatte, und plötzlich, in den spürbarsten Erfolg hinein, denken mußte, es sei am Ende nicht bloß ein Mensch in seinen Armen, sondern ein bedürftiges Wesen.

Während sie eine Zigarette rauchten und dann zum ersten Mal rundum schwiegen, kam ihm der Verdacht, es sei doch wieder zuviel geredet worden, doch war er entschlossen, das Ganze gelten zu lassen; erst einen Augenblick später, dessen

Vorbeigehen ihm auffiel, meldete sich etwas Unbequemes, das seinen Griff an ihrer Schulter hart werden ließ. Sie lächelte und drückte ihr Haar an seinen Griff; dabei gelang ihm ein Blick auf seine Uhr, die Leuchtziffern fluoreszierten gerade noch: schon nahe zwölf Uhr, und er hatte zu Hause nicht angerufen. Er spürte die Feuchtigkeit auf seinem Rükken stärker. Viel später durfte es nicht werden, und jetzt hatte er keinen Mut, ihr das zu sagen. Er griff wieder fester zu, und sie lächelte wieder.

Es fand dann irgendeine kleine Schauspielerei statt, die den Zweck hatte, sie an seine Müdigkeit zu erinnern, keine erhebliche, die sie beide betraf, nur die allgemeine von vorhin. Er log ein weig, fast nur in Gedanken, aber es genügte schon zu einem Vorwurf gegen sie: warum durfte er nicht müde sein? Sie bemerkte anscheinend nicht, daß er nicht mehr aufrichtig war, sie war zu bedürftig oder zu glücklich dazu, das erfüllte ihn mit Angst, er dachte jetzt schon, in ihr zufrieden geöffnetes schattenhaftes Gesicht hinein, daß diesem Verhältnis, dem ersten neben einer durchaus geordneten Ehe, der rechte Grund fehlte. Sie fuhr ihm mit dem Finger über seine offenbar zusammengezogenen Brauen, wußte nicht, daß dies schon eine kleine Abschiedsbewegung war; plötzlich sah er seinen Gedanken an Trennung wieder von der andern Seite, wo er noch, oder schon wieder, mit der Herzlichkeit dieses neuen schmalen Körpers zusammenhing, der ihm, halb verraten schon, wieder wie sein eigener vorkam, plötzlich fühlte er sein Fleisch wieder im andern Fleisch, und nun fand, wie er mit ihren Krallen in seinem Rücken spürte, hemmungslose Abhängigkeit statt. Offenbar hatte sie lange nicht mehr geliebt, er war zu sicher gewesen, daß an ihm nicht viel zu lieben war, jedenfalls nicht beängstigend viel.

Die Tür war dünn, oft hörte man Schritte vorbeigehen, zögern, zu rasch weitergehen. Sie atmete viel zu laut, er suchte dieses sanfte Jammern, für das er nicht verantwortlich sein wollte, mit seinem Leib zuzudecken, bedeckte ihr Gesicht mit seiner Brust, der Himmel wußte, was er damit bei ihr anrichtete, sie schien ja sterben zu wollen, verschluckte sich einmal ums andere. Er bekam Angst und blieb höhnisch stark dabei, es war schon halb eins gewesen, er biß auf seine Uhr, vermutlich sah ihn seine Frau, zu Hause wach, in einen unaufhörlichen Zusammensturz verwickelt, es hörte alles überhaupt nicht mehr auf, und er sehnte sich nach einer Toilette mit einem guten Buch.

Nach vielen Augenblicken wütender Pflicht hatte er sie so weit, daß sie ruhig war und er seinen Wunsch, ohne das Buch selbstverständlich, melden durfte. Sie nahm es, bis zu den Schultern strahlend, als einen ungeheuren Scherz, ein untrügliches Zeichen von Vertrautheit, jagte ihn nach einem kurzen Schauer von Kinderküssen, in seine Kleider, munter, munter. Er dachte daran, die Unterhose im Dunkel nicht verkehrt herum anzuziehen, er wollte seiner Frau nicht durch solche Dinge wehtun; da ging das Licht an, eine plötzlich schneidende Helle aus der Biedermeierfunzel, er stand, seine Unterhose wendend, blinzelnd in ihrem Lachen, das leise und getröstet klang. Es blieb ihm nichts übrig, als sie in ihrer Blöße zu betrachten, die sie leuchten ließ, als hätte sie gerade ihren eigenen Körper zur Welt gebracht; er empfand weder Zärtlichkeit noch Abneigung dabei, das beruhigte ihn über sich, und er ließ ein scherzhaftes Schnalzen hören, während er seine Hose endgültig festzog. Er sagte noch, daß er viel zu dick sei für sie; im übrigen eilte es jetzt wirklich, fort mit mir, da gibt man die heftigsten Küsse, und keiner schmeckt nach Wiedersehen.

Auf dem fast verlassenen Parkplatz, im Schatten seines Wagens, wurde er endlich sein Wasser los und hörte dazu mehrere Uhren ein Uhr schlagen.

Man macht sich immer die falschen Sorgen. Sein Eigenheim, das er mit beklommener Rührung ins Auge faßte, war lichtlos, er konnte sich das fremde Salz mit den Duftresten von der Haut waschen. Alles war in Ordnung und verlockte dazu, weniger streng über ein Wiedersehen zu denken. Seine Frau schlief längst, sie hatte keine Sorgen um ihn, sie kannte ihn ja, bestätigte sein Dazukriechen mit einem halben lieben Laut: da schenkte er sich den Rest seiner Gedanken, und eingekuschelt in die endlich erlaubte und haltbare Müdigkeit, ließ ihn, von einem Atemzug zum folgenden, auch die Erinnerung in Ruhe.

Ein paar Briefe, natürlich; sie zwangen ihn, den Postboten schon bei der Tür abzufangen. Er überflog sie nur flüchtig, tastete die ihm unsympathischen runden Schriftzüge auf Solides ab, Daten, mögliche Rendezvous; diese trug er chiffriert in seine Agenda ein, um die Briefe dann sorgsam in kleinste Fetzchen zerrissen in die Toilette zu werfen und ihr Verschwinden zu überwachen. Er schickte Rosen ins Hotel, wenn er wußte, daß sie da war; aber er kam auch selbst. Es reichte, wenn er das Büro früh genug verließ, wenigstens zu einem kleinen Nachtessen, bevor sie ins Hotel gingen; der Portier sah sie natürlich vorbeigehen, wußte Bescheid und bekam in Abständen ein sehr hohes Trinkgeld; zu einem Augenzwinkern war er nicht zu bewegen. So wurde diese Liebe zur nie recht kompletten Gewohnheit, die man sich gönnte, weil einen die verzettelten Mühen einer Woche immer wieder vergessen ließen, daß man ihr sieben Tage zuvor abgeschworen hatte. Der Grund für diese Zuneigung, die so wenig Gedächtnis besaß, lag wohl etwas flach; dafür konnte er auch leichter überschwemmt werden. Etwas läpperte sich da immer wieder zusammen, wuchs auf ein paar Augenblicke weit ins Land hinein und beschwichtigte einen Reiz, den es selbst erzeugt hatte; sein Element war es nicht. Wenn es sich mit ihren Fingern zurückzog, erleichterte ihn die Nähe des wohlverdienten Abschieds so, daß er seine Trokkenheit kaum mehr beherrschen konnte, sie schlug einfach durch, stellte sich ungeduldig, ja gewaltsam wieder her und verzehrte die Erinnerung an die Liebe oft noch vor deren

Augen. Das genierte ihn; es hatte ihm ja wohlgetan, daß sich ihre Finger wie Wasser angefühlt hatten. Aber es kam ihm doch sehr seltsam vor, daß er offenbar gebraucht wurde; selbst wenn sie an seinem Haar und an seiner Haut zerrte, glaubte er zu wissen, es handle sich um ein Mißverständnis; er kannte sich einfach nicht so. Was half es, wenn sie beteuerte, er solle immer der bleiben, der er sei; zu viel Ehre, dachte er, so viel, wie du denkst, hat deine Liebe nicht aus mir gemacht. Leider.

Gar nichts war es aber auch nicht.

Oft unterhielt er sich, wenn sie zusammen waren, damit, daß er sich beobachtete. Das war schon etwas Neues. Neu war die Distanz, die er nicht nur zu ihrem, auch zu seinem eigenen Körper aufbrachte und die ihn offenbar männlich machte, oder männlich wirken ließ; dagegen waren alle Geschichten aus viel früherer Zeit wirklich nichts – an seine Ehe weigerte er sich in diesem Zusammenhang zu denken. Was hätte er nicht vor zwanzig Jahren für solche halben Nächte gegeben! Damals gab es nur den Gedanken daran, der noch in der Erinnerung so rasend sein konnte, daß er sich, diese Frau umarmend, vergegenwärtigte: das wäre es also gewesen, wenn man als Kind eine Geliebte gehabt hätte. Und die Wut über alles Versäumte befähigte ihn zu solcher Zärtlichkeit, daß sie denken konnte – jedenfalls stand es, wenn er nicht irrte, in einem ihrer Briefe –: sie habe ihm neues Leben gegeben.

Wohin damit.

Wenn sie, ein paar Städte weiter, mit ihren Söhnen spazierengehe, habe sie wieder Wind im Gesicht, zum ersten Mal seit Jahren Wind, er hatte es nicht mehr ganz genau im Kopf. Aber er nahm bei Gelegenheit Bezug darauf; er war ja kein unartiger Mensch.

Sie sorgte sich, weil seine Klagen über sich selbst häufiger und rücksichtsloser wurden; so lasse ich nicht über meinen Liebsten reden, sagte sie ihm. Sie nahm es als Spiel, Ausdruck seiner schon bekannten Müdigkeit etc., aber es war ihm ernst. Wenn er sich gering machte, sollte das heißen: was hast du auch immer mit mir. Er machte sich klein, um zu entschlüpfen. Das merkte sie nicht.

Wenn sie von ihrem Mann redete, nicht wegwerfend, nur nachdenklich, nickte er vielleicht, aber redete nie von seiner Frau. Das gehörte nicht hierher.

Einmal sagte er, während er auf der Bettkante saß: schau einmal, was ich für häßliche dicke Beine habe. Sie warf sich sogleich mit ihren Lippen darauf, und niemals war ihm eine Berührung unangenehmer gewesen. Aus Schuldgefühl streichelte er die Spitzen ihres Haars.

Immer deine Sorgenfalten, sagte er. Um was sorgst du dich eigentlich. Und zeichnete übertriebene Wellen auf ihre Stirn. Da lachten sie, und er wollte die müde Stelle bei ihrem Auge nicht sehen. Man altert auch, wenn man sich höchstens jede Woche einmal sieht.

Sie glaubte, es ihm leicht zu machen (was eigentlich?), wenn sie beteuerte, daß sie nur seinen Körper nötig habe. Darauf war er aber nicht mehr stolz. Er entnahm ihren Bewegungen nur, daß das viel war, schon zu viel, Wasser in irgendeine Wüste. Er konnte nicht Wasser spielen. Er wollte auch keine Lebensarbeit mehr, er hatte seine Prokura und eine nette Familie, seine Frau stellte etwas vor, auch wenn die Leidenschaft nachgelassen hatte, so ist das, er lebte ja zufriedenstellend. Er schämte sich über die Erschütterung des kleinen fremden Körpers, den er mit ein paar Atemzügen seines eigenen reicher machte, als ihm bequem war. Das haben die Kollegen mit ihren Freundinnen nicht, dachte er, so viel Niveau.

Sorg dich nicht um mich, zum Teufel sorg dich nicht immer, sagte er bei ihren Rendezvous, weil man diesen Satz auch lieblos sagen kann; er fällt nicht auf.

Er träumte auch von ihr, nämlich: daß sie unter ein Auto gekommen war und er ihren Körper, der nicht zerstört war, mit ehrlichem Gefühl streicheln durfte; jetzt wußte sie endlich keine Antwort mehr darauf. Er erschrak nicht einmal über diesen Traum.

Bald war er Mitte Vierzig, die Saftpresse war ein großer Verkaufserfolg, und ab und zu gingen sie jetzt in einen guten Film statt immer ins Bett. Wenn sie auf ihn zukam, als wäre es Sommer, spürte er: die andere Stadt war die Ausnahme für sie. Er aber mußte hier leben, die Nachbarn, die forschend geblickt hatten, wiedersehen. – Dafür ließ er sie büßen, wenn sie wieder im Hotelzimmer waren, aber das hielt sie für Leidenschaft, die gewohnte Leidenschaft, und gab ihm immer neue Namen, sogar solche aus dem Alten Testament. Wenigstens schickte sie ihre Briefe nicht mehr mit der Post, sondern steckte sie ihm bei ihren Abschieden zu, dicke Umschläge, er las sie, um das hinter sich zu haben, beim Innenlicht seines Wagens und warf sie dann ins immer gleiche Gully. Aber so etwas wird keine Gewohnheit, die Fetzchen wirbelten ihm in den Schlaf nach, und am Morgen erschrak er zuerst, als er den Vorplatz mit Kirschblütenblättern bedeckt sah.

Sie respektierte, als müßte sie für andere Zeiten vorsorgen, jetzt sogar seine Fluchtbedürfnisse und Kleinherzigkeiten, begannen auch das Gewöhnliche an ihm zu pflegen oder zu verzehren, weil sie, wie es schien, auch das brauchte; und er hatte ja selbst einmal mit einem Menschen ein Verhältnis haben wollen. Allmählich kam sie ihm wie eine Mutter vor, besonders im Schlaf; in ihren zwei, höchstens zweieinhalb Stunden kam es ja doch einmal vor, daß sie an seiner Schulter oder auf seiner Brust einnickte. Dann hörte ihr Gesicht zu glänzen auf und wurde kummervoll wie das einer Mutter, aber nicht derjenigen, die er gehabt hatte. So etwas konnte ihn nochmals erregen. Er war froh, wenn ihn sein Fleisch gelegentlich überlistete; ganz ehrlich sein mochte er ja nicht, weil er es nicht konnte, sonst wäre von seiner Liebe nichts übriggeblieben, das verdiente sie nicht.

Seine Sekretärin instruierte er: wenn sich Frau Soundso meldet, bin ich in einer Sitzung, von jetzt an. Einmal fügte er sogar hinzu: es ist immer dieselbe Person, und machte eine Bewegung gegen die Stirn. Niemand hatte ihn dazu gezwungen. Die Sekretärin, Doris hieß sie, kicherte und sagte: Sie sind mir einer. – Doris kam nicht in Frage. – Plötzlich war er wieder ein wenig stolz auf sich. So eine Liebe.

Du hast viele Sitzungen, sagte sie.

Quartalsabschluß, es geht nicht alles glatt, sagte er, du verstehst, wir exportieren, und das ganze Währungssystem ist aus den Fugen. Irgend etwas begleitete ihn heute aus dem Büro, das nicht zu ihnen gehörte; er strich ihr mit dem Finger über die Lippen.

Du, ich habe heute so Kopfweh, sagte sie, schon die dritte Tablette, es hilft alles nicht. Das werden wir gleich haben, sagte er und legte ihr die Hand aufs Knie. Bitte nicht, sagte sie, ich muß mich einfach hinlegen. Dabei hatten sie sich vier Wochen nicht mehr gesehen. Aber es war ja Liebe, sollte Liebe bleiben.

Er blieb sitzen, fühlte sich betrogen, so oft machte er ja keine Sprünge mehr, und heute wäre ein guter Abend gewesen, so etwas spürt man in den Kniekehlen. Aber bitte, dachte er. Bitte sehr.

Er hatte einen Menschen gefunden.

Gegen Ende sagte sie einmal: ich habe gerade in einem Buch etwas Schreckliches gelesen, von Goethe. Da wird von einer Frau gesagt, wenn sie liebte, war sie nicht liebenswürdig. Das muß schrecklich sein.

Nimms dir nicht zu Herzen, sagte er, der Goethe ist auch nicht alles.

Sie sah ihn bestürzt an, aber kaum wegen Goethe, soviel merkte er auch. In Gottes Namen, sie mußte doch wissen, wie er es meinte. Wenn man einander jedes Wort vorrechnen wollte.

Später träumte er wieder, nämlich von einer Versetzung. Die Direktion für München wurde frei. Er erwachte mit nasser Stirn. Um Himmels willen, dachte er, ich habe hier mein Haus, ich kann doch die Kinder nicht verpflanzen, sie haben ihre kleinen Freunde, und meine Frau würde sich in München nie wohl fühlen. Dann erwachte er ganz und wußte: jetzt muß etwas geschehen.

Und es geschah, daß er krank wurde; nichts Gravierendes, nur ein zunehmend empfindlicher Blinddarm mit etwas Fieber. Also Operation. Er schrieb ihr nichts davon, hatte trotzdem immer Angst vor einem Besuch, oder noch schlimmer, einem Brief an die falsche Adresse; also schrieb er, sobald ihm die Wunde erlaubte, etwas aufzusitzen, selbst einen Brief. Es ging ihm gut, nur sein Bleistift zitterte. Er schrieb, er sei gesundheitlich am Rande, habe Raubbau getrieben, auch seelisch. Er habe es sich und ihr lange zu verbergen gesucht, aber jetzt sei es am Tage, daß ihr Verhältnis alle Sicherungen durchzuschlagen drohe, er müsse die Notbremse ziehen, auch um ihretwillen, und sie bitten, ihn nicht wiederzusehen. Gedanken blieben ja frei, das sei sein Trost, jeden weiteren müsse er sich versagen.

Die Schwestern in diesem Spital waren lustig, ließen ihn den Schwesternmangel nie fühlen, brachten ihm auf einen Klingeldruck alles, was er begehrte, Tee und Blutverdünner. Schwester Monika, die lustigste, versprach ihm, den Brief von der Nachtwache mitzunehmen, dann komme er heute noch an. Aber sicher? fragte er. Ganz sicher, sagte sie, Monsieur. Sie war besser als Doris.

Seine Frau besuchte ihn fast täglich, auch abends, dafür lag er schließlich privat. Er genas jeden Tag deutlicher, das Reißen in der rechten Bauchhälfte ging allmählich in ein Kribbeln über, das ihn kratzlustig machte, aber gerade das durfte man nicht, es war streng verboten. Er hatte Angst vor ihrer Antwort, aber eigentlich nur davor, daß er den Brief zu ungelegener Zeit erhielt, er hatte ja immer Besuchszeit.

Er durfte die ersten kleinen Schritte im Korridor tun, erst auf eine Schwester gestützt, dann auf seine Frau.
Am zehnten Tag konnten die Fäden herausgenommen werden.
Es kam kein Brief mehr, auch nach Hause nicht, und er dachte mit so viel Erleichterung an sie, daß es sich manchmal wie Wärme anfühlte. Ein Mensch war sie schon gewesen, er war stolz, nicht auf sich, sondern auf sie, das war ihm geblieben und konnte ihm keiner nehmen.

FRANZ XAVER KROETZ

Kirchgang bei schlechtem Wetter

Kirchgang bei schlechtem Wetter. Staller und Stallerin. Beppi etwas voraus.

STALLER Ob man schon was sieht?

Pause.

STALLERIN Noch sieht man nix.

Große Pause.

STALLER Ich seh was.

STALLERIN Das bildst dir ein. Nix is zum sehn.

Pause.

STALLER Da darf auch nie was zum sehn sein.

STALLERIN Bestimmt ned.

Große Pause.

STALLERIN Es wird gsagt, daß etwa Narrische den Tod ned spürn wie mir.

STALLER Freilich, eine Fliegn merkt auch nix.

Pause.

STALLERIN Fünftens du sollst nicht töten.

STALLER Sechstens du sollst nicht Unkeuschheit treiben. *Pause* Das mach ich mit meim Herrgott allein aus.

Pause.

STALLERIN Es wird gsagt, ein Kind lebt im Bauch von der Mutter noch stundlang weiter.

STALLER Des ned.

Große Pause.

STALLERIN Das tät ich jedenfalls mein Lebn lang nicht mehr vergessn. Das weiß ich.

STALLER Wenn man sich nimmer zum helfn weiß, weils alles nix is, muß man ein Ausweg findn.

STALLERIN Ja.

Pause.

STALLERIN Seelig die im Geiste Armen, denn ihrer ist das Himmelreich.

STALLER Das glaub ich ned.

STALLERIN Auf was man für Gedankn kommt, ned zum Ausdenkn.

STALLER Man redt ja bloß.

STALLERIN Aber mit offene Augn ins Verderbn rennen, das geht auch ned.

STALLER Na.

STALLERIN Wenn man das überlegn tut.

STALLER Das weiß ich, meine Tochter, wo noch ein Kind is, das zruckbliebn is, hat ned schwanger zum sein, von einem altn Taugenichts. Wie man da dastehn tät, vor die andern. Nein.

STALLERIN Warum ein Tunichtgut?

STALLER So sagt man ebn.

2. Szene

Tag in der Küche. An der Bank ist die Zentrifuge befestigt. Beppi dreht. Stallerin wischt naß den Boden.

STALLERIN Das wird kein Butter, sondern eine Soß!

BEPPI *dreht.*

Große Pause.

STALLERIN Zumachn sollst.

BEPPI Schwer is.

STALLERIN Das is früher auch ned schwer gangen. – Was man sich einbrockt hat, muß man auslöffeln.

3. Szene

Abend in der Stube. Staller am Tisch mit einer Zeitung. Stallerin. Beppi schreibt in ein Heft.

STALLER Was tust. *Zu Stallerin.*

Pause.

STALLER *zu Beppi:* Was is? *Zur Stallerin:* Ghört ins Bett.

STALLERIN Laß, Aufgabn machts.

STALLER Aufd Nacht.

BEPPI Schönschrift.

STALLERIN Brav is.

Pause.

STALLER *zu Stallerin:* Was tust?

STALLERIN Eine Laugn mach ich.

STALLER Wegn was?

Pause.

STALLERIN Werst es schon sehn.

Pause.

STALLER Willst es tun?

STALLERIN A Red hat er. Sonst nix.

Pause.

STALLER Und wenn sies ned tut?

STALLERIN Folgn muß.

STALLER Des nutzt nix.

STALLERIN Weißt was Besseres?

BEPPI *hört zu.*

STALLERIN Mach deine Aufgabn und kümmer dich um nix, was dich nix angeht.

Pause.

STALLER Das tätn alle, wenn das etwas wär.

STALLERIN Weil es ned üblich is.

Pause.

Staller liest weiter Zeitung.

STALLERIN So. *Pause. Zu Staller:* Geh außi jetzt, das machn mir unter sich aus, brauchn keine Fenstergucker.

STALLER *steht auf.* Geh eh, wo es deine Sach is. *Geht ab.*

STALLERIN So, jetzt werdn mir es gleich habn.

BEPPI *schaut.*

STALLERIN Geh her jetzt. Zieh die Unterhosn aus, leg dich da hin.

BEPPI Ned.

STALLERIN Waschn müssn mir dich, damit der Dreck weggeht. Zieh die Unterhosn aus.

BEPPI *tut es.*

STALLERIN Weilst soviel Sauerei gmacht hast, daß der Dreck außer geht, wo hineinkommen is dadurch. – Das zwickt ein bißl, aber das macht nis, das is die Seifn, wo alles wegwascht. Zieh den Rock nauf, und die Füß ausnander.

BEPPI *hat sich ganz nackt ausgezogen, steht da.*

Große Pause.

STALLERIN Frierst ja, Dummkopf.

Pause.

STALLERIN *nimmt vom Ofen den Putzlumpen, den Schrubber, macht sie in der Lauge naß, fängt an, die Dielen zu schrubben.*

Pause.

STALLERIN Ja, kannst denn ned hörn, was ich gsagt hab. Waschn sollst dich gehn, naus zur Wanne, und dann marsch ins Bett, morgn mußt wieder aufstehn. – Ich hab meine Arbeit.

4. Szene

Nacht, Staller und Stallerin im Ehebett.

STALLERIN Ich hab mein Bestes versucht, das is sicher. Ich kann mir kein Vorwurf mehr machn, das is auch sicher.

STALLER Hab ich was gsagt.

Große Pause.

STALLERIN Es is ebn so, da kann man nix machn.

STALLER Na, mir nicht. Da ghörn andere Leut her, die verstehn das. Die können sich helfn.

STALLERIN Wenns nix nutzt, dann nutzt es nix.

STALLER Das hab ich mir gleich gedacht, daß das kein Sinn hat.

STALLERIN Ebn.

Pause.

STALLER Wenn man wenigstens noch ein Kind hätt, einen Bubn, das wär ein Lichtblick.

STALLERIN Warum?

STALLER Das is doch klar.

STALLERIN Wenn ich schon als Junger kein zweites Kind hab kriegn können, krieg ich jetzt erst recht keins mehr, das weiß ein jeder.

Pause.

STALLER Redn wird man dürfn und sich was ausdenkn, was einem gfallt.

STALLERIN Ja.

5. Szene

Hang mit Preiselbeerkraut. Stallerin und Beppi brocken Beeren mit Gittern. Beppi hochschwanger.

Große Pause.

BEPPI *hat einen sehr fündigen Platz.* Mei, viele!

STALLERIN *lächelt, ziemlich leise:* Dann brock – und red ned.

Pause.

6. Szene

Abend in der Stube. Staller, Stallerin und Beppi beim Essen.

Große Pause.

BEPPI *hört auf zu essen, schaut Staller und Stallerin an, Wehen beginnen.*

Pause.

BEPPI Papamama.

HANS ERICH NOSSACK

Man könnte sich die Sache natürlich sehr viel einfacher machen

Man könnte sich die Sache natürlich sehr viel einfacher machen, und die Dinge, von denen hier die Rede sein soll, nach den uralten Regeln der Erzählkunst berichten. Das sollte einem, der zwar selber kein Autor ist, aber als Redakteur und Lektor tagtäglich an literarischen Manuskripten herumzukorrigieren hat, nicht weiter schwerfallen. Es hätte den unschätzbaren Vorteil, daß die Glaubwürdigkeit des Erzählten gar nicht erst angezweifelt würde, während die sogenannte Wirklichkeit, das weiß jeder Zeitungsleser, trotz aller beigefügten Fotos höchst unwahrscheinlich anmutet und man sich immer fragt: Was will man uns da verheimlichen? Was steckt dahinter?
In unserm Fall ließe sich zum Beispiel als Ausgangspunkt denken, daß jemand von seinem Zimmer aus die gegenüberliegende Häuserreihe beobachtet, während er über seine eigenen Angelegenheiten nachdenkt. Nicht daß es drüben etwas Interessantes zu sehen gäbe, das würde ja nur beim Nachdenken stören, sondern weil eben nichts andres da ist als die Häuserreihe mit den vielen Fenstern; mit Neugier hat das nichts zu tun. Man weiß, wie die Leute ihr Dasein eingerichtet haben, man weiß, wann der und der nach Haus kommt und wann der und der den Fernsehapparat anstellt. Ein wenig rechts im oberen Stockwerk hilft ein Mann seiner Frau beim Abtrocknen des Geschirrs, die Küche ist oberhalb der Kacheln hellblau gestrichen. In dem Zimmer darunter schaukelt ein andrer Mann sein Baby voller Begeisterung, manchmal fotografiert er es auch mit grellem Blitzlicht, damit auch die Verwandten sich an dem Baby freuen

können. Und daß die Frauen montags die Wäsche auf den Balkon hängen, ist auch nicht weiter interessant, man registriert nur, daß wieder einmal Montag ist. Wenn man jedoch so beginnt, obwohl die Frauen der ganzen Welt montags die Wäsche auf den Balkon hängen, ohne daß es heutzutage einen stichhaltigen Grund dafür gäbe, und obwohl sich nicht einmal aus der Art der Wäsche wichtige Schlüsse ziehen ließen, sollte man besser den Namen der Stadt nennen und sogar den Straßennamen, diesen uralten Trick der Erzählkunst darf man nicht außer acht lassen. Aber man hüte sich davor zu fragen: Wie halten die Leute das aus? So eine Frage ist ganz unerlaubt, sie würde jede Ordnung stören und nur traurig machen. Im Gegenteil, es ist ein wahrer Segen, daß es Fernsehen gibt, weil es die Leute davor behütet, auf Gedanken zu kommen, denen sie nicht gewachsen sind. Sollen die Frauen doch bitte noch ein weiteres Jahrhundert die Wäsche montags auf den Balkon hängen, das schiebt die Katastrophe hinaus.

Nur in einem der Fenster wohnt einer, der sich nicht nach dem vorgeschriebenen Kalender richtet, das fällt sofort auf und ist sogar verdächtig. Was fällt dem Mann ein, sich nicht nach den allgemeinen Gewohnheiten zu richten? Und so unauffällig zu leben, daß er gerade dadurch auffällt? Denn das ist natürlich weit aufschlußreicher, als an der Wäsche festzustellen, daß Montag, und am blauen Licht, daß Freitag ist und ein Krimi im Fernsehen gegeben wird. Der dort drüben hat kein Fernsehen, und einen Balkon für die Wäsche hat er auch nicht. Wie kommt er nur ohne das aus, was sowieso alles wissen, da es in der Zeitung steht, möchte man ihn fragen. Ein alter Mann ohne Zweifel, das sieht man an der Art, wie er sich in seinem Zimmer bewegt. Insofern muß man sich an das Gegebene halten, obwohl ein alter Mann gar nicht mehr zählt; mag er nur durch sein Verhalten Kritik an uns üben, das geht uns nichts an. Außerdem ist dies alles ja nur ein Vorschlag, wie man die Dinge, von denen die Rede sein soll, erzählen könnte. Er ist übrigens gar nicht so leicht zu beobachten, besonders im Sommer läßt sich nicht feststellen, was in der andern Hälfte seines Zimmers vor sich geht, falls da überhaupt etwas vor sich geht. Sein Fenster ist durch einen riesigen alten Birnbaum halb verdeckt, der eine Unmenge verholzter brauner Birnen produziert, für die niemand Gebrauch hat und die im Herbst auf den Rasen fallen und die Amseln des ganzen Stadtviertels herbeilocken. Und obwohl jede Amsel zwanzig oder dreißig Birnen für sich vertilgen könnte, ohne daß deswegen eine andre zu kurz käme, ist es ihr wichtiger, die andern von ihren Birnen zu verjagen, als sich in aller Ruhe satt zu essen. So zänkisch ist dies Volk.

Möglich, daß man dem Alten auch schon auf der Einkaufsstraße begegnet ist, wie er mit einer Plastiktüte vom Kaufhaus da entlangging, aber wer achtet schon auf so einen. Oder auch im Kaufhaus selbst unten in der Lebensmittelabteilung, wie er mit dem Drahtkorb durch die Gänge mit den ausgestellten Waren geht und hier ein Paket Brot und dort ein Pfund Butter vom Bord nimmt. Oder noch besser in der Abteilung, wo die Waschmittel verkauft werden und wie drei dicke Verkäuferinnen in ihren weißen Kitteln um ihn herumstehen, die miteinander debattieren, welches Waschmittel für den Alten das praktischere ist, denn davon verstehen sie mehr als er, zumal er die Phantasienamen der Waschmittel immer wieder durcheinanderbringt. Wegen der drei handfesten Frauen bemerkt man natürlich einen so kümmerlichen Alten nicht. Aber daß er seine kleine Wohnung da drüben selber sauber hält, hat man längst festgestellt. Einmal hat man ihn ein Staubtuch aus dem Fenster ausschlagen sehen, und dann und wann fährt er offenbar mit einem Staubsauger in seinem Zimmer umher. Nur einmal im Monat kommt die Hauswartsfrau aus dem Keller zu ihm und putzt das Fenster und seift den Fensterrahmen und das Sims aus, auf das die Vögel geschissen haben. Was sie sonst noch in der Wohnung macht, in der Küche, im Badezimmer oder wo der Alte schläft, läßt sich von dieser Seite nicht sehen, weil die Räume nach der andern Straße hin liegen. Nur daß die Hauswartsfrau eine rote Strickjacke trägt und ein zorniges Gesicht hat, das sieht man. Wie soll sie auch nicht zornig sein über einen so überflüssigen Alten? Die rote Strickjacke ist der einzige Farbfleck da drüben, darum wird man sie im Gedächtnis behalten.

Nicht etwa, daß der Alte nicht auch nach irgendwelchen Regeln lebte, im Gegenteil, er ist sogar regelmäßiger als all die Frauen mit ihrer Wäsche, die sie auf den Balkon hängen. Man könnte seine Uhr nach ihm stellen. Mittags geht er irgendwohin zum Essen, das ist klar, es gibt ja genug Mittagstische in der Gegend, wo man verhältnismäßig billig essen kann. Vielleicht ist man ihm auch dort einmal begegnet, aber man hat es nicht für nötig gehalten, die Kellnerin zu fragen: Wer ist der alte Herr eigentlich? Er fällt eben nicht auf, wenn nicht zufällig sein Fenster gerade gegenüber wäre, würde man überhaupt nichts von ihm wissen. Wer käme auf die Idee, sich nach ihm zu erkundigen oder gar ihm mittags aufzulauern, um herauszufinden, wohin er mittags zum Essen geht? Nur seine Regelmäßigkeit fällt auf, weil sie eine andre Regelmäßigkeit ist als die all der ordentlichen Leute, die sonst da drüben wohnen. Wozu überhaupt diese seine pedantische Regelmäßigkeit? Der Alte könnte sich doch sein Leben einrichten, wie es ihm paßt, er braucht morgens nicht ins Büro zu hetzen und abends das Fernsehen rechtzeitig anzustellen, da er, wie gesagt, ja keinen Apparat hat. Doch nein, pünktlich morgens um sieben sieht man schon Licht bei ihm, obwohl er so lange im Bett bleiben könnte, wie es ihm behagt. Oder braucht so ein alter Mann nicht mehr viel Schlaf? Pünktlich um sieben Uhr sieht man Licht bei ihm, im Winter bemerkt man das natürlich sofort, Tag für Tag um sieben, auch sonntags, als ob es für den Alten keinen Sonntag gäbe. Zuerst nur indirektes Licht, das wohl

aus der Küche oder vom Flur her scheint, aber schon sehr bald kommt er mit einem Tablett oder etwas ähnlichem ins Zimmer, setzt sich an seinen Tisch am Fenster und trinkt dort Kaffee. Es wird bestimmt Kaffee sein und nicht Tee. Und an diesem Tisch sitzt er auch sonst, wenn er nicht gerade zum Essen oder zum Einholen geht oder die zornige Hauswartsfrau ihn vertreibt, da sie den Tisch blank scheuern will. Tag für Tag sitzt er dort all die Jahre und Nacht für Nacht, bis elfeinhalb Uhr nachts wenigstens, denn pünktlich um elfeinhalb geht das Licht bei ihm aus. Was soll diese Pünktlichkeit? Das ist doch geradezu verdächtig. Und was macht er da an seinem Tisch? Liest er oder schreibt er? Man kann doch nicht immer lesen. Und was soll ein alter Mann schon schreiben? Seine paar Erlebnisse von früher interessieren doch keinen Menschen. Langweilt es ihn denn nicht selber, immer nur da an seinem Tisch zu sitzen und zu rauchen? Daß er raucht, kann man unschwer sehen, er hat ein Feuerzeug auf seinem Tisch stehen und die Flamme blitzt oft genug auf. Wozu muß ein alter Mann noch so viel rauchen? Wartet er auf etwas? Worauf wartet er denn und das schon jahrelang?
Was aber mehr als alles auffällt, ist, daß er all die Jahre, zwei oder drei mögen es schon sein, nicht ein einziges Mal Besuch gehabt hat, denn das wäre einem natürlich sofort aufgefallen. Nicht ein einziges Mal, man stelle sich das vor. Immer nur allein an seinem Tisch mit seinen Zigaretten und seiner Tasse Kaffee. Und trotzdem diese unverständliche Pünktlichkeit. Wie hält er das nur aus?
Und wozu lebt er eigentlich? fragt man sich. Hat er Vermögen oder eine Rente oder eine Pension? Denn die Wohnungen da drüben sind nicht billig, das weiß man. Sicher hat der Alte, bevor er dahin zog, einen hohen Baukostenzuschuß zahlen müssen, und noch dazu à fond perdu, wie es genannt wird. Und warum ist er nicht verheiratet, wie es sich gehört? Ist seine Frau gestorben? Oder ist sie ihm weggelaufen, weil

es ihr zu langweilig mit ihm war? So etwas kommt vor, und es wäre sogar verständlich. Aber er müßte doch zum mindesten Freunde oder Bekannte von früher her haben, die ihn besuchen oder die er abends besucht, sie können doch unmöglich alle im letzten Krieg gefallen sein. Oder ist er vielleicht nicht aus dieser Stadt? Doch ob er überhaupt Post bekommt außer der üblichen Reklame, läßt sich nicht sagen, man hat ihn nie mit einem Brief in der Hand gesehen, aber das will nichts heißen, denn er kann ja die Gewohnheit haben, die Briefe in der Küche zu lesen, um sie dann gleich zu zerreißen und in den Mülleimer zu werfen, bei ihm muß man mit so etwas rechnen, so einer will nicht, daß etwas übrig bleibt, und selbstverständlich würde die Hauswartsfrau schnüffeln, wenn ein Brief herumliegen bleibt, sie möchte doch gern diesem Heimlichtuer auf die Sprünge kommen, die andern Hausbewohner fragen schon immer, weil ihnen der Alte unheimlich ist. Warum bemüht er sich immer, auf der Treppe leise zu sein, wenn er doch niemals jemand mit nach Hause bringt? Das geht doch nicht mit rechten Dingen zu, und man merkt es ja doch, wenn er die Treppe rauf oder runter geht, da die eine Stufe laut ächzt, das läßt sich gar nicht vermeiden.

Und dann eines Abends nach all den Jahren des Alleinseins hat er doch Besuch, man traut seinen Augen nicht. Ein junger Mann ist bei ihm zu Besuch. Er sitzt ihm gegenüber am Tisch, eine Tasse Kaffee hat der Alte ihm hingestellt, und auch die Zigaretten schiebt er ihm über den Tisch hin. Ein junger Mann? Hat der Alte doch einen Sohn, der aus dem Ausland zurückgekehrt ist? Oder nicht eher einen Enkel? Oder ist es der Sohn oder Enkel eines Freundes? Oder hat er den jungen Mann zufällig im Kaufhaus oder am Mittagstisch getroffen? Oft genügt ja ein Wort oder eine Handbewegung, man erkennt sich daran, und der Alte hat zu ihm gesagt: Komm doch abends zu mir, wenn du Zeit hast, da können wir über alles sprechen. Und nun sprechen sie miteinander, sie sprechen die halbe Nacht durch. Auch der Alte spricht, er hat das Sprechen nicht vergessen, obwohl er all die Jahre die Verkäuferinnen nur nach Waschmitteln gefragt hat und zur Kellnerin, wenn er das Trinkgeld auf den Tisch legte, nur gesagt hat: Es ist gut so. Dabei kann man das Sprechen leicht vergessen. Oder ist der Alte vielleicht selber ein Ausländer, man hat es nur nicht gewußt, und nun freut er sich, mit einem Landsmann endlich einmal wieder in der eigenen Sprache reden zu dürfen?

So jedenfalls könnte man die Dinge, von denen hier die Rede sein soll, erzählen, das wäre unbedingt glaubhaft. Kein Mensch würde auf den Gedanken kommen zu fragen: Wie konnten Sie denn über die Gärten hinweg hören, worüber die beiden sich unterhielten? Sie hatten doch kein Mikrofon bei denen da drüben eingebaut. Die Frage wäre schon gar zu dumm.

MARIELUISE FLEISSER

Moritat vom Institutsfräulein

Als Kind habe ich mir fest vorgenommen, ich muß es einmal ganz recht machen. Wie mein Ludwig mich dann genommen hat, das ist nicht leicht gewesen für ihn. Wenn einer mich um was anging, sagte ich bloß: »Nein, das ist meiner Mama im Himmel nicht recht.« Da konnte keiner mich haben. Das ging so dahin. Nur war ich dann so allein in der fremden Stadt.

Einmal im Kolleg habe ich einen Mann kennengelernt, das war eigentlich kein Student. Er stellte was vor, ich wußte nur nicht recht was. Ich habe nur so geschaut und es war dann mein Ludwig. Der Mann hat alles mit Gewalt gemacht. Da mußte ich neben ihm denken, wenn ich nur auch was mit Gewalt machen könnte, deswegen hat er soviel bei mir gegolten.

Als die anderen sahen, wie er auf mich aus war, wußten sie was über sein Gesicht, damit ich mir nicht zuviel einbilde. Seine Nase war wie gebrochen. Da mußte ich ihn gleich verteidigen, und ich habe mir doch was eingebildet auf meinen Ludwig. Ich sagte, er war auf eine Weise häßlich, daß es schon wieder schön war. Die Weiber liefen ihm nach.

Bei meinem Ludwig war ich gern, er hat sich nie was dabei gedacht. Im Anfang war ich auf seiner Bude ein wenig befangen und gab auf mich Obacht. Aber er hat es selbst gesagt, daß er mich nicht ausnützt, da wußte ich es gewiß. Für mich war er der einzige Mensch, an den wollte ich fest glauben und immer fester.

Ich wollte es nicht wissen vom Ludwig, er fing selber an und erzählte von anderen Mädchen, mit denen er früher zusammen war, denen hat er auch nichts getan. Ich habe dann mei-

nen Ludwig immer besser gekannt und gab nicht mehr soviel auf mich Obacht.
Da war aber der Abend dazwischen, an dem hat es mein Ludwig mit Gewalt gemacht. Zuvor brachte er mich in eine große Verwirrung. Er ging einfach nicht zu mir her, er redete nicht und deutete nicht, ich durfte sagen, was ich nur wollte. Und so lang ging er nicht her, bis es mir von Herzen leid war. Ich dachte, so, jetzt ist mir mein Ludwig auf einmal böse.
Ich fragte ihn, warum er so ist. Er sagte, ich kann mir schon denken warum. Da wußte ich nicht, wie ich mit ihm daran bin und ob es nicht zwischen uns bereits wieder aus ist. Das gab mir einen Stich durch und durch. Ich ging direkt zu meinem Ludwig hin und fragte ihn, wie ich mit ihm daran bin. »Wegbleiben!« fuhr er mich an, aber ich wollte mich auch nicht auf diese Weise simpel entfernen, und vielleicht war für mich der Moment wichtiger wie für ihn. Ich stellte mich doch zu ihm hin und so bei ihm dort hätte ich alles auf der Welt fragen können, er war so gescheit.
An dem Tag hat er mich überrumpelt, und mir fiel kein Satz ein, den einem die Leute bei der Gelegenheit glauben. Ich hätte auf und davon mögen, aber noch mehr zog es mich hin. An einer blinden Kraft kamen wir zu Fall. »Du hast es nicht anders gewollt«, sagte er.
Mein Ludwig sagte: »Du mußt klug sein, dann weiß es kein Mensch.« Ich wußte nicht, wie man klug ist. Ich wußte bloß, daß ich aufgewachsen bin in einem Kloster und daß alles, was ich dort gelernt habe, für mein Leben falsch ist. Ich war erzogen, daß ich gehorchte. Ich war gewöhnt, daß ich mich nicht verriet. Ich war nicht erzogen, daß ich mich wehrte.
Ich glaubte ihm alles, ich konnte das ja nicht vergleichen. Der Anfang war immer schön. Wenn es spät war, ging mein Ludwig weit draußen vom Weg ab und blieb mitten in einer verlassenen Wiese stehn. Er rief mich nicht, ich mußte ihm

von selber nachgehn. Wir stiegen immer auf demselben Fleck herum und dachten nach, ob das Gras ist. Mein Ludwig stand dicht vor mir und glühte wie ein Radfahrer, der keine Laterne hat, mit den Augen. Ein Kerl war er wie ein Baum, wir haben nicht wenig gescherzt. Mein Ludwig hat alles mit sich machen lassen und gelacht auf breiten Zähnen.

Aber wenn ich mich genug gerollt und ihn eingefangen hatte, hat mein Ludwig auf einmal nicht mehr gelacht. Er hat mich ganz schön geschunden. Und die Luft nahm er mir weg. So lang nahm er sie weg, daß es mir tobte im Kopf, ich meinte, ich müsse zerspringen. Mein Herz tat einen Satz und ich fürchtete mich. Er hätte es haben können, nur nicht so lang. Ich konnte nicht verstehen, warum andere so danach tun, und einmal nahm ich mir einen Mut und fragte: »Ludwig, muß das sein?« Da hat mein Ludwig mich angeschaut und ist eine Zeitlang auf der Uni nicht mehr zu mir hergegangen.

Ich konnte mir oft nicht mehr helfen. Ach Gott, habe ich zu mir selber gesagt, ich glaube, mir fehlt was. Das wollte ich wegbringen, dafür wollte ich alles tun und ich wollte doch auch wie die Hui-Kerle sein, ich wollte nicht zimperlich sein. Da durfte mir das doch nichts machen. Ich hätte es nie über die Lippen gebracht, da tat er sich leicht. Ich hätte es nie zugegeben vor einem anderen. Die Erfahrung hat mich nicht anders belehrt. Der Liebe war ich es schuldig.

Ich bin aufgewacht in der Nacht, da hat es auf der Straße unten was gegeben. Nachher war es mein Ludwig, der hat einen schweren Stein gehabt und ihn aufs Pflaster hinfallen lassen. Er hat ihn aufgehoben und ihn hinfallen lassen, die ganze Zeit hat er so gemacht. Ich ging zu ihm hinunter. Mein Ludwig mußte sich furchtbar besinnen, was er mit dem Stein eigentlich will. »Den habe ich dir mitgebracht«, sagte er. Dann war er über sich selber ganz starr, weil er so an mich denkt.

Ich habe es gleich gerochen. Mein Ludwig sagte, er muß bloß sein Gesicht an den Stein hinbringen. Mein Ludwig hat sich gebückt und sein Gesicht an den Stein hingebracht, ich hielt ihn fest um seinen Leib, und mein Ludwig war mit dem Kopf ganz am Boden und hat furchtbar gelacht. Auf einmal war er nüchtern. Er lehnte sich mit dem nackten Gesicht an ein Haus und sagte, er kann es nicht mehr machen.

Immer wenn er den Mund auftat, ist neben dem Stein eine ganze Wolke zu mir hergegangen, er drückte sich die Backe an der kalten Wand breit, und ich habe mich so geschämt. Denn das Haus war naß und auf der Backe war ein Flecken und mit dem Flecken hat er gelacht. Weil er mir alles zeigen mußte, habe ich mich geschämt.

»Wenn du es nicht haben kannst«, sagte er, »dann mußt du nicht mir mir gehn.« Ich sagte: »Ludwig, ich kann es haben. Aber wenn wir nicht gleich gehn, bringe ich dich nicht mehr weiter.« Mein Ludwig langte nach meinem Arm und zog sich daran ins Trottoir hinein. Dann ging er nicht mehr von mir weg, so hat es ihm in der Nähe und in der Wärme gefallen. »Bring mich weiter!« verlangte er und hielt den Kopf vor wie gegen eine Kraft.

Wie das Trumm Mannsbild sich von mir ziehn ließ, war schon nicht mehr schön. Auf einmal war ihm damit ernst. Den leibhaften Kerl habe ich von Haus zu Haus weiter gestemmt. Er hing so schwer auf mir und war so bleich und glasig im Gesicht. Wenn ich einmal aussetzen mußte, fuhr er mit dem Kopf auf wie aus einem wüsten Schlaf.

Ich mochte nicht, daß Menschen vorbeikamen und ihn und mich so sehen. Auf einmal gab es mir einen Stich, denn an dem einen Eck, wo wir hinmußten, ist eine Frau gestanden. Sie drehte sich um, daß sie mir nicht helfen muß. Wenn es gerade die nicht wäre, dachte ich. Denn einmal hat sie als Magd bei uns gedient und ist dann im Streit von uns weg, weil sie gern was gehabt hätte mit meinem Vater. Aber meinem Vater war sie nicht zum Anschauen recht, sie war so ordinär. Nachher lief sie mit einem Spazierstock auf der Straße herum und machte sich freie Zeit. Ich wußte gleich, mit der kann ich noch was erleben. Denn daheim hat doch niemand was von meinem Ludwig gespannt.

Fast hätte ich ihn nicht mehr weitergebracht, mein Herz ist gegangen, und ich hatte fast keine Kraft. Mein Ludwig schaute auf und murrte, warum so lang Aufenthalt ist. Das hat mein Ludwig nicht gern, wenn man selber mit was zu tun hat. Er spürte, daß mich was von ihm abhielt, das machte ihn böse. Das gab ihm Kraft, so böse hat es ihn gemacht. Und weil mein Ludwig eine solche Kraft hatte, darum hat er sich mit aller Kraft auf mich hinfallen lassen. Und wenn ich nach der Seite auswich, wäre mein Ludwig doch so arg in den Zaun gefallen, dazu hat er mich nicht gebracht. Ich mußte ihn jetzt schon gehen lassen und warten, was daraus wird und in mir bitten und beten. Ich war ja blöd, daß ich ihn nicht noch stieß!

Ich soll ihn nicht immer so lieben, schrie er mich an, ihn macht das noch rasend. Da standen die Latten von dem Zaun so schwarz in den Himmel hinauf. Ich konnte mir gar nicht denken, daß mich mein Ludwig noch mag. Ich trat immer ein wenig von ihm weg und er mir nach in einen dunklen Winkel, wo es weich war von Gartenerde und Gras. Da ging ich nieder, ich konnte mir nicht mehr helfen.

Der Himmel wurde weiß. Wenn ich an meinem Gesicht herunterschaute, kam Helligkeit von der Haut. So weh tat mir mein Ludwig, damit er sieht, ob ich mehr werde durch den Schmerz, und meine Hand ist mir so blaß und versagend im Schoß gelegen. Ganz entsetzt habe ich mich, daß ich immer noch mehr werden muß.

Am Zaun stand eine Latte schief. Besonders weil die Latte schief war und ich konnte sie nicht richten, weinte ich gerade heraus. Denn gar nichts konnte ich richten. Eine Verzweiflung war darin, wie wenn uns dieser Leib einmal aufgezwungen wurde durch eine fremde Gewalt.

Mein Ludwig ist auch bloß immer eigensinniger geworden. Da waren wir miteinander ein Wesen aus Leiden und Tun, und Tun war seines und Leiden war meines. Ich dachte, dem darf einfallen, was er will, ich kann gar nichts machen. Aber wenn ich mir helfen könnte, indem ich aufstünde und von ihm ginge, ich würde nicht aufstehn und von ihm gehn, ich war ja blöd, daß ich nicht konnte. So hart war mir, ich griff hinter mich an den Zaun, damit ich es besser aushalten kann.

Ich wachte auf und hatte den ganzen Himmel in meinem Gesicht. Das tat mir in die Haut hinein weh, daß es hell war. Ich hielt mir alle Finger ins Gesicht mit den Spitzen, und mein Gesicht war nackt und wurde nicht warm. Die Vögel sangen über mich weg in den frühen Morgen hinein, mir hätte nicht ärger sein können. Immer sangen die Vögel, wenn ich nicht gegangen wäre mit meinem Ludwig, müßte ich nicht so sein.

Nicht lang danach hat in meinem Zimmer mein Vater auf mich gewartet. Das ist mir vorgegangen, dachte ich. Mein Vater ließ sich nichts ankennen. Es wird Zeit, sagte er, daß er mich heimnimmt. Auf einmal hat er nach mir gestoßen. »So muß man sich über dich schreiben lassen,« warf er mir vor.

Ich wußte gleich, die Karte war von der Frau, auch wenn der Name nicht dastand, dafür war sie zu feig. Da habe ich schön erfahren, wer ich bin und um die nachtschlafende Zeit bin ich mit einem Kerl für betrunken herumgezogen. »Lustig geht die Welt zugrunde,« war unten hingeschrieben. Ich sagte: »Wenn die Person gemein sein will, kann ich nichts machen.«

Im Zimmer war es still. Mein Vater sagte, zu mir kann man nicht wie zu einem Menschen reden, aber daß ich heroben bin, damit ich herumziehe mit einem Kerl, dafür kommt er nicht auf. Ich sagte, ich kann ihn nicht zwingen. Ich wußte nicht, wer mir die Worte eingibt, eine solche Gewißheit kam in mich, ich kann daran nicht vergehn. Und daß ich mich nicht wegbringen lasse von meinem Geliebten, das ist mir geblieben.

Wenn ich mich auf den Mann verlasse, dann werde ich ihn ja kennen lernen in der nächsten Zeit. Für das eine sind die Herren zu haben, für das andere nicht. Er soll den Ludwig nicht schlecht machen, sagte ich, wenn er ihn nicht einmal kennt. Mein Vater sagte, er will ihn auch gar nicht kennen. Das sind nämlich die Männer, von denen man daheim nichts wissen darf und darauf kann man gehn. Nichts drang in mich ein. Ich konnte gar nicht weinen, es war alles so weit weg.

Ich weiß nicht, ob mein Ludwig was gemerkt hat. Er fing sein Dasein zu bereden an und wie schlecht es ihm selber geht. Da wußte ich, mit mir kann ich ihm nicht auch noch kommen. Ich wollte weniger essen. Ich schrieb heim, ich werde niemand am Hals liegen, ich gehe in Stellung. Aber da waren andere ganz anders ausgebildet und haben auch schon gewartet, die Arbeitslosen waren zuviel. Wo ich es versuchte, war die erste Frage: »Fräulein, haben Sie in der Branche gelernt?«

In einer Versorgungskasse hätte ich zur Not was bekommen da wollte ich wieder nicht, mit rechnen kann man mich jagen. Außerdem fielen die mit der Tür gleich ins Haus: »Bei uns werden Überstunden gemacht, bei uns geht es jede Nacht bis um zehn. Nicht daß Sie sich dann beklagen!« Schon im Anfang stand die Erpressung. Eine Person wie ein Faden folgte mir die Stiege hinunter, sie sprach mich freiwillig an: »Ich kann Sie nur warnen, bei denen bricht eine jede zusammen. Sehen Sie mich an, ich gehe von selber.« Ich erkundigte mich, das Haus war berüchtigt. Eigentlich konnte ich es mir gar nicht leisten, gerade stieß ich mich noch ab von der Schraube.

Das alles war mir so leid, jeden Tag mußte ich wieder losgehn. Ich hätte nie gedacht, wie müd man davon wird. Dann waren die Schuhe durchgelaufen, dann war das Gewand verregnet, dann konnte ich nicht mehr viel in die Wäsche geben. Auf der Bude waschen war mir verboten. Tat ich es heimlich, lag die Wirtin schon auf der Lauer. Ich muß hinaus, wenn sich das wiederholt, sie läßt sich nicht ihre Zimmer verdampfen. Ich schaute abgerissen aus, da ließen sie mich gleich nirgends mehr ein. Mein Ludwig sagte: »Kind, so wirst du nie was finden.« Mir war selber ganz angst, daß ich mich wo in einer Auslage sehe.

Da ist mein Ludwig immer noch in den Lokalen herumgezogen und hat den ganzen Tisch freigehalten, da hat er andere mit dem Taxi herumfahren lassen und vorgetäuscht, was er nicht einmal hatte. Bei mir schimpfte er dann über die Leute, die ihm das Geld wegtragen und sagte, lieber müßte er doch mir was geben statt diesen Fremden. Darin ist mein Ludwig wie vor einer Mauer gestanden. Und bei mir hat ihm das Großtun doch nicht geholfen. Ich mußte mich zusammennehmen, daß ich ihn noch begreife. Wenn ich ihn gar nicht hätte, dachte ich, was wäre ärger? Schon die ganze Zeit war so was Leeres hinter seinen Worten. Wenn ich genau wüßte, wie er ist, meinte er, ich würde vielleicht nicht mehr mit ihm gehn. Allein fragte ich mich, ob ich was von meinem Ludwig nicht weiß und alles war so traurig.

Weil ich so lang keine Stellung fand, hat mir mein Vater ein letztes Mal was geschickt. Mehr, schrieb er, wird nicht herausschaun, er muß an seine anderen Kinder denken. Das Geld wäre mir eine Hilfe gewesen, hätte mich mein Ludwig nicht am gleichen Tag geholt und mir auf dem Weg was gesagt. Ob ich auf ihn warte, wenn er ins Ausland muß? Er kann im Land nicht mehr bleiben. Wie wenn mein Ludwig wem auskommen müßte, so ist er mit starrem Gesicht und immer schneller dahingegangen.

In seinem Zimmer hat eine Kellnerin auf ihn gewartet und ihr Geld verlangt, wofür mein Ludwig das ganze Jahr auf

Rechnung gegessen hat. Sie hat gehört, der Herr wäre in ein paar Tagen sowieso weggezogen und sie wird nie wieder auf einen Herrn vertraun. »Sind Sie still«, sagte er, »Sie bekommen Ihr Geld.«

Eine schöne Summe hat sie ihm weggetragen. Mein Ludwig fluchte, das war jetzt das Geld für seine Reise, er muß aber weg. Er wollte nichts wie heraus, da habe ich ihn mitgenommen und ihm das Geld für seine Reise gegeben. Ich trug es ihm auf der Hand hin und sagte, ich habe soviel, mehr nicht. Davon muß er mir dalassen, was er nicht unbedingt braucht, das andere mag er nehmen. Mein Ludwig muß nicht geglaubt haben, daß ich ihm alles bringe, er hat mir das Meiste genommen.

Mein Ludwig ist gerade noch rechtzeitig weg, schon am anderen Tag ist die Frau gekommen. Sie hat gehört, daß der Herr mit mir geht. Wo mein Ludwig hin ist? Sie hat ihm eine große Summe gegeben, die braucht sie wieder, damit sie ihre Mutter ins Irrenhaus einkaufen kann. Wenn sie das Geld wo anders aufbrächte, würde sie es ja nicht verlangen. Mein Ludwig hat es ihr so bestimmt in diesen Tagen versprochen.

Die Frau war die Ärgste nicht, denn jetzt kamen sie nacheinander daher. Alle sagten: »Fräulein, Sie müssen die Adresse doch wissen.« Die Polizei hat sie nicht gewußt und niemand. Da kam es richtig auf, wie mein Ludwig bloß von anderen gelebt hat und ich habe das nicht geahnt. Ich sagte: »Er ist in seine Heimat, er wird das Geld dann schon schikken.« Aber das haben sie mir nicht geglaubt. Einer fragte: »Fräulein, haben Sie sich denn ganz dumm machen lassen?« Ein paar wurden gleich recht frech auch. »Fräulein«, sagten sie, »dann wird er Ihnen schon was gegeben haben von meinem Geld. Man weiß, wie die Fräuleins es machen. Daß sie hernach dann nicht herhalten wollen, daß weiß man wieder.« Ich konnte mich kaum mehr halten. Da war noch ein Frauenzimmer, die tat vor mir groß, daß sie seine Geliebte war, sie hat ihm das Geld für eine Reise gegeben. Ich wußte nicht, was daran gelogen waren, ich wußte überhaupt nichts mehr von meinem Ludwig.

Ich wäre heimgegangen, sie haben mich nicht gelassen. Wo das Geld geblieben ist, wenn ich schon nichts mehr habe? Warum ich keine Stelle fand? Die haben gewiß gemeint, ich tue nichts dazu.

Ich habe gewußt, daß andere Mädchen es von den Herren haben und ganz schön leben. Wer bist du denn noch, fragte ich mich, wenn so schon alle auf dich herabsehn? Wenn er dich so hineinreiten mag, bist du für deinen Ludwig auch nichts weiter gewesen. Du hast ihm geglaubt, dumme Geiß, ein Luder wird er aus dir machen, wenn du noch lang an ihn denkst. Das war für mich wie eine Faust, die mich dazu preßt. Der Magen tat mir schon weh, ich wußte nicht, wer gibt mir zu essen? Es gab keinen tieferen Punkt, was sollte ich machen? Ich habe nicht aus und nicht ein gewußt, wirklich. Daß ich keine Mutter hatte, wen ging das was an?

Ich habe mich noch immer gewehrt. Ich legte mich auf mein Bett und nahm mir vor, ich stehe nicht wieder auf. Drei Tage und zwei Nächte bin ich da gelegen ohne die Nahrung, ich hörte die Stunden und konnte nicht schlafen. Am dritten Abend habe ich Wasser getrunken, als es schon dunkel wurde, dann ging ich hinunter.

Ich mußte mich doch immer an der Hausmauer einhalten, das habe ich von der Seite her mit dem Körper verdeckt. Ein Herr hat es doch gemerkt, weil er mir länger nach ist. War ein feiner Mann und hat mir so zugeredet, daß ich das nicht wieder tue. Ich ließ mir den Hunger ankennen, da hatte ich gleich mein Essen. Ich konnte sehn, was alles geht. Der Mann war auf Durchreise hier und nahm mich in sein Hotel mit.

Ich hielt den Kopf auf die Seite, er drehte das Licht aus. Das war das erste fremde Bett für mich, ich merkte, daß ich nicht dafür passe. Ich habe in die Laterne geblickt und gehorcht auf jedes Geräusch, und der Mann war so still und hat gehorcht auf jedes Geräusch. Durch einen Blick war ich von dem Mann entfernt, durch das Horchen und die Stille war ich ihm wieder nah. »Mir ist nicht gut«, sagte ich. Der Mann sagte, er hat gleich gemerkt, daß was mit mir ist. Ich soll mich hinlegen und schlafen und er hat ein soziales Interesse.

Ich zog das Bett leise über mich, ich lag lange da mit stillen Augen. Ich paßte auf, daß ich nicht an ihn stoße. Die ganze Zeit mußte ich denken, wie das hier wenig ist, was einmal viel war. Der Mann machte eine Bewegung. Ich merkte, daß er nicht schläft und auch bloß daliegt mit offenen Augen. Dann kam er zu mir herüber und nahm mich unter den Kopf, daß ich nicht wegschauen konnte. Er fragte, warum ich das nicht mache und warum nicht das, seine Stimme war so behutsam und immer Kind hat er mich genannt. Ich wußte nicht einmal, was das ist, wovon er redet. Da hielt ich ihn für eine große Ausnahme unter den Menschen. Verstockt lag ich da. Ich wollte ihm nicht ins Gesicht sagen, ich kann mir nicht denken, wie es bei ihm zugeht. Der Mann merkte was und legte sich weg. In dem Zimmer ist eine Uhr gegangen.

Da war ich an seiner Seite bleich von dem Schrecken und mit nichts zugedeckt als mit einem verlegenen Lächeln. Der Mann redete herüber, die ganze Zeit denkt er über was nach. Aber wenn mein Freund es mir nicht gesagt hat, dann will er mir auch nichts sagen. Ich soll nicht mehr daran denken. Der Satz fiel in mich wie ein Stein. Denn wenn er nicht die Ausnahme war, dann mußte ich selber die Ausnahme sein und vom Leben der Erwachsenen nichts wissen. Das ist mir von tief innen bis in die Augen gegangen, ich konnte mich nicht rühren. Und was mir da geschah am Leib, daß ich nicht rein bin und doch von nichts was weiß und wie in eine Gasse geführt bin, wo andere nicht hingehn, das hätte mir doch mein Ludwig nicht antun dürfen. Denn er hat mich im

Glauben gelassen und nie was gesagt, so daß ich es erfahren mußte durch einen Fremden. Das ist mir wie die größte Beleidigung gewesen.

Wie ich so lag, stand die Zeit in mir still wie an einer Mauer und immer die gleiche Verstocktheit wie ein tiefes Wasser an einer Mauer. Die ganze Nacht habe ich nicht geschlafen und mich immer aufgesetzt und geschaut. Dem fremden Herrn ist auch ganz eigen gewesen.

E.Y. MEYER

Dünnerwerdende Äste

Gegen Viertel vor elf hatte er bemerkt, daß sich nicht mehr nur der Italiener, sondern auch der Wirt selber hinter dem Ausschanktisch befunden und die Getränke bereitzustellen geholfen hatte, jedoch nicht wie sonst bereits angeheitert gewesen war, sondern auffallend frisch und gelöst gewirkt hatte. Kurz darauf hatte der Gast, der zwischen seinem Freund und dem Ausschanktisch gesessen war, versehentlich sein noch fast volles Glas Wein umgeworfen, sich jedoch weder um den Wein auf der Tischplatte noch um jenen auf seinem Anzug besonders gekümmert, sondern sich an den Wirt dieses, wie er gesagt hatte, *Teesalons* gewandt und ihn gefragt, was es bei ihnen (was entweder als die übliche Höflichkeitsform oder als die Anrede für den Wirt und dessen in der Bedienung aushelfenden Frau hätte ausgelegt werden können) gebe, wenn Gäste ihren Wein ausleerten, ob ihnen dieser nicht ersetzt werde, worauf der Wirt geantwortet hatte, daß dies nicht der Fall sei, dann gebe es im Gegenteil *Schläge*, sie (womit er in der gleich zweideutigen Art wie der Gast entweder seine Frau und sich oder die Wirtsleute überhaupt hätte gemeint haben können) wüßten, was sie ihren Gästen schuldig seien. Da der Gast diese Antwort unerwidert gelassen und bei der Serviertochter, die inzwischen mit einem Lappen an den Tisch getreten war, um den ausgeleerten Wein aufzuputzen, ein weiteres Glas bestellt hatte, hatte sein in dem Lokal gut bekannt scheinender Freund dem Wirt einen *guten Abend* gewünscht und ihn gefragt, wo er denn bis jetzt gewesen sei, daß er sich in einer so guten Laune befinde, worauf dieser erwidert hatte, er sei *oben* gewesen und habe sich ans Piano gesetzt gehabt, um etwas zu üben, was das gewesen war, hatte er allerdings nicht verraten wollen, er habe eben *nur ein bißchen geübt*, aber als sein Freund nicht aufgehört hatte, ihn immer wieder auf verschiedene Weise danach zu fragen, hatte er gesagt, daß er die *Zweite Ungarische* von Liszt geübt habe, *wenn sie* (seinen Freund und ihn, der ebenfalls den Wirt angeschaut hatte, damit meinend) *es wissen wollten*, daneben aber auch noch andere, leichtere Sachen (was seinen Freund anscheinend nicht so sehr, ihn jedoch ziemlich stark überrascht hatte). Damit es nicht so auffalle, wenn er jetzt dann Polizeistunde bieten müsse, habe er aber gedacht, daß es gescheiter sei, wenn er etwas vor diesem Zeitpunkt herunterkomme, überhaupt sei die Polizeistunde ja eigentlich nicht, wie sie wahrscheinlich alle meinten, um halb zwölf, sondern bereits um elf Uhr, aber die Polizei gewähre von sich aus großzügigerweise zusätzlich noch eine halbe Stunde Toleranz, damit man in aller Regel noch etwas *bestellen*, es *austrinken* und *bezahlen* könne, das sei lange nicht überall so, in *Basel* zum Beispiel betrage die Toleranz nur eine Viertelstunde, und wer sich dann noch in einem Lokal befinde, tue dies auf seine eigene Verantwortung hin, sofern der Wirt des betreffenden Lokales seine Pflicht getan und für jeden Gast hörbar mitgeteilt habe, wann Polizeistunde sei, aber es sei jedem Wirt trotzdem lieber, wenn er nachher und überhaupt keinen Besuch von Polizeibeamten habe, jedenfalls nicht, wenn sie sich im Dienst befänden.

Fast die Hälfte der Leute, die sich in dem Lokal aufgehalten gehabt hatten, waren jedoch nach halb zwölf noch auf dem Platz davor stehengeblieben, wahrscheinlich in der Erwartung, daß *noch irgend etwas* geschehen würde, daß jemand vielleicht noch alle zusammen zu einem spontan organisierten Fest bei sich zu Hause einladen würde, wo es dann noch zu den *irrsten* Sachen würde kommen können, später, als das alles aber immer aussichtsloser wurde, zerstreuten sie sich nach und nach, bis nur noch sein Freund und er dastanden und von den Bierflaschen, die sein Freund noch vor der Polizeistunde vom Wirt persönlich zum Mitnehmen gekauft hatte, sogar nur noch eine übriggeblieben war. Als dann auch sie, nachdem sie diese Flasche zusammen leergetrunken und auf den Sims vor eines der Fenster des Lokals gestellt hatten, sich auf den Heimweg machen wollten, indem sie langsam die Durchgangsstraße durch die Stadt, an der das Lokal lag, entlanggingen, sahen sie, kaum waren sie einige Häuser weit gegangen, vielleicht hundert Meter vor sich mitten auf der Straße einen außergewöhnlich großen Mann (er erinnerte sich nicht, je einen *größeren* Mann gesehen zu haben) in einem ebenso auffallenden komischen Gang auf sich zukommen, so daß sie, obwohl er zuerst geglaubt hatte, der Mann trage die Uniform eines Polizisten, beide zu lachen begannen (sein Freund schien sich von dem Lachen gar nicht mehr erholen zu können), was den großen Mann, der inzwischen näher gekommen und auf ihrer Höhe stehengeblieben war, jedoch nicht zu stören schien, denn er fing nun, es hätte sein können, weil er sich in Hörweite zu ihnen befand, an, immer wieder ziemlich mühsam, jedoch ohne deswegen nervös zu werden, ein ganz bestimmtes, ihnen aber, obwohl auch sein Freund aufgehört hatte zu lachen, unverständliches Wort zu wiederholen. Erst nach einer Weile merkte er, daß der Mann wahrscheinlich den Namen eines Ortes aus der nächsten Umgebung der Stadt zu sagen versuchte, und teilte dies seinem Freund, der darauf erneut in ein Lachen ausbrach, mit, da der Mann, wenn er wirklich den Namen dieses Ortes aussprach und sich auf diese Weise nach dem Weg dorthin erkundigen wollte, genau in der entgegengesetzten Richtung hätte gehen sollen, was er ihm nun auch durch Handzeichen zu verstehen zu geben versuchte, ohne daß er sicher gewesen wäre, ob der Mann diese verstand, als aus der Richtung, in die der Mann gegangen war, entfernte, aber sich rasch nähernde Motorengeräusche zu hören waren, die wie sie bald alle drei sehen konnten, von einem der alten rotgefärbten Autobusse der Städtischen Verkehrsbetriebe stammten, dem der große Mann dann einige Schritte entgegenging, bevor er wieder, wenn auch stark schwankend, mitten auf der Straße stehenblieb, jetzt allerdings mit zu einem Haltezeichen erhobenem rechtem und schräg nach unten vom Körper weggestrecktem linken Arm.

Obwohl sich keine Haltestelle in der Nähe befand, hielt der Bus am Straßenrand vor dem Mann, bevor sich die automatisch gesteuerten Türen öffneten, damit dieser einsteigen konnte, sich dann jedoch wieder, bevor der Mann, der beim Besteigen des Busses einige Schwierigkeiten hatte, ganz drinnen war, schlossen, so daß er seinen von neuem in einen Lachanfall ausbrechenden Freund stehenließ und auf den bereits wieder anfahrenden Bus zulief, um ihn aufzuhalten, auf den eingeklemmten Mann aufmerksam zu machen und diesem in den Bus hineinzuhelfen, aber als er beim Aussteigen dem Chauffeur noch mitteilen wollte, wohin der eben zugestiegene große Mann zu fahren beabsichtigte, schlossen sich die Türen des Busses erneut, diesmal jedoch so vor ihm, daß er nicht mehr aussteigen konnte und der Bus nun trotz seiner Proteste endgültig weiterfuhr. Ohne sich besonders beunruhigen zu lassen (es belustigte ihn eher, als er daran dachte, daß sich sein Freund jetzt wahrscheinlich vor Lachen *nicht mehr halten* konnte), drückte er auf einen der Knöpfe, um dem Chauffeur das Zeichen zu geben, an der nächsten Haltestelle anzuhalten, sah dann jedoch mit Erstaunen, daß anstelle des sonst üblicherweise grünaufleuchtenden Wortes HALT, das an diesem Ort unverständliche und zudem noch orthographisch falsch geschriebene Wort LEBERPASTHETE erschien, so daß er sich, den großen Mann (der in dem überfüllten Bus keinen Platz mehr gefunden hatte und in dem noch freien Gang zwischen den Bänken am Boden saß) nicht mehr beachtend, für den Chauffeur im Rückspiegel erkennbar schon jetzt vor dem Ausgang bereitstellte, als ihn beim flüchtigen Betrachten der Fahrgäste plötzlich das Gefühl überkam, daß die meist älteren Leute, von denen der größte Teil Frauen mit alten Taschen und Mappen (einige auch mit Milchkesseln und Eßgeschirren) waren, zur Arbeit in irgendeine oder mehrere Fabriken fuhren, was jedoch zeitlich nicht gut möglich war. Daß normalerweise zu dieser Zeit auch gar keine Busse mehr fuhren und daß er (wie ihm nun ebenfalls einfiel) noch nie gehört hatte, daß ein Bus zu dem Ort fuhr, den der große Mann genannt hatte, erschreckte ihn jedoch ebensowenig, denn die nächste Haltestelle war bereits in Sicht, und der Bus begann schon langsamer zu fahren, und er war froh, daß er rechtzeitig daran dachte, noch vor dem Aussteigen zu bezahlen, da er im ganzen Wagen keinen Kondukteur finden konnte, deshalb nach vorne zu dem Chauffeur ging, sich nach dem Fahrpreis bis hierher erkundigte und als Antwort *fünfzig Rappen*, gleichzeitig aber auch eine ganze Kartonschachtel voll gebrauchter noch auf Papierfetzen klebender Briefmarken in die Hände gedrückt erhielt, aus denen er nun, während der Bus anhielt und viele neue Fahrgäste zustiegen (das Ganze als eine Aufforderung dazu verstehend), eine Fünfzigermarke herauszusuchen versuchte, jedoch weder eine solche noch eine Fünfzig-Pfennig-, Heller-, Groschen-, Öre-, Kopeken-, Dinar-, Cent-, Centavos-, Céntimos-, Centesimi-, noch eine Fünfzigermarke einer anderen Währung fand, obwohl sogar Marken von Ländern dabei waren, von denen er noch nie gehört hatte oder deren Schrift er nicht einmal lesen konnte. Da der Chauffeur sich inzwischen jedoch den einsteigenden Leuten zugewendet hatte, die ihm alle irgendeinen Gegenstand aushändigten, meist alte Post- oder Landkarten, Bücher, Comic strips, Wildwest-, Kriminal-, Heimat-, Frauen-, Familien-, Liebes- und Science-fiction-Romanhefte, bevor sie sich nach einem Platz umsahen, konnte er sich nicht erneut wegen seines Fahrpreises an diesen wenden, und nachdem es zu einem Zwischenfall mit einem Mann gekommen war, der ein Landser-Romanheft, auf dessen Titelseite ein vorwärtsstürmender Soldat, der den Mund zu einem Schrei geöffnet hatte und ein feuerspeiendes Gewehr mit beiden Händen vor sich hinhielt, farbig und so realistisch wie möglich gezeichnet gewesen war, abgegeben hatte (welches der Chauffeur zuerst empört als *obszön* hatte ablehnen wollen, dann jedoch trotzdem gezwungen gewesen war, es anzunehmen, da der andere sehr abgebrüht zu sein geschienen und nichts dergleichen getan hätte, als dieser ihn sogar vor allen anderen Leuten laut zu beschimpfen begonnen hatte), war der Chauffeur so wütend, daß er den restlichen wartenden Leuten erklärte, er hätte keinen Platz mehr, was ohnehin so ziemlich den Tatsachen entsprach, einen Hebel neben dem Steuerrad herumlegte, worauf sich die Türen schlossen, und weiter fuhr, ohne ihn aussteigen gelassen zu haben.

T.S. Eliot

Das Totenamt

April benimmt das Herz, er heckt
Flieder mit der toten Flur, verquickt
Erinnern und Verlangen, langt
Taube Wurzeln an mit Lenzregen.
Der Winter hielt uns warm, er mummt
Das Erdreich ein mit Schneeverwehen, fristet
Ein Quentchen Leben durch in Erdmieten.
Sommer kam unversehens, zog über den Starnbergersee herauf
In einem Wolkenbruch; wir stellten uns im Säulengang unter,
Traten dann im Sonnenschein heraus in den Hofgarten
Auf einen Kaffee und ein Stündchen Plauschen.
Bin gar keine Russin, stamm aus Litauen, echt deutsch.
Als Kind waren wir zu Gast beim Erzherzog,
Meinem Cousin, der mit mir Rodeln ging.
Ich kriegt es mit der Angst. Er sagte, Marie,
Marie, halt dich jetzt fest. Und zutal gings.
Auf den Bergen wohnt die Freiheit.
Ich lese nächtelang und überwintere im Süden.

Was ists für Wurzelwerk das krallt, was für Geäst das schlägt
Aus dieser Schutthalde? Du, Menschensohn,
Kannst es nicht sagen oder raten, du erkennst nur
Einen Haufen zerbrochner Sonnensäulen in der Mittagsglut,

Wo der dürre Baum nicht Deckung gibt, die Grille keinen Auftrieb,
Vom Hungerstein kein Wasser sickert. Nur
Dieser rote Fels wirft Schatten,
(Tritt näher unter den Schatten dieses roten Felsen),
Und ich will dir etwas ganz Anderes aufzeigen als
Deinen Schatten des morgens, der dir auf dem Fuß folgt
Oder deinen Schatten des abends, der hochtapert dir entgegen:
Angst zeig ich dir, durch eine Handvoll Staub gejagt.

Frisch weht der Wind
der Heimat zu:
mein irisch Kind,
wo weilest du?

Vor einem Jahr bekam ich erstmals von dir Hyazinthen;
›Man nannte mich das Hyazinthenmädchen.‹
– Doch als wir heimkehrten, spät, vom Hyazinthengarten,
Dein Arm voll Blumen, dein Haar tropfnaß, versagte mir
Die Stimme, meine Augen trübten sich, ich starb nicht
Und konnte auch nicht leben, war fassungslos
Und sah in das Lichtherz, das Schweigen.
Öd und leer das Meer.

Madame Sosostris, die Hellseherin,
War arg erkältet, gleichwohl nimmt sie's
Mit jeder andern weisen Frau Europas auf
Und schlägt unwahrscheinlich Karten. Das, sprach sie,
Ist Ihr Blatt: der ertrunkene seefahrende Phönikier,
(*Perlen sind die Augen sein.* Schau her!)
Hier ist Belladonna, die Dame vorm Felsgrund,
Diejenige welche.
Hier ist der Mann mit den drei Stöcken, hier das Rad,
Und hier der einäugige Händler, und dies Blatt,
Das Leere, ist etwas, das er auf dem Rücken trägt,

Das mir zu sehn verwehrt ist. Der Gehenkte
Liegt nicht auf. Fürchten Sie den nassen Tod.
Ich seh viel Volk, das sich im Kreise voranschiebt.
Dankesehr. Wenn sie die *liebe* Mrs. Equitone sehn,
Sagen Sie, ich brächt das Horoskop persönlich,
Man kann sich nie genug vorsehen heutzutage.

Wahnschaffne Stadt:
Unter dem braunen Brodem eines Wintermorgens
Zogen in langen Scharen über London Bridge so viele,
Hätt nie gedacht, daß so vielen die Augen brachen.
Stoßseufzer, ein ums andremal, entfuhren ihnen
Und jeder heftete den Blick vor seinen Fuß.
Das schob sich bergan und abwärts zur King William Street,
Dort wo Saint Mary Woolnoth die Stunde schlägt
Mit einem Scherbenton auf dem Glock neun.
Dort sah ich einen, den ich kannte, und rief ihn an: ›Stetson!
›Du, der an meiner Seite war im Schiff bei Mylae!
›Die Leiche, die du vor'ges Jahr in deinem Garten setztest,
›Schlägt sie schon aus? Wird sie dies Jahr erblühn?
›Der Spätfrost fror doch nicht etwa ihr Beet auf?
›O halt den Wolfshund fern, des Menschen Freund,
›Mit seinen Krallen scharrt er sie sonst wieder aus!
›Du! hypocrite lecteur! – mon semblable, – mon frère!‹

Eine Schachpartie

Der Stuhl, in dem sie saß, ein Feuerthron
Loht in den Marmorfliesen und das Spiegelglas,
Von Pilastern gerahmt, um die obstprall das Weinlaub rankt
(Ein kleiner goldner Amor spitzt daraus,
Ein anderer verschanzt sich hinterm eignen Flügel)
Doppelt das Licht der siebenarmigen Kandelaber

Das von der Tischplatte zurückglänzt, indes ihr Schmuck
Aus seidenen Schatullen quellend
Mit grellen Sprühnadeln dagegen anstickt.
Entstöpselt in Elfenbeinphiolen und in buntem Glas
Belauern seltsam verschnittene Parfüms,
Als Salben, Puder oder Wässer – wirr, überzwerch
Den taumeligen Sinn mit Schwaden Duft; die Luft,
Vom Fenster her gefächelt, wolkt hoch und mästet
Die langgezogenen Kerzenflammen, beschickt
Mit Ruß die güldene Kassettendecke
Und läßt erzucken ihr geschachtes Muster.
Scheite von schwerem Treibholz, kupfersatt,
Prasseln orange und grün im bunten Stein-Geviert,
Ein Zier-Delphin schwimmt durch das Schummerlicht.
Überm Kaminsims, ganz antik, ward dargetan,
Als öffne ich ein Fenster auf das Waldstück,
Philomelas Verwandlung, die der entmenschte König
So rüde übermannt; die Nachtigall allda
Durchschallt die Wüste mit gefeitem Schlag
Noch tönt' ihr Ruf, noch macht die Welt drauf Jagd,
›Ruck ruck‹ unzarten Ohren.
Noch weitre Strümpfe, zeitverfallen
Warn an den Wänden aufgewärmt; Gestalten äugten
Ins dichtgemachte Zimmer vorgeneigt und dämpften jeden Laut.
Schritte schlurrten auf der Treppe.
Im Feuerschein unter dem Bürstenstrich
Hißt hoch ihr Haar mit roten Funken
Entlädt in Worte sich, fällt abermals dann in geladenes Schweigen.

›Ich bin ein Nervenbündel heute abend. Bleib hier.
›Rede mit mir. Warum sagst du nie was? So sprich.
›Woran denkst du? Woran? An was?
›Weiß nie woran du denkst. So denk.‹

Ich denke wir sind auf der Rattenzeil,
Dort wo die Toten ihr Gebein verloren.

›Was ist das für ein Rauschen?‹
Der Wind unter der Tür.
›Und dies Geräusch jetzt? Was macht der Wind da?‹
Nichts, zweimal nichts.
›Du
›Weißt rein garnichts? Du siehst nichts? Du erinnerst dich
›An nichts?‹

Ich erinnere mich:
Perlen sind die Augen sein.
›Lebst du noch überhaupt? Hast du denn nichts im Kopf?‹
Doch
O O O O der Shakespe-her'sche Rag –
Der ist so elegant
So überaus rasant
›Was fange ich jetzt an? Was fang ich an?
›Ich renne raus, so wie ich bin, und lauf die Straße lang
›Mit offenen Haaren, so. Was solln wir morgen tun?
›Was sollen wir nur tun?‹
Das heiße Wasser um zehn Uhr.
Und, falls es regnet, das Coupé um vier.
Und wir werden miteinander Schach spielen,
Blinklose Augen in die Hand gestützt, gewärtig, daß es an die Türe pocht.

Als Lil-ihr-Mann dann abbgemustert wurde, da sag ich
Ohne viel rumzudrucksen sag ich – als Mensch – zu ihr,
SCHLUSS MACHEN LEUTE FEIERABEND
Darfst dich ein bißchen nett machen, wo jetzt
dein Albert heimkommt.
Er wird was sehen wollen für das Geld, das er rausrückte,
Damit du deine Zähne richten läßt. War doch dabei wie er's dir gab.

Laß alle reißen, Lil, sagt er, und nimm 'ne anständige Zahnprothese,
Herrschaft nochmal, sagt er, es geht mir gegen die Natur
dich anzusehn.
Und mir genauso, sag ich. Denk an den armen Albert,
Vier Jahre beim Kommiß, der will jetzt was vom Leben haben.
Und wenn du's ihm nicht bietest, so werden's andre tun.
Nu mach ein Punkt, sagt sie. So ohne ist das nicht, sag ich.
Dann weiß ich ja an wen ich mich zu halten hab, sagt sie
und gibt mir einen schiefen Blick.
SCHLUSS MACHEN LEUTE FEIERABEND
Für nichts ist eben nichts und damit basta, sag ich.
Wenn du nicht magst, für andre ist's noch drin.
Und wenn dein Albert fremdgeht, brauchst dich gar nicht wundern.
Du solltest dich was schämen, sag ich, so ausgemergelt dreinzuschaun
(Dabei ist sie erst einunddreißig)
Ich kann nicht gegen an, sagt sie mit Leichenbittermiene,
Es warn die Pillen, die ich nahm, damit es abging.
(Sie hat schon fünf und wär am Schorschi beinah draufgegangen.)
Der Apotheker sagte, es tät alles glatt gehn, aber ich hab mich nie
mehr ganz derfangen.
Du bist ja nicht zu retten, sag ich,
Wenn Albert dir keine Ruhe läßt, dann hat sich's eben,
Wozu erst lang heiraten, wenn du keine Kinder willst?
SCHLUSS MACHEN LEUTE FEIERABEND
Am Sonntag dann, als Albert da war, gab es gekochten Schinken,
Und sie baten mich zu Tisch, damit ich's brühwarm mitbekam –
SCHLUSS MACHEN LEUTE FEIERABEND

SCHLUSS MACHEN LEUTE FEIERABEND
Nacht Bill. Gutnacht Lou. Nacht May. Gutnacht.
Tschüssing. Nacht. Nacht.
Gute Nacht, Damen! gute Nacht, süße Damen! gute Nacht,
gute Nacht.

BERTOLT BRECHT

Arbeitsjournal

19. 3. 40
3 wochen bettlägerig mit influenza. dergleichen faßt mich wie einen hilflosen, wenn ich ohne größere arbeit bin. dabei kann ich bei temperatur nicht arbeiten.
überdenke jetzt eine kleine epische arbeit DIE BEFÜRCHTUNGEN DES HERRN KEUNER, etwas in der art des CANDIDE oder des GULLIVER. herr keuner befürchtet, daß die welt unbewohnbar werden könnte, wenn allzu große verbrechen oder allzu große tugenden erforderlich sind, damit der mensch seinen lebensunterhalt verdienen kann. so flieht herr keuner von einem land zum andern, da überall zuviel von ihm verlangt wird, sei es nun opferwille oder tapferkeit oder klugheit oder freiheitswille oder gerechtigkeitsdurst, sei es grausamkeit, betrug usw. alle diese länder sind unbewohnbar.

18. 4. 41
es ist mir jetzt, wie ich merke, fast unmöglich, wishful thinking zu vermeiden, dh unerschrockene faktenanalyse zu betreiben, immerfort ertappe ich mich auf dem gedanken: das überdenke ich in USA.
ich hätte lust, eine KASSANDRA zu schreiben. sie hat natürlich nicht das zweite gesicht, sie benützt nur ihr gewöhnliches sehen. und ihre schwarzen voraussagen haben den praktischen zweck, die menschen aufzurütteln. so kommt das morbide in wegfall zusammen mit dem mystischen. es bleibt das tragische los des überbringers schlechter nachrichten. sie ahnt, was kommen wird, wenn sie sieht, wie wenig vorbereitet auf abwehr ihre umgebung ist; sie weiß, wie sich un-

ter den kommenden verhältnissen die menschen ändern werden, auch die nächststehenden. sie läuft von den fürsten zu den priestern, von den kaufleuten zu den fischern. ihre mutter ermahnt sie, zu schweigen. sie versucht es, vergebens. als defaitistin erwartet sie ihren prozeß, verabschiedet sich von ihren kindern. ihre richter spricht sie an wie lauter todgeweihte. andere szene: verjagung des pessimisten und krittlers.

20. 4. 41

DER GUTE MENSCH VON SEZUAN ist in zahlreichen exemplaren seit monaten an freunde (in der schweiz, in amerika, in schweden) verschickt, und noch nicht ein einziger brief darüber ist eingelaufen. die bajonette der sieger von 1870 mögen das ›kapital‹ in europa zum sieg geführt haben, die tanks der sieger von 1940 begraben unter sich den GUTEN MENSCHEN VON SEZUAN.

mit jedem siegesrapport hitlers verliere ich an bedeutung als schriftsteller, selbst der buchhändler und kritiker olsoni in helsingfors findet nicht die zeit, mein stück zu lesen. und es gibt immer weniger besucher. (dabei finden sie hier weder verzweifelte noch optimisten!)

24. 4. 41

wenn ich meine letzten stücke betrachte und vergleiche, GALILEI, MUTTER COURAGE, FURCHT UND ELEND, DER GUTE MENSCH VON SEZUAN, HERR PUNTILA UND SEIN KNECHT MATTI, AUFSTIEG DES UI, so finde ich sie abnorm uneinheitlich in jeder weise, selbst die genres wechseln unaufhörlich. biographie, gestarium, parabel, charakterlustspiel im volkston, historienfarce – die stücke streben auseinander wie die gestirne im neuen weltbild der physik, als sei auch hier irgendein kern der dramatik explodiert. dabei ist die theorie, die ihnen unterliegt oder abgezogen werden kann, ihrerseits sehr bestimmt gegenüber andern theorien. man darf vielleicht auch nicht vergessen, daß die zeit die verschiedenen werke eines dichters zusammenschmilzt; wie könnten sonst RÄUBER, BRAUT VON MESSINA, TELL oder IPHIGENIE, FAUST, CLAVIGO unter einen hut geraten sein?

24. 8. 43
die großen verbrechen sind nur möglich durch ihre unglaublichkeit. gewöhnlicher betrug, einfache lüge, schiebung mit einem mindestmaß an scham, das trifft viele unvorbereitet. die subtileren geister weigern sich, primitiven betrug zu vermuten, schon mißtrauisch sind sie noch zu anspruchsvoll, indem sie raffinierte und meisterhaft verfeinerte verbrechen postulieren. sie weigern sich entrüstet, staatsmänner mit pferdedieben, generäle mit börsenspekulanten zu ›verwechseln‹, und so bleiben ihnen die pferdediebstähle und börsenspekulationen ganz unverständlich. natürlich suchen sie mit recht schlauheit bei den großen; es ist aber eine niedrige und auf die ausführung der untaten beschränkte schlauheit. die schläge, die sie austeilen, sind nicht immer tödlich. sie hauen das volk ›übers ohr‹ mit schönen reden, die ihre opfer nicht arbeitsunfähig, sondern nur unzurechnungsfähig machen sollen.

WOLFGANG HILDESHEIMER

Masante

In Masante öffne ich die Fenster bei Morgendämmerung, stoße die Läden auf und bin umfaßt von Stößen sich verabschiedender Nachtluft, es ist noch kühl im Gelände, unten zwischen den Weinranken picken die großen Vögel, dort wo es zur Schlucht abfällt, dem Bach, dessen Rauschen ich höre, bis er im frühen Sommer versiegt; an dem ich niemals gewesen bin, Gestrüpp und Dornen versperren den Abstieg, – vielleicht werde ich ihn eines Tages wagen, wenn ich zurück bin? Dort unten verläuft die Grenze meines Gebietes, Gelände, das ich niemals habe vermessen lassen, ich weiß die Hektarzahl des Hofes Masante nicht. Es ergibt wohl keinen preußischen Morgen, geschweige denn ein bayrisches Tagwerk.

Auf der Bank schläft einer. Der Ire, da liegt er mit offenem Mund; ist das ein verhauchter Seufzer oder hat er vor dem Schlafen noch gesungen? Nein, das hätte ich gehört, meine Ohren sind für jeden Gesang gespitzt. Nicht vergessen: heute Abend den Ausweis! Er soll nicht noch einmal fragen müssen. – Neben ihm sein leeres Glas, im Campari-Aschenbecher die abgebrannte braune Stange einer Zigarette, das Mundstück klebt in der Randkerbe des verbeulten Bechers. Das Glas leer. Führen die Stammgäste ihr Konto selbst, wenn der Wirt ins Bett oder zum Beten geht? Dieser betet mit, säuft aber dann einsam weiter. Wer kreidet dann an? Bin ich der Einzige, der die Rechnung beglichen zu hinterlassen hat, wenn er den Fuß vors Haus setzt? Wahrscheinlich eine Maßnahme für die Neuen, die unsicheren Gäste, dennoch eine seltsame Vorbeugung. Ich füge mich ihr, komme Alain entgegen, denn die Rechnung ist gestern nicht mehr zustande gekommen. Er wurde abgelenkt, vielleicht durch eine Eingebung? Vielleicht schreibt er an der Geschichte seiner Wandlung, Wer weiß? Er, der die Wandlung symbolisch zelebriert, Wein in Blut. Dieser Schankwirt!

Fünf Pfundnoten lege ich ihm auf die Theke, beschwere sie mit Cutty Sark. Das dürfte alles decken, ist wahrscheinlich schon Teil einer Vorauszahlung. Dazu einen Zettel. Auf die Gefahr hin, den Iren zu wecken: – den schreibe ich auf der zweiten Remington. Es hat mich schon gestern nach ihr in den Fingern gejuckt. Einen Zettel aus Alains Block. Muß den zweiten nehmen, auf dem ersten endet sein Notat von gestern abend, – nein, es endet nicht, es ist nur unterbrochen.

for some time. I am expecting at least twelve units. I don't feel like waiting any longer. My time is running out and, indeed, not only mine. It's not that I

Da endet die Notiz. Maxines Fall hat sie unterbrochen. Wie wäre dieser Text zu deuten? Seit einiger Zeit – sofern dieses Satzende mit dem Folgenden etwas zu tun hat – seit einiger Zeit also wartet Alain, und zwar auf mindestens zwölf Einheiten. Schmuggelware, ohne Zweifel. Er hat keine Lust mehr zu warten. Vermutlich braucht er das Geld. Aber was bleibt ihm anderes übrig, als zu warten? Er ist im Ring, denke ich, sein Ausfall würde sich rächen. Seine Zeit läuft aus, der Hinweis ist verständlich: die Beteiligten müssen sich ein anderes Mitglied suchen, aber wer von seinen Brüdern im Schmuggel – anscheinend Amerikaner oder Engländer oder Iren – nimmt die größere Warnung an: daß es nicht nur seine, Alains, Zeit ist, die das ausläuft? Sind andere Gefallene im Spiel, die Angst vor der Ewigkeit haben? Der Ire jedenfalls, der dürfte dabei sein. Und was tun sie dagegen? Oder die ZEIT – das four-letter-word – ein Deckwort für irgendeine sinistre Handelsware, die ihm ausgeht? Zwölf

Einheiten Zeit? Vielleicht hätte der unterbrochene Satz Aufschluß gegeben? »Nicht etwa daß ich...« Angst habe? Den Tod in mir spüre? Mich schließlich – und endlich – selbst zurücknehme? – Wie auch immer –

Ich reiße den unteren Zettel heraus und spanne ihn in die zweite Remington, die gebaut wurde.
Shall be back presently –
Die Maschine schreibt leserlich, wenn auch holprig. wie in Miss Mortensens späten Jahren. Das Farbband gibt nicht viel her, aber der Satz stellt sich hin. Ich werde wohl den Zettel vorfinden, wenn ich zurückkomme, das Geld auch, der Ire ist ein Schmuggler und ein Polizist, der meinen Ausweis sehen will, mein Geld braucht er nicht, bei dem geht es wohl um größere Beträge. Vielleicht sind hier alle straffällig, und ich bin der Einzige, der nichts auf dem Gewissen hat, noch nicht einmal das.

Und hinaus!
Zu einem Abenteuer, sei es auch klein, habe ich es immer eilig, ich will es hinter mich bringen, gehabt haben, damit es als Gehabtes in mir hinabsinke. Den Schirm gegen den Wind und hinein, durch den Sand. Ich spüre ihn an der Hand, er prickelt, wie Sand dieser Strände, le sabbie d'Ischia, le sabbie di Grado, dieser öden Flächen, bespült von der lauen mediterranen Brühe, die niemals einen guten Fund sondern nur noch verseuchten Fisch heranträgt, auch Ebbe und Flut nicht gehorcht, –

es hat mich nicht zu allen Wassern gezogen, zum Beispiel nicht zur Südsee, dem Saum von Palmen, gräßlichen Gewächsen, die zu Unrecht als Bäume gelten, den Inseln, belebt von bekränzten Mädchen, hautbraun, zahnweiß, haarschwarz, die jeden umarmen, vor allem amerikanische Präsidenten und solche, die es werden wollen. Ein wirklich stiller Ozean wäre vielleicht eher mein Fall, dort unter einer Taucherglocke sitzen, still wie ein Lot, und horchen –

Plötzlich legt sich der Wind, die Sandwellen verebben, eine Nachhut von kreiselnden Wolken verstreut sich, läuft hüpfend über den Boden nach hier, nach dort und liegt, und die Sicht wird frei. Zu den Hügeln dort hinten ist es eine Durststrecke, das schaffe ich nicht ungestärkt, aber später werde ich mich an diesen Schluchten versuchen, dort ist die Nacht jetzt ausgelaufen, sie sind hell wie alles, ohne Schatten, nichts wirft Schatten, ich werfe auch keinen, die Sonne ist nicht sichtbar, der Himmel weiß, neutral wie ein Schiedsgericht: wer wird hier herausgefordert, wer fordert heraus?

Jetzt nicht zu weit, nicht wie Strindbergs Fischmeister, der die letzte Kraft auf die Gnade der Elemente setzt und doch weiß, daß er verspielt, im Kahn ins offene Meer hinaus, den Sternen nach, doch ohne Vertrauen natürlich. Meine letzten Karten sind noch nicht verspielt, sie liegen oben unter CHI TOCCA MUORE. Also: nicht ziellos sandeinwärts von Pfahl zu Pfahl, mich auf mein Gespür verlassend, denn hier verläßt mich mein Gespür. Immer dieses lockere Gewürfel von Bauten, das sich Meona nennt, diese Rettungsstation, dieses Jahrtausende alte Provisorium im Auge behalten, immer nach ein paar Schritten rückwärts sehen, – vorn halte ich diesen ersten Pfahl fest, ein bescheidenes Ziel fürs erste, – wie in einem Kinderspiel: man läuft hin, berührt, TOCCA, läuft zurück und ist dortgewesen, –

weiter jetzt nicht, und sehr weit nie: da draußen liegen ja schon einige verstreut, Wüstenläufer, Forscher, Maxines Beichtkinder, mein Klavierzertrümmerer, Schmuggler, kreuzfahrende Christen, ewige Juden, vielleicht der andere heilige Antonius, alle bis in die Knochen von Sand zermahlen, nicht konserviert.

nicht konserviert wie das Paar Rhesus-Affen, die man im Mont-Blanc-Massiv als einzige noch intakte Passagiere eines vor vielen Jahren zerschellten Flugzeugs fand, aus Indien für den Londoner Zoo bestimmt: da lagen sie im Eis, in einer tiefen endgültigen Umarmung, in ihrer Liebe erstarrt und erhalten.

Er hebt sich wieder, der Wind. Jetzt eine böse bittere trokkene Brise von der Art, die keine Katastrophe kündet, sondern durch beharrliche Sanftheit ihr Opfer einlullt,
jetzt möchte ich nicht weiter draußen sein, ich bin weit genug. Den Pfahl noch berühren, ja, – TOCCARE – bevor der Sand ihn vor mir verwischt. Auch einen Ton höre ich, kann ihn aber nicht bestimmen. Keinen Zweiklang oder Dreiklang, wie Alain ihn hörte, vielleicht hat er ihn nicht gehört, er ist unmusikalisch. Der Ton fluktuiert, Windstärke bestimmt die Frequenz. Wie bei meiner Orgel. Auch das Timbre wechselt. Tönern wie eine Okarina? Nein, eher gaumig wie – jetzt klagend wie ein Dudelsack, der den Schlachtentod der Highlanders begleitet, – und wieder tönern, oder besser: beinern, er streicht vielleicht gegen die Rippen eines Skeletts, das hier irgendwo liegt: ein Fund. Das wäre aber ein Akkord, Schlußfermate eines Chorals wie im Dom, der Brustkorb das Mittelschiff, der Schädel die Apsis, die Splitter sind Reste von Zerstörungen, abgeschliffene Mauerbrocken wie in Soisson, – oder der blanke Kopf Cassanders, durchbohrt vom Schädelbohrer des Pierrot Lunaire. Nein, das ist kein Akkord, kein Fund. Nur ein Ton, vielleicht ragt irgendwo ein einzelner Knochen hervor, ein Bein, zerknabbert von Hyänen? Nein, keine Hyänen, ich habe kein Lachen gehört. Die lachen beim Fraß wie die Gäste im Palazzo Vendramin oder wie der Vorfahr meines Hamlet. Und was hätten sie gefressen, oder wen? Wer war der Mann mit dem weißen Wüstenkoller, der sich totgelacht hat?

Jetzt ist es Flöte, etwas streicht gegen Holz. Das muß er sein, der PFAHL, den ich berühren will. Ja, es wäre ein Flötenton, wenn Flöte glissando spielen könnte, das Register zieht sich, wenn ich nicht irre, von c bis fis.
Wenn ich nicht irre!
Keine Obertöne, ich würde sie hören, ich höre Obertöne wie Untertöne, bis auf das viergestrichene Gis, das höre ich nicht, ich bin kein Delfin, auch kein Hund, obgleich der Ire – den Ausweis nicht vergessen! – obgleich der Ire meinte, ich würde bald auf allen vieren kriechen, wie der Hundemensch auf Nikis Burg, die nicht mehr steht, das Heidelberger Schloß auch nicht mehr. Niki, die ist ziemlich fern. Masante noch ferner,

einmal, das war im Februar, war ich dort eingenebelt; aus allen achtzehn Fenstern des Hauses sah ich nur weiß, nichts als weiße Leere.

Würde ich jetzt pfeifen, wenn der Ton nicht schon im Winde läge? Ich weiß es nicht, stelle aber fest, daß ich zittere. Zittern wie Espenlaub: was ist eigentlich Espenlaub? Zu welcher Familie gehört die Espe, wie zittert sie? Wie ein Mensch wahrscheinlich, wenn er wie Espenlaub zittert. Aus welchem Holz ist dieser Pfahl? Jedenfalls kommt er von weit her, auch die Baumgrenze ist fern. – Baumgrenze! – Kein Holz mehr, eine aufrecht stehende Rippe, wie der Teil eines Tieres, Alain hat recht. Lange Faser, Löcher, ehemals Äste, Augen, Holzaugen. In den Kerben Sand, eingefressen, zu Stein verhärtet.

Hier ausruhen und warten, bis der Wind vorbei ist und ich Meona wieder sehen kann. Unterm Schirm sitzen, als sei ich in den Frühjahrsregen geraten. Dann werde ich heimkehren, durch triefende Wiesen waten und über Bäche springen, zuhause die nassen Strümpfe über dem Ofen trocknen,

– lange halten diese Winde hier ja nicht an, denke ich, – aber wie lange?

Wo denkst du hin? Eine schöne Formulierung: irgendwohin denken!

Meine Zeit läuft aus, und, wahrhaftig, nicht nur die meine. Alain, der Arme! Dem Manne Gottes kann nicht geholfen werden. Dieser hier ist gefallen, gut, da hat er eine große Stufe genommen, doch die Tiefe des Falles wird er erst spüren, wenn ihm die Stunde schlägt.
Hier schlägt keine Stunde, hier läuft die Sanduhr aus. Miserables Bild! Inadäquat! Nichts läuft hier aus, es weht und rieselt tödlich, es kommt von allen Seiten.

Eine Entdeckung: Sand ist das fünfte Element. Damit allerdings werde ich kaum durchdringen. Werde ich überhaupt noch durchdringen?
Ich sehe nichts, das ist immerhin etwas. – »Back presently?«
– Presently indeed! –
»Wir suchen keinen.« Ein klarer Satz. Klar wie CHI TOCCA MUORE.
Tage ziehen vorbei – ›this petty pace from day to day ...‹ das ist gut gesagt, petty pace. Kleinliches Zeitmaß.
Vielleicht zieht bald ein Tag vorbei, der mir gefällt, ein Tag ohne Wirbel, ein Tag in Masante, so ein grauer trüber nichtsversprechender Donnerstag, ohne Anrufe, ohne Post, ein Tag zum Vertun, dann springe ich mitten hinein mit meinem Regenschirm und lasse mich treiben,
über meine böse Stunde hinweg und weiter.

ZBIGNIEW HERBERT

Die Geschichte der Minotaurus

Die noch nicht entzifferte Linearschrift A überliefert die wirkliche Geschichte des Fürsten Minotaurus. Er war – wider die späteren Gerüchte – Sohn des Königs Minos und der Pasiphaë. Der Junge kam gesund, allerdings mit einem unnatürlich gewaltigen Kopf zur Welt – was die Wahrsager als ein Zeichen künftiger Klugheit zu deuten wußten. Minotaurus entwickelte sich in der Tat mit den Jahren zu einem kräftigen, etwas melancholischen – Trottel. Der König beschloß, ihn dem geistlichen Stande zu überlassen. Aber die Priester wandten ein, ein irrer Fürst stünde ihnen schlecht, dadurch litte die sowieso schon – durch die Erfindung des Kreises – lädierte Autorität der Religion noch ärger.

Also ließ Minos den Ingenieur Dädalus kommen, den Begründer der vielgerühmten pädagogischen Architektur, der in Griechenland gerade Mode war. So war das Labyrinth entstanden. Durch das System der Korridore, von den einfachsten bis zu immer komplizierteren, durch Unterschiede der Ebenen und Treppen der Abstraktion sollte Minotaurus in die Grundlagen des fehlerfreien Denkens eingeführt werden.

Der unglückselige Fürst taumelte, von Präzeptoren angetrieben, durch die Korridore der Induktion und der Deduktion, glotzte mit ohnmächtigen Augen die anschaulichen Fresken an und begriff gar nichts.

Als der König Minos alle Mittel erschöpft hatte, beschloß er, sich des Schandflecks seines Geschlechtes zu entledigen. Er ließ (auch aus Griechenland, das wegen seiner begabten Leute berühmt war) den findigen Totschläger Theseus kommen. Und Theseus schlug Minotaurus tot. Darin stimmen Mythos und Geschichte überein.

Aus dem Labyrinth – dem nun überflüssig gewordenen Abc-Buch – kehrte Theseus zurück, in der Hand den großen blutigen Kopf von Minotaurus mit den glotzenden Augen, in denen zum ersten Mal die Klugheit – das Nebenprodukt der Erfahrung – sich regte.

ERICA PEDRETTI

Schlaflos die ganze Nacht

Schlaflos die ganze Nacht daliegen, bis zum ersten Grau, den ersten Schattierungen draußen. Und mit der Aussicht auf eine sich langsam einstellende, aufstellende Landschaft beginnen, die flächig, noch nicht modelliert, sich immer schärfer vom immer helleren Himmel abhebt, präziser in den Einzelheiten, überblendet wird, sobald die Sonne sich über den Horizont schiebt. Schmale beleuchtete Flecken verbreitern sich, wachsen, nehmen überhand, drängen als leuchtende Flächen das Grau langsam zusammen, reduzieren es zu dünnen Schatten, fressen die Schatten auf.
Dann nimmt das Licht von Minute zu Minute an Intensität zu, überflutet, wenn die Sonne auf halber Höhe, bald zuoberst senkrecht über dem Kopf steht, die Gegend, vor Stunden ungeduldig erwartet, jetzt grell, irritierend. Die Wärme schmilzt den Schnee oberflächlich an, nachts bildet sich eine hauchdünne Eisschicht, die am Tag das Licht blitzend reflektiert, von Tag zu Tag stärker, von Tag zu Tag länger.
So ein Tag nach dem andern.

HERBERT ACHTERNBUSCH

Am Anfang war das Gold

Am Anfang war das Gold.
Ich ging mitten auf der Straße zur oberen Wirtschaft.
Ich sah keine Menschen und die Häuser bemerkte ich anhand ihrer Füße, die als Vorgärten oder Eingangsstufen die Straße betreten wollten. Ich dachte daran, daß Gary Cooper in dem Western »Stagecoach« von John Ford die Hauptrolle ablehnte, die dann John Wayne übernahm. Und in »High Noon« spielt Gary Cooper die Hauptrolle, weil sie Gregory Peck mit der Befürchtung abgelehnt hatte, daß sie zu sehr seiner Rolle in »The Gunfighter« von Henry King glich.
Das Rad hatte ich beim Gihl gelassen.
Auf dieser Höhe mußte der alte Pfarrhof sein. Ich schaute mächtig hin, er mußte neu gestrichen sein und längst kein Pfarrhof mehr sein, wenigstens ging von ihm nicht das Funkeln aus, das er für mich immer noch hat. Und vor allem das untere Zimmer, wenn man eintritt links ist strahlend wie eine Monstranz und das Allerheiligste ist die Lehrerin, die junge Lehrerin. Ich saß mit der Tante beim Schneider in diesem Zimmer, der beruhigend mit dem Bügeleisen das Bügelbrett bügelte. Einen Anzug sollte ich bekommen und mein verwundeter Fuß machte Fortschritte. Selbst wenn er in frischen blutigen Fransen vom Knöchel weggehängt wäre, wäre ich sofort vom Stuhl hochgeschnellt, sowieso von einem Stoß meiner Tante in den Rücken unterstützt. Doch die Lehrerin legte ihre Hand auf mein Haupt und hieß mich unter gelindem Druck sitzen bleiben. Und eines Tages erfüllte meine junge Lehrerin unsere Stube. Als sie gegangen war, habe ich die Wände gefragt: Habt ihr sie gesehen? Diese strahlenden Haare? Dem Ofenrohr warf ich einen mißbilli-

genden Blick zu. Die Fenster waren jetzt zu tief und zu klein: sie hätten meine Zukunft nicht hereingelassen. Und als meine Tante wieder den Mund aufmachte, kam wieder dieses plumpe »seine« heraus statt »ihre« als sie die Krokotasche der Lehrerin meinte, die auf der Bank gestanden war. Diese lange Bank von der Tür bis zum Herrgottswinkel. Und diesen Fußboden hatte schon die Mutter meiner Großmutter mit Sand geschrubbt. Nur die Küken meiner 10jährigen Großmutter durften auf den frisch geputzten Boden kacken, weil sie das Lieblingskind war, noch von der 48jährigen Mutter geboren, während den alten Kindern mit der Geißel gedroht wurde, falls sie es wagen sollten, mit dreckigen Schuhen den Boden zu betreten. Jeden Dienstag brachte ihr der Vater von der Stadt einen gebratenen Fisch heim. Meine Großmutter gab »von sich aus« ein Stück vom Fisch ihrer Mutter, weil sie sich »genierte«, allein den Fisch zu essen. Der Vater sagte zu dem Mädchen: Das ist ein Kirschbaum. Verkaufe die Kirschen und das Geld gehört dir. Und von diesem Nußbaum kannst du die Nüsse haben. Er kaufte ihr die Nüsse ab, 30 Stück um 8 oder 10 Pfennig je nach Marktwert. Die Kirschen verkaufte sie in der Stadt, für das Pfund bekam sie 10 Pfennig. Der Ochse ihres Vaters ist gelaufen »wie ein Pferd« und seine »Hörner waren so weit wie ein Hirschgeweih«. Mit diesem Geld kaufte sie dem Ganstreiber, der im September aus Böhmen kam, Gänse ab, das Stück um 2,60 Mark, mästete sie und gab sie Anfang November das Stück um 5 Mark ab. »War eine Gans für einen Juden bestimmt, dann habe ich den Kragen auf den Boden gehalten und quer einen Kochlöffel darübergelegt und habe mich daraufgestellt bis die Gans erstickt ist.« »Für eine Ente 3 Mark, für einen Gockel 80 Pfennig.«
Hier ist das Haus meiner Großmutter, das die Söhne meiner Tante aufgestockt haben. Wenn ich recht sehe, ist es immer noch nicht verputzt. Ich werde schon keinen von ihnen im Garten sehen. An dem Tag, da meine Lehrerin dagewesen

war und meinen Leuten empfohlen hatte, ich sollte die Höhere Schule besuchen, da trat meine Großmutter energisch dafür ein. Nach meiner Tante sollte ich Polizist werden, wenn ich unbedingt was werden wollte. Als unser aller spärlichen Überlegungen ins Stocken kamen, nahm die Großmutter den Schürhaken, wog damit im Flur, wo der Kamin hervortrat, aus dem Boden zwei Ziegelsteine heraus, nahm etwas Sand ab und holte einen Stutzen Wasserrohr hervor, klopfte den Mörtelverschluß ab und sagte: So Bub, jetzt mach deine Hände auf, und ließ in meine Hände Goldtaler klimpern. Sie hatte das Geld noch vor ihrer Hochzeit für eine schlechte Zeit versteckt, da ihr Mann ein Bahnbeamter war und sie es nicht brauchen sollte. Als sie aber wöchentlich seinen schmierigen Arbeitsanzug waschen mußte, dämmerte ihr, daß er nur ein dreckiger Streckengeher war. Und nun wollte sie ihn ein Leben lang betrügen mit diesem Gold. Als er sie um des Haushaltsgeldes wegen, das sie von ihm fordern mußte, schlug, wäre sie lieber verhungert als kein Geheimnis mehr zu haben. Meine Großmutter war befriedigt, daß sie diesen Tag hatte abwarten können und der unnötige Lärm, den Lena, ihre Tochter, spät am Abend am Herd hinten veranstaltete, störte sie nicht. »Du brauchst natürlich jetzt ein neues Fahrrad.« Und mit dem Gemüsehandel sollte ich jetzt auch nichts mehr zu tun haben. Die Jugend der eigenen Großmutter fortsetzen – eine schöne Aufgabe. Ein Leben mit Chancen stand mir bevor. Immer wieder baute meine Großmutter an jenem Abend unterm Lampenschirm mit ihren Talern ein Goldsäulchen auf, bis es umstürzte, lauter kleine Sonnen. Wie oft mochte sie gezweifelt und gehofft haben: Der Tag wird kommen... Ich mußte ziemlich auf die Seite des Hauses gekommen sein, das jetzt vergrößerte Fenster hatte, weil ich auf die Plakatwand bumste, ganz nah ein Plakat mit der Monroe. Damals zeigte man wieder diese älteren Filme, 1973. Als ob ich vergessen hätte, wem in meinem Leben diese Monroe am meisten glich.

Natürlich hat auch auf meine Tante die heimliche Sehnsucht ihrer Mutter nach einem besseren Leben abgefärbt. Gegen den ausdrücklichen Willen ihres Vaters ist sie in den Turnverein der Stadt eingetreten und ist auf vielen Sportfesten Siegerin in dem damals noch üblichen Zwölfkampf geworden, der sowohl turnerische wie leichtathletische Disziplinen umfaßte. Ja, als Mädchen hat sie sogar einen Weitsprung gemacht, der für Niederbayern und die Oberpfalz einen Rekord darstellte. Die Medallie befindet sich noch heute in meinem Besitz. Ein großes Lob für sie, die, als sie nicht mehr sporteln konnte, meine Mutter aus der Heilanstalt befreite. Sie ist dann mittendrinnen gestorben.
Als Gymnasiast hatte ich peinliche Träume, etwa daß ich wie in der Volksschule gewohnt auch ins Gymnasium barfüßig kam und es selber erst auf dem Gang merkte. Meine ehemalige Lehrerin, die des öfteren auf dem Gymnasium nachfragte, wie es mir erginge, hatte den Einfall, daß ich in den Sommerferien ihre Freundin in Gauting besuchen sollte, um meinen Ausdruck im Deutschen zu verbessern. Es handelt sich bei dieser Freundin, wie gesagt, um meine spätere Chefin. Erwin, der Chaufför war schon da. Ich half Erwin bei der Pflege des Tennisplatzes und als ein Besuch aus Frankreich kommen sollte, jäteten wir auch die Seiten, sandeten mit Ziegelmehl auf, besserten die beiden Grundlinien, die noch aus Blei waren, aus, und stellten die Netzhöhe richtig ein: Schlägerhöhe + Schlägerkopfbreite. Als nun der Besuch dawar und ein Tennislehrer engagiert, standen Erwin und ich im weißen Dress Spalier wie Kerzen, nahezu wie in späteren Zeiten, als ich auch zur Dienerschaft gehörte. Ich machte bei diesen Unterrichtsstunden den Balljungen. Mir gefiel diese Französin und der Lehrer war schnell ein blöder Kerl. Nachdem die Bavaria und Schloß Linderhof besichtigt und die Eltern des Mädchens abgereist waren, da kam meine Zeit. Erwin chauffierte uns beide zum Starnberger See und drückte mir auch noch ein Trinkgeld

in die Hand. Einmal war ich in München, wo ich die Universität besichtigt hatte, um sie nicht mehr wie bislang mit der Hagia Sofia zu verwechseln, versehentlich in den Garmischer Zug gestiegen, der ja in Gauting nicht hält, wo die Französin zusteigen wollte, und sie neben meinem Zug den Güterbahnhof entlanglief, während ich nicht die Notbremse zu ziehen wagte und in Starnberg auf den nächsten Zug wartete. Wenn ich an ihr Kleid denke, das rote, das tomatenrote, das ihr Vater entworfen hatte, er hieß Dior und war der berühmteste Modeschöpfer der damaligen Zeit. Ich bin die Türklinke im Bad meiner Chefin. Diese Klinke sah ich in den Sommerferien an, als ich badete und wußte: ich werde heute abend mit der Französin ins Kino gehen. Warum ich ihr keinen Namen gebe? Weil ich ihr den Namen eines Filmstars in einer bestimmten Rolle gegeben habe. Ich wollte Natalie Wood später einmal aufsuchen. Mit der Französin an der Hand? Beide alte Schachteln? Die Französin, die Filmschauspielerin und ihre Rolle haben einen Namen: Debbie. Und die Türklinke taufte ich so. Im Namen des Vaters und des Sohnes und des Heiligen Geistes, als niemand in der Nähe war. Möge niemand die innere Klinke seiner Badetür in Unehren halten, der dieses Buch liest. Ich müßte ihn verfluchen. Möge er sie schonen und denken: Sie ist Herbys Herz. Und wenn Sie einmal den Film sehen wollen, er heißt bei uns »Der schwarze Falke« und ist von John Ford. Als ich meinen Weg gefunden hatte und in Detroit aus dem Flugzeug stieg, wartete ich vor der Paßkontrolle auf die nächste Maschine, damit Debbie aussteigen möge.

ULRICH PLENZDORF

Natürlich Jeans!

Natürlich Jeans! Oder kann sich einer ein Leben ohne Jeans vorstellen? Jeans sind die edelsten Hosen der Welt. Dafür verzichte ich doch auf die ganzen synthetischen Lappen aus der Jumo, die ewig tiffig aussehen. Für Jeans konnte ich überhaupt auf alles verzichten, außer der *schönsten Sache* vielleicht. Und außer Musik. Ich meine jetzt nicht irgendeinen Händelsohn Bacholdy, sondern echte Musik, Leute. Ich hatte nichts gegen Bacholdy oder einen, aber sie rissen mich nicht gerade vom Hocker. Ich meine natürlich echte Jeans. Es gibt ja auch einen Haufen Plunder, der bloß so tut wie echte Jeans. Dafür lieber gar keine Hosen. Echte Jeans dürfen zum Beispiel keinen Reißverschluß haben vorn. Es gibt ja überhaupt nur eine Sorte echte Jeans. Wer echter Jeansträger ist, weiß, welche ich meine. Was nicht heißt, daß jeder, der echte Jeans trägt, auch echter Jeansträger ist. Die meisten wissen gar nicht, was sie da auf dem Leib haben. Es tötete mich immer fast gar nicht, wenn ich so einen fünfundzwanzigjährigen Knacker mit Jeans sah, die er sich über seine verfetteten Hüften gezwängt hatte und in der Taille zugeschnürt. Dabei sind Jeans Hüfthosen, das heißt Hosen, die einem von der Hüfte rutschen, wenn sie nicht eng genug sind und einfach durch Reibungswiderstand obenbleiben. Dazu darf man natürlich keine fetten Hüften haben und einen fetten Arsch schon gar nicht, weil sie sonst nicht zugehen im Bund. Das kapiert einer mit fünfundzwanzig schon nicht mehr. Das ist, wie wenn einer dem Abzeichen nach Kommunist ist und zu Hause seine Frau prügelt. Ich meine, Jeans sind eine Einstellung und keine Hosen. Ich hab überhaupt manchmal gedacht, man dürfte nicht älter werden als siebzehn – achtzehn. Danach fängt es mit dem Beruf an oder mit irgendeinem Studium oder mit der Armee, und dann ist mit keinem mehr zu reden. Ich hab jedenfalls keinen gekannt. Vielleicht versteht mich keiner. Dann zieht man eben Jeans an, die einem nicht mehr zustehen. Edel ist wieder, wenn einer auf Rente ist und trägt dann Jeans, mit Bauch und Hosenträgern. Das ist wieder edel. Ich hab aber keinen gekannt, außer Zaremba. Zaremba war edel. Der hätte welche tragen könne, wenn er gewollt hätte, und es hätte keinen angestunken.

»Ed wollte sogar, daß ich dableiben sollte. ›Wir kommen durch!‹ sagte er. Aber das war nicht geplant, und ich konnte es auch nicht. Ed konnte das, ich nicht. Ich wollte schon, aber ich konnte nicht.

Ed sagte dann noch: Zu Hause sag: Ich lebe, und damit gut. Das war das letzte, was ich von ihm hörte. Ich bin dann zurückgefahren.«

Du bist in Ordnung, Willi. Du kannst so bleiben. Du bist ein Steher. Ich bin zufrieden mit dir. Wenn ich ein Testament gemacht hätte, hätte ich dich zu meinem Alleinerben gemacht. Vielleicht hab ich dich immer unterschätzt. Wie du mir die Laube eingeredet hast, war sauber. Aber ich hab es auch nicht ehrlich gemeint, daß du dableiben solltest. Ich meine, ehrlich schon. Wir wären gut gefahren zusammen. Aber wirklich ehrlich nicht. Wenn einer sein Leben lang nie echt allein gewesen ist und er *hat* plötzlich die Chance, dann ist er vielleicht nicht ganz ehrlich. Ich hoffe, du hast es nicht gemerkt. Wenn doch, vergiß es. Als du weg warst, kam ich jedenfalls noch in eine ganz verrückte Stimmung. Erst wollte ich einfach pennen gehen, ganz automatisch. Meine Zeit war ran. Dann fing ich erst an zu begreifen, daß ich ab jetzt machen konnte, wozu ich Lust hatte. Daß mir keiner

mehr reinreden konnte. Daß ich mir nicht mal mehr die Hände zu waschen brauchte vorm Essen, wenn ich nicht wollte. Essen hätte ich eigentlich müssen, aber ich hatte nicht *so* viel Hunger. Ich verstreute also zunächst mal meine sämtlichen Plünnen und Rapeiken möglichst systemlos im Raum. Die Socken auf den Tisch. Das war der Clou. Dann griff ich zum Mikro, warf den Recorder an und fing mit einer meiner Privatsendungen an: Damen und Herren! Kumpels und Kumpelinen! Gerechte und Ungerechte! Entspannt euch! Scheucht eure kleinen Geschwister ins Kino! Sperrt eure Eltern in die Speisekammer! Hier ist wieder euer Eddie, der Unverwüstliche...
Ich fing meinen Bluejeans-Song an, den ich vor drei Jahren gemacht hatte und der jedes Jahr besser wurde.

Oh, Bluejeans
White Jeans? – No
Black Jeans? – No
Blue Jeans, oh
Oh, Bluejeans, jeah

Oh, Bluejeans
Old Jeans? – No
New Jeans? – No
Blue Jeans, oh
Oh, Bluejeans, jeah

KARIN STRUCK

Einmal im Leben Urlaub machen

19. Juni. Einmal im Leben Urlaub machen. Noch nie habe ich Urlaub gemacht. Immer nur in den Ferien gearbeitet. Au-pair-Mädchen, Fabrik, Büro, Studium. Diese Müdigkeit. Dann habe ich versucht, Urlaub zu machen. Ich konnte nicht. M. fährt nach Amrum. Sie sagt, wer nicht arbeitet, kann keinen Urlaub machen. Ich sage, wer arbeitet, kann keinen Urlaub machen. Ich sage auch, ich habe zwar immer gearbeitet, aber die Arbeit ging mich nichts an, also habe ich nicht gearbeitet, habe *ich* nicht gearbeitet, deshalb konnte ich keinen Urlaub machen. Der Arbeiter braucht Unterhaltung, er braucht Entspannung, er braucht spannende Geschichten, er muß mitgehen können, wenn Bonanza auf dem Pferd reitet, reitet er mit, sagt Herr O., dieser perverse Begriff von Unterhaltung, dieser perverse Begriff von Entspannung, dieser perverse Begriff von Arbeit, Arbeit ist Hetze, Arbeit ist Mühe, Arbeit ist Last, Arbeit ist Unlust, Arbeit ist Verkrampftsein, Arbeit ist Hetze, und Entspannung ist den Hosenschlitz aufmachen, Konfekt fressen und mitgehen, was ist denn wirklich Entspannung, wirkliche Arbeit, wirklicher Urlaub, ich sage zu Herrn O., die Arbeiter brauchen das Schwerste, das Allerschwerste, die tiefste Realität, die größte Reflexion, die spannendste größte Reflexion, die allerschwerste Reflexion, die entspannendste allergrößte Reflexion, ich muß gefordert werden, um mich zu entspannen, Herr O. wird unsicher und bringt seine Geschichten vom Massenleser in der Sowjetunion nicht mehr an, seine Geschichten von den hohen Auflagen, seine Geschichten von der spannenden Entspannung.

Dasein. Das Dasein. Wie du sagst »dasein«! Warum soll ich es eine Krankheit nennen, wenn ich dich sehen will, jetzt gleich, morgen. Ich atme doch auch, kann keinen Tag auf Luft verzichten. Du bist Luft zum Atmen für mich. Geduld. Geduldig. Lust, etwas zu gebären. Ein Kind, ein Werk, eine Liebe. Richtig gebären. Bis zum Ende. Ganz gebären. Nicht mitten im Gebären steckenbleiben und dran ersticken wie eine Riesenschlange an einem Bären. Ich halte inne: warum denke ich an diesen Vergleich, das Kind wird aus dem Schoß geboren, die Schlange schluckt den Bären, verschlingt ihn, vielleicht nehme ich diesen Vergleich, weil ich in Gefahr bin zu ersticken an einem zu großen Brocken, was ist das für ein Brocken, die Krankheit der Selbstüberforderung, »Karin, du nimmst dir zu viel vor«, Karin, warum sitzt du nicht in einem Büro und machst Ablage, Karin, was willst du eigentlich noch alles und alles auf einmal, Karin, du mußt zurückstecken, Karin. Apathie: einfach müde bin ich. Müde, so müde. Aus vollem Halse lachen. Warum aus »vollem« Hals? Warum nicht aus »leerem«? Der Hals ist »voll« von Lachen. Der Hals ist »zu«: ich kann nicht lachen. Ich bin »zu«. Ich will dich lieben. Stattdessen esse ich. Ich will dich lieben. Stattdessen liege ich und träume dummes Zeug. Wenn Zwerenz von Geschichte spricht, spricht er von *Männern*, wenn er von Studium spricht, von *Männern*, wenn er von Literatur spricht, von *Männern*. Von *Frauen*, von sogenannten *Frauen*, spricht er nur, wenn er von Mösen und diesen Dingern spricht. Er ist nicht einmal traurig, daß er *Frauen* so degradieren muß. Fußabtreter für seine wilden revolutionären Anwandlungen. Mittel zum Aufstand. Wann machen *wir* den Aufstand *selber*? Aber der Aufstand der Weiber läßt die Veränderung der Männer außer acht. Die Weiber lieben sich untereinander. Ach Gott, ja, ich habe M. auf den Mund geküßt. Ich träume von M. diesen Traum: M. umarmt mich, erregt und zärtlich, ich wehre lachend ab und sage, ich will erst naß werden mit Z. Die Weiber geben klein bei, lassen sich die Abtreibungen bezahlen, und damit hat sichs. Über Abtreibung im Fernsehen. Ja du, denkst du, ich kämpfe gegen die Forderung nach Aufhebung des Paragraphen? Nein, aber ich könnte nie abtreiben. Eine Abtreibung könnte so einfach sein wie eine Mandeloperation, höre ich. Ich will meine Mandeln aber gar nicht herausoperieren lassen. Welche Ursache hat denn die Mandelvereiterung? Warum will man mir die Mandeln rausnehmen? Eine Frau gibt als Grund an: wir ziehen gerade in eine größere Wohnung um, und in dieser Situation können wir kein Kind gebrauchen. Einverständiges Grinsen der Linken, wenn ein gesetzter Pfarrer gegen Abtreibung ist. Leeres und gedankenloses Befürworten der Abtreibung, das Max Frisch in »Homo Faber« ad absurdum geführt hat. Die indische Bevölkerungskatastrophe. Als Heilmittel: Abtreibung. Nicht die zerstört die Erde, sondern die Ausbeutung des Menschen und der Natur durch den »Menschen«. Mein Bauch gehört mir, ist der Spruch von höheren Töchtern erfunden? Sarah gehört mir, also kann ich sie prügeln. Meine Frau gehört mir, also kann ich sie prügeln. Meine Frau gehört mir, ich kann sie also vergewaltigen? Manchmal denke ich, die Männer sind gegen Abtreibung (die männlichen Gesetzgeber und Parlamentarier), weil sie sich eine »weibliche« Sorge zulegten, wie die Männer sich die Haare wachsen lassen, aus Sehnsucht nach »Weiblichem«, Zärtlichem, nach Humanisierung der Welt. Meine Genossen erzählen von den Demonstrationen schwangerer Frauen in der Weimarer Republik, ich sehe die Frauen mit ihren dicken Bäuchen durch die Straßen marschieren, für Abtreibung, das Wort »Arbeiterbewegung« schüchtert mich nicht ein, ich finde diese Demonstration der schwangeren Frauen mit ihren dicken Bäuchen nur pervers. Ach Z., was weißt du schon von den »armen ausgebeuteten Frauen«, die die »Folgen ihrer Lust« nicht tragen können? Ich sei nicht auf der Höhe der Zeit, auf der Höhe der Selbstbestimmung. Ach Z., aber du

»hilfst« ihnen, indem du ihnen die Abtreibungen bezahlst, nicht? Ein Bild: Sarah und ich auf einer grünen Wiese in Anspach im Taunus. Die Sonne ist die Hauptdarstellerin auf diesem Bild. Sie durchleuchtet Haut und Haare. Macht die Haare kupfern. Die Sonne. Aber ich sitze in dunklen Stuben und lese, mühsam von Zeile zu Zeile. Ich blecke die Zähne. Ich versuche, aus vollem Halse zu lachen. Aber ich kann nicht aus leerem Halse lachen: mein Hals ist voll von steckengebliebenem Schmerz. Deswegen blecke ich die Zähne.

DIETER KÜHN

Die Präsidentin

Marthe Hanau, Gründerin und Direktorin eines Zeitungs- und Finanzkonzerns! So präsentiert sie sich auf der Fotographie, die neben mir auf dem Arbeitstisch liegt: robuster Oberkörper, rundes Gesicht, die Bubikopffrisur der zwanziger Jahre, ihr Blick fest ins Kameraobjektiv gerichtet. Ich sehe hinter ihr Holzvertäfelung, sehe vor ihr einen Schreibtisch, die Platte blank, Papierblock und Tintenlöscher gespiegelt, Rosen in einem Glaskelch und tatsächlich eine Sektflasche in einem (bestimmt silbernen) Eiskübel: Statussymbol! Sie stützt den rechten Ellbogen auf die Tischkante, hält den Telefonhörer an ihr rechtes Ohr, Kopf etwas schräg, ihr Mund freilich geschlossen, so schaut sie den Betrachter an: Madame Hanau.

Als erstes wäre zu erzählen, wie sie an diesen Schreibtisch kam, wie sie im Wirtschaftsbereich aktiv wurde. Oder müßte ich schon vorher einsetzen, beispielsweise mit ihrem Geburtsdatum? Das erklärt gar nichts über ihre späteren Börsenmanipulationen zum Beispiel, soll ich es deshalb fortlassen? Andererseits: Marthe Hanau ist ja nun Koordinationsfigur dieses Buchs, da müßte ich wenigstens ein paar biographische Informationen bringen.

Also doch anfangen bei ihrer Geburt – aber dann weiter in raschen Sprüngen! Ihr Geburtsort ist Paris, das Geburtsjahr 1886. Und wer es noch genauer wissen will, der soll auch den Geburtstag haben: der erste Januar. Und ihre soziale Herkunft – könnte das nicht wichtig sein? Ist sie etwa Tochter eines Fabrikanten, gehört damit zu einer der Gruppen, aus denen »führende Persönlichkeiten« des Wirtschaftsbereichs hervorgehen? Oder kommt sie aus sozialen Verhältnissen, die ihr solch einen Vorsprung nicht geben? Ja, ihre Eltern sind Kaufleute, kleine Kaufleute – ein Wäschegeschäft am Boulevard de Clichy.

Die Mutter fleißig, sparsam, strebsam, der Vater hingegen hat teils keine rechte Lust mehr zu geschäftlichen Aktivität, teils kann er auch nicht mehr aktiv sein: dieser offenbar ansehnliche, lustige Elsässer, der gerne trinkt, erzählt, Musik macht, soll eine Krankheit haben, die als »geheim« bezeichnet wird in dieser prüde tuschelnden Gesellschaft, und diese Krankheit hat ihn schon ziemlich bewegungsunfähig gemacht. Bei ihm sitzt Marthe-Marie gerne, um zu klönen; die verkniffene Energie der Mutter findet bei ihnen keinen Beifall.

Wenn man mit kleinen und engen Verhältnissen nicht zufrieden ist, so will man höher hinaus – das will auch Marthe. Unbedingt möchte sie auf das Konservatorium, möchte Pianistin werden. Der Vater findet das wohl richtig, die Mutter hingegen hält das für Mumpitz, für Firlefanz, die Tochter soll erst mal anständig das Arbeiten lernen, und zwar im eigenen Geschäft.

Mutter Lucie hat das Sagen im Hause Hanau, so muß Marthe im Wäschegeschäft arbeiten: Baby-Grundausstattungen verpacken, Aussteuer-Wäsche verpacken, Baby-Grundausstattungen verpacken, Aussteuer-Wäsche verpacken, das wiederholt sich. Das führt nicht weiter. Marthe aber will weiter, will höher hinaus, das ist ja wohl das Recht der einzigen Tochter. Und so entwickelt Marthe schon früh einen Lebensstil, der Mutter Lucie überhaupt nicht gefallen will: eigenwillige Kleidung, Besuch von Lokalen, Rauchen in der Öffentlichkeit, ein Freund mit Auto. Das ist damals, kurz nach der Jahrhundertwende, noch etwas ganz Besonderes: und Marthe will in diesem Auto nicht bloß mitgenommen werden, sie will es selbst steuern, der reiche Freund erlaubt es: Marthe am Lenkrad eines Oldtimers, sicher eine der ersten Frauen in Frankreich.

Hier ist mehr Beziehung zum Auto als zum jungen Mann: schon auf den ersten Seiten des Buchs werde ich berichten, vielleicht sogar erzählen müssen, daß Marthe früh bereits Freundschaft mit Mädchen vorzieht. Beispielsweise lernt sie in einem Urlaub eine Freundin kennen, die Musikerin ist, es wird ein »unvergeßlich schöner« Urlaub, man schreibt sich danach Briefe, unter poetischem Kennwort von der Post abzuholen, und die mißtrauische, auf geordnete und normale Verhältnisse bedachte Mutter schaut heimlich in die nicht schlau genug versteckten Briefe, liest daraus hah! ein abnormes Verhältnis ab, schreit, heult, droht, setzt einen bösen Schlußpunkt. Aber Marthe findet bald Trost bei einer Verkäuferin des Wäschegeschäfts, Mutter Lucie erwischt die beiden auch mal, wahrscheinlich hinter einem Wäscheregal, und wieder gibt es Geschrei und Tränen und Drohungen, wieder einmal wird ein Verhältnis abrupt beendet, die Verkäuferin fliegt raus. Ob ich diesen Abschnitt des Lebensromans in meinem Roman nachschreiben werde? Oder soll ich diese Phase mit ein paar Andeutungen überpringen und ich erzähle gleich von Lazare Bloch, den sie zweiundzwanzigjährig kennenlernt, und er ist dreißig?
Lazare Bloch ist für dieses Buch sehr wichtig, er kann gar nicht früh genug eingeführt werden: gemeinsam mit ihm führt sie alle großen Geschäftsaktionen durch, Gründung und Aufbau der Zeitung, der verschiedenen Aktiengesellschaften. Daß Bloch als häßlich gilt, ist leicht zu erfahren: sein grobes Gesicht, seine zu große Nase. Über seinen viel wichtigeren Beruf aber gibt es widersprechende Angaben: mal ist er Ingenieur, mal Kammgarn-Vertreter, mal Finanzmakler. Wenn mir das so gleichrangig angeboten wird, entscheide ich mich natürlich für den dritten Beruf: die Börsenmanipulationen, die er später mit Marthe durchführt, setzen Kenntnisse auf dem Kapitalmarkt voraus. Und so lasse ich ihn Mitgliedern des gehobenen Bürgertums Anteile anbieten, beispielsweise für eine neu gegründete Kabelfabrik in

Lyon. Dabei könnte er suggestive Vorstellungen entwickeln über die Aussichten der Elektrobranche insgesamt: die Zukunft wird dem Strom gehören, ständig zunehmende Elektrifizierung, eines Tages wird Frankreich, wird Europa durch ein dichtes Netz von Stromleitungen versorgt – und das heißt: wachsender Bedarf an Kabeln, wachsende Produktion an Kabeln, wachsende Gewinne hier.

Diesen Bloch will Marthe heiraten. Sicher werden dabei Absprachen getroffen: kein bürgerlich hausbackenes Verhältnis bitte, keine Kinder und so weiter. Von diesen wäschegeschäftsschädigenden Verabredungen wird Mutter Lucie nichts ahnen. Aber auch sonst wird ihr dieser Lazare Bloch kaum gefallen, dem man unstete Lebensverhältnisse nachsagt und sogar eine verderbliche Spielleidenschaft. Aber immerhin, er ist ein Mann, endlich, da will Mutter Lucie auch diese Nachteile in Kauf nehmen. Und so findet denn eine Hochzeit statt.

Wahrscheinlich werden dem Paar zu diesem Festtag hohe Stapel von Bettwäsche, Babywäsche, Leibwäsche geschenkt. Wichtiger ist ihnen eine Erbschaft, die Marthe nun ausgezahlt wird. Ein offenbar höherer Betrag – die beiden aber scheinen das Geld rasch durchzubringen, vor allem mit Spielen: Marthe und Lazare spielen sehr gern Poker, Baccara, Roulette.

Nach ungefähr zwei Jahren trennen sie sich wieder, lassen sich aber offiziell noch nicht scheiden – das geschieht erst zehn Jahre später, 1920. Aber auch dann werden die beiden weiterhin zusammenarbeiten, sehr intensiv. Hier sind die beiderseitigen Beziehungen zu Frauen kein Hindernis: Lazare heiratet nochmal, zeugt das erste seiner vielen Kinder, und Marthe bindet sich an Delphine, die gleich einen mannweiblichen Vornamen erhält: Josèphe. Diese Tochter eines reichen Juweliers hat viel Geld, ist ebenso wie Marthe an geschäftlichen Unternehmen interessiert, die beiden beschließen, eine Fabrik für Kosmetika zu gründen, in Lilas. Lazare

Bloch wird herangezogen, er kümmert sich vor allem um das Technische.

Und spätestens hier werde ich von dieser biographischen Basis abspringen: ich lasse mir von solchen Fakten nicht das Buch vorschreiben. Wie ein lesbisches Paar eine Kosmetikfabrik aufmacht und leitet, das gäbe sicher allerhand Schreib- und Lesefutter her, aber davon lasse ich mich hier nicht verführen. Wichtiger als die privaten Beziehungen dieser jungen Frauen ist für mich nun die Gründung einer Fabrik in jener Vorkriegszeit: was konnten hier Marthe und Lazare für ihre späteren geschäftlichen Aktionen lernen?

Nach diesen Leerzeilen setze ich neu an. Daß Lazare bei der Firmengründung mitgewirkt hat, motiviert für den folgenden Entwurf seine noch sehr viel entscheidendere Mitarbeit. Delphine wird solange beurlaubt, ich kann sie hier nicht brauchen.

Der Roman wird also wohl an diesem Punkt erzählend ansetzen: wie Marthe auf den Einfall kommt, eine Kosmetikfabrik zu gründen. Das kann so beginnen: Marthe schraubt ein Döschen mit Gesichtscreme auf, steckt den Zeigefinger rein, beriecht ihn, schaut gar nicht zufrieden drein; Marthe spricht mit anderen Frauen über Körperpflege, Schönheitspflege; Marthe tupft eine Flüssigkeit auf ihren Handrücken, beschnuppert ihn, hält die Hand unter den Wasserhahn; Marthe läßt eine Frau an einer aufgeschraubten Cremedose riechen, beide versuchen zu beschreiben, was sie riechen, was sie nicht riechen, was sie gern riechen möchten.

Und dann eine Besprechung mit Lazare, etwa in einem Restaurant oder in einem Café. Sie fragt zu Beginn wohl, ob es zur Zeit wirklich so günstig sei, eine Fabrik zu gründen – man lese und höre das jedenfalls öfter. Lazare wird das bestätigen, verweist dabei aber sicher auf Unterschiede in den

Produktionsbranchen. Darauf kann Marthe fragen: wenn es derzeit in einigen Branchen so günstig ist, ein Unternehmen zu gründen, warum verkauft er da eigentlich nur Anteile und macht nicht gleich selbst eine Fabrik auf?
Lazare wird erst einmal gar nichts dazu sagen, wird kauen oder schlürfen. Dann mag er bemerken, er sei Finanzmakler und kein Unternehmer. Aber wenn die Lage im allgemeinen so gut ist für Unternehmer, wird Marthe einwenden, warum nicht gleich Unternehmer werden? Lazare wird sagen, sie dürfe hier nicht so scharf trennen: er besitzt wahrscheinlich selbst Anteile der Kabelwerke, ist also in gewisser Weise Mitunternehmer. Daraufhin wird Marthe die Frage wiederholen, warum er nicht richtiger Unternehmer wird.
Ob er vielleicht noch eine Kabelfabrik gründen soll, wird er gegenfragen. Das wird sie nicht gemeint haben: es muß nicht unbedingt die Elektrobranche sein. Lazare wird knapp fragen: Was sonst? Marthe berichtet: sie hat sich seit einiger Zeit ziemlich genau umgehört, ist dabei zu dem Ergebnis gekkommen, daß die Marktlage sehr günstig ist für neue Kosmetika.
Nun wird Lazare erklären, auf diesem Sektor werde bestimmt genug prodziert. Dies mag Marthe bestätigen, aber das sei alles nicht das Richtige. Sie hat mit vielen Frauen gesprochen, nicht bloß aus dem Bekanntenkreis: gute Produkte, richtig angeboten, hätten hier eine enorme Chance. Es würde derzeit kaum Spaß machen, diese Töpfchen und Fläschchen zu öffnen: meist nur der übliche Geruch, sonst nichts. Frauen würden Cremes und Lotionen aber nicht bloß kaufen, um Schönheitspflege zu betreiben, hier geschehe mehr. Dieses Mehr lasse sich nur schwer bestimmen: es sei etwas wie die Erwartung einer nicht bloß äußerlichen Veränderung. Und dies müsse verkauft werden!
Lazare werden diese Ausführunge nicht präzis genug erscheinen: auf solcher Basis lasse sich kein Unternehmen gründen. Da bleibe er lieber in der Elektrobranche: die habe

Zukunft, die sich berechnen lasse. Darauf Marthe: in der kosmetischen Branche sei auch Zukunft, sehr viel Zukunft, und zwar gerade, weil diese Zukunft sich nicht so genau vorausberechnen lasse. Lazare mag das zu paradox erscheinen. Er wird mit betonter Nüchternheit fragen, erstens, was hergestellt und zweitens, wie es angeboten werden soll. Bevor das nicht klar sei, hätte es kaum Zweck, länger darüber zu reden. Darauf wird Marthe sagen, sie werde das nochmal genau durchdenken, werde es möglichst präzis formulieren. Sie sei aber jetzt schon völlig sicher, daß hier gute Chancen lägen, sehr gute Chancen.

Marthe will die Erwartung einer nicht bloß äußerlichen Veränderung verkaufen – wie solche Erwartungen aussehen können, hängt ab von gesellschaftlichen Spielregeln ihrer bürgerlichen Umwelt. Deshalb will ich hier Verhalten und Benehmen einer Frau der bürgerlichen Gesellschaftsschicht jener Zeit skizzieren.
Details dazu finde ich in einem Handbuch, erschienen 1913. Hier werden Grundsätze, Richtsätze, Leitsätze aufgestellt. Einer dieser Leitsätze heißt etwa: Man achte darauf, daß Garderobe, Einrichtung und Lebensweise in Einklang stehen. Dies bedeutet: eine Frau, die eine geräumige Wohnung, dazu Dienstboten hat, untersteht der Verpflichtung, sich gut, wenn auch einfach zu kleiden. Das heißt beispielsweise: sie soll am Morgen ein Hauskleid oder einen Morgenrock tragen. Sie darf morgens hingegen nicht Gesellschaftskleider auftragen, womöglich auch noch unverändert; nichts sei nämlich schrecklicher als der Anblick einer Dame in verknittertem, mit unsauberen Stickereien und Rüschen besetztem Seidenkleid mit einer Schleppe, die ihr unordentlich um die Füße hänge. Die Frage: »Aber was soll ich mit meinen alten Toiletten anfangen?« sei dahingehend zu beantworten: keine Frau hat es nötig, ein Kleid unverän-

dert aufzutragen, es muß ihr gelingen, vielleicht mit Hilfe der Hausschneiderin oder eines Mädchens, einem Diner- oder Abendkleid die Fasson zu geben, die für das Haus erforderlich ist. Man bedaure dabei nicht den halbschmutzigen Besatz: er wird sich, nach einer Reinigung, später vielleicht nochmal verwenden lassen – und tausendmal lieber gar keine Verzierung als eine unsaubere!

Also: morgens keine alten Kleider auftragen, sondern einen Morgenrock anziehen. Ebenso nach dem Baden, an den Erkältungstagen. An den Erkältungstagen? Regelmäßig stattfindende Erkältungstage? Die gnädige Frau hat ihre Erkältung? Sagte auch Marthe, sie habe mal wieder ihre Erkältungstage, müsse deshalb morgens einen Morgenrock tragen?

Leitsätze, Richtsätze, Grundsätze: sie lenken die Frauen, die Marthe kennt. In diesem Buch muß ich eine Auswahl solcher Leitsätze bringen, damit erkennbar wird, wovon sich die Träume ablösen sollen, die Marthe durch ihre Kosmetikprodukte wecken will. Dabei wird es eine Frage der Buchökonomie sein, wie viele solcher festlegenden, eingrenzenden Leitsätze ich übernehme. Etwa noch weitere Leitsätze über das Hauskleid? Oder Leitsätze über die Gesellschaftskleider, die zusammenstimmen sollen mit dem Verhalten in der Gesellschaft, und alles wiederum soll der Inneneinrichtung der Häuser entsprechen? Da sind zum Beispiel unsolide, allzu bunte Objekte verpönt, also etwa kleine Konsolen, auf denen sich Gipsfiguren drängen, womöglich noch mit abgeschlagenen Nasen, abgebrochenen Händen. Verpönt auch symmetrisch aufgehängte Wandteller, verpönt Schneeballzweige aus Papier, verpönt chinesische Fächer. Und als unpassend wird bezeichnet, wenn man eine klassische Statue oder Gruppe auf einen hellen Tannenholz-Schrank stellt. Ebenso unpassend, wenn man eine heroische Landschaft oder ein düster gehaltenes Porträt auf eine Tapete mit großen, bunten, schräg auf- und niederstei-

genden Blumen hängt. Und man soll keine vornehme Vase von Gallet, keine Limogesdose oder Meißner Schale neben Sachen aus dem Fünfzigpfennigbasar stellen.
Man soll. Man soll nicht. Man soll. Leitbilder, Leitsätze, die eine Frau der bürgerlichen Gesellschaft festlegen, eingrenzen. Und Träume, Tagträume, die aus diesem Druckraum herausplatzen, Befreiung in bunten Spritzern.

Marthe wird Lazare in der nächsten Besprechung sagen, daß sich viele Frauen ihrer Umgebung langweilen, sie wollen Besonderes erleben. Diesen Wunsch müsse man mit jedem Cremetopf, mit jeder Lotionsflasche verkaufen. Schon, wenn Frauen die neuen Gefäße sehen, sie öffnen, muß es sie aus dem Gewohnten herauslocken, herauslösen, herausreißen: Abenteuer. Dies müsse man verkaufen: Abenteuer. Hochgerissen werden in einen Sattel, womöglich in einen orientalischen Sattel, bunt verziert, und kaum ist man entführt, kommt ein anderer dahergaloppiert, orientalisch bunt gekleidet, der will diese Frau ebenfalls haben, schon kämpfen sie mit blitzenden Krummschwertern, wie in Büchern, die ihre Bekannten lesen, die Marthe ebenfalls gelesen hat, und ein Orientale wird halbiert, und der andere kriegt die Frau: so etwas ließe sich verkaufen! Dabei müsse die Creme oder Lotion in ihrer Zusammensetzung gar nicht so neuartig sein; wichtig wäre vor allem das verlockende Leitbild, sichtbar gemacht durch einen guten Reklamezeichner. Überzeugt das Lazare? Ich nehme an.
Marthe wird nun mit einem Zeichner Entwürfe besprechen: immer schwungvoller der orientalische Reiter, der eine Frau hochreißt in seinen Sattel. Das wird durchvariiert, bis der Schwung kaum noch zu steigern ist. Die Zeichnungen dann koloriert. Im Vordergrund dazugemalt das Produkt, das noch nicht produziert wird, in dieser Phase sicher aber schon einen Namen hat, ich schlage vor: »L'Orient«. Bei

letzten Entwürfen hat der bunte Orientale vielleicht noch ein Messer oder eine phallische Pistole quer im Mund, zeigt lachend gesunde Zähne, während er mit beiden Händen eine Frau der bürgerlichen Gesellschaftsschicht hochreißt und mit ihr davongaloppiert in Freiräume, in denen bestehende Leitsätze keine Gültigkeit mehr haben.

Lazare Bloch sieht nun Erfolgschancen, hilft bei der Gründung einer Kosmetikfabrik. Sicher beginnen sie vorsichtig disponierend mit wenigen Arbeitern in einem kleinen, erweiterungsfähigen Fabrikationsraum. Fünf, sechs Arbeitskräfte können bereits eine große Zahl von Cremetöpfchen und Lotionsfläschchen füllen. Bei erfolgreicher Verkaufskonzeption steigt die Produktion: noch mehr Hände und Geräte, die duftenden Brei anrühren, duftendes Wasser abfüllen, Etikette aufkleben mit frauenraubenden Reitern. Der Fabrikationsraum wird erweitert.

Sicher entwickelt Marthe nun neue Verkaufsideen, die Produktion soll weiterhin gesteigert werden. Marthe Bloch also nachdenkend: Will eigentlich jede Frau geraubt sein? Wird es nicht Frauen geben, die weder im Tagtraum noch im Nachttraum auf ein Pferd gerissen werden wollen, entführt in ein zwar buntes, aber unbestimmtes Abenteuer hinter dem Horizont? »L'Orient« – läßt diese Markenbezeichnung nicht auch andere Vorstellungen zu? Zum Beispiel: Gärten, duftende Gärten, die berühmten duftenden Gärten mit Blumenrabatten, zwischen denen man auf und ab schreitet, selbstverständlich schlank, zartgliedrig? Solch einen Gartenorient läßt Marthe vielleicht als nächstes entwerfen von ihrem Zeichner, der sich bewährt hat, oder von einem neuen Zeichner mit neuen Ideen: wer dieses Gefäß aufschraubt, riecht orientalische Gärten, Terrassengärten, schwebende Gärten, in die man sich mit halboffenen Augen versetzt. Auch dies ein Orient, der sich verkaufen läßt: eine neue Duftnote in den gefärbten Brei, in die Lotion, neue Behälterformen entworfen und entwickelt, neue Etikette, die den neuen Reklamebildern in Zeitungen und Journalen entsprechen: neue Kunden, größere Produktion. Der Fabrikationsraum erweitert, die Zahl der Arbeiter wächst; etwa ein Dutzend Arbeiter könnte pro Tag schon eine ganze Menge Töpfchen und Fläschchen füllen, zuschrauben, etikettieren, verpacken.

Weitere verkaufsfördernde Formen des Orients? Hier könnte Marthe an den Geist denken, der aus der entkorkten Flasche hochwächst, hinauf bis an die Wolkengrenze, und das Problem besteht im Märchen darin, wie man ihn wieder in das Gefäß reinlockt: könnte man diesen bösen Geist nicht in einen schönen Geist verwandeln? Und der Mann, der im Märchen vor Angst in die Knie gegangen ist, dieser Mann kniet nun freiwillig, Arme ausgebreitet, Handflächen hochgedreht, Kopf im Nacken, denn aus der Flasche, aus dem Gefäß schwebt hoch die Vision einer sehr schönen Frau? Und das Gefäß, aus dem sie wächst, gleicht dem Gefäß, auf das dieses Bild als Etikett geklebt wird?

Ist dieses Konzept erst einmal entwickelt, durch den Zeichner fixiert, so sind rasch neue Duftkomponenten in den gefärbten Brei gemixt: Marthe wird sehr genau wissen, daß es in dieser Branche wichtiger ist, Vorstellungen, Erwartungen, Träume zu verkaufen als Wirkmittel. Möglichst viele Frauen müssen sich vom Werbebild des orientalisch bunten Reiters mitreißen lassen, müssen sich in die orientalisch üppigen und lässigen Gärten der Reklamebilder versetzen wollen, müssen sich aufsteigen sehen aus orientalischem Zaubergefäß, und von tief unten werden sie bewundert – Marthe und Lazare verkaufen Träume, und sie verkaufen gut. Die Zahl der Arbeiter steigt wiederum, so nehme ich an. Und sicher wird auch die Verkaufsorganisation ausgebaut: schicken Marthe und Lazare Vertreter nach Lyon, nach Bordeaux, nach Lille, nach Caën, nach Marseille, und die empfehlen dort Geschäftsleuten den Verkauf der neuen Produkte, bieten Gewinnmargen an, die erheblich höher liegen als bei Konkurrenzunternehmen? Instruiert Marthe die Reisevertreter, sagt ihnen vor, was sie aufsagen sollen?

Sehr plötzlich wird diese Fabrik geschlossen: der Weltkrieg. Da müssen die Arbeiter an die Front, die Arbeiterinnen in die Rüstungsindustrie.

MARTIN WALSER

Also, Anna

Also, Anna, ich ging einfach stadtauswärts. Ich wollte zu dir. Klar. Im Mund hatte ich noch Englisch. Die Sonne schien. Sobald ich die Vororte hinter mir hatte, ging ich querfeldein. Gleich in der ersten Stunde diese Schwäche. Ich sank einfach ins Gras. Es war am Nachmittag. Die Sonne war schnell hinter den Tannenspitzen des nächsten Waldes versackt. Ich mußte aufstehen. So mutlos wie ein von Anfang an mißglückender Vergleich. Welch eine Idee, diese Strecke zu Fuß zu machen. Ich hätte vielleicht jemanden anrufen sollen. Rasch nach Krailling hinüber ins Telephonhäuschen. Es ist aber viel zu schön, in den Abend hineinzugehen, eine Brücke über die Amper oder Ammer zu suchen, als daß man sich durch Telephonieren unterbrechen könnte. Und die Mühe des Gehens ist sogar das Schönste. Die Schwere der eigenen Glieder, die ersten Schmerzstellen. Ich hätte nicht gedacht, daß es an den Fußsohlen anfangen würde. Dieses Gehen trennte mich auf jeden Fall von allen, von denen ich getrennt sein wollte. Da ich mich weder auskannte, noch eine Karte hatte und auch nicht fragen konnte, weil mir die Kraft zur Anrede fehlte, wußte ich nicht, ob ich den Ammersee unten oder oben umgehen sollte. Daß er in meinem Weg lag, wußte ich. Durchschwimmen, querdurch. Ach ja, bitte. Der Mond hing zuschauerisch im Himmel, ich zog mich aus, band mir meine Kleider als einen hohen Helm auf den Kopf und schwamm hinaus in den See. Irgend ein Ärmel rutschte und schleifte im Wasser, wurde schwerer, schon fürchtete ich, daß mein Kleider-Helm sich auflösen würde und ich käme ohne Kleider drüben an. Ich schwamm nur noch ganz vorsichtig. Das Wasser wurde kühler. Drüben empfing mich ein Hund. Der sprang am Ufer hin und her, als wäre ich sein über alles geliebter oder gehaßter Herr. Zwei Damen gab es, die über ein Pferd sprachen, das zwischen ihnen stand und offenbar Zdenka hieß. Sie ließen es stehen, kamen ans Ufer, beruhigten den Hund, entdeckten mich lange nicht, dann aber doch. Mutter und Tochter. Von Pferden verstehe ich nichts, darum zog ich mich an und ging weiter. Da ich hoffte, sie würden mir nachsehen, wurde mein Rücken rasch wieder warm. Ich wollte mich in Gesellschaftssachen, so attraktiv sie wegen ihrer beschränkten Verstehbarkeit auch sind, nicht mehr hineinziehen lassen. Bald begleiteten mich zwei Nachtfalter. Es waren Nuptioptera. Die können nur paarweise leben, d. h. ihre Fähigkeit, sich durch Farbänderung ihrer Umgebung anzupassen und so sich zu schützen, hört auf, wenn sie länger als eine Stunde getrennt sind. In dieser Nacht muß mein leuchtend blauer Rücken die Farbempfindlichkeit dieses Falterpaars gereizt haben. Sobald ich stehen blieb, landeten sie auf meinen Schultern und begannen, den Rücken hinabzustreben. Ging ich wieder, flatterten sie auf und hinter mir her. Ich legte mich in einen Heuhaufen und wartete, bis sie es satt hatten, auf den nächsten Aufgang meines Rückenblaus zu warten. Der Nachthimmel erinnerte mich durch seine geradezu knisternde Sternenübersätheit an einen Roman, den ich während des Krieges gelesen hatte, allerdings im Spätwinter, im aufhörenden Winter, die steileren Stellen waren schon trokken braun geworden und gut für Veilchen plus erstes Grün, in den Niederungen und Schattenlagen tropfte, schmolz und platschte es noch, die Berge waren vom Föhn ganz hergeschoben, 5. oder 15. März 1942 eben, und ich, Leser eines Romans, in dem einer in einem Heuhaufen liegt und auf eine wartet und dann kommt die und dann schnaufen beide so und Sterne verzischen um ihre Köpfe in der Tiefe des Raums, und ich hock da in der Wachstube und lese das, und andauernd kritzelt mir an der Bauchdecke die Angst, daß jetzt gleich ein Alarm losgeht und ich deshalb nicht weiterlesen kann. Inzwischen war das Nachtfalterpaar hoffentlich an mir verzweifelt, ich durfte meinen Weg fortsetzen, ohne fürchten zu müssen, daß ich die Nuptiopteren aus ihrer Heimat fortlockte.

ALEXANDER KLUGE

Der Betthase

I

Minguel Ozmann, von der Gelben Antilleninsel – Frauenbetreuer gegen Bezahlung. Auf keinen Fall würde ich meine Unabhängigkeit aufgeben. Ich verdiene sie täglich mit meinem Schweiß, wenn ich diesen auch im Bett unterdrücke, ich also nur so viele Bewegungen ausführe, daß ich nicht unangenehm auffalle. Das wäre mir gegenüber einer Kundin eine Beschämung, wenn sie sagen könnte: Minguel, Sie schwitzen. Oder: Kurtchen, trockne dich mal mit meinem Handtuch ab.

Ich gehe früh zu einer Frau aus Boston, die ich im Hotel massiere, dann suche ich meine Leiche auf, Belgierin, die mich für den ganzen Tag vertraglich verpflichtet hat. Insofern ist die Frau aus Boston bereits Schwarzarbeit. Ich gehe mit der Vertragspartnerin schwimmen, halte eine Zeitlang ihre tote Pfote auf der Strandliege in der meinen, reibe ihr den Arm. Dabei lasse ich mir in schöner Freiheit den Antillenwind um meine Muskeln wehen. Nachmittags muß ich dann Micki, so heißt sie angeblich, in ihrem Zimmer »überfallen«, das heißt sie sagt: Du rufst vorher an, Kurtchen, du kannst mich nicht einfach überfallen, sondern ich will wissen, wann du kommst. Deshalb sage ich überfallen, weil ich immer an diese Vorwarnung denken muß, wenn ich nach telefonischem Anruf von meinem Zimmer im vierten Stock dieses großen Baus mich zu ihr in den sechsten Stock hinaufarbeite.

Ich erschrak zu Tode, als mich heute vormittag ihre greisen Finger am Strand anrührten, mich aus einem kurzen Schlummer rissen. Faß mich nicht an, du alte Leiche, rief ich aus. Sie zog erschreckt ihre Finger wieder an sich. Während ich zu einer vorgelagerten Sandbank schwamm, um mich körperlich müde zu machen, den Tag irgendwie zu bewältigen, vergegenwärtigte ich mir ihre Vorzüge. Ich brauche einen konkreten Punkt, auf den ich mich konzentriere. Alles übrige ist dann eine Frage der Einstellung. So gebe ich mir Mühe mit dieser Kundin, denn sie soll reelle Ware erhalten, wie es dem Vertrag entspricht, und das ist keine reine körperliche Arbeit, sondern auch eine innere Konzentration auf den Gegenstand meiner Bemühung, das heißt, an irgendeinem Punkt will ich ihr auch innerlich etwas mitgeben, das sie von diesem sonnigen Strand ins vernebelte Belgien mitnimmt.

Nachmittags fand ich Hilfe bei folgendem Vergleich: ich stellte fest, daß die Haut auf meinem Handrücken, wahrscheinlich unter Einfluß der Sonnencreme, auf ähnliche Weise sich pappig anfühlte wie bei meiner Micki, was also offenkundig eine Reaktion der Haut auf Sonne, Wasser und diese Creme war, da ja meine Natur von 32 Jahren Alter zweifellos keine Leicheneigenschaften hat – so waren wir also auch in dieser Hinsicht zwei *gleiche* Menschen, die sich solidarisierten, nachdem ich ihr die Kleider, den Straps, den Büstenhalter abgestreift und sie zu einer Liege hingetrieben hatte. Sie fraß mir aus der Hand, das heißt, sie wollte in alles einwilligen, auch in die Annullierung des Vertragsverhältnisses, wenn das die astronomische Entfernung zu mir verringert hätte – daß sie also gesagt hätte: »Kurtchen, oder Minguel, laß das alles sein, lieg ruhig da und schlaf dich aus oder hol dir einen Moppel von unten, laß mich wenigstens zusehen, oder verbiete mir auch das, dann gehe ich solange Kaffee trinken, ohne jede Bedingung, du brauchst mir deswegen keinen dankbaren Blick zuzuwerfen...« In dieser Stimmung, die mich rührte und endgültig für sie einnahm, bat ich sie um einen Sonderscheck über 4000 Dollar, den ich später in meiner Anzughose auch fand. Sie war offenkundig reiche Erbin oder Witwe. Ich wollte nicht danach fragen, um nicht gierig zu erscheinen.

II

Soeben pladdert ein Gewittersturm über die Gartenanlagen und die Terrassen des Luxushotels. Geschirr, Tischdecken werden von den Tischen geschmissen. Die Dekorationen für »Südliche Ballnacht« sind zerstört. Ich hoffe, daß recht große Zerstörungen in diesem Luxusviertel angerichtet sein werden, da so ein Nachrichtenwert entsteht, der über die ganze Welt verbreitet werden kann und den Ruf unserer Gelben Insel planetenweit verbreitet. Erst in diesem Ausmaß hätte der Sturm einen Wert. Darauf ist heute nicht zu hoffen, falls nicht noch ein Flugzeug, das eine Blindlandung versucht, abstürzt, denn dieser Pladderregen zerstört nur Kleinigkeiten.
»Hat man Charakter, so hat man auch sein typisches Erlebnis, das immer wiederkommt.« So streite ich mich immer wieder mit meinen Kameraden, die die gleiche Tätigkeit ausüben wie ich. Die Kameraden Charlie und Alfred Duhamel bezeichnen mich als Streikbrecher, weil ich die Konsequenzen meiner vertraglichen Verpflichtungen ziehe. Sie selber erfüllen nur den Buchstaben ihrer Verträge. Sie spielen die Distanz zu ihrer Arbeit mit, indem sie die Gegenstände ihrer Arbeit, das heißt: ihre Arbeitgeberinnen, herabsetzen. Sie kneifen die Frauen öffentlich und zeigen, daß diese sich dies gefallen lassen müssen. Sie verstehen sich, solange noch nicht gezahlt ist, als über der Sache stehend. Alfred Duhamel benachrichtigte kürzlich seinen Bruder von Wünschen einer Kundin. Hierauf antwortete Charlie am Telefon: »Keine Bewegung ohne Geld.«
Ich muß mich hier gegen den Vorwurf wehren, ich hätte keinen Charakter bzw. meine Hingabe an meine Arbeit verletze meine Eigenständigkeit. Alfred Duhamel: »Minguel,

es ist ehrlich und aufrichtig, seinen Abscheu vor dieser Arbeit zu zeigen.« Ich antwortete: »Nein, das ist zwiespältig. Man muß entweder die Arbeit nicht übernehmen oder sein ganzes Leben für diese Arbeit hingeben.«
Duhamel: »Wenn du, wie wir, 40 Kundinnen am Tag herunterreißt, mußt du dich aus der Sache persönlich heraushalten, sonst hältst du das nicht durch.« Ich: »Ich mache eine, höchstens 2, dafür gründlich.« Duhamel: »Aber den Vorteil suchst du doch wie wir.« Ich: »Selbstverständlich.« Duhamel: »Warum dann mit Brett vor dem Kopf?« Ich erwidere, das sei eine Sache des Charakters. Damit hatte ich ihn widerlegt. Nicht, weil ich keinen Charakter, sondern weil ich einen habe, verfolge ich z. B. gegenüber Micki diesen *Kurs der unendlichen Hingabe*. Duhamel: »Damit machst du uns Schwierigkeiten. Wenn man dich werken sieht, hat es den Anschein, als ob *wir* unseren 40 Kundinnen nicht *unser Letztes* geben.«
Ich könnte mir bei meinem stattlichen Einkommen eine oder mehrere Freundinnen aussuchen oder unterhalten. Mir wäre diese Form abstrakter Zärtlichkeit, der kein Kontrakt zugrunde liegt, die also ziellos vertan wird, heute bereits unangenehm, ein Luxus, den unsere schwer arbeitende Inselbevölkerung, die schließlich nichts Geringeres als unsere Unabhängigkeit durch ihre Arbeitsproduktivität verteidigt, sich nicht leisten kann. Wollen wir unabhängig vom Dollar bleiben, müssen wir arbeiten lernen. Eine Dame aus den Vereinigten Staaten versuchte mich heute als Gigolo zu behandeln. Noch während des Luncheons wollte sie mir Anweisungen geben, wo und wie ich auf sie warten sollte und was ich mitzubringen hätte, welche Wünsche ich ohne weiteres Gespräch erfüllen sollte. Ich zahlte aus meiner Tasche den Luncheon und verließ die verdutzte Person. Meine Vorfahren sind Indianer. Dies wäre außer meinem fachlichberuflichen Interesse das einzige wirkliche Interesse, das ich habe: wie ich meine Unabhängigkeit im Sinne meiner Vor-

fahren (die ich mir natürlich nur denken kann) verteidige. Ich taste jede der mir zur Betreuung übergebenen Frauen daraufhin ab, ob sie in dieser Frage etwas weiß. Es würde mich zusätzlich zu ihnen hinziehen. Aber sie sind zu hastig. »Die Menschen der tiefen Traurigkeit verraten sich, wenn sie glücklich sind: sie haben eine Art, das Glück zu fassen, so als ob sie es erdrücken und ersticken möchten, aus Eifersucht – ach, sie wissen zu gut, daß es ihnen davonläuft!« Dabei würde ich keineswegs davonlaufen, sondern aufmerksam zuhören. Es kommt zu keiner Zusammenarbeit.

III

Nach einigen Wochen Aufenthalt auf der Gelben Antilleninsel – gelb wegen des Werbespruchs, der sich auf den ehemaligen Sandstrand dieser Insel bezieht – begann sich die Frau Veronique Clermont, die sich Minguel gegenüber Micki nannte, gesundheitlich schlecht zu fühlen. Die fleißigen Hände ihres bezahlten Liebhabers ertasten Gewichtsabnahme, Ausmergelung. Sie verzichtete jetzt auf weitere Badekuren, lag ruhig im Strandzelt. An ihrer linken Halsseite befühlte Minguel eine kloßartige Verdickung. Oberhalb eines ihrer Zähne war eine Geschwulst zu spüren. Sie klagte über Schmerzen. Minguel, hilfreich (auch in der Hoffnung einer besonderen Belohnung, eventuell eines Anteils am Vermögen der Kranken), ließ einen Facharzt kommen. Er vermittelte den Kontakt in der Landessprache, so daß die Ärzte ihn als Auftraggeber verstanden.
Eines Nachmittags fand Minguel Veronique hustend und um Atem ringend. Er riß die Balkontür auf. Auf Kissen gestützt setzte er die Frau in die Nähe des Luftzugs, rieb ihren Hals. Die Alte keuchte. Minguel konnte es nicht unterlassen, sich an die Stelle der Sterbenden zu versetzen (hiervor hatte Alfred Duhamel gewarnt: Du mußt dir klarmachen, daß dieser Fetzen Fett mit dir nichts zu tun hat, sonst

nimmst du Schaden). Er legte der Halbtoten eine Aufstellung ihrer Aktien und Versicherungspapiere vor, die er in einem Nachttischkasten fand, und ließ sie einen Zettel unterschreiben, auf den er seinen Vor- und Zunamen gesetzt hatte. Dieses Papier bezeichnete er später als *Testament*, das er in Belgien anerkennen lassen wollte. Mit Krakelschrift hatte die Vertrauensselige ihren Eigennamen darunter gesetzt.

Minguel rief wiederum die Fachärzte herbei. Dr. Scelinski zerrte die krächzende Frau auf das Bett, setzte das Messer an die Kehle, um durch einen Luftröhrenschnitt die drohende Erstickung zu verhindern. In diesem Moment röchelte Frau Veronika und sackte zurück. Die Ärzte, die in ihrem Tun einhielten, überprüften die Pupille des rechten Auges, stellten den Tod fest.

Die Rechnung für diese ärztlichen Bemühungen war an Minguel gerichtet. Er wurde – da seine Personalien von den Ärzten festgehalten waren – von den Behörden angehalten, die Überführung der Toten auf seine Kosten (als *Gastgeber*) zu veranlassen. Hierzu war eine Flugreise Minguels nach Europa erforderlich. Die Angehörigen der Toten nahmen den Totenschein entgegen, ließen den Mann an einer Feierstunde teilnehmen, lehnten jedoch alle weiteren Gespräche mit ihm ab. Das »Testament« wurde nicht anerkannt. Minguel mußte Flug und Grand Hotel in Brüssel selbst zahlen. Seine Mittel waren erschöpft. Eine Grippe zwang ihn, sich in der belgischen Hauptstadt in eine Klinik einweisen zu lassen, wo er sich sprachlich nicht verständlich machen konnte. Da er die Klinikrechnung nicht zahlte, wurde er ausgewiesen.

Wer sich mit dem Gegenstand seiner Arbeit unendliche Mühe gibt, wird endlich doch belohnt werden. Die Schwierigkeit, sagt Minguel, liegt darin, daß ich gar nicht mehr angeben könnte, worin eine solche Belohnung noch liegen soll. So sehr bin ich in meiner Arbeit verwurzelt.

JÜRG LAEDERACH

I And Crime

In meiner Eigenschaft als Kommissar wurde ich zum Hauptbahnhof gerufen. Wieder kam ich zu spät. Am Ort des Verbrechens wartete ich den Morgen ab.

Ich war der Kommissar. Ich wurde zum Basler Hauptbahnhof gerufen. War es, wie ich behauptete, im Wartesaal geschehen? Der Tote war verschwunden. In der Pelerine wartete ich jenen trüben Morgen ab.

Kaum war ich am Basler Hauptbahnhof angelangt, fühlte ich, daß ich Kommissar geworden war. Jedenfalls hatte von meinem Office aus eine Beförderung stattgefunden. Leider kam ich zu früh. Im Waggon eines soeben vom Elsaß eingetroffenen Getreidezuges lag kein Toter. Ich verfocht mit einem Streckenwärter die Ansicht, der Mord sei noch nicht geschehen und werde, mit meiner Anwesenheit als weithin sichtbarer Warnung, nicht stattfinden. Irgend etwas war faul an der Sache. Ich ging in allem, was in diesem rätselhaften Fall an Scherereien noch folgte, von der Annahme aus, daß ich unbedingt zu früh gekommen war, was allein das Leben aller Überlebenden beweise. Zurück in meinem Office, fiel ich eine Lohnstufe tiefer und brach mir den Knöchel.

Ich hatte den ganzen Tag, da ich wegen Schulterrheuma zu fast nichts mehr zu gebrauchen war, den beschlagnahmten Fahrner bewundert. Als ich das allabendliche Spreizen meiner Hände versuchte, holte mich ein Anruf zum Hauptbahnhof. Ausschlaggebend für die Tiefe der Nacht war nachweislich der fadendicke Regen, der auf die Grenzzollgebäude fiel. War es, wie ich vermutete, im Wartesaal geschehen, wo sie alle warteten, Wurstwecken aßen, warteten, Zwetschgenwasser stürzten, warteten, mit ihren Stellmessern Zwangsvorstellungen in die Eckbänke schnitzten, warteten? Im Waggon eines soeben vom Elsaß angekommenen Chemiezuges lag ein Toter, was erstaunlicherweise besagte, daß der Chemiezug nur aus einem Waggon bestand. Schwefelsäure hatte die Leiche verheerend zugerichtet, und geistesgegenwärtig ließ ich in allen Apotheken des Festlandes nachforschen, da England und Jersey als Tatorte außer Frage standen, ich wiederhole, nicht in Frage kamen. Im wesentlichen fiel, da der Chemiezug vom Elsaß gekommen war, die landläufige Schweinerei auf die Franzosen zurück. Ohne Kenntnisse in Französisch ließ ich mir diese Feststellung übersetzen. Eine Blutspur führte mich zu meinem baufälligen Haus in der Nähe. Ich verfolgte sie, ohne vor mir selbst viel in Abrede zu stellen, bis in mein Untergeschoß, wo ich mich auf den Richtblock setzte, meine Finger mit einem dazwischengeschlagenen Keil spreizte und eine keimfreie Stricknadel aus dem indischen Umhang zog. Am nächsten Morgen wurde mir mitgeteilt, ich sei, unglaublicher Mietwagenspesen wegen, fristlos entlassen, in meinem Gehalt auf Null zurückgestuft und meiner Pension verlustig, doch nahm ich mich trotz strengstem Hausverbot jenes Falles weiterhin als dilettierender Liebhaber an, und ehe mein Rheuma die Kranzgefäße erreichte, wurde mir der gänzlich negative Befund der Apothekerkontrolle zugestellt, den ich rasch ins nächstgelegene Plenum weiterleitete.

Am Hauptbahnhof Nacht, tiefe. Der Tote im Waggon, halb aufgelöst. Glich meinem Vater wie ein Ei. Als ich da, er weg. Blut an meiner Hausmauer, Lammblut. Der Fall in seinen Teilen ohne Beziehung zu anderen Fällen oder zu sich selbst oder zu mir. Ich allein. Der Tote kaum in Schach gehalten. Keine Lösung zu suchen die Lösung. Verbrechensstelle, nadelkopfgroß, winziges Gerinnsel. Kann nicht, sagte ich. Am Grenzzoll Morgen, heller. Kann nicht, sagte ich. Der lange Zug rollend auf mich zu. Kann nicht, sagte ich. Erster Waggon. Zurückgefallen ans Pult. Unter den kalten Hahn gegen das Nasenbluten. Eierbrot geschnappt. Nächste Akte ins Feuer.

THOMAS BERNHARD

Die Macht der Gewohnheit

Dritte Szene

Alle, außer dem Dompteur, auf den Sesseln, ihre Instrumente stimmend, die Bogen der Instrumente mit Kolophonium einstreichend

CARIBALDI *zur Enkelin*
Crescendo
wenn ich crescendo sage
Descrescendo
sage ich decrescendo
Es gibt in der Kunst
gar in den Kunststücken
kein Pardon
zum Jongleur
Diese Entwicklung
muß allein gegangen sein
den Schwachsinn
in einem einzigen Augenblick
zum Genie machen
Wenn ein Körper im ganzen
in ein Verhältnis tritt
so treten seine Teile
in ein ähnliches Verhältnis
wie der ganze Körper tritt
In diese Hunderttausende von Richtungen
in die ich hätte gehen können
in eine einzige bin ich gegangen
Aber ich bin kein Beispiel

tatsächlich bin ich
gescheitert
Der Direktor ist immer
gescheitert
Die Versuche die ich
gemacht habe
gescheitert
die Möglichkeiten
die ich gehabt habe
Weil sich ein Mensch wie ich
in fortwährender Beobachtung
der anderen Menschen
vernichten muß
Die andern sich entwickeln lassen
verbietet sich einem solchen Menschen
wie ich
Eine an sich mittelmäßige Verwandtschaft
und die Hohe Kunst
andererseits
Und die fortwährenden Versuche
die Mittelmäßigkeit der Verwandtschaft
in diese Hohe Kunst
oder besser in diese sogenannte Hohe Kunst
hinein
und hinunter zu stoßen
Diese tagtägliche Quintettprobe
ist keine Marotte
zur Enkelin
Die Viola so spielen
wie du auf dem Seil tanzt
zum Jongleur
Die Violine absolut
zu ihrem Kopf machen
und umgekehrt
wissen Sie

zum Spaßmacher
Die Baßgeige
ist dein Unglück
verstehst du
immer wieder
Die Baßgeige
ist dein Unglück
Immer diese Verzögerungen
diese Verletzungen
diese Launen
zur Enkelin
In Augsburg
die E-Saite nicht vergessen
Ein ganz und gar verrückter Musikalienhändler
in Augsburg
Immer ist es der Dompteur
der das Quintett sabotiert
schreit
Sabotage
Sabotage

JONGLEUR
Die Wunde eitert ihm
sagt der Dompteur
mit einer eitrigen Wunde

CARIBALDI
Die Wunde eitert ihm
die Wunde eitert ihm
mit einer eitrigen Wunde
Aber es ist ein Quintett
kein Quartett
Und weil er fortwährend
eitrige Wunden an seinem Körper hat
besauft er sich
und dann ist es ihm unmöglich
sich auf dem Klavier zurechtzufinden

Er findet sich auf dem Klavier nicht zurecht
streicht einen tiefen langen Ton auf dem Cello.
Jongleur streicht einen Ton auf der Geige; Enkelin zupft an der Viola; Spaßmacher zupft an der Baßgeige
Casals
streicht einen tiefen langen Ton auf dem Cello
Casals
zum Jonleur
Hören Sie den Unterschied
streicht einen tiefen langen Ton auf dem Cello
Casals
plötzlich befehlend
Den Stimmton bitte
alle streichen einen langen Ton auf ihrem Instrument
Jetzt gelänge
was uns schon lange
nicht gelungen ist
aber der Dompteur
macht alles zunichte
richtet sich den Notenständer mit dem Notenheft
Rettich
überall Rettichgestank
Jongleur bläst den Staub von seinem Notenheft
Die Rücksichtslosigkeit
ist ein Kunstwille
die einzige Möglichkeit
ist die Rücksichtslosigkeit
Aber die Umwelt
ist nichts als Dummheit
und Krankheit
und Unverständnis
Jahrzehnte spiele ich
gegen den Stumpfsinn das Cello
Aber es ist kein Ende abzusehen

kein Ende abzusehen
zupft am Cello
Perfektion
Die Gesellschaft stößt
wer gegen sie verstößt
aus
zur Enkelin
Du mußt die Viola spielen
wie du auf dem Seil tanzt
verstehst du
Zwei Saiten in Augsburg
E E verstehst du
E-Saiten
zum Jongleur
Lebenslänglich
mein lieber Herr Jongleur
lebenslänglich
Sie jonglieren mit Ihren Tellern ja auch
lebenslänglich
gegen die Gesellschaft
Ihr Kopf kommt nicht zur Ruhe
gegen die Gesellschaft
zum Spaßmacher
Melancholiker
Spaßmacher streicht dreimal kurz auf der Baßgeige
hin und her
Mit dem Bogen
mit dem Geigenbogen
mit dem Baßgeigenbogen
mit dem Cellobogen
gegen alles
Der Kopf ist von der Kunst
die einer macht
nicht mehr in Ruhe gelassen
hört er auf

ist er tot
sich mit dem Bogen
in den Tod
hineinstreichen
streicht einen langen tiefen Ton auf dem Cello;
über den Dompteur zum Spaßmacher
Wie er dir die Wurststücke
und die Rettichstücke
zuwirft
streicht einen langen tiefen Ton auf dem Cello;
Enkelin bohrt in der Nase; Caribaldi hat das
bemerkt, zum Jongleur
Es ist Ihnen nicht gelungen
meiner Enkelin
das Nasenbohren abzugewöhnen
kaum sitzt sie auf dem Sessel
bohrt sie in der Nase
zur Enkelin
Das ist eine Verunstaltung
mein Kind
auch während du spielst
bohrst du in der Nase
Das ist abstoßend
während des Forellenquintetts
in der Nase bohren
zum Jongleur
Oder diese fürchterliche Gewohnheit
in das Andante hineinzuhusten
ein so ausgezeichneter
geschulter Kopf
und eine solche fürchterliche Gewohnheit
Sie müssen mehr Malz einnehmen
eine größere Menge Malz
verstehen Sie
und wenn Sie die Atemübungen

die ich Ihnen empfohlen habe
auch wirklich machen
Um sechs in der Frühe hinaus
gleich wo
und sei es in Augsburg
eine Stunde oder auch nur
eine halbe Stunde
in der frischen Luft
das Crescendo nicht außer acht lassend
verstehen Sie
Diese Verengung Ihrer angegriffenen Bronchien
Sie erweitern sie
Sie sind in der kürzesten Zeit
beschwerdelos
Aber Sie befolgen nicht
was ich sage
So haben Sie ja auch Schwierigkeiten
mit dem achtzehnten Teller
das gelingt Ihnen nicht
Weil Sie Schwierigkeiten
mit der Atmung haben
Atmungsschwierigkeiten
zu allen
Alle habt ihr Atmungsschwierigkeiten
Die Atmung funktioniert nicht
das ist es
Wenn die Atmung funktioniert
funktioniert auch die Hohe Kunst
Für einen Künstler
für einen praktizierenden Künstler
noch dazu für einen Artisten
oder für einen solchen
der ausübender praktizierender Künstler
und dazu auch noch Artist ist
ausübender Artist

ist die Beherrschung der Atmung
das wichtigste
zum Jongleur direkt
Ihre Sprache ist ja auch
nur aus kürzesten Sätzen zusammengesetzt
nur aus kürzesten Sätzen
besteht Ihre Sprache
während Ihrer ganzen Erscheinung
ordentlich lange
lange ordentliche Sätze entsprächen
Was Sie sagen
ist abgehackt
was Sie sagen
Das deutet darauf hin
daß Sie die Atmung
nicht beherrschen
das ist eine Schande
für einen Artisten
zu allen
Die Störungen
abschaffen
die Organismusgebrechen
Das ganze Leben
bin ich damit beschäftigt
alle zusammen streichen auf Caribaldis
stummes Kommando einen Ton auf ihrem
Instrument

JAMES JOYCE

Mr. Bloom bewunderte des Friedhofsaufsehers blühende Fülle

Mr. Bloom bewunderte des Friedhofsaufsehers blühende Fülle. Alle wollen auf gutem Fuß mit ihm stehen. Anständiger Kerl, der John O'Connell, einer von der wirklich guten Sorte. Schlüssel: wie auf Keyes' Annonce: keine Angst, daß ihm jemand entwischt, Urlaub und Ausgang gibts nicht. *Habeat corpus.* Muß mich kümmern um die Anzeige nach der Beerdigung. Hab ich etwa Ballsbridge auf den Umschlag geschrieben, den ich drüberschob, als sie mich beim Schreiben an Martha störte? Hoffentlich nicht bei den unzustellbaren Postsachen gelandet. Könnte sich auch mal rasieren, der. Grau sprießender Bart. Das ist das erste Anzeichen, wenn die Haare grau rauskommen und die Laune gnätsch wird. Silberfäden unter grauen. Also dem seine Frau zu sein, das muß man sich mal vorstellen. Möchte wissen, wo er den Mumm hergenommen hat, einem Mädchen nen Antrag zu machen. Komm mit und leb bei mir auf dem Friedhof. Ihr sowas überhaupt anzubieten. Zuerst kribbelts sie ja vielleicht. Den Tod freien... Schatten der Nacht gehn hier um bei den Toten, die überall liegen. Die Schatten der Grüfte, wenn Friedhöfe gähnen, und Daniel O'Connell muß ein Abkömmling sein von ihnen, wer war das doch, der immer sagte, er wäre ganz merkwürdig fruchtbar, der Mann, ein großer Katholik trotzdem, wie ein Riese im Dunkeln. Irrlichter. Gräbergas. Man muß ihr die Gedanken ablenken, wenn sie überhaupt schwanger werden soll. Frauen besonders sind da ja so empfindlich. Ihr eine Gespenstergeschichte erzählen im Bett, damit sie einschläft. Hast du schon mal einen Geist gesehen? Siehst du, aber ich. Es war pechschwarze Nacht. Die Uhr schlug grade zwölf. Aber küssen würden sie ganz ordentlich, wenn erstmal richtig in Stimmung gebracht. Huren auf türkischen Friedhöfen. Lernen praktisch alles, wenn man sie jung dazu rankriegt. Könnte hier eine junge Witwe anhauen. Männer mögen das. Liebe zwischen den Grabsteinen. Romeo. Ist die Würze der Lust. Mitten wir im Tode sind von dem Leben umfangen. Da treffen sich beide Enden. Müssen ja Tantalusqualen sein für die armen Toten. Wie der Duft röscher Beefsteaks für die Verhungernden, frißt ihnen am Leben. Das Verlangen, die Leute auf achtzig zu bringen. Molly wolltes am Fenster machen. Acht Kinder hat er jedenfalls.

Ganz schönes Quantum, was er so zu seiner Zeit unter die Erde hat gehn sehen, rund um ihn jezt, Feld hinter Feld. Heilige Felder. Mehr Platz, wenn man sie stehend begrübe. Sitzend oder kniend, nee, das ginge nicht. Und stehend? Dann könnte der Kopf rauskommen eines Tages, wenns mal nen Erdrutsch gäbe, mit mahnend erhobener Hand. Der Boden müßte vollständig in Waben eingeteilt werden: längliche Zellen. Und sauber hält ers ja auch sehr, der Rasen gepflegt, die Einfassungen. Seinen Garten nennt Major Gamble den Mount Jerome. Sehr schön, so ist es. Die Blumen sollten Schlafblumen sein eigentlich. Chinesische Friedhöfe mit Riesenmohn liefern das beste Opium, hat mir Mastiansky doch erzählt. Der Botanische Garten ist gleich da drüben. Es ist das Blut, das in die Erde sickert, das gibt neues Leben. Dieselbe Idee bei den Juden, die den Christenknaben geschächtet haben sollen. Jeder Mensch seinen Preis. Guterhaltene fette Gentleman-Leiche, Feinschmecker, unschätzbar für Obstgarten. Glänzendes Geschäft. Für Leichnam von William Wilkinson, Rechnungs- und Bücherrevisor, erst kürzlich verstorben, erlauben wir uns drei Pfund dreizehn-sechs. Dankend erhalten zu haben bescheinigt.

Also ich möchte ja sagen, der Boden wird unbedingt fett bei Leichendüngung: Knochen, Fleisch, Nägel, Beinhäuser.

Grauenhaft. Werden grün und rosa beim Verwesen. In feuchter Erde verfaulen sie schnell. Die mageren alten sind zäher. Dann eine Art Vertalgung. Art Verkäsung. Dann werden sie langsam schwarz, Sirup sickert aus ihnen raus. Dann trocknen sie ein. Totenkopfschwärmer. Natürlich leben die Zellen weiter, oder was sie sonst sind. Verwandeln sich bloß. Praktisch das ewige Leben. Keine Nahrung mehr, nähren sich von sich selbst.

Aber Maden müssen die ja ausbrüten, Teufel noch eins, massenhaft. Der Boden muß förmlich wimmeln davon. Da kann einen glatt ja der Schwündel packen. Die Mädchen, ja, die hübschen kleinen Mädchen vom Strand. Macht ein ziemlich munteres Gesicht dabei. Gibt ihm ein Gefühl der Macht, die andern alle zuerst runtergehn zu sehen. Möchte wohl wissen, was der für eine Einstellung zum Leben hat. Reißt ja auch seine Witze: wird ihm wärmer ums Herz davon. Den mit dem Bulletin. Hochwürden Spurgeon 4 Uhr heute früh gen Himmgel gefahren. Bei Ladenschluß (11 Uhr abends) noch nicht eingetroffen. Petrus. Die Toten selber, die Männer jedenfalls, würden bestimmt ganz gern mal ein Witzchen hören, oder die Frauen wissen, was grad Mode ist. Eine saftige Birne oder nen Damenpunsch, heiß stark und süß. Die klamme Kälte zu vertreiben. Lachen muß man ja doch manchmal, also besser gleich so. Die Totengräber im *Hamlet*. Zeigt die tiefe Kenntnis des menschlichen Herzens. Mindestens zwei Jahre lang nicht über die Toten spotten. *De mortuis nil nisi prius.* Erst muß die Trauerzeit um sein. Eigentlich kaum vorstellbar, daß der da auch mal beerdigt wird. Kommt einem fast wie ein Witz vor. Wenn man seine eigene Todesanzeige liest, heißt es, lebt man länger. Läßt einen nochmal zu Atem kommen. Neues Leben in die Lungen.

– Wieviel haben Sie denn für morgen? fragte der Friedhofsaufseher.

– Zwei, sagte Corny Kelleher. Halb elf und elf.

Der Friedhofsaufseher steckte die Papiere in die Tasche. Der Sargkarren hatte zu rollen aufgehört. Die Leidtragenden teilten sich und nahmen zu beiden Seiten des Loches Aufstellung, mit Sorgfalt die Grabstellen umschreitend. Die Totengräber trugen den Sarg heran, schlangen die Seile darum und setzten ihn mit dem Kopfende auf den Rand.

Seine Beerdigung. Begraben wolln wir Caesarn. Seine Iden des März oder Juni. Er weiß nicht, wer hier jetzt steht, ist ihm auch egal.

Also wer ist denn bloß dieser lange Lulatsch in dem Macintosh da drüben? Ich gäb was drum, wenn ich nur wüßt. Das heißt, es schert mich imgrunde ja einen Dreck. Immer taucht doch plötzlich jemand auf, an den man nicht im Traum gedacht hätte. Eigentlich könnte man ohne weiteres auch sein ganzes Leben alleine leben. Jawohl, könnte man durchaus. Müßte dann bloß jemand auftreiben, der einen unter den Rasen bringt, wenn man gestorben ist, obwohl man sich natürlich auch vorher ein eigenes Grab buddeln könnte. Tun wir sowieso alle. Bloß der Mensch begräbt. Nee, Ameisen ebenfalls. Das erste, was jedem einfällt. Die Toten begraben. Robinson Crusoe etwa, gilt doch als lebensechte Figur. Tja, und dann hat ihn ja auch Freitag begraben. Jeder Freitag begräbt einen Donnerstag, wenn mans recht überlegt.

PETER HANDKE

Wer hat schon einmal geträumt, ein Mörder geworden zu sein

Wer hat schon einmal geträumt, ein Mörder geworden zu sein und sein gewohntes Leben nur der Form nach weiterzuführen? Damals, zu der Zeit, die noch andauert, lebte Gregor Keuschnig seit einigen Monaten als Pressereferent der österreichischen Botschaft in Paris. Er bewohnte mit seiner Frau und der vierjährigen Tochter Agnes ein dunkles Appartement im sechzehnten Arrondissement. Das Haus, ein französisches Bürgerhaus aus der Jahrhundertwende, mit einem steinernen Balkon an der zweiten und einem gußeisernen an der fünften Etage, stand neben ähnlichen Gebäuden an einem ruhigen Boulevard, der ein wenig abschüssig zur Porte d'Auteuil hinunter verlief, die eine der westlichen Stadtausfahrten bildet. Nur alle fünf Minuten etwa klirrten untertags die Gläser und Teller im Eßzimmerschrank, wenn in der Senke neben dem Boulevard der Zug vorbeifuhr, der Reisende von der Peripherie zur Gare St. Lazare in die Mitte der Stadt brachte, wo sie zum Beispiel in die Züge nach Nordwesten, an den atlantischen Ozean, nach Deauville oder Le Havre, umsteigen konnten. (Manche der oft schon etwas älteren Bewohner dieses Quartiers, in dem vor hundert Jahren noch Weinberge gestanden hatten, fuhren auf diese Weise an den Wochenenden mit ihren Hunden ans Meer.) In der Nacht aber, wenn nach neun Uhr abends keine Züge mehr fuhren, war es an dem Boulevard so still, daß man bei dem leichten Wind, der oft hier ging, ab und zu die Blätter der Platanen vor den Fenstern rieseln hörte. In einer solchen Nacht Ende Juli hatte Gregor Keuschnig einen langen Traum, der damit anfing, daß er jemanden getötet hatte.

Auf einmal gehörte er nicht mehr dazu. Er versuchte sich zu verändern, so wie ein Stellungssuchender »sich verändern« will; doch um nicht entdeckt zu werden, mußte er genau so weiterleben wie bisher und vor allem so bleiben wie er war. Auf diese Weise war es schon eine Verstellung, wenn er sich wie gewöhnlich mit andern zum Essen setzte; und daß er plötzlich so viel redete, von sich, von seinem »früheren Leben«, tat er nur, um von sich abzulenken. Welche Schande werde ich meinen Eltern bereiten, dachte er, während die Ermordete, eine alte Frau, dürftig vergraben in einer Holzkiste lag: ein Mörder in der Familie! Am meisten aber bedrückte ihn, daß er jemand andrer geworden war und doch weiter so tun mußte, als ob er dazugehörte. Der Traum endete damit, daß ein Vorübergehender die Holzkiste aufmachte, die inzwischen schon offensichtlich vor seinem Haus stand.

FRIEDERIKE MAYRÖCKER

ich höre dies Reden und Erzählen

ich höre dies Reden und Erzählen weit weg es sei ein Versinken in tiefes Ruhen wo keine Angst mehr ist, die Farbenröte ich weiß nicht wie ich es bezeichnen soll, er hatte mir kleine grüne Pfeifen geschnitzt die schmeckten nach Gras. Säulenschaft Distelspitze Feldrose Feldjahr ähnlich geht es jedem, er war feldgrau in seinen Siebzigern und hager sie hatte ein rot verweintes Gesicht Hautblüte, es ist wie eine leichte Verwirrung, vielleicht ein Sandkorn im Schuh aber eine Behinderung ein Druck man möchte es wegschaffen, geht zurück, denkt zurück: da war doch etwas gewesen da hatte doch etwas begonnen ein Wort ein Geräusch ein Blick. Ein Kreuzungspunkt, das Zusammentreffen verschiedenartiger innerer und äußerer Gegebenheiten

Feldmusik, nämlich Feldgrauer mit unbeweglicher Miene ein Balg, Fell, Katzengedärm, ich faltete meine Knie weg. Ihm Platz zu machen, ihn ans Fenster treten zu lassen sie hatte sogleich aufgehört zu winken, der Kampfergeruch stieg aus ihren Kleidern. Bux, türkisch Hasel wir wichen in Serpentinen, mit unseren Augen von Sprosse zu Sprosse als hüpften wir in einem Käfig, Bux, türkisch Hasel wir wichen in Serpentinen schrie Agnes, er wartete immer bis ich mich ausgezogen hatte erst dann legte er selbst seine Kleider ab. Ich hatte ihn überrascht er hatte mich nicht erwartet gehabt, vertröstete mich auf später schob mich zur Tür hinaus, später am Tag, Feldrose Feldjahr, ich liebte ihn durch seine ganze Familie hindurch, sein Schulterwek rieb gegen meines

Bedeutungswechsel, ein Rosengarten, Vulgärsprache nämlich Gestalten mit Fieber an ihren Wangen es kam vor der Zeit, er kam vor der Zeit, ich kam vor der Zeit ich kam ungelegen er wies mir die Tür er vertröstete mich auf später, er kam vor der Zeit daß ich nicht glauben sollte er habe vergessen zu kommen oder er würde zu spät kommen, er stand unbeweglich gegen das Bettende gelehnt, er strömte einen Geruch nach Weihrauch aus

Katzengedärm! schrie Agnes, wir wichen in Serpentinen seine Arme zuckelten wie'n aufgezogenes Spielwerk als er Abschied winkte, sie hatte ihr Gesicht mit einem Tuch bedeckt daß wir nicht sehen sollten daß sie weinte

er habe es so gesehen: die Jahre wie eine Bewegung des Windes über dem Wasser, die Malven standen in Blüte. Seine Feldrose sein Fell sein Haarkleid sein Balg, Stern des Auges, die häuslichen Redensarten! sein Schulterwerk rieb gegen meines

und wie zu immer neuen Sträußen sagte der Weltbiograph, reiht sich Tag an Tag und Stunde an Stunde und Jahr an Jahr, und sie hatten immer gejubelt: die ersten Kirschen! die ersten Schneeflocken! die ersten Veilchen! Eine glückhafte Umwälzung eine Erhellung, als wir endlos die Promenade aufwärts gestiegen waren strich eine kühle Luft auf dem Gipfel, die hellgrün besonnten Gartenstühle standen im frisch geharkten Sand, die Sandwege mit Ziersteinen eingefaßt führten zur Aussichtswarte wo wir lange standen und hinunterblickten. Wir setzten uns dann, an der Lehne des Berges, und blickten hinunter, ich sah in konzentrischen Kreisen wiederkehrende Spuren von Feldarbeit auf den weiten Flächen im Tal, Ackerfurchen von früher mit einem hellen Grün überwachsen, in der Ferne begrenzt von bläulichen Bergketten, aber, unten, hier, in der Mitte des Bildes, ein einzelnes Haus. Es führte ein heller Weg dorthin und tauchte im Walde unter, der den Beginn des bewachsenen Fußes des darüber ansteigenden Gebirges bildete. Pflugscharen, Beackerung ich hatte das Gefühl dies alles schon früher einmal, dieses Haus inmitten von Wiesengrün

eine ganz nahe Beziehung, das Fächeln der Blätter Regen bei Sonnenschein, die hellen Wege mit Ahornsamen bestreut. Als ich es aber singen sollte blieben die Töne mir in der Kehle stecken. Ich hörte die Musik in meinem Kopf, als ich aber singen wollte fand ich nicht die Töne. Als ich es aber singen sollte blieben mir die Töne im Hals stecken es war schrie Agnes, als könne ich etwas nicht greifen das deutlich vor mir stand

es war eine ganz nahe Beziehung gewesen, obwohl er von sich sprach blieb ich uneingeweiht vielleicht hatte er es auch gewollt im Dunkeln zu bleiben. Ein Wolkenfrühling, ich sehe es vom Fenster aus, kleine seitliche Trippelschritte. Während er das Haus verläßt, während ich mich aus dem Fenster beuge um ihm zu winken verschiebt sich die Perlenkette die ich trage bis zum rückwärtigen Haaransatz und bis an die Ohrmuscheln, der erste Bann oder Birke in der Stube, nämlich ich wollte durch das alte Haus in einen Hof, kam aber in einen Gang und auf einen ungepflasterten Platz da standen zwei Sträucher, ein Pfau lief zu einer Pfauin oben öffnete jemand ein Fenster und eine Stimme fragte was ich hier suche

Wolkenfrühling, ich sehe es vom Fenster aus wie sie die Flügel spannen um sich emporzuwerfen oder sich an Mauervorsprüngen flatternd festklammern, wir hätten diesen Tag bis zur Neige sagte der Weltbiograph, auch habe er immer schon eine Hinneigung gehabt solchen Dingen nachzuspüren. Veränderliche Größe, Hebebühne schrie Agnes, um nicht losheulen zu müssen beim bevorstehenden Abschied brauchte ich mir nur vorzustellen wir säßen wieder in unserem kleinen Hotelzimmer Rücken an Rücken nach einem heftigen Wortwechsel und er schöbe mich wieder zur Tür hinaus ohne mich anzusehen während ich zu weinen begann hochstöckelig davoneilte, die Stiegen hinunter in großen Sätzen und immer eine Stufe überspringend. Immer haltloser im Tempo, ich stürzte treppabwärts, er rief mich lange zurück als ich unten das Tor aufriß. Sie schien bewegt, eilte mit leichtem Stöckel dahin, die blassen Hufe es blendete weithin, ihr schräg gestellter Rumpf ihre bläulichen Flügel sie klammerte sich an Mauervorsprüngen fest

die Tür stand noch offen von ihm, die Kissen waren noch warm von ihm, das Glas aus dem er getrunken hatte und das er zur Hälfte geleert hatte stand noch da, es qualmte noch aus der Tiefe des Aschenbechers, im Sturmdrall schrie Agnes, er habe zuerst gemeint noch eine Menge Zeit zu haben nun war es doch spät geworden, wenn er das Haus verließ blickte er erst aufwärts und abwärts ehe er sich entscheiden konnte in welcher Richtung er weggehen würde vielleicht wollte er sich auch vergewissern daß niemand beim Verlassen des Hauses ihn beobachtet hatte, er ging dann mit langen Schritten in eine der beiden Richtungen ohne sich umzusehen ohne nach oben zu sehen

ein Wolkenfrühling da trugen sie mich ins Haus, der weiße Gärtner kam vorüber er hatte Wasser geschöpft aus dem Brunnen dem Haus gegenüber, er trug eine Gießkanne in seinen Händen, er blickte nicht zu uns als er vorüberging, die schnellen Levkojen die hohen Malven mit dunkelrosa Blüten aus graugrünen Blattnischen ragend wir kompilieren so eine Serie erinnerter Wahrnehmungen, neben der Dorfstraße vor dem Haus ein offener Abflußkanal, ich sprang da hinein ich sprang in die grünen Scherben ein Wolkenfrühling da trugen sie mich ins Haus, die Wunde blutete stark. Daß ich so in den Häusern umhergehe sagte der Weltbiograph, sie sehen vielleicht eine Spur von mir ein durchsichtiges Licht, wenn sie die Gardinen zur Seite schieben, unsere Gedanken fordern sie heraus. Ich bewege mich zwischen ihnen höre was sie reden sehe wie sie einander anblicken, verfolge was sie tun, und indem ich mich bei ihnen aufhalte habe ich die Grenzen durchbrochen, die Abgründe erreicht, an der Psyche die ersten Verse geschrieben schrie Agnes, die Feuer, des oberen Geschosses ich schaute auf die angrenzende Plakatwand und es schob sich einen Augenblick lang alles bisher Erlebte zu einem winzigen Punkt zusammen, in diesem dauernden Anflug von Liebe

PAUL NIZON

In Vincents Briefen aus Den Haag

In Vincents Briefen aus Den Haag war auch viel von der Natur die Rede. Vincent hatte neben seinen Figurenzeichnungen damit begonnen, kleine Ansichten von seiner näheren Umgebung anzufertigen. Im Werkkatalog fand Stolz eine Abbildung, die »Blick über die Dächer« hieß. Die Dachgiebel fuhren wie Kanonen- oder Fernrohre auf den Horizont zu, mit all ihren Ziegeln und Kaminen visierten sie den Horizont an, als wollten sie sich da hineinschießen.
Der Horizont war Meeresstrand und hatte die Weite, Helle, Schneeigkeit, Schimmrigkeit der Wolken und des Winds, der Weite und der Unendlichkeit, der Blick konnte sich dort richtig baden in einem alles verheißenden Freiheitstaumel – wie der Vogel es tat, der mit ausgebreiteten Schwingen in dieser wolkenschneeigen Luft dahintrieb.
Aber neben diesem leichtmachenden Fernblick war das Nahegelegene nicht vernachlässigt. Das Nahegelegene waren die Hinter- und Seitenhöfe der so gewaltig ausfahrenden Häuserzeile, und in diesen Höfen war eine lärmige Unordentlichkeit – wie in Schrebergärten. Baracken, möglicherweise, Kaninchenställe, Blumenkisten, Feierabendkram möblierte die Höfe, und aus den Kaminen schlug sich der Rauch in diese Pferche nieder. Unter dem weiten Ausblick aufs Meer wirkte das Ansässige der Höfe geradezu tumultuös. So nah waren Himmel und Strand, und dort draußen fühlte man sich, kaum daß man den Blick hob, frei wie der Vogel. Also konnte man sich getrost im Hof zu schaffen machen. Die Höfe hatten darum etwas mehr als Behagliches. Was willst du auslaufen, sagten sie, die See ist ja da und nah, und unter dieser Verheißung kann man jetzt ruhig trödeln und kramen in den Höfen.

Und dann war da noch eine Straße auf einem Damm zu sehen, der auch wieder wie ein praller Fühler in die Weite wuchs mit seiner Allee; und seitlich im Bilde waren winzig klein die Dächer von ferneren Siedlungen zu erblicken. Alles war voller Leben unter dem Himmel. So viel Leben unter dem Himmel, schien das Blatt zu sagen, es war nicht zusammenzubekommen. Und jetzt würde es dann Abend werden, die Dunkelheit würde hereinbrechen, und das Schlagen der Wellen und das Brausen der Meernacht würde laut vernehmlich werden, wenn die Leute sich in die Häuser verkrochen. So viel Leben unter dem Himmel, so viel Trost für den Zeichner und Handwerksmann, der dann, die Pfeife im Mund, noch lesen und Briefe schreiben würde und eine Zufriedenheit fühlt, weil er ja sein Tagewerk beendet hat. Stolz war über dem Blatt ins Träumen gekommen, aber nun erwachte er in seiner Kammer.

Er hatte keinen ähnlichen Halt in einer Arbeit wie jener andere, an den er jetzt mit Neid dachte. Er sah sich in der Kammer um. Die Möbel fremdeten ihn an. Er konnte sich hier plötzlich selber nicht mehr vorfinden. Er sah seinen Kittel am Türhaken hängen, die schlaffe Stoffhaut. Er sah den Kittel als Balg. Er sah sich in dem Balg, schlaff, ohne Kraft. Er hörte das Flappen der Dachpappe an der Hauswand. Er dachte, er müsse fort, ausziehen müsse er und dies möglichst bald. Er hatte so ungeheuer viel Zeit. Den Vorrat Zeit empfand er wie ein feindliches Element in dem Zimmer, ganz anders als vor seiner Abreise zuhause in seinem Wachlokal, wenn er auf die Geräusche der Straßenbahn geachtet und sich mit allen Fasern »hinaus« gewünscht hatte. Nun war er draußen und fühlte sich abgesonderter denn je. Abgesondert auch von der vielen vorrätigen Zeit, die ihn umgab und in welcher er nicht Fuß fassen konnte.

Er hockte in dieser Zeit, aber er konnte sie nicht an sich bringen, nicht einmal erreichen. Sie zerrann außerhalb und ungenutzt.

JÜRGEN BECKER

Vormittag, Zuammenhang

sieh mal, der gute Kater liegt jetzt
in der Sonne,
                    schlafend, unweit
des Vogels, den er heut morgen
erschlug,
                und deine Bluse
hat jetzt einen Riß

Freischaffender

Stiller Tag, und das stimmt nicht;
die Beitragserhöhung der Krankenkasse,
wir schimpfen und nun weiß ich, daß
ich gesund bleiben und mehr wieder
tun muß
                – stiller Tag, und summend
meine Schreibmaschine ernährt die Familie
des Stromablesers mit; nun weißt du,
welchen Nutzen meine Wörter haben und
warum ich in mein Zimmer gegangen bin.

GERTRUD LEUTENEGGER

Erste Straße

So ganz richtig dabeizusein. Eine Demonstration! Denn nur Mitlaufen, das ist es nicht. Da könnte sonst jede Ameise, die zur gleichen Zeit dieselbe Straße entlang krabbelt, sich damit brüsten, sie hätte die gute Sache unterstützt. Oder falls es schief herauskäme, bestürzt erklären: der Rückzug war abgeschnitten. Ameisen laufen auch nicht rückwärts, der kleinste Versuch dazu würde die nervösesten Stockungen hervorrufen. Was für ein Schrecknis, wenn plötzlich etwas stockt. Mitten im Gedränge etwas Stillgelegtes. Doch Ameisen wimmeln blindlings voran, ein bewußtlos wirbelnder schwarzer Sturm, wieder kauerst du als Kind in dem von nassen Farnen beschlagenen Hof, ein schwarzer Streifen von Ameisen läuft die Hausmauer empor. Plötzlich, als hätte dich vorher das Weiße der Mauer geblendet, erschrickst du: sie gehen auf dein Fenster zu. Eine unentwegte Kolonne. Das Fenster in Gefahr. Dort, hinter den Vorhängen mit dem verblichenen Rot, hast du eine Süßigkeit aufgehoben, unzählige Male mit glückshungrigen Fingern betastet, mit vor Verwunderung blanken Augen umkreist. Jetzt aber, diese schwarze wimmelnde Kolonne, sie frißt sich durch die Höhe, sie frißt sich durchs Fenster, sie wird dir zuvorkommen, du mußt ihr vorauseilen, um sie noch aufzuhalten. Hier, von unten her, mit bröckelnden Beschwörungsformeln dich durchs Gewimmel mischen, vielleicht erreichst du noch den Geruch jener Süßigkeit, zwischen dem leise bewegten Rot der Vorhänge, dort wo der Morgen durch die Jalousien sickern wird, was hast du dort im geheimen hinüberretten wollen, woher und wozu

Zweite Straße

Wie ich abschweife. Wegen diesen Ameisen. Wie lächerlich. Und daß ich bereits in die nächste Straße eingebogen bin, das habe ich nicht einmal bemerkt. Ich bin ein bißchen zerstreut. Das hemmt und beschämt und trägt fort und setzt einen dicht auf den Boden zurück. Alles zugleich. Aber es wird erst morgen demonstriert. Ich dachte, diesmal gehe ich besser schon am Vorabend einmal alle Straßen durch, ich muß mir das zeitig austreiben, mich so durch Straßen verwirren zu lassen. Immer, ich darf das gar nicht laut sagen, wenn direkt über mir Spruchbänder geschwenkt werden und sich die Lautsprecher wie ein prasselndes Hagelwetter entladen, irritiert mich auf einmal ein ungemeines Interesse für die Straße. Fassaden. Die im Neonlicht schwimmenden Gesichter, hin und wieder an eine Scheibe gespült. Rufe in den Durchgängen. In einer erloschenen Häuserzeile ein einzelnes Licht. Da muß jemand wohnen. Mitten in der Stadt. Selbstvergessen hangen die Jalousien um das erleuchtete Fenster. Jalousien. Jalousien wirken oft ältlich. Oder hämisch oder herablassend. Dann wieder blinzeln sie oder überbieten sich in spöttischer Steifheit oder sehen sehr zornig oder verkniffen aus. Selbstvergessen wie diese hier, haben sie etwas sinnend Trauriges. Immer haben Jalousien etwas Totenhaftes. Nachts, wenn sie sich von den eigenen Händen zögernd bewegt zusammenfügen, lautlos, schwarz im Dunkeln, schließen sie sich wie Sargdeckel über dir. Wenn man sich niederlegt, um zu schlafen, es ist ein ganz helles, leichtsinniges Streben, noch mit größer werdenden Augen trinkt man das eigene Lachen in sich hinein. Wie man da so die Läden schließt.

Jalousien sollten bei Demonstrationen verboten sein. Besonders geschlossene. Die sind einfach eine blanke Provokation. Wie soll man herrlich überzeugt in einen Sprechchor einstimmen, wenn nur dreißig Meter über dem eigenen Kopf geschlossene Jalousien hangen, jeden Ruf abprallend, undurchsichtig, dich in Zweifel stürzend mit ihrem arroganten Unbeteiligtsein, mit diesem kleinen nahen, auf einmal so wichtig werdenden Raum, den sie dir vorenthalten. Diese vorenthaltenen Räume. Schwindelnd unzählige Räume, sie schachteln sich auf hinter der Stadt, wälzen sich in gespenstischer Vermehrung durch die Vororte, wo sie sich akkurat in lärmfeindliche Reihenhäuser gruppieren. Woher haben sie ihre vermeintliche Stummheit. Ihre scheinbare Lenkbarkeit, die uns unterstützt. Noch sind bei ihnen keine Feuersbrünste ausgebrochen, nirgends jähe Stichflammen aus vermummten Fenstern. Und schon wähnen wir sie geordnet in ihren Gesetzlichkeiten, trauen der dünnen Oberfläche. Geduckte Spiegelbilder, in trägen Linien, unterwandern die Reihenhäuser die Ränder der Stadt. Wie diese Eintönigkeit zum Zerspringen spannt. Nie hat sich mir wie vor dem immer gleichen Rasenstück um die Eingangstüre, dem verkümmerten Geranienstock hinter der Wageneinfahrt, eine im Unbestimmten fast genaue Erwartung so zusammengeschnürt. Daß die Menschen plötzlich kopfüber aus den Dächern springen, in wehenden Hemden brennend quer in der Luft liegen, ihr tägliches Grüngemüse durch die Kamine schleudern, sich Schreie zuwerfen wie platzende Bälle. Diese spukhafte Geometrie, nichts ist so angelegt wie sie, anarchisch zu zerfallen. Hier, nur hier, wo sie nirgends stehen, sehe ich noch in den dumpfen Abendgerüchen die Buchstaben zittern: anarchieistdufte, anarchiadolce, anarchie.

LUDWIG HOHL

Ein ungeheures Schiff

Im Frühsommer, zu frühester Morgenstunde, tief in den Alpen, am Vereinigungspunkt zweier Täler, auf grünen Eisenstühlen vor einem noch schlafenden Café sitzen zwei Gestalten, an ihrer Aufmachung und Ausrüstung unschwer als Alpinisten zu erkennen (dicke Wollkleidung und Filzhüte, Rucksäcke, ein gerolltes Seil über dem einen, lange Pickel und schwere Nagelschuhe – die Geschichte spielt in einem Anfangsjahrzehnt des Jahrhunderts). Sie warten auf einen Autobus, der sie ein Stück hinauf in das Nebental bringen soll. Lang und hager der eine, mit schläfrigem Gesichtsausdruck; und nach einiger Zeit ist er wirklich eingeschlafen. Der andere, bei weitem nicht so groß, von konzentrierterem Wesen, schaute unaufhörlich hinauf, schaute forschend hinauf, zu den Gipfeln einiger von den Bergen, wie sie ringsum in ungewöhnlich machtvoller, strahlender Anwesenheit standen.

»Wenn er nur mitkommt!« murmelte er kaum vernehmlich – oder dachte er nur – hinsichtlich seines eingeschlafenen Begleiters.

Das tief in hohes Gebirge eingeschnittene flache Tal hat die Apotheose seiner Fruchtbarkeit erreicht; da und dort ist schon eine Wiese gemäht worden, während die andern des Schnitters warten, ein mannigfaltiges Meer des ragenden Grünen. Wie viele wissen, was für eine Magie an einem sehr frühen Morgen dieser Jahreszeit und bei vollkommen gutem Wetter ein fruchtbares Gebirgstal entfalten kann; eine Magie, die zugleich ein Mächtiges und ein unsäglich Zartes, Ahnungsvolles enthält? Die Mächtigkeit beruht auf dem Reichtum des Grünen, der Gewaltigkeit der Berge, dem

Licht des Himmels, das zu groß ist, als daß der Himmel schon blau sein könnte; sein künftiges Blau wartet hinter einem Hellen, einem schimmernden sich bewegenden Weiß, der Farbe des Zinnes (die Sonne scheint erst auf die höchsten Berge, noch lange nicht hier). Das Zarte dagegen, das Leise, das Unsägliche, kommt zustande durch eine Spur von Nebeln in den Niederungen, das Klingen einer Sense, das bisweilen aus irgendeiner Ferne herübergetragen wird, des Tales tiefe Ruhe. Aus den Gründen von allem möglichen Grün hervor blitzt an der einen oder andern Stelle verheißungsvoll-heftig das Flüßchen. – Eines der zwei Flüßchen, um genau zu sein, die sich hier in der Nähe irgendwo verborgen zwischen hellgrünen Gebüschen vereinigen.

Denn es sind zwei Täler, die wir überblicken, das Gelände ist weit. Und in unermeßlich weitem Sockel erhebt sich aus den zwei Tälern das Gebirgsmassiv, auf das man vor allem zu blicken gezwungen ist: Dunkel von Wäldern, dann, in höheren Stufen, durch ruhige Wände gesichert, manchmal aus Schutt gebildeten Hängen, dann aus neuen Felsen, endlich aus Gletschern, erhebt es sich bis zum langgezogenen höchsten Grat, der jählings in fast senkrechtem Abbruch endet; der, mehrere Gipfel verbindend, kampflos, makellos vor dem hellen, flimmernd hellen Hintergrunde sich hinschwingt, den größten Gegensatz darstellend zu jedem zerklüfteten, wilden, bizarren Gebirge.

So ist der Berg aus einer gewissen Distanz und von unten gesehen. An ihm ist nur Steilheit, gelassener Sieg, fragloser Sieg. Der oberste Teil seiner Flanke, aus Firn und grauem, leise glänzendem, glattem Fels, gleicht einem Schild, einem Panzer, einer feinen in Stahl oder Silber eingelegten Arbeit. Und das ganze langgezogene Gebilde dieses Gipfelbaues vor den hellen Himmeln hätte vielleicht auch den Eindruck erwecken können von einem sehr großen Schiff, das nicht ein Erdenmeer nur, das in die Ewigkeit hinein führe.

HANS BLUMENBERG

Die Zweideutigkeit des Himmels*

Es ist eine erstaunliche Unwahrscheinlichkeit, daß wir auf der Erde leben *und* Sterne sehen können, daß die Bedingungen des Lebens nicht die des Sehens ausschließen oder umgekehrt.

Denn das Medium, in dem wir leben, ist einerseits gerade dicht genug, um uns Atem holen und nicht in Strahlungen aus dem All verbrennen zu lassen. Andererseits ist dieses Medium nicht so trübe, daß das Licht der Sterne vollends verschluckt und jeder Ausblick auf das Universum versperrt würde. Welch fragile Balance zwischen dem, was notwendig, und dem, was erhaben ist. Es drängt sich auf, an das zu denken, was wir jetzt an ständig sich vermehrender Information über die anderen Körper unseres Sonnensystems besitzen, über ihre schutzlose Ausgesetztheit an den Temperaturwechsel von Tag und Nacht, über die aus dem Raum einfallenden Schauer von Teilchen und Strahlung aller Kaliber, über die auf den Oberflächen von Venus und Jupiter liegenden bleiernen Atmosphären, die endgültig und undurchdringlich jeden Himmel zugezogen haben, über die Sturmgeschwindigkeiten in der Atmosphäre des Mars mit den phantastischen Staubwolken seiner Ebenen. *Die Natur hat seit jeher versucht, den Menschen von der Erde wegzufegen*, sagte zu Beginn des Jahrzehnts der großen extraterrestrischen Erwartungen, auf dem Astronautischen Kongreß in Stockholm 1960, ein Pionier der Raumfahrttechnik, um die kosmischen Ziele und deren Gefahren als natürliche Fortsetzung der irdischen Situation erscheinen zu lassen. Als am

* Der Text ist der erste Abschnitt des ersten Teils »Die Zweideutigkeit des Himmels« des Buches »Die Genesis der kopernikanischen Welt«.

Ende dieses Jahrzehnts die Bewohner der Erde zum erstenmal ihren Stern aus Entfernungen des Weltraums sichtbar gemacht erhielten, erschien er ihnen vergleichsweise wohnlich und bewahrenswert. Die kosmische Ernüchterung ist dem Willen zur Erhaltung der Erde zugute gekommen.

Ein Gedankenexperiment, das der französische Mathematiker Henri Poincaré zu Anfang dieses Jahrhunderts vorschlug, hat für uns eine eigentümlich neue Valenz bekommen. Er ging von der Frage aus, ob es jemals einen Kopernikus gegeben hätte, wenn unsere Erde ständig von einer undurchdringlichen, niemals aufreißenden Wolkendecke umgeben wäre. Anders gestellt, lautete das Problem: Wüßten wir davon, daß die Erde sich um ihre Achse und um die Sonne dreht, wenn wir niemals Astronomie hätten betreiben können? Poincaré wußte noch nichts von den technischen Möglichkeiten, auch eine solche Wolkendecke mit Flugapparaten und Raketen zu durchstoßen, und er wußte ebensowenig von einer nicht-optischen Astronomie, wie sie als Radioastronomie entstanden ist. Wie hätte eine Menschheit innerhalb einer atmosphärischen Höhle je davon erfahren können, daß die Erde Teil eines Planetensystems und letztlich eines Universums von Welten ist und daß sie sich in diesem Universum in vielfacher Weise bewegt? Wäre nicht ohne den Anblick der täglichen Drehung des Fixsternhimmels jede Vermutung, die sich gegen die überwältigende Evidenz der Ruhe des Bodens, auf dem wir stehen und leben, gerichtet hätte, unmöglich gewesen?

Dennoch kommt Poincaré in seinem Gedankenexperiment zu dem Ergebnis, daß die Menschen auch ohne astronomische Optik Klarheit über ihre kosmische Lage und Bewegung gewonnen hätten. Nur hätten sie viel später die Ankunft eines Kopernikus zu erwarten gehabt. Poincaré will zeigen, daß dieser verspätete Kopernikus als reiner Physiker zu der Behauptung von der Bewegung der Erde getrieben würde. Jede Physik, so ist seine Überlegung, die ausschließlich auf den Beobachtungen beruht, welche in der nächsten Umgebung der Erde gemacht werden können, verwickelt sich in immer größere Schwierigkeiten. Eine solche Physik des erdnahen Erfahrungsraumes wäre kaum sehr unterschieden von der aristotelischen und scholastischen Tradition, mit deren Voraussetzungen und Festlegungen es Kopernikus selbst, noch mehr aber der Kopernikanismus in seinen Auseinandersetzungen und Gegnerschaften zu tun bekam. Von den Physikern der experimentell angenommenen optischen Höhle und ihrer ›Scholastik‹ sagt Poincaré: *Sie würden sich ohne Zweifel schon zu helfen wissen, sie würden irgendein Ding erfinden, das nicht außerordentlicher wäre als die gläsernen Sphären des Ptolemäus, und man würde so die Schwierigkeiten anhäufen, bis der erwartete Kopernikus sie alle mit einem einzigen Schlag beseitigen würde, indem er sagt: Es ist viel einfacher anzunehmen, daß die Erde sich dreht.*

Dieser verspätete Kopernikus wäre etwa mit dem Jahre 1737 fällig geworden. In diesem Jahr ließ die französische Akademie der Wissenschaften durch Gradvermessungen in Lappland und Peru die Abplattung des Erdkörpers empirisch feststellen, die Huygens schon 1673 gefolgert hatte. Spätestens mit dem berühmten Pendelversuch von Foucault 1850 hätte die kopernikanische Idee ihren Durchbruch gefunden.

Diese Lösung des fiktiven Problems erweckt Zweifel. Poincaré läßt die Abhängigkeit schon im Ansatz der physikalischen Beobachtungen und Experimente, die er anführt, von der bereits akzeptierten oder wenigstens in Erwägung gezogenen Voraussetzung der Erdbewegungen außer acht. Nachweisbar war es die bestimmte Vermutung über die Deformation der Gestalt des Erdkörpers durch seine Rotation, der man nachgehen wollte, als der Plan einer Gradvermessung nicht nur aufgebracht, sondern auch für so aufschlußreich und dringend gehalten wurde, daß der erforderliche

Aufwand und die weltweite Organisation zu seiner Realisierung als gerechtfertigt gelten konnten. Erst nach der Annahme der Erdrotation stellte sich die Aufgabe, die Krümmung der Meridiane zu messen und dadurch eine empirische Bestätigung für jene Annahme zu finden.

Doch ist dieser Einwand noch harmlos gegenüber dem historischen Sachverhalt, daß die neuzeitliche Physik ihre wesentlichen Anstöße und Probleme überhaupt erst durch die kopernikanische Entwirrung der Astronomie erhielt, insofern diese nur unter bestimmten pysikalischen Voraussetzungen – etwa der des Trägheitsprinzips und der Gravitation – endgültig durchgesetzt werden konnte. Man kann, um der Fiktion von Poincaré noch einen letzten Schritt zu folgen, mit Grund daran zweifeln, ob es den *Physiker* Kopernikus bis an die Schwelle unseres Jahrhunderts hätte geben können, wenn der *Astronom* Kopernikus nicht möglich gewesen wäre.

Wann auch immer für eine Menschheit in der optischen Höhle der undurchdringlichen Atmosphäre ein Kopernikus möglich geworden wäre – als Größe in der Geschichte dieser Menschheit hätte er keine mit dem historischen Kopernikus und seiner Wirkung vergleichbare Virulenz gewinnen können. Das ist die entscheidende Erweiterung, die der experimentellen Erwägung Poincarés gegeben werden muß. Die Veränderung, die im geschichtlichen Selbstbewußtsein der Menschheit durch Kopernikus bewirkt wurde, ist in ihrer Radikalität nur denkbar vor dem Hintergrund und in der Konsequenz einer nie bezeichenbar anfangenden, nie unterbrochenen Vorgeschichte des menschlichen Verhältnisses zur kosmischen ›Umwelt‹.

Diese Geschichte verliert sich für die dokumentarisch faßbare Erinnerung in einer mythisch-magischen Vorwelt. Wir werden schwerlich erfassen, was es bedeutete und was dazu gehörte, das für die akute Notdurft des Lebens Überflüssige und Beiläufige überhaupt wahrzunehmen, den Blick aus der

Sphäre der biologischen Signale heraus zu erheben und das Unerreichbare in die Aufmerksamkeit hineinzuziehen. Sterne zu sehen, ist ein Inbegriff des Mehr, das der Mensch als Nebenprodukt seines aufrechten Ganges zu seiner bedrängenden Alltäglichkeit hinzuzufügen vermochte. Anders als der flüchtige und gelegentliche, aber auch anders als der auf Positionskataloge und Photographie vertrauende Blick zum gestirnten Himmel muß die frühe menschliche Wahrnehmung vorgestellt werden als Insistenz von langem Atem, der noch die langsamen Verrückungen der Planeten als Bahnfiguren sich einprägen und der Prospekt der Lichtpunkte sich zu einer Landschaft von deutlichen Konfigurationen aufgliedert. In der Muße chaldäischer Hirten oder im Eifer babylonischer Priester – beide Ursprünge werden in der Tradition genannt, je nachdem welcher Lebensform man eher das Resultat zutraut – mag dann die physiognomische Wahrnehmung übergegangen sein in die angespannte Beobachtung, Feststellung der Periodizitäten, Fixierung der Überlieferung. Elementare Leistungen der Rationalität sind gegen die mythische Bereitschaft zu Geschichten zuerst an den Phänomenen des Weltprospektes vollzogen worden, wie die Identifizierung der Sonne zwischen Untergang und Aufgang, des Mondes über seine Dunkelphase hinweg, des Abend- und des Morgensterns. Während der Himmel schon Gegenstand der Beobachtung und Berechnung wurde, war er noch die Tafel, auf der das Schicksal seine Andeutungen gab, die ihrerseits bald als deutbar und berechenbar erschienen und darin auch eine erste Ahnung von verläßlicher Ordnung und Gesetzlichkeit gaben, wie sie unterhalb des Himmels nicht erfahren werden konnte. Die Gegenpositionen von irdischem Realismus und zum Himmel gewandter Annahme hintergründiger Zuverlässigkeit, des Glauben an unterirdische Gottheiten von dumpfer Undurchsichtigkeit und an Gestirngötter von höherer Einsicht und reiner Weltfreundlichkeit spielen in die Formierung des kosmischen Hintergrundes der menschlichen Bewußtseinsgeschichte hinein.

Gleich hier muß auf den nicht unerheblichen Umstand hingewiesen werden, daß die große Wende dieses Zusammenhanges von Universum und Bewußtsein nicht unter den überdeutlichen Sternbildern des orientalischen Himmels eingetreten ist, sondern in der Region trüber und verhangener Himmel, in jenem nördlichen Weltwinkel, in dem der Astronom den Planeten Merkur niemals gesehen haben soll, der doch für die Entstehung seiner Auflehnung gegen die astronomische Tradition wichtig geworden war. Der Frauenburger Domherr Kopernikus konnte schwerlich als Beobachter zum Reformer des Weltsystems werden. Insofern käme seine Situation der Fiktion Poincarés von der optischen Höhle sehr nahe, wenn man außer acht lassen dürfte, daß das, was er vor sich hatte, schon das Resultat jahrtausendelanger anschaulicher Unmittelbarkeit war.

HANS MAYER

Aus: Außenseiter
Offener Schluß

> »Worunter die Menschen leiden, darüber gleitet mittlerweile das Lamento über Verdinglichung eher hinweg, als es zu denunzieren. Das Unheil liegt in den Verhältnissen, welche die Menschen zur Ohnmacht und Apathie verdammen und doch von ihnen zu ändern wären; nicht primär in den Menschen und der Weise, wie die Verhältnisse ihnen erscheinen.«
> *Theodor W. Adorno,*
> *Negative Dialektik*

Dies Buch geht von der Erkenntnis aus, daß die bürgerliche Aufklärung gescheitert ist. Mehr an Erhellung scheint eine Phänomenologie der intentionellen und der existentiellen Außenseiter nicht erbracht zu haben. Manipulierte Bilderwelt der Frau, worin noch die Außenseiterinnen eines weiblichen Außenseitertums zur schönen Geschichte degradiert wurden, wie man sie in den Büros der Traumfabrikanten besonders liebt. Bonnie und Clyde, oder das Hohe Paar mit der Waffe. Apotheose der Marilyn Monroe. Schließlich als gleichsam synthetische Superproduktion der Vamp mit der Waffe.

In einer verzweifelten Anstrengung der Lebens- und der Schreiberfahrung hatte Jean Genet sich damit abgemüht, eine Gegenmoral und Anti-Ästhetik der Außenseiter zu errichten. Man hat daraufhin die gängige Moral der Normalen nicht abgeändert, aber die Gegenästhetik literarisch konsumiert.

Der großbürgerliche, die gesellschaftliche Deklassierung der Juden anstrebende Antisemitismus ist ebenso präsent geblieben wie der kleinbürgerliche Judenhaß, der die Vernichtung will. Eine etwas unvertraute Terminologie, die von Zionisten spricht, statt von Juden, nicht den jüdischen Außenseiter angeblich beseitigen will, sondern den Staat Israel und den angeblich jüdischen Imperialismus, hat nichts Neues erbracht. Das sind vertraute Thesen: bloß die Protagonisten dieses neuen Antizionismus wirken gegenüber der wohlbekannten Tradition ein bißchen verkleidet. Proletarier sind es nicht, wenngleich auch der Antisemitismus in der Arbeiterschaft ein wohlbekanntes Phänomen geblieben ist: Stalin und seine Nachfolger wie Prokonsuln haben es zu nutzen gewußt.

Klassische französische Überlieferung verlangt, daß Deduktionen aller Art ausmünden in einer Schlußfolgerung einer Konklusion. Das jedoch kann hier nicht geleistet werden. Lösungen gibt es die Fülle für Außenseiter wie Judith und Dalila, für die Männer von Sodom, für eine sogenannte Judenfrage. Man kennt sie, und sie lassen sich im wesentlichen auf *drei Modelle* reduzieren. In einer durch Mißbrauch nahezu widerwärtig gewordenen Terminologie müßte man sie als liberal, faschistisch und marxistisch titulieren.

Die *liberale* Lösung der Frage nach einer Zukunft der existentiellen Außenseiter hat scheinbar Erfreuliches zu berichten. Es gibt Frauen als gewählte und ernannte Leiter von Parlamenten, Regierungen und Parteien. Notorische Päderasten gelangten zu hohen Ämtern: als Generalsekretär der Vereinten Nationen, als Außenminister, Botschafter, sie wurden mit einem Nobelpreis ausgezeichnet, in die Académie française gewählt, in den Adelstand erhoben. Es hat, nach Auschwitz, jüdische Bürgermeister in Deutschland gegeben, einen jüdischen Bundeskanzler in der Heimat des Reichsführers von gestern, jüdische Diplomaten und Politiker in Ost und West.

Nur: dies alles sind Ausnahmen, welche eine alte und unaufgeklärte Theorie wie Praxis nicht widerlegen, sondern erneut denunzieren. Die aufgeregte Propaganda, die ein *Jahr der Frau* proklamiert, hat insgeheim vorausgesetzt, daß alle anderen Jahre solche des Mannes seien. Die sozialen, wirtschaftlichen und politischen Ungleichheiten (im Rahmen des Prinzips der Rechtsgleichheit), von denen die feministische Literatur laufend berichtet, sind unwiderlegt. Der Liberalismus des amerikanischen Alltags und Provinzlebens hat die Arbeitsteilung zwischen verdienendem Mann und seiner Frau, die das Geld ausgibt und ihn überlebt, virtuos ausgebildet. Die Untersuchung von Pascal Lainé über Bilderwelten der Frau berichtet nach wie vor, und für das Frankreich unserer Jahre, von hergebrachter Mißachtung, der »une femme qui travaille« begegnet.

Ein Außenminister, von dem mitgeteilt wird, er sei nicht verheiratet, wobei vieles mitgesagt werden soll, und dem rühmend ins Grab nachgeredet wird, er habe sich diskret verhalten, macht nicht vergessen, daß die erwiesenen Homosexuellen in allen Ländern als »Sicherheitsrisiko« behandelt, durch bloßes Bekenntnis vom Wehrdienst befreit werden wie zu den Zeiten des Hochstaplers Felix Krull; daß man sie vom Arbeitsplatz wegekelt und in angeblich adäquate Spezialberufe abdrängt wie Dekoration und Coiffure. Der homosexuelle Mörder und die lesbische Mörderin: das sind Monstren sui generis, nicht vergleichbar den üblichen Missetätern.

Allenthalben schwingt ein *Zwar-Aber* mit. Ein jüdischer Politiker, der versagt, ist doppelt gescheitert: im Amt und in der Existenz. Den Fällen von Georges Mandel und Léon Blum folgte nach dem Zweiten Weltkrieg die geheime Ächtung von Pierre Mendès-France. Den jüdischen Intellektuellen in John F. Kennedys Gefolge ist solche Protektion nicht gut bekommen.

Die Hemmungen indessen, die den Judenhaß nach Auschwitz in der Entfaltung genierten, sind mittlerweile weggefallen, wenn Shylock als *Staat Israel* traktiert wird. Dann erweist es sich, daß an die Stelle der einstigen Individualaußenseiter nunmehr ein Außenseiterstaat getreten ist, der es zu spüren bekommt. Das Zwar-Aber, das ihn umgibt, kann virtuell den neuen Völkermord bedeuten.

Was sich die *faschistische* Variante einer Behandlung von existentiellen Außenseitern gesagt sein läßt. Der Terminus ist mißbraucht, dadurch bagatellisiert worden, allein es gibt den Faschismus in der Theorie wie der Praxis. Als dezidierte Gegenaufklärung proklamiert er *Ungleichheiten* im Kontrast zum Gleichheitspostulat der bürgerlichen Aufklärung und ihrer Fortsetzer. Die Frau ist ungleich dem Manne. Der Mann ist ein männlicher Mann, was immer darunter verstanden werden mag: der Weibische fiel aus der Art und wurde lebensunwert dadurch. Shylock muß vernichtet werden: es gibt nur Endlösungen durch Feuer und Gas.

Die *marxistische* Konklusion wird zwischen dem Denken der marxistischen Klassiker und den Wirklichkeiten der *Sowjetunion* zu unterscheiden haben. Die Gleichberechtigung der Geschlechter war unabdingbares Postulat der Arbeiterbewegung und der marxistischen Doktrin. Friedrich Engels und August Bebel, viele andere nach ihnen, hatten die Thesen entwickelt. Sie konnten sich auf die Empörung der Arbeiterfrauen berufen, deren außenseiterhafte Spezialausbeutung überreichlich belegt werden konnte. Im selben Maße übrigens, wie die ungleiche Behandlung und Entlohnung weiblicher Arbeiter und auch Kinder ersetzt werden konnte durch die ungleiche Behandlung von Zwangsarbeitern, später auch von sogenannten Arbeiter»gästen«, modifizierte sich die Disproportionalität innerhalb des europäischen Kapitalismus. Die amerikanische Wirtschaft hatte immer noch das Reservat der farbigen Arbeiter, und damit auch der farbigen Arbeiterinnen. Weshalb in allen Emanzipationsbewegungen der Arbeiterschaft und der unterdrückten Nationalitäten der Anteil weiblicher Protagonisten beträchtlich gewesen ist. Das doppelte Außenseitertum der *Rosa Luxemburg* wurde stellvertretend.

Auffallend ist die geringe Zahl und Einflußkraft von Frauen bei der Leitung sozialistischer Staaten seit der Oktoberrevolution von 1917. Die Krupskaja und die Kollontai: wenige sonst, außerdem nicht in den entscheidenden Gremien der Politbüros. Stalin glaubte nicht an die Gleichberechtigung der Geschlechter. Er forderte das Schattendasein der jeweiligen Genossin Dschugaschwili, ignorierte einen Fall von Suizid, etablierte das Politbüro als Gremium der Männer. Daran hat sich nichts geändert. Die ephemere Hegemonie einer rumänischen Kommunistin wurde bald wieder abgeschafft. Die vielzitierten und abgemalten Traktoristinnen unterstreichen nur den Kontrast. Theoretisch herrscht Gleichberechtigung, allein in der Praxis ist sie limitiert auf die niederen und halbniederen Sphären. Selbst die Ministerin wurde als Ausnahme empfunden; die Politik aber der Sowjetunion und der von ihr formierten und dominierten Staaten ist Männerwerk.

Die sexuellen Außenseiter sind es geblieben. Stalin hat sich beeilt, als er seiner Macht sicher sein konnte, die Strafe gegen homosexuelle Praktiken wiedereinzuführen, gar zu verschärfen. Als man die kommunistische Propaganda um das Jahr 1948 gegen Jean-Paul Sartre, den Verfasser des Schauspiels »Schmutzige Hände«, ankurbelte, war unter Akzenten des Abscheus zu hören und zu lesen, besagter Sartre habe sich nicht gescheut, einen Dieb und Päderasten in die Literatur einführen zu wollen. Einen gewissen Jean Genet. Die Legislation und Propaganda *Fidel Castros* gegen Homosexuelle als Agenten des amerikanischen Imperialismus ist bekannt.

Der Antisemitismus wurde terminologisch umfunktioniert zum Antizionismus. Auf dem XIX. Parteitag der Bolschewiki, dem letzten, den er erlebt hat, forderte ausgerechnet I. W. Stalin in seinem Schlußwort, das internationale Proletariat müsse die Postulate der bürgerlichen Revolution übernehmen und verwirklichen. Die Forderung nach dem

Heimatrecht für die Palästinenser klingt hohl, wenn die Heimatrechte so vieler anderer Nationalitäten, nicht zuletzt der Polen und der Deutschen, aus barer Strategie mißachtet wurden. Der Antisemitismus alter oder neuer Terminologie ist seit Stalin zur Staatsmaxime geworden. Die jüdische Abkunft ist ein politisches Verdachtsmoment; nicht erst in den Budapester und Prager Prozessen der Stalinzeit war der jüdische Familienname ein negatives Argument.

Heinrich Mann hat in Los Angeles in den letzten Kriegsjahren sein Buch *»Ein Zeitalter wird besichtigt«* redigiert und darin den historisch-politischen Zusammenhang von Jakobinismus und Bolschewismus, der Revolutionen von 1789 und 1917, postuliert: »Es ist wirklich ergreifend – als ein menschlicher Vorgang, auch wenn es kein politischer wäre: dieser Anschluß, den über ein Jahrhundert hinweg eine große Nation mit der anderen vollzieht, mit den höchsten Augenblicken der andern.«[1] Und weiter: »Es liegt doch wohl derart, daß die Sowjetunion das alte Vorurteil gegen die Gleichmacherei praktisch widerlegt hat.«[2] Von der wirtschaftlichen Gleichheit war an dieser Stelle die Rede. Wie immer der ökonomische Egalitarismus bewertet werden kann: er hat, als gesellschaftliches Sein, kein neues Bewußtsein bewirkt. Die Sowjetunion hat die Gedanken der bürgerlichen Menschenrechte nicht, etwa auf einer gesellschaftlich höheren Stufe, zur Praxis gemacht. An den Außenseitern hat man es zu erkennen.

Weshalb alle Beschäftigung mit Außenseitern in Geschichte und Gegenwart, in der Kunst wie der Literatur, zur Konklusion führt, wenn es eine ist, daß eine jede aufgeklärte Gesetzgebung, die Gleichheit anstrebt, anwendbar sein muß für den Normalfall wie für die Ausnahme. Dadurch verletzt sie aber, und unvermeidlicherweise, die existentielle Besonderheit des Außenseiters. Hinzu kommt, daß Judith und die Männer von Sodom und die Nachfahren Shylocks *allein in ihrer Negativität* zusammengenannt werden können. Von einem zum anderen führt kein Weg. Es gibt keine Gemeinschaft der Außenseiter. Heine steht gegen Platen, Shylock gegen Antonio, Lulu gegen die Gräfin Geschwitz, Rosa Luxemburg gegen den jüdischen Offizier unter ihren Mördern. Mit der bürgerlichen Aufklärung ist, was Heinrich Mann nicht wahrhaben wollte, auch die Weiterführung der Aufklärung durch die Staaten einer nichtbürgerlichen Planwirtschaft gescheitert.

Dem bitteren Einwand *Theodor W. Adornos* ist zuzustimmen: die berechtigte, oft wiederholte, oft auch bloß formelhafte Denunzierung einer gesellschaftlichen Verdinglichung und Selbstentfremdung bleibt so lange selbst ein Ausdruck der Verdinglichung, als das konkrete Leiden einzelner Menschen abgetan wird mit dem Hinweis auf eine zu erlösende Menschheit.[3] Eine Denkrichtung, die eine jede sogenannte *Personalisierung* verachtet, um allein die Kollektivitäten anzuerkennen, die quantitativ erheblichen Regelfälle, statt der qualitativen Einzelfälle, fördert das fetischisierte Denken und damit eine unmenschliche Praxis. Darum mußte hier das Ärgernis der Außenseiter an Einzelfällen erörtert werden. Nicht Psychologie wurde bemüht, sondern die Darstellung geschichtlich realer Konstellationen versucht: sei es in der Unmittelbarkeit historischer Vorgänge, sei es in der Vermittlung durch Werke des Geistes. So wurden Phänomene und Vorgänge analysiert, ohne daß eine Konklusion gezogen werden konnte. Jener Satz aus *Goethes[4] »Maximen und Reflexionen«, zuerst dem Archiv der Makarie in »Wilhelm Meisters Wanderjahren« anvertraut, sollte beherzigt werden: »Man tut nicht wohl, sich allzulange im Abstrakten aufzuhalten. Das Esoterische schadet nur, indem es exoterisch zu werden trachtet. Leben wird am besten durchs Lebendige belehrt.«*

MAX FRISCH

Wir hoffen
Rede zur Verleihung des Friedenspreises
des deutschen Buchhandels 1976

Der Preis, der hier von Jahr zu Jahr verliehen wird zur Zeit der Messe, ist kein literarischer Preis. Hier ist nicht zu sprechen über Literatur als Notwehr oder Ware. Die diesen Preis verleihen, verstehen Literatur als ein Vehikel für Gesinnung und verbinden die Ehre, die durch die Anwesenheit hoher Behörden unserem Berufsstand erwiesen wird, mit der Herausforderung, etwas über den Frieden zu sagen.

»Ich erschrak«, so Sigmund Freud an Albert Einstein, der 1932 in einem Brief gefragt hatte, was man denn tun könne, um das Verhängnis des Krieges von den Menschen abzuwenden: »Ich erschrak zunächst unter dem Eindruck meiner – fast hätte ich gesagt: unserer – Inkompetenz, denn das erschien mir als eine praktische Aufgabe, die den Staatsmännern zufällt.« Den Nachsatz könnte auch der sogenannte Mann-von-der-Straße gesagt haben. »Ich verstand dann aber«, so schreibt Freud weiter an Einstein, »daß Sie die Frage nicht als Naturforscher und Physiker erhoben haben, sondern als Menschenfreund, der den Anregungen des Völkerbundes gefolgt war«; und vor seiner Analyse, warum es unter Menschen zum Krieg kommt, nochmals die Bescheidenheit des Gelehrten: »Ich besann mich auch, daß mir nicht zugemutet wird, praktische Vorschläge zu machen.« Sieben Jahre später brach der Weltkrieg aus... Unser Wunschdenken nach Hiroshima, die Meinung nämlich, daß die Atombombe nur noch die Wahl lasse zwischen Frieden oder Selbstmord der Menschheit und infolgedessen den

Ewigen Frieden herbeigeführt habe, hat nicht lang gehalten: Krieg in Korea, Krieg im Nahen Osten. Begnügen wir uns mit der Hoffnung, daß es ohne Atombombe geht? Der Krieg in Vietnam, geführt und verloren von unsrer Schutzmacht, hat im Einsatz von Vernichtungswaffen den letzten Weltkrieg übertroffen – ohne Atombombe – und zudem wiederholt, was seit Nürnberg als Kriegsverbrechen definiert ist. Die neueste Hoffnung, man weiß, geht dahin, daß ein nuklearer Schlagabtausch (Krieg wird da ein romantisches Wort) zwar keineswegs auszuschließen ist, daß er aber nicht das ganze Menschengeschlecht vernichte, sondern nur die Hälfte etwa, vielleicht sogar nur ein Drittel. Wer heute von Frieden redet und unter Frieden etwas anderes versteht als eine temporäre Waffenruhe bei unentwegter Pflege der Feindbilder wechselseitig, so daß die Abschreckungsstrategie die einzig denkbare bleibt, spricht von einer Utopie, und dasselbe gilt für die Freiheit, ohne die (wie es an dieser Stelle schon dargelegt worden ist) kein Friede ist. Zu fragen bleibt also nach unserem politischen Umgang mit der Utopie.

Beginnen wir mit der Freiheit.

Sicher in der Verneinung jeder Art von Diktatur, sowohl einer sogenannten Diktatur des Proletariats als auch einer Diktatur der Besitzenden, die sich freilich nie so nennen wird, bin ich Demokrat, als Demokrat nicht euphorisch. Demokrat ist man in der Hoffnung, daß Herrschaft in rationale Autorität überführt werde. Wir brauchen den Staat, nicht seine Vergötzung als Obrigkeit, was ein Relikt feudaler Herrschaft ist. Man weiß es: je mündiger wir wären, um so weniger Staat wäre vonnöten; schon das macht den Staat zum steten Ärgernis: seine Notwendigkeit verweist auf unseren Mangel an Solidarität, unsere Unzuverlässigkeit, unseren Mangel an Vorstellungskraft, wie mein Tun und Lassen sich für die Nachbarn auswirkt oder für die Nachkommen. EIGENTUM VERPFLICHTET, so sagt das Grundgesetz und fügt hinzu: SEIN GEBRAUCH SOLL ZUGLEICH DEM WOHLE DER ALLGEMEINHEIT DIENEN. Kann man es höflicher sagen? NOBLESSE OBLIGE: wenn aber die Eigentümer-Macht, zum Beispiel die Boden-Spekulation, auf solche Noblesse, die ihr die Väter des Grundgesetzes unterstellen, gar keinen Wert legt? Wir brauchen also den Staat. Der Ruf nach Freiheit, mehr Freiheit vom Staat, ist prüfenswert; kommt er von Mitbürgern, die zugleich die Polizei verstärkt haben möchten, so wissen wir, wessen Freiheit da gemeint ist: die Freiheit für die Wenigen, die den Staat, sobald sie ihn in der Hand haben, lieber nicht als Staat bezeichnen, sondern als Vaterland, das Opfer verlangt von der Mehrheit... Der Grund, warum ich als Demokrat nicht euphorisch bin, ist dieser: die parlamentarisch-demokratische Apparatur, eingespielt auf Kompromiß in Permanenz, erzieht nicht nur zur Toleranz, was ja eine humane Qualität wäre über den staatsbürgerlichen Bezirk hinaus, mehr noch erzieht sie zur Resignation, zur Preisgabe jeder Utopie. Unter Demokratie-Praktikern ist Utopie das schlichte Synonym für Hirngespinst. Was eines Tages bleibt: eine Technokratie, als solche effizient; es schwindet die spirituelle Substanz der Politik. Es bleibt: Politik als Fortsetzung des Geschäfts mit andern Mitteln, ein gewisser Wohlstand für die meisten als Köder zum Verzicht auf Selbstbestimmung, die Verkümmerung unsrer Humanität in Komfort-Hörigkeit... Die Jugend, die in den späten sechziger Jahren als Außenparlamentarische Opposition auftrat, merkte diese schleichende Resignation und wehrte sich: in Frankreich mit Allüren aus der Erinnerung an die Erstürmung der Bastille, es kam zu Bildern, die an Delacroix erinnern; in der Bundesrepublik theorie-rabiat und mit der Intransigenz von Revolutionären, die sich ohne Massen-Basis sehen. Das ist gewesen. Schüler und Lehrlinge, sogar Studenten, befragt nach ihren Gedanken über die Aufgaben einer Demokratie, zucken heute die Achsel. Sie wissen, was es sie kosten kann, wenn sie Gebrauch machen von dem verfassungsmäßigen Recht auf Meinungsfreiheit. Daß es gelungen ist, sogar die Jugend, einen großen Teil der Jugend in die Resignation zu zwingen, ist kein Triumph der Demokratie. Die hektische Suche nach dem Verfassungsfeind, wobei man sich selber für verfassungstreu hält, ohne die großen Versprechen der Verfassung zu erfüllen, die Suche nach dem Sündenbock also, begleitet von dem pharisäerhaften Erbarmen mit den Dissidenten anderswo, kennzeichnet eine Gesellschaft, die Angst davor hat, daß ihr Bekenntnis, das demokratische, beim Wort genommen wird: eine Profit-Konkurrenz-Gesellschaft mit demokratischem Vokabular, wobei es eine Lüge wäre zu sagen, eben die Konkurrenz garantiere ja, daß die Leistung entscheide; es bleibt, wie liberal man sich in der Rede auch gibt, eine Konkurrenz zwischen Bevorzugten und Benachteiligten. Um aus der öffentlichen Diskussion zu verbannen, was die Bevorzugten ungern hören, nämlich Kritik an der veritablen Struktur unsrer Gesellschaft und Zielvorstellungen, demokratische, genügt heute schon da und dort das Etikett: LINKS, wie es einmal genügt hat, vor langer Zeit, zu sagen: ENTARTET. Nun meine ich nicht, daß Geschichte sich haargenau wiederhole. Ich beobachte bloß: das Klima des Ressentiments. Kein Fememord; nur eben eine Allergie gegenüber politischem Bewußtsein, das zu analysieren vermag. Keine Schutzhaft; nur eben die Verweigerung des Diskurses, hierfür genügt zunächst der RADIKALENERLASS, die Legitimation eines Ressentiments durch den administrativen Pakt mit diesem Ressentiment.

Meine Damen und Herren,
als Ausländer gehalten (ich weiß!) mich nicht einzumischen in die inneren Angelegenheiten der Bundesrepublik, deren intellektuelle Potenz wir bewundern, deren wirtschaftliche Potenz ihr das Selbstbewußtsein gibt, Modell zu sein – ob

auch für Italien und Frankreich, darüber haben die italienischen und französischen Wähler zu befinden –, als Ausländer verweise ich, da die Rede sein soll vom Frieden, auf ein Phänomen, das zur Friedensfrage gehört und sich nicht in Landesgrenzen hält. (In meiner staatsbürgerlichen Heimat haben wir ungefähr dieselbe Praxis: ohne gesetzliche Erlasse zum Schutz der Demokratie durch Abbau der Demokratie.) Als Schriftsteller hat mich beschäftigt die Genesis der Feindbilder: wie ein Ressentiment, Projektion der eignen Widersprüche auf einen Sündenbock, ein Gemeinwesen erfaßt und irreführt; die Epidemie der blinden Unterstellung, der Andersdenkende könne es redlich nicht meinen; wie aus der Angst vor Selbsterkenntnis (sie fällt uns allen schwer) der kollektive Haß entsteht, der ein Feindbild braucht, dieses oder jenes; die Verfemung einer Minorität mit dem paradoxen Ergebnis, daß die Majorität sich dabei selbst entmündigt: – indem schließlich jedermann, der an solcher Verfemung nicht teilnimmt, weil sein Gewissen es ihm verbietet, sich selber der Verfemung aussetzt, wird die Majorität gewissenlos und feige, das heißt aber: regierbar als eine Majorität von Untertanen.

Ohne Freiheit kein Friede

Die Jahre des Kalten Krieges zeigten in einem Kleinstaat, der militärisch ohnehin verloren wäre, vielleicht besonders deutlich, was auch anderswo gilt: daß das Feindbild, wie es der Kalte Krieg entwickelt hat und wie es heute weiter gepflegt wird, nicht zuletzt einen innerstaatlichen Zweck hat, die Erhaltung eben einer Herrschaft, die ohne Abschrekkung nicht auskommt. Die schiere Unmenschlichkeit auf der andern Seite (und etwas anderes ist im Kalten Krieg ja nicht zu vernehmen) als Dispens von jeder Selbsterforschung: das stupide Muster: Wer Kritik übt am eigenen

Land, stehe im Sold des Feindes. Nicht daß die Mitbürger, die seit zwei Jahrzehten dieses Muster gebrauchen, den wirklichen Krieg wollen, den China vermutlich überlebt, aber nicht Europa; der Zweck des Kalten Krieges ist die Tabuisierung der vorhandenen Herrschaftsform ... Das würde bedeuten: der Friede (als ein Zustand nicht ohne Auseinandersetzung, aber ohne die Drohung mit der Katastrophe) ist nicht in erster Linie, wie es täglich dargestellt wird, eine Sache der Strategie, der militärischen und der diplomatischen; er ist auch nicht herzustellen durch persönliche Sanftmut, bis eines Tages der Marschbefehl kommt, der Fahneneid, der Schießbefehl; er ist herzustellen nur – im Sinn der These: Ohne Freiheit kein Friede – durch den Umbau der Gesellschaft in eine Gemeinschaft.

Wozu die Utopie?

Ob es die Utopie ist von einer brüderlichen Gesellschaft ohne Herrschaft von Menschen über Menschen oder die Utopie einer Ehe ohne Unterwerfungen, die Utopie einer Emanzipation beider Geschlechter; die Utopie einer Menschenliebe, die sich kein Bildnis macht vom andern, oder die Utopie einer Seligkeit im Kierkegaardschen Sinn, indem uns das allerschwerste gelänge, nämlich daß wir uns selbst wählen und dadurch in den Zustand der Freiheit kommen; die Utopie einer permanenten Spontaneität und Bereitschaft zur Gestaltung-Umgestaltung (nach Johann Wolfgang Goethe: DES EWIGEN SINNES EWIGE UNTERHALTUNG), alles in allem: die Utopie eines kreativen und also verwirklichten Daseins zwischen Geburt und Tod – eine Utopie ist dadurch nicht entwertet, daß wir vor ihr nicht bestehen. Sie ist es, was uns im Scheitern noch Wert gibt. Sie ist unerläßlich, der Magnet, der uns zwar nicht von diesem Boden hebt, aber unserem Wesen eine Richtung gibt in schätzungsweise 25 000 Alltagen. Ohne Utopie wären wir Lebewesen ohne Transzendenz.

Woher das Ressentiment gegen die linke Utopie?

Ohne Zweifel hat es mit den studentischen Unruhen zu tun, obschon sie an den Besitzverhältnissen nicht das mindeste geändert haben. L'IMAGINATION AU POUVOIR: General de Gaulle (und das heißt: Der Staat) hat den Tumulten standgehalten, nicht zuletzt dank der Kommunistischen Partei. (Ich befand mich damals in Moskau und hörte die Angst eines Funktionärs, die Spontaneität könnte Schule machen.) In den Vereinigten Staaten: FREE SPEECH MOVEMENT, das erste Erwachen aus dem Amerikanischen Traum während des Pseudo-Kreuzzuges in Vietnam, dazu die Blumenkinder, Revolte mit der Gitarre, naiv, LET US BE, ohne ohrenbetäubende Theorie; die Staatsmacht, die in Kent State nicht ohne Morde auskam, blieb ungefährdet. Auch in der Bundesrepublik – der Student Benno Ohnesorg, der den Schah von Persien nicht am Genuß der deutschen Oper hinderte, wurde von einem Wachtmeister versehentlich erschossen – war die Staatsmacht nicht eine Viertelstunde lang in Gefahr. Warum bleibt trotzdem ein Schock? Als habe man sich an Massaker zu erinnern, mindestens an einen Total-Streik. Nicht die Arbeiterschaft ging auf die Straße oder besetzte eine Universität; Söhne und Töchter des Bürgertums wollten wissen, worauf die Autorität in unsrer Gesellschaft gegründet ist. Eine statthafte Frage, wenn auch unerwartet in einer Zeit der Konjunktur, die doch Karrieren anbot. Statt stiller Teilnahme am Geschäft, das diesen Bürgerkindern offenstand, das plötzliche Aufkommen politischen Bewußtseins; die Universität, eben noch eine Karriere-Schule, plötzlich als Forum. Dabei hat sich gezeigt: was die Eigentümer-Macht, bisher ihrer Autorität gewiß, anzubieten hat außer einer Fülle von Konsumgütern, welche Perspektive für eine humanere Welt, welche sittlichen Werte, die nicht durch ihre Praxis annulliert werden, welche Hoffnung für alle oder auch nur was sie selbst beseelt, abgesehen von dem Glauben an die freie Marktwirtschaft, ist dürftig. Profit als Wonne der Persönlichkeit? Es hat sich gezeigt, meine ich, eine Leere. Inzwischen gibt es, außer der Polemik in der großen Presse, die der Eigentümer-Macht gehört, eine konservative Utopie-Kritik von wissenschaftlicher Statur. Gibt es (ich muß fragen, da ich nicht Fachmann bin) eine Sozial-Ethik, die der Macht durch Eigentum, zum Beispiel einem Nestlé-Konzern oder Hoffmann-La Roche, Autorität einbringt? In Verbindung mit dem Versuch, die Intellektuellen zu diskreditieren, hören wir die laute Sorge um die Rechtsstaatlichkeit, die verletzt worden ist; in der Tat, durch einige Verzweifelte und Verirrte – wobei die Rechtsstaatlichkeit, Voraussetzung einer gesitteten Gesellschaft, zum Wert an sich erhoben wird: als lebten wir, wie auch immer, für den Rechtsstaat schlechthin. Gemeint ist wohl, daß die Besitzverhältnisse unantastbar sein sollen. Es hilft nichts zu sagen: Ihr sollt euer Haus und euren Garten behalten und dies und das, nur nicht die Möglichkeit, daß Macht durch Eigentum eine vom Volk gewählte Regierung aus dem Sattel stoßen kann, indem sie, zum Beispiel, Krisen veranstaltet und dazu Waffen liefert wie im Fall von Chile, wo seither gefoltert wird. Es hilft nichts, denn es geht nicht um Haus und Garten und was jedermann zu gönnen wäre, sondern um ein Axiom: daß ein Dasein ohne Macht über andere ein menschenunwürdiges Dasein sei und eine andere Art von Selbstverwirklichung (wobei man vielleicht ohne Psychiater auskäme) undenkbar. Die in dieser Vorstellung von Menschenwürde erzogen und befangen sind, bekleiden sich mit der Rede von ihrer Verantwortung. Haben sie infolgedessen eine Hoffnung auf Menschenwürde für alle nicht anzubieten – denn solange Menschenwürde darin besteht, daß wir

Macht über andere haben, muß es ja auch diese andern geben –, so bleibt, will man die Mehrheit im Parlament, als gemeinsamer Nenner die Angst: vor der Krise, vor der Arbeitslosigkeit, vor dem äußeren Feind, dessen militärische Rüstung in der Tat bedrohlich ist. Nur entwaffnen wir ihn nicht durch Unterbindung von Reformen im eignen Land. Die Eigentümer-Macht; dabei denke ich an Personen, die zu treffen man Gelegenheit hat als Schriftsteller in Ehren und die, wenn ich manierlich zuhöre, schon beim Aperitif einen lapidaren Konsensus erwarten; Sätze wie diese: ›Eine einzige Atombombe auf Hanoi hätte den Amerikanern all diese Schwierigkeiten erspart‹/ oder zur Lage in Argentinien: ›Solche Leute können ja nur zerstören, das sind nicht Menschen wie Sie und ich, Herr Doktor, die haben noch nie ein Buch gelesen, man muß sie ausrotten wie früher einmal die Indianer‹/ oder in Zürich: ›Daß da Säuglinge massenhaft sterben, mag sein, sie sterben auch ohne dieses Milchpulver, aber es geht diesen jungen Akademikern ja nicht um Säuglinge und Mütter in der Dritten Welt, das ist doch rein politisch, das sind linke Romantiker‹, Sätze wie diese sind nicht zu erfinden und fallen beiläufig, bevor man zu Tisch geht und zur eigentlichen Konversation. Das Ressentiment gegen die Linke, das zur Zeit das öffentliche Klima in unsern Ländern prägt und nicht zerstört, jedes linke Projekt gleichzusetzen mit Gulag oder Baader-Meinhof, ist als Ressentiment der Eigentümer-Macht plausibel, aber auch andern Leuten gefällig, da Ressentiment allemal bequemer ist als Exerzitien politischen Bewußtseins. Daß längst eine Selbstkritik der Neuen Linken eingesetzt hat, kommt kaum zur Diskussion. Plausibel ist auch, daß die multinationale Eigentümer-Macht, traumatisiert durch die späten sechziger Jahre, die Evidenz nämlich, daß Eigentum zwar Macht gibt, aber keine Autorität, die diese Defacto-Macht legitimiert, in ihrer Terminologie sich besonders vaterländisch gibt: sie erhofft sich eine irrationale Autorität, indem sie, multinational im Geschäft, uns zu Hause lehrt, was SCHWEIZERISCH ist oder AMERICAN oder DEUTSCH. Einer Macht ohne Autorität bleibt die Arroganz, die Verkündung etwa: Sozialismus (den es noch gar nicht gibt) gehöre der Steinzeit an – um nicht einzugestehen, daß sie zum Zustand der Welt, der für alle, inbegriffen die Eigentümer, bedrohlich ist, ihrerseits keine Alternative hat, allenfalls noch die defensive Fiktion, es sei die Umwelt (als Erdganzes) durch Management so einzurichten, daß der Mensch bleiben kann, wie er ist, die Gesellschaft, wie sie ist.

Etwas über den Frieden sagen

Die Prognose, daß für das Menschengeschlecht dank seiner Technologie, die unwiderrufbar ist, der Konflikt mit der Umwelt größer wird als jeder denkbare Konflikt zwischen Nationen oder Machtblöcken, ist bekannt. Während die Abschreckungsstrategie es den Völkern erschwert, der Vernichtung ihrer Lebensmöglichkeit auf diesem Planeten gemeinschaftlich zu begegnen, ist diese Vernichtung trotz Nicht-Krieg bereits im Gang. Was zur Zeit die Diplomatie erreicht unter dem labilen Gleichgewicht der Raketen-Arsenale, ein von Fall zu Fall unkriegerisches Arrangement zwischen den Machtblöcken, wobei die kleineren Staaten jeweils die Opfer zu bringen haben, ist nicht wenig: Erhaltung des Nicht-Krieges, eine Verlängerung der Gnadenfrist. Voraussetzung für den Frieden wäre der Abbau der Feindbilder. Wer kann sich das innenpolitisch leisten? Auf der andern Seite: Gäbe man nicht die stereotypen Hinweise auf die inhumane Praxis im Privatkapitalismus, die schale Schadenfreude über Arbeitslosigkeit anderswo, Kriminalität anderswo usw., wie trüge die Bevölkerung arbeitsam und stumm die Mißwirtschaft des Staatskapitalismus und die totale Entmündigung des Staatsbürgers? Auf unserer Seite:

Wie ließe sich Herrschaft erhalten ohne das Feindbild, das die Existenzangst des Einzelnen in einer Gesellschaft mit rechtsstaatlich geschützter Ausbeutung ummünzt in die gemeinschaftliche Angst vor der Sowjetunion? Also Feindbilder, die innenpolitisch benötigt werden. Zum Teil (aber nur zum Teil) haben die Feindbilder eine historische Berechtigung; Völker haben mit andern Völkern ihre leidvolle Erfahrung gemacht, die Polen und die Tschechoslowaken zum Beispiel mit den Deutschen und mit den Russen, und es besteht ein natürliches Mißtrauen, das nur langsam abzutragen ist durch eine neue Erfahrung miteinander. Das ist möglich; die Bundesrepublik Deutschland ist nicht Hitler-Deutschland. Die Sorge, eine Politik der Entspannung (einer neuen Erfahrung miteinander) führe nicht zum Frieden, sondern lediglich zur Schwächung der eignen Machtposition, ergibt sich aus der Logik der Machtpolitik: sie sucht Machtexpansion zwar ohne Krieg, aber durch Drohung mit dem Krieg. Dafür braucht sie vor allem ein Feindbild andrer Art: das Feindbild, das nicht auf Erinnerung beruht, sondern auf Antizipation. Die Sowjetunion, zum Beispiel, hat das amerikanische Volk nie überfallen; man war sogar verbündet. Merkwürdigerweise sind es die antizipatorischen Feindbilder, die am allerschwersten sich auflösen lassen; sie sind in die Zukunft gestellt. Wo es um System-Hegemonie geht, ist das Feindbild nicht mehr nationalistisch: Die welsche Tücke, Das perfide Albion, Die Germanischen Horden usw., das mobilisiert nicht mehr. Die verbissenste Feindbild-Paarung in Europa (wenn wir absehen von den tragischen Iren) besteht zwischen den beiden deutschen Staaten, eine demonstrative Animosität, schmerzlich durch verwandtschaftliche Bindung und durch Vernunft kaum abzubauen, da sie, so vermute ich, mit einer Identitätsnot zu tun hat; wie Karl Jaspers es 1958 an dieser Stelle ausgesprochen hat: »Beide Regime haben ihren Grund im Willen der Besatzungsmächte.« Es wäre nachzutragen: beide sind die Musterschüler ihrer System-Schutzmächte geworden, beide im Begriff, ihren System-Bundesgenossen gegenüber sich als Präzeptor zu sehen.

Unsere Frage:
Wenn wir von Frieden reden, und gesetzt den Fall, wir glauben an seine Möglichkeit: wie stellen wir uns den Frieden vor? 1946 in Frankfurt am Main, als Gast bei ausgebombten Deutschen, verstand ich unter Frieden ganz einfach: Keine Bomben mehr, keine Siege mehr, Entlassung von Kriegsgefangenen. In Prag, wo es kaum Trümmer gab, nach einem Besuch in Theresienstadt, wo ich noch den Galgen sah und Tausende von Tüten mit menschlicher Asche, schien die Antwort auch einfach: Friede als Ende der Angst, keine Uniformen der Fremdherrschaft. In Warschau, 1948, hörte ich nach einem stundenlangen Gang durch Trümmerstille plötzlich das Gedröhn von Niethämmern an den ersten Pfeilern einer neuen Brücke über die Weichsel: Der Friede! Dort wie hier das Gespräch (bei halben Zigaretten) mit Zeitgenossen, die nichts besaßen außer der großen Hoffnung: aus den Ruinen werde hervortreten der neue Mensch. Die einen erwarteten ihn als Kommunisten, die andern als Christen. Nun wissen wir: Der neue Mensch ist nicht angetreten. Unsere vernunftmäßige Ablehnung des Krieges als Mittel der Politik besagt noch nicht, daß wir friedensfähig sind. Gesellschaften mit Gewaltstruktur mögen sich den Nicht-Krieg wünschen; der Friede widerspräche ihrem Wesen. Da keine Herrschaft je eingestehen wird, daß sie eine Armee auch braucht, um sie unter Umständen gegen die eigene Bevölkerung einzusetzen, ist sie zwecks Tarnung dieser Armee-Funktion gezwungen zu einer Rüstung, die das Vaterland vor aller Welt zu schützen verspricht; also durch diese Rüstung wiederum gezwungen zur Pflege des Feindbildes, das solchen Kostenaufwand und Verschleiß rechtfertigt,

was, alles in allem, keineswegs heißt, daß jemand den Dritten Weltkrieg wünscht. Nur: die Rüstung ist da, die den Nachbarn enerviert und sein Feindbild bestätigt, und damit das Wettrüsten, wobei jedes Feindbild immer auch das eigne Wesen verrät: wie soll denn ein Erpresser von Geblüt je zu dem Vertrauen gelangen, der andere sinne nicht auf Erpressung? Was in diesem Teufelskreis die wissenschaftliche Friedensforschung leistet: sie kalkuliert das Risiko solcher Terrorpolitik; unterrichtet über die technologischen Innovationen, die eine Revision der Strategie verlangen; errechnet die im Augenblick reale Chance für den Nicht-Krieg zwischen friedensunfähigen Gesellschaften, ohne allerdings eine Garantie geben zu können, daß es nicht aus irgendeinem unerforschten Grund oder auch nur durch eine platte Havarie (zum Beispiel eine plötzliche Vernunftsschwäche auf der gegnerischen Seite, eine Stupidität in der gegnerischen Kalkulation) trotzdem losgeht morgen oder übermorgen. Eine friedensfähige Gesellschaft wäre eine Gesellschaft, die ohne Feindbilder auskommt. Es gibt Phasen, wo wir nicht ohne Auseinandersetzung auskommen, nicht ohne Zorn, aber ohne Haß, ohne Feindbild: wenn wir (einfach gesprochen) glücklich sind oder zumindest lebendig – zum Beispiel durch eine Art von Arbeit, die nicht nur Lohn einbringt, sondern Befriedigung (die nichtentfremdete Arbeit), und durch eine Art des Zusammenlebens von Menschen, das Selbstverwirklichung zuläßt. Was meint Freiheit, ein so mißbrauchbares Wort, im Grunde anderes? Freiheit nicht als Faustrecht für den Starken, Freiheit nicht durch Macht über andere. Selbstverwirklichung; sagen wir: wenn es möglich ist, kreativ zu leben. Wie viele Menschen haben in den vorhandenen Gesellschaften aber die Möglichkeit, kreativ zu leben? Das ist durch Wohlstand allein noch nicht gegeben... Ob der Überlebenswille der Gattung ausreichen wird zum Umbau unserer Gesellschaften in eine friedensfähige, weiß ich nicht. Wir hoffen. Es ist dringlich. Das Gebet für den Frieden entbindet nicht von der Frage nach unserem politischen Umgang mit dieser Hoffnung, die eine radikale ist. Der Glaube an eine Möglichkeit des Friedens (und also des Überlebens der Menschen) ist ein revolutionärer Glaube.

Hochgeschätzte Versammlung,
ich danke dem Börsenverein des Deutschen Buchhandels für die Verleihung einer Würde, die zu tragen ich versuchen will. Ich danke Hartmut von Hentig mit der Versicherung, daß ich nicht bloß das Lob gehört habe, sondern auch seine erweiternden Gedanken, seinen Appell zu einer Wiederherstellung der Politik durch praktizierende Humanität. Ich danke den deutschen Lesern. Einer der ersten war Peter Suhrkamp: Zuspruch mit Maß, die Bereitschaft zur Anerkennung als Vorschuß, Kritik nie aus Geiz, sondern aus der generösen Erwartung, einmal könnte es ja gelingen, Zustimmung und Widerspruch als Herausforderung, den eignen Standort in der Zeitgenossenschaft zu suchen, dafür danke ich den Lesern in beiden deutschen Staaten. Ich danke Ihnen, Damen und Herren, für Ihre höfliche Anwesenheit heute. Ich bedanke mich herzlich.

ALEJO CARPENTIER

Strike up

Unter dem feinen Nieselregen, der den Mänteln einen gewissen Stallgeruch verlieh, ging der Indianer, ernst und in sich gekehrt, dahin, die Augen auf den Boden geheftet, als zähle er die unter der Stadtbeleuchtung blau schimmernden Pflastersteine der Gasse. Seine Gedanken gerieten nur zu einem Murmeln, das auf halbem Weg zwischen Idee und Wort hängen blieb. »Was ist Ihnen«, fragte Filomeno, »Sie sehen aus, als wären Sie bedrückt von der musikalischen Aufführung, die wir gesehen haben.« – »Ich weiß nicht«, sagte der andere endlich und vergeudete die Stimme nicht länger in unverständlichen Selbstgesprächen. »Der Priester Antonio hat mir mit seiner extravaganten mexikanischen Oper sehr zu denken gegeben. Ich bin der Enkel von Leuten aus Colmenar de Oreja und Villamanrique del Tajo, der Sohn eines Mannes, der in Estremadura zu Hause war und in Medellín getauft wurde – wie Hernán Cortés. Und dennoch geschah mir heute, an diesem Abend, vor einem Augenblick, etwas sehr Seltsames. Je mehr die Musik Vivaldis dahineilte, je mehr ich mich hinreißen ließ von den dramatischen Begebenheiten der Handlung, die sie veranschaulicht, desto größer wurde mein Wunsch, daß die Mexikaner triumphierten, und es wuchs das Verlangen nach einem unmöglichen Ausgang, obgleich ich, der ich dort geboren bin, besser als irgend jemand wissen mußte, wie alles geschehen ist. Ich habe mich bei der verrückten Erwartung ertappt, Montezuma werde die Überheblichkeit des Spaniers brechen, und seine Tochter, wie eine biblische Heroine, den angeblichen Ramiro ermorden. Und plötzlich wurde mir klar, daß ich auf der Seite der Amerikaner stand, mit ihnen den

Bogen spannte und den Untergang derer wünschte, die mir das Blut und den Namen gegeben haben. Wäre ich der Don Quijote im Retabel des Maese Pedro gewesen, wäre ich mit Lanze und Schild über meine Leute in Panzerhemd und Pikkelhaube hergefallen.« – »Und was soll die Theaterillusion anderes bewirken, als daß wir von da, wo wir sind, dorthin versetzt werden, wohin wir aus eigenem Willen nicht gelangen können?« fragte Filomeno: »Dank dem Theater können wir uns in die Zeit zurückversetzen und – etwas für unser gegenwärtiges Fleisch ganz Unmögliches – in Epochen leben, die für alle Zeiten entschwunden sind.« – »Es dient aber auch dazu – das hat ein alter Philosoph geschrieben –, uns von Ängsten, die im Tiefsten und Geheimsten unseres Seins verborgen sind, zu reinigen... Vor dem künstlichen Amerika des schlechten Dichters Giusti hörte ich auf, mich als Zuschauer zu fühlen, um Mitspieler zu werden. Ich beneidete den Massimiliano Miler, weil er ein Montezuma-Kostüm trug, das plötzlich unabdingbar meines war. Es kam mir vor, als spielte der Sänger eine Rolle, die für mich bestimmt gewesen wäre, die ich aber aus Trägheit oder aus Feigheit unfähig war zu übernehmen. Und auf einmal fühlte ich mich fremd in dieser Situation, exotisch an diesem Ort, fehl am Platz und fern von mir selbst und allem, was wirklich mein ist... *Manchmal muß man sich von den Dingen entfernen*, ein Meer dazwischen legen, *um die Dinge aus der Nähe zu sehen.*« In diesem Augenblick hämmerten die »mori« dell' Orologio, wie sie es seit Jahrhunderten taten. – »Diese Stadt mit ihren Kanälen und Gondolieri kotzt mich jetzt an. Ich habe die Ancilla gehabt, die Camilla, die Zulietta, die Angeletta, die Catina, die Faustolla, die Spina, die Agatina und viele andere, deren Namen ich vergessen habe, und – jetzt ist Schluß. Noch heute nacht kehre ich zu dem Meinigen zurück. Die Luft, die mich prägt und die mir Gestalt gibt, wenn sie mich umgibt, ist meiner Ansicht nach eine andere.« – »Nach dem Priester Antonio ist dort alles

Märchen.« – »Aus Märchen setzt sich die große Geschichte zusammen, vergiß das nicht. Als Märchen erscheint den Hiesigen das Unsere, weil sie den Sinn für das Märchenhafte verloren haben. Märchenhaft nennen sie, was lange zurückliegt, was irrational ist, was gestern war« – der Indianer machte eine Pause. »Sie begreifen nicht, daß das Märchenhafte in der Zukunft liegt« ... Sie gingen jetzt durch die heitere Calle della Merceria, die heute weniger belebt war als sonst wegen des Nieselregens, der so anhaltend fiel, daß er schon von den Hutkrempen tropfte. Da erinnerte sich der Indianer der Aufträge, die seine Freunde und Tischgenossen ihm am Abend vor seiner Abreise in Coyoacán mitgeteilt hatten. Natürlich hatte er nie daran gedacht, die erbetenen Marmorproben, den Spazierstock aus polnischen Bernstein, die seltenen Folianten des chaldäischen Bibliothekars zu besorgen noch wollte er sein Gepäck mit Fäßlein Maraschinolikör oder mit römischen Münzen beschweren. Und was die Mandoline mit Perlmuttintarsien betraf..., die sollte die Tochter des Inspektors der Maße und Gewichte auf ihrem eigenen Fleisch spielen, wohltemperiert und darauf abgestimmt war es! Aber hier, in diesem Musikalienladen, sollten sich die Sonaten, Konzerte und Oratorien finden lassen, die der Gesangs- und Gitarrenmeister des armen Francisquillo so bescheiden erbeten hatte. Sie traten ein. Der Verkäufer brachte ihnen als erstes ein paar Sonaten von Domenico Scarlatti. »Prima Kerl«, sagte Filomeno in Erinnerung an jene Nacht. »Es heißt, daß er in Spanien ist, der Gauner, und erreicht hat, daß die großzügige und liebevolle Infantin Maria Barbara seine Spielschulden bezahlt, die anwachsen werden, solange eine Karte auf dem Tisch des Spielhausbesitzers liegt.« – »Jeder hat seine Schwächen. Der da ist immer auf die Frauen aus gewesen«, sagte Filomeno und zeigte auf die Konzerte ›Frühling‹, ›Sommer‹, ›Herbst‹ und ›Winter‹ des Priesters Antonio, deren jedem ein schönes Sonett zur Erklärung vorangestellt war. »Der wird immer im Frühling leben, auch wenn ihn der Winter überkommt«, sagte der Indianer. Aber jetzt pries der Ladengehilfe die Verdienste eines bedeutenden Oratoriums: ›Der Messias‹. »Nichts Geringeres als der Messias!« rief Filomeno aus, »darunter tut es der Deutsche nicht.« Er schlug die Partitur auf. »Donnerwetter! Das heißt für Trompete schreiben! Bis ich das werde spielen können!« und er las wieder und wieder voll Bewunderung die Baßarie, die Georg Friedrich auf zwei Sprüche des Korintherbriefs geschrieben hatte. »Und zu Tönen, die nur ein Trompeter allererster Güte aus seinem Instrument holen kann, Worte, die aus einem *spiritual* stammen könnten:

The trumpet shall sound
and the dead shall be raised
incorruptible, incorruptible,
and we shall be changed,
and we shall be changed!
The trumpet shall sound,
The trumpet shall sound!«

Als sie das Gepäck zusammengetragen und die Noten in einem festen Lederkoffer verwahrt hatten, auf dem als Schmuck ein aztekischer Kalender prangte, machten sich der Indianer und der Neger auf den Weg zum Bahnhof. Da bis zur Abfahrt des Expreß noch einige Minuten Zeit war, lehnte sich der Reisende aus dem Fenster seines Abteils in den *Wagons-Lits-Cook:* »Es tut mir leid, daß du hier bleibst«, sagte er zu Filomeno, der, leicht fröstelnd wegen der Feuchtigkeit, auf dem Bahnsteig wartete. »Ich bleibe noch einen Tag. Für mich ist das heute nacht eine einmalige Gelegenheit.« – »Das kann ich mir denken... Wann kehrst du in dein Land zurück?« – »Ich weiß es nicht. Vorerst werde ich nach Paris fahren.« – »Die Weiber? Der Eiffelturm?« – »Nein, Weiber gibt es überall. Und der Eiffelturm ist schon lange kein Wunder mehr. Allenfalls noch ein Motiv für Briefbeschwerer.« – »Weshalb also?« – »In Paris werden sie mich *Monsieur Philomène* anreden, so mit ph und einem schönen *accent grave* auf dem e. In La Habana wäre ich nur der *›negrito Filomeno‹*.« – »Das wird sich eines Tages ändern.« – »Eine Revolution müßte kommen.« – »Ich mißtraue Revolutionen.« – »Weil Sie zu Hause in Coyoacán viel Geld haben, und wer Geld hat, mag keine Revolutionen... Während die *Ichs* – und wir sind viele und werden jeden Tag mehr sein«... Wieder einmal – wie oft schon in Jahrhunderten und Jahrhunderten? – hämmerten die »mori« del' Orologio. »Vielleicht höre ich sie zum letzten Mal«, sagte der Indianer. »Ich habe auf dieser Reise viel bei ihnen gelernt.« – »Auf Reisen lernt man überhaupt viel.« – »Der große Kapadozier Basilius, ein Heiliger und Kirchenlehrer, hat in einem ausgezeichneten Traktat behauptet, daß Moses viele Kenntnisse seinem Leben in Ägypten verdankte und daß Daniel nur deshalb ein so guter Traumdeuter geworden sei – und wie wird das heute geschätzt! –, weil die Magier von Chaldäa ihn vieles gelehrt hatten.« – »Profitieren Sie also von den Ihrigen«, sagte Filomeno, »ich werde mich mit meiner Trompete abgeben.« – »Da bist du in guter Gesellschaft: die Trompete ist aktiv und entschlossen, ein Instrument mit Wut im Bauch und Haaren auf den Zähnen.« – »Deshalb erschallt sie so oft bei den Gerichten der Höchsten Instanz, wenn mit den Hahnreis und Hurensöhnen abgerechnet wird«, sagte der Neger. »Bis die aussterben, wird man das Ende der Zeiten abwarten müssen«, sagte der Indianer. »Komisch«, sagte der Neger, »immer höre ich vom Ende der Zeiten reden. Warum spricht man nicht lieber vom Beginn der Zeiten?« – »Das wird der Tag der Auferstehung sein«, sagte der Indianer. »Ich habe keine Zeit, so lange zu warten«, sagte der Neger... Der große Zeiger der Bahnsteiguhr übersprang die Sekunde, die ihn von 20^{00} trennte. Der Zug setzte sich fast unmerklich auf die Nacht zu gleitend in Bewegung. »Adios!« – »Bis wann?« – »Bis morgen?«

– »Oder bis gestern« ... sagte der Neger, doch das Wort gestern verlor sich in einem langgezogenen Pfiff der Lokomotive... Filomeno wandte sich den Lichtern zu, und mit einemmal schien es ihm, als sei die Stadt unglaublich gealtert. Runzeln traten in den Gesichtern ihrer müden Mauern hervor, Risse, Sprünge, Flecken von Zoster und Pilzen, die, schon ehe es Menschen gab, die Dinge befielen, sobald sie erschaffen waren. Die Glockentürme, griechischen Pferde, syrischen Pilaster, Mosaiken, Kuppeln und Wahrzeichen, wieder und wieder vorgezeigt auf Plakaten, die um die ganze Welt wanderten, um die Leute mit *travellers checks* anzulocken, hatten bei dieser Vervielfachung von Bildern das Prestige jener Heiligen Stätten eingebüßt, die nur schauen darf, wer den Beweis einer von Hindernissen und Gefahren strotzenden Reise erbracht hat. Der Wasserspiegel schien gestiegen zu sein. Der Motorbootverkehr vermehrte die Angriffslust der winzigen, aber emsigen und beharrlichen Wellen gegen das Pfahlwerk, die Holzbeine, die Krücken, auf denen die Paläste noch immer ruhten, hier und dort kurzlebig aufgeschminkt durch Maurerkünste oder verschönert durch die kosmetischen Operationen moderner Architekten. Venedig schien Stunde für Stunde in den trüben, aufgewühlten Wassern zu versinken. Eine große Traurigkeit lag in jener Nacht über der kranken, unterhöhlten Stadt. Aber Filomeno war nicht traurig. Er war nie traurig. Heute nacht, in einer halben Stunde, sollte das Konzert sein, das sehnlich erwartete Konzert Eines, der die Trompete schmetterte wie der Gott des Zacharias, der Herr des Isaias, oder wie der Chor des frohlockendsten Psalmliedes der Heiligen Schrift es forderte. Und da er noch viele Aufgaben zu erfüllen hatte überall, wo Musik sich in Rhythmuswerten bestimmt, ging er leichten Schrittes zum Konzertsaal, wo die Plakate ankündigten, daß binnen eines Augenblicks die unvergleichliche Trompete des Louis Armstrong erschallen würde. Und es schien Filomeno, das einzige in die Zukunft weisende und auf sie abgezielte Lebendige und Wirksame, das ihm in der Lagunenstadt blieb, sei letzten Endes der Rhythmus, seien die elementaren und zugleich pythagoreischen Rhythmen, die dort drüben da waren, aber nicht an anderen Orten, wo die Menschen – erst in jüngster Zeit freilich – nachgewiesen hatten, daß die Sphären keine andere Musik hätten als die ihrer eigenen Sphären: monotoner Kontrapunkt rotierender Geometrien – hatten doch die mühseligen und beladenen Erdenbürger beim Erklimmen des von Ägypten, Sumer und Babylon einst als Gottheit verehrten Mondes nichts gefunden als einen siderischen Schuttabladeplatz mit unbrauchbarem Gestein, einen Trödelmarkt für Geröll und Staub, der auf andere, größere, in entlegeneren Umlaufbahnen kreisende Trödelmärkte verwies, die bereits in Aufnahmen vorgezeigt wurden und, entschlüsselt, Aufschluß darüber gaben, daß diese Erde summa summarum, mochte sie auch manchmal ziemlich verratzt sein, doch nicht so beschissen und Dankes unwert war, wie manche behaupteten – daß sie vielmehr, man mochte sagen, was man wollte, das bewohnbarste Haus des Systems war – und daß der uns bekannte Mensch, war er auch in seiner Art höchst ruchlos und vorwitzig, und da er (vielleicht dazu auserwählt, nichts beweist das Gegenteil) keine anderen Menschen hatte, an denen er sich auf seinem Roulett aus Sonnenmechaniken messen konnte, keine bessere Aufgabe hatte, als sich mit seinen persönlichen Aufgaben zu befassen. Ob er die Lösung seiner Probleme bei den Waffen und Werkzeugen Oggúns oder auf den Wegen Eleguas, bei der Bundeslade oder bei der Austreibung der Händler, in dem großen Bazar der platonischen Ideen und Konsumgüterartikel oder in der berühmten Wette der Pascal & Co. Versicherungsgesellschaft, ob er sie im Wort oder bei der Fackel suchte, das war seine Sache. Filomeno befaßte sich vorerst mit der irdischen Musik, denn die Sphärenmusik kümmerte ihn nicht. Er zeigte am Eingang des Theaters sein *ticket* vor, eine Platzanweiserin mit einem phantastischen Hintern – der Neger sah ihn ganz, unter Wahrnehmung allein des Unmittelbaren, Greifbaren – führte ihn zu seinem Sessel, und unter Donnern, gewaltigen Donnern, denn das waren die Beifalls- und Jubelkundgebungen, erschien der wunderbare Louis. Er hob die Trompete an den Mund und setzte mit der Melodie zu *Go down Moses* ein, wie nur er es verstand, dann stimmte er die Melodie zu *Jonah and the Whale* an, die durch den Messingtrichter in den Theaterhimmel emporgetragen wurde, wo schwebende zartrosa Engel, Sänger einer Himmelskantorei, auf ihrem Durchflug vielleicht von den hellen Pinseln Tiepolos festgehalten worden waren. Und die Bibel wurde wieder zum Rhythmus und wohnte wieder unter uns mit *Ezekiel and the Wheel* und ströhmte aus in einem *Hallelujah, Hallelujah*, das für Filomeno plötzlich die Gestalt Jenes heraufbeschwor – des Georg Friedrich in *jener Nacht* –, der unter einer barockisierenden Statue von Roubillac in dem großen Marmorclub der Westminsterabtei lag neben Purcell, der sich ebenfalls so gut auf Mystik und triumphale Trompeten verstand. Und schon konzertierten in einem neuen Vortrag die hinter dem Virtuosen auf der Bühne versammelten Instrumente: Saxophone, Klarinetten, Kontrabässe, elektrische Gitarren, kubanische Trommeln, Maracas (sollten das vielleicht die von dem Dichter Balboa gelegentlich erwähnten »tipinaguas« sein?), Cymbeln, Claves, die wie die Hämmer der Silberschmiede klangen, Vibraphone, Schellenbäume, Rasseln und Triangel und das Klavier mit dem aufgeschlagenen Deckel, das sich nicht im Traum mehr daran erinnerte, daß es in früheren Zeiten einmal »wohltemperiertes Klavier« geheißen hatte. ›Das Orchester mit Posaunen, Drommeten, Harfen, Geigen, Psaltern und Lauten, von dem der Prophet Daniel sprach, derselbe, der in Chaldäa so viel gelernt hatte, muß diesem hier sehr ähnlich gewesen sein‹, dachte Filomeno... Aber jetzt legten hinter der

Trompete Louis Armstrongs alle zusammen los in einem energischen *strike up* brillanter Variationen über das Thema *I Can't Give You Anything But Love, Baby* – ein neues Barockkonzert, in das sich unerwartet und wunderbar, durch das Oberlicht einfallend, die von den Mohren der Torre dell' Orologio gehämmerten Stundenschläge mischten.

Havanna – Paris, 1974

ERNST AUGUSTIN

Der Fall der Evelyne B.

Es gehört zu meinem Plan, daß ich nicht auffalle, oder doch kaum. Ich wohne in einem bürgerlichen Stadtteil Münchens, wo die Leute auf der Straße zum nahegelegenen Nymphenburger Kanal wandern, Handwerksmeister, Beamte, wenig Ausländer. Und ich wohne in einer Straße mit kleinherrschaftlichen Häusern, die auch heute noch so aussehen, von denen meines das schmalste ist, zwei Stockwerke, rechts und links von Viergeschossigen eingebaut. Ich habe einen wenig auffallenden sechs Meter breiten und drei Meter tiefen Vorgarten mit einem Schneeballbaum. Das Haus ist nett angemalt, weiß und dunkelrot, wobei die Breite der Vorderfront durch die Eingangstür sowie ein Zimmerfenster im Parterre ausgemacht wird. Im ersten Stock sind zwei Zimmerfenster zu sehen, dann noch knapp über dem Blumenbeet ein vergittertes Kellerfenster. Ich habe ein unauffälliges Emailleschild, dessen Größe sowieso von der Ärztekammer beschränkt ist, meines ist aber eher noch kleiner, und ich habe im Parterre weiße, im ersten Stock rotbraune Fenstervorhänge, die fast immer geschlossen sind, auch außerhalb meiner Sprechstunden, um die Leute nicht auf Veränderungen aufmerksam zu machen. Das Parterrefenster ist ebenfalls vergittert, aber so daß man von außen nichts bemerkt, weißlackierte in das Fenster eingelassene Stahlrahmen, welche direkt mit kleinen Scheiben verglast sind, dazu darf ich erklären, daß ich niemanden im Haus festhalten will, sondern umgekehrt – das mag man jetzt deuten wie man will. Und hinter diesem Fenster schreibe ich die Bücher, die ursprünglich immer den einen Titel tragen sollten: die Entdeckung der Schizophrenie, während ich dann aber doch davon Abstand nehme, da ich die Reaktion der Fachwelt voraussehe, die dann schließlich ohnehin eintritt. Welches voraussetzt, daß die Schizophrenie bis dahin noch nicht entdeckt ist.

Sie begreifen, heißt aber, den eigenen Körper nicht begreifen. Sich über die Unmöglichkeit (aber die totale Unmöglichkeit!) zu entsetzen, die im Wachstum auch nur eines Fingernagels liegt, falls dieses wirklich stattfinden sollte.

Außerdem: Ich liebe und bewundere die Tiere, wie sie mit ihren kleinen Werkzeugen sich unter einem Stein einrichten, wie sie an einen schönen braunen Pelz glauben und ihn auch bekommen, und wie sie in ihrem Pelz unter dem Stein sitzen, in tiefer Selbstbesinnung selbst zum kleinen Gott werdend. Wieso? Weil man es deutlich sehen kann.

Heute sitze ich hinter meinem Fenster und warte auf die Dame, die sich für halbvier angesagt hat. Sie kommt drüben auf der anderen Straßenseite, so daß ich sie sofort bemerke, als sie von der Ruffinistraße her einbiegt. Erstaunlich pünktlich. Sie trägt einen kurzen Mantel aus dünnem schwarzen Stoff, darunter am Saum sichtbar, der über die Knie reicht, ein schwarzes kleingemustertes Kleid, dazu dunkle Strümpfe und einen Hut, dessen Krempe vorn etwas herabhängt, so daß ihr Gesicht im Schatten liegt. Zweifellos eine Dame, eine, die bis Ecke Waisenhausstraße mit der Straßenbahn fährt, was für sie vor halbfünf noch möglich ist, später wird sie dann ein Taxi nehmen. Und was ihre Figur betrifft: Sie ist schlank, das sieht man, und der Gang verrät sie, so wie sie leicht beim Gehen die Schenkel vorschiebt, oder leicht vorwölbt, das sieht man auch. Sie hat – wenn ich einmal taxieren sollte – eine sehr gute Figur. Ja. Vielleicht wäre es mir lieber, sie nicht so pünktlich zu sehen, da hierin ein Akt des Respekts zu erkennen ist, den ich gar nicht will.

Als sie sich fast auf der Höhe meines Hauses befindet, blickt sie auf, kommt dann herüber, bestimmt und doch sanft blickt sie geradewegs auf die Gardine, ohne mich aber sehen zu können, wie alt? Vierzig. Vielleicht. Sanfte süße vierzig vielleicht, mit einem weichen Gesicht, man errät, daß ich entsprechend erregt bin.

Ihre Stimme ist eher klein, so als ob sie aus einem sehr kleinen Mund käme, nachgiebig, und als ich sie hereinführe, zögert sie. Ich sage: Sie zögern? Wissen Sie denn, was Sie erwartet? Und ich füge noch hinzu: Liebe gnädige Frau, denn das ist ganz sicherlich angebracht. Sie lächelt infolgedessen auch ungeheuer hübsch, mit dieser knappen Perlenkette um den Hals.

Nein, sagt sie, indem sie meinen Korridor ganz schnell mustert, ich weiß zunächst nicht, was mich erwartet.

Zunächst, erwidere ich – indem ich ihr den Mantel abnehme und nach kurzem Einatmen auf den Bügel hänge –, erwartet Sie die bescheidene Behausung eines Mannes, der offensichtlich Wert darauf legt, möglichst häßliche Möbel zu besitzen.

Oh bitte, sagt sie, so häßlich sind sie nicht, sie betrachtet die Flurgarderobe und in der offenen Tür die Sesselgruppe sowie die Schrankwand, Eiche hell, sie sind – nun ja – doch sehr hübsch, vor allem geschmackvoll mit der Tapete und dem Teppich.

Ich sage: Geben Sie sich keine Mühe, es sind Reproduktionen der sechziger Jahre.

Reproduktionen? lächelt sie.

Nun ja, gebe ich zu, es sind Originale, zusammengestellt, um den Eindruck absoluter Mittelmäßigkeit zu erwecken. Beachten Sie in diesem Zusammenhang auch die Abmessung des Raumes, etwas unter mittelgroß und gerade so vollgestellt, um die Enge zu vermitteln, die ich hier benötige.

Ich glaube, Sie wollen, daß ich unsicher werde.

Aber liebe gnädige Frau, versichere ich sie, genau das ist beabsichtigt. In meiner flotten Art. Und nun zeige ich Ihnen

noch die Küche, und oben ist das Schlafzimmer und das Bad, beides in ordentlichem Zustand, glauben Sie mir, für eine Person reicht es aus.
Und nun?
Und nun nichts. Das Wohnzimmer benutze ich außerdem zur Ordination, ich habe hier ein Wandschränkchen, welches aufgeklappt ein rotes Kreuz sowie auf weißem Grund eine Reihe von medizinischen Instrumenten zeigt. Die Couch hat einen Bezug, den ich entferne, – ich entferne ihn –, woraufhin sie mit schwarzer Plastikoberfläche eine Untersuchungsliege darstellt. Die Radierung an der Wand stellt einen Arzt dar, der im Kampf mit dem Knochenmann diesem das Mädchen entreißt. Scheußlich?
Nicht so scheußlich.
Geben Sie es zu! sage ich, daß Sie enttäuscht sind, ich blicke meinerseits im Zimmer umher. Den einzigen Knick, sage ich, den Sie vielleicht entdecken können, mag diese Kinderbüste sein, die Sie vom Bücherregal her schräg ansieht. Ich meine den kleinen Leichnam dort auf dem Sockel. Oder lassen Sie mich nachdenken, wollen wir uns nicht setzen, vielleicht ist es die Schranktür an der hinteren Wand, die ich bisher noch nicht geöffnet habe, so daß Sie nicht wissen können, was der Schrank enthält.
Oder ist es...
Aber das spreche ich nicht aus, sollte der Knick vielleicht bei Ihnen (ich meine Sie!) selbst zu finden sein, ist es das? Doch sicherlich nicht. Es gibt eine Regel, die zu durchbrechen ich mich nie ohne Notwendigkeit entschließe: Die äußere Form ist die Haut der Dinge und hält sie zusammen wie einen Tropfen, und die »liebe gnädige Frau« ist die Haut meiner Patientin. Soll ich zu ihr sagen Hundefetzen, Saustück? Oder soll ich sagen, was hast du Anstaltsschwarte dir da für ein geblümtes Kleid übergezogen. Ist das passender? Oder Frau Soundso, wie geht's den Ferngedanken, ich weiß, daß manche Ärzte die direkte Ansprache für sinnvoll halten,

und sachlich wäre auch nichts dagegen einzuwenden, da die arme Frau tatsächlich von ferngelenkten Schweinereien belästigt wird. Ich bin aber der Meinung, daß diese Art von Wahrheiten nur taktlos und auch schädlich sind. Man sagt nicht, wie unvorteilhaft sehen Sie aus, sondern man sagt, wie vorteilhaft sehen Sie aus.

Deshalb sage ich: Welch ein angenehmer Tag, ich nehme an, auch Sie hatten einen solchen. Und wenn dann aus den Augenwinkeln meiner Patientin der Argwohn hervorkriecht – den kenne ich –, denn es war kein angenehmer Tag, es war überhaupt kein Tag, und was meine ich damit? Und wenn der Argwohn sich zum Mißtrauen verdichtet – das kenne ich auch –, Mißtrauen gegen mich und gegen diese Wohnung, zum Beispiel gegen den Schrank, denn gibt es so etwas überhaupt (einen Schrank) und vor allem Mißtrauen gegen die Tatsache, daß sie hier sitzt. Man darf sich den Vorgang nicht zu schnell vorstellen, es ist ein langsam aufkommender Magnetismus, und wenn sie dann plötzlich merkt, daß sie wirklich hier im Sessel sitzt, was ja unmöglich ist, und die grauenhafte Gewißheit Platz greift und die aufkommende Angst, aber soweit lasse ich es gar nicht kommen. Dann sage ich: welch ein angenehmer Tag, *gnädige Frau*.

Und das versteht sie, ach ja, das ist dann die richtige Bezeichnung, und der Tag ist ja wirklich angenehm, das stimmt. Und sie ist wohlkomponiert, sie trägt dieses schwarze, kleingemusterte Kleid, das an gewissen, mir nicht verständlichen Stellen zusammengenommen und an anderen Stellen ausgelassen ist, so daß es sowohl sitzt als auch abfällt, anders kann ich es nicht ausdrücken. Wohl teuer, nehme ich an. Und sogar in gewissem Sinne einschüchternd. Ihre Fingernägel sind vollkommen oval, glatt und farblos. Dann stimmt es, dann konsultiert die Dame hier am Nachmittag den Nervenarzt, der vielleicht die eine oder andere Behandlungsmethode vorschlagen, das eine oder andere harmlose Experiment durchführen wird?

Und harmlos, erkläre ich, wird es in jedem Fall sein. Um aber mit einer Vorübung zu beginnen, setzen Sie sich zurück und entspannen Sie sich, legen Sie Ihre Befürchtungen, die Sie haben sollten, für einen Moment ab. Bedenken Sie, daß dieses so mittelmäßig eingerichtete Zimmer, in dem Sie sich befinden, nur ein Beispiel ist. Ein Beispiel Ihres eigenen Ichs, in dem Sie sich befinden. Nein, sage ich, denken Sie nicht darüber nach, sondern lassen Sie sich entspannen. Ich will Ihnen ein Hilfsmittel geben, lauschen Sie auf den Ton, nicht den des Autos, das vorbeifährt, sondern auf den Ton in Ihrem Ohr. Hören Sie ihn, ist er gut.

Ganz gut, sagt sie nach einer Weile.

Aber nicht gut genug, wie? sage ich aufmunternd, es genügt aber, wenn Sie ihn überhaupt hören. Als ich elf war, noch vor dem Krieg, lassen Sie mich nachdenken, habe ich ihn deutlich gehört, wenn die Eltern im Kino waren und ich mich im dunklen Haus fürchtete. Vor mir selber, nehme ich an. Dann nahm ich alle Kraft zusammen und horchte auf den Ton in meinem Ohr. So gut ich vermochte. Der aber nicht in meinem Ohr war, sondern um mich herum wie ein Gewölbe, in dem ich lag, oh, ein großes braunes Gewölbe, verstehen Sie das, ein Haus, in dem ich lag und mich nicht mehr fürchtete. Ich habe, wenn die Eltern im Kino waren, daran gebaut, hier noch einen Gang und Säulen, und dort einen inneren Teich, und oben noch eine Galerie, und alles in vollkommener Sicherheit, können Sie das verstehen.

Kann sie es verstehen? Ich sage: Sie sind so wohlkomponiert. Sie tragen dieses schwarze kleingemusterte Kleid, nicht, daß es mir nicht gefiele, im Gegenteil, es gefällt mir sogar sehr gut. Aber Sie wissen nicht, Sie können noch nicht wissen, daß Sie das werden ablegen müssen, wie Sie überhaupt alles werden ablegen müssen – das ist jetzt im weitesten Sinne gemeint –, bevor ich mit Ihnen fertig bin. Oder freundlicher: Bevor die Behandlung abgeschlossen ist.

Und wenn ich jetzt gehen will.

Meine Patienten dürfen immer gehen, erwidere ich, zu jedem Zeitpunkt und wann sie wollen.

Soll ich Ihnen meine Definition eines Tieres geben? Ein Tier ist ein Wesen, das noch nicht gespalten ist, in eine Innenwelt und eine Außenwelt. Oder wenn Sie wollen, eines, das sich wieder zusammengefunden hat. Und wenn ich Ihnen zeigen soll *wie*, dann gehen Sie nicht, nehmen Sie Ihre Kraft zusammen, und öffnen Sie diesen Schrank.
Von dem Sie nicht wissen, was er enthält.

Mit dreizehn erfuhr ich es zum ersten Mal, in Velten bei Berlin, auf Besuch bei Verwandten. Eine an sich belanglose Situation: Ich saß in dem Eßzimmer, wo selten jemand hinkam und wo der Plattenspieler stand, hatte gerade die Tanzplatte »noche de Biaritz« gespielt, das Zimmer roch nach Zigarettenrauch vom Vorabend, und draußen vor der halbgeschlossenen Markise konnte man – konnte man natürlich nicht, dazu war es zu weit entfernt – den S-Bahnzug nach Berlin rollen hören. Im Sommer, wenn die Chausseebäume vor den Markisen dunkelgrün sind und die sommerlichen Motorradfahrer Sehnsucht erwecken, wonach? Nach Berlin. Und dann wiederum, Sehnsucht, aus Berlin im Sommer rauszukommen; das widerspricht sich nicht, wenn man Berlin kennt. Ich verwende hier ein wenig Sentimentalität, um die an sich belanglose Situation zu kennzeichnen. Saß also neben dem Plattenspieler im Sessel und sah in das dunkelgrüne Licht nach draußen. Es war zwei Uhr. Heiß, ruhig. Im ersten Kriegsjahr. Im Jahr zuvor hatte ich noch mit meiner Mutter in der Imperator-Diele in der Friedrichstraße einer Negerkapelle zugehört, sie spielten die Donkeyserenade mit diesen Klappstöcken – schon wieder abgeschweift. Aber so ungefähr: Heiß, ruhig, mit diesen Klappstöcken, ich überlege, ob ich baden gehen soll, auch keine Lust, ich sehe mich in diesem ruhigen graugrünen Wasser untertauchen, ich tauche nämlich nicht gerne, weil es mir in die Nase schlägt, und im Augenblick hier im Sessel kann ich mir die graugrüne Wasserwand ganz leicht vor Mund und Nase vorstellen, einen Zentimeter vor meiner eigenen Luftröhre, also ganz dicht vor dem Ertrinken. Und da fällt mir zum ersten Mal ein, daß ich ja *lebe*, ganz deutlich hier im Sessel lebe ich plötzlich und bin zutiefst erschrocken, wie denn das überhaupt möglich ist.

Denn es ist ja nicht möglich.

Das war genau der Augenblick, in dem ich abgerutscht bin, ein Motorradfahrer draußen hat mich gleich wieder zurückgeholt, indem er mich so deutlich an die Sehnsucht erinnerte, und ich konnte auch gleich darauf nicht mehr begreifen, wo und wie ich mich soeben befunden hatte, völlig unklar, aber bei allen späteren kurzen Erlebnissen – deren nächstes erst nach Jahren wieder auftrat – erinnerte ich mich an das lange Eßzimmer in Velten, an die graugrünen Wasser, die mich einschalteten, und an den Motorradfahrer, der mich wieder ausschaltete. Letzteres wird auch noch wichtig sein, insgesamt ein kleiner, kurzer Tod, und ich würde liebend gern damit als Arbeitsbegriff arbeiten, klänge er nicht zu dramatisch. Ich weiß aber, daß ich mich vorübergehend jenseits gefühlt hatte, nicht eigentlich tot, aber auch nicht lebend, etwa so, als ob ich mich an einem Ort befände, von dem aus gesehen beides wiederum bloß Einbildung wäre. Eine unkindliche Perspektive. Und das Ganze mit der Angst verbunden, nicht wieder zurückzukommen, logischerweise sogar, denn ist man ohne sein Zutun hinaus, was soll man tun, um wieder zurückzukommen? Dazu darf ich hier schon einmal bemerken, daß genügend Fälle bekannt sind, die *nicht* wieder zurückgekommen sind und heute unter gewissen Diagnosen die Heilanstalten bewohnen. Und was nun auch noch das »Zutun« anlangt, wir Abendländer sind auf diesem Gebiet von jeher schwer von Begriff, wir sagen: Tod, oder wir sagen: Ich werde einmal sterben, und horchen daraufhin, und es bedeutet gar nichts. Wir sagen: So gewiß wie das Schwein im Schlachthof werde ich sterben, ganz sicher, es ist schon alles vorbereitet, oder wie das Huhn auf dem Hühnerhof. Löst das etwas aus? Allenfalls eine Leere im Hirn, keine Angst, gar nichts. Und dann eines Tages in dem langen Zimmer in Velton dösen wir vor uns hin, und die Gedanken laufen einfach herum, und da ist es geschehen, da sind sie darauf gestoßen. Ich will hier kein Wort über »Techniken« verlieren, denn mit Dreizehn gibt es keine Techniken, es fehlte noch der Zeitraum, welcher in dem Eckzimmer in Velten begann und ungefähr dort endete, wo ich in Berlin in der Charité in einem überwachsenen Innenhof der Nervenklinik einen Brief in Händen hielt, den mir Freund Vieweg ausgerechnet aus Afghanistan schrieb. Der Hundling, dachte ich damals anerkennend, hat er es wieder geschafft! Dazwischen lagen aber siebzehn Jahre.

Dazwischen lag jener schwärzeste Spätherbst (der heute schon in die Geschichte zurückreicht), 1944, kurz vor der Einberufung, wenn der lange dunkle Gang zum Kino von einer ungeheuerlichen Süße erfüllt war, wegen der Mädchen, die auch im Dunkeln ins Kino gingen, und wegen Johannes Heesters, der von Freund Mittag imitiert wurde. Die autoleeren Straßen. Die Lübecker Straße in Schwerin – man ging auf dem Fahrdamm, um nicht an die Hauswände zu streifen –, und die junge Margot Hielscher, mein Gott. Tagsüber erwartete ich über dem Stadtplan von Rio zweimal die Post, vormittags und nachmittags, die Einberufung, die immer noch nicht kam. Vorläufig gingen noch der Oktober und dann der November darüber hin, und Freund F. C. Mittag äußerte die damals wahnwitzige Hoffnung, daß es noch bis zum Frühling dauern könnte.

Ich besaß fünf Milreis: echtes brasilianisches Geld sowie eine Mappe gesammelter Zeitschriftenbilder von der Copacabana, dem Strand mit dem Zuckerhut. Im November wurde ich siebzehn. Sollte man meinen, daß ich ein genaues Ziel vor Augen hatte, etwa die Rua do Quvidor mit aufsehenerregenden Hochkonstruktionen zu bestücken? Durch lichtdurchlässige Dachgärten eine Art sinnvolle Amazonasdämmerung schaffend? Ich hatte es vor Augen, und zwar so sehr, daß ich ganz unten begann, als Zeitungsjunge, als Erdnußverkäufer – noch tiefer, als Siebzehnjähriger 1944 in Schwerin.

Ich wohnte mit meinen Eltern in der Richard-Wagnerstraße, die mit der Sebastian-Bachstraße sowie der Lessing- und der Wittenbergerstraße ein asphaltiertes Rechteck von insgesamt 1 km Straßenlänge bildete. Um sieben Uhr wurde es Nacht, kein Auto, kein Radfahrer, alle Fenster streng verdunkelt, nur das Mondlicht. Und jeden Abend zwischen sieben und acht lief ich diese Strecke dreimal, viermal – es gab Nächte, in denen ich sie bis zu sechsmal lief. Mein Brustkasten brennend vor Anstrengung, voran, voran, Warschau hinter mir lassend, die Städte Boguslav und Pritschnoje, durch Schenoje und die tödliche Landstraße von Pritschlaw bis Sternekoje. Am Ende meiner Kräfte schleppte ich mich durch das Gartentor, mit diesem sengenden Schmerz in meinem Brustkasten. Aber geschafft, geschafft, geschafft.

Es ging ums Leben.

Mein Freund Mittag fragte: Was trainierst du, Laufen? Ja, sagte ich, je dünner man wird, desto schneller kann man laufen, wie eine Feder, wie ein ganz leichtes Tier, den ganzen langen Weg bis nach Dänemark. Aber darauf ist selbst Mittag nicht gekommen. Niemand. Nach sieben zog ich mir die leichten Schuhe an, ich lief in Turnhose und Hemd, in einem von mir selbst erfundenen Stil, der meinem Körperbau entsprach, sicherlich falsch, ich dachte aber: Mit den langen Beinen mußt du lange Schritte nehmen, bei jedem Schritt das Gewicht des Körpers eine Spur zu weit voran, immer etwas im Vornüberstürzen begriffen. Auf diese Weise erreichte ich ein schönes langgezogenes Tempo – sicherlich technisch ganz unzureichend, aber, wie gesagt, effektvoll in einem fortwährenden Fall nach vorn, und dazu gebrauchte ich meine Arme wie Vorderläufe. Es muß fürchterlich ausgesehen haben, immerhin war ich aber auf drei, sogar auf fünftausend Meter ganz gut. Außerdem verwandte ich eine Menge Konzentration auf rationelles Atmen, mein geringes Körpergewicht spielte eine Rolle und möglicherweise auch diese ausgreifenden Handbewegungen zur Unterstützung. Dann mag noch die kühle Jahreszeit förderlich gewesen sein, die klare Luft; geschwitzt habe ich niemals.

Ich beschreibe diesen Vorgang so ausführlich, weil ich heute folgendes träume: Ich werde irgendwo in der Stadt erwartet und bewege mich durch die Straßen mit großer Geschwindigkeit, und zwar laufe ich auf allen vieren, indem ich die Erde mit den Händen unter mir wegstoße, was bedeutet das? Ich bin selbst Psychiater genug, um eine Deutung zu finden, meine Psychiaterfreunde wollen mir unbedingt eine kollektive Rückerinnerung unterlegen, ein Centaurensyndrom, ein Laufvogel-Totem-Tabu oder was immer. Das ist mir zu weit hergeholt. Etwas Sexuelles meinetwegen, aber wieso gerade auf allen vieren?

Soviel zum Mißverständnis.

Im Ernstfall lief ich dann nur von Müß bis Zippendorf.

Dazu fällt mir noch etwas ein: In diesem November und später im Dezember 44, als ich das Überleben trainierte, begann ich, kalt zu schlafen. In der eisigen Dunkelheit zusammengerollt, stellte ich mir vor, im Laub versteckt vor Mensch und Tier, in den tiefen Wäldern Wolhyniens, ein Quentchen Wärme bis zum Morgen hinüberrettend; das erschien mir jetzt als allerwichtigstes Ausrüstungsstück. Ich trainierte schrittweise: Ich stellte das Bett unter das geöffnete Fenster, das Federbett vertauschte ich nacheinander gegen ein leichtes, später gegen zwei Wolldecken und noch später gegen eine einzige. Im November war die Sache kein

Problem, aber gegen Ende Dezember gab es nachts Frost. Ich deckte mich sorgfältig nach einem System ein, die Dekkenkanten untergeschlagen, so daß ich wie in einem Sack lag; dazu durfte ich mich aber nachträglich nicht mehr rühren, denn um Zuglöcher zu schließen hätte ich die Hand freimachen müssen, und das hieß wiederum, den ganzen Verband zu zerstören. Es hieß aber auch eiserne Disziplin während des Schlafes, jedes Körperglied unter Kontrolle, den Erfolg sah ich am Morgen, wenn die Hand noch an der gleichen Stelle lag wie am Vorabend. Aber wehe, wenn ich im Traum in die Eiskammer kam. Etwa beim Besuch von Verwandten in deren ungeheizter Wohnung, man hat seinen Mantel verloren oder, gefährlicher, man liegt schlecht zugedeckt im Bett und träumt: Man schläft und friert, man weiß, daß es nur ein Traum ist und wacht deshalb nicht auf. Das sind die allergefährlichsten Träume, die sich so anlegen, daß beides erklärt wird, die Kälte und der Traum noch dazu, so kann man erfrieren.

Einmal fuhr ich mit der Straßenbahn von Schwerin nach Zippendorf durch ein schluchtenreiches Waldstück. Ich fuhr aber nicht im Wagen, sondern auf einem vor dem Fahrersitz befindlichen Gestänge, direkt über den Schienen, wobei es sich nicht um einen Straßenbahnwagen, sondern um eine Draisine handelte, die auch hinten offen war, und ich saß da im Unterzeug oder überhaupt nur im Hemd, es war Winter, die Strecke war vereist, das Eisen klebte, und in den Schluchten türmten sich erstarrte weiße Kaskaden auf. Das reicht wohl. Außerdem wehte von vorn ein scharfer Wind punktförmig auf meine Hüfte.

Wie aber nun im Traum: Ich fror zwar erbärmlich, aber nicht mehr, als daß ich mich auf meinem Gestänge nicht hätte einrichten können, ich sagte mir, daß ich unter den gegebenen Umständen noch relativ wenig fror, eigentlich gar nicht, nur die Hüfte war verletzt und schmerzte, und Hilfe gab es allein in Zippendorf, das schließlich bald kommen müßte, und auf diese Weise wachte ich nicht auf. Weil ich sowieso unterwegs war. Zippendorf kam dann gegen sechs Uhr morgens, und bis dahin war ich unter dem Fenster fast gefährlich durchgefroren – meine ganze linke Seite lag bloß.

Was sonst noch? Ich ließ mir beim Zahnarzt die Zähne nachsehen und eine Plombe einsetzen. Den linken vorderen Schneidezahn, der etwas schartig war, ließ ich glattschleifen. Und dann meine Senkfüße, ich ließ mir ein paar gute Einlagen machen, die ich dann aber nicht brauchte. Als Beitrag meiner Mutter bekam ich ein winziges Daunenkissen von der Größe einer Postkarte, genauso eines, wie es mein Vater seinerzeit vor dem Einrücken bekommen hatte – es war graubraun gemustert, ähnlich dem seinen, und ich benutzte es, um unter den richtigen Bedingungen zu schlafen.

TILMANN MOSER

Gottesvergiftung

Lieber Gott, ich möchte mit einem Fluch beginnen, oder mit einer Beschimpfung, die mir bald Erleichterung brächte. Eine Art innere Explosion müßte es werden, die dich zerfetzte. Ich wäre dann nicht nur dich, sondern auch diese elende Beschämung los, mich noch einmal mit dir beschäftigen zu müssen. Ich dachte, du wärst tot, begraben, zumindest aber vergessen oder wärst mir gleichgültig geworden. Du warst eine solche Enttäuschung, ein solcher Betrug in meinem Leben, daß ich, als ich ganz allmählich und unter Qualen dahinterkam, dich links liegen ließ. Nicht daß du als Person überlebt hättest, als ein faßliches Gegenüber. Du warst einst so fürchterlich real, neben Vater und Mutter die wichtigste Figur in meinem Kinderleben. Nein, obwohl es mich wundert, wie leicht es mir fällt, dich immer noch so direkt anreden zu können. Du hast überlebt in meiner seelischen Struktur: ganze Gewölbe, Verehrungsthrone, innere Zimmer- und Kapellenfluchten wurden für dich angelegt. Du haustest in mir wie ein Gift, von dem sich der Körper nie befreien konnte. Du wohntest in mir als mein Selbsthaß. Du bist in mich eingezogen wie eine schwer heilbare Krankheit, als mein Körper und meine Seele klein waren. Beide wurden, entgegen einer freieren Bestimmung, zu deiner Wohnung gemacht, und ich war so stolz, daß du auch in mir kleinem Jungen Wohnung nehmen würdest. Es gab Jahre, wo ich dir mein Leben weihen wollte, wo zwischen dir und mir verhandelt wurde über einen Erwählungsvertrag. Du hast schon ganz früh mit meinem Größenwahn gespielt, ihn genährt, ihn an geheiligten Vorbildern gesteigert, die mir in deinem Namen vor Augen gehalten wurden. Ich habe dir so schreckliche Opfer gebracht an Fröhlichkeit, Freude an mir und anderen, und der Lohn war, neben der Steigerung des Erwähltheitsgefühls, oder dem Kampf darum, ein Quentchen Geliebtsein vielleicht, vielleicht ein Quentchen weniger Verdammnis.

Weil ich dich insgeheim haßte um der Demütigungen willen, die ich auf mich nahm, um dir zu gefallen, um deine Gunst zu erwerben oder auch nur um deine Ungunst zu vermeiden, mußte ich dich immer mehr verehren, dich immer inständiger anflehen, an mir doch ein wenig Wohlgefallen zu finden. Und so bist du immer wirklicher geworden, einfach deshalb, weil du mich, aus vielen Gründen, nicht gemocht hast. Ich habe unter niemandem so gelitten in meinem Leben wie unter deiner mir aufgezwungenen Existenz. Indem ich dir zeige, wie du als Krankheit in mich eingezogen bist, und als Krankheit fast über mich hinweggewachsen wärst, hoffe ich, mich ein Stück weit von dir heilen zu können. Ich weiß, daß du in den Narben, falls ich dich aus mir vertreiben kann, bis zu meinem Tode hausen wirst. Sie werden mich beißen, und du wirst mich noch mit Phantomschmerzen quälen, wenn du längst wegamputiert bist.

Ein Teil meines Hasses auf meine Familie rührt daher, daß sie mir die Gotteskrankheit eingegeben hat. Du wurdest mir eingeträufelt, kaum daß die ersten Zeichen der Empfänglichkeit, der Verwundbarkeit sichtbar wurden. Das Anwachsen der Krankheit wurde, alter Familientradition gemäß, mit Freude betrachtet. Sie haben das Wuchern der Tumore in meiner Seele nach dem Kalender des Kirchenjahres verfolgt und gefeiert. Die Feste waren die Höhepunkte des Krankheitsverlaufs. Und ich will dir auch gleich sagen, warum ich so gierig war nach dir, oder wehrlos gegen dieses Wuchern. Der Humus, auf dem du wachsen konntest, war kindliches Unglück. Und wäre auch nur ein Hauch von Ehrgefühl in dir, du würdest schamrot werden, wenn ich dir klarmache, was die wirklichen Bedingungen deines Wachstums in mir waren, du Konkursverwalter der Liebe, des Unglücks, der mißlingenden Menschlichkeit.

Es gab unerkannte Zeichen der Auflehnung gegen dich. Meine Blase, die ich Dummkopf dafür verachtet habe, war ein Herd des Widerstands. Dutzende von Malen hat sie es geschafft, daß ich, natürlich in panischer Beschämung statt in trotziger Weigerung, während der Predigt aus dem Gottesdienst rennen mußte. Und einige Male habe ich es nicht mehr geschafft oder nicht mehr schaffen wollen, und habe während irgendeines hochgemuten Chorals oder einer eindringlichen Predigt aus vollem Rohr in die Hose gepißt, daß eine Lache unter mir entstand und man mich hinausbringen mußte, weg von den irritiert dreinblickenden Lobe-den-Herrn-Sängern. Ich hätte die Wahrheit, daß es dir und all den Ansteckungsgehilfen galt, nicht ertragen; denn ich hätte mich, ohne jeden verstehenden Bundesgenossen, nur noch verlassener und der ewig lauernden Verdammnis näher gefühlt. Und soll ich dir verraten, daß es im weiteren Kreise deiner mir bekannten Verehrer noch viele gibt, die den feierlichen Dienst an dir nur mit großen Blasensorgen überstehen? Stunden vor dem Gottesdienst trinken sie nichts mehr und können sich bei der Predigt oder beim Gesang nicht konzentrieren, weil ihre feierlich-ängstliche Aufmerksamkeit, die sie auf den Gesichtern tragen, viel weiter unten versammelt ist.

Aber weißt du, was das Schlimmste ist, das sie mir über dich erzählt haben? Es ist die tückisch ausgestreute Überzeugung, daß du alles hörst und alles siehst und auch die geheimen Gedanken erkennen kannst. Hier hakte es sehr früh aus mit der Menschenwürde; doch dies ist ein Begriff der Erwachsenenwelt. In der Kinderwelt sieht das dann so aus, daß man sich elend fühlt, weil *du* einem lauernd und ohne Pausen des Erbarmens zusiehst und zuhörst und mit Gedankenlesen beschäftigt bist. Vorübergehend mag es gelingen, lauter Sachen zu denken oder zu tun, die dich erfreuen, oder die dich zumindest milde stimmen. Ganz wahllos fallen mir ein paar Sachen ein, die dich traurig gemacht haben, und das war ja immer das Schlimmste: dich traurig machen – ja, die ganze Last der Sorge um dein Befinden lag beständig auf mir, du kränkbare, empfindliche Person, die schon depressiv zu werden drohte, wenn ich mir die Zähne nicht geputzt hatte. Also: Hosen zerreißen hat dir nicht gepaßt; im Kindergarten mit den anderen Buben in hohem Bogen an die Wand pinkeln, hat dir nicht gepaßt, obwohl gerade das ohne dich ein eher festliches Gefühl hätte vermitteln können; die Mädchen an den Haaren ziehen hat dich verstimmt; an den Pimmel fassen hat dich vergrämt; die Mutter anschwindeln, was manchmal lebensnotwendig war, hat dir tagelang Kummer gemacht; den Brüdern ein Bein stellen brachte tiefe Sorgenfalten in dein sogenanntes Antlitz. »Herr, erhebe dein Antlitz über uns...«, so haben wir am Ende jedes Gottesdienstes gefleht, als gäbe es keine größere Sehnsucht, als immerzu dein ewig-kontrollierendes big-brother-Gesicht über uns an der Decke zu sehen. Du als Krankheit in mir bist eine Normenkrankheit, eine Krankheit der unerfüllten Normen, die Krankheit des Angewiesenseins auf deine Gnade, die von beamteten Herabflehern zusätzlich zu meinem Geflehe bei dir erbettelt werden mußte. Ein Wucherer warst du mit deiner Gnade, oft nur hast du sie gegen Menschenfleisch, doch immer nur provisorisch, mit dauernden Widerufsrecht, vergeben. »Jeden Tag neu müssen wir den Herrn um Gnade bitten, uns von seiner Gnade beschenken lassen. Amen.« Dabei wurde erzählt, daß deine Gnade wunderbar und unerschöpflich sei, und wie froh wir sein müßten, wenn wir trotz unserer immer wiederkehrenden Sünden immer wieder Chance hätten, sie zu erwerben; daß du dein Antlitz nie endgültig abwenden würdest, aber doch lange genug, um Angst zu erzeugen und uns in der Furcht des Herrn zu halten. Weißt du: es ist mir längst klargeworden, daß ich niemanden fürchte, ohne daß ich ihn nicht auch um der Demütigung willen, mich fürchten zu müssen, haßte. Wieso sollte es mit dir anders und die Furcht vor dir nicht mit Haß verknüpft sein? Nur bewußt durfte es nicht werden, weil Gotteshaß das Unvorstellbarste, das unmittelbar zu Verdammnis Führende war. »Wir sollen Gott fürchten und lieben...« war mir eingebleut worden, als ob nicht das erste das zweite fast unmöglich macht. Und weil deine irrsinnige Daseinsbedingung, als einer, den man fürchten und lieben soll, gleichzeitig Haß erzeugt hat, mußte man wiederum um so mehr Angst haben, um so demütiger, um so dankbarer für den Aufschub sein, noch nicht verworfen zu werden. Ich weiß, längst nicht allen bist du so wesentlich als Krankheit erschienen wie mir. Es gibt da ein paar Spezialbedingungen, warum ich dich vor allem als Vergiftung und Geschwür erlebt habe. Es hängt mit dem jahrhundertealten Komposthaufen christlicher Familientradition zusammen, auf dem du deine Kulturen in Ruhe züchten konntest. Die Intensivierung des Giftes war ein generationenlanger Prozeß: da ist die wahre Gottessäure entstanden, die sich eingeätzt hat in mein Fleisch.

Fast zwanzig Jahre lang war es mein oberstes Ziel, dir zu gefallen. Das bedeutet nicht, daß ich besonders brav gewesen wäre, sondern daß ich immer und überall Schuldgefühle hatte. Belustigt haben mich Freunde immer wieder auf einen Mechanismus hingewiesen: ich war zu Besuch, fühlte mich wohl, hatte aber ein schwer greifbares Gefühl, vielleicht doch Fehler gemacht zu haben, und nur wenige Stunden oder Tage später trieb es mich anzurufen oder zu schreiben, um eine gewundene Entschuldigung abzugeben oder zu erkunden, ob ich nicht doch schweren Anstoß erregt hätte. Es war eine fundamentale Unsicherheit in mir, ob ich nicht etwa mir gar nicht ganz einsehbare Normen verletzt hätte, ob nicht binnen kurzer Zeit eine nicht berechenbare Strafe erfolgen würde, ob ich nicht Sympathien verloren oder mir

bei dem oder jenem starken Unmut zugezogen hätte. Du hast mir so gründlich die Gewißheit geraubt, mich jemals in Ordnung fühlen zu dürfen, mich mit mir aussöhnen, mich o. k. finden zu können.
Neulich war ich auf einem gruppentherapeutischen Training, und es ging um das Ausmaß von Hemmungen, das jeder mit sich herumträgt. Da fragte der Trainer, welche Sätze uns in unserem Leben am meisten eingeschüchtert hätten. Weißt du, was bei mir zum Vorschein kam als die mich domestizierende, einengende, schachmatt setzende stereotype Phrase: »Was wird der liebe Gott dazu sagen?« Durch diesen Satz war ich früh meiner eigenen inneren Gerichtsbarkeit überlassen worden.

WOLFGANG KOEPPEN

Jugend

Ich glaubte damals, aufzuwachen, aber die Wahrheit ist wohl, daß mein Schlaf sich in einem Traum verlor. Ich sah mich in diesem Traum agieren, ich handelte folgerichtig nach einer ihm innewohnenden Logik; doch hätte ich zu keiner Zeit sagen können, wovon ich träumte, oder auf welches Ziel hin ich mich bewegte. Dies läßt sich auch nicht damit erklären, daß mein Ziel die Ziellosigkeit war. Manchmal behauptete ich so etwas (zu wem? mit wem sprach ich?) doch es stimmte nicht. Ich hatte mir nichts vorgenommen, nicht einmal die Ziellosigkeit; nur steuerte ich beharrlich von den anderen fort, und das war es, worauf es mir ankam.

Der Raum ist groß, er ist kalt, er ist auf eine kalte Art warm, er ist dunkel, die schwarzen Möbel machen den Raum dunkel, die schweren schwarzen Möbel machen den Raum nicht klein, sie machen ihn zu einem Gebirge, die schweren schwarzen Möbel bilden Fronten, der Schrank droht dem Tisch, der Tisch bockt gegen den Sessel, die schweren schwarzen Möbel sind Festungen aus festem schwarzspiegelndem Holz, große schwarze Ritter und kleine schwarze Gefangene spiegelfechten, kleine schwarze Ritter und große schwarze Ungeheuer spiegelfechten, der schwarze Schreibtisch steht auf schwarzen Löwenfüßen, die gedrechselten schwarzen Löwenfüße krallen sich in den schwarzen Teppich ein, gerissen liegt die Wolle des schwarzen Lamms unter den schwarzen Füßen, die schwarze Polstertür schließt das schwarze Universum, draußen bleibt die leiernde lernende leidende Stimme der Klassen, bleibt das Geleier des ABC, bleibt das Geleier des Einmaleins, bleibt der geleierte unbegriffene Lehrsatz der Mathematik, bleibt das geleierte schon durchlöcherte Gesetz der Natur, bleibt der geleierte zusammengesetzte Satz der nichts sagt, bleibt das geleierte von keinem Gott vernommene Kirchenlied, bleibt der geleierte vaterländische Gesang der den Sänger berauscht, bleiben die geleierten Siege Friedrichs des Großen, bleiben geleiert die Siege Bismarcks, bleiben geschmettert die Siege des Kaisers, bleibt ungeleiert das Schweigen über dem Was nun, bleibt eingeleiert der Haß gegen das Jetzt, das ist die Republik, das ist Weimar, das ist Versailles, das ist die schwarze und die rote und die deutsche Schmach, bleibt der abgerissene doch immer fortfließende Strom zu den gefährlichen Stromschnellen dem drohenden Stromfall da die Zeit endet oder sich auflöst oder nie gewesen ist oder wieder anfängt oder wie heute ist, bleibt das große Ungenügend, das dem Kind als Zeugnis mit auf den Weg gegeben wird, draußen bleiben die Gerüchte, die das Kind kennt, die es flieht, die es nicht fliehen kann, der Geruch der dicken Zwiebelschmalzstulle, der Blutwurst zwischen den mehlbestreuten Salzkuchen, die es nicht bekommt und nicht will, und die es in den Staub wirft, wenn Hochmut sie ihm reicht, bleiben die strengen Schweiße der Schulangst, die sauren Lerneiferdünste der Streber, die stolzen zerschundenen Knie der ungezogenen Jungen, die sie im Winter dem Frost zeigen.

Ich stehe vor dem Rektor, ich bin ein Körper, ich habe eine Seele, aber ich verliere meine Seele, ich muß aufpassen, daß sie mir nicht entwischt, doch mein Körper hat auch seine Seele, er hat sie neuerdings und mit dieser Seele meines Körpers, die meine andere, meine wahre Seele bedrängt, fühle ich meinen Körper und stehe als Körper in der Welt. Ich trage keine Unterwäsche, obwohl meine Mutter will, daß ich sie anziehe, auch wenn das Hemd und die Unterhose zerrissen sind, ich habe nur meine gestreifte Kieler Bluse an, ich trage sie auf dem nackten Leib und eine kurze blaue

Waschhose, ich bin aus diesen Sachen hinausgewachsen, es ist Sommer, doch am liebsten möchte ich auch bei schneidender Kälte mitten im Winter so bloß gehen, mit nackten Beinen, nackten Schenkeln, um den Frost auf der Haut und mit dem Frost meinen Körper zu fühlen, der sich an den zu engen Nähten der Bluse und der Hose reibt und diese Begrenzung besagt mir, daß ich etwas besitze, mich, und diese Erkenntnis macht mich mächtig, auch über den Rektor. Der Rektor ist ein schwerer Mann. Er trägt sein Haar wie Hindenburg. Er könnte auch Schaftstiefel tragen, einen Küraß und einen Adlerhelm. Er sitzt schwer hinter seinem schweren Schreibtisch, und sieht mich aus kleinen trüben Augen teilnahmslos an. Er riecht nach kaltem Zigarrenrauch. Das ist die Ausdünstung der Macht. Auch Kohlenhändler Kleuke riecht so. Auch Kaufmann Susemihl. Die alten Rechnungen sind nicht beglichen. Die neuen Konten werden nicht eröffnet. Der Rektor fragt mich nach meinem Namen.

Es empört mich, er muß meinen Namen doch kennen, ich gehe in seine Schule, ich versuche, nicht in seine Schule zu gehen, seine Schule quält mich, ich hasse sie, ich hasse ihn, und er kennt meinen Namen nicht. Habe ich einen Namen? Habe ich ihn verloren? Werde ich mir einen neuen Namen suchen müssen? Es strengt mich an, es treibt mir den Schweiß auf die Haut, dem Rektor meinen Namen zu sagen. Der Rektor grunzt, wie irgendein Tier, das mit dem Rüssel die Erde aufwühlt. Wer weiß, welche Nahrung er sucht. Daß er einem Tier ähnelt, macht ihn erträglich. Ich hasse den Rektor lange nicht so sehr, wie ich Herrn Krüger, meinen Klassenlehrer hasse. Herr Krüger hat mich nie teilnahmslos angesehen. Er hat nie meinen Namen vergessen. In seinen Augen funkelt das Licht des Jägers, der die Spur aufgenommen hat und das Wild verfolgt. Ich bin drei Jahre vor Herrn Krüger geflohen und jetzt hoffe ich, ihm zu entkommen. Oft schien Herr Krüger mich einzuholen, mich gefangen zu haben, er wollte mich zu Boden werfen, aber immer gelang es mir, in ein Revier zu entkommen, das ihm unerreichbar war. Gestehe, wo bist du, was denkst du, forderte er, seine Lippen preßten sich zusammen, die bräunlichen Muskeln seiner hageren Wangen zuckten, und ich sah ihn an, fest, kalkweiß im Gesicht vor Haß, doch festen Blikkes, und schwieg. Herr Krüger hat mich nicht in seine Herde getrieben, er hat mir nicht den Stempel der Nützlichkeit in die Haut gebrannt, er hat mich nicht für den Bismarckbund geworben oder für den Unterseebootbund, er hat mich zu keiner seiner festen Anschauungen bekehrt.

Der Rektor greift ein Bündel Papier, ein Aktenstück aus einer Lade seines Schreibtisches, er schlägt den Aktendeckel auf, er blickt mich an, er lächelt nicht, wie er mich vor sich stehen sieht, er sagt ruhig, daß es nicht nach meinem Willen gehe, sondern daß meine Mutter mich vom Schulbesuch abmelden müsse.

Ich meinte, meiner Mutter drohen und ihr zugleich etwas versprechen zu müssen, damit sie mich aus der Schule nähme, und meine Drohung war, daß ich im Bett liegen bleiben und nie wieder aufstehen würde, und mein Versprechen war, daß ich von der Schule befreit, Geld verdienen würde, um ihr zu helfen. Es wäre aber gar nicht nötig gewesen, meiner Mutter zu drohen und ihr etwas zu versprechen, denn sie war sich weniger als ich der Bedeutung dieses Schrittes bewußt und sie war vielleicht, allzu ermüdet vom Kampf um die Erhaltung unseres Lebens, bereit mich irgendetwas sein zu lassen, das sich selbst ernähren konnte, nur das, sie war gewillt, wenn auch entgegen der manchmal und besonders früher ihr erscheinenden Träume über meine Zukunft, mich etwas werden, mich in einen Stand gleiten zu lassen, auf dessen Angehörige sie als Mädchen, selbst noch als Frau, hochmütig herabgesehen hatte. Sie begriff nicht, daß ich ohne Standesbewußtsein war, weder zu den einen auf, noch zu den anderen hinunter blickte, sondern in allen möglichen Daseinsformen nur Verkleidungen sah, die mir nicht stehen würden. Schließlich aber glaubten wir beide, als wir darüber sprachen, an meine Behauptung, ich würde Geld verdienen. Und so meinte ich, in das Leben einzutreten und die Kindheit abzulegen wie einen unbequemen zu klein gewordenen Mantel.

JUREK BECKER

Dann ist es wieder Tag, endlich wieder Tag

Dann ist es wieder Tag, endlich wieder Tag, wir laufen auf dem Güterbahnhof kreuz und quer mit unseren Kisten, wenige Jahre früher hätte man es ein munteres Treiben genannt. Die Wachen benehmen sich ganz normal, sie schreien oder dösen oder stoßen wie immer, sie zeigen keine Angst oder kennen sie noch nicht. Mag sein, daß ich mich täusche, aber ich bilde mir ein, daß ich selbst mich an diesen Tag gut erinnern kann, obwohl sich nichts Ungewöhnliches an ihm zugetragen hat, jedenfalls nicht für mich. Ich stehe heute, glaube ich, auf einem Waggon und habe die Kisten entgegenzunehmen und so zu stapeln, daß möglichst viele hineingehen. Zusammen mit einem anderen Mann, mit Herschel Schtamm, und das ist an und für sich doch etwas Besonderes. Denn Herschel Schtamm hat einen Bruder, nicht nur das, er hat einen Zwillingsbruder, Roman, und die beiden arbeiten und stehen und gehen gewöhnlich immer zusammen. Aber heute nicht, Herschel hat gleich am Morgen einen kleinen Unfall gehabt, er ist beim Kistentragen gestolpert, Roman konnte die Kiste alleine nicht halten, Kiste und Herschel sind auf die Erde gefallen. Herschel hat die üblichen Schläge eingesteckt, aber das war nicht das Schlimmste, er hat sich beim Stolpern einen Fuß verstaucht, konnte kaum noch laufen, konnte also auch nicht mit Roman weitertragen, und deshalb steht er jetzt mit mir auf dem Waggon.

Er schwitzt wie ein Wasserfall, ich habe noch nie jemand so schwitzen sehen, er wird erst aufhören zu schwitzen, wenn die Russen dieses verfluchte Ghetto genommen haben, keinen Tag früher. Denn Herschel Schtamm ist fromm. Zu

Lebzeiten war er Diener in einer Synagoge, wir nennen das Schamess, fromm wie der Rabbiner selbst. Und da sind die Schläfenlocken, Zierde aller strenggläubigen Juden, geh und frag Herschel, ob er bereit ist, sich von ihnen zu trennen. Für kein Geld, wird er dir sagen, er wird dich ansehen wie einen Verrückten, wie kannst du ihn so etwas fragen. Doch die Löckchen dürfen nur in den eigenen vier Wänden ans Licht, bloß da, auf der Straße und hier auf dem Bahnhof trifft man Deutsche, die nichts davon halten, wo leben wir denn, daß man in einem solchen Aufzug herumläuft. Es sind Fälle bekannt, wo einfach die nächste Schere geholt wurde, bei heimlichen Gebeten und Lachtränen hat man die Sache an Ort und Stelle erledigt, aber es sind auch schlimmere Fälle bekannt.

Herschel hat die einzig mögliche Konsequenz gezogen, er versteckt seine Löckchen, er schmuggelt sie durch die Zeit. Er trägt Sommer wie Winter eine Mütze, Mützen wird man wohl noch tragen dürfen, eine schwarze Fellmütze mit Klappen an beiden Ohren, die unter dem Kinn zusammenzuknöpfen sind. Sie ist bei Sonne entsetzlich heiß, es war die einzige, die er sich beschaffen konnte, aber für seine Zwecke hervorragend geeignet. Wir Nichtfrommen haben nur in der ersten warmen Woche gelächelt und unsere Witzchen gemacht, sein Bruder Roman auch, dann ist unser Interesse erloschen, Herschel muß selber wissen, was er tut.

Wir stellen eine Kiste ganz oben hinauf, er wischt sich den Schweiß aus dem Gesicht, er fragt mich, während wir die nächste nehmen, was ich von der Sache halte. Mir ist klar, wovon er redet, ich sage ihm, daß ich schon ganz blöd bin vor Freude, ich kann an nichts anderes mehr denken. Alles wird mir wieder gehören, was ich früher einmal hatte, alles bis auf die erschossene Chana. Es wird wieder Bäume geben, im Garten meiner Eltern sehe ich mich auf dem Nußbaum sitzen, auf so dünnen Ästen, daß meine Mutter am liebsten in Ohnmacht fallen möchte, gleich oben freß ich mich voll mit Nüssen. Die Finger werden so braun von der Schale, daß es erst nach Wochen wieder abgeht, aber Herschel sieht mir nicht sehr begeistert aus.

Jakob und Mischa stellen eine Kiste auf den Waggonrand. Wozu die Hast, Jakob macht große Schritte zurück zum Stapel, und Mischa beeilt sich hinter ihm her. Seit gestern ist Jakob ein Glückspilz, ein Auserwählter, alles reißt sich um ihn, die Riesen wie die Kleinen, jeder will mit ihm arbeiten, mit dem Mann, der eine direkte Leitung zum lieben Gott hat. Mischa war der erste in der Schlange, der erste, der mit zugepackt hat, als Jakob eine Kiste ins Auge faßte, und jetzt läuft er hinter ihm her. Am gerechtesten wäre, man könnte ihn verlosen, soundso viel Nieten und ein Hauptgewinn, dann hätten alle die gleichen Aussichten auf das große Glück, auf Jakobs mit einemmal bedeutungsvoll gewordene Nähe. Nur Jakob macht ein mürrisches Gesicht, besten Dank für so ein Glück, fünfmal oder zehnmal ist er schon seit dem Morgen gefragt worden, was das Radio denn so plaudert, vertraulich und voller Hoffnung, sogar von wildfremden Menschen. Fünfmal oder zehnmal hat er nicht gewußt, was er antworten sollte, hat nur wiederholt, was er gestern schon gesagt hat, Bezanika, oder er hat nur die Finger auf den Mund gelegt und mit Verschwörungen »pssst!« gesagt oder gar nichts gesagt und ist ärgerlich weitergegangen. Und den ganzen Ärger hat ihm dieser lange Dummkopf eingebrockt, der jetzt so ahnungslos hinter ihm hertrottet, in unverdienter Vorfreude, das konnte sich keiner vorher ausrechnen. Sie benehmen sich wie die Kinder, sie schwirren um einen herum wie die Ausgehlustigen um die Litfaßsäule, wenn nicht ein Wunder geschieht, wird es höchstens noch Stunden dauern, bis die Posten etwas merken. So einen Andrang wünschte man sich in geregelten Zeiten, Jakobs Diele ist jeden Tag außer Schabess geöffnet, das ganze Jahr über, und ein Radio steht deutlich sichtbar hinter dem Verkaufstisch, jeder kann hören, was er will. Aber da macht ihr euch selten, da muß man jeden von euch behandeln wie einen König, sonst geht ihr und kommt nicht wieder, und jetzt behandelt ihr einen selbst wie einen König und geht nicht und kommt immer wieder, man brauchte eine Leibwache gegen euch.

Mischa hat keine Ahnung, was für zornige Gedanken sich ganz in seiner Nähe entzünden, daß es die Wut ist, die Jakobs Schritte so schnell macht. Sie tragen ein paar Kisten, Mischa bildet sich ein, das geht bis Mittag so weiter, er versäumt es, auf die unfreundlichen Blicke zu achten, die ihn von Zeit zu Zeit treffen, immer öfter. Bis der Topf überläuft, bis Jakob stehenbleibt, in der Hoffnung, daß Mischa weitergeht, möglichst weit weg. Aber Mischa bleibt auch stehen, seine Augen fragen verwundert, er weiß wirklich von nichts, soll er es also erfahren.

»Ich bitte dich, Mischa«, sagt Jakob gequält, »hier sind so viele nette Menschen. Mußt du ausgerechnet mit mir tragen?«

»Was ist denn los auf einmal?«

»Auf einmal ist gut! Ich kann dein Gesicht nicht mehr sehen!«

»Mein Gesicht?« Mischa lächelt dumm, solange hat sein Gesicht keinen gestört, Jakob schon gar nicht, höchstens diese und jene Bemerkung über seine himmelblauen Augen, wenn einem nichts Besseres eingefallen ist, und auf einmal so ein kleiner Ausbruch, fast schon ehrenrührig.

»Ja, dein Gesicht! Mit diesem Mund, mit diesem geschwätzigen«, sagt Jakob noch, weil Mischa so ganz und gar im Dunkeln tappt. Und jetzt weiß Mischa, woher der Wind weht, er ist das schwache Glied in dem Kettchen der Verschwiegenheit, Jakob hat ja recht. Wenn es auch kein Grund ist, gleich so ein Theater zu machen, da hat man weiß Gott schon Schlimmeres erlebt, Mischa zuckt mit den Schultern, es ist mir eben passiert, wir werden es nicht mehr ändern können. Bevor Jakob sich weiter aufregt, geht Mischa stumm zur Seite, was gehen den Posten unsere Angelegenheiten an, nachher oder morgen wird bestimmt Zeit sein für ein versöhnliches Wort.

Mischa geht also alleine zu den Kisten, schnell hat er einen zweiten Mann gefunden, ganz außer Kurs gekommen ist er schließlich noch nicht. Seine kräftigen Arme sind noch nicht vergessen, sie werden noch geschätzt, wenn schon nicht mit Jakob, dann wenigstens mit Mischa tragen. Und Jakob kommt auch alleine zu der Pyramide, er sieht gar nicht, wer mit ihm zusammen nach der Kiste greift, seine Augen kleben noch an Mischa, der endlich verschwindet, ohne sich umzudrehen, beleidigt oder nicht. Nach ein paar Schritten merkt Jakob aber doch, daß sein neuer Partner die Kiste nicht so fest hält wie Mischa, längst nicht so fest, und er sieht ihn an, und er sieht, daß der neue Mann Kowalski ist, und er verzieht das Gesicht und weiß, daß er aus dem Regen in die Traufe geraten ist, Kowalski wird ihn nicht lange in Ruhe lassen.

Kowalski sagt kein Wort. Das heißt, er schweigt nicht, er beherrscht sich, wie lange hält er das aus, er trägt und trägt, Jakob kann es recht sein. Aber es macht ihn irgendwie nervös, Kowalski und schweigen, die roten Punkte auf seinen Backen kommen nicht von der Anstrengung. Drei ganze Kisten werden verschwiegen, wenn Kowalski denkt, daß er ihn aushungern kann, dann irrt er sich, Jakob wird nie von alleine mit der Sprache herausrücken, er hat ja nichts zu erzählen, nur es zerrt eben an den Nerven. Wir werden dich überlisten, fällt Jakob ein, wir werden dir eine Falle stellen, ein harmloses Gespräch könnte dich die Frage, die du vorerst noch für dich behältst, vergessen lassen, worüber soll man bloß reden, dann wird zu Mittag gepfiffen werden, und dann kannst du mich lange suchen.

»Weißt du was gegen Haarausfall?« fragt Jakob.

»Wieso?«

»Jeden Morgen ist mein Kamm voll von Haaren. Kann man da nichts machen?«

»Nichts«, sagt Kowalski, und Jakob hört deutlich, daß ihn das Thema nicht interessiert.

»Irgendwas wird man doch tun können? Mir fällt ein, daß du in deinem Laden einen Kunden mit solchem Zeug eingerieben hast. Ich glaube, es war grün?«

»Alles Schwindel«, sagt Kowalski. »Ich habe viele damit eingerieben, aber ich hätte sie auch mit Wasser einreiben können. Manche wollen unbedingt was haben. Und es war nicht grün, sondern gelb.«

»Es gibt nichts, was hilft?«

»Du hörst es ja.«

Soweit, sie schleppen stumm weiter, in Jakob wächst die Hoffnung, daß er sich täuscht, daß Kowalski gar nichts von ihm will, daß er mit zugegriffen hat, einfach weil er am nächsten stand, und die roten Punkte könnten doch von der Anstrengung sein oder Wanzenstiche. Daß man oft nicht auf das Naheliegende kommt, schlechte Erfahrungen dürfen nicht alle Lauterkeit in Zweifel stellen, Kowalski hat auch seine guten Seiten, jede Menge Erinnerungen kann das belegen. Man war ja immerhin so gut wie befreundet. Jakob sieht den schwitzenden Kowalski schon freundlicher an, heimliche Abbitte im Blick, heimlich, weil auch die Vorwürfe zum Glück heimlich geblieben sind. Jede neue Kiste, die wortlos zum Waggon gebracht wird, führt ihn weg von dem Verdacht, der allem Anschein nach einem Unschuldigen gegolten hat.

Und plötzlich, nicht weit vor Mittag, stellt Kowalski seine hinterhältige Frage, ohne alle Vorbereitung und demütigend harmlos sagte er: »Na?«

Nichts weiter, Jakob zuckt zusammen, wir wissen, was gemeint ist. Im Nu ist alle Wut wieder da, Jakob fühlt sich getäuscht, die Punkte sind doch dieselben wie immer. Und Kowalski hat nicht zufällig in der Nähe gestanden, er hat auf ihn gewartet, er hat ihm aufgelauert, auf dieses schändliche »na?« hat er den ganzen Tag hingearbeitet. Er hat bis zu diesem Augenblick nicht aus Rücksicht geschwiegen, Kowalski hat keine Ahnung, was das ist, er hat geschwiegen, weil er gesehen hat, daß Jakob mit Mischa ins Streiten kam, und er hat nur auf einen günstigen Zeitpunkt gewartet, kalt und berechnend wie er ist, Jakob sollte sich in Sicherheit wiegen.

Jakob zuckt zusammen, das Schlimmste an diesem Ghetto ist, daß man sich nicht einfach umdrehen kann und weggehen, es ist nicht ratsam, dieses Spiel alle fünf Minuten zu wiederholen.

»Gibt's was Neues?« fragt Kowalski deutlicher. Er hat keine Lust, sich auf lange Blickwechsel einzulassen, wenn du mein »na?« nicht kapierst, denn eben so.

»Nein«, sagt Jakob.

»Du willst mir doch nicht im Ernst erzählen, daß im Krieg an einem ganzen Tag nichts passiert ist? Ein ganzer Tag und eine ganze Nacht?«

Sie stellen die Kiste auf dem Waggonrand ab, gehen zurück zum Stapel, und Jakob holt tief Luft, und Kowalski nickt ihm aufmunternd zu, und Jakob verliert die Beherrschung und wird lauter, als man es gutheißen kann.

»Menschenskind, laß mich endlich in Frieden! Hab ich dir nicht gestern gesagt, daß sie zwanzig Kilometer vor Bezanika sind? Reicht dir das nicht?«

Natürlich reicht es Kowalski nicht, wenn die Russen zwanzig Kilometer vor irgendeinem Bezanika sind, und er ist hier, wie sollte ihm das reichen, aber er hat keine Zeit für logische Volltreffer, im Moment nicht, er sieht sich erschrokken um, weil Jakob nicht gerade vorsichtig war. Wirklich steht ein Posten da, ganz in der Nähe, sie müssen an ihm vorbei, und er blickt schon. Die Uniform steht ihm nicht gut, er ist viel zu jung für sie, er ist schon ein paarmal aufgefallen, er hat ein großes Maul, aber er schlägt noch wenig.

»Was habt ihr Drecksäcke euch zu streiten?« fragt er, als sie an ihm vorbeigehen wollen. Jedenfalls hat er nichts Genaues gehört, nur laute Worte, die sind schnell erklärt.
»Wir streiten uns nicht, Herr Posten«, sagt Kowalski laut, »ich bin nur etwas schwerhörig.«
Der Posten hat was zu mustern und auf den Zehenspitzen zu wippen, dann dreht er sich um und geht weg. Kowalski und Jakob holen sich eine neue Kiste, der Zwischenfall wird mit keinem Wort gewürdigt.
»Ein ganzer Tag ist vergangen, Jakob. Vierundzwanzig lange Stunden. Wenigstens ein paar lumpige Kilometer werden sie doch weitergekommen sein?«
»Ja, drei Kilometer nach den neuesten Meldungen.«
»Und da tust du so gleichgültig? Jeder Meter zählt, sag ich dir, jeder einzelne Meter!«
»Was sind schon drei Kilometer«, sagt Jakob.
»Du bist gut! Für dich ist es vielleicht nicht viel, du hörst jeden Tag Neues. Aber drei Kilometer sind drei Kilometer!«
Es ist ausgestanden, für heute gibt Kowalski Ruhe, er ist wieder stumm wie Fajngold, er hat erfahren, was er wollte.
Jakob gesteht sich, daß es nicht so schlimm war, es ist ihm eigentlich leicht über die Lippen gegangen, er hat es mir lang und breit erklärt, es war ein wichtiger Augenblick für ihn, hat er gesagt. Die erste Lüge, die vielleicht gar keine war, so klein nur, und Kowalski ist zufrieden. Das ist es wert, die Hoffnung darf nicht einschlafen, sonst werden sie nicht überleben, er weiß genau, daß die Russen auf dem Vormarsch sind, er hat es mit den eigenen Ohren gehört, und wenn es einen Gott im Himmel gibt, dann müssen sie auch bis zu uns kommen, und möglichst viele Überlebende müssen sie antreffen, das ist es wert. Und wenn wir alle tot sein werden, dann war es ein Versuch, das ist es wert. Bloß es muß ihm genug einfallen, sie werden immer neue Fragen stellen, sie werden Einzelheiten wissen wollen, nicht nur Kilometerzahlen, er muß die Antworten erfinden. Hoffent-

lich macht der Kopf mit, Erfinden ist nicht jedermanns Sache, bis jetzt hat er nur ein einziges Mal im Leben was erfunden, das ist Jahre her, ein neues Kartoffelpufferrezept mit Weißkäse und Zwiebeln und Kümmel, das kann man nicht miteinander vergleichen.

»Und außerdem ist wichtig, daß sie überhaupt vorwärts kommen«, sagt Kowalski nachdenklich. »Verstehst du, lieber langsam vorwärts als schnell zurück…«

ROBERT WALSER

Eines Morgens um acht Uhr

Eines Morgens um acht Uhr stand ein junger Mann vor der Türe eines alleinstehenden, anscheinend schmucken Hauses. Es regnete. »Es wundert mich beinahe«, dachte der Dastehende, »daß ich einen Schirm bei mir habe.« Er besaß nämlich in seinen früheren Jahren nie einen Regenschirm. In der einen nach unten grad ausgestreckten Hand hielt er einen braunen Koffer, einen von den ganz billigen. Vor den Augen des scheinbar von einer Reise herkommenden Mannes war auf einem Emailleschild zu lesen: C. Tobler, technisches Bureau. Er wartete noch einen Moment, wie um über irgend etwas gewiß sehr Belangloses nachzudenken, dann drückte er auf den Knopf der elektrischen Klingel, worauf eine Person kam, allem Anschein nach eine Magd, um ihn eintreten zu lassen.

»Ich bin der neue Angestellte«, sagte Joseph, denn so hieß er. Er solle nur eintreten und hier, die Magd zeigte ihm die Richtung, nach unten ins Bureau gehen. Der Herr werde gleich erscheinen.

Joseph stieg eine Treppe, die eher für Hühner als für Menschen gemacht schien, hinunter und trat rechter Hand ohne weiteres in das technische Bureau ein. Nachdem er eine Weile gewartet hatte, ging die Türe auf. An den festen Schritten über die hölzerne Treppe und am Türaufmachen hatte der Wartende sogleich den Herrn erkannt. Die Erscheinung bestätigte nur die vorausgegangene Gewißheit; es war in der Tat niemand anders als Tobler, der Chef des Hauses, der Herr Ingenieur Tobler. Er machte ziemlich große Augen, er schien ärgerlich zu sein und war es auch.

»Warum«, sagte er, Joseph strafend anblickend, »kommen

Sie denn eigentlich heute schon? Ich habe Sie doch erst für Mittwoch bestellt! Ich bin noch gar nicht soweit eingerichtet. Haben Sie's so eilig gehabt? Wa?«

Für Joseph hatte dieses Weglassen des Schluß-s am Was etwas Verächtliches. So ein verstümmeltes Wort klingt ja auch nicht gerade wie eine freundliche Liebkosung. Er erwiderte, daß man ihn im Stellenvermittlungsbureau darauf aufmerksam gemacht habe, daß er heute, Montag früh, anzutreten habe. Wenn das ein Irrtum sei, so bitte er um Entschuldigung, er aber könne wahrhaftig nichts dafür.

»Sieh da, wie höflich ich bin!« dachte der junge Mann und mußte innerlich unwillkürlich über sein Betragen lächeln. Tobler schien nicht geneigt, sofort entschuldigen zu wollen. Er redete noch einige Male um dieselbe Sache herum, wobei sein ohnehin roter Kopf empört zu erröten begann. Er »begriff« nicht, es nahm ihn dies und jenes »wunder«, schließlich, nachdem sich sein Erstaunen über den vorgekommenen Fehler beruhigt hatte, meinte er zu Joseph schräg hinüber, er könne dableiben.

»Fortschicken kann ich Sie ja jetzt doch nicht mehr.« – »Haben Sie Hunger?« setzte er hinzu. Joseph bejahte ziemlich gleichmütig. Er wunderte sich aber sogleich über die Ruhe seiner Antwort. »Vor einem halben Jahr noch«, dachte er rasch, »würde mich die Hochbeschaffenheit einer derartigen Frage eingeschüchtert haben, und wie!«

»Kommen Sie«, sagte der Ingenieur. Mit diesen Worten führte er seinen neuangeworbenen Beamten ins Eßzimmer hinauf, das im Erdgeschoß gelegen war. Das Bureau lag unter der Erdlinie im Keller. Im Wohn- und Eßzimmer sprach der Herr folgendes:

»Setzen Sie sich! Irgendwo, das ist ganz egal. Und essen Sie, bis Sie satt sind. Hier ist Brot. Schneiden Sie soviel davon ab, wie Sie wollen. Genieren Sie sich nur nicht! Schenken Sie nur mehrere Tassen ein. Kaffee ist genug da. Und da ist Butter. Die Butter ist zum Zugreifen da, wie Sie sehen. Und da haben Sie auch Konfitüre, falls Sie ein Liebhaber davon sind. Wollen Sie Bratkartoffeln dazu essen?«

»O ja, warum nicht, ganz gern«, hatte Joseph den Mut zu sagen. Worauf Herr Tobler nach Pauline, der Magd, rief und ihr auftrug, das Gewünschte rasch zuzubereiten. Nachdem das Frühstück beendet war, gab es unten im Kontor, inmitten der Zeichenbretter und Zirkel und umherliegenden Bleistifte, zwischen beiden Männern ungefähr folgende Auseinandersetzung:

Er müsse, sagte Tobler in rauhem Ton, einen Kopf als Angestellten haben. Eine Maschine könne ihm nicht dienen. Wenn Joseph planlos und geistlos in den Tag hineinarbeiten wolle, so solle er so gut sein und es gleich auf der Stelle sagen, damit man von Anfang an wisse, woran man mit ihm sei. Er, Tobler, benötige eine Intelligenz, eine selbständig arbeitende Kraft. Wenn Joseph glaube, er sei keine solche, so möge er so freundlich sein, usw. Hier drückte sich der technische Erfinder in Wiederholungen aus.

»Ach«, sagte Joseph, »warum soll ich denn keinen Kopf haben, Herr Tobler? Was mich betrifft, ich glaube und hoffe des Bestimmtesten, daß ich jederzeit dasjenige zu leisten imstande sein werde, was Sie glauben werden, von mir verlangen zu dürfen: Übrigens, meine ich, bin ich hier oben (das Haus Tobler stund auf einem Hügel) ja vorläufig nur probeweise. Die Art unseres gegenseitigen Übereinkommens hindert Sie in keiner Weise, mit mir, wenn Sie es für notwendig erachten, augenblicklich Schluß zu machen.«

Er wolle, fand es Herr Tobler für passend zu sagen, nicht hoffen, daß es soweit komme. Joseph möge nichts für ungut nehmen von dem, was er, Tobler, da soeben gesagt habe. Er habe eben nur geglaubt, gleich von Anfang an klaren Wein einschenken zu sollen, und er sei der Meinung, daß das für beide Teile nur von Gutem könne gewesen sein. Alsdann wisse jeder, woran er mit dem anderen sei, und so sei es am besten. – »Gewiß«, bekräftigte Joseph.

Nach dieser Rücksprache wies der Vorgesetzte dem Untergebenen den Platz an, woran er schreiben »könne«. Es war dies ein etwas zu enges, schmales und zu niedrig gebautes Sitzpult mit einer Schieblade, worin sich die Markenkasse und einige kleinere Bücher befanden. Der Tisch, denn nur ein solcher war's und gar kein wahrhaftiges Pult, stand dicht an einem Fenster und an der Gartenerde. Darüber hinaus erblickte man in der Tiefe den ausgedehnten See, weiter das anderseitige Seeufer. Das alles sah heute sehr trübe aus, denn es regnete noch immer.

»Kommen Sie«, sagte plötzlich Tobler, und er lächelte in etwas, wie es Joseph schien, unziemlicher Art zu seinen Worten, »meine Frau muß Sie doch nun auch bald endlich einmal zu Gesicht bekommen. Kommen Sie mit, ich werde Sie ihr vorstellen! Und dann müssen Sie auch das Zimmer sehen, wo Sie schlafen werden.«

Er führte ihn hinauf in die erste Etage, wo den beiden eine schlanke, hohe Frauenfigur entgegentrat. Das war »sie«. »Eine gewöhnliche Frau«, wollte rasch der junge Angestellte denken, aber er setzte sogleich in Gedanken hinzu: »und doch nicht.« Die Dame betrachtete den »Neuen« ironisch und gleichgültig, aber ohne Absicht. Beides, das Kalte und das Ironische, schien ihr angeboren zu sein. Sie streckte ihm nachlässig, ja sogar träge die Hand dar, er ergriff sie und verneigte sich vor der »Herrin des Hauses«. So nannte er sie im geheimen, nicht, um sie zu etwas Schönerem zu erheben, im Gegenteil, um sie rasch im stillen zu kränken. Diese Frau benahm sich in seinen Augen entschieden zu hochmütig.

»Ich hoffe, es wird Ihnen hier bei uns gefallen«, sagte sie mit einer seltsam hochklingenden Stimme und verzog dazu ein wenig ihren Mund.

»Ja, sag du das nur! Sehr hübsch. Ei seht mal, wie freundlich. Wollen ja sehen.« Auf diese Art hielt es Joseph für angezeigt, für sich über jene wohlwollenden Worte nachzudenken. Alsdann wurde ihm sein Zimmer gezeigt, es lag oben im kupfernen Turm, es war also ein Turmzimmer, gewissermaßen ein romantisches und vornehmes. Übrigens erschien es hell, luftig und freundlich. Das Bett war sauber, o ja, in solch einem Zimmer würde sich's wohnen lassen. Nicht übel. Und Joseph Marti, so hieß er mit seinem ganzen Namen, legte den Koffer, den er mit hinaufgenommen hatte, auf den Parkettboden ab.

Später wurde er in die Geheimnisse der Toblerschen geschäftlichen Unternehmungen kurz eingeweiht und mit den Pflichten, die er zu erfüllen hatte, im allgemeinen vertraut gemacht. Es ging ihm dabei eigentümlich, er verstand nur die Hälfte. Was denn nur mit ihm sei, dachte er und machte sich Vorwürfe: »Bin ich ein Betrüger, ein Schwätzer? Will ich Herrn Tobler hintergehen? Er verlangt einen ›Kopf‹ und ich, ich bin heute absolut kopflos. Vielleicht daß es morgen früh oder bereits heute abend besser geht.«

Das Mittagessen schmeckte ihm ausgezeichnet.

Wiederum dachte er besorgt: »Wie? Hier sitze ich und esse, wie es mir seit vielleicht Monaten nicht mehr gemundet hat, und kapiere nichts von den Winkelzügen der Unternehmungen Toblers. Ist das nicht Diebstahl? Das Essen ist wundervoll, es erinnert mich lebhaft an zu Hause. Solche Suppe hat Mutter gemacht. Wie kräftig und saftig das Gemüse ist, und das Fleisch! Wo kriegt man in der Großstadt dergleichen?«

»Essen Sie, essen Sie«, trieb Tobler an, »in meinem Haus wird tapfer gegessen, haben Sie das verstanden? Nachher wird aber auch gearbeitet.«

Der Herr sehe, er esse ja, erwiderte Joseph mit einer Schüchternheit, die ihn beinahe zornig machte. Er dachte: »Wird er mich nach acht Tagen auch noch zum Essen antreiben? Wie schmachvoll, zu empfinden, wie sehr mir dieses fremde Essen schmeckt. Werde ich diesen unverschämten Appetit durch entsprechende Leistungen rechtfertigen?«

Er nahm sich von jeder Speise noch einmal auf seinen Teller.
Ja, er kam aus den Tiefen der menschlichen Gesellschaft her, aus den schattigen, schweigsamen, kargen Winkeln der Großstadt. Er hatte seit Monaten schlecht gegessen.
Ob man ihm das etwa anmerke, dachte er und errötete.
Ja, ein ganz klein wenig merkten das Toblers sicher. Die Frau betrachtete ihn mehrfach fast mitleidig. Die vier Kinder, zwei Mädchen und zwei Knaben, sahen ihn wie etwas Wildfremdes und Sonderbares von der Seite her an. Diese ungeniert fragenden und forschenden Blicke entmutigten ihn. Solche Blicke erinnern eben an die Angeflogenheit an etwas Fremdes, an die Behäbigkeit dieses Fremden, das für sich eine Heimat darstellt, und an die Heimatlosigkeit desjenigen, der nun so dasitzt und die Pflicht hat, sich möglichst rasch und guten Willens in das behagliche fremde Bild heimatlich einzufügen. Solche Blicke machen einen frieren im heißesten Sonnenschein, sie dringen kalt in die Seele, bleiben da einen Moment kalt liegen und verlassen sie wieder, wie sie gekommen sind.
»So. Jetzt an die Arbeit«, rief Tobler. Und beide verließen den Tisch und begaben sich, der Herr voran, in das Bureau hinunter, um da, wie der Befehl lautete, zu arbeiten.
»Rauchen sie?«
Ja, Joseph rauche ganz gern.
»Nehmen Sie sich einen Zigarrenstumpen aus dem blauen Paket dort! Sie dürfen während der Arbeit ruhig rauchen. Ich tu's ja auch. So. Und nun sehen Sie einmal hierher, das da, aber sehen Sie sie ordentlich an, sind die zur ›Reklame-Uhr‹ erforderlichen Papiere. Können Sie gut rechnen? – Dann um so besser. Es handelt sich nun in erster Linie – was tun Sie da? Mein junger Mann, die Asche gehört in den Aschenbecher. Ich habe gern Ordnung zwischen meinen eigenen vier Wänden – also in erster Linie handelt es sich, nehmen Sie einen Bleistift zur Hand, nun, sagen wir, um die Zusammenstellung, um die genaue Gewinnberechnung die-

ses Unternehmens. Nehmen Sie Platz hier, ich werde Ihnen sogleich die nötigen Angaben machen. Und daß Sie mir gefälligst aufpassen, denn ich sage Sachen nicht gern zweimal.«

»Werde ich taugen?« dachte Joseph. Es war wenigstens gut, daß zu einer so schwierigen Arbeit geraucht werden durfte. Ohne Zigarrenstumpen würde er jetzt an der Rechtschaffenheit seines Kopfes ehrlich gezweifelt haben.

Während der Angestellte nun schrieb, wobei ihm der Prinzipal von Zeit zu Zeit über die Schulter in die entstehende Leistung hinabblickte, spazierte dieser, eine krumme, langstilige Zigarre zwischen den schönen, blendend weißen Zähnen tragend, im Bureau auf und ab, um allerhand Zahlen anzugeben, die jeweils flink von einer heute noch ein wenig ungeübten Angestelltenhand nachgezeichnet wurden. Der bläuliche Rauch hüllte beide arbeitenden Gestalten bald gänzlich ein, draußen vor den Fenstern schien sich das Wetter aufhellen zu wollen, Joseph warf ab und zu einen Blick durch die Scheibe und merkte die Veränderung, die sich leise am Himmel vollzog. Einmal bellte der Hund vor der Türe. Tobler trat auf einen Moment hinaus, um das Tier zu beruhigen. Nach Verlauf zweier Arbeitsstunden ließ Frau Tobler durch eines der Kinder zum Nachmittagskaffee rufen. Es sei draußen im Gartenhaus gedeckt, weil das Wetter sich gebessert habe. Der Chef ergriff seinen Hut und sagte zu Joseph, er solle jetzt Kaffeetrinken gehen und nachher das flüchtig Geschriebene ins reine setzen, bis er damit fertig sei, werde es wohl Abend geworden sein.

Dann ging er. Joseph sah ihn den Hügel durch den abstürzenden Garten hinuntergehen. Welch eine stattliche Figur er hat, dachte er, er blieb noch eine ganze Weile so stehen und begab sich dann zum Kaffee in das hübsche, grünangestrichene Gartenhaus.

Während des Imbisses fragte ihn die Frau: »Sind Sie stellenlos gewesen?«

»Ja«, antwortete Joseph.
»Lange?«
Er gab ihr Auskunft, und sie seufzte jedesmal, wenn er von gewissen kläglichen Menschen und Menschenverhältnissen sprach. Sie tat das ganz leicht und obenhin, und sie behielt außerdem die jeweiligen Seufzer länger als gerade nötig war im Mund, als habe sie sich jedesmal an der Annehmlichkeit dieses Tons und Empfindens weiden können.
»Gewissen Menschen«, dachte Joseph, »scheint es Vergnügen zu machen, an bedauerliche Dinge zu denken. Wie diese Frau Nachdenklichkeit mimt! Sie seufzt, wie andere lachen, genau so fröhlich. Ist das jetzt meine Herrin?«
Später stürzte er sich in seine Reinschrift. Es wurde abend. Morgen früh würde es sich ja zeigen, ob er eine Kraft oder eine Null, eine Intelligenz oder eine Maschine, ein Kopf oder ein Hohlkopf sei. Für heute war es seines Erachtens nach genug. Er räumte seine Arbeit zusammen und ging in sein Zimmer, froh darüber, für eine kleine Zeitlang allein sein zu dürfen. Er fing nicht ohne Wehmut an, seinen Handkoffer, seine ganze Besitzung, langsam, Stück für Stück, auszupacken, wobei er der unzählbaren Umzüge gedachte, zu deren Erledigung er sich nun schon so viele Male dieses Köfferchens bedient hatte. Schlichte Sachen werden einem so lieb, das empfand der junge Angestellte. Wie es ihm bei Tobler gehen werde, fragte er sich, während er die paar Wäschestücke, die er besaß, in absichtlich säuberlichster Manier in den Schrank legte: »Gut oder schlecht, ich bin einmal da, gehe es wie es gehen kann.« Er gelobte sich im stillen, sich Mühe zu geben, indem er einen Knäuel alter Faden, Bindfadenteile, Halsbinden, Knöpfe, Nadeln und abgerissene Leinenfetzen auf den Fußboden warf. »Wenn ich nun schon einmal hier esse und schlafe, will ich mich geistig und körperlich dafür auch anstrengen«, murmelte er weiter, »wie alt bin ich jetzt? Vierundzwanzig! Das ist keine nennenswerte Jugend mehr. Ich bin zurückgeblieben im Le-

ben.« Er hatte den Koffer geleert und stellte ihn in eine Ecke. Sobald er glaubte, daß es ungefähr Zeit sei, ging er zum Abendessen, später noch zur Post ins Dorf hinein, später schlafen.

RAINER MALKOWSKI

Der Tag um Mitternacht

Nicht der Nachmittag Streit,
nicht der Abend
einsilbiger Mund.
Heute, das war:
als ich aus dem Haus trat
die Sekunde
Erwartung des Schönen.

Notiz im November

Schlechte Tage,
an denen man in den Lexika blättert
– erstaunt
über die Fülle der Welt.

VOLKER BRAUN

Die Festtage war Karin elend zumut

Die Festtage war Karin elend zumut. Sie hing in dem Haus herum und wußte nichts anzufangen. Die Spiele der Geschwister gingen sie nichts an, in der Küche verdroß sie das betont unbekümmerte Gesicht der Mutter, daß sie erstickt hinauslief, sobald sie sich in ein Gespräch einließ. Es wurde, wie die Mutter fröhlich befahl, »auf Familie gemacht«. Sonst arbeitete sie in ihrer Lokalredaktion, von früh und manchmal bis nachts, und mußte die Kinder meist sich selbst überlassen.

Zwischen Weihnachten und Neujahr machten die Eltern einen Besuch in P., sie nahmen Karin mit. Bei der Gelegenheit ging sie zu Danny. Sie hatte ihn kennengelernt, als sie in K. gekellnert hatte, in den Ferien, in der Gaststätte meist Soldaten. Er war ihr aufgefallen, weil er »attraktiv« aussah, ein langer blonder Bursche, sie war ganz hingewesen. Er hatte sie auf der Straße angesprochen, und das war die einzige Aktivität gewesen, zu der er sich aufgerafft hatte, er hatte alles ihr überlassen. Als sie ihm erzählte, daß sie schon mit drei anderen gegangen war, hatte er sie angesehn wie: Mensch, wo kommst *du* denn her, das kannte er noch gar nicht. Bei ihm war nur alles Asche gewesen. Er war wie in sich verriegelt; er hatte sie angehimmelt, und es war kein Rankommen an ihn gewesen. Sie hätte ihn zum Reden bringen müssen, und das hatte sie nicht gekonnt. Aber als Frank sie später gefragt hatte: Liebst du ihn noch? hatte sie gleich Ja gesagt, und es war die Wahrheit gewesen. Jetzt ging sie zu ihm hin, um zu sehn, daß Frank ihr mehr gefiel. Danny saß da und redete von sich; es liege alles an ihm, weil er zu eigensüchtig sei. Da schien er ihr ein kalter Mensch, der sie nicht rührte.

Sie konnte über gar nichts sprechen. Sie dachte nur noch daran, einen Satz zu finden, eine Frage, um irgendwas zu sagen. Aber weil ihr die Situation so peinigend bewußt war, fiel ihr nichts ein. Sie wurde nur leerer, je länger sie in sich suchte. Und doch ging etwas vor zwischen ihnen, Minute für Minute, das ihr recht war und nicht mehr aufzuhalten und schließlich erreicht war. Nun war nichts mehr mit ihm.
Silvester schrieb Karin einen Brief an Frank. Sie versuchte, ihm etwas zu erklären. Aber sie sah gleich: es ging nicht. Sie konnte sich nichts denken, sie wußte nicht, was war. Aber eins wußte sie: daß sie nicht glaubwürdig gewesen war am Telefon. Sie schrieb den Abend durch; es war zwecklos. Sie kam dann, auf Drängen des Vaters, in die Wohnstube, die Haare ungemacht in langen Strähnen im Gesicht, in den verwaschenen Jeans. Ihr Aufzug wurde gerügt, sie sagte, zum Fernsehen reiche es. Die Mutter machte den Kasten aus, sie saßen zusammen am Tisch und knackten Nüsse. Der Vater zündete noch einmal die Kerzen am Weihnachtsbaum an. Kurz vor zwölf füllte er die Sektgläser, aus dem Radio kam eine Fuge von Bach. Mitternacht stießen sie an auf das GUTE NEUE JAHR.

Am 2. Januar fuhr sie nach M. Sie sollte ihr Volontariat, das sie in H. begonnen hatte, in der Bezirksredaktion fortsetzen. Sie hatte sich auf diesen Tag wie noch auf keinen gefreut, aber nun saß sie bedrückt im Bus. Sie schaute in die plane Landschaft hinaus, die großen Felder, ein dünner Schnee fiel und verschwand am Boden. Die zwei herverschlagenen Bohrtürme, wenige stille Dörfer, der Wald preußisch gerade, bis in die nächste verwinkelte Stadt hinein kannte sie jeden Fleck. Hierhin war sie zur Oberschule gefahren. Dann kamen andere Wälder, zerrissen zwischen Wiesen und Schauern Schnees, und jetzt erst ging es von zuhause fort, ihr war seltsam im Kopf. Es schneite stärker, die

Dörfer wie zugehängt, die Bäume am Straßenrand rückten ganz fern und unwirklich weg. Sie fror. Sie hielt die Masten und Schneisen in ihrem Blick, das kam ihr nun alles zu, und konnte nichts halten, es flog alles dahin, alle Gewißheiten, alle Sicherheit.

Vor M. schien Sonne, die Straße blendete, schnitt wie ein Schneidbrenner in die Brücken ein, der Fluß wie grauer Teig in den Mulden. Karin vergaß ihren Kummer, das Zentrum lag offen und breit, weggebaut über die Trümmer; sie wurde fröhlich. Sie kam an.

In der Redaktion ging alles glatt, wie immer alles glatt gegangen war in ihrem Leben. Sie könne anfangen, wenn sie ein Zimmer bekäme. Man führte sie herum, sie sah nur freundliche Gesichter. Sie war an ihrem Ziel. Sie kam auch ins Parteizimmer und wurde als Kandidatin vorgestellt, der Sekretär, ein weißhaariger Mann, ließ sich von ihr mit Du anreden, und sie genierte sich noch und war zugleich stolz. Sobald sie draußen war, rief sie Frank an.

Sie trafen sich am Fluß. Niemand, den sie kannte, sah sie. Er stand auf einer Wiese voll schwarzem Gestrüpp, den Körper vorgebeugt, ein dünner Bart um das blasse Gesicht, die Augen bohrend auf sie gerichtet. Karin erzählte, was vorgefallen war. Er sagte: Wenn du jetzt nicht gekommen wärst – Aber sie umarmte ihn. Während sie an dem vereisten Ufer langgingen, sprach er schnell und wütend allerlei Zeug: Ich habs nicht mehr ausgehalten ... ich wußte, da ist irgendwas, konnte mir das nicht erklären! Ich wußte nur du willst mich nicht mehr haben. Er sagte: »Wenn du nicht gekommen wärst – ich glaube, ich hätte den Gashahn aufgedreht.«

Er sagte das ganz ernst, und Karin war belustigt über diesen trüben Ausbruch. Sie beruhigte ihn. »Es ist ja gut. Mach nicht so Theater deswegen, wir müssen sehn, wie wir das hinter uns bringen.« Aber sie dürfe noch niemandem erzählen, was sich abgespielt habe zuhause. »Ich darf dich nicht sehn. Ich durfte dir auch nichts sagen, weil die Möglichkeit besteht, daß ich dich damit warne.« Er lachte und schaute verzweifelt drein, schüttelte den schmalen kurzgeschorenen Kopf. Sie überlegten angestrengt, was man ihm vorwerfen könnte, es fiel ihnen nichts ein. Als er ausgelernt hatte als Fernmeldeelektriker, als sie ihn zufällig wiedergetroffen hatte nach drei Jahren, war sie überrascht gewesen, wie er sich verändert hatte. Alles, was sie früher gestört hatte, das laxe brutale Gehabe, die Oberflächlichkeit, das WESTLICHE GEREDE hatte er sich abgewöhnt; es war unglaublich gewesen: er lief noch in dieser zerschabten Lederjacke herum und war ein anderer Mensch.

Sie gingen dann zu Frank nachhause. Er wohnte bei seiner Mutter in einer Neubauwohnung, in einer dieser gleichförmigen, langen, niedrigen Großblockhütten, mit denen die historische Altstadt besiedelt wurde, ein gesichtsloses Dorf. Seine Mutter war nicht da. Sie lasen noch einmal die Briefe durch, die ein früherer Schulfreund VON DRÜBEN geschickt hatte, Frank hatte davon erzählt; der war von den Grenztruppen abgehaun. In einem Brief stand, wenn Frank interessiert wär herüberzukommen, da wüßte man eine Stelle und einen Weg... Das konnte es sein – aber Frank lachte darüber, das würde er nie tun, was sollte er dort! Sie glaubte ihm. Das war zu lächerlich, sie suchten andere Sätze, aber fanden nichts, das den Verdacht erklären konnte. Das konnte es nicht sein. Karin wollte aus der Wohnung heraus, eh seine Mutter komme; Frank war verstimmt. Sie gingen durch einen dunklen Park, ohne was zu reden. Er fragte sie dann, wo sie denn bleiben wolle! Sie sagte: er solle sich keine Sorgen machen, bei ihrer Schwester, oder sie könne auf den Bahnhof gehn. Sie kamen zum Bahnhof, tranken lauwarmen Tee mit Rum. Sie lehnte sich an ihn, und er hielt sie mit beiden Armen fest. Keiner nahm Notiz von ihnen, und es war ihnen jetzt egal. Er griff um ihre Brust, und sie fuhr mit ihrem Arm durch seine Sachen an seinen nackten Rücken.

Während er eine Hand wie entschuldigend an ihr Gesicht legte, legte er die andere auf ihren Schoß. Jetzt, da es hier nichts werden konnte, hielt sie beide nichts zurück; ihre Finger berührten sich auf ihren Knien und drückten sich solidarisch und drängten, so gerechtfertigt, auf den Körper des anderen ein. Sie machten sich verrückt, sie hieltens nicht mehr aus. Sie gingen hinaus, Wind und Matsch, liefen den Platz hinüber zum Interhotel. Karin wollte nicht mit Frank auf dasselbe Zimmer eingetragen sein, sie verlangte zwei. Als die Frau an der Reception die Personalien prüfte, verweigerte sie Frank die Unterkunft. Er sei in der Stadt polizeilich gemeldet, könne also kein Hotel benutzen. Sie setzten sich ins Restaurant und aßen etwas. Dann ließ Karin Frank nach oben gehn in ihr Zimmer, mit ihrem Schlüssel, sie kam ein paar Minuten später nach. Sie legten sich ins Bett. Sie fingen wieder an zu überlegen. Karin küßte ihn auf die Brust, auf den Leib, und er legte sich auf sie und drang in sie ein. Aber er dachte sogleich wieder nach und war nicht bei sich, und fühlte plötzlich, daß er nicht mehr in ihr war und sich nur so bewegte. Er erschrak, und es war erst mal vorbei. Karin war das Bett zu weich, sie warfen die Zudecke auf den Boden und legten sich hinunter. Das Zimmer war überheizt, auf der Straße unten dröhnten die Fernlaster. Sie versuchten es wieder, sie quälten sich. Karin schlief endlich ein. Frank wälzte sich bis zum Morgen herum.

THOMAS BRASCH

Hammett

»Die Namen«, brüllt der Polizist, »wer hat ihnen das Geld gegeben?« Er sagt nichts, als die kleine Hand in sein Gesicht schlägt. »Ich habe Ihre Romane gelesen«, sagt der braungebrannte Staatsanwalt, »gute Geschichten dabei.« Er sagt nichts, als der Staatsanwalt ihm Feuer für die Zigarette gibt. »Er weigerte sich, die Tatsachen aufzudecken«, sagt der Richter, seufzt und läßt ihn abführen. Er nannte keine Namen. Er sagte nicht, was er wußte. Er wußte nichts, aber das sagte er nicht.

Zwei Gedichte von Jack the ripper

Ich habe keine Zeit euch zu erzählen
wie ich dazu kam ein Mörder zu werden
aber ihr solltet wissen, daß die Zeit zeigen wird
daß ich eine Stütze der Gesellschaft bin

Ich bin kein Fleischer
ich bin kein Jude
auch kein ausländischer Kapitän
aber ich bin euer eigener lichtherzer Freund
immer der eure: Jack the ripper.

WOLFGANG HILDESHEIMER

Mozart

DAS BÄSLE war vermutlich die erste Geliebte Mozarts. Diese Affaire wurde meist, unter Verzicht auf weitere Definitionen und in absichtlicher Verdunkelung, bagatellisiert. Bei Einstein ist sie eine »Neckerei«, bei Schurig eine »regelrechte kleine Liebelei!« – selbst hier also hat sich das Genie einer Regel zu fügen –, Paumgartner befindet, daß Mozart hier »nicht mit vetterlichen Freundlichkeiten« gespart habe. Schenk meint, die Beziehung sei ein »reizend-spaßhafter Kontakt« gewesen. »Eine recht harmlose lustige Liebelei, die sich da zwischen den beiden jungen Leuten entspann«, schreibt Abert, dem, wie den meisten, die Angelegenheit eher peinlich ist, und der sich notgedrungen zu einem beschwingten Wortschatz entschließt, mit dem er sie in den Wind werfen kann. Nach anderen – ich erspare mir die Namen – haben wir es hier mit dem »übermütigen Mozart« zu tun, dem »hanswurstigen Mozart«, dem »derb-komischen Spaßmacher«, der hier einerseits eine »verliebte Tändelei«, andrerseits »närrische Possen« betreibt. Die Wahl der Betrachtung steht dem Leser frei.

Es ließe sich argumentieren, daß, angesichts dieser Beziehung, sich vielleicht die Frage nach Diskretion erhoben hätte, die das Genie beanspruchen darf, da es sich nur in seinem Werk offenbart. Doch ist diese Frage irrelevant geworden: Wir wissen, daß wir ein großes Werk unter dem Aspekt aller Lebenselemente seines Schöpfers zu betrachten haben, selbst wenn sich aus ihnen, wie in unserem Fall, dieses Leben nicht enthüllt; ein Versuch kann nur scheitern, wenn er gemacht wird, wir lernen aus dem Scheitern. Zudem: Für die Zweifel an dem Recht, ein Leben aufzudecken, selbst

Schlafzimmergeheimnisse aufzustöbern, ist es heute zu spät, nachdem alles Geheimnis verfälschtes Allgemeingut geworden ist, Opfer jener Unwahrhaftigkeit, der Trivial-Autoren, der furchtbaren Vereinfacher, die mit der Verdrängung eigener Fehlbarkeiten beginnt und notwendigerweise mit der Zensur der Fehlbarkeit des Helden endet, sofern sie an ihm nicht gerade das rügen, was latent auch in ihnen steckt. Unter solchen Umständen dient das Nutzbarmachen allen verfügbaren Materials der Verteidigung des Betroffenen, auch dort, wo sich scheinbar »Negatives« enthüllt. Ähnlich wie im Fall Beethoven hat unser Argwohn den Eiferern für die »Reinheit« zu gelten. Denn ihr Maßstab dieser Eigenschaft ist am eigenen Ich modelliert, so wie es sich ihnen selbst darbietet. Die sinistre Tiefe dieses Ich bleibt ihnen stets verborgen und kommt als verschrobene moralische Haltung an falscher Stelle zum Vorschein. Ihre Meinung, wie ein Mensch wie Mozart zu sein habe, hat uns nicht zu interessieren.

DIE FRAGE NACH DEM WAHREN VERHÄLTNIS zwischen Mozart und seinem Bäsle würde uns in weit geringerem Maß beschäftigen – irgendwann müssen Mann und Frau den Gegebenheiten der Natur folgen, irgend jemand muß dann der Partner sein, und in diesem Fall war es eben Maria Anna Thekla –, hätte es ihn nicht zu einem Seitenzweig seiner Produktivität angeregt, der keineswegs unwesentlich ist. Er gehört zu Mozart, ist ein integrierter Teil von ihm. Die Bäsle-Briefe eröffnen die Sicht auf eine Seite Mozarts, die sich, wenn auch nicht ausschließlich in diesen Dokumenten, so doch in ihnen besonders eindeutig, wenn nicht hartnäkkig, manifestiert. In der Tat bietet sich, zumal bei oberflächlicher Lektüre, ein Bild eigentümlicher Infantilität. Damit bezeichnen wir nicht allein die oft schwelgerische Beschreibung unterleibgebundener Vorgänge und Funktionen, wenn auch sie vornehmlich die Ursache sind, daß man sie lange nicht abgedruckt hat. In den bürgerlichen Bücherschrank gehörte nur die ins Hochdeutsch übertragene gekürzte und damit verfälschte Auswahl. Gewiß sind diese Briefe nicht immer appetitlich, zumal wenn wir der Suggestion unterliegen, die entsprechende Situation nachzuvollziehen. Wir wissen sehr wohl, daß man im achtzehnten Jahrhundert und vorher die Körperfunktionen und ihre Organe nicht bei ihren lateinischen Namen zu nennen pflegte, sondern bei ihren vulgären. Und gerade die Familie Mozart hatte einen besonders starken Hang zur Fäkalkomik, vielleicht außer dem Nannerl, dessen beinah penetrante Farblosigkeit ihr selbst dieserart Äußerungen nicht gestattet zu haben scheint.

Jedenfalls an der Fäkalsprache entzündet sich Mozarts Wortphantasie: eine ungebändigte Lust an der Variation des Wortthemas, das bei ihm alsbald über das rein Begriffliche hinauswächst, doch in ihren onomatopoetischen Abwandlungen immer wieder in den Sprachschatz dieser Kategorie hineinmündet; die Assoziationskette funktioniert scheinbar rondoartig. Am Analen entfacht, findet sie immer wieder dorthin zurück, zumindest in den Bäsle-Briefen, wo sie meist unter der Gürtellinie bleibt, jedenfalls in ihrem vordergründigen Thema. Am 28. Februar 1778 schreibt Mozart an das Bäsle:

> sie werden vielleicht glauben oder gar meynen ich sey gestorben! ––ich sey Crepirt? – oder verreckt? – doch nein! meynen sie es nicht, ich bitte sie; denn gemeint und geschissen ist zweyerley! – wie könnte ich denn so schön schreiben wenn ich tod wäre? – wie wäre das wohl möglich? ––– wegen meinem so langen stillschweigen will ich mich gar nicht entschuldigen, denn sie würden mir so nichts glauben; doch, was wahr ist, bleibt wahr! – ich habe so viell zu thun gehabt, daß ich wohl zeit hatte, an das bäsle zu denken, aber nicht zu schreiben, mithin hab ichs müssen lassen bleiben.

Nun aber habe ich die Ehre, sie zu fragen, wie sie sich befinden und sich tragen? – ob sie noch offens leibs sind? – ob sie etwa gar haben den grind? –– sie mich noch ein bischen können leiden? – ob sie öfters schreiben mit einer kreiden? – ob sie noch dann und wan an mich gedencken? – ob sie nicht bisweilen lust haben sich aufzuhencken? – ob sie etwa gar bös waren? auf mich armen narrn; ob sie nicht gutwillig wollen fried machen, oder ich lass bei meiner Ehr einen krachen! doch sie lachen – – victoria! –– unsre arsch sollen die friedens-zeichen seyn! – ich dachte wohl, daß sie mir nicht länger widerstehen könnten. ja ja, ich bin meiner sache gewis, und sollt ich heut noch machen einen schiss, obwohl ich in 14 Tägen geh nach Paris. wenn sie mir also wolln antworten, aus der stadt Augsburg dorten, so schreiben sie mir baldt, damit ich den brief erhalt, sonst wenn ich etwa schon bin weck, bekomme ich statt einen brief einen dreck. dreck! –– dreck! – o dreck! – o süsses wort! – dreck! – schmeck! – auch schön! – dreck, schmeck! – dreck! – leck! – o charmante! – dreck, leck! – das freüet mich! – dreck, schmeck und leck! – schmeck dreck, und leck dreck! –– Nun um auf etwas anders zu kommen; haben sie sich diese fasnacht schon braf lustig gemacht. in augsburg kann man sich dermalen lustig machen als hier. ich wollte wünschen ich wäre bey ihnen, damit ich mit ihnen recht herumspringen könnte. Meine Mama und ich, wir empfehlen uns beyde dem H: Vater und frau Mutter, nebst dem bäsl, und hoffen das sie alle 3 recht gesund und wohlauf seyn mögen. wir sind es gott lob und danck. das glaub nicht. desto besser, besser desto. apropós: wie stehts mit der französischen sprache? – darf ich bald einen ganz französischen brief schreiben? – von Paris aus, nicht wahr? sagen sie mir doch, haben sie den spunicunifait noch? –

»Spunicunifait« gehört zu jenen Geheimwörtern, die in diesen Briefen immer wiederkehren. Die Bedeutung ist leider nicht mehr festzustellen, die Zusammensetzung klingt nach erotischer Anzüglichkeit, jedenfalls bleibt sie ein dankbares Objekt der Spekulation. Die hier enthaltene Toccata gibt beinah den Akt des Komponierens wieder, assoziative Aneinanderreihung kurzer Notenwerte. Dazwischen erscheinen rezitativische Ausrufe: »o süsses Wort« – wahrscheinlich hatte Mozart ein Libretto gelesen, in dem der Ausruf »o dolce parola« vorkam.

Infantilität, ohne Zweifel. Gänzlich ist er ihr sein Leben lang nicht entwachsen, wir finden Anklingendes noch in seinen letzten Briefen. Aber es ist mehr als das: Mozarts verbale Phantasie entzündet sich nicht zuletzt an der Konvention und an den Schemata ihrer Artikulation. Sein unmäßig entwickelter Sinn für Komik, der sich später manchmal bis ins Dämonische gesteigert hat, reagierte unmittelbar auf äußere Reize, auf Funktionen und Requisiten, auf Zustände, wie die Banalität des täglichen Lebens sie schafft. Ihre Erwähnung und ihr Gebrauch setzte bei ihm einen Mechanismus in Bewegung; eine Reaktion, dessen Ausdruck sich in einer Art Abwandlungszwang niederschlägt, so wie es ja auch passionierte Schüttelreimer gibt, die, zur Qual jener Anwesenden, die es nicht sind, diesem Reimzwang permanent unterliegen. Eine Wortkombination, eine Metapher, und sei sie auch noch so schal und abgeschmackt, erscheint plötzlich, beim Schreiben, oder laut hergesagt, im grellen Licht eines neu erwachten Bewußtseins für das Absurde, wird so lächerlich, wie eine Puppe wird, wenn man sie lange Zeit unbewegt ansieht, und eröffnet ungeahnte Möglichkeiten der Variation.

Zum Beispiel: Der Sitte entsprechend, läßt Mozart in seinen Briefen an den Vater, mit anerzogener und ödester Regelmäßigkeit, stets alle Salzburger Bekannten grüßen. Allmählich aber wird ihm die Absurdität dieser Sitte bewußt. Dieses Bewußtsein kündigt sich im Brief vom 25. Oktober 1777 an, und er schließt, hier noch in komischer Irritation:

> Nun addio, ich küsse dem papa nochmahlen die hände, und meine schwester umarme ich, und allen guten freünden und freündinnen empfehle ich mich, und auf das heisel nun begieb ich mich, und einen dreck vielleicht scheisse ich, und der nähmliche narr bleibe ich. Wolfgang et Amadeus Mozartich, augspurg den 25 octobrich, 1700 Siebenzigich.

Hier, wie oft, nimmt er also den Vorwurf der Narrheit vorweg. Bezeichnenderweise nennt er sich in solcherlei Briefen, und nur in ihnen, »Amadeus«.

Gezielt und radikal aber wird die Parodie auf die Unsitte des Grüßenlassens in der Nachschrift eines Briefes der Mutter an den Vater kurz darauf (26. November 1777). Inzwischen hat er es wirklich satt, und in einem Zustand verzweifelter Müdigkeit, die sich in grimmiger Lust am Absurden niederschlägt, komponiert er eine Liste von Freunden, Bekannten, Gönnern und fiktiven Gestalten, die in eine Stretta unterdrückter Wut mündet:

> Wenn ich noch einen Plaz findete, so schreibte ich 100 000 Complimente von uns 2, sage von uns zwey, an alle gute freünd und freündinnen; besonders an die *A.* adlgasserische, andretterische, und Arco (graf) H: *b* bullinger, barisanische, und beranitzky, *C* Czernin, (graf) Cußetti, und den drey H: Calcanten, *D* H: daser, deibl, und dommeseer, *E* Mad^{selle} Eberlin waberl, H: Estlinger, und alle Esln zu Salzburg, *F* Firmian, (graf und gräfin, und dackerl) den kleinen franzl, und an Petrischen freyhof, *G* Mad^{selle} Mad: et deux Mons. gylofsky, und auch an Conseiller, dann H: gretri, und gablerbrey, *H* den haydnischen, hagenauerischen, und der höllbrey Thresel, *J*, joli (die Sallerl) an H: janitsch den geiger, und an jacob beym hagenauer, *K*, H: und fr. v. kürsinger, graf und gräfin kühnburg, und H: kassel, *L*, Baron lehrbach, graf und gräfin litzauw, graf und gräf: Lodron, *M*, H: Meissner, Medlhammer und Moserbrey, *N*, der Nannerl, den hofnarren

> Pater florian, und allen Nachtwächtern, *O*, den graf oxenstirn, den H: oberbreiter, und allen ochsen in Salzburg, *P*, den Prexischen, graf Pranck kuchelmeister, und graf Perusa, *Q*, den H: Quilibet, quodlibet, und allen quackern, *R:* den Pater florian reichsigel, Robinische, und Maestro Rust, *S*, den H: Suscipe, H: Seiffert, und alle Säü in Salzburg, *T*, H: Tanzberger unsern Mezger, der thresel, und an alle trompeter, *U*, an die stadt ulm, und uttrecht, und an alle uhren in Salzburg wen man anfangs ein h hinzusetzt, *W*, an die wieserische, wurstmacher hans, und an woferl, *X*, an die xantipe, an xerxes, und an alle die dessen Namen mit einen x anfängt, *Y* an H: ypsilon, an die H: ybrig, und alle die dessen Name mit einem y anfängt, letztens aber *z*, an H: zabuesnig, H: zonca, und H: zezi im schloss. addlieu, wenn ich Plaz hätte, so schreibete ich schon noch etwas, aufs wenigst doch Complimenten an meine gute freünd, so kan es aber nicht seyn ich wüste nicht wo ich hinschreiben sollte. Ich kann gescheüt nichts heüts schreiben, denn ich heis völlig aus den biel. der hapa üble es mir nicht. Müssen Paben, ich so halt einmahl heüt bin, ich helf mir nicht können. wohlen sie leb. ich gute eine wünsche nacht. sunden sie geschlaf. werdens nächste ich schon schreiber gescheiden;...

Doch ist auch diese komische Verzweiflung natürlich nur eine Ausflucht. Der Vater nämlich, inzwischen ungehalten über die Ziellosigkeit des Sohnes, hatte ihn in jedem Brief aufs neue gedrängt, er möge über seine Pläne und Aussichten berichten. Daher ist dieser Brief nicht zuletzt, in seiner mühevollen Kleinarbeit, der gewaltsamen Alphabet-Orgie, ein Zeugnis der Verdrängung. Da sich nämlich beruflich keinerlei Anlaß zu Optimismus bot, hat er die Zukunft zugunsten seiner Spielmechanismen von sich geschoben, und zwar damals noch mit temporärem Erfolg. Der Vater war natürlich ratlos, doch war er das letztlich seinem Sohne gegenüber immer.

KARL KROLOW

Warnung des Sommers

Am Laub der Bäume
tauchen gelbe Flecken auf –
eine unkorrigierbare
Warnung des Sommers.
Man geht im Regenmantel geradeaus
durch eine Gegend mit Falläpfeln
und vergessener Müllabfuhr,
die man nicht zitieren kann
in richtigen Landschaftsgedichten.
Manche Leute wollen alles haben,
sagt man. Sie bekommen
die Unfreundlichkeit der Welt umsonst,
mit Schnee im Rücken,
der morgen fallen wird.

Herbst-Gedicht

1

Es fällt nicht auf,
daß hier niemand mehr jagt
mit lustigem Gewehrfeuer
und ein Gemetzel unter Fasanen anrichtet.
Keine latente Angst der Kreatur.
Die Wolke von Dieselöl
bleibt über dem Boden hängen.

Die kleine Vergiftung
nimmt man hin.
Im Zimmer brennt Licht wie sonst
wenn es soweit ist –
ziemlich frühes Dunkel mit seiner
libidinösen Moral.
Man liebt sich gründlicher
ohne Leute zu sehen.
Die Wahrnehmungs-Techniken wechseln.
Ich fahre mir mit der Hand
übers Gesicht, als hinge
mein Leben davon ab.

Herbst-Gedicht

2

Der Herbst beginnt auch diesmal
ländlich im zweiten Gedicht
mit Schrotsalven über den Feldern.
Komm näher, ohne Plan,
laß es zu, deine Handfläche
zu betrachten.
Nichts ist symbolisch
in unserem animalischen Leben.
Ideen fallen wie Wildpret
zu Boden.
Es gibt keine zuverlässige Lösung
für die Gleichgültigkeit
der Gegenstände.
Hinsehn genügt fürs erste –
ein Mädchen auf einem Fahrrad
verliert sich in der
durchsichtigen Luft.

Dies ist die Feststellung,
die ich brauche,
um mich zu vergewissern,
daß es einen Horizont gibt.
Danach schmeckt mir
einiges besser.

Der Einfachheit halber

Der Einfachheit halber
sage ich immer noch Landschaft.
Mit physischer Beschreibung
kommt man nicht weit
angesichts launenhafter Vegetation.
In gewissen Fällen
reicht das immer noch aus –
mit einem Kalender der Tatsachen,
die einem dazwischen kommen
als Jahreszeiten.
Eine gewisse Mühe macht es,
Einzelheiten in Besitz zu nehmen,
an denen man nichts besitzt.

MARTIN WALSER

Ein fliehendes Pferd

Sie waren gerade aus der Ortschaft draußen, da hörten sie hinter sich Schreie, Rufe, hallende Hufschläge. Sie rannten sofort zur Seite. Durch den Ort kam ein Pferd. In wilder Flucht. Die Häuser wirkten klein gegen das Pferd. Vielleicht weil es so große Sätze machte. Mit einem verkrampften, eigensinnig zur Seite gerichteten Kopf donnerte es zwischen den Häusern heraus. Die Vorderbeine gingen so gleichzeitig hoch und nieder, daß sie wirkten wie gefesselt. Schon hatte sich ein Mann dem Pferd in den Weg stellen wollen, aber da das Pferd sich seinetwegen nicht mäßigte, hatte er im letzten Augenblick einen Sprung zur Seite machen müssen. Plötzlich stand das Pferd. Etwa in der Mitte zwischen ihnen und dem Ort. Zwei Männer, die ihm nachgerannt waren, holten es ein. Der, dem es wahrscheinlich gehörte, überholte es zuerst, redete ihm gut zu, trat von vorn auf es zu und wollte es am Halfter nehmen. Aber in diesem Augenblick, als seine Hand sich dem Gesicht des Pferdes näherte, ging es vorn hoch und raste wieder los. Es raste an den Wanderern im vollen Karacho und mit krachenden Fürzen vorbei. Helmut hatte Mühe, Otto zurückzuhalten. Wahrscheinlich wurde das Pferd durch sein Gekläff noch verrückter. Es war ein schöner, auch auf dem freien Weg immer noch riesiger Fuchs mit einer Blesse im Gesicht. Klaus schrie Otto an: Halt's Maul, Köter! Warf Hel seine Jacke zu und rannte dem Pferd nach. Hel rief halblaut: Nicht, Klaus… Klaus!
Als das Pferd weit draußen wieder zum Stehen kam und am Wiesenrand graste, minderte Klaus sein Tempo. Je näher er dem Pferd kam, desto langsamer ging er. Zuletzt bog er

weit aus und näherte sich dem Pferd genau von der Seite. Ganz zuletzt sah man ihn nach der Mähne greifen und schon saß er droben. Das Pferd rannte wieder los. Aber Klaus saß. Klein und eng. Irgendwie anliegend. Weil der Weg zwischen Bäume einbog und abwärts ging, sah man die beiden nicht mehr. Die vom Dorf waren inzwischen bei Helmut und den Frauen angekommen. Einer sagte, das hätte der Bub nicht machen dürfen. Jetzt werde der Braune erst recht nicht nachgeben. Er werde rennen, bis er müde sei. Zum Stehen könne der Bub ihn nicht bringen. Wahrscheinlich werde der Braune den Buben irgendwo abstreifen.

Der Bauer hielt Klaus, den er nur aus der Ferne gesehen hatte, offenbar für Helmuts und Sabines Sohn.

Hel hatte sich, als Klaus auf das Pferd gesprungen war, weggedreht. So stand sie noch. Sabine ging zu ihr hin. Schon bog aus der Kurve unter den Bäumen Klaus mit dem Braunen hervor. Und als er heran war, stand der Braune. Beide schwitzten. Hel rannte hin. Alle rannten hin. Nur Helmut nicht. Otto wütete wieder, also mußte er ihn möglichst weit abseits halten. Klaus übergab das Pferd. Der Bauer sagte: Das hätte letz gehen können. Klaus lachte und sagte: Aber nein. Das ist doch ein Braver. Der ist sicher nur wegen einer Bremse durchgegangen. Der Bauer schüttelte den Kopf, als sei er mit Klaus' Eingreifen immer noch nicht einverstanden. Dann grüßte man einander und alle gingen ihres Weges. Als sie wieder unter sich waren und alle Klaus ihre Bewunderung ausdrückten, sagte der, und legte dabei Hel den Arm um die Schultern: Siehst du, wenn ich den in Meran nicht gepackt hätte, hätte ich vor dem hier Angst gehabt. Das in Meran, erklärte er Helmut und Sabine, war nur ein Haflinger. Und Hel wollte mich zurückhalten. Also, wenn ich mich in etwas hineindenken kann, dann ist es ein fliehendes Pferd. Der Bauer hier hat den Fehler gemacht, von vorne auf das Pferd zuzugehen und auf es einzureden. Einem fliehenden Pferd kannst du dich nicht in den Weg stellen. Es muß das Gefühl haben, sein Weg bleibt frei. Und: ein fliehendes Pferd läßt nicht mit sich reden.

SILVIO BLATTER

Es war Winter und kalt

Es war Winter und kalt, es war an einem Sonntagmorgen mit allen Hoffnungen, die Sonne schien, auf dem Weg, der dem Fluß folgte, ging eine junge Frau, und über ihrem Bauch spannte der Mantel, denn sie war schwanger.
Margrit Fischer zählte fünfundzwanzig Jahre, sie erwartete ihr erstes Kind.
Über Nacht hatte ein Schneefall die Straßen und Häuser der Stadt, den Wald und die umliegenden Felder in seinen weißen Besitz genommen. Nur die Reuss zog unverändert dahin, spiegelte Licht und führte nur wenig Wasser wie immer im Januar. Margrit ging behutsam; in den Taschen des Mantels versteckt, legte sie die Hände auf den Bauch und spürte die Bewegungen ihres Kindes; in zwei Wochen sollte es zur Welt kommen.

Die Reuss bildete einen weiten Bogen und zog eine Schlaufe, in deren schmalster Stelle die Stadt Bremgarten gebaut war. Geteilt in zwei Terrassen, gesäumt von den flach ansteigenden Höhenzügen des Wagenrains und den schrofferen Hängen des Hasenbergs, lag sie größtenteils in der breiten und kiesigen Talsohle der Reuss. Die enge Oberstadt besetzte einen Sporn, die weitläufigere Unterstadt erstreckte sich mit ihrem Vorgelände in die Au hinaus.

Die Helligkeit schmerzte in den Augen, doch Margrit ging fühllos gegen das Licht. Sie hatte sich ein Kind gewünscht und war doch ein wenig irritiert gewesen, als der Arzt ihre Vermutung bestätigt und ihr gesagt hatte, daß sie schwanger sei: da hatte in ihrem Bauch etwas zu wachsen begonnen und war von Monat zu Monat leibhaftiger geworden, und dennoch war es anfänglich ein Vorgang gewesen, dem sie nicht mit dem Verstand allein hatte beikommen können, und erst ein Gefühl, das sie allmählich für dieses Wachsen hatte aufbringen können, hatte daraus ein Kind gemacht, ihr Kind.

Margrit blieb an einer Stelle stehen, wo das Ufergelände freien Blick auf die Reuss gab, Kies und Sandbänke lagerten im Flußbett, das gegenüberliegende Ufer wurde von Bäumen abgeschlossen, dahinter stand Wald.

In den ersten drei Monaten der Schwangerschaft war es ihr manchmal übel geworden, sie hatte erbrechen müssen, aber sie war auch froh, während dieser Zeit im Gesicht keine Pikkel bekommen zu haben, auch die Beine hatte sie nie einbinden müssen; nur ihr rundgeschnittenes, braunes Haar war stark nachgedunkelt, nun glänzte es im Sonnenlicht.

Eigentlich hatte Margrit die Messe besuchen wollen, und während die Kirchenglocken den hellen Tag mit ihrem Geläute metallisch durchwirkten, war sie an der Kirche vorbeigegangen und hatte, ohne nach Gründen zu fragen, den Weg an die Reuss genommen; es war eine plötzliche Laune gewesen, der sie nachgegeben hatte.

Margrit war in Bremgarten aufgewachsen; schon als Kind war sie, an schulfreien Nachmittagen, zum Fluß gelaufen, damals mit Zeichenblock und Malkasten, und hatte verschwiegene Plätze am Ufer aufgesucht. Sie hatte einen granitenen Findling als ihren liebsten Platz gewählt, der sich wie der Rücken eines Elefanten aus dem Flußbett erhob und den sie durch das knietiefe Wasser watend erreichen konnte. Im Sommer saß sie auf dem warmen Stein; mit dem Füßen im Wasser planschend, malte sie ganze Nachmittage. Sie hatte die Stunden vergessen. Das Alter des Steins, den der Gletscher vor Jahrtausenden gebracht und bei seinem Rückzug liegengelassen hatte, hob die Zeit gänzlich auf. Sie malte Aquarelle in den klaren Farben von Himmel, Wasser und

Stein. Flußbilder, die Struktur der Kiesel, und den Vogelzügen gab sie das Treibgut ihrer Träume mit. Wenn es eindunkelte und der Stein seine Wärme verlor, die Sonne nur noch die Wipfel der Bäume am anderen Ufer streifte, ging sie schweigend nach Hause, verwahrte Blätter in der Mappe, die niemand zu Gesicht bekam, denn in ihren Zeichnungen hätte man sie selbst erkannt, und das wollte sie nicht.

Margrit wandte sich wieder dem Weg zu, der schon nach ein paar Schritten von Bäumen und Sträuchern gesäumt wurde. Sie war eher schmal gebaut, mittelgroß, sie benötigte Kraft, den schweren Bauch zu tragen, und die Spur, die sie hinter sich zurückließ, war etwas zu breit. Doch Margrit war auch zäh, ging Schritt für Schritt durch unberührten Schnee und atmete die kalte Luft ein. Sie kam an einem vereinzelt stehenden Haus vorbei, dessen Scheiben das Sonnenlicht sammelten und gleißten. Ein paar Hunde, die in einem groß angelegten Zwinger gehalten wurden, liefen ans Gitter ihres Geheges und verbellten sie, doch sie hatte keine Angst vor den Tieren. Nach dem Zeltplatz erreichte sie das Holzlager der Genietruppen, auf den Stämmen lag Schnee. Von weitem sah sie, daß ihr ein Läufer entgegenkam, sein roter Trainingsanzug leuchtete im Weiß. Der Läufer trabte mit tierischer Ruhe seinen Weg. Als er an Margrit vorbeigelaufen war, versuchte sie, seiner verlassenen Spur zu folgen, doch seine Schritte waren länger als die ihren, und es wäre ein anstrengendes Spiel gewesen, in seinen Stapfen zu gehen.
Die Bretterstapel und die aufeinandergeschichteten Stämme des Holzlagers grenzten einen weiten Platz von der Reuss ab, das Ufer war flach und setzte seinen sanften Abfall auch ins Wasser hinaus fort, so daß ein Teil des Flußbettes unter dem Wasserspiegel sichtbar blieb.
Margrit verweilte und schaute aufs Wasser hinaus. Im Juli hatte sie hier an einem sommerheißen Samstagnachmittag Anita, mit der zusammen sie drei halbe Tage jede Woche in

der Mohrenkopffabrik arbeitete, anvertraut, daß sie schwanger sei. Sie war auf einem Badetuch gelegen, über Bauch und Badehose hinweg hatte sie Anita betrachtet, die in einem orangefarbenen Bikini vor ihr stand und in jeder Hand eine Orange hielt.

Dann kommt das Kind im Winter zur Welt, hatte Anita sofort nachgerechnet. Es ist auch angenehmer, nicht gerade während der ärgsten Hitze hochschwanger zu sein.

Am Tag vorher hatte Margrit dieselbe Mitteilung auch ihrer Tante Anna Villiger gemacht, mit der sie seit dem Tod ihrer Mutter sehr vertraut war. Anna Villiger hatte sich über die Mitteilung gefreut und Margrit umarmt. Und an dieser Uferstelle war sie auch mit Herbert gestanden, in jenem Sommer, als sie einander kennengelernt hatten, er hatte zu den Sternen hochgeschaut und gesagt: Wenn du an die Distanzen zwischen den einzelnen Sternen denkst, verlieren alle Maßstäbe ihre Bedeutung und Lichtjahre werden zu Katzensprüngen, dann ist der Weg von Zürich nach Bern nichts mehr, gar nichts.

Und trotzdem brauchst du zwei Tage und Nächte, um ihn zu gehen, hatte sie lachend geantwortet, oder ein schnelles Auto, das die Strecke in einer guten Stunde schafft.

Dann waren sie weitergegangen, sie hatte sich bei ihm untergehakt und gesagt: Sterne, das sind auch Wünsche und Hoffnungen, aber wenn sie verraten werden, fallen sie vom Himmel, darum hat es hier so viele Steine. Damals war sie achtzehn Jahre alt.

Von dieser Uferstelle waren es nur noch wenige Schritte bis zur Militärbrücke, zu der Margrit über schmale Stufen hochstieg. Auf dem Rückweg zur Unterstadt begegneten ihr langsam fahrende Autos. Einzelne, sonntäglich gekleidete Kirchgänger, das Messbuch in der Hand, Nachdenklichkeit im Gesicht, dehnten den Heimweg zu einem Spaziergang aus. Kinder ereiferten sich bei einer Schneeballschlacht und versuchten, den pulvrigen Schnee zu Bällen zu formen, doch im Wurf fielen die Geschosse meist auseinander. Ein Mann zog einen Schlitten hinter sich her, auf dem zwei in dicke Kleider vermummte Mädchen mit unbewegten Gesichtern saßen und auch nicht lachten, als Margrit ihnen zuwinkte. In einem Garten, von dessen Zaun Margrit die weichen Schneekappen streifte, wühlte ein Hund im Schnee, scharrte ihn mit Sätzen und Sprüngen auf und rannte kläffend hinter einem blauen Gummiball her, den ihm eine Frau immer wieder abnahm, um ihn erneut in den Schnee zu werfen. Ein alter Mann, dem Margrit ausweichen mußte, schlurfte, den Weg mit dem Stock ertastend, dem Friedhof zu und fror in sich hinein.

Nach ein paar Minuten langte Margrit bei der Kirchentreppe an, die Unterstadt und Oberstadt über breite Steinstufen miteinander verband, an deren Fuß ein altes, von der Kirchgemeinde renoviertes Fachwerkhaus stand, in dem Anita wohnte. Auf halber Höhe der Treppe, die immer nach einer Stufenfolge eine Plattform hatte, blieb Margrit ein Weilchen stehen, bevor sie weiterstieg und am oberen Ende der Treppe zur »Alten Apotheke« kam, wo sie links abbog, um auf dem Trottoir zur Sternengasse hinauf zu gehen. Dabei beobachtete sie eine fette Taube, die vor einem Auto flüchtete und sich erst im letzten Augenblick darauf zu besinnen schien, daß sie ein Vogel war und fliegen konnte.

Die Häuser der Sternengasse bildeten eine Grenze, die Frontseiten richteten sich gegen die Oberstadt, die rückwärtigen Fenster aber schauten über Terrassengärten und Mauern auf die Unterstadt hinunter, in deren Zentrum die katholische Kirche stand. Das Haus, das Margrit betrat, war etwas schäbig, der Verputz bröckelte ab, die Tür war um die Klinke herum stark abgegriffen.

In diesem Haus war sie geboren worden, aus diesem Haus hatten ihre Eltern ausziehen müssen, nachdem sich ihr Vater mit dem Eigentümer überworfen hatte. Noch für die Zeit eines Jahres würde Margrit in diesem Haus wohnen können, dann beabsichtigte der Besitzer eine Renovierung, die mit der Aushöhlung des Hauses gleichbedeutend sein würde, und bei deren Durchführung nur die Fassade stehen bleiben konnte.

Seit Margrit verheiratet war, wohnte sie wieder in ihrem Geburtshaus, doch ihrem Mann käme ein Umzug nicht ungelegen, da ihn nichts an die alten Zimmer band und er den Geruch von ihm Ofenrohr bratenden Äpfeln, der die Räume dieses Hauses früher im Winter durchzogen hatte, nicht kannte.

Von hier aus kannst du jedem Auto aufs Dach spucken, hatte er spottend gesagt. Doch Margrit liebte die Gärten hinter dem Haus, den Platz der Stachelbeersträucher und die sonnenwarmen Mauern, an denen die Spalierbirnen hochwuchsen und zu süßer Reife gelangten, die Spielorte ihrer Kindheit.

Als Margrit im Hausflur stand, hörte sie Geräusche aus dem Wohnzimmer, aus denen sie schließen konnte, daß Herbert vor dem Fernseher saß und der Übertragung eines Skirennens folgte. Sie erinnerte sich daran, daß er dieses Rennen schon beim Frühstück erwähnt hatte, es war der zweite Lauf eines Riesenslaloms für Herren.

Anläßlich eines Fastnachtsballs, den der Fußballclub jedes Jahr veranstaltete, hatte sie Herbert kennengelernt und den ganzen Abend und bis spät in die Nacht hinein ausschließlich mit ihm getanzt, wobei sie gleich eine starke Zärtlichkeit für ihn empfunden hatte. Sie war mit einer Freundin als Zigeunerin verkleidet zu dem Ball gegangen. Als er sie am frühen Morgen nach Hause begleitet hatte, hatte sie ihm vor der Haustür ihr rotes Halstuch geschenkt. Er war ihr mit den Händen über die Haare gefahren und hatte nicht versucht, sie zu küssen, obwohl sie sich das gewünscht hätte und gleichwohl erleichtert war, daß er es nicht tat.

In der Folge hatten sie einander regelmäßig getroffen. Ihr Vater, dem sie seit zwei Jahren den Haushalt führte, hatte zu ihrer Bekanntschaft nichts gesagt, er legte ihr weiterhin regelmäßig seinen Zahltag auf den Tisch, wie er das früher auch bei der Mutter gehalten hatte, und sie verwaltete ihn gut.

Herbert war Bankangestellter und drei Jahre älter als Margrit. Nach einigen Wochen hatte ihn Margrit auch Anna Villiger vorgestellt, an diesen fröhlichen Abend erinnerte sie sich gern. Anna hatte ihnen selbstgebackenen Apfelkuchen vorgesetzt, den sie zu einem heißen Milchkaffee aßen. Später hatten sie eine Flasche guten Rotwein getrunken, Anna kannte sich da aus. Sie verstanden einander sofort, sonst hätte sie Herbert ihre Fotoalben nicht gezeigt, ihre Fotografien, die sie vielleicht eine Stunde betrachteten, während Anna erzählte. Ihr ganzes Alleinsein war da Erzählen geworden, als ob in ihr die Erinnerungswut ausgebrochen wäre, wie Herbert das später nannte. Drei Jahre blieb Herbert Margrits Freund, dann hatten sie geheiratet.

Du machst eine gute Partie, hatte Anna gesagt, der Mann gefällt mir.

Und jetzt? Manchmal begriff Margrit den Ehrgeiz ihres Mannes nicht, der noch vor seinem dreißigsten Geburtstag Prokurist sein wollte. Ihr war dies als Ziel gar nicht so wichtig.

Sie malte ihre Bilder, las, hörte Vorträge und war mit dem Leben nicht unzufrieden. Jedenfalls, dachte sie, hängt mehr Glück bestimmt nicht von ehrgeizigen Plänen ab. Am Beispiel Anna Villigers, deren Leben ein amputiertes war, seit ihre Kinder erwachsen waren und sie nicht mehr benötigten, ein einsames dazu, seit ihr Mann verstorben war, hatte

Margrit erkannt, daß es darauf ankam, sich einen eigenen, einen inneren Bezirk zu schaffen.

Vor der Wohnungstür zog sie Schuhe und Mantel aus, sie trat leise in die Stube und legte Herbert die Hände auf die Augen. Nachdem er ihre Hände in seine genommen hatte, die ganz warm waren, beugte sie sich zu ihm hinunter, küßte ihn und teilte ihm mit, daß sie noch auf ihr Zimmer gehe, denn für gewöhnlich ließ er sich vor dem Fernseher nicht stören, schon gar nicht, wenn eine Sportveranstaltung ausgestrahlt wurde.

Sie zog ihre Hausschuhe an und stieg die Treppen in den Dachboden hinauf, wo sie eine Kammer ausgebaut und als Arbeitszimmer eingerichtet hatte, in der sie sich häufig aufhielt, um allein zu sein und ungestört arbeiten oder lesen zu können. Sie hatte sich einen Rahmen aufgebaut, um Teppiche zu knüpfen. In ihrem Zimmer malte sie Aquarelle, legte Farbschicht über Farbschicht. Hellfarbige Bilder entstanden: Aussichten aus dem Fenster, mit einem fernblauen Streifen Horizont als Zeichen einer Sehnsucht; immer gehörte zu jedem Bild ein Stück ihrer selbst.

Sie betrat das Zimmer und schloß die Tür. Sie ging zum Fenster und betrachtete die mit Wohnblöcken überbaute Au, wobei sie dem Weg, den sie gegangen war, nochmals folgte. Es war ein Blick auch auf die verschneiten Dächer der Unterstadt, über denen die vergoldeten Zeiger der Kirchenuhr auf ihrem im Kern blauen und am Rand schwarzen Zifferblatt ruhten.

An diesem frostklaren Morgen reichte die Aussicht weit über den Fluß hinaus bis zu den im blauen Dunst daliegenden, fernen Hügelzügen des Schwarzwaldes. Obwohl sie wußte, daß dies nur eine Träumerei war, wünschte sich Margrit manchmal, die Welt möge hinter diesen Wäldern ein Ende finden. Eine überschaubare, faßbare, sinnliche Welt, das wäre ein Wunsch. Doch sie hatte nur drei Wünsche frei, und zwei schon verspielt, und der dritte galt

ihrem Kind. Dies dachte sie, während sie sich an den Tisch setzte.
Sie spürte die Bewegungen ihres Kindes, als sie eine Zeitlang in Gedanken verloren am Tisch saß und ein Buch in den Händen hielt, ohne ans Lesen zu denken. Ihr Blick aus dem Fenster suchte keinen Halt und verlief absichtslos ins Weite. Aus dem Radio, das sie eingeschaltet hatte, spielte eine Mandoline, zu der ein Mann mit rauher Stimme mehr sprach als sang, ein bekanntes Hitparadenlied, das sie verlockte mitzusummen.
In letzter Zeit hatte Margrit viel gelesen, dabei war in ihr etwas aufgebrochen. Auch hatte sie mit dem für das Kind aufgebrachte Vertrauen ein Vertrauen in sich selbst gewonnen, das wachsende Gefühl für das Kind war ein ebenso starkes Gefühl für sie selbst geworden. Es galt, dem Kind eine Welt zu schaffen, aber in dieser Welt mußte sie ihre eigene behaupten. Zu Herbert hatte sie am Anfang der Schwangerschaft, als er sie übertrieben nachsichtig behandelt hatte, etwas spitz gesagt: Ein Kind bekommen ist keine Krankheit. Sie hatte ihn damit verletzt, das wußte sie genau. Ich brauche keinen Beschützer, hatte sie weiter gesagt, ich brauche einen Mann, der mir Mut macht, ich selber zu sein.
Sie hatte über ihre Empfindungen mit Herbert gesprochen und ihm ihre Vorstellungen klargemacht. Sie war auch mehrmals nach Kallern gefahren, um mit Hans Villiger, mit dem sie einen Teil ihrer Kindheit verlebt hatte und der auch Pate ihres Kindes werden sollte, über ihre Ansichten und Probleme zu reden.
Manchmal hatte sie einen Hang zur Melancholie.
Margrit legte das Buch ungeöffnet beiseite und wärmte die Hände zwischen den Schenkeln.
Manchmal wurde ihr klar, daß ihr Denken bloß ein Wünschen war.

THOMAS BERNHARD

Zwei Zettel

In der Universitätsbibliothek zu Salzburg hat sich an dem großen Luster im großen Lesesaal der Bibliothekar erhängt, weil er, wie er auf einem hinterlassenen Zettel schreibt, es nach zweiundzwanzig Dienstjahren pötzlich nicht mehr ertragen hatte können, Bücher zu ordnen und Bücher auszuleihen, die nur dazu geschrieben worden sind, um Unheil anzurichten, wobei er sich auf alle jemals geschriebenen Bücher bezieht. Das hat mich an den Bruder meines Großvaters erinnert, der Revierjäger in Altentann bei Henndorf gewesen ist und sich auf dem Gipfel des Zifanken erschossen hat, weil er das Unglück der Menschen nicht mehr ertragen habe können. Auch er hatte diese eine Erkenntnis auf einem Zettel hinterlassen.

Silo

Zum Kriegsende hatten deutsche Soldaten in einem aufgelassenen Zementsilo bei Steinbach am Ziehberg gehaust. Bevor die Amerikaner gekommen sind, haben sie sich aus dem Silo zurückgezogen und haben den Silo von außen verriegelt. Als in diesen Tagen der Besitzer des Silos mit einem sogenannten schweren Steinhammer das in der Zwischenzeit völlig eingerostete Silotor öffnete, weil er die Absicht hat, den alten solange schon aufgelassenen Silo abzutragen und auf dem Grundstück eine Schweinemastanstalt zu bauen, hatte er eine grausige Entdeckung gemacht. In dem Silo waren, gleich hinter dem Tor, zwei völlig vermoderte menschliche Körper gelegen, die noch deutsche Uniformhosen und sogenannte Wehrmachtshemden angehabt haben. Der Bauer hatte festgestellt, daß es sich um Kameraden jener deutschen Soldaten handeln muß, die bei Kriegsende in dem Silo gehaust haben und dann über Nacht verschwunden sind. Die Behörden haben sofort versucht, die Angehörigen der beiden in dem Silo Umgekommenen zu verständigen. Noch nach zweiunddreißig Jahren waren die Papiere der beiden im Silo Aufgefundenen so gut erhalten gewesen, daß es nicht die geringste Schwierigkeit gegeben hatte, sie zu entziffern. Der eine war ein Leutnant, der andere ein Gefreiter gewesen. Beide waren aus Nackenheim am Rhein. Es ist die Frage, ob jetzt ihre möglicherweise noch lebenden Kameraden ausfindig gemacht werden sollen oder nicht. Die Leute beschäftigt der Gedanke, ob die beiden absichtlich oder unabsichtlich von ihren Kameraden in dem festverriegelten Silo zurückgelassen worden sind. Ein Verbrechen sei jedenfalls nicht auszuschließen, meinen sie.

Wahnsinn

Ein Briefträger ist in Lend suspendiert worden, der jahrelang alle Briefe, in welchen er traurige Nachrichten vermutete und naturgemäß alle an ihn gekommenen Partezetteln nicht ausgetragen, sondern bei sich zuhause verbrannt hat. Die Post hat ihn schließlich in die Irrenanstalt Scherrnberg einweisen lassen, wo er in einer Briefträgeruniform umhergeht und ständig Briefe austrägt, die von der Irrenhausverwaltung in einen eigens dafür an einer der Irrenhausmauern angebrachten Briefkasten hineingeworfen werden und die an seine Mitpatienten adressiert sind. Der Briefträger habe schon gleich nach seiner Einweisung in die Irrenanstalt Scherrnberg um seine Briefträgeruniform ersucht, *um nicht wahnsinnig werden zu müssen,* wie es heißt.

HANS MAGNUS ENZENSBERGER

Der Untergang der Titanic
Siebzehnter Gesang

Wir sinken lautlos. Still steht, wie in der Badewanne,
das Wasser in den strahlend erleuchteten Palmensälen,
Tennishallen, Foyers, und spiegelt sich in den Spiegeln.
Tintenschwarze Minuten, erstarrt wie in Gelatine.
Kein Streit, kein Wortwechsel. Halblaute Dialoge.
Bitte nach Ihnen. Grüß die Kinder. Erkälte dich nicht.
In den Booten kann man sogar das Knirschen der Taue hören,
und phosphoreszierende Tropfen sieht man vom Ruderblatt,
das in Zeitlupe aus dem Meer taucht, ins Meer zurückspringen.
Erst ganz am Ende – der dunkle Bug hat sich lotrecht empor
aus dem Bodenlosen gehoben wie ein absurder Turm,
die Lichter im Rumpf sind erloschen, niemand sieht auf die Uhr –
zertrümmert ein unerhörtes Geräusch die glasige Ruhe:
»Ein Ächzen war es, nein, ein Rasseln, ein Dröhnen,
eine rollende Folge von Schlägen, als würden in einem Gewölbe
Gegenstände, tonnenschwer, in die Tiefe geworfen,
und diese undenkbar schweren Dinge zerschmetterten fallend
alles. Es war ein Geräusch, wie es nie zuvor ein Mensch
vernommen hat, und wie es keiner von uns, solange er lebt,
je wieder zu hören hofft.« Von diesem Augenblick an
war kein Schiff mehr vorhanden. Was dann kam, waren die Schreie.

MAX FRISCH

Einmal im Sommer

Einmal im Sommer hatten die Spechte sozusagen eine Idee: sie pickten nicht mehr auf die Rinde der alten Kastanie, sondern plötzlich an die Fensterscheiben, und es kamen immer mehr, alle wie versessen auf Glas. Auch Bändel mit glitzerndem Staniol verscheuchten sie nicht auf die Dauer. Es wurde eine Plage. Trat man ans Fenster, um sie persönlich zu verscheuchen, so wählten sie flugs ein anderes Fenster, und man konnte nicht überall am Fenster stehen und in die Hände klatschen. Wirksamer war es, wenn Herr Geiser mit einer Latte auf den Granit-Tisch schlug, so daß es knallte wie ein Schuß, dann flohen sie und warteten in den Zweigen ringsum. Später tönte es wieder an diesem oder jenem Fenster; sie konnten im Anflug sich an der glatten Scheibe nicht halten, so daß sie im Flattern nur zwei oder drei Mal auf das Glas pickten, ausnahmsweise vielleicht vier Mal. Im Sommer darauf hatten sie es wieder vergessen. Zwei Mal in der Woche fährt eine blonde Metzgerin das ganze Tal hinauf, sie ist deutscher Abstammung, Tessinerin durch Heirat, und verkauft Fleischwaren aus ihrem Volkswagen. Die Fischerei ist wenig ergiebig. Viele Kastanien haben den Krebs, aber alles in allem ist es ein grünes Tal, waldig wie zur Steinzeit. Das Farnkraut wird beinahe mannshoch. Im August, wenn es nicht regnet, sind Sternschnuppen zu sehen oder man hört ein Käuzchen. Bei Nebel im unteren Tal, wenn über dem Nebel der Mond scheint, kann es aussehen wie ein See mit verzackten Buchten, ein Fjord, es fehlt nur ein Schiff, das unterhalb des Dorfes vor Anker läge, ein schwarzer Kutter, ein Walfischfänger.

Der Saumweg, der 1768 durch die Brüder Remonda aus Comologno auf eigene Kosten ausgebaut wurde, stellte bis zum Bau der Straße im Jahre 1896 die Verbindung der Valle Onsernone mit der Außenwelt her.

Trotz der ursprünglichen Armut des Bodens, der wenig einsichtsvollen landvögtlichen Regierung, der unausgesetzten Aufteilungen und Plünderungen zum Schaden der Tessiner Gemeinden durch französische, österreichische und russische Armeen zur Zeit der französischen Revolution und des ersten Napoleons, vollbrachten die Tessiner wirkliche Wunder durch die Eröffnung bequemer und schöner Straßen von Chiasso nach Airolo, von Brissago zum Lukmanier, ja selbst in alle die Nebentäler und die Hänge der steilsten Berge entlang bis hinauf zu den verlorensten Alpdörfern, um diese der Kultur näher zu bringen.

In Island gibt es Moränen aus der letzten Eiszeit, die heute noch nicht überwachsen sind, ganze Täler voll Geröll, sie bleiben Wüste für alle Zeit. Ohne Rover wäre man verloren. Es gibt Gletscher, die ins Meer hangen. Ein einziger von ihnen, VATNAJÖKUL, ist größer als alle Gletscher der Alpen zusammen. Vulkane gibt es reihenweise, Kegel aus Asche; man kann sie besteigen, dann schaut man auf eine andere Art von Wüste, wo auch der Rover nichts hilft, Wüste aus schwarzer und brauner und violetter Lava. Kein Baum. Was aus der Ferne wie eine grüne Oase erscheint, meistens ist es Moor. Man fährt Tage lang, ohne ein Gehöft zu sehen; dann und wann ein paar einzelne Schafe, es reicht nicht für eine Herde, was da grünt zwischen dem Geröll. Wenn man in der Nacht vor das Zelt tritt, kein einziges Licht auf der Erde. Kein Laut. Tagsüber gibt es Vögel, viele Vögel. Wenn einmal die Sonne scheint, so glänzen in der Ferne die flachen Hauben der endlosen Gletscher. Meistens sind nur Wolken zu sehen, darunter die Ebene aus Kies. Da und dort liegen große Steine auf der Ebene, rund und glatt, so wie die Gletscher der Eiszeit sie geschliffen haben, und da bleiben sie.

Das Wetter wechselt von Stunde zu Stunde, die Wüste bleibt, sie wechselt nur ihre Farben und es gibt keine Farbe, die in der Wüste nicht vorkommt im Verlauf der langen Tage. Die eigene Wagenspur im Kies oder im Schlamm ist oft das einzige Zeichen dafür, daß es Menschen gibt auf diesem Gestirn. Es gibt Blumen, kleine wie in den Alpen, alle Sorten von Moos und Flechten. Anderswo zischt es aus dem Boden, es gluckst oder sprudelt grünlich zwischen gelblichen Krusten und riecht nach Schwefel. Es gibt ganze Mulden und Schluchten, die vom Schwefel gefärbt sind, anderswo eine Ebene voll Fahnen aus weißem Dampf, anderswo Wasserfälle. Ein breiter Strom aus Gletscherwasser stürzt über eine Basalt-Tafel in die Tiefe oder über mehrere Basalt-Tafeln, eine tosende Unmasse von grauem Wasser; der Basalt, wo er naß ist, glänzt wie Bronze, und eine Wolke von Gischt ist meilenweit zu sehen, ein Regenbogen dazu. Wenn es regnet, so regnet es meistens nicht lang. Ein blauer Himmel ist selten. Über dem Hochland liegen die Wolken niedrig und streifen die Gletscher, so daß sie grau werden, die Gletscher, und Himmel erscheint bloß als schmaler Streifen am Horizont, gelb wie Bernstein oder Zitrone und gegen Mitternacht lila. Kurzdarauf ist Morgen, in der Ferne ein rötliches Gestäube, ein Sandsturm. Anderswo ein hundertfaches Geäder von blinkenden Flüssen in einer Ebene. Es gibt Fjorde ohne ein einziges Schiff, ohne eine lebendige Seele, abgesehen von einem jungen Seehund. Kein Gehöft, nicht einmal ein verlassenes, kein Menschenwerk. Brandung um einen schwarzen Lava-Turm; der Aschenkegel ist weggespült. Rings um die Fjorde die waagrechten Berge, diese immergleichen Basalt-Tafeln; die Halden hinunter ins Meer sind grün. Welt wie vor der Erschaffung des Menschen. Manchenorts ist nicht zu erraten, welches Erdzeitalter das ist. Erschaffen sind die Möwen; ihr weißes Geflatter vor dem tintenblauen Gewölk über einem fahlen und bleiernen Meer. In der Regel kommen Eisberge nicht in Sicht, aber das Meer ist eisig. Trotz Golfstrom. Nicht nur an den nördlichen Halden bleiben Striemen von altem Schnee; der Sommer reicht nicht aus, um ihn zu schmelzen. Trotz der überlangen Tage. Wenn das Eis der Arktis schmilzt, so ist New York unter Wasser. Ein Zeichen dafür, daß die Erschaffung schon stattgefunden hat, ist ein Leuchtturm, anderswo eine amerikanische Radar-Station. Da und dort Treibholz aus Sibirien. Unter dem tiefen Gewölk ist das Meer schwarz mit wechselnden Flecken von Quecksilber, eine Stunde lang erscheint es blau wie das Mittelmeer, um Mitternacht wie Perlmutter. Es gibt Vulkane, die von Gletschern überdeckt sind, HEKLA, der einzige Vulkan, der zur Zeit raucht. Ein anderer Vulkan, ein neuer, ist im Meer entstanden, eine Insel aus Asche und Basalt; die ersten Bewohner, wenn die Lava erkaltet ist, sind Vögel, die sich von Fischen nähren; ihre Exkremente sind der Anfang einer Oase, die Menschen bewohnen können, bis eine nächste Lava alles erstickt. Wahrscheinlich sind es Fische, die uns überleben, und die Vögel.

Mensch, latein. **homo,** griech. **anthropos** (hierzu MODELL S. 685 und TAFELN S. 676 und 684).
1) Die Sonderstellung des M. Der Mensch hat sich und seine Daseinsumstände, so weit die Überlieferung zurückreicht, als ein Rätsel empfunden; er ist sich selbst unausschöpfliches Thema kraft seiner Fähigkeit, sich (als das »Subjekt«) der Welt, in der er lebt (den »Objekten«) gegenüberzustellen, →Philosophie. Dieses Abstandnehmen zu der Welt ist die Voraussetzung dafür, sich ihrer zu bemächtigen und damit für die Sonderleistung des M.
Da der M. sich aus sich selbst nicht verstehen kann, hat er seit uralten Zeiten versucht, sich über die Gottheit (→Religion) oder über ein anderes Nichtmenschliches hinweg zu begreifen, indem er sich mit diesem sowohl gleichsetzte wie von ihm abhob: sei es ein Tier (→Totemismus), ein Ahnengeist (→Ahnenbild, →Ahnenverehrung) oder sonst ein Alter Ego (→Maske), sei es in rationalist. Zeitaltern eine Maschine (LAMETTRIE: L'homme machine).

Daß der M. ein *geschichtl. Wesen* ist, bedeutet eine bis ins innerste gehende Formung durch überlieferte Fertigkeiten, Künste, Wissenschaften, Sitten, Rechtsanschauungen und Werthaltungen, zu denen er sich kritisch verhält, die er ergänzt, anreichert, vereinfacht, kompliziert, umbildet und verändert. Hinzu kommt die Fähigkeit, sich einen andersartigen Zustand vorzustellen und diesen bewußt zu planen, Ziele und Zwecke zu setzen – die produktive Phantasie und der Wille. Höhere Tiere lassen Hoffnungen und Befürchtungen erkennen, nur der M. »hat Zukunft«.
Ermöglicht sind diese Fähigkeiten durch eine Rückbildung jener starren angeborenen zweckmäßigen Verhaltensschemata, die wir beim Tier »Instinkte« nennen. Der M. lebt nicht eingepaßt in eine artbesondere natürliche →Umwelt, in der er sich instinktiv orientieren könnte, sondern er ist zur Zurichtung und Veränderung beliebiger Naturumstände durch seine Intelligenz, seine Handlungen und seine Arbeit fähig. Damit sind einerseits zahllose Möglichkeiten erhaltungswidrigen (nicht-angepaßten) Verhaltens gegeben, Irrtümer und Irrwege, Fehlentwürfe und Fehlentscheidungen, anderseits aber konnte der M. seine Art über die ganze Erde verbreiten und sich selbst in seinen Lebensformen differenzieren. Weite Gebiete der Erdoberfläche hat er für seine Lebensbedürfnisse umgestaltet; der Anteil der Kulturlandschaft nimmt ständig zu.

Es sind Hänge gerutscht, aber nicht hier, sondern hinten im Tal. Es sehe wüst aus. Der Bach habe sein Bett jetzt anderswo, der ganze Birkenwald sei weg, einfach weg, der ganze Talboden voll Geschiebe – Herr Geiser kennt die Gegend von Wanderungen mit den Enkelkindern – sie sei nicht wiederzuerkennen; die eiserne Brücke zum Sägewerk sei weg und auch nicht mehr nötig, da der Bach jetzt anderswo fließt. Von der Straße sei nichts mehr zu sehen. Das Sägewerk, zu einem Drittel eingestürzt, stehe nicht mehr rechts vom Bach, sondern links, und das Erdgeschoß mit den Maschinen sei voll Kies und Sand, der Bach voller Stämme, die das Geröll geschält hat, und Wellblech. Eine

Schneise sei entstanden, der Hang jetzt ohne Wald und Erde, von oben bis unten nichts als nackter Fels, es sehe wüst aus.

PETER HUCHEL

König Lear

Unter dem Steinbruch
kommt er herauf,
den Jodlappen
um die rechte Hand gewickelt.

In elenden Dörfern
schlug er Knüppelholz
für seine Linsensuppe.

Jetzt kehrt er
im dürren Schatten
zerrissener Wolken
zu seiner Krone
in die Schlucht zurück.

Im kalmusgeruch dänischer Wiesen
liegt immer noch Hamlet
und starrt in sein weißes Gesicht,
das im Wassergraben leuchtet.

Das letzte Wort
blieb ungesagt,
es schwamm auf dem Rücken der Biber fort.
Keiner weiß das Geheimnis.

Todtmoos

In Todtmoos
sah ich in weißer leuchtender Schneeluft
schneepflückende Wesen fliegen.
Ich griff in den Flockenfall
und fing nur Kälte.

Schneenarben an den Felsen,
Wegzeichen wohin? Schriftzeichen,
nicht zu entziffern.

Der fremde geht davon
und hat den Stempel
aus Regen und Moos
noch rasch der Mauer aufgedrückt.
Eine Haselnuß im Geröll
blickt ihm mit weißem Auge nach.

Jahreszeiten, Mißgeschicke, Nekrologe –
unbekümmert geht der Fremde davon.

PETER HANDKE

Langsame Heimkehr

Im Postflugzeug, wo er hinten mit ein paar gleich wieder einnickenden Indianern saß, sah Sorger bei Sonnenaufgang aus dem grenzenlosen Nadelbaumurwald ein einzelnes heitergelbes Birkenlaub leuchten, dachte an die Indianerin (»Da unten ist eine liebe Frau«) und richtete sich auf vor unbestimmter Neugier, aus der dann ein Hungergefühl wurde, nicht nach etwas Handgreiflichem, sondern überhaupt nach dem Kommenden: er erlebte, ohne Bilder davon, »die Zukunft«; und in einer solchen bilderlosen, warmen Phantasie sah er den Piloten sich umdrehen und las von dessen Lippen die Worte: »Wir müssen zurück.«

Der Grund zur Umkehr war der erste Schneesturm des Winters, auf dem Hochplateau hinter den südlichen Bergketten, wo die größere Ansiedlung lag (früher ein Goldgräberzentrum), von der aus man mit Düsenmaschinen weiterkonnte. Schon in der Rückflugschleife, die der Pilot zog, verzerrte sich unten die Landschaft: Das Rund des Moorsees wurde ein hypnotisches Starren, mäandernde kleine Flüsse wurden überwuchert von Sumpfgrün, in dem nur hier und da noch Wasser aufblinkte, und die langen Abflußrinnen auf den Hügelabhängen, von der Frühjahrsschmelze als lange, gerade Streifen in den Schotter gegraben, bogen sich weg nach allen Richtungen. Das Flugzeug würde erst am folgenden Morgen wieder starten können.

Sorger war nach der Landung am Rand des kleinen Rollfelds stehengeblieben. Er ragte da auf mit dem Koffer wie in einem Zerrspiegelkabinett, mit dicken kurzen Beinen und einem bis über die Ohren verlängerten Hals. Das Dorf schien in seiner Abwesenheit, die doch nicht mehr als die Zeit eines

Rundflugs gedauert hatte, sich als Ganzes in einen »Betrieb« verwandelt zu haben, wo Fremde keinen Zutritt haben. Er setzte sich auf den Koffer und lachte, als Dorf, sich, Sorger, aus. In eine solche Unwirklichkeit war er noch nie zurückgekehrt. Wie es vermeiden, gesehen zu werden? Er zuckte im Aufstehen, Weggehen, Richtungwechseln in einem fort mit den Achseln. Kein Spielzug mehr möglich: die unechten Farben der bloßen Fassaden; das entzauberte Wasser des falschen Stroms; und durch diese allgemeine, sich jetzt dreist und offen aufspielende Fadenscheinigkeit zickzackte an der Stelle des Gesichts das Grinsen des dummen Betrogenen.

Und dieser war gefährlich in seinem Nicht-wissen-Wohin; nicht als Angreifer, sondern als sich anbietendes Opfer.

Vor dem sich unschlüssig bewegenden Sorger ging auf dem schmalen Weg ein Mensch wie ohne Alter daher, ebenso langsam wie er; nicht versunken, aber auch nichts betrachtend – so daß die Langsamkeit seines Gangs allmählich als etwas Gemeines wirkte. Er schaute sich nicht um, zeigte nur immer wieder ein bißchen von seinem Profil, ohne das Auge, wie manche Hunde im Vorbeilaufen. Endlich trat er zur Seite, zog eine am Handgelenk befestigte Reifenkette aus der Tasche und kam, das schwere Ding mit der Faust raffend, gerade auf »mich!« zu.

Wie ohne Alter, so war der Mann auch ohne Rasse. Die Augen hell, ohne eine Mitte, wo noch ein Blick zu suchen gewesen wäre. Er verzog wohl den Mund zur Seite, sooft er in den Beinen einknickte, aber er lächelte nicht. Als er (»wirklich!«) mit der Kette ausholte, hatte keiner von den beiden mehr ein Gesicht, die ganze Welt verzog sich in diesem Augenblick und wurde tragikomisch gesichtslos.

»Lieber Bruder.« Der Betrunkene durchschlug mit der Kette den Koffer, der sofort auseinanderplatzte, und fiel dann ohnmächtig darüber.

Sorger hatte den Körper heruntergewälzt und war, seine Sachen unter dem Arm, schnurstracks zu dem in irdischer Schönheit ihn grüßenden Giebelhaus gegangen; er war jetzt so wütend und haßte alle Menschen so sehr, daß er alle Bewegungen in Geraden vollführte. Die Tür war verschlossen, und er setzte sich stracks auf die Holzstapfen davor. Ein fallendes Blatt berührte ihn am Hinterkopf wie eine Pfote, aber die Katze war drinnen im Haus und strich durch die verlassenen Räume, ab und zu zerstreut eine Spielfigur andeutend, ganz mit den eigenen Reflexen beschäftigt, die ihr die Zeit vertrieben; indes der Mann draußen auf den Stufen gedemütigt wurde von dem unfreiwilligen Müßiggang – wobei der an ein Badekabinenbrett erinnernde Fußabstreifer zu seinen Füßen und der daneben liegende Ball noch als Spottbeigabe zum Schimpf erschienen.

So hatte ihn auch der Angriff nicht betroffen, sondern eher gekränkt; es war keine Tätlichkeit gewesen, sondern eine Mißachtung seiner Person und seiner Sachen – als habe eine Stimme laut gehöhnt: »Du und deine Fotos. Du und deine Zeichnungen. Du und deine ›Abhandlung‹.« Jetzt erst schlug Sorger zurück, mit der Faust in die Luft. Es gab keinen Hohen Norden mehr, nur noch das Wetter, das kalt und grau war wie seit jeher für einen Müßiggänger, der in dem Raum unter den Hütten, statt »Lauffers ruhende kleine Erdformen«, bloß rostendes Gerümpel sah; – während in der Zwischenzeit seine Arbeit, von der er geglaubt hatte, er allein wüßte ihr Geheimnis, von jemand beliebigem erledigt wurde, so nebenbei mit einem unter vielen Simultanhandgriffen. Als das Wesen die Kette zum Schlag hob, war Sorger momentlang tot gewesen; jetzt lebte er wieder, doch die Formlosigkeit ließ nicht nach: in dem Unmaß jeden Augenblicks pulste schon wieder der nächste Formlosigkeitspunkt – wie in einem bösartigen Schmerz erschien er sich punkthaft und grenzenlos: als Punkt elend schwer und als Unmaß elend gewichtslos. Die Indianerin war wieder die »andere Rasse« und konnte, bei allen möglichen Zwischenspielen, am Ende nur seine Vernichtung wollen. – »Und daß du, Lauffer, die anderen belügst (redete der in seiner Unförmigkeit schmählustige Sorger), kommt daher, daß dich ihre Gesellschaft, gleich welcher Art, tief unlustig macht – du dich andererseits aber niemandem zeigen magst: weil du wohl ein liebenswürdiger, herzensguter, dich jeder Kreatur erbarmender, doch zuerst und zuletzt unlustiger Geselle bist.«

Dabei wurde der zornige Redner sich endlich seiner bewußt als einer Ungestalt mit einem zu kleinen Atemschlitz irgendwo, blickte auf und sah die Wasserfläche, als beobachte sie ihn. Viel zu ruhig war diese ebene Erde – und Sorger erwartete jetzt den Ausbruch; hatte sogar das Bedürfnis, augenblicklich eine Gebirgsbildung zu erleben, oder wenigstens einen vom Fels platzenden Stein. Er sprang auf und trat den Ball gegen die Hauswand, so heftig, daß dieser im Abprall an seinem Ohr vorbeisirrte; spielte dann weiter, ohne Atem zu holen, bis die Kieselsteine vor ihm wie Blumen leuchteten und er als Alleinspielender sich unheimlich wurde.

Innehaltend bemerkte er die niedrigen, nach hinten gestaffelten Wolken über dem Wasser. Sie waren fahlhell, unten nicht abgeflacht wie sonst, sondern gerundet, und standen unbewegt. Ein Windstoß kam aus der Tiefe der Landschaft, und auf einmal fielen dicke Schneeschwaden, am Horizont noch dunkel wirrend wie ein Heuschreckenschwarm, aus den Wolken, nicht aus allen zugleich, sondern in schnellen Abständen aus einer nach der anderen, eigene Körper, die sich aus den Wolkenkörpern lösten und herabstaubten gleich einer Serie von Lawinen, bis zuletzt im Vordergrund ein kurzer, aber kräftiger weißer Schwall mit einem trockenen Rasseln auch das Haus und den davor stehenden Mann überschüttete, während über dem ganzen Stromgebiet schon keine einzige Flocke mehr fiel.

Gleich danach begann, in der Windstille, unter dem einförmig grauen Himmel, ein dichter, gleichmäßiger, langsamer Schneefall, der die Lippen kitzelte und den Bereich um das Haus zu einem Hofraum machte. Helle Freude! Lieblicher Schweiß! Der gerade noch atembehinderte Mensch rannte in die wiedergewonnene Luft hinaus, drehte als ein Lebensbündel mehrere Runden ums Haus herum und schrie wie in der ewigen Kinderzeit. Bald kam auch der liebenswerte Kollege (schon von weitem in der Buschebene zu sehen), wunderte sich nicht wenig, und so vergingen, in einer neuen, traurigen, formvollendeten Freundlichkeit, die Stunden bis zum nächsten Tag, an dem Valentin Sorger mit einem anderen Koffer aus dem namenlosen, schon winterlich dämmrigen Landstrich (darin jedoch deutlich die Augenpaare Lauffers und der Indianerin) in die Welt der Namen zurückflog. In der Universitätsstadt an der Westküste des Kontinents, wo er seit ein paar Jahren hauptsächlich lebte, gab es eine sehr breite, vor allem von Tankstellen und Einkaufszentren gesäumte Straße, die »Northern Light Boulevard« hieß.

JÜRGEN BECKER

Augenblick

Einmal Kraniche, still liegend
über ziehender Gegend, wo wir
nicht mehr sind, aber zuvor,
wir kämpfen viel weg.

Heimat

Quer übers Feld diese schwierige Straße,
auf der ein Mann steht und denkt.
Die Baustellen liegen jetzt still.
Etwas im Winter ist nicht gelungen.
Einmal kreisen Möwen über das Feld;
wohin sie gehören,
sie zögern nicht mehr und fliegen zum Fluß.

RETO HÄNNY

Voller Schwung hinein in den Tag, aus der Stadt hinaus

Oder er suchte Zuflucht in Spaziergängen. Voller Schwung hinein in den Tag, aus der Stadt hinaus, ins Rucher Riet, Vögel beobachten, Sumpfrohrsänger Rohrdommeln Schnepfen, und vom Rucher Riet weiter dem Mühlbach entlang, vor dem Wehr über den Steg und durchs Auwäldchen hin nach Kaltbrunn, von dort über die Steinenbrugg nach Starrberg, durchs Gasterholz aufwärts, den Brämiberg hinauf nach Altwies und hinein in die Hessrüti und über die Schänerwiiti in den Steineggwald, hinauf zum Gleiterspitz, und weiter, über den Tanzboden, über Gluris, die Waldgrenze, noch eine Mulde, eine kurze Hanglinie, hinauf zum Speer, und, wenn die Zeit reicht, weiter zum Federspitz, sei es auch nur, um ab und zu wenigstens, selten genug übrigens, den eigenen Körper zu spüren beim z'Berg Gehen, wie von einer Algolagnie getrieben, und dann wieder hinunter nach Waldbach. Ins Steintal. Alles wäre so still grau dämmernd. In den Nebelnischen die Flühe des Kuhmettlers; die Gipfel blieben abgewandt; der Blick ins Tiefland von Gewölk vermauert. In den Fichten sängen Kreuzschnäbel. Es wäre, als wäre man sich selbst ein Traum. Und anderntags auf einem andern Landkartenblatt weiter. Aus der Stadt hinaus, an der psychiatrischen Anstalt, dem Waldhaus, vorbei, die Prasserie hinauf in den Fürstenwald – auffallend übrigens, wie schöne Namen in diesem Land die Anstalten tragen, Waldhaus Waldau Burghölzli Bonrepos Belair, und an welch herrlichen Orten manche, vor allem die älteren dieser Irrenanstalten und Zuchthäuser, oder Korrektionshäuser, Eingliederungsheime, wie sie in der Fachsprache, welche eine ausgesprochene Vorliebe für euphemistische Wendungen auszuzeichnen scheint, genannt werden, stehen, nicht selten am Rande von Villenquartieren, seltsamerweise –, und dann den Fürstenwald hinauf nach Campodels, zum Tschingelstein, den Kohlrieserweg hinüber in den Teuchelwald und aufwärts zum Lärchenboden, den Naßplattenweg weiter zur Aussichtsterrasse auf dem Vogelboden, und weiter, die Langtolen hinauf und über den Ochsenberg hinein nach Flies Bargs Sazelva, und dann den Hang hinab, über Bergwiesen und durch den Weißtannenwald hinab, in engen Kehren über Fontanulias Bardäls Valtoris hinunter, gegenüber von Speinis, in einer Rodung auf der anderen Talflanke, das Kurhaus, dann in die Schlucht hinab, dem Wasser entlang hinaus, vorn am Asyl vorbei, dann über die Brücke und wiederum hangaufwärts, durchs Totengut nach Sankt Hilarien, den Schwarzwald hinan nach Fülian, alles so ruhig und still und kalt, als ob eine entsetzliche Stimme um den ganzen Horizont schrie, und gegen Abend, spätestens vor dem Eindunkeln, wiederum abwärts, den oberen und unteren Altschutz hinab, über Ruhenstein zur Eckersruh, zum Richtplatz beim Kalkofen, bald danach aus dem Wald hinaus, und weiter, hinab nach Plankis, auf den Bus, oder aber, wenn die Zeit reicht, oben dem Hang nach gegen die Stadt zurück, über Trist und über die Geißweid und die Wiesen und Äcker zu den Gütern von Foral, über Sixtusruh, Grünberg, Winterberg, den Rosenhügelweg am Dornhaldenfriedhof vorbei in die Stadt zurück, ja, in jedem Fall ein kurzer Besuch auf dem Dornhaldenfriedhof, lieber vorher eine Abkürzung nehmen, in wilden Sprüngen, abseits vom Weg durchs Dickicht, durch Laub und Geröll hangabwärts, damit es für einen kurzen Besuch auf dem Dornhaldenfriedhof reicht. Hinaus und hinauf und hinab und hinauf und hinab und wiederum hinein in die Stadt, und anderntags, undsoweiter.

Gehen gehen denken rennen stolpern. Zuflucht in Vorsätzen zu ausgedehnten, kaum aber begonnen, auch schon wieder verworfenen, oder, gezwungen durch Baugruben und Stützmauern und Schlicklöcher – Gegebenheiten, die in keiner Landkarte verzeichnet sind –, zumindest, wenn überhaupt, wenn nicht gleich in einer Sackgasse oder Fallgrube endend, völlig andersverlaufend ausgeführten Spaziergängen. Die Gegend ist voller Überraschungen.

Angefangen hatte dies alles vor Jahren schon, eigentlich noch vor dem Theater; erinnert er; er litt damals lange Zeit an einer Fingeragnosie, schaute sich mit dem Arm in der Schlinge häufig die Gegend an, als er auf einen Fragebogen, den auszufüllen für seine Einteilung in den Zivilschutz er gezwungen, zumindest angehalten wurde – BITTE SENDEN SIE UNS DIESEN FRAGEBOGEN FRISTGERECHT UMGEHEND IN BLOCKSCHRIFT AUSGEFÜLLT ZURÜCK hieß es in einem roten, oben schräg aufs Blatt plazierten Stempelaufdruck –, unter dem Stichwort Hobby LESEN UND SPAZIERENGEHEN hingeschrieben hatte, ganz zuunterst auf das von ihm im übrigen leergelassene, das heißt: unbehandelte Blatt; anzukreuzen gab es nichts mehr; zusätzlich zur vorgedruckten Vielfalt von Ankreuzbarem waren hier unten zwei durch Punkte markierte Linien angebracht; für ANDERES, wie die Verantwortlichen in Klammern anfügten, die kontrollführende Stelle, hieß es darunter über dem Amtsstempel. Lesen und spazierengehen. Andere Interessen hatte er im Moment keine, beim besten Willen nicht, weder interessierte er sich für Radioelektrik, noch hatte er je Brieftauben gezogen; weder war er Hobbyfunker noch Kurzwellenamateur noch Lastwagenfahrer noch sonst was Ankreuzbares; mit simulierten Verletzten mochte er sich schon gar nicht erneut wieder abgeben, nachdem diese seinem Rücken in der Sanitätsrekrutenschule schon arg zu schaffen gemacht hatten; für Pyrotechnik hätte er sich erwärmen lassen, weil ihm dazu aber die technische Vorbildung fehlte, kam auch dies nicht in Frage, und wenn er ehrlich war, verspürte er gar keine

Lust, sich erneut einteilen zu lassen, kaum war er mit einiger Anstrengung an einem Ort ausgemustert worden. Halbe Tage lang hatte er trainiert, hatte verkrümmt in einem Stuhl gehockt, damit die erforderlichen Rückenschmerzen, die es ihm erlaubten, vor der Untersuchungskommission zur sanitarischen Nachmusterung in genügend gekrümmter Haltung anzutreten, auch ja einträten, hatte vor dem Spiegel geübt, bis es ihm gelang, ein genügend leidendes Aussehen zu mimen und durchzuhalten, bis es endlich hieß DIENSTUNTAUGLICH. Zwei Jahre zuvor, bei der Aushebung, hatte es trotz einigen ihm mit blauem Filzstift an die Wirbelsäule geschmierten Kreuzen leider noch geheißen DIENSTTAUGLICH, den Stempel vom gleichen Major ins Dienstbüchlein geknallt gekriegt, von einem zackigen Eierkopf aus alteingesessenem Geschlecht, dem es gar nicht schlecht bekam, sich eine eckige Mütze überstülpen zu dürfen, um mit dieser Mütze das zugespitzte Oberhaupt etwas zu verdecken.
Ja, dieser Fragebogen erfreute ihn gar nicht, verhieß Ungutes: man wünschte ihn erneut eingeteilt, nachdem er vor der Ausmusterung, während seiner militärischen Ausbildung, schon dauernd angehalten worden war weiterzumachen, zu aspirieren, wie dies im Fachjargon heißt; obwohl er weder Mediziner war noch aus besserem Hause stammte – vielleicht waren es seine einigermaßen flinken Beine, die ihn zum Weitermachen prädestinierten; obwohl er die zahlreichen Fragebogen über HERKUNFT UND GEWÜNSCHTEN AUFSTIEG, wie es auf jenen Bogen unbeirrt hieß, alle unausgefüllt als etwas blasse Papierflieger, mal war das Papier verwaschen hellgelb, mal hellgrün, hellblau, hatte in die Eichen des Kasernenhofes hineinsegeln lassen, den aufblasbaren roten Plastikpinguinen nach, die ein Freund von ihm, Stäubli, ein Buchhändler, oder, wie es im Dienst hieß: Dienstkamerad Stäubli, mit Vorliebe samstags, kurz vor dem großen Zirkus des Hauptverlesens, kurz bevor sie beide als letzte ihres Zuges ins Ausgangstenue geklemmt auf

den Platz hinunterwetzten, aus einem Kasernenfenster warf und die dann friedlich über den Platz und über den auf dem Asphalt in Reih und Glied ausgerichteten behelmten Köpfen und den beringten seltener bekränzten steifen Hüten hinwegschwebten; auf der Brust, Schwarz auf Rot, in verquollenen Lettern: VIVA. Keiner wurde heruntergeschossen, mit einer kurzen entschlossenen Bewegung aus der Hüfte heraus, wie es die, welche dazu befähigt gewesen wären, gelernt hatten. Während vereinzelte aus der welschen Kompanie, die in derselben Kaserne Dienst tat, oder eben Dienst zu tun ausgebildet wurde, dieses samstägliche Übel, eine Stunde, bevor man entlassen auf den Zug hetzt, nach dem Duschen noch, in Nagelschuhen und voller Montur über den Kasernenplatz huschen zu müssen, so lange, bis aufs Haltegebrüll ein einziger Knall folgt und die Meute auch schon schön in Kolonnen ausgerichtet dasteht, stramm und stumm, mit durchgedrücktem Kreuz und verkniffenen Lippen, Wut und Lachen verkneifend, dann in die Schlafsäle, um sich umzuziehen, marsch, Kampfanzug ab Nagelschuhe ab Ausgangstenue an, marsch, auf den Platz hinunter, um sich fürs Hauptverlesen neu in Kolonnen auszurichten, marsch, größte vorn, kleinste zuhinterst, marsch, und, falls dem am Platzrand stehenden Feldweibel mit einer Stoppuhr in der Hand alles zu langsam vor sich ging, das Ganze gleich nochmals von vorn: exerzieren, Tenuetürk – zum Gaudi der Welschen, die diesen samstäglichen Zirkus, dieses Übelste der Übel, sinnloser noch als der Großteil der übrigen Übungen, legerer handhabten und meist eben früher abbrachen; – während also einige der welschen Kompanie da und dort aus den Kasernenfenstern Stäublis Pinguinen nachgrinsten und den deutschschweizerischen Zirkus auf dem Platz unten kommentierten, begnügten sich die Offiziere, mit nervösen Fingern über die feine Garbardine ihrer Uniformen, über das gewichtige Leder der Pistolenkoppel zu streichen, die Blicke stur gradausgezwängt auf ihrer gerichteten

Truppe, ACHTUNG – zum Kotzen dieser Leerlauf – ABTRETEN, marsch, in den Schlafsaal, Helm ans Kopfende der Pritsche, Schluß: endlich durfte man auf den Zug.
Ja, dachte er an jene Zeiten zurück, so verspürte er nicht die geringste Lust, sich, was ihm unvermeidlich erschien, wenn er den Fragebogen durchlas, gleich wieder reglementieren zu lassen; nachdem er an einem Ort, wie gesagt, ausgemustert worden war, und nachdem ihm und einigen anderen aus dem gleichen Zug Jahrs zuvor, im Laufe der siebzehn Dienstwochen, in der Schule der Nation, wie sich jene Torturanstalt nennt, die er absolviert hatte – bei seiner Ausmusterung war dies vom Musterungsoffizier, dessen Lippen sich dabei leicht zu kräuseln schienen, befriedigt festgestellt worden –, der Feldwebel zahlreiche Pornohefte konfisziert hatte, harmlosen Schund, den sie beharrlich anstelle des Dienstreglements und der Sanitätsreglements rechts neben das Zahnglas mit nach rechts ausgerichteter Zahnbürste auf die Planke hinten über der Pritsche gelegt hatten; in schäbigen Räumen abgelichtete, auf Hochglanz frisierte Geilheit anstelle graugefaßter Pornografie.

WERNER KOCH

Jenseits des Sees

Das Sterben war einfach.

Die Katze allerdings, sie hatte mich gewarnt. Laß das, hatte sie gesagt, der See ist zu kalt, kein Mensch traut sich noch hinein, du wirst das andere Ufer nicht mehr erreichen. Ich aber wollte es noch einmal schaffen. Der See, mein Gott, was mochte mir der schon antun? Der See und ich: das war Liebe auf den ersten flüchtigen Blick; wir lernten uns verstehen, kein Uferweg, den ich nicht ausgetreten hätte, nirgends ein Fremdling im Schilf. Ich hatte hier Heimat gefunden; nicht durch Geburt, beileibe nicht, ich hatte mir mein Heil suchen müssen, meine Zugehörigkeit, meine Ordnung, meinen Frieden, meine mir gemäße Welt; ich war hier Dauerpatient, und im Gegensatz zu den Leuten vom See nahm ich den See nicht als selbstverständlich, er war mir Erlebnis, täglich neu, ein währendes Abenteuer, voller Widersprüche, doch man findet sich ab, weil es unabwendbar ist.
Ich schaffte es nicht mehr. Der See war in diesen frühen Herbsttagen außergewöhnlich kalt, das Wasserthermometer zeigte knapp elf Grad an, doch zunächst machte mir das nichts aus. Ich war schon in der Mitte des Sees, als mich fror. Ich war allein. Das andere Ufer war weit, zu weit, und als ich zurücksah, wußte ich, daß ich es nicht mehr schaffen würde. Ich wußte, daß es zu Ende ging. Ich legte mich auf den Rücken, versuchte, wenigstens den Kopf über Wasser zu halten, aber mich fror immer mehr; meine Kräfte ließen nach, ich schluckte Wasser, nein, dachte ich, so schnell darfst du dich nicht unterkriegen lassen, so schnell nicht, aber, die Katze hatte mich gewarnt, der See sei zu kalt, zu

gefährlich, nur: Was sollte das jetzt? Zu spät, nicht wahr, zu Ende. Ich weiß nicht, wann man sterben muß, bis jetzt weiß ich das nicht; ich weiß auch nicht, wie man sterben soll, die Ursachen sind unglaubwürdig; ich weiß lediglich, daß man in den letzten Sekunden des Lebens sterben will. Es gibt kein Aufbäumen, Widerstand ist zwecklos. Auch deshalb ist Sterben einfach.

Wo ist die Schwelle? Meßbar ist sie nicht, es gibt keinen Punkt Null. Nur wer Quarzuhren anbetet, hält es für denkbar, daß erst nach dem letzten Atemzug das Leben aus- und der Tod einsetzt. Nein, nein, alles fließt. Im Brennpunkt haust die Angst. Je mehr die Ängste nachlassen, desto näher ist der Tod, ob das Herz nun noch schlägt oder die Lunge noch atmet. Die letzten Blicke kommen schon aus dem Jenseits. Jedermann erlebt das, sieht es mit an, begreift es aber nicht. Am allerwenigsten begreifen es die sogenannten Seelsorger, denen die Gnade so leicht auf der Zunge liegt. Der Tod ist nicht gnädig; er ist, weil er ist.

Ich hatte keine Angst mehr. Auch das Frieren ließ nach. Ich wußte, daß ich ertrunken und also tot war, aber ich konnte mit dieser Tatsache wenig anfangen. Ob die Katze es schon bemerkt hatte? Vielleicht saß sie am Ufer und wartete auf meine Rückkehr? Vielleicht auch dachte sie schon nicht mehr an mich und fing Fische. Aber dazu war es ihr wohl zu kalt. Wahrscheinlich lag sie auf ihrem Sessel in der Hütte und döste vor sich hin. Jeder andere Tod ist einem selber fremd; fremde Tode versäumt man. Man versäumt sie selbst dann, wenn man sich liebt.

An alles andere hatte ich gedacht: an Lungenkrebs, an eine Schrumpfleber, an Herzinfarkt; auf den Gedanken, einmal ertrinken zu sollen, war ich zeitlebens nie gekommen. Rückwirkend leuchtet es ein. Der See, das war schon immer mein Einundalles gewesen, und nun war ich ganz dort. Am Ufer stand Bauer Greiffs Sohn und rief nach seinem Hund. Ich überlegte, was wohl aus meiner Hütte werden würde.

Bauer Greiff könnte sie verfallen lassen. Oder vermieten. Oder verkaufen. Die Nachfolger stehen parat. Morgen oder übermorgen würde man mich im Dorf vermissen. Im See war es still, ich hatte ungeahnte Ruhe.

So also ist das. Mein Gott, wie oft denkt man an den Tod, doch wenn er dann kommt, muß man höllisch achtgeben, daß er einen nicht überrennt. Keine Frage, jedermann hat die Chance, auf die Stunde seines Todes hinzuleben. Aber ist es eine Chance? Welche? Die kümmerlichen Versuche, noch zu Lebzeiten eine Einheit von Leben und Tod zu erwirken, sind allesamt gescheitert, auch hinter Klostermauern, auch im Schweigen der Wälder, selbst Jesus hatte Angst, sagt man, jedenfalls hat es sich so angesehen. Ich hatte keine Angst. Ich lag ertrunken im See, seltsam geborgen, der Seegrund war weich, grüne Algen, meterhoch, schwebten hinauf zum Licht, Fische schwammen hindurch und nahmen keine Notiz von mir. Die Katze hatte recht behalten. Aber kommt es darauf an? Wer eigentlich hat recht? Was ist das: recht haben? Allenfalls eine Frage der Definition. Das Leben hat recht, der Tod hat recht, jedem das Seine. Der See hat dich verschluckt, dachte ich, mach' was draus. Aber was?

Ich wartete.

Warten ist nicht das richtige Wort. Warten erweckt den Eindruck, es müsse etwas geschehen, so oder so kommen, man wartet nicht zweckfrei; gerade das aber war meine Lage: zweckfrei warten, ohne Absicht, ohne Wünsche, ohne Hoffnung; gut, wenn etwas geschieht, gut, wenn nichts geschieht; es ist, wie es ist, und wie es ist, so muß es sein, man fragt nicht mehr, weil die Antworten fraglos gegeben werden.

Man muß unterscheiden zwischen dem Vorgang des Sterbens und dem Beginn des Totseins. Aus meiner Sicht entlarvt sich die Angst vor dem Sterben zumindest nachträglich als Lappalie; Angst hin, Angst her: Sterben ist unabdingbar, jeder Tod kommt für jeden, es gibt kein Entrinnen, man hat ihn anzunehmen. Es ist nicht wahr, daß einem plötzlich alles egal geworden ist; man verliert lediglich das lebenslängliche »Wenn«, das »Aber«, das »Warum«; man streift sie ab, sie verlieren an Fragwürdigkeit, sie sind nicht mehr da, aus, gestorben, dahin.

Es könnte sein, daß meine Kölner Firma mir einen Nachruf widmet. Der Direktor wird sagen, dazu sei man schlechterdings verpflichtet, letztendlich hätte ich mich um die Firma verdient gemacht. Die Sekretärin des Direktors wird diese Meinung der Sekretärin des Personalchefs durchsagen, aber der Personalchef will die Entscheidung nicht ohne den Personalrat treffen, hier gilt es, Mitbestimmung zu leben, gleichberechtigte Abstimmung über Größe und Inhalt einer Todesanzeige. Anfrage bei der Anzeigenabteilung des »Kölner Stadtanzeiger« nach der momentanen Millimeterpauschale. Antwort: Gesamtkosten 800 Mark. Rückfrage bei der Direktion: ob 600 Mark nicht ausreichten. Antwort: 600 Mark langten auch. Nachfrage der Personalabteilung, wer für den Text des Nachrufs verantwortlich zeichne. Antwort des Direktors: das lasse er sich nicht nehmen. Ergebnis: die Firma trauert, es werde schwer sein, mich zu ersetzen. Kommt einer zur Beerdigung? Vorsorglich wird der Antrag auf eine Dienstreise gestellt und vorab genehmigt.

Ich wußte nicht, ob mich irgendjemand irgendwann aus dem See herausholen würde. Man wird sehen.

Die Katze müßte jetzt Hunger haben. Ob sie mich vermißt? Wahrscheinlich. Die Lebenden vermissen immer etwas. Sie merken geradezu an dem, was sie vermissen, daß sie leben, und wenn ihnen die Toten abhanden kommen, trauern sie weniger dem Tod nach – davon wissen sie ohnehin nichts –, nein, sie beklagen sich selber, die Trauer ist egozentrisch, eitel, der Tote hat gut schweigen, und was wird aus den Überlebenden?

Nun, ich hatte es geschafft.

Was eigentlich? Das Leben? Das Sterben? Den Tod? Von zehn Milliarden Atemzügen gehen neuneinhalb Milliarden ins Leere; man könnte sie weglassen, niemandem fiel das auf; Leben will weniger gelebt als gelernt sein, aber ehe man das begreift, kommen die Nierensteine, die Herzrhythmusstörungen, die Bandscheibenschäden; die Jugend rennt rückwärts davon, man schafft wenig, man wird geschafft; die Eigeninitiative war mittelmäßig, nie ist man zu sich selber gekommen, das Leben ließ einem keine Zeit, obschon man sich die Zeit zum Leben sehr wohl hätte nehmen können; aber man hat sich angepaßt; ein Leben, vollgespickt mit Ansichten und Absichten, aber blöd vertan, weil man zeitlebens versäumt hat, sich selber zu leben. Aussicht: ja; Einsicht: nein. Warum? Es sollte einem gleichgültig sein, ob auf der Todesanzeige »Generaldirektor«, »Sportler des Jahres« oder »Ritter vom Heiligen Grab« steht. Aber nein, den Trauernden will man es noch einmal zeigen, ihr Leid ist unsagbar, man selber unersetzbar, der Tod ist groß, wir sind die Seinen. Schade. Auch dieses Leben vertan. Man ist nicht bloß gestorben; man ist verschieden, entschlafen, womöglich sanft dahin- oder heimgegangen. Schade. Die großen Tode machen schaulustig, die Orden im Sarg haben ausgeklimpert, sie rosten dahin, das Dekor war mies, das Leben käuflich, man hat es aus-, nicht angenommen. Man hat es vertan. Gewiß, jeder vertut sich mal. Aber gleich das Leben?

Nun, ich hatte es geschafft. Es waren noch andere Ertrunkene im See. Eine junge Frau war da; sie hatte lange dunkelblonde Haare, die ihr über die Schultern flossen, und ich fragte sie, wann sie gestorben sei. Sie sah mich an, lächelte, aber sie antwortete nicht. Zuerst dachte ich, sie habe mich nicht verstanden. Vielleicht aber mochte sie nicht erinnert werden? Nur Ruhe haben. Ich sah sie an, lächelte zurück und sagte nichts mehr. Der Seegrund war dunkelgrün, die Algen standen still, oben würde es Abend werden.

ALICE MILLER

Das arme reiche Kind

Manchmal muß ich mich fragen, ob es uns überhaupt je möglich sein wird, das Ausmaß der Einsamkeit und Verlassenheit zu erfassen, dem wir als Kinder und folglich auch, intrapsychisch, als Erwachsene ausgesetzt waren oder sind. Ich meine hier nicht in erster Linie die äußere Verlassenheit, die äußeren Trennungen von den Eltern, die selbstverständlich traumatische Auswirkungen haben können, ich denke auch nicht an Kinder, die offensichtlich vernachlässigt oder gar verwahrlost aufgewachsen sind und die es schon immer wußten oder wenigstens mit dieser Wahrheit großgeworden sind.

Aber es bleibt ja noch die ganz große Zahl der narzißtisch gestörten Menschen, die sehr oft differenzierte und bemühte Eltern hatten, die von ihren Eltern gefördert wurden und die an schweren Depressionen leiden. Mit dem Bild einer glücklichen und behüteten Kindheit, mit dem sie aufgewachsen sind, kommen sie in die Analyse.

Es handelt sich um Patienten, die selber viele Möglichkeiten oder sogar Talente hatten, die sie auch entwickelten, und die oft wegen ihrer Gaben und Leistungen gelobt wurden. Fast alle diese Analysanden waren schon im ersten Lebensjahr trocken und viele halfen bereits im Alter von eineinhalb bis fünf Jahren sehr geschickt bei der Pflege ihrer kleinen Geschwister. Nach der vorherrschenden Meinung müßten diese Menschen – der Stolz ihrer Eltern – ein starkes und stabiles Selbstbewußtsein haben. Aber gerade das Gegenteil ist der Fall. Alles, was sie anpacken, machen sie gut bis hervorragend, sie werden bewundert und beneidet, sie ernten Erfolge, wo es ihnen immer wichtig ist, aber alles das nützt nichts. Dahinter lauert die Depression, das Gefühl der Leere, der Selbstentfremdung, der Sinnlosigkeit ihres Daseins – sobald die Droge der Grandiosität ausfällt, sobald sie nicht »on top« sind, nicht mit Sicherheit der Superstar, oder wenn sie plötzlich das Gefühl bekommen, vor irgendeinem Idealbild ihrer selbst versagt zu haben. Dann werden sie gelegentlich von Ängsten oder schweren Schuld- und Schamgefühlen geplagt. Was sind die Gründe einer so tiefen narzißtischen Störung bei diesen begabten Menschen?

Schon in der ersten Besprechung lassen sie den Zuhörenden bald wissen, daß sie verständnisvolle Eltern hatten, mindestens einen Elternteil, und wenn es ihnen je am Verständnis der Umwelt gefehlt hatte, so lag es, meinen sie, an ihnen, nämlich daran, daß sie sich nicht richtig ausdrücken konnten. Sie bringen ihre ersten Erinnerungen ohne jegliches Mitgefühl für das Kind, das sie einmal waren, und dies fällt um so mehr auf, als diese Patienten nicht nur eine ausgesprochene Fähigkeit zur Introspektion haben, sondern sich auch leicht in andere Menschen einfühlen können. Ihre Beziehung zur Gefühlswelt ihrer Kindheit ist aber durch mangelnden Respekt, Kontrollzwang, Manipulation und Leistungsdruck charakterisiert. Nicht selten zeigen sich da Verachtung und Ironie, die bis zum Spott und Zynismus gehen können. Allgemein zutreffend ist ferner ein völliges Ausbleiben von echtem, emotionalem Verstehen und Ernstnehmen des eigenen Kinderschicksals, sowie eine völlige Ahnungslosigkeit in bezug auf die eigenen wahren Bedürfnisse, jenseits der Leistungszwänge. Die Verinnerlichung des ursprünglichen Dramas ist so vollkommen gelungen, daß die Illusion der guten Kindheit gerettet werden kann.

Um das seelische Klima der Kindheit dieser Analysanden schildern zu können, möchte ich zunächst einige Voraussetzungen formulieren, von denen ich ausgehe und die vor allem den Arbeiten von D. Winnicott, M. Mahler und H. Kohut nahestehen.

1. Es ist ein ureigenes Bedürfnis des Kindes, als das, was es jeweils ist, und als *Zentrum der eigenen Aktivität* gesehen, beachtet und ernstgenommen zu werden. Im Unterschied zum Triebwunsch handelt es sich hier um ein genauso legitimes, aber *narzißtisches Bedürfnis*, dessen Erfüllung zur Bildung eines gesunden Selbstgefühls unerläßlich ist.

2. »Das, was es jeweils ist«, meint: *Gefühle, Empfindungen und ihren Ausdruck*, bereits beim Säugling. »Die inneren (!) Empfindungen des Säuglings und Kleinkindes«, schreibt M. Mahler, »bilden den Kern des Selbst. Sie scheinen der Mittel-, der Kristallisationspunkt des Selbstgefühls zu bleiben, um das herum das ›Identitätsgefühl‹ errichtet wird« (1972, S. 17).

3. In einer Atmosphäre der *Achtung und Toleranz für die Gefühle des Kindes* kann das Kind in der Trennungsphase die Symbiose mit der Mutter aufgeben und die Schritte zur Individuation und Autonomie vollziehen.

4. Damit diese Voraussetzungen des gesunden Narzißmus möglich wären, müßten die Eltern dieser Kinder ebenfalls in einem solchen Klima aufgewachsen sein.

5. Eltern, die dieses Klima als Kinder nicht bekommen haben, sind narzißtisch *bedürftig*, d. h. sie suchen ihr ganzes Leben, was ihnen ihre eigenen Eltern zur *rechten Zeit* nicht geben konnten: ein Wesen, das ganz auf sie eingeht, sie ganz versteht und ernstnimmt, das sie bewundert und ihnen folgt.

6. Dieses Suchen kann natürlich nicht voll gelingen, denn es bezieht sich auf *eine unwiderruflich vergangene Situation*, nämlich die erste Zeit der Selbstformung.

7. Aber ein Mensch mit einem ungestillten und *unbewußten* – weil abgewehrten – *Bedürfnis* ist einem *Zwang* unterworfen, das Bedürfnis doch noch auf Ersatzwegen befriedigen zu wollen.

8. Am meisten eignen sich dazu die *eigenen Kinder*. Ein Neugeborenes ist auf Gedeih und Verderb auf seine Eltern

angewiesen. Und da seine Existenz davon abhängt, ihre Zuwendung zu bekommen, tut es auch alles, um sie nicht zu verlieren. Es wird vom ersten Tag an all seine Möglichkeiten einsetzen, wie eine kleine Pflanze, die sich nach der Sonne dreht, um zu überleben (vgl. A. Miller, 1971).

Bisher bewegte ich mich auf dem Boden von mehr oder weniger bekannten Tatsachen. Die folgenden Gedanken beruhen auf Beobachtungen, die ich in den von mir durchgeführten oder kontrollierten Analysen von Kollegen und nicht zuletzt in den zahlreichen Interviews mit Adepten der Psychoanalyse machte. Bei allen diesen Menschen war ein Kinderschicksal vorzufinden, das mir bezeichnend erscheint.

1. Da war eine im Grunde *emotional unsichere Mutter,* die für ihr narzißtisches Gleichgewicht auf ein bestimmtes Verhalten oder eine bestimmte Seinsweise des Kindes angewiesen war. Diese Unsicherheit konnte sehr wohl dem Kinde und der ganzen Umgebung hinter einer harten, autoritären, ja totalitären Fassade verborgen bleiben.

2. Dazu kam eine erstaunliche *Fähigkeit des Kindes,* dieses Bedürfnis der Mutter oder beider Eltern intuitiv, also auch unbewußt zu spüren und zu beantworten, d. h. die ihm unbewußt zugeteilte Funktion zu übernehmen.

3. Diese Funktion sicherte dem Kind die »Liebe«, d. h. hier die *narzißtische Besetzung* durch die Eltern. Es spürte, daß es gebraucht wurde, und das gab seinem Leben die Existenzsicherung.

Diese Fähigkeit wird ausgebaut und perfektioniert, und diese Kinder werden nicht nur zu Müttern (Vertrauten, Tröstern, Ratgebern, Stützen) ihrer Mütter, sondern übernehmen auch Verantwortung für ihre Geschwister und bilden schließlich ein ganz *besonderes Sensorium für unbewußte Signale der Bedürfnisse des Anderen* aus. Kein Wunder, wenn sie später oft den Beruf des Psychoanalytikers wählen. Wer sonst, ohne diese Vorgeschichte, würde das Interesse dafür aufbringen, den ganzen Tag herausfinden zu wollen, was sich im Unbewußten des anderen abspielt? Aber in der Ausbildung und Vervollkommnung dieses differenzierten Sensoriums, das einst dem Kind zum Überleben verhalf und den Erwachsenen zu seinem seltsamen Beruf befähigt, liegen auch die *Wurzeln der narzißtischen Störung*.

ODYSSEAS ELYTIS

Gedichte

DIE ZEIT ist schneller Vogelschatten
Weit offen meine Augen in ihren Bildern

Um das tiefgrüne Glück der Blätter
Großes Erleben der Schmetterlinge

Während die Unschuld
Sich ihrer letzten Lüge entkleidet

Süßes Abenteuer süßes
Leben.

Melancholie der Ägäis

Welche Fügung der Seele an die abendlichen Taucherkönige
Welche Stille in den Stimmen des fernen Landes!
Der Kuckuck in den Bäumen das Tuch
Geheimnisvoller Ritus beim Mahl der Fischer
Und das Meer bläst Musik
Fernes Leid der Frau
Der schönen, die ihre Brust entblößte
Als die Erinnerung einfiel in die Nester
Und des Flieders Feuer den Abend besprühte!

Mit Schiff und Segel der Madonna
Flohen, behütet von den Winden
Die Geliebten der Lilienfremde
Wie aber besang hier die Nacht den Schlaf

Mit strudelndem Haar an leuchtenden Engen
Oder den weiten hellen Küsten
Und wie unter dem goldenen Schwert Orions
Verflog und zerfloß
Der Staub aus den Träumen der Mädchen
Im Duft von Basilikum und Minze!

Am Kreuzweg stand die alte Zauberin
Und entfachte die Winde mit Thymian
Biegsame Schatten wanderten leise
Mit einem Krug Johanniswasser in der Hand
Leicht, als gingen sie ein ins Paradies
Und aus der Grillen Andacht, die das Land erfüllte
Traten die Schönen mit mondgleicher Haut
Um auf mitternächtlicher Tenne zu tanzen...

O Zeichen die ihr in die Tiefe
Des spiegelnden Wassers eingeht
Sieben kleine schimmernde Lilien

Wenn das Schwert Orions zurückkehrt
Wird es armes Brot unter dem Lämpchen finden
Aber eine Seele in der Glut der Sterne
Und große Hände in die Unendlichkeit hinein verzweigt
Einsamen Tang letzte Gaben der Küste
Smaragdene Jahre

O grüner Smaragd – welcher Seher sah
Dich bei der Geburt des Tages halten das Licht
Das Licht bei der Geburt beider Augen der Welt!

Silbernes Gedicht als Geschenk

Ich weiß daß das alles nichts ist und daß die Sprache
die ich spreche kein Alphabet hat

Weil auch Sonne und Wellen eine Silbenschrift
sind die du nur in Zeiten der Trauer oder der Verbannung
entzifferst

Und das Vaterland ein Fresko mit aufeinanderfolgen-
den Schichten, fränkischen oder slawischen läßt du
dich aber zufällig darauf ein es zu erneuern landest du
sofort im Gefängnis und mußt Rechenschaft ablegen

Vor einer Menge fremder Mächte stets mittels deiner
eigenen

Wie das bei Mißgeschicken so üblich ist

Dennoch stellen wir uns einmal vor daß auf einer
Tenne aus alter Zeit die auch in einem Hochhaus sein
könnte Kinder spielen und der der verliert

Den Regeln gemäß den anderen eine Wahrheit sagen
und bieten muß

Bis alle am Ende merken daß sie in Händen halten ein

Silbernes Gedicht als kleines Geschenk.

ADOLF MUSCHG

Ich erwachte an einem Feuerschein

Ich erwachte an einem Feuerschein, jedenfalls hielt ich für den Widerschein eines Feuers, was an meinen Wänden tanzte. Seltam nur, daß es mondblau war. Der Moskitovorhanghimmel war weit geöffnet. Dabei war ich sicher, ihn vor dem Einschlafen bis auf einen Spalt zugezogen zu haben. Auch das Bett schien gewachsen, ich fühlte mich turmhoch über dem Boden liegen, auf einem weitläufigen, durch das dünne Laken kaum verhüllten Steinblock. Alles tat mir weh, aber wenn das ein Feuer war, mußte ich fliehen. Ich setzte mich auf und ließ die Beine vom Bettrand hängen, sie berührten den Boden nicht, es würde ein Sprung nötig sein, bei dem mich der Bademantel behindern konnte. Jemand mußte mich in der Nacht in diesen Bademantel gesteckt haben, einen schwärzlichen Überwurf, der vorn mit einer Mönchskordel zusammengehalten war. Ich versuchte sie festzuziehen, sie war elastisch, aber nur in einer Richtung: wenn ich dran zog, wurde sie länger und immer länger, also mußte ich den Rock mit den Händen zusammenhalten, und bevor ich sprang, hörte ich Stimmen –
Stimmen durcheinanderredend, aber leise, ein Volksgemurmel, das durch etwas Unerhörtes gedämpft war. Das Äußerste mußte schon geschehen sein, der Schrei schon verklungen, auf den die unbekannte Menge antwortete. Es hing ein Geschmack in der Luft, wie ich ihn als Kind im Mund gehabt habe, als ich mit der Zungenspitze das gefrorene Gartentor berührte und die Zunge gerade noch, aber blutend, zurückzog. Dieser Schrei, wenn da ein Schrei gewesen war, hatte mich wohl geweckt. Aber warum waren alle andern schon versammelt, schon verständigt, warum ich nicht, ich

allein, wenn es draußen doch brannte? Die Tür war zu öffnen, wenn ich mich reckte, wenigstens war ich nicht eingeschlossen, wie gefürchtet, einen Augenblick in Todesangst befürchtet. Ich ging hinaus, geblendet, da lag der Hof von gestern im Flutlicht, aber ich wußte, daß es hätte »Schußlicht« heißen müssen, taghell, wie es nur sein kann, wenn eigentlich Nacht ist. In der Mitte des Hofes brannte ein blaues Feuer ohne Rauch oder Geräusch und wurde von einer mächtigen alten Frau mit rundlichen glatten Klötzen gefüttert, von denen ich wußte, daß es die Arme und Beine von Puppen, in Wirklichkeit aber von gefrorenen Kindern waren. Und sie brannten auch nicht eigentlich, sondern vergingen langsam im Lichtschein, wurden durchsichtig und dann unsichtbar. Es war dieses Verglühen, von dem das starke Licht ausging, und ich wußte zum ersten Mal, was Feuer ist, und wie es gemacht wird. Ich hörte die Stimme von Gallus, dann die von Gaby, dann Stappungs Lachen, aber es waren nur Chinesen zu sehen, deren Köpfe im Dunkel lagen. Als ich die laut knarrende Tür zuzog, glaubte ich zu erkennen, daß die Köpfe sich mir zuwendeten, ich konnte ihre Augenhöhlen sehen, aber diese Augenhöhlen waren ja die Augen selbst, und ihre Finsternis sah durch mich hindurch. Ich versuchte mich zu setzen, aber der Lichtschein folgte mir, ich kauerte in erbarmungsloser Helligkeit und mußte dabei immer diesen Rock zusammenhalten. Jetzt konnte ich sehen, er war gemustert, zeigte schwarze Ranken oder Zähne auf braunem Grund, die Kordel war jetzt so schwach geworden, daß sie zu gar nichts mehr gut war, aber als ich sie wegwerfen wollte, klebte sie mir an den Händen. Ich hörte meine Reisegefährten sprechen, Stappung auch, verstand aber kein Wort, auch wenn mir jeder Klang vertraut war. Ich wußte, ich war als Zeuge geladen, ich mußte aussagen und wußte nicht was, wenn es nicht das Schrecklichste war. Wenn ich den Mund öffnete, gab ich mich nicht mehr als Zeuge, sondern als Angeklagten, ja schon Verurteilten zu erkennen. Der Mann, der neben dem Feuer saß, war der Richter, er versteckte sich ein wenig, aber ich glaubte Kong zu erkennen, erkannte ihn an der heftigen Fußbewegung, mit der er den Boden schlug, das war Ungeduld, es wurde also erwartet, daß ich sprach, mich verriet, und mich am Ende der Verhandlung an der Kordel aufhängte. Ich versuchte sie verstohlen noch länger zu ziehen, bis sie zu schwach sein würde, um mich zu tragen. Einmal blickte ich mich nach meiner Tür um, sie schien noch höher geworden, und die Klinke war abgeschraubt. Er hat es getan, sagte eine Stimme, die von Kong, und sie redete mit holländischem Akzent, er hat seinen Tod gewünscht, er hat jeden Tag darauf gewartet. Ich hatte den Tod meines Vaters gewünscht. Seit mir ein Schulkamerad gesagt hatte, mein Vater sei ja schon alt, er werde bald sterben, hatte ich mich vor diesem Tod gefürchtet und die Zimmertür einen Spalt offen gelassen, um die Schreibmaschine meines Vaters hören zu können. Damit der Tod nicht eintreten konnte, mußte diese Tür etwas Licht durchlassen, aber jetzt hörte ich die Wahrheit: ich hatte immer auf den Tod gewartet, Kong hatte recht, ich hatte diesen Tod wünschen müssen, damit nicht noch Schrecklicheres geschah, von dem ich mir keinen Begriff machen konnte. Ich sah die Züge des Schrecklichsten im blauen Feuer, das die alte Frau fütterte, es erinnerte, ohne daß die Einzelheiten deutlich waren, an Stappung, oder an einen Schakal, der Schakal hatte das Maul offen, er litt es, das Schrecklichste, obwohl er mich zugleich verschlingen wollte, diese beiden Schrecken waren nicht zu unterscheiden, ich mußte mit dem Schakal leiden, mich seinen von Atemnot geöffneten Zähnen anbieten, damit er erlöst würde. Die alte Frau hatte eine Unkrauthacke mit einem langen Stiel, mit dem schürte sie das blaue Feuer, in Wirklichkeit schlug sie nach dem Kopf, der immer deutlicher der Kopf meines Vaters wurde, den ich im Sarg gesehen hatte, sie zielte nach den Augen, die damals geschlossen gewesen waren. Die Frau riß dem Kopf mit behutsamen Schlägen die Lider auf, sie legte den Blick frei, der durchsichtig war, vollkommen durchsichtig gerade auf mich gerichtet. Da ist noch viel, sagte sie, schau nur, wieviel ich da noch rauskriege, hatte meine Großmutter gesagt, als ich das Ei nicht richtig auslöffelte, ihr aber gelang es, noch ganz viel Weißes vom Boden des Eis herauszuholen, sie steckte es mir in den Mund, das ist auch noch gut, sagte sie, man muß nur suchen.

Es verging Zeit, bis ich mich getraute, die Hand auszustrekken, und das rauhe Zeug in die Hand bekam, das Moskitonetz, und eine Stimme Quauwipao sagen hörte, ich verstand es nicht, aber es war chinesisch, unbefangen, wie man redet, wenn man schon früh bei der Arbeit ist und den Morgen für sich hat. Eine andere Frauenstimme antwortete unbekümmert, dann hörte ich Wasser ausgießen und das Schleifen eines Besens.

CZESŁAW MIŁOSZ

Aufgabe

Mit Zittern und Bangen denk ich, daß ich mein Leben erfüllte,
Hätte ich nur gewagt, öffentlich auszusagen,
Betrug zu enthüllen, meinen und den der Epoche:
Uns war das Gekreisch von Zwergen und von Dämonen erlaubt,
Doch reine und würdige Worte waren verboten
bei hoher Strafe, so daß, wer eins zu sagen wagte,
Sich selber hätte verloren geben müssen.

Wie viele herrliche Vorsätze

Wie viele herrliche Vorsätze, Spiele und Listen gab es,
Als uns, meine Freunde,
Die Wolken, die waldesrühmlichen Statuen
Und über der schmalen Straße Johannisadler-Engel beschützten.
Ihr solltet verlieren und wußtet es nicht.
Ihr solltet verlieren, ich hab es gewußt.
Ohne die Mitwisserschaft, die vergebliche, euch oder mir zu bekennen.
Nun ist es vollbracht. Der Wind spielt mit Schatten von Namen,
Schneestille folgt auf die Dynastie.
Wer Verstand besaß, der wählte Doktrinen,

In denen der teuflische Moder, flimmernd, geleuchtet hatte.
Wer Herz hatte, ließ sich zur Liebe verführen.
Wer Schönheit wollte, diente dem Stein auf dem Stein.
So zahlte unser Jahrhundert heim
Denen, die seiner Verzweiflung und seiner Hoffnung vertrauten.
Und was hat Gewinnen bedeutet? Mitten im Wort zu verstummen.
Den Schrei zu vernehmen, der Lüge zu huldigen, die Wahrheit war nämlich gefallen.
Kumpanei zu heucheln, an Gräbern vorbei.
Und sich zu den Auserwählten zählend
Mit ganzem Körper Scham
Zu empfinden.

Wenn ich sagte

Wenn ich die Wahrheit sagte, zogen mich die beleidigenden Lächeln der Zeitungsratten
In ihr Vertrauen, als ob wir uns darauf verstünden.
Ich konnte nur meine Verachtung durch Jahre bewahren
Wissend, daß ihnen der Triumph beschert sein würde,
Weil sie der Reihe nach, was sie wollten, bekamen:
Jeder den ihm gemäßen Anteil am Nichts.

Gabe

Der Tag war glücklich.
Der Nebel fiel früh herab, ich hatte im Garten zu schaffen.
Die Kolibris rasten an der Blüte des Kaprifoliums.
Es gab in der Welt kein Ding, das ich hätte haben wollen.
Ich kannte niemanden, den ich beneiden müßte.

Was Böses geschehen war, hab ich vergessen.
Ich schämte mich nicht zu denken, ich sei, wer ich bin.
Ich spürte keinerlei Schmerz im Leibe.
Aufgerichtet sah ich das blaue Meer und die Segel.

JOSEF WINKLER

Haus 7
35 Tiere, 6 Kinder,
9 Kruzifixe

Die Mutter krempelte das Totenhemd des Kindes, das voll Erde war, in die Höhe und küßte die blutgefüllte Nabelgrube. Verschiedenförmige Wolken zogen über die beiden Köpfe und über den umgestürzten Traktor am Hang, der wie ein verendetes Pferd mit rollenden Rädern auf dem Rücken lag. Das Knistern einer Wurzel löste in ihr die Ahnung eines Scheiterhaufens aus, auf dem sie stolz wie Jeanne d'Arc mit dem toten Kind in den Händen, Blutflecken auf den Hüften, stehen und verbrennen wollte. Sie hob das Kind in die Höhe, die Hosenleiter baumelte nach unten und streifte im Gehen die Grasspitzen, trug es über einen Feldhügel und einen zweiten ins Haus hinein, das in diesem Augenblick zu einem Totenhaus wurde. Auf dem lotrechten Balken des Dorfkruzifix ging der Großvater, Vater meiner Mutter, der gestern noch mit pendelndem Kopf am Klofenster stand, an dem menschengroßen Dorfkruzifix mit dem hölzernen Schindeldach vorbei. Manchmal lehnten an der Mauer dieses Kruzifix Sense und Heurechen, Bauern standen daneben und sprachen unter dem Angesicht des Gekreuzigten über ein krank gewordenes Tier. Der Asphalt flirrte unter der Sommerhitze. Der Großvater schob den Hut nach hinten und wischte sich mit der Innenfläche der anderen Hand den Schweiß von der Stirn. Der Pfau folgte ihm, am Rande des Weges Futter suchend, auf Schritt und Tritt. Blieb der Pfau stehen, blieb auch der Großvater stehen und drehte sich nach dem Tier um; die zweite Hälfte eines Regenwurms krümmte sich an dessen Schnabelspitze. Wasserschüsseltragend ging eine Hebamme in seinen Gedanken vorbei. Ein Enkelkind war ihm gestorben. Über die Hausmauer rankten sich dunkler und dunkler werdende Weintrauben. Das Dorfkruzifix trug die Gesichtszüge des toten Kindes. Ein paar Wochen vorher hatte er zum toten Pferdekopf gebetet, der mit heraushängender Zunge und weitaufgerissenen Augen im feuchten Stroh gelegen hatte, jetzt war es der nackte, vom Traktor deformierte Kopf des Kindes, vor dem er, an seinem Spazierstock Halt suchend, stand. Unter dem Scherenschnitt des Mähmessers an der Seite des Traktors fielen dem Kind die Haare vom Kopf. Der Geruch des Holzes im Bauernhaus wurde durch den Tod verstärkt. Die Fensterkreuze ließen den Blick bis ans Ende der Welt gehen. Jedes Auge, das aus dem Fenster blickte, durchdrang die Landschaft, die grünen Wiesen, der Wind schlug Wogen im Roggenfeld, millionenfach zitterten die Haferähren ums tote Kind.

Das Weizenfeld marschiert als komplexer Trauergast mit den gesamten Ähren auf. Hunde rasseln mit ihren Ketten. Hunderte Marzipanjesus gehen bloßfüßig über das Meer. Unter den Peitschenhieben der Galeerensträflinge krümmen sich ihre braungebrannten Rücken. Sie ziehen ein Wrack ins Tote Meer. Der Heukarren, den das Pferd über die Dorfstraße zieht, ist beladen mit Leichenkränzen, an denen weiße, kunstgerechte Schleifen mit Goldaufschriften hängen, Blumensträuße, die peinlich genau an ihren Stengelenden mit violetten Papiermanschetten verziert sind, und in der Mitte des Wagens eine kindsgroße Holzschachtel auf Engelsfüßen. Unter der Anstrengung des Fuders nickt das Pferd, unaufhaltsam vorwärtsziehend, mit seinem Kopf. Fliegen heben sich von seinen eitrigen Augen, setzen sich wieder nieder, das Pferd schüttelt den Kopf, die Riemen und Zügel des Totengräbers, der auf dem glänzenden Rücken des Pferdes sitzt, geraten außer Rand und Band, der Wagen wird erschüttert, die Hinterdreintrottenden horchen auf und fallen aus dem Rhythmus der Gebete. Der Kaubügel ist voll von grünem Speichel. Wagen und Gebete setzen ihren Rhythmus fort. Den Leichenzug führt das Kruzifix an wie ein Feldmarschall mit dem schneidigen Atem eines handkantenscharfen Kreuzzeichens. Alle anwesenden Trauergäste kennen den Weg zum Friedhof genau. Während sie beten und in Gedanken auf den eigenen Tod oder auf den Tod ihrer Kinder zurückfallen, zählen sie die Schritte von ihrem Hausein- und -ausgang zum Familiengrab ab. Die Blumen an den Fensternischen der Häuser geben dem Kind das letzte Geleit, Forellen zur linken Seite des Trauerzugs den Dorfbach entlangschwimmend, ein Schwarm Zugvögel rechts. Mit Strohpuppen und Blumenbüscheln gehen die kleinen Brüder und Schwestern des toten Kindes hinter dem Fuder her. Die Mutter blickt hoch und sieht das Dorf unter dem dunklen Schleier ihrer Trauer. Großvater kehrt Blütenblätter aus dem Totenzimmer; Bestatter wird die schwarzen Dekorationstücher falten.

Nach ihrer erschöpfenden Maurerarbeit badeten Kurt und Hans in einem See. Keuchend schwamm plötzlich Hans an Kurt heran und faßte ihn, bereits sinkend, an den Fesseln seiner Beine. Wie zwei Trapezkünstler, der eine auf der Schulter des anderen, sanken sie auf den Grund. Im Todeskampf befreite sich Kurt mit einem Schlag auf den Schädel des Freundes. Hans ließ los und fiel mit blutendem Mund und gespreizten Fingern auf den Rücken. Kurt turnte sich an die Wasseroberfläche hoch und lag keuchend, seine Finger krallten sich in den feinen Sand, am Ufer. Hans, so erzählt man, hatte *ein Loch im Herzen.* Er war mit einem Herzfehler auf die Welt gekommen. Die Feuerwehr barg den Leichnam. Im Elternhaus wurde er aufgebahrt wie sein fünfjähriger Bruder, der vom Traktor zerquetscht worden war. Man erzählte, daß sein Körper *wie ein Krapfen aufgebläht* sei. Andere Tote wurden offen aufgebahrt, die Särge der beiden Brüder waren geschlossen. Man versteckte ihre deformierten Leiber vor den Trauergästen. Stumm saß die schwarzgekleidete Großmutter in einer Ecke des Totenzimmers.

WISŁAWA SZYMBORSKA

An mein Herz am Sonntag

Ich danke dir, mein Herz,
daß du nicht säumst, daß du dich regst,
ohne Entgelt und ohne Lohn,
aus angeborenem Fleiß.

Siebzig Verdienste hast du in einer Minute.
Jede deiner Muskelbewegungen
ist wie ein Anstoß des Bootes
ins offene Meer
zur Fahrt um die Welt.

Ich danke dir, mein Herz,
daß du mich ab und zu
herausnimmst aus der Ganzheit
als Einzelheit selbst im Traum.

Du sorgst dafür, daß ich mich nicht
ganz und gar verflüchtige
in einem Flug,
der keine Flügel braucht.

Ich danke dir, mein Herz,
daß ich wieder erwacht bin –
und obwohl es Sonntag ist,
ein Tag der Ruhe,
hält der Verkehr unter den Rippen an
wie sonst an den Wochentagen.

Pieta

Im Städtchen, in dem der Held geboren wurde,
das Denkmal besichtigen, seine Größe loben,
zwei Hühner vertreiben von der Schwelle des leeren
Museums,
erfahren, wo seine Mutter wohnt,
klopfen, die knarrende Tür aufstoßen.
Sie hält sich gerade, sie kämmt sich glatt, blickt hell.
Sagen, daß man aus Polen gefahren kommt.
Grüßen. Fragen, laut und deutlich.
Ja, sie habe ihn sehr geliebt. Ja, so sei er immer gewesen.
Ja, sie habe damals vor der Gefängnismauer gestanden.
Ja, sie habe die Salve gehört.
Bedauern, daß man kein Tonband mitgenommen habe,
und keine Kamera. Ja, sie kenne diese Geräte.
Im Rundfunk habe sie seinen letzten Brief gelesen.
Im Fernsehen alte Wiegenlieder gesungen.
Einmal sei sie sogar im Film aufgetreten, habe tränend
in Jupiterlampen gestarrt. Ja, die Erinnerung rühre sie.
Ja, sie sei etwas müde. Ja, das gehe vorüber.
Aufstehen. Danken. Abschied nehmen. Hinausgehn,
vorbei an den nächsten Touristen im Flur.

EINAR SCHLEEF

Gertrud

Ich hoffte auf eine gute Nacht. Kurz vor 4 wieder wach. Wach und Kopfschmerzen, Knacken im Hals, wie abgewürgt, aber ich atme, lebe. Anziehen, aufstehen, jedesmal schlägt die Uhr in mir. 4 Uhr: Ich muß in die Bäckerei. Teig kneten. Lebkuchenherzen glasieren. Ich ziehe das Bett hoch und umarme Willy. Meine Vorstellung ist so lebendig. Ich hole alles nach. Ich will nur neben dir liegen, ruhig werden. Ich bin nicht alt. Ich bin wunschlos. Jedenfalls jetzt. Nimm mich in den Arm, deine Brust küssen, mich anschmiegen, einschlafen, du fährst mir durchs Haar, meine Lippen zukken. Elbe schreit mich an: Gertrud der Ofen läuft über, der säuft ab. Mensch machen Sie mich nicht verrückt. Die Asche stiebt durchs Backstubenfenster. Udo zeigt seinem Vater die totgeschlagenen Ratten. Luke auf. Stichflamme. Trinken. Vorsichtig zum Wasserhahn. Mich jetzt erkälten. Ich schlucke aus der Hand.
Um 7 schlägt die Uhr zum 2. Mal. Mein Kopf dröhnt. Die Vögel ein richtiges Gewirr. Nachts die Schatten auf der Tapete, früh das Gekreisch. Ruhe.

Wenn ich aufstehe, langsam, die Beine gehören nicht zum Oberkörper, ich muß bitten, daß sie mich tragen. Bleib liegen, der Tag lang genug. Warte bis 10. Hunger. Ich muß essen weil Frühstück ist. Mittag um 1. Ich nehme zu, aber ich halte die Mahlzeiten ein, Willy leckt. Schließt die Augen. Meine Hand über seinen Nacken. Die Vorhaut schiebt sich zurück. Faß mich an.

Es ist 11, die Vögel nehmen keine Rücksicht. Die Amseln plündern den Futterring. Alle freßt ihr an mir. Die roten Beeren sind für Vati. Viehzeug. Meine Feinde sind die Vögel. Nicht die rumhuppen, die schreien. Es ist Nebel, trotzdem laut, wie laut muß es erst bei Sonne sein. Im November ist Schluß. Die Ziegel triefig, unser Neon brennt noch. Ich danke der Stadt, paar Pflastersteine liegen schon im Fensterbrett, wenn ich nur keine Kirchgänger verletze. Ich kratze mich am Hals, das ist Willys Bart. Andere Frauen schimpfen, ich lecke die Stoppeln. Meine Brust brennt, bis hierher fühle ich es. Ich bin 66. 3 Jahre schon den Vati überrundet.

Er steht vor mir, die eigenartigen, graugrünen Militärhosen an, breit an den Schenkeln, aufgesetzte Taschen, am Knöchel eng, Hosenträger, Unterhemd. Heiß Trude. Eine Holzbaracke mit Eisengittern vor den Fenstern, mit eisernen Fensterklappen, innen das Sicherheitsschloß, alles an Willys Bund. Das Holz grau gestrichen, frisch, der Ölfarbengeruch, nur künstliches Licht, es hat nicht geregnet, drückend heiß. Die Feldbetten mit dunkelgrauen Decken. Pferdedecken. Ich soll hier schlafen. Wir sollen hier schlafen. Hans ist wund, ich wasche und pudere ihn auf der Toilette. Ein schwachbeleuchteter Gang, einfach keine Glühbirne, jede Tür abgeschlossen, im Klo steckt innen der Schlüssel. Hoffentlich kriegt Hans nichts ab. Bisher ging alles gut. Ich sehe mich im Spiegel. Verkommen. Mich jetzt ertragen. Ein Vieh in der Falle, die letzten Sekunden, ein Wolf beißt sich die Pfote ab. Ich muß mein Kind ins Bett bringen. Willy auf der Pritsche, reibt sich den Schwanz, das Unterhemd auf dem Fußboden. Ich wiege Hans.
Augen schließen, schlucken, ich bin ruhig, fällt mir das Erinnern schwer, ist es nicht als baute ich meine eigene Grabkammer, Bröckchen an Bröckchen. Die Erde klebt. Mach ich mein Totenfest. Legitimiere ich mich. Ich weiß, 7 Mo-

nate danach, nach Willy, hätte ich tot sein müssen, ich weiß, ich bereue, ich wollte sterben, jetzt will ich es nicht mehr, ich werde sterben, umkippen, das Fallen hat von mir Besitz ergriffen. Mein Kopf sorgt schon vor, kleine Drehung nach rechts, langsam nach links, alles, ich bin sehr beweglich. Ich klopfe im Rhythmus gegen die Giebel, die Bettkante, auch den Nachttisch, meine Schublade erreiche ich ohne weiteres. Aufstehen, warum heute. Aus der fleißigen Gertrud ist die faule Trude geworden. Im Märchen. Hier sind sie eins und liegen zusammen. Die Faule sagt: Du mußt deine Grabkreuze stecken. Die Fleißige sagt: Du mußt dir die Finger zerstechen. Mein Bauch sagt: Ich muß essen. Keiner vertraut mir. Willy sagt: Zieh dich aus.

Grabe tiefer, das Loch größer, stocke, stoße auf einen Feldstein. Ringsrum freischaufeln. Vatis Findling. Die Szene in der Baracke. Der Friedhofsgärtner mir oft genug versprochen. Da sitzt er, fest in der Erde. Spuck in die Pfote, streng dich an, da führt kein Weg vorbei, schlag in die Kissen, rubbel dich zwischen den Zehen wund, 4 Uhr, mach Licht, wird wieder Nacht. Ich muß eine Lösung finden, tief muß es sein, sehr tief. Den Rand leg ich mit Brettern aus, auch den Anmarsch für die Karre, jawohl ich brauche eine Karre, unsere große Schaufel, dann den Scheiß abwärts, aber der Felstein stört, der sperrt die Queckenwurzel, dafür ist er gut, so breit, kann ich Willys Namen einmeißeln lassen, ich könnte vorsichtig hineinkriechen, mit dem Handfeger saubermachen, würde ja sehen ob die Oberfläche nicht zu uneben. Gertrud bleibst du stecken, wer reicht dir die Hand. Willy, der grinst, pinkelt dir von oben in die Fresse, oft genug erlebt, hör auf, Ruhe finden, Schlag 4 Uhr Nacht ist die vorbei, gegönnt werden dir 3 Stunden zum Verschnaufen, dann rumort dein Kopf, der Bauch. Willys Geruch klebt an dir.

Er schloß die Tür auf: Man muß durch den Arbeitsraum. Das neue Schild: Chefarchitekt. Schon der Wächter stand stramm. Stramm. Und ich in Sommergarderobe. Aus der Modenzeitung. Aus meinem Koffer. Alles im Schlepptau. Ich rede, schluck Trude, schmeckt bitter, aber der Herr will es. Mein ganzer Körper sehnte sich nach der Umarmung. Stickige Luft. Willy drehte das Licht aus. Unerträglich. Im Arbeitszimmer brannte die Tischlampe. Wozu. Ihn fragen. Sein Reich. Wie meine Nähmaschine. In halber Höhe alles verglast, sah die Stahlzeichenschränke, jede Lade mit einem einzelnen Sicherheitsschloß. Das Zeichenbrett abgeräumt, kein Bleistift, als würde überhaupt nicht gearbeitet. Die grünen Stahlschränke in dem Licht, wir lagen nackt auf dem Feldbet und quälten uns. Ich biß, und er war wie ein Kind. Rutschte an mir, wollte sich verkriechen. Wir kniffen uns, kratzten den Rücken auf, ich faßte zu Hans hinüber, seine kleine Faust umklammerte meinen Zeigefinger. Willy kaute meine Hand. 2 Kinder, keinen Mann. Er rieb mein Gesicht, Stirn, Augenhöhle und Nase. Ich hielt ihn fest. Umklammerte ihn. Übermüdet. Ich spielte mit ihm, beide Hände an seinem Schwanz. Er und ich. Ich küsse dich, mach du. Ich fühlte mich ihm gegenüber frei, wollte das hinausdehnen, aber ich hatte ein wichsendes Kind im Arm. Ich leckte, hatte ich noch nie getan. Merkte er es. Er bewegte sich. Ich ihn im Arm. Ich war ganz ruhig. Ganz warm. Ich hielt seine Hand fest. Noch nicht. Sein Kopf ins Kissen ohne irgendwelche Anzeichen, ich küßte die Brust, biß in die Gurgel. Dann sagte er leise: Ich muß austreten. Er blieb sitzen, überlegte. Suchte er seine Schuhe. Sich an den Bettgestellen festhaltend zur Korridortür. Licht. Nackt, dünn, groß. Er pochte gegen die Wände. Warum. Jetzt mußte er an der Klotür sein. Ich hörte ihn kacken. Zum 1. Mal ohne Peinlichkeit. Wenn er jetzt seine Hände nicht richtig wäscht und danach riecht, wirst du es hinnehmen, ich roch unter seinen Fingernägeln, schon im Mund, jetzt das Papier von der Rolle, abwischen, ich streckte mich aus, Hans schlief fest, beide Hände frei, ich bekam Luft, aber woher. Ob eine

Last von mir gefallen. Ich fuhr mit der Hand über Brust und Schenkel. Jetzt. Er knipste das Flurlicht aus.

Wir lagen nebeneinander. Jetzt. Er brabbelte, ich schien überhört zu haben. Was. Ich lag auf ihm. Was. Es kam schon, auf dem Klo, es hat sich so eingeleitet.

Sein Geruch hängt an mir.

Ich hätte ihn unterbrochen.

Er möchte jetzt schlafen, wir kabbelten, küß mich. Für einen Moment schien er aufzuwachen, dann die Hand auf der Brust, Augen zur Seite: Laß mich allein. Ich zog aufs andere Bett. Die Bartstoppeln brannten. Ich habe mich extra rasiert. Ist Hans zugedeckt. Ja. Schlaf. Kannst du jetzt schlafen. Ja. Es hat nicht geregnet. Es sah ganz danach aus. Mir brennen die Augen vom Kalk. Schnauze die morgen an. Schläfst du. Gib mir die Hand. Schlaf.

Plötzlich wie ein Schlag, Licht im Gesicht, rausgezerrt aus Dumpfheit, ich schrie, der Hals zugeschnürt, eine Taschenlampe ins Gesicht. Eh ich die Augen aufkriegte, ich zittere, die Finger verkrampfen sich, eine Aufsichtsperson kontrollierte Willys Baracke, sah nachher die Taschenlampe über jede Zeichenlade. Schloß für Schloß. Klopfte leise mit dem Finger dagegen. Er stand vor mir, der Uniformierte, nur der Umriß: Es ist alles in Ordnung. Er mußte mein entsetztes Gesicht sehen. Schreien. Uns beide so. Die Lampe streifte Willy, auf dem Bauch liegend, einen Arm über die Kante, Laken und Decke am Boden.

Die Beine anziehen, tun sonst weh, mich ruhig halten, das Licht stach durch die Augenlider. Jemand öffnet sie mit dem Messer, bloß hochgeoben ob noch die Augäpfel auf ihrem Platz. Sie schlafen. Der gelbe Kniest setzt sich fest. Der Uniformierte schloß uns wieder ein. Ein Bunker. Die Tischlampe aus. Also für ihn hatte Willy sie an. Vor Kopfschmerzen ohnmächtig. Ich spürte wie sich mein Körper mit einer Kruste überzog, an der Schenkelaußenseite nach innen. Rauhputz. So eine graublaue Schlempe mit harten Kieseln.

Unsinnig. Die Kiesel Pickel. Vom Bart. Lüge. Bemerkte deutlich, es schob sich was zu, kroch aus der Matratze, direkt aus der Wärme, da wo mein Körper anfing.
Ich quetschte die Pickel aus.
Ich denke wir frühstücken. Mach dem Sohnemann was. Ich muß los. Von draußen wurden die Eisenladen geöffnet. Also war nur das Gitter von innen am Sicherheitsschloß. Willy schob die Fensterflügel auf. So jetzt kriegt ihr wieder Luft. Er stand vollständig angezogen, Schuhe geputzt, gekämmt am Bett. Um 3 hole ich euch zum Essen ab. Er kniete sich hin, küßte Hans, kniff mich in den Oberarm. Trude.

Angst vor der Dunkelheit. Ein Mittel erfinden um das Einbrechen der Nacht hinauszuzögern, die Stunde in der ich umkippe, mein Gleichgewicht verliere. Den Tag krauche ich, geduckt, bange, das Licht nimmt ab, meine Unruhe, ich schlucke, kratze, spüre, wie es in mir hochsteigt. Was möchte ich wissen. Meine Hände jucken, die Haut an den Knöcheln brennt. Magenschmerzen, ich halte mir die Brüste, reibe, 5 Uhr. Jetzt beginnt es langsam. Ich beobachte den Lichschalter, wenn ich einschalte wird es draußen schlagartig dunkel. Blau. Ich sehe mich im Fenster, mein Gegenüber mir auf den Tisch. Das Rollo schließen. Ich habe 2 Gesichter, eins rutscht in das andere. Ich sitze. Ich sehe mich sitzen, ich umkreise mich. Ich bin dicker geworden. Ich quäle mich. Ich werde im Hause bleiben. Ich schalte kein Licht ein. Ich erschrecke vor jedem Geräusch. Mein gebrochener Arm, seit wann bemerke ich ihn. Der November ist zu warm, ich tröste mich. 7 Uhr. Ich schleiche durch die Wohnung. Vorgebeugt, mein eigenes Gespenst. Auf den Krückstock gestützt. Ich lebe mit mir. Keiner darf mich stören. Mein Flügel lahmt. Ich zähle die Stunde. Der Zeiger ruckt. Bin untätig, zum Zerreißen gespannt. Der Stuhl zu hart, das Bett zu weich, wer hilft. Finde keine Ruhe. Rufe, warte. Poche gegen die Wand. Wer antwortet. Die Weide nebenan. Ich frage nochmal. Vergeblich. Das Rollo. Mich verschließen. Ich werde verrückt. Ich muß unter Menschen. Ich muß sprechen. Es versteht mich keiner. An der Seite wanke ich, wische den Hausputz vom Mantel. Das alte Wrack. Die Kinder lachen, laufen mir im Gänsemarsch nach. Die verrückte Alte. Sabbere, mir rinnt der Schweiß, ewige Wiederholung ohne aufzuatmen. Mein Arm, ich drücke ihn gegen die Brust, vielleicht wärmen sich beide, mein Spiegelbild friert. Rotz an der Scheibe. Fettfinger. Wer hat hier angefaßt. Ich kontrolliere die Wohnung, der Stasihund persönlich. Aber kein Willy zu finden, hinter jeder Ecke. Er ist fort. Schrei, wirf dich auf den Rücken, aus, fort. Die Tür zu, der Schlüssel von innen, zweimal umgedreht, hier kommt keiner rein. Vom Klo durch den Flur, gebückt, die Finger fahren über die Geländersprossen. Was hab ich die früher staubgewischt. Jede Woche. Auf den Knien. Heiß mein Gesicht. Ich schmecke den Dreck. Bald Glatze. Ich tue mir weh. Die Schlafzimmertür. Jetzt ist es 8. Beten, kratzen, beißen, die Nachttischlampe an, meine Fotos, die Briefe durchsehen, nur die Hände beschäftigen, der Riß an der Decke wird breiter, das ist Vatis Brief vom Datum egal, merkes am Papier. Vati zur Kur. Jedes Wort auswendig. Sinnlos. Nur die Finger nicht klamm werden lassen. Bewegen. Sagt auch der Doktor. Der Arm. Lahm. Der muß ab. Die erklären mich in der Poliklinik für verrückt, Hand an sich selbst zu legen. Abschneiden. Langeweile. So bin ich. Mich beruhigen, aufstehen, hinlegen, lüften, wieder essen. Mich auf die Straße trauen. Die Fenster. Wenn ich nur die Menschen dahinter nicht kennen würde. Mich in den Zug setzen, irgendwo aussteigen, mein Zug hat rotes Licht. Stop. Willy sitzt am Drücker. Das Frühjahr. Das Rotkehlchen schreit. Ich lauter. Ich nehme mir meine Strümpfe vor, ein Marmeladenglas, so groß das Loch, meine Brille angelaufen, hättest die auch schon früher flicken können. Trude. Mädchen. Meine linke Hand wird steif. Rechts. Ich bin auf den rechten Arm gefallen. Willy. Ja du bist schuld. Ich weiß es genau. Du hast mir auf der Treppe den Hieb versetzt, ich bin klapprig, aber das weiß ich, sag was du willst. Rechtfertige dich, Totenfest läßt dir keine Ruhe. 1/29. Wann schlägt die Turmuhr. Schnupfen. Meine Nase ist zu. Die Strümpfe wäscht man vorher. Ich möchte so gerne spazierengehen. Mich davonschleichen. Allein sein. Aber ich werde erkannt. Jemand hält mich fest, versetzt mir einen Tritt von hinten. Ich bin unschuldig, aber ich verberge mein Gesicht, trage schwer an meinem Sack. Herr vergib. Wie auch wir vergeben unseren Schuldigern. Das Geländer putzen. Mir eine Aufgabe stellen. Der Fernseher kommt bei mir nicht mehr zu Wort. Antenne raus, Stecker. Danke. Wer zwingt mich in die Knie. Einen Schluck aus der Pulle. Ein Auge zudrükken. Schon am frühen Morgen Gertrud. Elly sieht mich. Der Magen braucht das, soll endlich Ruhe geben. Die Turmuhr, ich warte. Eingeschlafen, aber ich bin wach. Ein Auto. Horch. In unserer Straße oder nebenan. Metzdorfs Sohn. Ich höre gut. Jetzt schließt er die Garage auf. Ohne Licht. Er scheint ein Weihnachtsgeschenk heimzubringen. Wohin mit mir. Satz an Satz, Ausrede an Ausrede. Mich zurechtfinden, jetzt ist er im Haus. Ordentlich der Sohn. Abgeschlossen. Schreibtisch gestützt, der Maschinendeckel lose, kriecht der Staub rein. Vatis Maschine. Auf dem Kunstlederboden meine Schuppen, Haare, abgebissenes Streichholz. Einen Brief nach Berlin. Wer schreibt mir. Ich suche das schwarze Trageband für den Arm, irgendwo versteckt, hebe ja grundsätzlich immer alles auf. Suchen damit kann ich mich beschäftigen. In der Schürzentasche wußte es, was sucht es da. Ich kann auch die Turmuhr überhört haben. Mir Wasser hinsetzen um den Arm zu baden. Schlaf ich wieder ein. Noch mehr Schmerzen. Das Bett. Ich schiele, macht es Anstalten, ich muß auf die Straße, Fenster anglotzen. Wenn ich nur nicht die Maschinen dahinter kennen würde.

HANS MAGNUS ENZENSBERGER

Andenken

Also was die siebziger Jahre betrifft,
kann ich mich kurz fassen.
Die Auskunft war immer besetzt.
Die wundersame Brotvermehrung
beschränkte sich auf Düsseldorf und Umgebung.
Die furchtbare Nachricht lief über den Ticker,
wurde zur Kenntnis genommen und archiviert.

Widerstandslos, im großen und ganzen,
haben sie sich selbst verschluckt,
die siebziger Jahre,
ohne Gewähr für Nachgeborene,
Türken und Arbeitslose.
Daß irgendwer ihrer mit Nachsicht gedächte,
wäre zuviel verlangt.

Die Furie

Sie sieht zu, wie es mehr wird,
verschwenderisch mehr,
einfach alles, wir auch;
wie es wächst, über den Kopf,
die Arbeit auch; wie der Mehrwert
mehr wird, der Hunger auch;
sieht einfach zu, mit ihrem Gesicht,

das nichts sieht; nichtssagend,
kein Sterbenswort;
denkt sich ihr Teil;
Hoffnung, denkt sie,
unendlich viel Hoffnung,
nur nicht für euch;
ihr, die nicht auf uns hört,
gehört alles; und sie erscheint
nicht fürchterlich; sie erscheint nicht;
ausdruckslos; sie ist gekommen;
ist immer schon da; vor uns
denkt sie; bleibt;
ohne die Hand auszustrecken
nach dem oder jenem,
fällt ihr, was zunächst unmerklich,
dann schnell, rasend schnell fällt, zu;
sie allein bleibt ruhig,
die Furie des Verschwindens.

SIEGFRIED UNSELD

Welche Bücher möchte der Verleger verlegen?

Die Frage, nach welchem Prinzip erfolgt die Auswahl der Bücher, wird am häufigsten an einen Verleger herangetragen. Früher lautete meine Antwort: ich möchte Bücher machen, die Spaß bereiten. Später zielte die Antwort auf Bücher, die der Verlag als solcher realisieren kann, auf die der Verlag als Ganzes mit all seinen Mitarbeitern und Autoren eingestellt ist. Ich möchte Bücher machen, die etwas bewirken, und immer schwebt mir hierbei Kafkas Satz vor: »Ein Buch muß die Axt sein für das gefrorene Meer in uns.« Oder, wie Marcel Proust am Schluß der *Recherche* schrieb: »Um aber auf mich selbst zurückzukommen, so dachte ich bescheidener an mein Buch, und es wäre sogar ungenau zu sagen, daß ich dabei nur an meine Leser dachte. Denn sie würden meiner Meinung nach nicht meine Leser sein, sondern die Leser ihrer selbst, da mein Buch nur etwas wie ein Vergrößerungsfernglas sein würde... durch das ich ihnen ermöglichte, in sich selbst zu lesen.« Das sind also die Bücher, die der Verleger verlegen möchte. Ihre Kriterien sind Substanz und Qualität, und die Kriterien sind immer wieder an jedem einzelnen Manuskript zu prüfen. Der Verleger möchte Literatur bringen, die in unser Bewußtsein dringt und dies zu verändern sucht, Literatur, die stärkt, gerade wenn sie beunruhigt.

Literatur ist immer das, was Autoren aus ihr machen. Der Verleger folgt in seiner Arbeit dem inneren Kalender seiner Autoren. Wir stellten schon fest, daß auf reichere literarische Epochen magere folgen können. Es kann auch sein, daß ein Sprachbereich Führung und Bedeutung an einen anderen abgibt, im 18. und Anfang des 19. Jahrhunderts war es die deutsche Literatur, dann folgten die großen Russen, dann, zu Beginn unseres Jahrhunderts, die Amerikaner, die großen Iren, die Franzosen. Im europäischen Konzert der Literatur ist gegenwärtig die deutschsprachige Stimme durchaus vernehmbar, und innerhalb dieses deutschsprachigen Bereichs spielen schweizerische und österreichische Schriftsteller eine wachsende Rolle. Heute sehen wir, daß die deutschsprachige Literatur zu Beginn unseres Jahrhunderts in einer Krise stand, und diese Krise war keineswegs auf die deutschsprachige Literatur beschränkt. Vielen Autoren ist das Schreiben schwergefallen. Einige der besten schwiegen lange. Das alte Problem, wie die Vorstellung von Wirklichkeit mit der Wirklichkeit selbst in Einklang zu bringen ist, wird komplizierter; die Vorstellung von Sozialismus, die zeitgenössische Schriftsteller haben, scheitert oft genug an der uns gezeigten sozialistischen Wirklichkeit; eine Zeitlang herrschte auch der Irrtum vor, Literatur müsse konkrete Rezepte für die jeweilige Tagespraxis ausarbeiten und propagieren. Dazu kam und kommt als ganz andersartige Schwierigkeit die ungeheuer rasche, weltweite Kommunikation; unser Bewußtsein hat Schwierigkeiten, den durch das Tempo der Computer, der Nachrichtensatelliten und durch das Tempo unserer technologischen Entwicklung hervorgerufenen immer neuen Nachrichten, Daten und Fakten zu folgen und standzuhalten.

In einem *Versuch, die Welt besser zu bestehen*, kommt Alexander Mitscherlich zum Ergebnis, gegenüber der immer stärker verwalteten und computergesteuerten Welt müsse eine Stärkung der »Ich-Kräfte« gefordert werden, eine neue Kultivierung menschlicher Grundrechte. Max Frischs Satz aus dem Jahre 1945, »Es kommt auf den Menschen an ... die Sintflut ist herstellbar«, ist wieder aktuell geworden. Lange Jahrhunderte bemühte sich der Mensch um seine Vervollkommnung, unser Jahrhundert sieht die Perfektionierung der Dinge, der computergesteuerten Dinge unseres Alltags von der Datenbank bis zum Mondflug vor. Erhart Kästner sprach von einem »Aufstand der Dinge«. Es ist durchaus denkbar, folgert Alexander Mitscherlich, »daß die Entscheidung für ein erträgliches Leben der Menschenart bei der Gruppe liegen wird, die neben der Leidenschaft der Perfektionierung der Dinge die Leidenschaft der Selbsterkenntnis zu wecken weiß«. Ich bin fest überzeugt, daß dieser Prozeß der Selbsterkenntnis sich vornehmlich durch Literatur vollziehen kann.

Noch einmal: Literatur ist immer das, was Autoren aus ihr machen. Und oft sind wir befangen gegenüber der Literatur der eigenen Zeit. Man soll sich hüten, Entwicklungen zu prognostizieren. Sicher wird sich jene Tendenz einer wachsenden Demokratisierung der Literatur verstärken, einer aufklärerischen Literatur mit verstehbarer Ausdruckspraxis; sie zeigt den Menschen im Zwang und Zusammenhang der vorgegebenen gesellschaftlichen Umstände. Dann werden wir weiterhin Literatur haben, die einen intensiveren und intimeren Umgang mit der Sprache belegt, dies aus der Erkenntnis, daß veränderte Inhalte adäquat nur durch veränderte Sprachformen wiedergegeben werden können. Und als sicher gilt mir jene Möglichkeit der Literatur, die dem Spiel, der erfahrungsgesättigten Phantasie wieder größere Bedeutung zumißt. Diese Literatur enthält keine direkte Botschaft, ihre Lektüre ist ein Appell an die Freiheit des Lesers, auch er möge seine Phantasie in Bewegung setzen. Peter Handke erwartet von einem literarischen Werk eine Neuigkeit, »etwas, das ihm eine gedachte, noch nicht bewußte *Möglichkeit* der Wirklichkeit bewußt macht, eine neue Möglichkeit zu sehen, zu sprechen, zu denken, zu existieren«. In seinem Aufsatz *Die Literatur ist romantisch* heißt es: »Der sich Engagierende beschäftigt sich mit der Sollensordnung nicht spielerisch, sondern zweckbewußt...

Eine engagierte Literatur gibt es nicht, der Begriff ist ein Widerspruch in sich. Es gibt engagierte Menschen, aber keine engagierten Schriftsteller... Das Engagement zielt zweckbetont auf die Veränderung der gesellschaftlichen Wirklichkeit, während ein Zweck für die Kunst ein Unding wäre. Sie ist nicht ernst und nicht direkt, d. h. auf etwas gerichtet, sondern eine Form und als solche auf nichts gerichtet, höchstens ein ernsthaftes Spiel.«

In diesem Prozeß, in der Bereitschaft zu Phantasie und Spiel, wird sich immer wieder eine neue Möglichkeit für Literatur ergeben, für das Gedicht, für das Drama und durchaus für die alte Form des Romans, der Erzählung, der Novelle.

In freier Phantasie und in ernsthaftem Spiel die Wirklichkeit transzendieren: dies scheint mir eine wichtige Möglichkeit von Literatur zu sein. Transzendieren war eine wichtige Maxime für den späten Brecht, wenn er postulierte: »Wirklicher Fortschritt ist nicht Fortgeschrittensein, sondern Fortschreiten« und »Transzendieren, nicht Transzendenz.«

Ein Lieblingswort des alten Josef Knecht in Hermann Hesses *Glasperlenspiel:* »Mein Leben sollte ein Transzendieren, ein Fortschreiten von Stufe zu Stufe sein.«

Diese Betonung des Fortschreitens, die Betonung der Phantasie und Spielbereitschaft scheint mir kein zufälliges, auch kein rückwärtsgewandtes, eher ein objektives Zeichen zukünftiger Literaturmöglichkeiten zu sein. Noch vor kurzem wurde ja die Literatur für tot erklärt, erst nur die bürgerliche, dann die gesamte Literatur, selbst Kafka und Beckett wurden nicht mehr ausgenommen, in deren Werk eine Verstümmelung und Kapitulation vor den gesellschaftlichen Mächten der Entfremdung stattfände. Ich sehe dies anders: indem diese Entfremdung in der Literatur dargestellt wird, ist sie bewußtgemacht, und dies scheint mir ein erster Schritt zu ihrer Aufhebung zu sein. Wer bloß politisch und gesellschaftlich relevante Texte fordert und den Autor nur noch als »Agent der Masse« begreift, gibt der Literatur eine Ersatzfunktion und müßte sich wundern über das Faktum, daß Lenins Bruder bei seiner Hinrichtung die Gedichte Heinrich Heines im Rock trug. Wundern auch über den Tagebuch-Eintrag Brechts: »Wenn der Sinn für Literatur in einem Menschen sich erschöpft, ist er verloren.« Wer Freude und Lust am Schönen, also die Realisierung aller Libido-Ansprüche, wer Phantasie und Spiel jetzt nicht haben, sondern diese für eine zukünftige klassenlose Gesellschaft vertagen möchte, leistet nur der Verhinderung dieses Prozesses Vorschub. Wir sollten diesen auf das »soziologisch Relevante« zielenden Kritikern, nicht einmal den uns durchaus bekannten Predigern vom Tod der Literatur nicht gram sein; auch sie haben etwas deutlich gemacht, Soziologie macht jetzt Fiction wieder möglich. Diese Literatur mit der Bereitschaft zu Phantasie und Spiel wird einen neuen Kräftezuwachs für den Menschen realisieren, eine Literatur, die vom Wirklichen ausgehend auf das Mögliche verweist. So sah dies Theodor W. Adorno in seiner posthum erschienenen »Ästhetischen Theorie«: »Phantasie ist auch, und wesentlich, die uneingeschränkte Verfügung über die Möglichkeiten der Lösung, die innerhalb eines Kunstwerkes sich kristallisieren... einzig durchs Seiende hindurch transzendiert Kunst zum Nichtseienden.«

Solche Literatur zu verlegen erscheint mir ein erstrebenswertes Ziel zu sein. Auch ich möchte meine Arbeit ohne direkte, abfragbare Ideologie, ohne den deutschen Hang zum Extrem und Exzeß, durchaus mit dem Mut zum Kompromiß, in möglicher Phantasie und wenn immer es geht in »ernsthaftem Spiel« leisten. Ich bin der festen Überzeugung, daß das Buch, der Typ unseres anspruchsvollen Buches in unserer Gesellschaft, einer Gesellschaft mit wachsender Freizeit einerseits und mit dem klaren Ziel des Mündigwerdens des Einzelnen andererseits, ständig seinen

Platz behaupten wird. Der Markt des Handels wie der Medien wird immer ökonomischer, um so größer ist die Chance, mit Substanz und Qualität Wirkungen zu erzielen. Das Buch verändert sich in seiner Machart und Herstellung durch den Einfluß gewaltiger, geradezu revolutionärer neuer Technologien, aber auch das wird uns helfen, das ebenso Nützliche wie Schöne zu machen. Wir wissen, daß Schreiben in unserer Zeit aus vielen belegbaren Gründen schwieriger geworden ist. Am einzelnen Ich, so schrieb Max Frisch, vollziehe sich menschliches Leben: »ohne Leitbild« sollte dieses einzelne Ich sein, forderte Theodor W. Adorno. Dieser Einzelne, der sich heute aus autoritätsgebundenen Strukturen zu lösen versucht, der es wagt, er selbst zu sein, anders zu sein, eigene Wege im Denken und Handeln zu gehen, Wege, die von einem starken Ich zu einem brüderlichen Du, von einem gestärkten Individuum zu einer gerechteren Gesellschaft führen – ist dieser Einzelne nicht eine neue Herausforderung für die Literatur, für den also, der sie schreibt? Wir erfahren, daß Wissen, daß Theorie zu denken, heute schwieriger geworden ist, weil es für die immer komplexer werdenden Gesellschaften schwierig ist, vernünftige Identitäten auszubilden. Ist dies Schwierige nicht eine Herausforderung für die Wissenschaft, für den also, der sie denkt?

Literatur ist immer das, was Autoren aus ihr machen. Die Aufgaben des literarischen Verlegers mögen sich im Detail des fließenden literarischen Kommunikationsprozesses leicht geändert haben, im Grunde sind es die alten: bereit zu sein für den Autor, für das Neue seines Werkes, und mitzuhelfen an seiner Wirkung.

Autoren · Quellenhinweise

HERBERT ACHTERNBUSCH
Am 23. 11. 1938 in München geboren, lebt in Buchenhof bei München.
Am Anfang war das Gold, S. 142
Aus: Happy oder Der Tag wird kommen. Suhrkamp Verlag Frankfurt am Main 1975, S. 127-134

ERNST AUGUSTIN
Am 31. 10. 1927 in Hirschberg/Schlesien geboren, lebt in München.
Der Fall der Evelyne B., S. 241
Aus: Raumlicht: Der Fall Evelyne B. Suhrkamp Verlag Frankfurt am Main 1976, S. 7-19

INGEBORG BACHMANN
Am 25. 6. 1926 in Klagenfurt geboren, gestorben am 16. 10. 1973 in Rom.
Ich habe den sibirischen Judenmantel an, S. 47
Aus: Malina. Suhrkamp Verlag Frankfurt am Main 1977, S. 201-207

DJUNA BARNES
Am 12. 6. 1892 in Cornwall-on-the-Hudson/New York geboren, gestorben am 18. 6. 1982 in New York.
Wächter. Was spricht die Nacht?, S. 62
Aus: Nachtgewächs. Roman. Übertragen von Wolfgang Hildesheimer. Suhrkamp Verlag Frankfurt am Main 1971, S. 91-95

JÜRGEN BECKER
Am 10. 7. 1932 in Köln geboren, lebt dort.
Vormittag, Zusammenhang; Freischaffender, S. 199
Aus: Das Ende der Landschaftsmalerei. Suhrkamp Verlag Frankfurt am Main 1974
Augenblick; Heimat, S. 328
Aus: In der verbleibenden Zeit. Suhrkamp Verlag Frankfurt am Main 1979

JUREK BECKER
Am 30. 9. 1937 in Lodz geboren, lebt in Berlin.
Dann ist es wieder Tag, endlich wieder Tag, S. 265
Aus: Jakob der Lügner. Suhrkamp Verlag Frankfurt am Main 1987, S. 67-75

THOMAS BERNHARD

Am 9. 2. 1931 in Heerlen/Holland geboren, gestorben am 12. 2. 1989 in Gmunden/Oberösterreich.
... tatsächlich habe Konrad im Zimmer seiner Frau wochenlang eine Hacke versteckt gehabt, S. 13
Aus: Das Kalkwerk. Suhrkamp Verlag Frankfurt am Main 1970, S. 16-20
Die Macht der Gewohnheit, S. 178
Aus: Die Macht der Gewohnheit. Suhrkamp Verlag Frankfurt am Main 1974 (Bibliothek Suhrkamp Band 415), S. 98-107
Zwei Zettel; Silo; Wahnsinn, S. 312
Aus: Der Stimmenimitator. Suhrkamp Verlag Frankfurt am Main 1978, S. 110, 126, 165

SILVIO BLATTER

Am 25. 1. 1946 in Bremgarten/Schweiz geboren, lebt in Zürich.
Es war Winter und kalt, S. 303
Aus: Zunehmendes Heimweh. Suhrkamp Verlag Frankfurt am Main 1978, S. 9-18

HANS BLUMENBERG

Am 13. 7. 1920 in Lübeck geboren, lehrte zuletzt in Münster Philosophie.
Die Zweideutigkeit des Himmels, S. 205
Aus: Die Genesis der kopernikanischen Welt. Suhrkamp Verlag Frankfurt am Main 1975, S. 11-15

THOMAS BRASCH

Am 19. 2. 1945 in Westow/England geboren, lebt in Berlin.
Hammett; Zwei Gedichte von Jack the ripper, S. 289
Aus: Kargo. 32. Versuch auf einem untergehenden Schiff aus der eigenen Haut zu kommen. Suhrkamp Verlag Frankfurt am Main 1977

VOLKER BRAUN

Am 7. 5. 1939 in Dresden geboren, lebt in Berlin.
Die Festtage war Karin elend zumut, S. 284
Aus: Unvollendete Geschichte. Suhrkamp Verlag Frankfurt am Main 1979, S. 12-19

BERTOLT BRECHT
Am 10. 2. 1898 in Augsburg geboren, gestorben am 14. 8. 1956 in Berlin.
Arbeitsjournal, S. 129
Aus: Arbeitsjournal 1938-1955. Herausgegeben von Werner Hecht. Suhrkamp Verlag Frankfurt am Main 1973

ALEJO CARPENTIER
Am 26. 4. 1904 in Havanna geboren, gestorben am 24. 4. 1980 in Paris.
Strike up, S. 232
Aus: Barockkonzert. Novelle. Aus dem Spanischen von Anneliese Botond. Suhrkamp Verlag Frankfurt am Main 1976 (Bibliothek Suhrkamp Band 508), S. 89-100

PAUL CELAN
Am 23. 11. 1920 in Czernowitz geboren, gestorben am 5. 5. 1970 in Paris.
Ein Blatt, baumlos für Bertolt Brecht, S. 66
Aus: Schneepart. Suhrkamp Verlag Frankfurt am Main 1971

GÜNTER EICH
Am 1. 2. 1907 in Lebus an der Oder geboren, gestorben am 20. 12. 1972 in Salzburg.
Ein Tibeter in meinem Büro; Exkurs über die Milz, S. 23
Aus: Ein Tibeter in meinem Büro. 49 Maulwürfe. Suhrkamp Verlag Frankfurt am Main 1970, S. 46-47, 64-65

T. S. ELIOT
Am 26. 9. 1888 in St. Louis/USA geboren, gestorben am 4. 1. 1965 in London.
Das Totenamt; Eine Schachpartie, S. 122
Aus: Das wüste Land. Übertragen von Ernst Robert Curtius. Suhrkamp Verlag Frankfurt am Main 1975, S. 85-95

ODYSSEAS ELYTIS
Am 2. 11. 1911 in Heraklion/Kreta geboren, lebt in Athen.
Die Zeit; Melancholie der Ägäis; Silbernes Gedicht als Geschenk, S. 345
Aus: Ausgewählte Gedichte. Ausgewählt und übertragen von Barbara Vierneisel-Schlörb und Antigone Kasolea. Suhrkamp Verlag Frankfurt am Main 1979

HANS MAGNUS ENZENSBERGER
Am 11. 11. 1929 in Kaufbeuren geboren, lebt in München.
Der Untergang der Titanic. Siebzehnter Gesang, S. 314
Aus: Der Untergang der Titanic. Suhrkamp Verlag Frankfurt am Main 1978, S. 56
Andenken; Die Furie, S. 369
Aus: Die Furie des Verschwindens. Suhrkamp Verlag Frankfurt am Main 1980

MARIELUISE FLEISSER
Am 23. 11. 1901 in Ingolstadt geboren, dort gestorben am 1. 2. 1974.
Moritat vom Institutsfräulein, S. 104
Aus: Gesammelte Werke. Herausgegeben von Günther Rühle. Dritter Band: Gesammelte Erzählungen. Suhrkamp Verlag Frankfurt am Main 1972, S. 32-42

MAX FRISCH
Am 15. 5. 1911 in Zürich geboren, lebt dort.
Die Säule, S. 69
Aus: Tagebuch 1966-1971. Suhrkamp Verlag Frankfurt am Main 1972, S. 431-432
Wir hoffen. Rede zur Verleihung des Friedenspreises des deutschen Buchhandels 1976, S. 218
Aus: Gesammelte Werke in zeitlicher Folge. Herausgegeben von Hans Mayer unter Mitwirkung von Walter Schmitz. Band VII: Supplementband. 1976-1985. Suhrkamp Verlag Frankfurt am Main 1986, S. 7-19
Einmal im Sommer, S. 315
Aus: Der Mensch erscheint im Holozän. Suhrkamp Verlag Frankfurt am Main 1979, S. 66-72

RETO HÄNNY
1947 in Tschappina/Graubünden geboren, lebt bei Zürich.
Voller Schwung hinein in den Tag, aus der Stadt hinaus, S. 329
Aus: Ruch. Ein Bericht. Suhrkamp Verlag Frankfurt am Main 1979; revidierte Fassung 1984: edition suhrkamp Band 1295, S. 19-25

PETER HANDKE
Am 6. 12. 1942 in Griffen/Kärnten geboren, lebt in Paris.

Mit meinem letzten Geld fuhr ich im Taxi durch den Staat Oregon, S. 71
Aus: Der kurze Brief zum langen Abschied. Suhrkamp Verlag Frankfurt am Main 1972, S. 180-186
Wer hat schon einmal geträumt, ein Mörder geworden zu sein, S. 190
Aus: Die Stunde der wahren Empfindung. Suhrkamp Verlag Frankfurt am Main 1975, S. 7-8
Langsame Heimkehr, S. 323
Aus: Langsame Heimkehr. Suhrkamp Verlag Frankfurt am Main 1979, S. 83-89

ZBIGNIEW HERBERT
Am 29. 10. 1924 in Lemberg geboren, lebt in Warschau und Paris.
Die Geschichte des Minotaurus, S. 139
Aus: Im Vaterland der Mythen. Griechisches Tagebuch. Aus dem Polnischen von Karl Dedecius, Klaus Staemmler und Walter Tiel. Suhrkamp Verlag Frankfurt am Main 1973, S. 139-140

WOLFGANG HILDESHEIMER
Am 9. 12. 1916 in Hamburg geboren, lebt in Poschiavo/Schweiz.
Masante, S. 132
Aus: Masante. Suhrkamp Verlag Frankfurt am Main 1975, S. 367-377
Mozart, S. 290
Aus: Mozart. Suhrkamp Verlag Frankfurt am Main 1977, S. 119-124

LUDWIG HOHL
Am 9. 4. 1904 in Netstal/Glarus geboren, gestorben am 3. 11. 1980 in Genf.
Das Blatt, S. 67
Aus: Nächtlicher Weg. Suhrkamp Verlag Frankfurt am Main 1971, S. 7-8
Ein ungeheures Schiff, S. 203
Aus: Bergfahrt. Suhrkamp Verlag Frankfurt am Main 1978, S. 7-9

ÖDÖN VON HORVÁTH
Am 9. 12. 1901 in Fiume geboren, gestorben am 1. 6. 1938 in Paris.

Original Zaubermärchen, S. 26
Aus: Gesammelte Werke. Herausgegeben von Traugott Krischke unter Mitarbeit von Susanna Foral-Krischke. Band IV: Prosa und Verse 1918-1938. Suhrkamp Verlag Frankfurt am Main 1988, S. 55-59

PETER HUCHEL
Am 3. 4. 1903 in Berlin-Lichterfelde geboren, gestorben am 30. 4. 1981 in Staufen bei Freiburg.
Die Begrüßung; Unkraut; Das Gericht, S. 76
Aus: Gezählte Tage. Suhrkamp Verlag Frankfurt am Main 1972
König Lear; Im Kalmusgeruch; Im Todtmoos; Der Fremde, S. 321
Aus: Die neunte Stunde. Suhrkamp Verlag Frankfurt am Main 1979

UWE JOHNSON
Am 20. 7. 1934 in Cammin/Pommern geboren, gestorben am 23. 2. 1984 in Sheernes-on-Sea/England.
29. Oktober, 1967, S. 17
Aus: Jahrestage 1. Aus dem Leben der Gesine Cresspahl. Suhrkamp Verlag Frankfurt am Main 1970, S. 235-240

JAMES JOYCE
Am 2. 2. 1882 in Dublin geboren, gestorben am 13. 1. 1941 in Zürich.
Mr. Bloom bewunderte des Friedhofsaufsehers blühende Fülle, S. 186
Aus: Ulysses. Werke. Frankfurter Ausgabe Band III. Übersetzt von Hans Wollschläger. Suhrkamp Verlag Frankfurt am Main 1975, S. 151-155

ALEXANDER KLUGE
Am 14. 2. 1932 in Halberstadt geboren, lebt in München.
Der Betthase, S. 169
Aus: Lernprozesse mit tödlichem Ausgang. Suhrkamp Verlag Frankfurt am Main 1973, S. 11-15

WERNER KOCH
Am 4. 8. 1923 in Mühlheim/Ruhr geboren, lebt in Köln.
Jenseits des Sees, S. 335

Aus: Jenseits des Sees. Suhrkamp Verlag Frankfurt am Main 1979, S. 7-12

WOLFGANG KOEPPEN

Am 23. 6. 1906 in Greifswald geboren, lebt in München.
Jugend, S. 260
Aus: Jugend. Suhrkamp Verlag Frankfurt am Main 1976, S. 68-73

FRANZ XAVER KROETZ

Am 25. 2. 1946 in München geboren, lebt in Kirchberg.
Kirchgang bei schlechtem Wetter, S. 91
Aus: Stallerhof. Stück in drei Akten (1972). In: Stücke I. Suhrkamp Verlag Frankfurt am Main 1989 (suhrkamp taschenbuch 1677), S. 283-287

KARL KROLOW

Am 11. 3. 1915 in Hannover geboren, lebt in Darmstadt.
Warnung des Sommers; Herbst-Gedicht 1; Herbst-Gedicht 2; Der Einfachheit halber, S. 297
Aus: Der Einfachheit halber. Suhrkamp Verlag Frankfurt am Main 1977

DIETER KÜHN

Am 1. 2. 1935 in Köln geboren, lebt dort.
Die Präsidentin, S. 154
Aus: Die Präsidentin. Suhrkamp Verlag Frankfurt am Main 1973, S. 7-17

JÜRG LAEDERACH

Am 20. 12. 1945 in Basel geboren, lebt dort.
I And Crime, S. 175
Aus: Einfall der Dämmerung. Suhrkamp Verlag Frankfurt am Main 1974, S. 35-37

GERTRUD LEUTENEGGER

Am 7. 12. 1948 in Schwyz geboren, lebt in La Crettaz/Schweiz.
Erste Straße, S. 200
Aus: Vorabend. Suhrkamp Verlag Frankfurt am Main 1975, S. 7-11

CLAUDE LÉVI-STRAUSS

Am 28. 11. 1908 in Brüssel geboren, lebt in Paris.
Bororo-Gesang, S. 32

Aus: Mythologica I. Das Rohe und das Gekochte. Aus dem Französischen von Eva Moldenhauer. Suhrkamp Verlag Frankfurt am Main 1971, S. 57-59

RAINER MALKOWSKI

Am 26. 12. 1939 in Berlin geboren, lebt in Brannenburg/Bayern.
Der Tag um Mitternacht; Notiz im November, S. 283
Aus: Einladung ins Freie. Suhrkamp Verlag Frankfurt am Main 1977

HANS MAYER

Am 19. 3. 1907 in Köln geboren, lebt in Tübingen.
Offener Schluß, S. 211
Aus: Außenseiter. Suhrkamp Verlag Frankfurt am Main 1975, S. 459-464

FRIEDERIKE MAYRÖCKER

Am 20. 12. 1924 in Wien geboren, lebt dort.
ich höre dies Reden und Erzählen, S. 192
Aus: Das Licht in der Landschaft. Suhrkamp Verlag Frankfurt am Main 1975, S. 81-87

E. Y. MEYER

Am 11. 10. 1946 in Liestal bei Basel geboren, lebt in Bern.
Dünnerwerdende Äste, S. 116
Aus: Ein Reisender in Sachen Umsturz. Suhrkamp Verlag Frankfurt am Main 1972, S. 7-14

ALICE MILLER

1923 geboren, lebt in Südfrankreich.
Das arme reiche Kind, S. 340
Aus: Das Drama des begabten Kindes und die Suche nach dem wahren Selbst. Suhrkamp Verlag Frankfurt am Main 1979, S. 19-24

CZESŁAW MIŁOSZ

Am 30. 6. 1911 in Šeteiniai/Litauen geboren, lebt in Berkeley/USA.
Aufgabe; Wie viele herrliche Vorsätze; Wenn ich sagte; Gabe, S. 352
Aus: Zeichen im Dunkel. Herausgegeben von Karl Dedecius. Suhrkamp Verlag Frankfurt am Main 1979

ALEXANDER MITSCHERLICH
Am 20. 9. 1908 in München geboren, gestorben am 26. 6. 1982 in Frankfurt am Main.
Versuch, die Welt besser zu bestehen, S. 41
Aus: Versuch, die Welt besser zu bestehen. Suhrkamp Verlag Frankfurt am Main 1970, S. 157-163

TILMANN MOSER
Am 29. 7. 1938 in Villingen geboren, lebt in Freiburg im Breisgau.
Gottesvergiftung, S. 254
Aus: Gottesvergiftung. Suhrkamp Verlag Frankfurt am Main 1976, S. 9-17

ADOLF MUSCHG
Am 13. 5. 1934 in Zollikon geboren, lebt in Männedorf bei Zürich.
Ein ungetreuer Prokurist, S. 79
Aus: Liebesgeschichten. Suhrkamp Verlag Frankfurt am Main 1972, S. 9-22
Ich erwachte an einem Feuerschein, S. 348
Aus: Baiyun oder die Freundschaftsgesellschaft. Suhrkamp Verlag Frankfurt am Main 1980, S. 274-277

PAUL NIZON
Am 19. 12. 1929 in Bern geboren, lebt in Paris.
Wenn es Nachmittag, S. 53
Aus: Im Hause enden die Geschichten. Suhrkamp Verlag Frankfurt am Main 1978, S. 15-18
In Vincents Briefen aus Den Haag, S. 197
Aus: Stolz. Suhrkamp Verlag Frankfurt am Main 1978, S. 116-119

HANS ERICH NOSSACK
Am 31. 1. 1901 in Hamburg geboren, dort gestorben am 2. 11. 1977.
Man könnte sich die Sache natürlich sehr viel einfacher machen, S. 97
Aus: Die gestohlene Melodie. Suhrkamp Verlag Frankfurt am Main 1972, S. 7-14

ERICA PEDRETTI
Am 25. 2. 1930 in Sternberg/Mähren geboren, lebt in La Neuveville/Schweiz.
Schlaflos die ganze Nacht, S. 141
Aus: Heiliger Sebastian. Suhrkamp Verlag Frankfurt am Main 1973, S. 86

ULRICH PLENZDORF
Am 26. 10. 1934 in Berlin geboren, lebt dort.
Natürlich Jeans!, S. 147
Aus: Die neuen Leiden des jungen W. Suhrkamp Verlag Frankfurt am Main 1973, S. 26-30

EINAR SCHLEEF
Am 17. 1. 1944 in Sangerhausen geboren, lebt in Berlin.
Gertrud, S. 361
Aus: Gertrud. Suhrkamp Verlag Frankfurt am Main 1980, S. 371-377

GERTRUDE STEIN
Am 3. 2. 1874 in Allegheny/Pennsylvania geboren, gestorben am 27. 7. 1946 in Paris.
Erzählen, S. 57
Aus: Erzählen. Vier Vorträge. Übertragen von Ernst Jandl. Suhrkamp Verlag Frankfurt am Main 1971, S. 15-21

KARIN STRUCK
Am 14. 5. 1947 in Schlagtow/Mecklenburg geboren, lebt in Hamburg.
Einmal im Leben Urlaub machen, S. 150
Aus: Klassenliebe. Suhrkamp Verlag Frankfurt am Main 1973, S. 92-96

WISŁAWA SZYMBORSKA
Am 2. 7. 1923 bei Posen geboren, lebt in Krakau.
An mein Herz am Sonntag; Pieta, S. 359
Aus: Deshalb leben wir. Übertragen und herausgegeben von Karl Dedecius. Suhrkamp Verlag Frankfurt am Main 1980

SIEGFRIED UNSELD
Am 28. 9. 1924 in Ulm geboren, lebt in Frankfurt am Main.

Welche Bücher möchte der Verleger verlegen?, S. 371
Aus: Der Autor und sein Verleger. Vorlesungen in Mainz und Austin. Suhrkamp Verlag Frankfurt am Main 1978, S. 53-60

MARTIN WALSER
Am 24. 3. 1927 in Wasserburg geboren, lebt in Überlingen.
Also, Anna, S. 166
Aus: Der Sturz. Suhrkamp Verlag Frankfurt am Main 1973, S. 10-12
Ein fliehendes Pferd, S. 300
Aus: Ein fliehendes Pferd. Suhrkamp Verlag Frankfurt am Main 1978, S. 88-90

ROBERT WALSER
Am 15. 4. 1878 in Biel geboren, gestorben am 25. 12. 1956 in Herisau/Schweiz.
Eines Morgens um acht Uhr, S. 274
Aus: Der Gehülfe. Suhrkamp Verlag Frankfurt am Main 1976, S. 5-15

JOSEF WINKLER
Am 3. 3. 1953 in Kamering/Kärnten geboren, lebt in Klagenfurt.
Haus 7. 35 Tiere, 6 Kinder, 9 Kruzifixe, S. 355
Aus: Der Ackermann aus Kärnten. Suhrkamp Verlag Frankfurt am Main 1980, S. 51-54

LUDWIG WITTGENSTEIN
Am 26. 4. 1889 in Wien geboren, gestorben am 29. 4. 1951 in Cambridge.
Über Gewißheit, S. 37
Aus: Über Gewißheit. Herausgegeben von G. E. M. Anscombe und G. H. von Wright. Suhrkamp Verlag Frankfurt am Main 1970, S. 36-40

SV

DIE ACHTZIGER JAHRE

Ein Suhrkamp Lesebuch

Erste Auflage 1990

Quellenhinweise am Schluß des Bandes
Druck: Ebner Ulm
Printed in Germany

DIE ACHTZIGER JAHRE

Ein Wort zuvor

Dieses Buch ist eines der vier Lesebücher, die der Suhrkamp Verlag anläßlich seines vierzigjährigen Bestehens vorlegt: Es sind die Fünfziger Jahre, die Sechziger Jahre, die Siebziger und Achtziger Jahre, deren Autoren hier versammelt und aus deren im genannten Zeitraum erschienenen Büchern Texte angeboten werden.

Vor 40 Jahren gründete Peter Suhrkamp seinen Verlag neu; erste Autoren waren Hesse und Brecht, T.S. Eliot und Proust, Adorno und Benjamin; als »junger Autor« trat Max Frisch hinzu. 40 Jahre später ist dieses Verlagsprogramm wirksam entfaltet: Herausragende zeitgenössische deutschsprachige Autoren; immer wieder der Versuch »der junge Autor«; ein Programm großer internationaler Autoren wie Joyce, Beckett, Duras, der Mexikaner Octavio Paz, der Peruaner Mario Vargas Llosa, der Japaner Yasushi Inoue, die Chinesin Ding Ling, die Russin Marina Zwetajewa, der Pole Czesław Miłosz, der Spanier Jorge Semprun, die Katalanin Mercè Rodoreda, der Israeli Amos Oz. Die Basis Adorno/Benjamin wurde erweitert mit den Werken von Ernst Bloch, Michel Foucault, Herbert Marcuse, Alexander Mitscherlich, Max Raphael, Gershom Scholem, Georg Simmel, Claude Lévi-Strauss und Ludwig Wittgenstein bis hin zu den Werken von Jürgen Habermas, Niklas Luhmann, Dieter Henrich, Manfred Frank und vieler jüngerer Wissenschaftler.

Die vier Lesebücher, die sich auf Belletristisches konzentrieren und nur gelegentlich die wissenschaftliche Dimension des Programms, die eigens vorgestellt werden soll, andeuten, wollen ein Fazit verlegerischen Wirkens ziehen. Sie spiegeln die Geschichte des Verlages wie die Geschichte

der deutschsprachigen Literatur dieser vier Jahrzehnte. Den Lesern seien diese Kompendien angeboten, zum Überblick für die einen, den anderen, vor allem den jüngeren Lesern, zum Hinführen zu Werken, die entdeckt oder neuentdeckt werden sollten.

Eine Einladung zum Lesen also: Wie war es »damals« in den 50er, 60er, in den 70er Jahren, und was ereignet sich heute in der Literatur der jüngsten Autoren.

Siegfried Unseld

Inhalt

THOMAS BRASCH

Der schöne 27. September

Ich habe keine Zeitung gelesen.
Ich habe keiner Frau nachgesehn.
Ich habe den Briefkasten nicht geöffnet.
Ich habe keinem einen Guten Tag gewünscht.
Ich habe nicht in den Spiegel gesehn.
Ich habe mit keinem über alte Zeiten gesprochen und
mit keinem über neue Zeiten.
Ich habe nicht über mich nachgedacht.
Ich habe keine Zeile geschrieben.
Ich habe keinen Stein ins Rollen gebracht.

Der Hurenmörder L. aus Köln

Vom weißen Leib den Rock, von der Hüfte die Haut,
ziehe ich dir, und aus dem Gitter das Herz.
Weine nicht. Keiner ist haltbar gebaut.
So gehen wir beide himmelwärts:
Einander verkauft und verraten und für immer getraut.
Was schweigst du. Was ruft die Zeitung so laut.

Dornröschen und Schweinefleisch

Wer geht wohin weg
Wer bleibt warum wo
Unter der festen Wolke ein Leck
Alexanderplatz und Bahnhof Zoo

Abschied von morgen Ankunft gestern
Das ist der deutsche Traum
Endlich verbrüdern sich die Schwestern
Zwei Hexen unterm Apfelbaum

Wer schreibt der bleibt
Hier oder weg oder wo
Wer schreibt der treibt
So oder so

Hamlet gegen Shakespeare

Das andere Wort hinter dem Wort.
Der andere Tod hinter dem Mord.
Das Unvereinbare in ein Gedicht:
Die Ordnung. Und der Riß, der sie zerbricht.

Die Geheimnisse

Er hat zwei, sie hat eins.
Das letzte, das sie trennt
ist ihr gemeinsames, doch keins
das andere beim Namen nennt.

Er sucht in ihrem Haus,
was sie in seinem Haus verlor.
Sein Eingang ist ihr Aus-
gang. Sie stehn schweigend vor dem Tor.

Nur ein Wind erschüttert sie noch,
wenn eins zum andern schweigt
und eins zum andern ängstlich kroch,
weil keins sich zeigt.

Schlaflied für K.

Nacht oder Tag oder jetzt
Will ich bei dir liegen
Vom schlimmsten Frieden gehetzt
Zwischen zwei Kriegen

Ich oder wir oder du
Denken ohne Gedanken
Schließ deine Augen zu
Siehst du die Städte schwanken

In den Traum oder Tod oder Schlaf
Komm in den Steingarten
wo ich dich nie traf
will ich jetzt auf dich warten

GYÖRGY KONRÁD

Im Frühjahr 1942

Im Frühjahr 1942 befand ich mich gerade auf dem Land, als die Geheimgendarmen die Hälfte der illegalen kommunistischen Bewegung hochnahmen, und an meiner Stelle nahmen sie die Gefährtin meiner gesetzlichen Nächte und meiner ungesetzlichen Tage mit, Zsófi, die ich an einer Straßenecke kennengelernt hatte. Sie schwebte aber auch zu beschwingt aus dem anhaltenden Autobus heraus, direkt in meine Arme. Ich verspürte keinerlei Lust, sie loszulassen, und um meiner Nötigung einen schicklichen Anschein zu geben, schlug ich ihr vor, meine Frau zu werden. Sie gab mir einen Korb, aufdringliche Kavaliere, die sie noch dazu auf der Straße belästigten, werde sie nicht heiraten, doch mein Antrag überraschte sie. Erst nach einem Fünkchen Nachsinnen löste sie sich aus meinen Armen. Wegen meiner regelwidrigen Nebenaktion packte mich das Schuldbewußtsein: Ich schlenderte zum konspirativen Treff zur nächsten Straßenecke, ein disziplinierter Parteiarbeiter sollte bei so einer Gelegenheit keinen Heiratsantrag machen. Sie müsse sich beeilen, schreckte Zsófi auf, und damit ich sie losließ, gab sie mir ein Rendezvous für den nächsten Tag. Sie wohne hier, sagte sie, und schlüpfte zur Haustür des nächstgelegenen Mietshauses hinein. An der Nachbarecke kaufte jemand bei der rotbäckigen Marktfrau in der Fellweste genau fünfundzwanzig Kastanien. Als Erkennungszeichen hätte mein Verbindungsmann die Schale mit den Zähnen knacken und in der linken Manteltasche versenken müssen. Indes, plötzlich taucht Zsófi auf, sie sieht hochmütig über mich hinweg, und sie tut all das. Instruktionsgemäß gehe ich gemächlich zu ihr hin und bemerke: »Die Kastanien sind dieses Jahr schön mürbe.« Daraufhin muß sie sagen: »Ich mag sie unheimlich, wenn man sie bloß nicht schälen müßte.« Woraufhin ich einwerfe, jetzt schon unwahrscheinlicher, damit wir den Zufall der Binsenwahrheit aussieben: »Ananas ist auch lecker.« Daraufhin sie kapriziös: »Granatäpfel hasse ich.« Wenn wir all das schön herunterleiern, besteht kein Zweifel, daß wir aufeinander gewartet haben und daß sie mir während des Spaziergangs Lenins »Staat und Revolution« in zehn Exemplaren übergeben muß, eingeschlagen in den Umschlag eines Mädchenromans. Fehlerlos warfen wir uns die kleinen Sätze zu. Zsófi eröffnete mir dann kühl wie ein Eiszapfen, sie werde meine kleinbürgerliche Triebhaftigkeit unserem vorgesetzten Kontaktmann melden. Von dieser Verfehlung war sie allerdings auch nicht ganz unberührt: Noch in dieser Woche ergriffen wir von der Seele des anderen Besitz und zogen in eine kleine Wohnung am Donauufer.

Sie war Zeichenlehrerin an einem Gymnasium und gewann einige ängstliche Kollegen für ein ideologisches Seminar, das in ihrer wunderlichen Bildhauerwerkstatt stattfand. Sie stach bebilderte Agitationssprüche in Kupfer und vervielfältigte sie, doch mußten wir entweder unseren Hals verrenken oder das Flugblatt drehen und wenden, um die spiralförmigen Spruchbänder lesen zu können. »Dadurch prägt man sich den Text ein«, sagte sie. »Und überhaupt, die radikale Politik muß sich mit der radikalen Kunst treffen.« Davor zogen wir unseren Kopf ein. Durch ihre Geschicklichkeit erhielten die bolschewistischen Führer eine unverfängliche Hülle, damit sie von einem mit uns sympathisierenden Antiquar unter dem Ladentisch gehandelt werden konnten. Die Lehre setzte Zsófis Sebstachtung allerdings zu. Auf einem harten Stuhl sitzend, büffelte sie die Lehre, legte ihren Kopf darauf, ihre Nase verkrumpelte sich, und die geniale Direktive wurde ein bißchen besabbert. Anderntags aber war es, als hätte sie ihren Kopf ausgelüftet, sie hatte vergessen, worum es geht und warum die vielen kritisierten Irrlehren so schädlich sind. »Ich bin zu dumm dazu«, schlug sie sich mit der Faust gegen den Kopf. Sie erinnerte sich nur an die ulkig groben Stilblüten, dafür schämte sie sich aber: »Mein Gehirn ist ein bürgerliches Kaffeesieb, nur der Satz von der revolutionären Theorie bleibt darin hängen.« Sie mußte sich auch dafür kritisieren: »Bestimmt ist überhaupt kein Satz darin, ich bin bloß zu zimperlich.« Ihrer parfümierten Mutter nickte sie auf der Straße nur gerade mal zu. In der Gaststätte bestellte sie mit Todesverachtung saure Flecke. Hastig trank sie nach den anderen und riß die Hand zurück, um nur ja nicht die Flaschenöffnung abzuwischen. Aber sie errötete, wenn die Strumpfnaht an ihrem Bein verrutschte oder wenn sie einen französischen Satz falsch formulierte. Ihre rotgefrorenen Hände versteckte sie in meiner Manteltasche, sie war aber nie bereit, Handschuhe anzuziehen, weil sie das als kleines Mädchen hatte tun müssen. Wenn sie Fieber bekam, wurde sie heiter, zu Hause hatte ihren Vater eine kleine Grippe der Tochter mehr erschüttert, als wenn ein alter Geschäftsfreund an einem Herzschlag verstorben wäre. Sie nähte sich eine giftgrüne Samttunika, trug sie aber nur zu Hause, zur Bewegung paßte ein grauer Rock und dazu eine weiße Bluse, und weil es nicht mehr Mode war, schmutzig zu sein, besaß sie zwölf gleiche weiße Blusen.

Wie ein sanftes Fragezeichen wendete sie mir ihr schmales Gesicht zu: »Ich habe Angst vor Schlägen und davor, daß sie mich verunstalten, wenn ich auffliege.« Und sie versank wieder in Verzweiflung. »Die Illegalität ist für jemanden geschaffen, der auf alles verzichten kann, doch ich bin immer noch ein Bürgermädchen. Ich habe etwas zu verlieren und habe ein abscheuliches Selbstmitleid. Weißt du, als ich neun war, haben zweiundzwanzig Verwandte auf meiner Ballettprüfung applaudiert.« Mit einigem Unbehagen verheimlichte ich auch vor meinen Kameraden, daß sie bei unerwarteter körperlicher Berührung erschaudert und daß sie im Traum aufschreit. »Sie kommen«, stöhnt sie und rennt gleichsam mit geschlossenen Augen zur Tür, um zu sehen, ob der Riegel vorgeschoben ist. Sie schreckt zusammen, wenn ich lautlos eintrete, als schliche der Mörder in Turnschuhen bei ihr ein. »Ich habe ja gar keine Angst«, beklagte sie sich, »sondern meine Knie.« Wenn sie eine schlechte Nachricht bekam, mußte sie sich hinsetzen, und nach Einbruch der Dunkelheit tanzten an der Wand gefährliche Schatten. Ich konnte sie in kein Freibad schleppen: »Diese Leiber«, sagte sie, und ein Frösteln überkam sie. Wir gingen lieber an die Donau. Zur Angstüberwindung suchte sie sich einen Strudel aus, nach tiefem Luftholen ließ sie sich auf den Grund des Flußbetts hinabziehen und dort unten seitwärts hinauswerfen. Sie strampelte nicht, damit ihr die Luft nicht ausginge, bis sie langsam an die Wasseroberfläche emporschwebte.

Zur Überwindung ihrer Platzangst setzte sie sich im fünften Stock ins Fenster. Mit beiden Händen faßte sie an die aus der Wand hängende Hundertzehnvoltleitung, um kennenzulernen, was ein Schlag ist. Mit einer glühenden Zigarette versengte sie sich die Fußsohlen und konnte tagelang nicht auf den Beinen stehen. Sie nahm Unterricht bei einem Boxlehrer und prahlte mit ihren blauen Flecken. Im letzten Moment sprang sie auf der Straße vor den vorbeirasenden Lastwagen beiseite. Ich hatte Angst, daß sie die Angst in sich so lange abtötete, bis ihre Abwehrreflexe den Dienst verweigerten. Meine Sehnsucht ging schon eher dahin, daß sie der illegalen Arbeit fernbleibt.

Ich verheimlichte ihr meine Aufgaben. Ich war meist mit Ausweisfälschungen und mit der Befreiung von Internierten und Arbeitsdienstlern beschäftigt. Im militärischen Straflager besuchte ich meine Kameraden mit ins Brot eingebackener Pistole oder Drahtschere. Gerade deshalb ließ ich meine Anzüge bei einem englischen Schneider nähen, und im eigenen Wagen, in stutzerhaftem Pelzmantel besuchte ich allabendlich die Bars. Zur Täuschung der politischen Polizei legte ich mit zu Beaus passenden Pseudokünstlerinnen einen langsamen Foxtrott auf das von unten beleuchtete und sich drehende Glasparkett. Als schläfriger Maulhänger hörte ich mir auf der Trabrennbahn von meinen Pseudowettpartnern die neuesten Aufträge zur Gefangenenbefreiung an. Den Lehrstuhl für Anglistik, Psychologie und Geschichte an der Universität, für dessen Besuch mich mein Vater unterhielt, beehrte ich ziemlich sporadisch mit meiner Anwesenheit. »Wenn du Angst hast«, sagte ich einmal zu Zsófi, »darfst du keine Geheimnisse kennen. Man muß nicht um jeden Preis ein Held sein. Es reicht schon, wenn jemand anständig ist. Es läßt sich sowieso darüber streiten, weshalb ein Held wäre, wer immer und immer wieder durch sein Temperament oder durch seine Prinzipien zum Verbotenen getrieben wird. Ich werde von der Gefahr berauscht, und ich lege den vierten Gang ein, doch darin ist nichts Heldenhaftes, es ist lediglich eine Fabrikationsbesonderheit. Wenn du es bei Licht besiehst, sind die großen Helden durchweg große Ungeheuer, sie setzen am liebsten auch sich selbst beim Würfeln ein, bloß damit sie das auch mit den anderen tun können.« Doch sie erwiderte darauf nur: »Wer 1941 bloß auf den Sieg der Verbündeten wartet und nicht gegen den Faschismus kämpft, der ist einfach ehrlos.« Wenn sie in London oder Moskau leben würde, würde sie freiwillig in die Armee eintreten und wäre kein Gesetzesübertreter. Es sei ein historisches Mißgeschick, daß du in einer Kriegsdiktatur nicht ohne ein bißchen staatsfeindliches Risiko anständig bleiben kannst. Aber hier würden nur die Kommunisten auf die Gesetze pfeifen. Sie hat einen Zug gesehen: Fünf Bewaffnete treiben auf der Landstraße zweihundert gesunde unbewaffnete Männer vorwärts. Es würden nicht einmal fünf von ihnen sterben, wenn sie sich auf einmal auf die Aufseher stürzten, und die anderen kämen frei. Nur diese fünf fehlen, die sich als erste rühren. Seitdem weiß sie sicher, daß sie zur initiativen Minderheit gehören wird. »Stimmt's, du würdest deinen Aufsehern die Kehle durchbeißen?« fragt sie mit werbender Beklommenheit. »Ich würde ihnen sogar das Blut aussaugen«, sagte ich beschwichtigend.

Sie schlief schon, als ich von zu Hause wegging. Ich ließ einen Zettel auf dem Tisch: »Ich komme übermorgen zurück. Ich hole dich in der Bibliothek ab. Wundere dich nicht, wenn dir ein Skelett entgegenkommt, dein Fehlen zehrt an mir.« Diese Prophezeiung war ein bißchen gewagt, das gute Gewissen und der Hausfrieden hatten mich in dieser Zeit stämmig gemacht. Nachteile der Empfindsamkeit: Zsófi warf das Brieflein wegen des ihr huldigenden Nebensätzchens nicht weg. Bei der Haussuchung wurde die Nachricht gefunden, zwei Tage lang wurde Zsófi geschlagen, sie sollte sich in die Bibliothek setzen und mich beim Eintreten begrüßen. Die Gendarmeriefahnder wußten bloß meinen Namen, aber mein Gesicht kannten sie nicht. Es gab noch keinen Personalausweis mit Paßbild und keine Fotosammlung in den Personalmappen, die geheimen Beobachter konnten noch nicht ihre im Feuerzeug verborgenen Fotoapparate rattern lassen, um mit unseren heimtückisch entstandenen Momentaufnahmen einen ganzen Tisch einzudecken, damit die kleinen Gesten unseres banalen Lebens uns entgegenblicken, dem Gefesselten, der jetzt wirklich entlarvt ist, denn wenn sie mein Bild haben, dann haben sie auch mich erwischt. Ich kam aus der Provinz und hatte noch nichts davon gehört, daß wir aufgeflogen waren. Obwohl mir die zwei schwarzen Autos vor dem Bibliothekstor und drinnen die muskulösen, dunkel gekleideten Männer, deren Sakko nach ewiger Detektivmode ein bißchen knapp saß, verdächtig waren, rannte ich als sorgloser Liebhaber mit der kupfernen Garderobenmarke in der Hand die Marmorstufen hinauf. Ich hatte es eilig, zu meiner Freundin zu kommen, die um diese Zeit die Bilder der indischen und sumerischen Statuen betrachtete. Auf dem dicken Teppich ging ich auf den Fußspitzen weiter. Zsófi bemerkte mich schon aus zehn Meter Entfernung: Sie sah mich an, dann wendete sie sich mit Nachdruck weg und grüßte nicht. Ich ging weiter und grüßte auch nicht. Ich blieb vor den Lexika stehen. Nach hinten schielend war es nicht schwer, die drei Stiernacken zu identifizieren, wie sie Zsófis Gesicht gespannt beobachteten. Sie paßten nicht die Bohne in die Bibliothek. Ich eilte hinaus, und bis in die letzte Faser spürte ich schmerzlich, sie hatten diesen Dutt umhergezerrt, ihn um die Faust gewickelt, weil die Ohrfeige so schmerzhafter war. Sie hielt ihre Schulter etwas schief. Was mochten sie mit ihr angestellt haben? Ich ging hinunter und guckte mit größter Arglosigkeit in die Autos hinein. Erst Tage später flog ich in einer im Grünen gelegenen Villa auf, die wir, die kommunistischen Studenten, auf den Namen unseres ehrwürdigen Professors, als arbeitswissenschaftliches Institut gemietet hatten. Hier beging ich auch einen Fehler, denn im Garten sonnte sich ein außerordentlich muskulöser Mann in Hemdsärmeln, der mit einem halben Auge mein Kommen registrierte: Ich hätte noch kehrtmachen können. Sobald ich die Diele erreichte, schossen hinter den Rosenhecken kraftvolle Herren auf, die mir die Arme nach hinten drehten. Unser Professor, allem Anschein nach den Revolver im Rücken, sah zum Fenster hinaus, sein Gesicht zuckte zusammen. »Mein Jungchen«, sagten die beleibten Männer, »das wird dich viel kosten, daß du vor der Bibliothek frech in unser Auto gegrinst hast.« Ihr Versprechen erfüllten sie nachhaltigst noch am selben Nachmittag.

OCTAVIO PAZ

Nachtstück von San Ildefonso

1

Die Nacht erfindet in meinem Fenster
eine andere Nacht,
einen anderen Raum:
zuckendes Festgetümmel
auf einem Quadratmeter Schwärze.
Feurige
Augenblicksbündnisse,
nomadische Geometrien,
streunende Zahlen.
Vom Gelb zum Grün zum Rot
entrollt sich die Spirale.
Fenster:
Folie, magnetisch geladen mit Anrufen und Antworten,
Hochspannungskalligraphie,
trügerisches Himmel/Hölle-Spiel der Industrie
auf der wandelhaften Haut des Augenblicks.

Zeichen-Samen:
die Nacht schleudert sie aus,
sie steigen empor,
bersten da droben,
stürzen ab,
schon verbrannt,
in einen Schattenkegel,
tauchen wieder auf,
ein Funkengestöber,
Silbentrauben,

kreisende Brände,
stieben auseinander,
aufs neue zersplittert.
Die Stadt erfindet und tilgt sie.

Ich bin am Eingang eines Tunnels.
Diese Sätze durchlöchern die Zeit.
Vielleicht bin ich der, welcher wartet am Ende des Tunnels.
Ich spreche mit geschlossenen Augen.
Jemand
hat auf meinen Lidern
einen Wald von Magnetnadeln gepflanzt,
jemand
lenkt die Reihe dieser Wörter.
Die Seite
ist ein Ameisenhaufen geworden.
Die Leere
hat sich niedergelassen im Mund meines Magens.
Ich falle
unaufhörlich in diese Leere.
Ich falle, ohne zu fallen.

Mich friert an den Händen,
friert an den Füßen
– aber die Alphabete glühen, glühen.
Der Raum
entsteht und vergeht.
Die Nacht beharrt,
die Nacht befühlt meine Stirn.
befühlt meine Gedanken.
Was will sie?

2

Leere Straßen, trübe Lichter.
An einer Ecke
die Spukgestalt eines Hundes.
Er sucht, im Kehricht,
nach einem Gespensterknochen.
Tumult im Hahnenstall:
ein Miethaus-Patio mit seinem Krawall.
Mexiko, um 1931.
Gassenspatzen,
ein Schwarm von Kindern
macht aus den Zeitungen, den nicht verkauften,
ein Nest.
Die Straßenlaternen erfinden,
in der Ödnis,
unwirkliche Pfützen aus fahlgelbem Licht.
Erscheinungen,
die Zeit tut sich auf:
ein Hackenstampfen, traurig,
triebhaft:
unter einem *rußigen Himmel*
das Flackerfeuer eines
Frauenrocks.
C'est la mort – ou la morte ...
Der gleichgültige Wind
reißt zerschlissene Plakate von den Hauswänden ab.

Um diese Stunde
sind die roten Mauern von San Ildefonso
schwarz und atmen:
Sonne, zu Zeit geworden,
Zeit, zu Stein geworden,
Stein, zu Körper geworden.
Diese Straßen waren Kanäle.
In der Sonne

waren Silber die Häuser:
eine Stadt, festlich und festgefügt,
Mond, in den See gefallen.
Die Kreolen errichteten
über dem erblindeten Kanal und dem verschütteten Idol
eine andere Stadt
– nicht weiß: Rose und Gold –
Idee, in Raum verwandelt, berührbare Zahl.
Sie erbauten sie
am Schnittpunkt der acht Himmelsrichtungen.
ihre Tore
offen zum Unsichtbaren:
zum Himmel und zur Hölle.

Schlummerndes Viertel.
Wir schreiten durch Galerien voller Widerhall
zwischen zerstörten Bildern.
unsere Geschichte.
Verschwiegene Nation der Steine.
Kirchen,
Vegetation von Kuppeln,
ihre Fassaden
versteinerte Gärten aus Symbolen.
Steckengeblieben
in der wütenden Wucherung zwergiger Häuser,
gedemütigte Paläste,
Brunnen ohne Wasser,
beschämte Schaugiebel.
Wolkengipfel,
entstofflichte Sternkorallen:
sie gipfeln sich auf
über den schweren Massen,
niedergedrückt
nicht durch die Last der Jahre,
durch die Schmach des Geschehens von heute.

Plaza del Zócalo,
weit wie ein Himmelsgewölb:
lichtdurchfluteter Raum,
Prallwände für den Echoball.
Da heckten wir,
mit Aljoscha K. und Julien S.,
Blitz- und Donnerschläge aus
gegen das Jahrhundert und seine Schranzencliquen.
Hingerissen
vom Wind des Gedankens,
vom Wind der Wörter,
vom Wind, der mit Spiegeln spielt,
Glanz und Widerglanz befiehlt,
Konstrukteur von Luftstädten.
Geometrien,
die in der Schwebe hängen am Faden der Vernunft.

Riesenwürmer:
gelbe, erloschene Straßenbahnen.
S-Schleifen, Z-Kurven:
ein irres Auto, Insekt mit boshaften Augen.
Ideen,
Früchte, mit Händen zu greifen.
Früchte: Gestirne.
Sie brennen.
Es brennt, ein Raketenbaum, der Jünglingsdialog,
jählings entflammter Dachstuhl.
12mal
schlägt die Bronzefaust der Türme.
Die Nacht
zerspringt in Stücke,
fügt sie zusammen und vereint sie
mit sich selbst in Unversehrtheit.
Wir zerstreuen uns,
nicht dort auf der Plaza mit den ausgebrannten Trams, hier,
auf dieser Seite: versteinerte Buchstaben.

3

Der junge Bursche, der durch dieses Gedicht geht,
zwischen San Ildefonso und dem »Zócalo,
ist der Mann, der dies schreibt:
diese Seite
ist auch ein Gang durch die Nacht.
Hier werden Gestalt
die Freundesgespenster,
die Ideen zerstreuen sich.
Das Gute, wir wollten das Gute:
die Welt ins Lot bringen.
Es fehlte uns nicht an geradem Sinn:
uns fehlte die Demut.
Was wir wollten, wollten wir nicht mit Unschuld.
Rezepte und Konzepte:
Hochmut von Theologen:
Dreinschlagen mit dem Kreuz,
Grund legen mit Blut,
das Haus errichten mit Verbrechensziegeln,
die Zwangskommunion dekretieren.
Manche
wurden zu Sekretären der Sekretäre
des Generalsekretärs der Hölle.
Die blinde Wut
gab sich philosophisch,
ihr Geifer hat den Planeten bedeckt.

Die Vernunft stieg herab zur Erde,
nahm die Form des Galgens an
– und Millionen beten sie an.
Verstrickung ringsum:
wir alle waren
im Großen Drecktheater
Richter, Henker, Opfer, Zeugen,

wir alle
haben falsch Zeugnis geredet
wider die Nächsten
und wider uns selbst.
Und das Gemeinste: wir waren
das Publikum, das klatschte oder gähnte im Sperrsitz.
Die Schuld, die sich nicht schuldig weiß,
die Unschuld
war die Hauptschuld.
Jedes Jahr war ein Berg aus Gebeinen.

Bekehrungen, Widerrufungen, Exkommunizierungen,
Versöhnungen, Abspaltungen, Verleugnungsschwüre,
Zickzack der Dämonendienerei und Menschendienerei,
der Behexungen und Verirrungen:
meine Geschichte –
die Geschichten eines Irrtums?
Die Geschichte ist der Irrtum.
Die Wahrheit ist das,
was jenseits der Daten ist,
diesseits der Namen,
was die Geschichte mißachtet:
der Alltag
– anonymer Herzschlag von allen,
einzigartiger
Herzschlag von jedem einzelnen –,
der unwiederholbare
Jedertag, identisch mit allen Tagen.
Die Wahrheit
ist der Grund der Zeit ohne Geschichte.
Das Gewicht
des Augenblicks ohne die Last der Wichtigkeit:
ein paar besonnte Steine,
vor langer Zeit schon gesehen und heute wiederkehrend,
Steine aus Zeit, die auch aus Stein sind

unter dieser Sonne aus Zeit,
Sonne, die von einem undatierten Tag kommt,
Sonne,
die diese Wörter erhellt,
Sonne aus Wörtern,
die erlischt, indem man sie nennt.
Es glühen und erlöschen
Sonnen, Wörter, Steine:
der Augenblick verbrennt sie,
ohne selbst zu verbrennen.
Verborgen, reglos, unberührbar,
ist die Gegenwart – nicht ihre Erscheinungen – immer.

Zwischen dem Tun und Schauen,
Aktion oder Kontemplation,
wählte ich das Werk der Wörter:
sie machen, bewohnen,
Augen geben der Sprache.
Die Dichtung ist nicht die Wahrheit:
sie ist die Auferstehung der Erscheinungen,
die Geschichte,
verwandelt in die Wahrheit der undatierten Zeit.
Die Dichtung,
wie die Geschichte, wird gemacht:
die Dichtung,
wie die Wahrheit, wird gesehen.
Die Dichtung:
Fleischwerdung
der Sonne-auf-den-Steinen in einem Namen,
Auflösung
des Namens in einem Jenseits der Steine.
Die Dichtung,
Hängebrücke zwischen Geschichte und Wahrheit,
ist nicht ein Weg zu dem oder jenem:
sie ist Schauen

der Ruhe in der Bewegung,
des Übergangs
in der Ruhe.
Die Geschichte ist der Weg:
er führt nirgendwohin,
wir alle beschreiten ihn,
die Wahrheit ist, ihn zu beschreiten.
Wir gehen nicht, wir kommen nicht:
wir sind in den Händen der Zeit.
Die Wahrheit:
uns zu wissen,
von Anfang an,
in der Schwebe,
Brüderlichkeit über der Leere.

4

Die Ideen zerstreuen sich,
es bleiben die Gespenster:
Wahrheit des Gelebten und Erlittenen.
Es bleibt ein fast leerer Geschmack:
die Zeit
– geteiltes Rasen –
die Zeit
– geteiltes Vergessen –
endlich verwandelt
in die Erinnerung und ihre Inkarnationen.
Es bleibt
die Zeit, zum ausgeteilten Körper geworden: Sprache.

Im Fenster,
kriegerisches Planspiel,
entflammt und erlischt
der Geschäftshimmel der Werbesprüche.
Dahinter,
kaum sichtbar,
die wirklichen Konstellationen.
Es erscheint,
zwischen Fässern, Antennen, Dachterrassen,
eine flüssige Säule,
mehr geistig als körperlich,
ein Wasserfall aus Stille:
der Mond.
Weder Spuk noch Idee:
Göttin einst, und heute streunende Helle.

Meine Frau ist eingeschlafen.
Sie ist auch Mond.
Helle, die herabrinnt,
nicht zwischen Wolkenklippen,

zwischen Gestein und Pein der Träume:
sie ist auch Seele.
Sie fließt unter ihren geschlossenen Augen,
stürzt herab von ihrer Stirn,
ein lautloser Sturzbach,
bis zu ihren Füßen,
zerfällt in sich selbst,
entquillt aus sich selbst,
ihre Herzschläge meißeln die Gestalt,
sie erfindet sich, indem sie sich durchläuft,

ahmt sich nach, indem sie sich erfindet
zwischen den Inseln ihrer Brüste
ist ein Meeresarm,
ihr Bauch ist die Lagune,
wo sich auflöst
das Dunkel mit seinem Dschungelwuchs,
sie fließt durch ihre Taille,
steigt auf,
sinkt nieder,
zerstreut sich in sich selbst,
bindet sich
an ihr Fließen,
verzweigt sich in ihre Form:
sie ist auch Körper.
Die Wahrheit
ist der Wellengang eines Atems,
die Geschichte, die zwei geschlossene Augen schauen:
tastbares Geheimnis der Person.

Die Nacht rinnt über den Rand.
Es tagt.
Der Horizont ist zur Wasserwelt geworden.
Sich hinabstürzen
von der Höhe dieser Stunde:
Sterben,

wird das ein Fallen oder Steigen sein,
ein Empfinden oder Schwinden?
Ich schließe die Augen,
höre in meinem Schädel
die Schritte meines Blutes,
höre
die Zeit durch meine Schläfen schreiten.
Noch bin ich lebendig.
Das Zimmer ist mit Mondsand bestreut.
Frau:
Quelle in der Nacht.
Ich überlasse mich ihrem gelassenen Fließen.

MILAN KUNDERA

Die Nashörner

I

Die Nashörner heißt ein Stück von Eugène Ionesco, worin Menschen, die von dem Wunsch besessen sind, einander zu gleichen, sich nach und nach in Nashörner verwandeln. Gabriela und Michaela, zwei Mädchen aus Amerika, beschäftigten sich mit dem Stück in der Ausländerklasse eines Ferienkurses, der in einer Kleinstadt am Mittelmeer stattfand. Sie waren Lieblingsschülerinnen von Frau Professor Rafael, weil sie diese stets aufmerksam anschauten und jede ihrer Bemerkungen aufschrieben.

Gabriela und Michaela bekamen von ihrer Frau Professor die Aufgabe gestellt, gemeinsam bis zur nächsten Stunde ein Referat über das Ionesco-Stück auszuarbeiten.

»Ich weiß nicht recht«, sagte Gabriela zu ihrer Freundin, »wie ich es verstehen soll, daß sich Menschen in Nashörner verwandeln.«

»Du mußt es als Symbol verstehen«, belehrte Michaela ihre Freundin.

»Stimmt«, erwiderte Gabriela. »Die Literatur setzt sich aus Zeichen zusammen.«

»Das Nashorn ist in erster Linie ein Zeichen«, pflichtete Michaela bei.

»Ja, aber auch wenn wir zugestehen, daß sie sich nicht in wirkliche Nashörner verwandelt haben, sondern nur in Zeichen, warum haben sie sich dann gerade in dieses Zeichen und nicht in ein anderes verwandelt?«

»Das eben ist unser Problem«, sagte Michaela bedrückt.

Die beiden Mädchen, die zu ihrem Internat unterwegs waren, verstummten für eine lange Weile.

Das Schweigen brach schließlich Gabriela: »Meinst du, es könnte ein phallisches Symbol sein?«

»Wie?« fragte Michaela.

»Das Horn«, erklärte Gabriela.

»Klar!« rief Michaela, aber dann wurde sie unsicher. »Bloß, warum sollten alle sich in Phallussymbole verwandeln? Die Männer und die Frauen?«

Erneut schwiegen die beiden Mädchen. Das Schweigen brach diesmal Michaela: »Mir fällt da etwas ein...«

»Was?« fragte Gabriela neugierig.

Michaela spannte ihre Freundin auf die Folter: »Madame Rafael hat es übrigens leise angedeutet.«

»Also sag schon, was!?« drängte Gabriela ihre Freundin.

»Der Autor hat den Eindruck des Komischen erwecken wollen!«

Dieser Gedanke frappierte Gabriela dermaßen, daß sie, ganz darauf konzentriert, ihren Schritt verlangsamte. Die beiden Mädchen blieben fast stehen.

»Du meinst, daß das Nashornsymbol einen komischen Eindruck erwecken soll?« fragte Gabriela nach einer Weile.

Michaela lächelte ein stolzes Entdeckerlächeln: »Jawohl.«

Verzückt von ihrer Gedankenkühnheit, sahen die beiden Mädchen einander strahlend an. Dabei zuckten ihre Mundwinkel vor Stolz... Und plötzlich gaben sie einen hohen, abgerissenen Ton von sich, der schwer zu beschreiben ist.

2

Lachen? Interessiert denn heutzutage das Lachen überhaupt noch jemanden? Ich meine das wirkliche Lachen, das jenseits liegt von Scherz, von Spott und von Lächerlichmachung. Lachen, diese unendliche und erlesene Wonne, die Wonne schlechthin...

Ich sagte zu meiner Schwester, oder sie sagte es zu mir, kommst du, spielen wir Lachen? Wir legten uns nebeneinander aufs Bett und fingen an. Natürlich taten wir nur so. Ein gezwungenes Lachen. Ein lächerliches Lachen. Ein so lächerliches Lachen, daß wir darüber lachen mußten. Dann kam das wirkliche Lachen, das volle Lachen, und entführte uns in unendliche Entfaltung. Ein explodierendes, wiederholtes, schwingendes, entfesseltes Lachen, ein großartiges, prächtiges und verrücktes Lachen ... Und wir lachten endlos vor Lachen über unser Gelächter ... O Lachen! Lachen der Wonne, Wonne des Lachens; lachen, das ist zutiefst leben.

Der Text, den ich hier zitiere, stammt aus einem Buch mit dem Titel *Wort der Frau*. Geschrieben hat es im Jahr 1974 eine der leidenschaftlichsten Feministinnen, die das Klima unserer Zeit nachhaltig beeinflußt haben. Ihr Werk ist ein mystisches Manifest der Freude. Als Gegenpol zum männlichen sexuellen Verlangen, das auf die flüchtigen Momente der Erektion verwiesen und somit fatalerweise mit Gewalt, Vernichtung und Untergang verquickt ist, hebt die Autorin die weibliche Freude, die weibliche Lust, die weibliche Wonne hervor. Sie sind zusammenfaßbar in einem französischen Wort, nämlich in *jouissance*, die süß, allgegenwärtig und anhaltend ist. Für die Frau, sofern sie sich ihrem Wesen nicht entfremdet hat, ist alles Lust, auch *essen, trinken, urinieren, exkrementieren, berühren, hören oder einfach dasein*. Diese Aufzählung von Tun in Sinnenlust zieht sich wie eine schöne Litanei durch das ganze Buch: *Leben ist beglückend: sehen, hören, berühren, trinken, essen, urinieren, exkrementieren, ins Wasser eintauchen und den Himmel betrachten, lachen und weinen.* Und wenn Beischlaf schön ist, dann deshalb, weil er die Summe *aller möglichen Sinnenlüste des Lebens* ist: *das Berühren, das Sehen, das Hören, das Sprechen, das Riechen, aber auch das Trinken, das Essen, das Exkrementieren, das Erkennen, das Tanzen.* Und das Stillen ist Wonne, und das Gebären ist Freude, und die Menstruation ist Lust, dieser *laue Speichel*, diese *dunkle Milch*, dieses *laue und wie mit Blut gezuckerte Rinnen*, dieser *Schmerz, der den brennenden Geschmack des Glücks hat*.

Nur ein Dummkopf würde diese Manifestation der Freude belächeln. Jede Mystik übertreibt. Mystik darf Lächerlichkeit nicht fürchten, will sie ans Ende gelangen, bis ans Ende der Demut oder bis ans Ende der Wonne. Wie die heilige Therese in der Agonie durch ihr Lächeln, so sagt die heilige Annie Leclerc durch ihr Wort (sie ist die Autorin des Buches, aus dem ich zitiere), daß der Tod ein Stück Freude sei und daß nur der Mann ihn fürchte, weil er jämmerlich *an seinem kleinen Ich und an seiner Macht klebe*.

Hoch wie das Gewölbe einer Kathedrale des Glücks klang das Lachen, diese *köstliche Verzückung durch Glück*, dieser *Gipfel der Wonne. Lachen der Wonne, Wonne des Lachens*. Es besteht kein Zweifel, daß ein solches *Lachen jenseits liegt von Scherz, von Spott und von Lächerlichmachung*. Die beiden Schwestern auf dem Bett hatten über nichts Konkretes gelacht, ihr Lachen hatte nichts zum Gegenstand gehabt, es war schlicht Ausdruck des Seins gewesen, das sich freute zu sein. Wie der Mensch sich durch Stöhnen an die gegenwärtige Sekunde seines leidenden Körpers fesselt (und dadurch völlig jenseits von Vergangenheit und Zukunft liegt), so ist er im ekstatischen Lachen ohne Erinnerung und Verlangen, denn er ruft die gerade gegenwärtige Sekunde der Welt an und will außer ihr nichts kennen.

Sicher kennt jeder die folgende Szene aus Dutzenden schlechter Filme: Ein Junge und ein Mädchen halten sich bei der Hand und laufen durch die frühlinghaft (oder sommerlich) schöne Natur. Sie laufen und laufen und lachen. Das Lachen der beiden Läufer soll aller Welt und den Besuchern in allen Kinos verkünden: Wir sind glücklich, wir sind gern auf der Welt, wir sind einverstanden mit dem Sein! Es ist eine dumme, eine kitschige Szene, aber sie beinhaltet eine der menschlichen Grundsituationen: *das ernste Lachen, das jenseits liegt vom Scherz*.

Alle Kirchen, alle Wäschefabrikanten, alle Generale, alle politischen Parteien können sich auf dieses Lachen einigen und placieren darum die beiden lachenden Läufer auf ihren Plakaten, mit denen sie für ihre Religion, ihre Erzeugnisse, ihre Ideologie, ihr Volk, ihr Geschlecht, ihr Spülmittel werben.

Genau dieses Lachen hatten Michaela und Gabriela gelacht, die jetzt, Hand in Hand, aus einem Schreibwarengeschäft traten, in der jeweils freien Hand ein Päckchen schwingend, in dem sich Buntpapier, Klebstoff und Gummiringe befanden.

»Madame Rafael wird begeistert sein! Du wirst sehen!« sagte Gabriela und gab erneut den hohen, abgerissenen Ton von sich. Michaela stimmte ihr zu, indem sie mit dem fast gleichen Ton antwortete.

JORGE SEMPRUN

Was für ein schöner Sonntag

»Kumpel, was für ein schöner Sonntag!« hat der Kumpel gesagt.
Er betrachtet den Himmel und sagt zu den Kumpeln, daß es ein schöner Sonntag sei. Aber am Himmel sieht man nur den Himmel, die Schwärze des Himmels, die Finsternis des Himmels voller Schnee, der im Licht der Scheinwerfer herabwirbelt. Ein tanzendes und frostiges Licht.
Er hat das mit übertriebenem Gelächter gesagt, als sagte er: *»Merde!«* Aber er hat nicht *merde* gesagt. Er hat gesagt: »Was für ein schöner Sonntag, Kumpel!«, auf französisch, beim Anblick des schwarzen Himmels um fünf Uhr morgens. Er hat ganz für sich allein schallend gelacht und nicht *merde* gesagt. Hätte er übrigens *merde* sagen wollen, so hätte er Scheiße gesagt, denn die wichtigen Wörter sind nicht französisch. Auch nicht serbokroatisch oder flämisch. Nicht einmal russisch, bis auf *machorka*, ein beachtliches Wort. Man sagt Scheiße, Arbeit, Brot, all die anderen wichtigen Wörter auf deutsch. Und außerdem *machorka*, das auch ein wichtiges Wort ist, um den Tabak oder eher das beißende Kraut, das man raucht, zu benennen.
Jedenfalls hätte der Kumpel den Himmel, die Finsternis des Himmels, den Schnee des Himmels, die elektrischen Strahlen des Himmels betrachtet und Scheiße gerufen, wenn er *merde* hätte sagen wollen. Wenn man Scheiße sagt, verstehen einen alle, und es ist wichtig, sich verständlich zu machen, wenn man Lust hat, Scheiße zu rufen und verstanden zu werden.
Das Gelächter des Kumpels steigt zur Finsternis des Himmels, zur Finsternis des schönen Sonntags in der Morgendämmerung empor und bricht sogleich ab. Der Kumpel sagt

nichts mehr. Er hat alles, was er vom Leben hält, sagen müssen und taucht in die Finsternis des Schnees, zum Appell. Er ist nur noch ein dahineilender, vom Schneetreiben gekrümmter Schatten. Andere Schatten rennen hinter dem Schatten des Kumpels her, der gesagt hat, daß es ein schöner Sonntag sei.

Für wen hat er gesprochen? Warum dieses verzweifelte Hohngelächter in seiner Stimme, in seinem Schrei zum Schneehimmel empor?

Er schlug den Kragen seines Kapuzenmantels hoch, der auf dem Rücken Spuren grüner Farbe trug, undeutliche Umrisse halb ausgewischter Buchstaben, ein *K* war vielleicht noch leserlich, *B* und *U* ließen sich erraten. Er stand vor dem Eingang des Blocks, von dem Vorsprung, den die doppelte Außentreppe bildet, die zum ersten Stock führt, vor den Schneewirbeln geschützt, während er den Kragen seines Kapuzenmantels hochschlug, das Sonntagsmorgengrauen draußen betrachtete, diese von Scheinwerferstrahlen durchlöcherte Finsternis, und das wirre Geräusch hörte, durch das sich die Triller der Pfeifen bohrten, die die Kumpel zum ersten Morgenappell einberiefen.

Dann hat er ganz für sich allein mit lauter, deklamatorischer, verzweifelter, höhnischer Stimme – oder vielmehr einer Stimme, die sich selbst verhöhnte – ausgerufen, daß es ein schöner Sonntag sei, Kumpel!

Sicherlich hat eine Erinnerung an die schönen Sonntage von früher, die ihn überfiel, als er in den wirbelnden Schnee hinaustrat, ihn so schreien und in dieses verzweifelte Lachen ausbrechen lassen.

Was für ein schöner Sonntag, Kumpel, an den Ufern der Marne! Sicherlich hat er der Schönheit jenes schönen Sonntags von einst an den Ufern der Marne nicht widerstehen können, die auf einmal in seine Erinnerung eindrang, während er das Schneetreiben auf dem Ettersberg betrachtete. Er hat vielleicht den unannehmbaren Aberwitz dieser Welt verspürt, in der es Sonntage an der Marne gibt – woanders, früher, fern, auf der anderen Seite, draußen – und dann diesen beharrlichen flockigen Schnee des Ettersberges. Er hat sicherlich gerufen, um sich für diesen Aberwitz zu rächen, um ihn wenigstens zu benennen, sogar auf diesem Umweg. Hätte er gerufen: »Wie schön ist die Marne, der Sonntag!«, hätte keiner verstanden, was er sagte.

Dieser Mann wartete in der Gruppe der Bummelanten, derjenigen, die sich erst in allerletzter Minute der zum Appell stolpernden Menge anschlossen. Er hat den Himmel betrachtet und gerufen. Für sich, für die zurückgekehrte Erinnerung, für die Schatten um sich herum, für den Schnee des Ettersberges, für den halben Arbeitstag, der ihn erwartet, für die Kapos, für die Marne im Frühling, denn nur eine Erinnerung an den Frühling hat ihn bei diesem beharrlichen Schnee plötzlich überkommen können. Er hat ausgerufen, daß es ein schöner Sonntag sei!

Dann hat er zwei Schritte zur Seite gemacht, ein Lichtstrahl ist auf sein Gesicht, sein Profil gefallen.

Es war Barizon, Fernand Barizon.

Er ist im Schneetreiben losgerannt, und sein Eintauchen in die Finsternis hat den Aufbruch aller anderen, aller Bummelanten, beschleunigt. Barizon ist ein Schatten, der zu der Menge der Schatten eilt, die im Gleichschritt marschiert und den Beginn dieses schönen Sonntags skandiert.

Sicherlich erinnert sich Barizon später, in die viereckige und massive Formation der Häftlinge von Block 40 an der Stelle eingeordnet, die dem Block 40 beim Appell zusteht – sogar wenn die meisten Männer, die ursprünglich dieses massive, unbewegliche, in der höchst mechanischen strammen Haltung erstarrte Viereck bildeten, tot, in Rauch aufgegangen waren, ohne hier eine andere Spur ihres Durchgangs hinterlassen zu haben als jene Fortdauer dieser massiven, unbeweglichen und ausgehöhlten Formation von Block 40 beim Appell, einer leeren, entsprechend der entstehenden Lücken von anderen Häftlingen endlos aufgefüllten, stets zu erneuernden Formation – sicherlich erinnert sich der in Reihe und Glied stehende Barizon noch immer an die Ufer der Marne.

In der wattigen, von den schneidenden Befehlen der Lautsprecher zerrissenen Stille beschwört Barizon wohl alle Einzelheiten dieser Erinnerung absichtlich herauf: das Wetter, das an jenem Frühlingssonntag von damals herrschte; die Farben der Blätter und die der Kleider der jungen Frauen; den Geschmack des leichten Weines; die Lauheit des um die unbewegten Ruder gleitenden Wassers, die er losgelassen hatte, um sich eine Zigarette anzuzünden oder die Hände der jungen Frauen zwischen die seinen zu nehmen. Gewiß kommt, in der Schärfung der Empfindungen, die die eisige Kälte hervorruft, Barizon, der sich an die Ufer der Marne erinnert, auf Gedanken über die Zerbrechlichkeit des Glücks, auf banale Gedanken über das einstige Lebensglück draußen. Mein Gott, wenn man gewußt hätte, wovon das Leben erfüllt sein kann, all den Reichtum, den es in sich birgt, hätte man nicht einfach das kleine Glück an den Ufern der Marne töricht hingenommen, sondern versucht, ein großes Glück daraus zu machen, groß genug und verrückt genug, daß es weder der heutige Schnee, noch der Kapo der *Gustloff*, noch der bebrillte SS-Mann hätten auslöschen können.

Jedenfalls sind die einzigen Hinweise, die wir haben, um anzunehmen, daß er sich an die Ufer der Marne erinnert, die Worte, die er ausgerufen hat, ehe er losgerannt ist.

»Was für ein schöner Sonntag, Kumpel!«

Und es ist Sonntag.

Wie waren die Sonntage?

Auf alle Fälle war es nicht die Marne. Einmal hatte ich ein junges Mädchen auf dem See bis zum Bois de Boulogne mitgenommen. Das Rudern war eine gesunde und überdies keine kostspielige Vergnügung. Aber nicht alle Mädchen wissen die frische Luft und die improvisierten brillanten kulturellen Ergüsse auf einer Bootsfahrt zu schätzen. Zumindest mit diesem hatte es zu nichts geführt, glaube ich mich zu erinnern. Vielleicht wären die Ufer der Marne verlockender gewesen.

Ich weiß es nicht, ich erinnere mich nicht an die Ufer der Marne.

Ich zünde mir die mit Zeitungspapier gerollte Morgenzigarette an. Der beißende Rauch des *machorka* brennt mir in der Kehle. Ich halte mich, den Kragen meines Kapuzenmantels hochgeschlagen, unter der Außentreppe auf, die zum ersten Stock führt. Meine Zehen ragen durch meine löchrigen Socken heraus, den großen Zeh kneift das harte Leder meiner Stiefel. Ich klopfe mit dem Absatz auf die Zementdiele vor dem Eingang von Block 40.

Emil erscheint, der Leiter von Block 40, stämmig, verärgert, mit seiner Matrosenmütze und seinen lavendelblauen Augen. Er hat prüfen müssen, ob alle Schlafsäle völlig leer sind, ob niemand dort herumgammelt. Er brummt im Vorbeigehen einen Gruß und taucht in die schneeige Finsternis.

Die Marne? Fehlanzeige, sie erinnert mich an gar nichts.

Ich betrachte den Schnee, der in den Strahlenbündeln der Scheinwerfer glitzert. Ein tanzendes und frostiges Licht. Ich sollte hinauf zur Baracke der Arbeitsstatistik gehen, es ist gleich Zeit zum Appell. Aber ich zögere den Augenblick hinaus. Ganz allein, mit dem scharfen Geschmack des *machorka* im Mund. So etwas wie Frieden, keine auf mich gerichteten Blicke mehr: ein geräuschloser, zerbrechlicher Hohlraum völliger Einsamkeit.

Seit zwei Jahren schlief ich im Schlummer anderer. Ich wartete darauf, daß ein von allen Seiten bedrängter Kumpel fertig würde, um mich auf ein paar Zentimeter der Bank zu zwängen und meine Abendsuppe zu essen. In meinem

Rücken warteten andere Kumpel ihrerseits darauf, daß ich fertig wurde. Ich hockte mich auf den lauen Porzellansitz, in derselben Reihe mit einem Dutzend anderer hockender Typen, in der stinkenden Promiskuität der Latrinen. Ich marschierte in Reihe und Glied, Schulter an Schulter, ich war nur noch ein Bein des stolpernden und gehetzten großen Insekts. Das Wasser der Dusche rieselte über meinen Körper, über einige Hunderte von behaarten Beinen, schlaffen bläulichen Penissen, aufgeblähten Bäuchen, eingefallenen Brustkörben. Seit zwei Jahren war ich in einer zum Bersten vollen, von Schweiß klebrigen, von widerlichem Magenknurren rumorenden Welt.
Da zögerte ich jene Augenblicke am Morgen hinaus, jene Art Einsamkeit: die erste Zigarette, das tanzende und frostige Licht, die provisorische Stille, die sagenhafte Gewißheit, zu existieren.
Aber warum der Gedanke an die Marne, an ihre Sonntagsfreuden? Ehrlich gestanden wußte ich nichts von der Marne. Als vorhin Fernand Barizon jene Worte über den Sonntag ausgerufen hatte, hatte ich mich an die Ufer der Marne erinnert oder, genauer, war mein Gedächtnis von einer Erinnerung heimgesucht worden, die nicht mir gehörte. Als hätte ein anderer sich in meinem Gedächtnis erinnert.

Im letzten Sommer vor dem Krieg, ich will sagen, zwischen den beiden Kriegen, im Sommer 1939, ging ich jeden Nachmittag ins Kino. Das war freilich nicht geplant. Aber das fing jeden Tag von vorne an: die gleiche vorgetäuschte Überraschung, die gleiche Faszination.
Ich kam durch die Rue Soufflot, ich blieb vor der Tür der Bibliothek Sainte-Geneviève stehen. Ich hätte hineingehen sollen, das war geplant, um mir den Anschein eines fleißigen jungen Mannes zu geben. Unbeweglich, oben auf den Stufen, atmete ich arglistig die laue, süßliche Luft ein, die über den verlassenen Platz strömte. Als holte ich ein letztes Mal

tief Atem, ehe ich in den nüchternen Mief der Bibliothek tauchte. Aber mein ganzes Wesen schwankte schon, wie graues Regenwasser in Rinnsteinen auf den Abhängen, die zur Seine hinabführen.
Ich betrachtete den Platz, ich atmete. Ich drehte den Kopf nach links, ich sah die Fassade von Saint-Etienne-du Mont im klaren und ausdruckslosen Augustlicht. Noch einen Augenblick, und ich würde in die Bibliothek gehen. Das war beschlossen, daran ließ sich nichts ändern. Dann ging ich klopfenden Herzens nach einem letzten schuldbewußten und erleichterten Blick auf die blinde Fassade des Pantheons hinter mir die Rue Valette hinunter.
Rue de Rivoli, alle Kinos zeigten in derselben Vorstellung zwei Filme. Manchmal verließ ich einen Saal, um in einen anderen zu gehen: vier Filme an einem Nachmittag. Oft erschien Arletty, und die Ufer der Marne schienen der Ort des Glücks zu sein. Die Marne, die Ausflugslokale, der Pernod, die freimütig auf Rundungen abgeirrten Hände: das war offenbar die kinematographische Vorstellung vom Glück.
Die Marne im Film war von einem sehr hellen und leuchtenden Grau, mit schattigen Schlupfwinkeln, in denen die Boote verschwanden. Eine Art Lethe, allerdings vor dem Eingang eines kurzen Sonntagsparadieses. Deshalb hatte ich, als Barizons höhnische Stimme vorhin seine Sehnsucht nach schönen Sonntagen herausgeschrien hatte, natürlich an die Ufer der Marne gedacht. An den Walzer, die Boote und den Pernod. An ein schrilles Frauenlachen. An die Hand unter den Röcken, an das Spiel des kleinen Tieres, das höher und höher steigt.
Ich erinnerte mich also an die Marne mit dem Gedächtnis anderer und nicht einmal mit dem wirklicher Menschen, die ich hätte kennen müssen, sondern mit dem Gedächtnis farbloser Filmmarionetten aus jenem Sommer. Als wären die Phantome von Michel Simon und Arletty von einem Tan-

dem abgestiegen und hätten in meinem eigenen Gedächtnis Erinnerungen gehabt, an jenem Sonntag Ende Dezember 1944, im Schnee des Ettersberges. Arletty hätte Barizon hinsichtlich der schönen Sonntage von einst mit ihrer heiseren Stimme Rede und Antwort gestanden. Sie hätte sicherlich etwas darüber sagen können.
Aber ich verbrenne mir die Lippen bei den letzten Zügen an dem *machorka*-Stummel. Ein dumpfes Geräusch kommt von der Höhe des Hügels. Alle müssen sich zum Appell versammelt haben, zu dieser Tageszeit. Das heißt, alle diejenigen, die ihren Appell nicht an ihrem Arbeitsplatz erledigen. Ich erledige meinen Appell in der Arbeitsbaracke. Das ist eines meiner Vorrechte. Ich sollte jetzt hingehen, die Zählung der Häftlinge wird gleich anfangen.
Ich betrachte noch einmal die Nacht und den glitzernden, wirbelnden Schnee. Ich nehme die Hände aus den Taschen und renne los. Wie schön waren die Marne und der Frühling! Ich lache vor mich hin, als wäre ich dort gewesen.

Die Kumpel sprachen natürlich davon. Seit einigen Tagen sprachen wir von nichts anderem.
Sie sprachen beim Warten auf den Appell in kleinen Gruppen davon, während ich in das Büro der Arbeitsstatistik getreten war. Vor dem Eingang der Baracke, ganz oben auf dem Hügel, dem Krematorium fast gegenüber, hatte ich meine Stiefel an der Eisenstange am Fuße der Treppe abgeschabt. Ich hatte den Schnee von meinem blauen Kapuzenmantel geschüttelt. Ich war in die Baracke getreten, ich hatte mich nach links gewendet. Rechts war die Schreibstube. Ihr gegenüber war die Bibliothek. Links die *Arbeit*.
Die Kumpel waren alle da, sie sprachen davon. Außer Meiners, dem schwarzen Dreieck, der sich einen Dreck darum scherte.
Anfangs hatten manche es für eine Lüge gehalten. Bestimmt. Für eine Erfindung der Nazipropaganda, um die

Moral der Bevölkerung zu heben. Wir hörten die Nachrichten des deutschen Rundfunks, die von allen Lautsprechern verbreitet wurden, und schüttelten den Kopf. Ein Trick, um die Moral der deutschen Bevölkerung zu heben, ganz gewiß.

Aber schon bald mußte man sich der Wahrheit beugen. Die heimlich abgehörten alliierten Sender bestätigten die Nachricht. Es konnte kein Zweifel mehr bestehen: Die britischen Truppen waren tatsächlich im Begriff, die griechische Widerstandsbewegung ELAS zu vernichten. In Athen tobte die Schlacht, die britischen Truppen eroberten, Viertel für Viertel, die Stadt von den Streitkräften der ELAS zurück. Es war ein ungleicher Kampf, denn die ELAS hatte weder Panzer noch Flugzeuge.

Aber Radio Moskau meldete nichts darüber, und dieses Schweigen wurde verschieden ausgelegt.

Seit Tagen sprachen wir von nichts anderem. Im Dezember 1944, im Schneetreiben des Ettersberges, sprachen wir nur von Griechenland. Der Krieg war noch nicht zu Ende, und eine andere Schlacht begann schon, sogar innerhalb der Koalition gegen Hitler. Die britischen Panzer überrollten die kommunistischen Partisanen, sogar schon vor Hitlers endgültiger Niederlage. Das gab zweifellos Gesprächsstoff.

Seit Tagen sprachen wir von nichts anderem.

JULIO CORTÁZAR

Maga

Ob ich die Maga finden würde? So viele Male hatte ich, wenn ich durch die Rue de Seine kam, nur aus dem Durchgang zum Quai de Conti herauszutreten brauchen, und kaum hatte das Licht aus Asche und Ölbaum, das über dem Fluß lag, mich die Umrisse unterscheiden lassen, zeichnete sich auch schon ihre schmale Silhouette auf dem Pont des Arts ab, manchmal lief sie von einem ans andere Ende, dann wieder blieb sie am eisernen Geländer stehen und beugte sich über das Wasser. Und es war so natürlich, die Straße zu überqueren, über die Stufen hinauf in den engen Gürtel der Brücke einzutreten, der Maga entgegen, die ohne Überraschung lächelte und wie ich davon überzeugt war, daß in unser beider Leben ein zufälliges Sichbegegnen alles andere als zufällig war und daß, wer feste Verabredungen traf, zu denen gehörte, die liniertes Papier verwenden, wenn sie einander schreiben, und die Zahnpastatube von unten drükken.

Aber sie würde nun nicht mehr auf der Brücke stehen. Ihr feines, durchscheinendes Gesicht zeigte sich vielleicht unter den Portalen im Ghetto des Marais, mit einer Pommes-frites-Verkäuferin würde sie schwatzen oder auf dem Boulevard de Sébastopol eine heiße Wurst essen. Ich ging dennoch bis zur Brücke, und die Maga war nicht da. Sie lief mir jetzt nicht mehr in den Weg. Auch wenn wir unsere Wohnungen kannten, jeden Winkel dieser zwei Pariser Buden, die wir als angebliche Studenten bewohnten, jede Postkarte, die in dem billigen Stuck und den schreienden Tapeten ein kleines Fenster Braque oder Ghirlandaio oder Max Ernst aufstieß, so würden wir uns trotzdem nicht in unseren

Behausungen aufsuchen. Wir zogen es vor, uns auf der Brücke zu begegnen, auf der Terrasse eines Cafés, in einem Filmclub oder neben einer Katze kauernd in einem beliebigen Hof des Quartier Latin. Wir liefen und suchten uns nicht und wußten doch, daß wir liefen, um uns zu finden. O Maga! Ohrenbetäubendes Schweigen entstand blitzartig um jede Frau, die dir ähnlich sah, eine geäderte und kristallinische Pause, die schließlich traurig zusammenfiel wie ein nasser Regenschirm, der geschlossen wird. Ausgerechnet ein Regenschirm. Du würdest vielleicht, Maga, an den alten Regenschirm denken, den wir in einer Schlucht im Park Montsouris opferten, an einem eisigen Märznachmittag. Wir warfen ihn hinab, weil du ihm auf der Place de la Concorde begegnet warst, er war schon ein wenig kaputt, und du hattest ihn viel benutzt, vor allem um ihn den Leuten in der Metro und in den Autobussen in den Rücken zu stoßen, ungeschickt stets und zerstreut und in Wolkenkuckucksheime vertieft oder den Anblick zweier Fliegen an der Decke des Wagens, die ein Muster bildeten. An jenem Nachmittag fiel ein Platzregen, und als wir den Park betraten, wolltest du stolz deinen Regenschirm aufspannen, und in deiner Hand entstand eine Katastrophe aus kalten Blitzen und schwarzen Wolken, Stoffetzen, die zu Boden fielen unterm Geknall ausgerenkter Stäbe, und wir lachten wie verrückt, während wir bis auf die Haut naß wurden. Wir meinten, ein Regenschirm, den man auf einem Platz gefunden hatte, solle würdig in einem Park sterben, er dürfe nicht eingehen in den unedlen Kreislauf der Mülltonne oder des Rinnsteins; also rollte ich ihn so gut wie möglich zusammen, und wir trugen ihn auf die höchste Anhöhe des Parks nahe der kleinen Brücke über der Eisenbahnlinie, und mit all meinen Kräften warf ich ihn von da in die Tiefe, auf das nasse Gras der Schlucht, während du einen Schrei ausstießest, in welchem ich undeutlich die Verwünschung einer Walküre zu erkennen glaubte. In der Tiefe ging er unter wie ein Schiff, das im grünen Wasser stirbt, im grünen und stürmischen Wasser, in einem Meer, *qui est plus félonesse en été qu'en hiver,* in der treulosen Welle, Maga, und diese Aufzählungen führten wir eine lange Weile so fort, in Joinville verliebt und in den Park, in der Umarmung glichen wir nassen Bäumen oder Filmschauspielern in einem schlechten ungarischen Film. Unscheinbar und schwarz wie ein zertretenes Insekt blieb er im Gras liegen, rührte sich nicht, und keine seiner Sprungfedern sprang mehr wie früher. Er war fertig. Aus. O Maga, und wir waren nicht froh.

Wozu war ich zum Pont des Arts gekommen? Ich glaube, an diesem Donnerstag hatte ich vor, das rechte Ufer aufzusuchen und in dem kleinen Café in der Rue des Lombards Wein zu trinken und mir von Madame Léonie den Handteller betrachten zu lassen, damit sie mir Reisen und Überraschungen ankündigte. Nie habe ich dich mitgenommen, um von Madam Léonie deinen Handteller anschauen zu lassen, vielleicht hatte ich Angst, sie könnte in deiner Hand irgendeine Wahrheit über mich lesen, denn du warst immer ein schrecklicher Spiegel, eine entsetzliche Wiederholungsmaschine, und was wir Lieben nannten, war vielleicht, daß ich mit einer gelben Blume in der Hand vor dir stand, und du trugst zwei grüne Kerzen, und die Zeit blies uns einen langsamen Regen aus Verzicht und Abschied und Metro-Tickets ins Gesicht. So also habe ich dich nie mitgenommen zu Madame Léonie, Maga, damit sie ...; und ich weiß, weil du es mir gesagt hast, daß du es nicht gern hattest, wenn ich dich in die kleine Buchhandlung in der Rue de Verneuil hineingehen sah, in der ein buckliger alter Mann Tausende von Karteikarten schreibt und alles weiß, was man über Historiographie wissen kann. Du gingst dorthin, um mit einer Katze zu spielen, und der Alte ließ dich ein und stellte dir keine Fragen, er war froh, wenn du ihm manchmal ein Buch aus den oberen Regalen herunterholtest. Du wärmtest dich an dem Kanonenofen mit dem großen schwarzen

Rohr, und ich sollte besser nicht wissen, daß du dich neben diesen Ofen stelltest. Aber das alles hätte im richtigen Augenblick gesagt werden sollen, nur daß es schwierig war, den richtigen Augenblick für eine Sache zu bestimmen. Sogar jetzt, da ich mich über die Brücke lehnte und eine burgunderfarbene Pinasse vorbeiziehen sah, wunderschön wie eine große, vor Sauberkeit glänzende Kakerlake, mit einer Frau, die eine weiße Schürze trug und Wäsche an einem Draht im Vorschiff aufhängte, ich konnte die grün gestrichenen kleinen Fenster mit den Hänsel-und-Gretel-Gardinen sehen, sogar jetzt, Maga, fragte ich mich, ob dieses Umherlaufen einen Sinn habe, da es doch, um in die Rue des Lombards zu gelangen, vernünftiger gewesen wäre, über den Pont Saint Michel und den Pont au Change zu gehen. Aber wenn du an diesem Abend am Pont des Arts gewesen wärest, wie so viele andere Male, hätte ich gewußt, daß das Umherlaufen einen Sinn hatte, während ich jetzt meine Niederlage Umherlaufen nannte und sie dadurch herabwürdigte. Jetzt, nachdem ich den Kragen meiner Windjacke hochgeschlagen hatte, mußte ich weiter die Quais entlanglaufen, bis ich das Gebiet der großen Kaufhäuser erreicht haben würde, das am Châtelet zu Ende geht, unter dem violetten Schatten der Tour Saint Jacques durchgehen und meine Straße hochlaufen, in Gedanken an dich, der ich nicht begegnet war, und an Madame Léonie.

Ich weiß, daß ich eines Tages in Paris ankam, ich weiß, daß ich eine Weile von geliehenem Geld lebte, das tat, was die andern tun, das sah, was die andern sehen. Ich weiß, daß du aus einem Café in der Rue du Cherche-Midi kamst, daß wir uns ansprachen. An diesem Nachmittag ging alles schief, denn meine argentinischen Gewohnheiten verboten es mir, von einer Straßenseite zur andern zu gehen, um die unbedeutendsten Dinge in den Schaufenstern zu betrachten in Straßen, an die ich mich nicht mehr erinnere. Damals folgte ich dir lustlos, ich fand dich vorlaut und schlecht erzogen,

bis du es müde wurdest, nicht müde zu sein, und wir in ein Café am Boul' Mich' gingen und du mir unvermittelt zwischen zwei Hörnchen ein großes Stück aus deinem Leben erzähltest.
Wie konnte ich ahnen, daß das, was so verlogen klang, die Wahrheit war, ein Figari mit Abenddämmerveilchen, mit blassen Gesichtern, mit Hunger und Schlägen in den Ecken. Erst später glaubte ich dir, später gab es vernünftige Gründe, gab es Madame Léonie, die, meine Hand betrachtend, die mit deinen Brüsten geschlafen hatte, mir fast deine eigenen Worte wiederholte. »Sie leidet irgendwo. Sie hat immer gelitten. Sie ist sehr fröhlich, gelb ist ihre Lieblingsfarbe, ihr Vogel ist die Amsel, ihre Stunde die Nacht, ihre Brücke der Pont des Arts.« (Eine burgunderfarbene Pinasse, Maga, und warum sind wir nicht mit ihr auf und davon, als noch Zeit war.)
Schau, wir kannten uns noch kaum, und schon zettelte das Leben an, was nötig war, damit wir uns haarscharf verfehlten. Da du dich nicht verstellen konntest, merkte ich sogleich, daß man, um dich so zu sehen, wie ich es wollte, notwendigerweise damit anfangen mußte, die Augen zu schließen. Zunächst kamen da Dinge wie gelbe Sterne (die sich in einem Gelee aus Samt bewegten), dann rote Sprünge der Stimmung und der Stunden, langsamer Einstieg in eine Maga-Welt, die Ungeschicklichkeit und Verwirrung war, aber auch Farnkräuter, signiert von der Spinne Klee, dem Zirkus Miró, den Aschenspiegeln Viera da Silva, eine Welt, in der du dich bewegtest wie ein Springer im Schachspiel, der sich wie ein Turm bewegen würde, der sich wie ein Läufer bewegen würde. Und dann besuchten wir damals die Filmclubs, sahen uns Stummfilme an, denn ich mit meiner Kultur, nicht wahr, und du Ärmste verstandest absolut nichts von diesem gelben konvulsivischen Gekreisch aus der Zeit vor deiner Geburt, dieser fasrigen Emulsion, in der die Toten liefen. Doch auf einmal kam da Harold Lloyd vorbei

und du schütteltest das Wasser des Traums ab und überzeugtest dich am Ende, daß alles sehr gut gewesen war, und daß Pabst und daß Fritz Lang. Ein wenig gingst du mir mit deiner Sucht nach Perfektion auf die Nerven, mit deinen kaputten Schuhen, mit deiner Weigerung, das Annehmbare anzunehmen. Wir aßen Hamburger am Carrefour de l'Odéon und fuhren mit dem Fahrrad nach Montparnasse, in irgendein billiges Hotel, zu irgendeinem Kopfkissen. Andere Male fuhren wir weiter bis zur Porte d'Orléans, kannten uns immer besser aus in diesem unbebauten Gelände jenseits des Boulevard Jourdan, wo sich manchmal um Mitternacht die Mitglieder des Schlangen-Clubs versammelten, um mit einem sehenden Blinden zu sprechen, ein anregendes Paradox. Wir ließen die Fahrräder auf der Straße und drangen langsam vor, blieben stehen und betrachteten den Himmel, denn das ist eine der wenigen Gegenden in Paris, wo der Himmel schöner ist als die Erde. Auf einem Haufen Abfall sitzend, rauchten wir eine Weile, die Maga streichelte mein Haar oder trällerte Melodien, die nicht einmal erfunden waren, absurde, von Seufzern oder Erinnerungen unterbrochene Gebilde aus Tönen und Wörtern. Ich nutzte die Zeit, um an nutzlose Dinge zu denken, eine Methode, die ich Jahre zuvor in einem Krankenhaus zu praktizieren angefangen hatte und die mir von Mal zu Mal fruchtbarer und notwendiger erschien. Mit einer ungeheuren Anstrengung gelang es mir, durch das Zusammenfügen zusätzlicher Bilder, durch die Vergegenwärtigung von Gerüchen und Gesichtern, aus dem Nichts ein Paar braune Schuhe herauszuholen, die ich um 1940 in Olavarria getragen hatte. Sie hatten Gummiabsätze und sehr dünne Sohlen, und wenn es regnete, drang mir das Wasser bis in die Seele. Mit diesem Paar Schuhe in der Hand der Erinnerung kam der Rest dann von selbst: zum Beispiel das Gesicht Doña Manuelas oder der Dichter Ernesto Moroni. Aber ich wies sie zurück, denn das Spiel bestand ja darin, nur das Unbedeutende, das Armselige und Abgeschiedene zurückzuholen. Zitternd vor Angst, ich könnte mich nicht mehr erinnern, von dem Wurm benagt, der Aufschieben vorschlägt, blöde vor Besessenheit, die Zeit zu ficken, sah ich schließlich neben den Schuhen eine kleine Dose mit Té Sol, die meine Mutter mir in Buenos Aires geschenkt hatte. Und das Teelöffelchen, ein Mausefallenlöffelchen, in dem die kleinen schwarzen Mäuschen lebendig verbrannt wurden in der Tasse mit Wasser und wo sie fiepende Bläschen ausstießen. Überzeugt davon, daß die Erinnerung alles aufhebt, nicht nur für die Albertinen und die großen Ephemeriden des Herzens und der Nieren, versteifte ich mich darauf, den Inhalt meines Arbeitstisches in Floresta zu rekonstruieren, das Gesicht eines wenig bemerkenswerten Mädchens namens Gekrepten, die Anzahl der Blockfedern in meiner Federtasche im fünften Schuljahr, und am Ende zitterte ich so sehr und war so verzweifelt (nie konnte ich mich an diese Blockfedern erinnern, ich weiß, daß sie im Federkasten lagen, in einem besonderen Fach, aber ich konnte mich nicht erinnern, wie viele es waren, noch war ich dazu imstande, den genauen Zeitpunkt zu bestimmen, da es zwei oder sechs waren), bis die Maga mich küßte und mir den Rauch ihrer Zigarette und ihren heißen Atem ins Gesicht blies und mich mir selbst zurückgab. Wir begannen zu lachen und machten uns von neuem zwischen den Abfallhaufen auf die Suche nach denen vom Club. Schon damals war mir klargeworden, daß Suchen meine Bestimmung war, Emblem derer, die nachts fortgehen ohne festes Ziel, Daseinsberechtigung der Matadore der Kompaßnadel. Mit der Maga sprachen wir über Pataphysik bis zur Erschöpfung, denn auch ihr geschah es (und genau das waren unsere Begegnungen und viele wie Phosphor dunkle Dinge), daß sie ständig unter die Ausnahmen fiel, in Schubfächer geriet, die nicht die der anderen Leute waren, obschon sie niemanden geringschätzte und wir uns weder für Ausverkaufs-Maldorore hielten noch für privilegierte Melmothe. Ich glaube nicht, daß der Leuchtkäfer ein besonderes Hochgefühl ableitet aus der unumstößlichen Tatsache, daß er eins der phänomenalsten Wunder in diesem Zirkus ist, aber man braucht nur anzunehmen, er habe ein Bewußtsein, um zu verstehen, daß jedesmal wenn dem Lichttierchen der Bauch aufleuchtet, es etwas wie den Kitzel eines Privilegs fühlen muß. Auf gleiche Weise begeisterte sich die Maga für die unwahrscheinlichen Situationen, in die sie ständig verwickelt war, weil die Gesetze an ihrem Leben scheiterten. Sie war eine von denen, die Brücken zum Einsturz bringen, nur weil sie sie betreten, oder die sich laut weinend daran erinnern, in einem Schaufenster ein Zehntellos gesehen zu haben, das soeben fünf Millionen gewonnen hat. Ich für mein Teil hatte mich schon daran gewöhnt, daß mir in bescheidenem Maße außergewöhnliche Dinge widerfuhren, und ich fand es nicht allzu schrecklich, wenn ich im Dunkeln in ein Zimmer ging, um ein Schallplattenalbum zu suchen, und im Handteller den lebendigen Leib eines Riesentausendfüßlers zappeln fühlte, der sich seinen Schlafplatz auf dem Rücken des Albums ausgesucht hatte. Oder große graue und grüne Fusseln in einer Zigarettenschachtel zu finden oder den Pfiff einer Lokomotive genau in dem Moment und im richtigen Ton zu hören, daß er sich ex officio in den Satz einer Sinfonie von Ludwig van einfügte, oder in eine *Pissotière* in der Rue de Médicis einzutreten und einen Mann zu sehen, der hingebungsvoll urinierte, bis zu dem Augenblick, da er sich von seiner Wand trennte und sich mir zuwandte, um mir, indem er es wie einen liturgischen und kostbaren Gegenstand auf die flache Hand legte, ein Glied von unglaublichen Dimensionen und Farben zu zeigen, und im gleichen Augenblick wußte ich, dieser Mann gleicht ganz genau einem andern (obschon er nicht der andere war), der vierundzwanzig Stunden zuvor in der *Salle de Géographie* von Totems und Tabus in gelehrter Abhandlung gesprochen hatte und dem Publikum, jeden Gegenstand feierlich in der Hand haltend, kleine Stöckchen aus Elfenbein gezeigt hatte, Federn vom Leierschwanzvogel, Ritualmünzen, magische Fossilien, Seesterne, vertrocknete Fische, Fotografien von königlichen Konkubinen, Opfergaben von Jägern, riesige einbalsamierte Skarabäen, welche die Damen, die immer und überall dabei sind, vor erschrockener Lust zittern ließen.

Nun gut, es ist nicht einfach, über die Maga zu sprechen, die zur Stunde bestimmt durch Belleville oder Pantin läuft, den Boden aufmerksam betrachtend auf der Suche nach einem roten Fetzen. Findet sie keinen, wird sie immer weiter laufen, die ganze Nacht, die Mülleimer mit glasigen Blicken durchsuchen, im Glauben, es werde ihr etwas Schreckliches zustoßen, falls sie nicht diesen Fetzen findet, um sich freizukaufen, das Zeichen für Vergebung oder Aufschub. Ich weiß, was das bedeutet, weil auch ich diesen Zeichen gehorche, auch für mich gibt es Zeiten, in denen ich einen roten Lappen finden muß. Seit meiner Kindheit muß ich sofort aufheben, was mir zu Boden fällt, ganz gleich, was es sei, denn tu ich es nicht, geschieht ein Unglück, nicht mir, sondern jemandem, den ich liebe und dessen Name mit dem Anfangsbuchstaben des heruntergefallenen Gegenstandes anfängt. Schlimm ist, daß nichts mich zurückhalten kann, sobald mir etwas zu Boden gefallen ist, und es gilt auch nicht, daß ein anderer es aufhebt, denn der böse Zauber würde dennoch wirken. Man hat mich deswegen oft für verrückt erklärt, und es stimmt, ich bin verrückt, wenn ich es tue, wenn ich mich derart beeile, einen Bleistift oder ein Stückchen Paier aufzuheben, die mir aus der Hand gefallen sind. Ich denke an jenen Abend mit dem Würfelzucker in einem Restaurant der Rue Scribe, ein Restaurant für Betuchte, mit einer Menge von Geschäftsführern, Nutten mit Silberfüchsen und gutbürgerlichen Ehepaaren. Wir waren mit Ronald und Etienne dort, und mir fiel ein Stück Würfelzucker herunter, das unter einem Tisch ziemlich weit von unserem liegenblieb. Das erste, was meine Aufmerksamkeit erregte, war die Art und Weise, wie sich das Stück entfernt hatte; denn im allgemeinen bleibt ein Stück Würfelzucker dort liegen, wo es heruntergefallen ist, aus augenscheinlich parallelepipedischen Gründen. Aber dieses Stück benahm sich, als sei es eine Naphtalinkugel, was meine Vorahnung nur noch schlimmer machte, und zuletzt glaubte ich sogar, man habe es mir aus der Hand gerissen. Ronald, der mich kennt, sah, wohin das Stück gerollt war, und fing an zu lachen. Das erhöhte meine mit Angst vermischte Wut. Ein Kellner trat zu uns in der Annahme, mir sei etwas Wertvolles heruntergefallen, ein Parker oder ein künstliches Gebiß, und seine Anwesenheit störte mich erheblich, doch ich stürzte mich, ohne um Erlaubnis zu bitten, auf den Fußboden und begann das Stück Zucker zwischen den Schuhen der Leute zu suchen, die neugierig glaubten (und zu Recht), es müsse sich um etwas Wichtiges handeln. Am Tisch saß eine dicke Rothaarige und eine andere, die nicht so dick aber gleichfalls nuttig war, sowie zwei Geschäftsführer oder dergleichen. Ich merkte sogleich, daß das Stück Zucker unsichtbar blieb, obschon ich es bis zu den Schuhen hatte springen sehen (und diese bewegten sich unruhig wie Hühner). Zu allem Übel war der Fußboden mit Teppich bespannt, und obwohl dieser ekelerregend abgenutzt war, hatte sich das Stück Zucker im Flausch versteckt, und ich konnte es nicht finden. Von der anderen Seite des Tisches warf sich der Kellner ebenfalls zu Boden, und schon waren wir zwei Vierfüßler, die sich zwischen den Schuh-Hühnern bewegten, die oben zu gackern anfingen wie verrückt. Der Kellner glaubte noch immer an den Parker oder an den Louisdor, und als wir dann richtig unter dem Tisch steckten, in großer Intimität und im Zwielicht, fragte er mich, und ich sagte es ihm, und er machte ein Gesicht zum Knipsen, aber ich hatte keine Lust zu lachen, die Angst hatte mir den Magenmund doppelt verschlossen. Schließlich überfiel mich eine regelrechte Verzweiflung (der Kellner hatte sich wütend erhoben), und ich fing an, die Schuhe der Frauen zu packen und nachzusehen, ob das Stück Zucker sich nicht vielleicht unter einer Sohle verborgen hielt, und die Hühner gackerten, die Geschäftsführerhähne hackten mir auf den Rücken, ich hörte das Gelächter von Ronald und Etienne, während ich mich von einem Tisch zum andern bewegte, bis ich den Zucker fand, der sich hinter einem Empire-Tischbein versteckt hatte. Alle Welt war nun aufgebracht und in Wut geraten, sogar ich, der ich meinen Zucker fest in der Hand hielt und spürte, wie er sich mit dem Schweiß der Haut vermischte und sich auf eklige Weise in einer Art klebriger Rache auflöste, und Episoden dieser Art alle Tage.

PETER WEISS

Die Ästhetik des Widerstands

Am nächsten Morgen aber, um zehn Uhr fünfundvierzig, schrillte die Türglocke, auf die besondre Art, die er kannte, und er wußte, was das harte Klopfen bedeutete. Ehe er unters Bett kroch, nahm er den von der Sonne durchstrahlten Himmel überm Eis wahr, und dann hatte er, in den Augen noch das blendende Licht, den Tiefpunkt seines Werdegangs als Politiker erreicht. In der Enge unterm Bett hörte er Frieda mit den Besuchern an der Tür sprechen, die Stimmen der Männer näherkommen, das Durchhalten war vergebens gewesen, alle Dispute waren vergebens gewesen, alle Planungen für die Erneuerung der Partei waren gescheitert, der Platz, den er eingenommen hatte in der Partei, war verloren, übrigblieb nur das sengende Gefühl, daß er sich gestern abend schon gefragt hatte, ob es nicht so kommen müßte, ob er sich nicht in die Falle begeben würde. Er war nicht sicher, ob dies das Dorf Schneeberg oder Lößnitz war, eingebettet in die Fichtenhügel, am Fuß des Erzgebirges, Lößnitz war es wohl, denn sie waren beim Umzug durch Aue gekommen, auf der Brücke über die Zwickauer Mulde gefahren, drunten ragten Steine aus dem Wasser, Geröll an den Ufern, im Süden, der böhmischen Grenze zu, stiegen die Berge an, sechs Jahre war er alt, es war das Jahr Neunzehnhundert Elf, mit dem Ranzen ging er die Gasse entlang zur Schule, schwarze Schnürstiefel trug er, die hatte sein Vater geschustert, Staub wirbelte er auf, trieb einen Stein vor sich her, wischte an den Stufen zum Schulhaus das Leder mit dem Taschentuch ab, daß es glänzte, wollte sich gern, als Sohn des Schuhmachers, mit seinen Stiefeln zeigen, während die andern barfuß oder in Holzschuhen kamen. Sah vor sich die Hände des Vaters, die prüfend über die Sohle, die Nähte des Schuhwerks in den Leisten strichen, die den kleinen Hammer hoben überm Amboß, jedes Mal, wenn er vorüberging an Meister Brostedts Laden, nebenan in der Gotlandsgata, ein Leben später, mußte er verweilen, den sorgsamen Bewegungen zusehen, den Mund, mit den Nägeln zwischen den Lippen, betrachten, keine Schuhe hatte er jetzt an den Füßen, die Zehen verkrampften sich ihm, da er sich so zusammenkrümmte in seiner Niederlage. Mit Münzenberg hatte er dieses Verständnis für die Weichheit, die Rundungen der Schuhe geteilt, beide hatten sie das Handwerk gelernt, die Zwistigkeiten wären zu vermeiden gewesen, hätten sie nur öfter, bei ihren Wanderungen in Paris, in die Schusterläden geschaut. Siebzehn war er, wie Münzenberg, als er sich in der Arbeiterjugend organisierte, wurde ein paar Jahre später zum ersten Mal verhaftet, wegen seines Artikels, gegen den Reichspräsidenten, gegen die Weimarer Verfassung, Revolutionäre Tat hieß die Zeitschrift. Münzenberg aber war fünfzehn Jahre älter als er, leitete längst die Internationale Rote Hilfe, als er selbst in die Ortsgruppe in Dresden eintrat, immer war Münzenberg vor ihm, leitete die Propaganda, leitete die Hilfe für Spanien, verstellte ihm den Weg, oder machte sich zu seinem Gönner, je nach den Verschiebungen der Interessen im Zentralkomitee, wie waren sie umeinander herumgestrichen, hatten einander geschmäht, bis sie beide dalagen, der eine im modrigen Laub im Wald von Montagne, der andre im Staub unterm Bett der Frau eines Häftlings. Doch schon als die Gesichter der Kriminalbeamten Åkerberg und Hultsten schräg zu ihm hinablugten, und er sich auf den Ellbogen hervorstemmte, stellte er sich um auf ein neues Dasein, er würde alles leugnen, was ihm nicht bewiesen werden konnte, würde seinen wahren Namen, seinen Wohnort so lange wie möglich geheimhalten, keine Aussagen machen, solange er nicht damit rechnen konnte, daß das belastende Material aus seinem

Zimmer geholt worden war, und als er, an den Füßen die ungarischen Schuhe mit den schöngeschnittnen Sohlen, festgehalten an den Oberarmen, hinausgeführt wurde zum wartenden Auto, hatte sich der Abgrund hinter ihm bereits geglättet, er würde wieder aufsteigen, seine Ehre würde gewahrt bleiben, er würde ein Führender, ein Bestimmender sein, niemand würde ihn abbringen können von seinem Weg, auch wenn sie ihn jahrelang in Gefangenschaft hielten, er würde sich verteidigen, würde sich rechtfertigen, seine Stellung in der Partei zurückgewinnen. Die andern aber, Mewis, Stahlmann, Seydewitz, Glückauf, die von seiner Verhaftung erfahren hatten, sandten ihren Bericht ab, nachdem er, der gewußt haben müsse, daß die Wohnung der Frau eines politischen Häftlings überwacht sei, sich aus Feigheit habe greifen lassen, um nicht mehr zum Einsatz in Deutschland zu kommen. Sah er sich, in seiner Verbannung, noch als Mitglied der Partei, für die er seit seiner Jugend gewirkt hatte, so war er für die Partei schon ein toter Hund. Und entwürdigt, abgestempelt zum Verbrecher wurde er auch hinter den verschloßnen Türen des Amtsgerichts. Die Leiter des Verhörs, beauftragt vom Sozialminister Möller, zuständig für die Bekämpfung des Kommunismus, wollten in ihm, nachdem er sich zu erkennen gegeben und eingehend seinen politischen Werdegang dargelegt hatte, nichts andres als einen Spion sehn, der für die Sowjetunion arbeitete. Daß seine Tätigkeit auf die Befreiung seines Lands von der faschistischen Diktatur gerichtet war, diente den Polizeikommissaren Söderström, Lönn und Lundqvist, die in Übereinstimmung mit den deutschen Amtsstellen handelten und diesen ihre Erkenntnisse weitergaben, sowie dem Staatsanwalt Ryhninger, einzig zur Belastung des Angeklagten. Im Gegensatz zu den Fängern, die jedes seiner Worte gegen ihn auslegten, deren Urteil vom ersten Tag an feststand, die ihm ständig die Auslieferung an den Feind androhten, trug er unbeirrt, von der Zukunft redend, die Geschichte der Niederlage und der Notwehr der Arbeiterbewegung in der Illegalität vor, erklärte den Wert der Verbindungen mit dem deutschen Untergrund, gab nichts bekannt über den Weg, der ihn ins Land geführt hatte, nur seine Adresse gab er her, nachdem er sicher sein mußte, daß sein Zimmer ausgeräumt worden war, und, um die nächsten Gefährten zu decken, den Namen seiner Zuträgerin, Solveig Hansson. Daß er sie preisgab und schließlich auch zustimmen mußte, daß die Frau, deren Foto ihm vorgelegt wurde und von deren Ausreise nach Deutschland die Polizei wußte, identisch war mit Charlotte Bischoff, machte ihn, der sich mit beibehaltnem Stolz dem höchsten Gremium der Partei zurechnete, dann doch wieder zum Verräter. Die Frage, warum er, der zu schweigen verstand, sich dazu hinreißen ließ, zwei Worte zu viel zu sagen, hatte er nun, für sich allein, zu beantworten, während Solveig Hansson nicht mehr aus dem Fenster entfliehn konnte, als die Verfolger, am zweiundzwanzigsten März, zwanzig Minuten nach Zehn, in ihre Wohnung eindrangen, Frithiof, der die Koffer wohl aus Svenssons Zimmer abgeholt, diese jedoch bei sich stehngelassen hatte, verhaftet wurde, und desgleichen Elvira Gustafsson, der Arbeiter Mineur, und der Funktionär der schwedischen Partei Södermann, mit dem Decknamen Gustav, der Polizei in die Hände fielen. Die Verhandlungen vor dem Gericht zogen sich über den Sommer hin, wir aber setzten unsre Arbeit fort. Rosner führte Friedemanns letzten Artikel, und einige andre mit seiner Signatur versehne Beiträge, zur Verwischung der Spuren, in die Zeitschrift ein, selbst nannte er sich jetzt Steinbichl, Seydewitz, Mewis und Henke indessen hielten an ihren Pseudonymen fest, bis auch sie gefaßt wurden und Rosner sich ihrer Namen bediente, einen Huber, einen Vorländer noch hinzufügend, um den Eindruck zu wecken, daß das Kominternblatt von den Verhaftungen unbehelligt geblieben sei. Unermüdlich Stil und Themen wechselnd, ging der Redakteur mit seinem imaginären Stab um. Ich hatte, im Schwirren der Dialoge, die von ein und demselben, doch mit zahlreichen Zungen redenden Mund ausgingen, Diktate entgegenzunehmen, nach Skizzen Aufsätze, Lageberichte anzufertigen, Manuskripte, die von Kraft, Schönerer oder Rosa Winzer gezeichnet waren, den Verbindungsleuten zuzutragen, die sie zur Druckerei brachten, und der Rausch der Aktivität vertrieb die Beängstigung, die mich manchmal überkommen konnte. Doch mehr noch als die beseßne Ausdauer des Eremiten vermittelte mir Stahlmann, der an jenen drei Tagen, Mitte August, als die andern Mitarbeiter ausgefallen waren, auch fast erwischt worden wäre, etwas von der wahnwitzigen Zuversicht, die den letzten Überlebenden in den Verschanzungen zu eigen sein mußte, um dem Feind eine noch intakte Verteidigung vorzutäuschen. Lag ich erschöpft, zum Schlafen nicht fähig, in meinem Zimmer, in den Stunden vor Morgengrauen, so konnte das Bild seines Entkommens mich aus der Fassungslosigkeit retten. Eigentlich hatten sie nach ihm, dem Hintermann, dem geheimen Organisator, dessen Name Kalle bei den Verhören häufig gefallen war, und von dem Wehner nichts Näheres zu wissen vorgab, gesucht, als er am Dienstag, den achtzehnten August, neben Seydewitz auf dem Heumarkt stand, eben den Arm ausstreckte und auf das Warenhaus Bergström zeigte, in dem Lenin, im April Neunzehnhundert Siebzehn, auf der Durchreise nach Petrograd, sich mit Schuhen und einem Anzug versorgt hatte. Ihn hätten sie zuerst packen müssen, doch indem sie sich auf Seydewitz warfen, konnte er ausweichen zwischen die Obststände, die Blumengestelle und, nach wenigen Schritten, im Flirren der Farben und Sonnenreflexe, zu einem gewöhnlichen Käufer werden, der Früchte und Gemüse befühlte, beim Tönen der Trillerpfeife verwundert um sich blickte und dann mit einer Tüte Äpfel im Arm die schmalen Gassen hinunterspazierte zur Ecke der Vasagata, wo er den Omnibus nahm, um, vorbeifahrend auf der Kungsgata, den

Marktplatz noch einmal in Augenschein zu nehmen. Wagen der Polizeistreife standen am Straßenrand, Seydewitz war abgeführt worden, nach ihm hielt man noch Ausschau, Polizisten befragten die Händler unter den bunten Schirmen und Zelten, in kleinen Ansammlungen wurde gestikuliert, hierhin und dorthin gewiesen, dann verdeckte das Konzerthaus den Blick, und der Bus glitt unter den hohen steinernen Brücken, die über die Hauptstraße führten, hindurch, auf den Stureplan zu. In dieser sommerlich heißen Stadt, in der die Häuser heil und aufrecht standen und die Gehsteige angefüllt waren mit Menschen in hellen Kleidern, blieb ihm wenig zu tun übrig, Geld hatte er reichlich, zu versorgen war kaum jemand mehr, und den Eingefangnen konnte es nicht schaden, wenn er ins Türkische Bad ging. Weniger als in den andern Badeanstalten würde man ihn in dem vornehmen, teuren Sturebad vermuten, auf dem marmornen Tisch, eingeseift, geschrubbt und massiert von dem Weib im prallen Kittel. Wissend von den Gegenden des Grausens, die nicht fern waren, bar jeglicher Furcht vor dem Tod, den nackten Körper im festen Griff der Hände, so überließ er sich ganz der hallenden, dampfenden, von weißen Tüchern durchflatterten Stunde.

HANS BLUMENBERG

Bücherwelt und Weltbuch

Zwischen den Büchern und der Wirklichkeit ist eine alte Feindschaft gesetzt. Das Geschriebene schob sich an die Stelle der Wirklichkeit, in der Funktion, sie als das endgültig Rubrizierte und Gesicherte überflüssig zu machen. Die geschriebene und schließlich gedruckte Tradition ist immer wieder zur Schwächung von Authentizität der Erfahrung geworden. Es gibt so etwas wie die Arroganz der Bücher durch ihre bloße Quantität, die schon nach einer gewissen Zeit schreibender Kultur den überwältigenden Eindruck erzeugt, hier müsse alles stehen und es sei sinnlos, in der Spanne des ohnehin allzu kurzen Lebens noch einmal hinzusehen und wahrzunehmen, was einmal zur Kenntnis genommen und gebracht worden war.

Die Macht dieses Eindrucks bestimmt die Kraft der Rückschläge gegen ihn. Dann wird mit einem Mal der Staub auf den Büchern sichtbar. Sie sind alt, stockfleckig, riechen moderig, sind eines vom anderen abgeschrieben, weil sie die Lust genommen haben, in anderem als in Büchern nachzusehen. Die Luft in Bibliotheken ist stickig, der Überdruß, in ihr zu atmen, ein Leben zu verbringen, ist unausbleiblich. Bücher machen kurzsichtig und lahmärschig, ersetzen, was nicht ersetzbar ist. So entsteht aus Stickluft, Halbdunkel, Staub und Kurzsichtigkeit, aus der Unterwerfung unter die Surrogatfunktion, die Bücherwelt als Unnatur. Und gegen Unnatur sind allemal Jugendbewegungen gerichtet. Bis dann die Natur wieder in deren Büchern steht.

Um so erstaunlicher, wenn das Buch doch zur Metapher der Natur selbst werden konnte, seiner antipodischen Feindin, die zu derealisieren es bestimmt zu sein schien. Desto ge-

wichtiger, desto zwingender müssen die Antriebe sein, die diese Verbindung von Buch und Natur hergestellt haben.
Es sind vielleicht nur zwei. Einmal Konkurrenz mit dem *einen* Buch, seiner Autorität, seiner Ausschließlichkeit, seinem Bestehen auf Inspiration. Zum anderen Faszination durch die Macht, die das Buch in sich selbst dadurch aufbringt, daß es Herstellung von Totalität leistet. Die Kraft, Disparates, weit Auseinanderliegendes, Widerstrebendes, Fremdes und Vertrautes am Ende als Einheit zu begreifen oder zumindest als einheitlich begriffen vorzugeben, ist dem Buch, woran auch immer es sie exekutiert, wesentlich. So konnten die großen Verführungen zur Totalität, die es nur in der Neuzeit gegeben hat, von Büchern ausgehen – zumeist solchen, die ohne Anschauung von Realitäten schon Ausgeburten großer Bibliotheken waren.
Die Natur, einmal als Buch verbildlicht, soll eben diese Qualität eines Ganzen aus *einem* Wurf schon haben und sich darin bewähren, die im Begriff vorweg erzwungene Einheit unter Gesetzen als auch nachvollziehbare, erwerbbare Einsicht zu begründen. Den Vorgriff der Vertraulichkeit dann wieder zu ernüchtern, erfordert einen so ärgerlichen Zusatz wie den, ein Buch sei die Natur zwar, aber ein in Hieroglyphen, in Chiffren, in mathematischen Formeln geschriebenes – das Paradox eines Buches, das sich dagegen verwahrt, Leser zu haben. Von hier führt ein Weg zum Serenus Zeitblom im »Doktor Faustus« Thomas Manns, der schon als Knabe deutlich begriffen haben will, daß *die außerhumane Natur von Grund aus illiterat* sei, was in seinen Augen *eben gerade ihre Unheimlichkeit ausmacht*.
Das Spannende an diesem Kapitel einer Metaphorologie ist, daß es immer von dem ersten Eindruck des hoffnungslosen Anachronismus ausgehen wird. Denn nicht nur zwischen den Büchern und der Wirklichkeit besteht eine alte Feindschaft, sondern auch zwischen den Büchern und der Naturwissenschaft eine jüngere. Das Pathos des Experiments ist

gegen den Hort der Bibliotheken gerichtet, insistiert auf der Frische der Erfahrung im Blick durch Fernrohr und Mikroskop, auf Thermometer und Barometer. Diese Erfahrung ist oder erscheint unabgeschlossen und unabschließbar; sie gestattet Steigerung der Genauigkeit, des Auflösungsgrades, der Zeitstrecken. Geschlossenheit und Abgeschlossenheit, wie Bücher sie prätendieren, sind schon der Form des Anspruchs nach falsch. Es hat deshalb seine eigene Ironie, daß sich die Sprache der frühen Naturwissenschaft metaphorisch wieder auf das Buch bezieht. Es ist die Konkurrenz nicht nur zur Autorität der Bibel, sondern auch zu Aristoteles, die in der Metaphorik der ›beiden Bücher‹ und ihrer Gleichrangigkeit angesagt wird. Die Frage, wie denn in diesem Buch der Natur gelesen werden könne, in welcher Sprache es geschrieben sei und wie man ihre Grammatik herauszufinden hätte, schiebt sich erst über die metaphorische Grundschicht der Bücherkonkurrenz, in der primär Buch *neben* Buch, sekundär Buch *gegen* Buch steht.

Doch dann, sollte man denken, beim Heraustreten aus dieser Situation der frühen Schwäche, brauchte nicht mehr an das Buch gedacht zu werden. Aber es bleibt nicht nur die Figur der heimlichen Sehnsucht nach einer vertrauten Begreiflichkeit als der der Fremdsprachen theoretischer Spezialisierung, sondern auch zur Veranschaulichung struktureller Prozesse der wissenschaftlichen Theorie selbst. Unvergleichliches Beispiel für eine unerkannte Buchmetapher, deren Entfaltung blockiert war und jedenfalls ausgeschlagen worden wäre, hätte man sie wahrgenommen, ist die Vorherrschaft, die der Entwicklungsbegriff über die Vorstellungen von der Natur gewonnen hat. Dabei blieb unbemerkt, daß ›Ent-wicklung‹ ihrem lateinischen Ursprung ›*evolutio*‹ folgt, womit das Entrollen der Buchrolle, der Schriftrolle, bezeichnet worden war. Einer gegen alle Klassizismen unwillig gewordenen Wissenschaft entging dieser Bezug ihres liebsten Begriffs, da man allenfalls Bücher vor sich sah, die aufgeschlagen oder zugeklappt werden konnten. Aber auch wegen einer Begünstigung, die in der Buchrollenmetaphorik für die Präformationsthese vorgegeben war. So lag, was sprachlich ganz nahe war, in der Sache ungeheuer fern. Erst die Genetik hat diese für das neunzehnte Jahrhundert typischen Sperren weggeschwemmt und eine neue ›Leselust‹ in die Natur hineingelesen.

Vielleicht ist noch ein anderes modernes Beispiel geeignet, die unverwüstliche Beanspruchbarkeit der alten Metapher vorgreifend zu exemplifizieren. Die Abkehr vom sensualistischen Atomismus in der Wahrnehmungstheorie des vorigen Jahrhunderts durch Gestaltpsychologie und Phänomenologie hat an die Stelle der assoziativen und dissoziativen Mechanismen eine ganz andersartige Gegebenheitsstruktur unserer Wahrnehmung gesetzt. Wer diese Änderung beschreiben will, verfällt fast zwangsläufig in die Metaphorik der Sprache und des Lesens. Der Aufbau unserer Erfahrungswelt vollzieht sich in der Sättigung der Inhalte mit Sinnfunktionen, die systematische Verbund- und Verweisungsstrukturen tragen. Durch sie wird das Bewußtsein instand gesetzt, *Erscheinungen zu buchstabieren, um sie als Erfahrungen lesen zu können*. Dadurch ist jedes Einzelphänomen *nur noch Buchstabe, der nicht um seiner selbst willen erfaßt, der nicht etwa nach seinen eigenen sinnlichen Bestandteilen oder nach der Gesamtheit seines sinnlichen Aspekts betrachtet wird, sondern über den der Blick hinweg und durch welchen er hindurchgeht, um sich die Bedeutung des Wortes, dem der Buchstabe angehört, und den Sinn des Satzes, in welchem dieses Wort steht, zu vergegenwärtigen.** Von jedem Moment her ist der Übergang zum Ganzen möglich, *weil die Verfassung dieses Ganzen in jedem Moment darstellbar und dargestellt ist*. Der Akzent liegt hier

* E. Cassirer, Philosophie der symbolischen Formen III. [1]Berlin 1929; [2]Darmstadt 1954, 222f.

nicht mehr auf dem Buch und seinem Inhalt, sondern auf der Handlung und Leistung des Lesens. Wenn es vom Inhalt heißt, daß er ›zum Bewußtsein spricht‹, liegt darin: *Seine gesamte Existenz hat sich gewissermaßen in reine Form verwandelt; sie dient nur noch der Aufgabe, eine bestimmte Bedeutung zu vermitteln und sie mit anderen zu Bedeutungsgefügen, zu Sinnkomplexen zusammenzufassen.*

Wo liegt die Grenze zum Anachronismus? Ich frage mich das, wenn ich einen Satz lese wie: *Sein, das verstanden werden kann, ist Sprache.* So etwas führt zu den dunklen Verwechslungen, denen nicht zu entgehen es geschrieben sein muß. Ist Sprache die Bedingung dafür, daß ›Sein‹ verstanden werden kann? Oder kann ausschließlich solches ›Sein‹ verstanden werden, das schon die Gestalt der Sprache hat, also Literarisches im weitesten Sinne, wenigstens als Ausdruck Gemeintes und Gewolltes?

Die Metaphorik der Sprache ist nicht selbstverständlich von derselben Art wie die des Buches. Die metaphorische Versprachlichung des Seins ist ästhetisch; und was das heißt, läßt sich seit dem Verfall der alten Definition des Schönen am ehesten als Exklusion bestimmen: Zweck-Mittel-Beziehungen sind ausgeschlossen. Das ist auch gegen Aspekte der Buchmetaphorik gerichtet, insofern sie nicht nur, aber auch den Bezugskern ›Anweisung zur Naturgemäßheit‹ umspielte.

Das Prädikat der Verstehbarkeit ist zunehmend ästhetisch orientiert und okkupiert. Vom Selbstverständnis der Kunst mitgeführt, ist es antithetisch den alten Ansprüchen der Natur entgegengetreten, als Inbegriff von Normen auch in Menschenwerken nachgeahmt und nachgeschrieben zu werden. Je ›verstehbarer‹ Kunst geworden ist oder zu sein vorgab, um so weniger konnte die Natur ›verstehbar‹ bleiben, was sie im auf den gemeinen Menschenverstand bezogenen Sinne schon aufgehört hatte zu sein, seit das Buch der Natur in einer Zeichensprache geschrieben sein mußte, die anderes als ›Hermeneutik‹ zur Entschlüsselung erforderte. Das ›Buch der Geschichte‹ wird das erste, das der Mensch in seiner eigenen Sprache geschrieben hat. Über das Prinzip der ausschließlichen Zugänglichkeit des Selbstgemachten und über den Zweifel daran, ob die Geschichte wirklich dazu gehöre, wanderte die hermeneutische Generalklausel ganz in den ästhetischen Tempelbezirk ab, um von hier erst wieder auf späteste Seinssinngebungen auszustrahlen.

Was ist dadurch gewonnen oder verloren? Hermeneutik, dies vor allem, geht nicht auf Eindeutigkeit dessen, was sie ihrer Auslegungskunst unterzieht, also nicht auf die ›Qualität‹, die einer Mitteilung oder gar einer Offenbarung auch dann eigen sein muß, wenn der faktische Umgang damit die Prämisse nicht bestätigt, Übermittlung sei die Absicht gewesen. Hermeneutik geht auf das, was nicht nur je einen Sinn haben und preisgeben soll und für alle Zeiten behalten kann, sondern was gerade wegen seiner Vieldeutigkeit seine Auslegungen in seine Bedeutung aufnimmt. Sie unterstellt ihrem Gegenstand, sich durch ständig neue Auslegung anzureichern, so daß er seine geschichtliche Wirklichkeit geradezu darin hat, neue Lesarten anzunehmen, neue Interpretationen zu tragen. Nur durch die Zeit und in geschichtlichen Horizonten wird realisiert, was gar nicht auf einmal in simultaner Eindeutigkeit da sein und gehabt werden kann. Die Metapher der Versprachlichung dient ganz einem gegen gegen das Ideal wissenschaftlicher Objektivierung gerichteten Konzept von ›Sein‹.

JÜRGEN HABERMAS

Kommunikative Vernunft

Mit der vorliegenden Untersuchung will ich eine Theorie des kommunikativen Handelns einführen, die die normativen Grundlagen einer kritischen Gesellschaftstheorie aufklärt. Die Theorie des kommunikativen Handelns soll eine Alternative für die unhaltbar gewordene Geschichtsphilosophie bieten, der die ältere Kritische Theorie noch verhaftet war; sie empfiehlt sich als Rahmen, innerhalb dessen die interdisziplinär angelegte Erforschung des selektiven Musters der kapitalistischen Modernisierung wieder aufgenommen werden kann. Die illustrativen Hinweise (a) bis (d) sollten diesen Anspruch plausibel machen. Die beiden weiteren, unter (e) und (f) genannten Themen erinnern aber daran, daß die Untersuchung dessen, was Marx »Realabstraktionen« genannt hatte, nur die sozialwissenschaftlichen Aufgaben einer Theorie der Moderne betrifft, nicht ihre *philosophischen*.

Die Gesellschaftstheorie braucht sich der normativen Gehalte der bürgerlichen Kultur, der Kunst und des philosophischen Denkens nicht mehr auf indirektem Wege, nämlich ideologiekritisch zu versichern; mit dem Begriff der kommunikativen, in den verständigungsorientierten Sprachgebrauch eingelassenen Vernunft mutet sie der Philosophie wiederum systematische Aufgaben zu. Die Sozialwissenschaften können eine kooperative Beziehung mit einer Philosophie eingehen, die die Aufgabe übernimmt, einer Theorie der Rationalität zuzuarbeiten.

Nun verhält es sich mit der modernen Kultur im ganzen nicht anders als mit der Physik Newtons und seiner Nachfolger; sie bedarf so wenig wie die Wissenschaft einer philosophischen Begründung. Die Kultur hat, wie wir gesehen haben, in der Moderne aus sich selbst diejenigen Rationalitätsstrukturen hervorgetrieben, die Max Weber dann als kulturelle Wertsphären vorfindet und beschreibt. Mit der modernen Wissenschaft, mit dem positiven Recht und den prinzipiengeleiteten Profanethiken, mit einer autonom gewordenen Kunst und der institutionalisierten Kunstkritik haben sich ohne Zutun der Philosophie drei Vernunftmomente herauskristallisiert. Auch ohne Anleitung durch die Kritik der reinen und der praktischen Vernunft lernen die Söhne und Töchter der Moderne, wie sie die kulturelle Überlieferung unter jeweils einem dieser Rationalitätsaspekte in Wahrheitsfragen, in Fragen der Gerechtigkeit oder des Geschmacks aufspalten und fortbilden. Die Wissenschaften stoßen nach und nach die Elemente von Weltbildern ab und leisten Verzicht auf eine Interpretation von Natur und Geschichte im ganzen. Die kognitivistischen Ethiken scheiden die Probleme des guten Lebens aus und konzentrieren sich auf die streng deontischen, verallgemeinerungsfähigen Aspekte, so daß vom Guten nur das Gerechte übrigbleibt. Und eine autonom gewordene Kunst drängt auf die immer reinere Ausprägung der ästhetischen Grunderfahrung, die die dekonzentrierte, aus den Raum- und Zeitstrukturen des Alltags ausscherende Subjektivität im Umgang mit sich selbst macht – die Subjektivität befreit sich hier von den Konventionen der täglichen Wahrnehmung und der Zwecktätigkeit, von den Imperativen der Arbeit und des Nützlichen.

Diese großartigen Vereinseitigungen, die die Signatur der Moderne ausmachen, bedürfen keiner Fundierung und keiner Rechtfertigung im Sinne transzendentaler Begründungen, wohl aber der Selbstverständigung über den Charakter dieses Wissens und einer Antwort auf die beiden Fragen: ob die objektiv in ihre Momente auseinandergetretene Vernunft noch eine Einheit wahren kann, und wie die Expertenkulturen mit der Alltagspraxis vermittelt werden können. Die Überlegungen des einleitenden Kapitels und der ersten Zwischenbetrachtung sollten provisorisch dartun, wie sich eine formale Pragmatik dieser Fragen annehmen kann. Auf dieser Grundlage können dann die *Theorie der Wissenschaften*, die *Theorie des Rechts und der Moral* sowie die *Ästhetik* in Zusammenarbeit mit den entsprechenden historischen Disziplinen, sowohl die Entstehung wie die *interne Geschichte* jener modernen Wissenskomplexe *nachkonstruieren*, die sich unter jeweils einem Geltungsaspekt, sei es dem der Wahrheit, der normativen Richtigkeit oder der Authentizität ausdifferenziert haben. So ist die Vermittlung der Vernunftmomente kein geringeres Problem als die Trennung der Rationalitätsaspekte, unter denen Wahrheits-, Gerechtigkeits- und Geschmacksfragen voneinander differenziert worden sind. Gegen eine empiristische Verkürzung der Rationalitätsproblematik schützt nur die beharrliche Verfolgung jener verschlungenen Pfade, auf denen Wissenschaft, Moral und Kunst auch *miteinander* kommunizieren.

In jeder dieser Sphären werden die Differenzierungsprozesse nämlich von *Gegenbewegungen* begleitet, die unter dem Primat des herrschenden Geltungsaspekts jeweils die beiden anderen, zunächst ausgeschlossenen Geltungsaspekte wieder einholen. So bringen die *nicht-objektivistischen Forschungsansätze* innerhalb der Humanwissenschaften, ohne den Primat der Wahrheitsfragen zu gefährden, auch Gesichtspunkte der moralischen und der ästhetischen Kritik zur Geltung; nur dadurch wird eine kritische Gesellschaftstheorie ermöglicht. Die Diskussion über Verantwortungs- und Gesinnungsethik und die stärkere Berücksichtigung hedonistischer Motive bringen innerhalb universalistischer Ethiken Gesichtspunkte der *Folgenkalkulation* und der *Bedürfnisinterpretation* ins Spiel, die im Geltungsbereich des Kognitiven und des Expressiven liegen; auf diesem

Wege können materialistische Ideen Eingang finden, ohne die Autonomie des Moralischen zu gefährden. Die postavantgardistische Kunst schließlich ist charakterisiert durch die Gleichzeitigkeit von realistischen und engagierten Richtungen mit authentischen Fortsetzungen jener klassischen Moderne, die den Eigensinn des Ästhetischen herauspräpariert hatte; mit realistischer und engagierter Kunst kommen auf dem Niveau des Formenreichtums, den die Avantgarde freigesetzt hat, wiederum Momente des Kognitiven und des Moralisch-Praktischen in der Kunst selbst zum Zuge. Es scheint so, als ob in solchen Gegenbewegungen die radikal ausdifferenzierten Vernunftmomente auf eine Einheit verweisen wollten, die freilich nicht auf der Ebene von Weltbildern, sondern nur diesseits der Expertenkulturen, in einer nichtverdinglichten kommunikativen Alltagspraxis, wieder zu gewinnen ist.

BODO KIRCHHOFF

Unnatürlichkeit der Lust

Lange danach, im Frühsommer. Kaum was los momentan, also Sonntag; ziemlich schwül und gegen zwei, wo sowieso alles tot ist.

Ich stehe Ecke Moselstraße/Niddastraße unter einem Wahlplakat. Halte Ausschau wie immer, doch es tut sich nichts. Schließlich laufe ich weiter und pralle fast mit jemandem zusammen. Hebe meinen Kopf und denke auf den ersten Blick: eine seltsame Person.

Ich spreche sie an, weil die Gelegenheit günstig ist, so gut wie niemand in der Nähe, auf meine übliche Tour, mit einem einzigen Wörtchen, und die Person geht darauf ein; sieht mich an und sagt, wobei sie ihre Brille abnimmt und Stäubchen von den Gläsern bläst: Absolut kein Verlangen... Das verblüfft mich; ich habe mit allem anderen gerechnet. Wer hier so stromert, am frühen Sonntagnachmittag, hat doch einen Grund, und ich weiß nicht, was ich dem entgegnen soll. Das kommt vor, sage ich einfach und setze noch hinzu, um wenigstens irgendeine Überlegung zwischen die Person und mich zu schieben: Von Fall zu Fall... worauf sie kurz die Augen schließt und meint: Es gibt ja auch Unfälle, oder...

So ein Menschentyp ist mir noch nie begegnet. Was hat das eine mit dem anderen zu tun...? frage ich zurück, und sie, die seltsame Person, meine neue Bekanntschaft, flüstert mir zu: Alles hat das eine mit dem anderen zu tun.

Jetzt versteh ich gar nichts mehr. Können wir nicht normal miteinander reden..., bitte ich sie. Aber nicht hier... an dieser Ecke. Ich kenn eine Pension in der Nähe, da können wir reden... in der Elbestraße.

Die Main-Pension... die kenne ich auch.
Und wir brechen auf, ohne besondere Eile. Bummeln, als gehörten wir zusammen und gingen hier völlig ziellos.

Die Main-Pension ist oberhalb von der Apollo-Bar, noch immer; es gibt dort Unterkunft für jeden, auch für Exoten, nach wie vor. Meine Bekanntschaft handelt an der Rezeption, als sei sie hier zu Hause. Sie läßt sich einen Schlüssel geben, und wir steigen in den zweiten Stock. Das Zimmer liegt zur Straße hin. Es ist weitgehend sauber, an den Bezügen fällt nichts auf. Um etwas gegen die Hitze zu tun, öffne ich das Fenster – und schaue. Schaue in die Wohnung gegenüber, wo jemand ebenfalls am Fenster steht, aber unbekleidet. Ein junger Mann mit einem schwarzen Oberlippenbärtchen. Und weiter hinten in dem Raum, auf einer Couch, im Halbdunkel, kniend, eine junge Frau, auch nackt, wie mir scheinen will.
Vielleicht ist ein Geschlechtsverkehr in Aussicht, überleg ich mir und ziehe mich ein Stück zurück, um nicht meinerseits gesehen zu werden. Meine Bekanntschaft hat sich hingelegt. Ich wende mich ihr zu und sage: Fehlt dir was..., und sie zieht ihre Schuhe aus und nickt.
Aber du bist doch nicht krank...?
Keine Angst... mir fehlt nur was. Das ist wirklich alles.
Ich schaue wieder hinüber, wo sich der junge Mann jetzt zu der jungen Frau begibt, und sage: Wir wollten doch normal miteinander reden hier... Du, ja, ja... hör ich von hinten, das machen wir schon.
So ein ausgefallener Mensch; ich kann es immer noch nicht fassen und verfolge das Geschehen gegenüber. Es sieht so aus, als ob der junge Mann nun vor der jungen Frau steht und sie bei ihm hantiert.
Du kannst mir sagen, was dir fehlt... versuche ich es vorsichtig von neuem. Drehe mich um und bin für einen Augenblick entsetzt, für den Bruchteil einer Sekunde, und

warte auf eine Antwort. Er hat sich also ausgezogen, dieser Mensch.
Nach einer Weile schließt meine neue Bekanntschaft kurz die Augen und sagt leise: Ich selber bin so lustlos, das ist alles... blinzelt mich an und macht eine Bewegung. Was bedeutet das...? möchte ich wissen. Daß ich zu dir kommen soll... Sie nickt und schüttelt dann sofort den Kopf. Also was... Zu dir kommen oder hier stehen bleiben... Oder beides... In den Körper, der da vor mir liegt, kehrt plötzlich Leben. Du, wenn das möglich wäre... prima.
Und ich schaue wieder nach drüben.
Die beiden haben sich zurückgezogen. Sie sind jetzt nur noch umrißartig zu erkennen; manchmal auch nur ausschnittweise, so daß ich es ergänzen muß in meinem Hirn. Die junge Frau scheint zu hocken. Sie bewegt den Oberkörper hin und her, unentwegt, wie ein schwachsinniges Kind. Es könnte sich um ein Fellatio handeln.
Ich kann einen Geschlechtsverkehr sehen... teile ich mit, und aus dem Hintergrund die Frage: Wieso heißt es eigentlich Geschlechtsverkehr...?
Eine Wolke schiebt sich vor die Sonne, gegenüber jetzt alles im Dunkeln. Langsam wende ich den Blick zum Bett, betrachte meine Bekanntschaft und versuche über ihre Frage nachzudenken. Sie ist keine Schönheit. Für eine Schönheit ist sie viel zu breit. Aber häßlich ist sie auch nicht. Dazu ist sie viel zu reichlich ausgestattet. Ein Mensch mit einem gigantischen Körper, der auf mich wirkt, als sei er gar nicht nackt. Als sei seine Nacktheit noch eine Vermehrung; ein hauchdünner, maßgefertigter Anzug, Zeichen von südlichem Überfluß.
Keine Ahnung, sage ich schließlich und erwarte, daß sie irgendeinen Vorschlag macht, ein Gespräch beginnt. Stehe da, mit verschränkten Armen und überlege. Vielleicht sollte ich mich gleichfalls ausziehen oder mich wenigstens oben-

rum freimachen . . .; und ich ziehe mir das T-Shirt aus. Doch meine Bekanntschaft sieht mich nicht. Soll ich mich ganz . . .? frage ich nach. Wie du willst. Ich will nur, daß du hersiehst, meint sie, schließt erneut die Augen und beginnt sich zu befriedigen.

Mich besticht weit mehr, was sich dort drüben alles abspielt. Ich drehe meinen Kopf so weit, daß ich gerade noch sehe, was hinter mir geschieht und dabei gleichzeitig beobachten kann, was auf der anderen Seite vor sich geht. Der junge Mann ist jetzt im Blickfeld. Er bückt sich vor der jungen Frau, die ihn in irgendeiner Form behandelt, und ich male mir den Vorgang aus. Schaue unterdessen, was auf dem Bett passiert, und ein Bild reiht sich an das andere.

Sie macht es sich nicht ungeschickt. Mit zwei Fingern überträgt sie Reibung und gewährt sich mit dem Daumen ihrer linken Hand noch einen Zusatzreiz. Soll ich mich nackt vor dich stellen . . . biete ich ihr an, doch sie lehnt ab. Du . . . ich muß an etwas ganz Bestimmtes denken, wirft sie ein. Alles andere bringt mich durcheinander.

Kurzes Schweigen. Ich bin neugierig geworden, konzentriere mich vorübergehend nur auf diesen einen Menschen vor mir auf dem Bett. Frage ihn, woran er denken muß und höre mit Erstaunen: An ein bestimmtes Wort.

Zwischen den Augen meiner Bekanntschaft nunmehr eine tiefe Falte. Sie kämpft, und ich will sie nicht stören. Möchte freilich wissen, an welches Wort sie denken muß, aber traue mich nicht nachzuhaken. Bin still und blicke von neuem hinüber. Durch das geöffnete Fenster, in das verdunkelte Zimmer, auf die verschiedenen Teile der Körper des jungen Mannes und der jungen Frau, die sich inzwischen zu paaren versuchen, jeder mit dem anderen.

Plötzlich kippen beide ab, entzweien sich auf einen Schlag. Die junge Frau springt auf, versetzt dem jungen Mann einen Hieb und läuft hinaus. Der junge Mann hält sich den Kopf, geht zum Fenster und sieht in die Scheibe. Danach öffnet er

das Fenster, beugt sich über den Sims und starrt hinunter, weshalb auch immer.
Hinter mir jetzt Geräusche, und ich schaue nach. Es nähert sich dem Ende. Auf dem Körper haben sich Flecken gebildet, und an besonders beanspruchten Stellen treten Adern hervor. Mit rasenden Bewegungen reizt sie es hoch und denkt wahrscheinlich an ihre Parole. Dann unterbricht sie auf einmal, öffnet die Augen und versichert sich. Ich nicke ihr zu, drücke die Lippen zusammen, versuche zu ermutigen, bis sie einen neuen Anlauf nimmt – wende mich wieder um und erschrecke.
Der junge Mann steht jetzt im Fenster, unbekleidet nach wie vor, und trägt sich offenbar mit dem Gedanken, abzuspringen. Auf dem Bürgersteig, wie an jedem freien Tag, zahllose Türken, die streiten; ein paar von ihnen schauen schon rauf. Vor dem Eingang der Pension die Geistesschwache und ihre hinkende Kollegin, die dort, wie immer, auf Ausländer warten; sich schauen auch bereits nach oben. Gegenüber geht die Haustür auf, und die junge Frau kommt raus, in einem Regenmantel. Hinter mir setzt Stöhnen ein. Nun ist es wirklich kurz vor dem Abschluß, und ich drehe mich noch einmal um und sehe, wie er zappelt. Als ob der ganze Körper aufgehängt sei am Geschlecht und sich vergeuden muß für diesen einen Punkt.
Dann von unten plötzlich laut die junge Frau. Sie brüllt ein Wort hinauf. Zu dem jungen Mann, der in diesem Moment am äußersten Rand steht und schwankt. Das Stöhnen hinter mir nimmt zu, doch ich schau nicht mehr zurück. Auf der Straße gafft jetzt alles nach oben, aber keiner gerät aus dem Takt. Die Geistesschwache hebt ihr Röckchen. Die Hinkende hinkt einige Schritte. Die Türken streiten einfach weiter. Und meiner Bekanntschaft kommt es. Sie schreit, und der junge Mann gleitet aus, und schreit gleichfalls. Als er aufschlägt, hat sie ihren Höhepunkt, ein unglaublicher Zufall; schreit nun

ganz alleine und wirft ihren Kopf hin und her. Ein paar Türken werden aufmerksam auf diesen anderen Schauplatz, und ich mache mich klein. Die übrigen rennen zu der Aufschlagstelle.
Von hinten immer noch Schnaufen. Auch der Verletzte atmet heftig. Die junge Frau will es nicht glauben; sie schaut ganz woanders hin. Meine Bekanntschaft fängt sich allmählich. Ich wende mich rechtzeitig um, noch ehe sie die Augen wieder öffnet. Sie liegt ausgestreckt da, und auf ihrem Körper glänzt es. Dann sieht sie mich an, und ich ziehe die Augenbrauen hoch, und sie nickt. Ich stimme ihr zu, und blicke wieder hinunter.
Der junge Mann ist auf den Bauch gefallen. Der Kopf liegt auf der Seite, und aus dem Ohr rinnt Blut. Die Leute sind sehr aufgeregt. Eben bückt sich jemand, spricht den Keuchenden an. Der junge Mann bewegt die Hand. Hinzugekommene drängeln. Er lebt! ruft einer aus der Menge, und zwei Türken laufen zu der jungen Frau.
Was ist da...? fragt meine Bekanntschaft.
Ein Unfall, antworte ich.
Die beiden Türken bringen die junge Frau vor Ort, und sie beugt sich hinunter. Rüttelt an dem jungen Mann und beschimpft ihn. Man will sie wegzerren, doch sie läßt nicht los. Richtet seinen Oberkörper auf und brüllt. Der junge Mann erbricht sich. Gewaltsam trennt man jetzt das Paar, und der Gestürzte fällt ein zweites Mal zu Boden. Vornestehende weichen zurück.
Wann war das...? fragt meine Bekanntschaft.
Gerade eben, antworte ich.
Von ferne schon die Sirenen, und aus dem Hintergrund vertraute Geräusche. Sie wäscht sich.
Hat es denn geklappt mit dem Wort...?
Hat es dir denn Spaß gemacht zu schauen...?
Ja, ja, sage ich, das war schön... und sie darauf zu mir: Du, das Gefühl hatt ich auch... Ich hab gespürt, daß das gut

war für dich ... so wie du da gestanden bist ... so immer auf der Kippe ... Oder nicht ...
Und nach kurzem Schweigen ich zu ihr: Du, wirklich gut ... bestimmt ... Und wiederhole es und denke: So ein Mensch ... jetzt wäscht er sich extra.
Die junge Frau inzwischen am Ende der Straße. Sie sieht in eine Autoscheibe. Ein Polizeiwagen kommt, und die Türken machen Platz. Viele zeigen auf die junge Frau. Ein Polizist geht zu ihr, zwei andere sichern ab. Die Neugierigen treten zur Seite, übrig bleibt der junge Mann. Abgeschieden liegt er da und scharrt mit den Füßen. Dann hört er plötzlich auf damit, gerade als das Unfallfahrzeug eintrifft. Sanitäter steigen aus, eilen hinzu, begutachten ihn. Mit größter Vorsicht legen sie den jungen Mann auf eine Bahre, schieben sie in den Wagen und fahren mit ihm davon. Die Polizisten reden unterdessen mit der jungen Frau. Die Türken haben wieder zu streiten begonnen. Und meine Bekanntschaft hat sich angezogen.
Als wir vorhin unten waren, da war aber noch gar nichts ..., erinnert sie sich und tritt zu mir ans Fenster. Nichts zu sehen, beende ich das Thema und gehe zum Bett. Das Bett ist völlig zerwühlt, und auf dem Kopfkissen kleben Haare. Was jetzt, als nächstes, unmittelbar ...; ich kann es nicht sagen.
Unterhalten wir uns noch ...?
Du, worüber du willst, solange ich hier bin ...
Kurzes Schweigen.
Warum bist du eigentlich aufgestanden?
Du, ich hatte Lust dazu.
Also bist du doch nicht lustlos. Das hätt ich mir natürlich denken können.
Wieso natürlich?
Wieder kurzes Schweigen. Bis ich auf einmal wissen will, was jetzt als nächstes passiert; worauf hast du denn jetzt Lust ... sage ich plötzlich, und sie weiß es bereits.

Auf Trennung hab ich jetzt Lust. Wir gehen hinunter, ich laufe zum Bahnhof, und du läufst in die andere Richtung, und wir sehen uns nie wieder.
Und falls wir uns doch wiedersehen...?
Das ist etwas anderes. Aber ausgehen müssen wir davon, daß wir uns nicht wiedersehen, sonst ist das nämlich keine Trennung. Du, so ein Abschied für immer, das ist wirklich ein Gefühl, das mach ich jeden Tag.
Ich ziehe mir mein T-Shirt an, und wir gehen hinunter. Offensichtlich hat sie schon vorhin bezahlt, und da fällt mir etwas ein. Du, wie ist das denn mit Geld...? frage ich, als wir vor dem Eingang stehen. Ja, du, kein Problem, sagt meine Bekanntschaft, und wir regeln unser Tauschgeschäftchen. Dann wünscht sie mir noch einen guten Tag, wendet sich ab und geht. Warte! ruf ich hinterher, aber sie marschiert weiter. Sag mir noch, wie dieses Wort heißt, an das du gedacht hast dabei! Und sie ruft es zurück, ohne sich noch einmal umzusehen.
Das ist es also.

Ich schaue diesem Menschen nach und überlege, ob ich ihn einholen soll. Ihn vielleicht darum bitten, mit mir irgendwo Kaffee zu trinken, Kuchen zu essen, am Main entlang zu bummeln, womöglich ins Kino zu gehen heute abend und später noch ins Moseleck, je nachdem, ob man Lust dazu hat oder nicht und so weiter, und mit einem Mal ist er fort. Taucht nur noch einmal ganz kurz auf, zwischen ein paar Schwarzen, die herumstehen, mit diesem gigantischen Körper, und verschwindet dann unter dem Hauptbahnhofsvorplatz.
Ich drehe mich um. Schaue, ob noch irgend etwas los ist von vorhin. Bin allein mit diesem Wort. Stehe da und sehe gerade noch, wie die junge Frau zu den Polizisten in den Wagen steigt und mit ihnen wegfährt; als habe sie damit zu tun.

UWE KOLBE

Melanie

dem Mädchen
und den geliebten Freunden

Wir bauen das Haus
Wir werden das Haus bauen
Auch den Garten
Werden wir pflanzen
Aus unserer Stadt
Wird man lachend zurückkehren
Unsere Kinder werden beliebt sein

Der Garten
Der Garten wird
In dem Haus sein müssen
Und die Stadt
In dem Haus
Und das Haus ist ein Zimmer
Ein Raum voll Musik

Dieser Raum
Dieses schöne Zimmer
Ist oft unter freiem Himmel
Hat auch mal Platz
Auf einer Fingerspitze
Wenn wir uns festhalten
Ist es die ganze Welt

Male

Fünfmal
wurde mir von Vergewaltigungen
erzählt

Viermal
sah ich
Männer sich prügeln

Dreimal
mißhandelten welche ihre Hunde
unter meinen Augen

Zweimal
rannte ich zum Jugendamt
für meine Freundin

Einmal
wollte ich
der kranken Mutter an die Gurgel

Ich bin achtzehn.
Im Sozialismus aufgewachsen.
Hab keinen Krieg erlebt.

JUAN CARLOS ONETTI

Willkommen, Bob!

Es ist gewiß, daß er jeden Tag älter sein wird, weiter entfernt von der Zeit, da er sich Bob nannte, das blonde Haar in die Stirn hängend, das Lächeln, die funkelnden Augen, wenn er schweigend in den Saal trat, einen Gruß murmelte oder mit der Hand ein wenig in der Nähe des Ohres herumfuhr, und sich unter die Lampe setzte, beim Klavier, mit einem Buch, oder einfach still, abseits, abwesend, und uns eine Stunde lang betrachtete, ohne die Miene zu verziehen, und er bewegte dann nur manchmal die Finger, spielte mit der Zigarre und klopfte sich die Asche vom Samtkragen seines hellen Rockes. Gleich weit entfernt – jetzt, da er sich Roberto nennt und sich mit irgendwelchem Zeug betrinkt, die schmutzige Hand vor den Mund haltend, wenn er hustet – entfernt von Bob, der Bier trank, nur zwei Glas, auch in der längsten Nacht, auf dem Tisch in der Messe des Klubs einen Stoß von Zehnern, die er in den Schallplattenautomaten steckte. Fast immer allein, so hörte er Jazz, mit verträumter Miene, glücklich und bleich; kaum nickte er, mich zu begrüßen, wenn ich vorbeiging, folgte mir aber mit den Blicken, solange ich blieb, solange es mir möglich war, seinen blauen Blick auszuhalten, der unaufhörlich auf mir ruhte, wobei er mühelos seine harte Verachtung und den sanften Spott unausgesetzt zeigte. Und manchmal samstags der eine oder andere Bursche, der so wütend jung war wie er, und mit dem Bob von Soli redete und von Hörnern und Chören und von der unendlich großen Stadt, die er an der Küste erbauen wollte, sobald er Architekt war. Er unterbrach sich, wenn er mich vorübergehen sah, um mich kurz zu begrüßen, und dann ruhten seine Augen starr auf meinem Gesicht, und gedämpfte Worte, ein Lächeln glitten über den Mundwinkel, für den Gefährten bestimmt, der mich dann immer betrachtete, und schweigend wurden Verachtung und Spott stärker.

Manchmal fühlte ich mich stark und versuchte ihn anzusehen; ich stützte den Kopf in die Hand und rauchte über meinem Glas, ohne zu blinzeln, ohne von ihm wegzusehen, und mein Gesicht mußte kalt, ein wenig melancholisch bleiben. Zu jener Zeit glich Bob sehr seiner Schwester Inés; ich konnte etwas von ihr in seinem Gesicht sehen, quer durch den Salon des Klubs, und vielleicht habe ich ihn den einen oder anderen Abend so angesehen, wie ich sie ansah. Aber fast immer zog ich es vor, die Augen Bobs zu vergessen, und ich setzte mich mit dem Rücken zu ihm hin und sah auf die Münder jener, die an meinem Tisch redeten, und war manchmal schweigsam und traurig, denn er sollte wissen, daß in mir noch mehr war als nur das, wodurch er mich verurteilt hatte, etwas, was mich ihm näherbrachte; manchmal half ich mir auch mit einigen Gläschen und dachte: »Lieber Bob, erzähl das jetzt deinem Schwesterchen«, während ich die Hände der Mädchen streichelte, die an meinem Tisch saßen, oder mich zynisch über irgend etwas verbreitete, damit sie lachten und Bob es hören konnte.

Aber weder Bobs Haltung noch sein Blick änderten sich irgendwie zu jener Zeit, ich konnte tun, was ich wollte. Ich hole das jetzt nur heraus, zum Beweis, daß er meine Komödie durchschaute. Eines Abends wartete ich in seinem Haus, neben dem Klavier, auf Inés, als er hereinkam. Er trug einen bis zum Kragen geschlossenen Regenmantel, die Hände in den Taschen. Er begrüßte mich mit einem Kopfnicken, blickte sofort um sich, als habe er mich durch die rasche Kopfbewegung ausgelöscht; ich sah, wie er neben dem Tisch auf dem Teppich, auf den er mit seinen gelben Gummischuhen trat, auf und ab ging. Er berührte mit einem Finger eine Blume, setzte sich auf den Rand des Tisches, fing zu rauchen an und betrachtete den Blumentopf, gelassen das Gesicht mir zugewandt, weich, nachdenklich. Unvorsichtigerweise – ich stand und lehnte am Klavier – berührte ich mit der linken Hand eine tiefe Taste und war gezwungen, den Ton alle drei Sekunden anzuschlagen, wobei ich Bob ansah.

Ich hatte für ihn nichts als Haß und einen beschämenden Respekt übrig, und drückte die Taste nieder, so mit feiger Wildheit den Ton in die Stille des Hauses nagelnd, bis ich mich plötzlich von außen sah und die Szene betrachtete, als sähe ich sie von oben, von der Treppe oder von der Tür her, und ich sah und spürte ihn, Bob, schweigend, abwesend, und den Rauchfaden seiner Zigarette, der zitternd nach oben stieg, ich sah mich, groß und steif, ein wenig pathetisch, ein wenig lächerlich im Halbdämmer, wie ich exakt alle drei Sekunden auf die tiefe Taste mit meinem Zeigefinger hämmerte. Ich dachte, daß ich die Saite nicht irgendeiner unbegreiflichen Prahlerei wegen zum Tönen brachte, sondern daß ich nach ihm rief, daß der tiefe Ton, den mein Finger hartnäckig nach der letzten Schwingung wieder hervorrief, zuletzt das gefundene, das einzige Wort sei, womit ich seiner unversöhnlichen Jugend Toleranz und Verständnis abbetteln konnte. Er blieb unbeweglich, bis Inés oben die Schlafzimmertür zuschloß, bevor sie herunterging, um zu mir zu kommen. Da richtete Bob sich auf, ging langsam ans andere Ende des Klaviers, stützte einen Ellbogen auf, sah mich einen Augenblick lang an und sagte dann mit schönem Lächeln: »Dieser Abend – gehört er der Milch oder dem Whisky? Kopfloser Versuch, sich zu retten – oder Sprung in den Abgrund?«

Ich konnte nichts erwidern, konnte ihm nicht mit einem Faustschlag das Gesicht entstellen; ich berührte die Taste nicht mehr und zog die Hand langsam vom Klavier weg. Inés war mitten auf der Treppe, als er wegging und zu mir sagte: »Schön, mag sein, daß Sie improvisieren!«

Das Duell dauerte drei oder vier Monate, und ich konnte es nicht lassen, ich mußte am Abend in den Klub – ich erinnere mich flüchtig, daß damals Tennismeisterschaften stattfanden –, denn wenn ich einige Zeit dort nicht erschien, begrüßte es Bob dann, daß ich wiederkam: in seinen Augen wurden Verachtung und Ironie stärker, und dann machte er es sich mit einem glücklichen Lächeln im Sessel bequem.

Als der Augenblick kam, da ich mir keine andere Lösung wünschen konnte, als Inés sobald wie möglich zu heiraten, da änderte Bob seine Taktik. Ich weiß nicht, wie er merkte, wie sehr es mir not tat, daß ich seine Schwester heiratete, und daß ich diese Notwendigkeit mit allen Kräften, die mir noch geblieben waren, bejahte. Meine Liebe zu dieser Notwendigkeit hatte die Vergangenheit ausgelöscht und jede Bindung zur Gegenwart. Ich achtete damals nicht auf Bob, aber kurze Zeit darauf mußte ich einsehen, wie sehr er sich in dieser Zeitspanne verändert hatte; manchmal stand ich aufrecht, unbeweglich in einer Ecke, beschimpfte ihn halblaut, begriff dann, daß in seinem Gesicht kein Spott mehr war; er trat mir ernst, mit genauer Berechnung gegenüber, wie man eine Gefahr, eine verwickelte Aufgabe betrachtet, als handle es sich darum, ein Hindernis abzuschätzen und es mit den Kräften eines Mannes zu messen. Aber ich achtete nicht mehr auf ihn, ich dachte sogar daran, daß ich seinem unbeweglich starren Gesicht Verständnis für das lag, was ich eigentlich war: Verständnis für einen nicht mehr sauberen Alten, dem die angebetete Notwendigkeit, sich mit Inés zu verheiraten, Jahre und Geschehnisse abnahm, so daß ich mich ihm annähern konnte.

Dann sah ich, wie er den Abend erwartete; aber ich sah es plötzlich, als Bob am Abend kam, sich an den Tisch setzte, wo ich allein war, und den Kellner mit einem Wink verabschiedete. Ich wartete einen Augenblick, und sah ihn an, und er war ihr so ähnlich, wenn er die Brauen hob; und die

Nasenspitze wurde, wenn er sprach, ein wenig flacher, wie bei Inés. »Sie werden Inés nicht heiraten«, sagte er dann. Ich sah ihn an, lächelte, sah weg. »Nein, Sie werden sie nicht heiraten, denn so etwas läßt sich vermeiden, wenn da nur einer fest entschlossen ist, daß es nicht dazu kommt.« Ich lachte wieder. »Vor einigen Jahren«, sagte ich zu ihm, »hätte mir das große Lust darauf gemacht, mich mit Inés zu verheiraten. Jetzt bleibt sich das gleich. Aber ich kann Sie anhören, wenn Sie mir erklären wollen...« Er hob den Kopf und betrachtete mich weiterhin schweigend; vielleicht hatte er die Antwort schon bereit und wartete darauf, daß ich den Satz zu Ende sprechen würde. »Wenn Sie mir erklären wollen, weshalb es Ihnen nicht paßt, daß ich sie heirate«, fragte ich langsam und stützte mich gegen die Wand. Ich sah sofort, daß ich nie geahnt hatte, wie sehr, mit welcher Entschlossenheit er mich haßte; sein Gesicht war bleich, Lippen und Zähne hielten ein Lächeln nieder. »Das müßte man kapitelweise erledigen«, sagte er, »wir würden damit den Abend nicht fertig werden... Aber man kann es mit zwei oder drei Worten sagen. Sie werden sich nicht mit ihr verheiraten, denn Sie sind alt und sie ist jung. Ich weiß nicht, ob Sie dreißig oder vierzig sind, es ist auch gleichgültig. Aber Sie sind ein gemachter Mann, das heißt, ein erledigter wie alle Männer Ihres Alters, falls Sie nichts Außergewöhnliches sind.« Er sog an der erloschenen Zigarette, blickte in Richtung Straße und sah mich wieder an; mein Kopf lag an der Wand, ich wartete. »Natürlich haben Sie Gründe zu glauben, Sie seien etwas Außerordentliches. Zu glauben, Sie hätten vieles aus dem Schiffbruch gerettet. Aber das ist nicht so sicher.« Ich begann, von ihm abgewandt, zu rauchen; er war mir lästig, aber ich glaubte ihm nicht; ein schwacher Haß reizte mich, aber ich war mir gewiß, daß nichts mich dazu bringen könne, an mir zu zweifeln, nachdem ich erkannt hatte, daß es notwendig war, Inés zu heiraten. Nein: wir waren an einem Tisch, und ich war so rein und so jung wie er. »Sie könnten irren«, sagte ich zu ihm. »Wenn Sie mir etwas nennen könnten, was da in mir ›erledigt‹ sein soll ...« »Neinnein«, sagte er rasch, »ich bin nicht so kindisch. Dieses Spiel spiele ich nicht mit. Sie sind egoistisch, sind sinnlich auf eine schmutzige Weise. Sie sind an elende Dinge gekettet, und die Dinge sind's, von denen Sie mitgeschleift werden. Das geht nirgendwohin, und Sie wollen es auch nicht wirklich. Das ist es, nichts anderes; Sie sind alt und sie ist jung. Ich darf nicht einmal an sie denken, wenn Sie mir gegenüberstehen. Und Sie möchten ...« Auch damals konnte ich ihm nicht das Gesicht zerschlagen; so beschloß ich, von ihm abzusehen, ging zum Musikautomaten, warf eine Münze hinein und drückte irgendeine Taste. Langsam kehrte ich zum Sitz zurück und hörte zu. Die Musik war nicht sehr laut; irgendwer sang da sehr schön, mit großen Pausen. Neben mir sagte Bob, daß nicht einmal er, irgendeiner wie er, würdig sei, Inés in die Augen zu sehen. Armer Junge, dachte ich voller Bewunderung. Dann sagte er, daß, was er »Alter« nenne, das Ekelhafteste, das den Verfall bestimme, oder vielleicht Symbol des Verfalls sei, das sei: in Begriffen denken, die Frauen im Wort »Frau« begreifen, sie unbesorgt zurechtstoßen, damit sie sich dem Begriff fügten, der durch eine armselige Erfahrung erworben worden war. Aber, auch das sagte er, das Wort »Erfahrung« sei ebenso ungenau. Es gebe keine Erfahrungen, sondern nur Althergebrachtes, immer Wiederholtes, welke Namen, womit man die Dinge belegen und sie auch ein wenig erschaffen könne. Das sagte er, mehr oder weniger. Und ich dachte daran, wenn er tot umfiele oder doch die Methode finden könnte, mich umzubringen, jetzt gleich, auf der Stelle, und wenn ich ihm die Bilder erzählte, die ich in mir hatte, als er sagte, nicht einmal er sei würdig, Inés auch nur mit einer Fingerspitze zu berühren, dieser arme Junge, oder den Saum ihres Kleides zu küssen, die Spur ihrer Schritte oder ähnliches ... Nach einer Pause – die Musik war zu Ende, am Apparat erloschen die Lichter, das Schweigen wurde immer größer – sagte Bob: »Das ist alles . . .«, und ging, wie er immer ging, nicht rasch, nicht langsam.

Wenn mir auch an jenem Abend das Gesicht von Inés in den Zügen Bobs erschien, wenn die Ähnlichkeit von Geschwistern diese Täuschung hervorbringen konnte, und ich Inés auf dem Umweg über Bob bekam – es war damals das letzte Mal, daß ich das Mädchen sah. Zwar war ich mit ihr nachher noch an zwei Abenden zusammen, es war unser gewohntes Treffen, und eines Mittags, bei einer Begegnung, die von meiner Verzweiflung erzwungen wurde, die unnütz war, aber ich wußte ja von vornherein, daß jedes Wort und meine Anwesenheit nutzlos waren, daß alle meine inständigen Bitten auf erschreckende Weise absterben würden, als wären sie nie gewesen, aufgelöst im riesigen blauen Himmel über dem Platz, unter dem grünen, friedlichen Laubwerk, mitten in der schönen Jahreszeit.

Die kleinen, raschen Züge im Gesicht von Inés, das mir Bob an jenem Abend gezeigt hatte – sie hatten etwas von dem Enthusiasmus, der Reinheit des Mädchens, auch wenn sie gegen mich gerichtet waren, einig in der Aggression. Aber wie mit Inés reden, wie sie berühren, überzeugen: diese plötzlich apathisch gewordene Frau der beiden letzten Begegnungen? Wie sie wiedererkennen oder sie sich nur ins Gedächtnis rufen, beim Anblick dieser Frau mit dem großen, starren Körper, im Sessel ihres Hauses und auf der Bank des Platzes, beidesmal und an beiden Orten dieselbe entschlossene Starre, diese Frau mit dem straffen Hals, die Augen nach vorne gerichtet, tot der Mund, die Hände in den Schoß gelegt. Ich betrachtete sie, es war ein Nein, ich wußte, daß die ganze Luft, die sie umgab, ein Nein war.

Ich erfuhr nie, welchen Klatsch Bob dafür gewählt hatte; jedenfalls bin ich sicher, daß er nicht log, und daß damals nichts – auch nicht Inés – ihn zur Lüge verführen konnte. Ich sah Inés nicht mehr, nicht mehr ihre leere, harte Gestalt; ich erfuhr, daß sie heiratete und daß sie nicht mehr in

Buenos Aires lebt. Damals, mitten in Haß und Leiden stellte ich mir gern Bob vor, wie er sich meine Handlungen vorstellte und genau die richtigen (oder auch die Gesamtheit der Dinge) auswählte, die geeignet waren, mich bei Inés auszulöschen und sie für mich auszulöschen.

Jetzt ist es ungefähr ein Jahr her, daß ich Bob fast täglich im selben Café, von denselben Leuten umringt, sehe. Als wir einander vorgestellt wurden – heute nennt er sich Roberto –, da begriff ich, daß die Vergangenheit zeitlos ist und das Gestern sich an den Tag vor zehn Jahren anschließt. Noch war in seinem Gesicht der eine oder der andere herabgekommene Zug von Inés, und Bob erreichte durch eine einzige Bewegung des Mundes, daß ich wieder den länglichen Körper des Mädchens sah, ihre ruhigen, lockeren Schritte, und daß die gleichen unveränderlichen Augen mich wieder unter einer lockeren Frisur ansahen, die von einem roten Band über dem Haar gehalten wurde. Abwesend, verloren für immer konnte sie sich lebendig, unberührt, endgültig unverwechselbar bewahren, identisch mit ihrem Wesen. Aber es war mühselig, am Gesicht, den Worten und den Gesten Bobs zu kratzen, um Bob wiederzufinden und ihn hassen zu können. Am Abend, als wir uns zum erstenmal wiederbegegneten, wartete ich stundenlang, daß er allein bliebe oder hinausginge, damit ich mit ihm reden und ihn verprügeln konnte. Ruhig, schweigend, manchmal sein Gesicht ausforschend oder in den spiegelnden Fenstern des Cafés Inés heraufbeschwörend, setzte ich geschickt die Sätze, womit ich ihn beschimpfen wollte, zusammen, und ich fand den ruhigen Ton, in dem ich sie ihm sagen wollte, wählte die Körperstelle für den ersten Hieb. Aber er ging mit drei Freunden weg, als es dunkel wurde, und ich entschloß mich, den günstigen Abend abzuwarten (so wie er vor Jahren gewartet hatte), da er allein sein würde.

Als ich ihn wiedersah, als wir diese zweite Freundschaft begannen, die, wie ich hoffe, nie enden wird, hörte ich auf, an irgendeinen Angriff zu denken. Es blieb ausgemacht, daß ich nie mit ihm über Inés oder die Vergangenheit reden würde und daß ich, im Schweigen, all dies in mir lebendig halten würde. Und ich tue nun nichts als das, fast jeden Abend, wenn ich Roberto und die vertrauten Gesichter im Café sehe. Mein Haß bleibt stark und frisch, während ich Roberto weiterhin sehen, ihm zuhören kann; niemand weiß von meiner Rache, Tag für Tag. Ich spreche mit ihm, lächle, rauche, trinke Kaffee. Die ganze Zeit über denke ich an Bob, an seine Reinheit, seinen Glauben, die Kühnheit seiner vergangenen Träume. Ich denke an jenen Bob, der die Musik liebte, an jenen Bob, der den Plan gefaßt hatte, das Leben der Menschen schöner zu machen, der eine Stadt von blendender Schönheit bauen wollte, für fünf Millionen Einwohner, längs des Küstenufers an der Flußmündung; an Bob, der nie lügen konnte; an Bob, der zum Kampf der Jungen gegen die Alten aufrief; an Bob, den Herrn der Zukunft und der Welt. Und ich dachte an dies alles, minuziös und wohlgefällig, angesichts des Mannes, dessen Finger vom Tabak gelb sind und der Roberto heißt, der ein groteskes Leben führt, der in irgendeinem stinkenden Büro arbeitet, der mit einer dicken Frau verheiratet ist, die er »meine Gattin« nennt; an den Mann, der diese langen Sonntage in einem Sessel des Cafés versunken verbringt, Zeitungen liest und per Telefon bei Rennen wettet.

Nie liebte einer eine Frau mit der Kraft, mit der ich sein Verkommensein liebe, die Endgültigkeit, mit der er in das schmutzige Leben der Menschen untergetaucht war. Niemand entbrennt stärker als ich in Liebe angesichts seiner flüchtigen Sprünge, der Pläne ohne Überzeugungskraft, die ein vernichteter und weit entfernter Bob ihm zuweilen diktiert und die nur dazu dienen, daß er genau abschätzen kann, in welchen Schmutz er für immer versunken ist.

Ich weiß nicht, ob ich jemals Inés in der Vergangenheit so freudig, so voller Liebe willkommen geheißen habe, wie ich jetzt Bob in der schrecklichen, stinkenden Welt der Erwachsenen willkommen heiße. Er ist eben angekommen, manchmal macht er eine Krise durch und wird melancholisch. Ich habe ihn weinerlich und betrunken gesehen; er beschimpfte sich und schwor, er wolle sofort zu den Tagen Bobs zurückkehren. Ich kann versichern, daß dann mein Herz von Liebe übergeht, weich und zärtlich wird wie das Herz einer Mutter. Im Grunde weiß ich, daß er nie weggehen wird, denn er hat keinen Ort, wohin er gehen könnte; aber dann werde ich sanft und geduldig und versuche ihn zu bewegen, daß er sich darein schickt. Wie die Handvoll Heimaterde, oder diese Fotografien von Straßen und Gebäuden, oder die Lieder, die Einwanderer mitbringen – so mache ich für ihn Pläne, und Glaubensbekenntnisse und verschiedene Morgen, die das Licht und den Geschmack des Reiches der Jugend haben, aus dem er vor einiger Zeit gekommen ist. Und er nimmt das an; er erhebt immer Einspruch, damit ich meine Versprechen verdopple, aber er sagt zum Schluß immer Ja, schneidet zum Schluß ein Grimassen-Lächeln und glaubt, eines Tages werde er sicher in die Welt und zu den Stunden Bobs zurückkehren; er macht Frieden mit sich, inmitten seiner dreißig Jahre, und er bewegt sich ohne Ekel oder Schaudern zwischen den schrecklichen Kadavern der alten Sehnsüchte, den ekelhaften Formen der Träume, die unter dem achtlosen, ständigen Druck so vieler tausend Füße verschlissen wurden.

MARIO VARGAS LLOSA

Zur Zeit der großen Dürre

Zur Zeit der großen Dürre im Jahr 1877, in den Monaten der Hungersnot und der Seuchen, die in dieser Gegend die Hälfte der Menschen und des Viehs dahinrafften, zog der Ratgeber schon nicht mehr allein umher, sondern begleitet oder besser, gefolgt von Männern und Frauen (er schien diesen Anhang von Menschen auf seiner Spur kaum zu bemerken), die im Stich gelassen hatten, was sie besaßen, um mit ihm zu gehen, die einen, weil seine Ratschläge ihre Herzen berührt hatten, andere aus Neugier oder aus bloßer Trägheit. Manche gaben ihm nur für ein Stück Weg das Geleit, einige wenige schienen für immer an seiner Seite zu sein. Trotz der Dürre setzte er seinen Weg fort, obwohl die Felder nun übersät waren von Kuhgerippen, an denen die Aasgeier hackten, und die Dörfer, die ihn aufnahmen, halb leer standen.

Daß es in diesem Jahr 1877 nicht mehr regnen wollte, daß die Flüsse austrockneten und im Busch, auf der Suche nach Wasser und Nahrung, zahllose Karawanen von Flüchtlingen erschienen, die auf Karren oder auf den Schultern ihre armselige Habe mit sich führten, war vielleicht nicht das Schrecklichste an diesem schrecklichen Jahr. Das Schlimmste waren vielleicht die Räuber und die Kobras, die über die Sertões im Norden Brasiliens hereinbrachen. Leute, die Fazendas überfielen, um Vieh zu stehlen, die sich mit den *capangas* der Gutsbesitzer und den Bewohnern abgelegener Dörfer Schießereien lieferten und zu deren Verfolgung in regelmäßigen Abständen Mobile Einheiten der Polizei geschickt wurden, hatte es immer gegeben. Aber durch den Hunger vermehrten sich die Räuberbanden wie die Brote und Fische in der Bergpredigt. Freßgierig und mörderisch fielen sie in die von der Katastrophe bereits dezimierten Dörfer ein, um die letzten Lebensmittel, Geräte und Kleider mitzunehmen und die Bewohner niederzuschießen, die es wagten, ihnen in den Weg zu treten.

Den Ratgeber aber belästigten sie nie, weder mit Worten noch mit Taten. Sie trafen ihn auf den Pfaden der Wüste, zwischen Kakteen und Steinen unter bleiernem Himmel oder im verfilzten Busch, wo das Laub verdorrt war und die Stämme Risse bekamen. Die Cangaceiros, zehn, zwanzig Männer, bewaffnet mit jeglichem Werkzeug, das schneiden, stechen, bohren, ausreißen konnte, sahen den hageren Mann im violetten Gewand, der eine Sekunde lang in gewohntem Gleichmut seine eisigen und besessenen Augen auf sie richtete und dann fortfuhr zu tun, was er immer tat: beten, meditieren, gehen, Rat geben. Die Pilger erbleichten, wenn sie die Banditen sahen, und drängten sich um den Ratgeber wie Küken um die Henne. Die Räuber, die ihre äußere Armut sahen, gingen vorbei, blieben manchmal aber auch stehen, wenn sie den Heiligen erkannten, dessen Prophezeiungen ihnen zu Ohren gekommen waren. Sie unterbrachen ihn nicht, wenn er betete; sie warteten, bis er sich herabließ, sie zu sehen. Am Ende sprach er zu ihnen mit seiner tiefen Stimme, die den kürzesten Weg in die Herzen zu finden wußte. Er sagte ihnen, was sie verstehen konnten, Wahrheiten, an die sie glauben konnten. Daß diese Landplage sicher das erste Anzeichen der Ankunft des Antichrist und der Strafen sei, die der Auferstehung der Toten und dem Jüngsten Gericht vorausgingen. Daß sie sich, wenn sie ihre Seelen retten wollten, rüsten müßten für die Kämpfe, die bevorstünden, wenn die Dämonen des Antichrist wie eine Feuersbrunst über die Sertões hereinbrechen würden, und der Antichrist, das sei der Teufel selber, der auf die Erde käme, um Bundesgenossen zu werben. Wie die Viehtreiber, die Feldarbeiter, die Freigelassenen und die Sklaven, dachten auch die Cangaceiros nach. Und einige von ihnen – Pajeú mit dem zerschnittenen Gesicht, der riesenhafte Pedrão und der blutrünstigste von allen: João Satanás – bereuten ihre Verbrechen, bekehrten sich zum Guten und folgten ihm nach.

Und wie die Banditen verschonten ihn auch die Klapperschlangen, die wegen der Dürre auf schreckenerregende Weise zu Tausenden auf den Feldern auftraten. Lang, schlüpfrig, dreieckig, verließen sie ihre Schlupfwinkel, wanderten wie die Menschen ab und töteten auf ihrer Flucht Kinder, Kälber, Ziegen. Auf der Suche nach Flüssigkeit und Nahrung fielen sie am hellen Tag in die Dörfer ein. Sie waren so zahlreich, daß es nicht genügend Geier gab, um mit ihnen fertig zu werden, und es war in diesen verkehrten Zeiten nicht ungewöhnlich, Schlangen zu sehen, die diesen Raubvogel fraßen, statt daß sich wie früher der Geier mit der Beute im Schnabel in die Lüfte erhob. Tag und Nacht mußten die Sertanejos mit Stöcken und Macheten gehen, und manche Flüchtlinge töteten bis zu hundert Klapperschlangen an einem Tag. Doch der Ratgeber schlief weiterhin auf dem Boden, wo immer die Nacht ihn überraschte. Als er eines Abends seine Begleiter über die Schlangen sprechen hörte, erklärte er ihnen, dies geschehe nicht zum erstenmal. Als die Kinder Israels aus Ägypten in ihre Heimat zurückgekehrt seien und sich über das beschwerliche Leben in der Wüste beklagt hätten, habe ihnen der Vater zur Strafe eine Schlangenplage geschickt. Und da Moses sich zum Fürsprecher gemacht, habe der Vater ihm befohlen, eine eherne Schlange herzustellen. Wer sie anblicke, der werde vom Schlangenbiß geheilt. Sollten sie das auch tun? Nein, denn Wunder wiederholten sich nicht. Aber sicher würde es der Vater mit Wohlgefallen sehen, wenn sie das Antlitz seines Sohnes als Schutz mit sich führten. Von da an trug eine Frau aus Monte Santo, Maria Quadrado, in einer Urne das Bild des guten Jesus, das ein Junge aus Pombal, seiner Frömmigkeit wegen Beatinho genannt, auf Stoff gemalt hatte. Dem Vater mußte die Geste gefallen haben, denn kein Pilger wurde von einer Schlange gebissen.

Und auch die Seuchen verschonten den Ratgeber, die aufgrund der Dürre und des Hungers in den folgenden Monaten und Jahren die Überlebenden heimsuchten. Die Frauen hatten Fehlgeburten, kaum daß sie schwanger waren, den Kindern fielen Zähne und Haare aus, und die Erwachsenen hatten plötzlich Blut in Speichel und Kot, wurden aufgebläht von Geschwulsten oder bekamen offene Ausschläge, daß sie sich an den Mauern schabten wie räudige Hunde. Der fadendünne Mann pilgerte weiter durch die Pestilenz und das Sterben, unerschütterlich, unverletzlich, wie ein erfahrener Steuermann, der mit seinem Schiff um die Stürme herum einen festen Hafen ansteuert.

Welchen Hafen steuerte der Ratgeber in seiner unermüdlichen Wanderschaft an? Niemand fragte ihn, und er sagte es nicht und wußte es wahrscheinlich auch nicht. Zu dieser Zeit hatte er schon Dutzende von Gefolgsleuten, die um des Heils willen alles verlassen hatten. Während der Dürremonate arbeiteten der Ratgeber und seine Jünger ohne Unterlaß: sie begruben die Toten, die sie am Wegrand fanden, Menschen, die verhungert oder an der Pest oder aus Angst gestorben waren, verweste, von Tieren und selbst von Menschen benagte Leichen. Sie zimmerten Särge und schaufelten Gräber für diese Brüder und Schwestern. Sie waren eine nach Rassen, Gegenden und Berufen bunt zusammengewürfelte Schar. Männer in Lederzeug gab es unter ihnen, die bei den Gutsbesitzern Viehtreiber gewesen waren, rothäutige Caboclos, deren Vorfahren noch halbnackt herumgelaufen waren und die Herzen ihrer Feinde gegessen hatten; Mestizen, die Vorarbeiter, Spengler, Schmiede, Schuster und Zimmerleute gewesen waren, und wild lebende Mulatten oder Neger, die aus den Zuckerplantagen an der Küste und vor dem spanischen Stiefel und dem Block und den in

Salzwasser getränkten Peitschen und anderen für Plantagensklaven ersonnenen Strafen geflohen waren. Und es gab Frauen, alte und junge, gesunde oder verkrüppelte, und sie waren immer als erste ergriffen, wenn ihnen der Ratgeber auf nächtlicher Rast von der Sünde sprach, von den Bosheiten des Teufels und der Güte der Heiligen Jungfrau. Sie waren es, die aus Distelstacheln Nadeln und aus Palmfasern Fäden machten, um sein violettes Gewand zu flicken, und die sich die Köpfe zerbrachen, wie sie ihm ein neues nähen sollten, wenn das alte am Gestrüpp zerrissen war; sie waren es, die ihm neue Sandalen schusterten und sich um die alten stritten, um diese Stücke, die seinen Körper berührt hatten, als Reliquien aufzubewahren. Sie waren es, die jeden Abend, wenn die Männer Feuer gemacht hatten, den Brei aus Reis oder Mais oder Maniok und die Kürbisse zubereiteten, die Kost der Pilger. Um Nahrung brauchten diese sich nicht zu sorgen, da sie genügsam waren und Geschenke erhielten, wo sie vorbeikamen. Sowohl von den Armen, die liefen, um dem Ratgeber ein Huhn oder einen Sack Reis oder frischen Käse zu bringen, als auch von den Grundbesitzern, die ihnen durch ihre Diener frische Milch, Mundvorrat, manchmal auch eine Ziege oder ein Böcklein schickten, wenn der zerlumpte Haufen in den Höfen übernachtete und unaufgefordert die Kapellen der Fazenda saubermachte und auskehrte.

Er war so oft in der Runde gegangen, so viele Male hin und wieder zurück durch die Sertões, er war so viele Hochebenen hinauf- und wieder hinuntergestiegen, daß ihn jedermann kannte. Auch die Pfarrer. Es gab nicht viele, und die wenigen, die es gab, waren wie verloren in der Unermeßlichkeit des Sertão, jedenfalls nicht genug, um die zahlreichen Kirchen zu erhalten, die nur am Tag des Dorfheiligen von Pfarrern besucht wurden. Die Vikare in einigen Ortschaften, wie Tucano und Cumbe, erlaubten ihm, von der Kanzel zu den Gläubigen zu sprechen, und behandelten ihn gut; andere, wie die von Entre Ríos und Itapicurú, verboten es ihm und bekämpften ihn. In den übrigen gestatteten ihm die Vikare, wenngleich widerstrebend, in der Vorhalle Litaneien zu beten und zu predigen, als Lohn für das, was er an Kirchen und Friedhöfen tat oder weil seine Macht über die Seelen der Sertanejos so groß war, daß sie fürchteten, sich mit ihren Gemeinden zu überwerfen.

Wann erfuhren der Ratgeber und seine Gefolgschaft an Büßern, daß die Monarchie 1888 irgendwo in diesen fernen Städten, São Paulo, Rio de Janeiro, deren Namen ihnen fremd vorkamen – selbst Salvador, die Hauptstadt des Bundesstaates, sagte ihnen nichts – die Sklaverei abgeschafft hatte und daß diese Maßnahme Unruhe ausgelöst hatte in den Zuckerfabriken von Bahia, die nun plötzlich keine Arbeitskräfte mehr hatten. Erst Monate nach dem Erlaß kam die Nachricht zu den Sertanejos, so wie Nachrichten immer in diese entferntesten Teile des Kaiserreichs kamen: verspätet, entstellt, manchmal schon überholt, und ließen die Behörden sie auf den Plätzen ausrufen und an der Tür der Rathäuser anschlagen.

Und vermutlich mit der gleichen Verspätung erfuhren der Ratgeber und sein Gefolge im Jahr darauf, daß die Nation, der sie angehörten, ohne es zu wissen, aufgehört hatte, ein Kaiserreich zu sein, und nun eine Republik war. Nie erfuhren sie, daß dieses Ereignis bei der alten Obrigkeit nicht die mindeste Begeisterung hervorrief, so wenig wie bei den ehemaligen Sklavenhaltern (die Herren über Zuckerplantagen und Herden blieben), auch nicht bei den Vertretern der freien Berufe und den Beamten von Bahia, die in diesem Wandel so etwas wie den Gnadenstoß für die bereits unterhöhlte Hegemonie der ehemaligen Hauptstadt sahen, die zweihundert Jahre lang das Zentrum des politischen Lebens und der Wirtschaft Brasilien gewesen und jetzt nur noch die wehmütige arme Verwandte war, die alles nach dem Süden abwandern sah, was vormals ihr gehört hatte: Prosperität,

Macht, Geld, Arbeitskraft, die Geschichte. Und selbst wenn sie es erfahren hätten, hätten sie es nicht verstanden noch wäre es ihnen wichtig gewesen, denn der Ratgeber und die Seinen hatten andere Sorgen. Und was hatte sich auch, abgesehen von einigen Namen, für sie geändert? War diese Landschaft mit der ausgetrockneten Erde und dem bleiernen Himmel nicht dieselbe wie immer? Und heilte das Land nicht noch immer seine Wunden, beweinte seine Toten, versuchte, das Verlorene wiederzugewinnen, obwohl Jahre seit der Dürre vergangen waren? Was hatte sich denn in diesem schwer geprüften Norden Brasiliens geändert, seit es einen Präsidenten statt eines Kaisers gab? Kämpfte der Landarbeiter etwa nicht weiterhin gegen die Unfruchtbarkeit des Bodens und den Geiz des Wassers, damit Mais, Bohnen, Kartoffeln und Maniok wuchsen und Schweine, Hühner und Ziegen am Leben blieben? Waren die Dörfer nicht nach wie vor voll von Arbeitslosen und die Straßen wegen der Banditen gefährlich? Gab es nicht überall Heere von Bettlern als Erinnerung an die Verwüstungen von 1877? Waren die Märchenerzähler nicht dieselben? Fielen nicht immer noch, trotz Anstrengungen des Ratgebers, die Häuser des guten Jesus in Trümmer?
Aber doch, etwas hatte sich unter der Republik geändert. Zu Schaden und Verwirrung aller wurde die Kirche vom Staat getrennt, die Religionsfreiheit wurde eingeführt und die Friedhöfe wurden verweltlicht, für die von nun an nicht mehr die Pfarrer, sondern die Rathäuser zuständig waren. Während die ratlosen Vikare nicht wußten, was sie sagen sollten angesichts dieser Neuerung, die von der hohen Geistlichkeit resigniert hingenommen wurde, wußte der Ratgeber sofort Bescheid: Gottlosigkeiten waren das, unannehmbar für den Gläubigen. Und als er erfuhr, die Zivilehe sei eingeführt worden – als ob die von Gott eingesetzten Sakramente nicht genügten –, war er Manns genug, zur Stunde des Rats laut zu sagen, was die Pfarrer nur hinter

vorgehaltener Hand flüsterten: Dieses Ärgernis sei das Werk von Protestanten und Freimaurern. Wie sicherlich auch diese anderen seltsamen und verdächtigen Anordnungen, von denen er in den Dörfern hörte: die Bevölkerungsstatistik, die Volkszählung, das Dezimalsystem. Den verstörten Sertanejos, die zu ihm gelaufen kamen und fragten, was dies alles zu bedeuten habe, erklärte der Ratgeber, langsam, damit sie es verstanden: Sie wollten die Hautfarbe der Leute wissen, um die Sklaverei wieder einzuführen und die Dunkelhäutigen ihren Herren zurückzugeben, und ihre Religionszugehörigkeit wollten sie wissen, damit sie die Katholiken identifizieren konnten, wenn die Glaubensverfolgung begann. Ohne die Stimme zu heben, ermahnte er, auf solche Umfragen nicht zu antworten noch auch den Meter und den Zentimeter statt der Elle und der Handbreit zu übernehmen.

Eines Morgens im Jahr 1893 hörten der Ratgeber und die Pilger, als sie nach Natuba kamen, ein Gesumm wie von wild gewordenen Wespen zum Himmel aufsteigen. Es kam vom Hauptplatz, wo sich Männer und Frauen versammelt hatten, um ein paar frisch angeschlagene Erlasse zu lesen oder sich vorlesen zu lassen. Man würde sie besteuern, die Republik würde Steuern von ihnen einziehen. Was sind Steuern? fragten viele Ortsansässige. So etwas wie der Zehnte, erklärten ihnen andere. So wie ein Bewohner früher von fünfzig Küken, die ihm geboren wurden, fünf der Mission geben mußte, und eine von zehn Aroben alles Geernteten, so verordne der Erlaß, daß ein Teil von allem, was einer erbte oder erzeugte, der Republik gehören solle. Die Leute müßten in den von nun an autonomen Rathäusern erklären, was sie besaßen und was sie verdienten, um zu erfahren, was sie bezahlen sollten. Alles, was versteckt oder zu niedrig veranschlagt worden wäre, würde der Steuereinnehmer für die Republik beschlagnahmen.

Aus Instinkt, aus gesundem Menschenverstand und jahrhundertealter Erfahrung begriffen die Leute, daß dies vielleicht noch schlimmer sein würde als die Dürre, und die Steuereinnehmer noch raffgieriger als Aasgeier und Räuber. Verblüfft, verschreckt, zornig steckten sie die Köpfe zusammen und teilten sich ihre Ängste und ihren Zorn mit, und ihre ineinanderfließenden, verschmelzenden Stimmen ergaben jene kriegerische Musik, die zum Himmel von Natuba aufstieg, als der Ratgeber und seine Zerlumpten auf der Straße von Cipó das Dorf betraten. Die Leute umringten den Mann im violetten Kleid und verstellten ihm den Weg zu der Kirche Nossa Senhora da Conceição, die er in den vergangenen Jahren mehrmals eigenhändig ausgebessert und angestrichen hatte, und berichteten ihm die Neuigkeiten, die er, ernst und durch sie hindurchsehend, kaum zu hören schien.

Und doch, kaum einen Augenblick später leuchteten seine Augen wie von einer inneren Explosion, und er ging, ja lief durch die Menge, die ihm den Weg freigab, zu den Anschlagebrettern mit den Erlassen und riß diese ungelesen herunter, das Gesicht entstellt von einer Empörung, in der sich die Empörung aller zu verdichten schien. Dann bat er sie mit bebender Stimme, diese verfluchten Schriften zu verbrennen. Und als das Volk dies vor den erstaunten Augen des Gemeinderats tat und auch noch zu feiern begann und, wie auf dem Jahrmarkt, Raketen abschoß und das Feuer die Erlasse und den Schrecken, den sie verursacht, in Rauch auflöste, gab der Ratgeber, ehe er in die Kirche ging, um zu beten, den Menschen in diesem abgelegenen Winkel einen schrecklichen Vorgeschmack: Der Antichrist sei in die Welt gekommen und sein Name sei Republik.

JÜRG FEDERSPIEL

Typhoid Mary

Am frühen Morgen des 11. Januar 1868 tauchte im Schneewirbel ein Schiff auf, das die New Yorker Hafenbehörde erst bemerkte, als es die Bannmeile verletzt hatte. Doch es war nicht nur die schlechte Sicht auf die schwärzliche See, nicht nur Dämmerung und Schnee –, da war noch etwas anderes, das befremdete: Kein Jubelgeschrei, wie es sonst von jedem Emigrantenschiff aus Europa zu vernehmen war, hatte die schläfrige Küstenwache geweckt. Ein Offizier, Remigius Farrell, schilderte in seinem Rapport an die Emigrantenbehörde: »Der Anblick war so leblos wie ein Scherenschnitt. Die Segel waren zerfetzt und ein Mast gebrochen. Es war noch zwölf Yards entfernt, als uns der Wind einen Gestank entgegenfegte, in dem sich Fäkalien- und Leichengeruch mischten. Fast alle Emigrantenschiffe stinken, wie wir wissen, doch dieses stank fast unerträglich.«
Die LEIBNITZ, so hieß das zum Wrack gewordene Segelschiff, war in hervorragender Weise in Boston gebaut worden und unsprünglich für den Handel mit China bestimmt; später wurde es von der SLOMAN'S HAMBURG LINE erworben, einer Schiffsgesellschaft, die bis dahin ohne Tadel gewesen war. Die LEIBNITZ hatte Hamburg am 2. November 1867 unter Capt. H. F. Bornholm verlassen und lag dann wegen ungünstiger Winde etliche Tage vor Cuxhaven. Der Kapitän hatte sich deshalb für die südliche Route nach New York entschieden, die Breitengrade hinunter (über Madeira), wo die Passagiere mitunter eine Hitze von 94 Grad Fahrenheit zu erdulden hatten. Viele von ihnen stammten aus Mecklenburg und wollten sich als Farmer in Wisconsin niederlassen; andere kamen aus Preu-

ßen, und einige wenige aus Süddeutschland und der Schweiz.

Die Überfahrt muß infernalisch gewesen sein. Man hatte alles, was irgendwie Platz wegnahm, entfernt, um die 544 Passagiere so an Bord unterzubringen, als wär's tatsächlich eine Fracht. Wenn man sich in diesem unserem 20. Jahrhundert eine Überbevölkerung und deren Folgen vorstellen will, so könnte die LEIBNITZ jener Zeit als Modell dienen. Draußen war der Himmel mit seiner wunderbaren salzigen Luft, während im Zwischendeck auf fauligen Matratzen Hunderte von Menschen kaum einen Löffel zum Mund bringen konnten, ohne dem Nachbarn mit dem Ellbogen zu stoßen. Es gab keine Ventilatoren, keine einzige fensterähnliche Öffnung, und die Bullaugen waren zugelötet. Das Entsetzliche aber war das Orlopdeck, das unterste Deck also. Hier war die Luft so stickig, daß die Lichter der Laternen erloschen waren. Die Passagiere des Orlopdecks verharrten in Apathie. Da gab es keine Streitigkeiten mehr um das Essen. Man lutschte an Gegenständen, und manchmal – vielleicht – kam jemand vom Zwischendeck, dem Vorhof der Hölle, herunter und fütterte im Dunkel irgendwelche stöhnenden Münder.

Menschliche Exkremente waren überall, und im Bericht der New Yorker Hafenbehörde ist zu lesen: Es gab keinen handgroßen Fleck, der nicht von Erbrochenem und Fäkalien verunreinigt war.

Der Gifthauch des Orlopdecks schwelte immer stärker zum Mitteldeck, und da man zuweilen die Schreie von Ratten und Menschen hörte, wagten sich die oberen Passagiere nicht mehr nach unten. Als das Sterben begann, kümmerte die Besatzung sich erst um die Leichen, wenn die Würmer die Überlebenden zu belästigen begannen. Natürlich war kein Geistlicher an Bord (Geistliche wanderten selten aus), und so wurden die Toten mit Hau-Ruck über Bord geworfen. Kein Tag ohne Tote, nach fast siebzig Tagen Reise.

All dies ist vom *Office of Commissioners of Emigration of the State of New York* am 22. Januar 1868 beglaubigt worden; – elf Tage nach Erscheinen des Gespensterschiffs in der Morgendämmerung waren insgesamt 108 von 544 Auswanderern gestorben. Die Beamten und Ärzte, die als erste an Bord der LEIBNITZ stiegen, wurden nicht von der Mannschaft empfangen, auch nicht vom Kapitän, sondern von Dutzenden weinender, erschöpfter Kinder, die, auf die Frage nach dem Verbleib ihrer Eltern, mit dem Finger über Bord zeigten: Da! Da!

Ich möchte an dieser Stelle auf die Tatsache hinweisen, daß nur ein Mann der Besatzung gestorben war, nämlich der Koch. Und da war auch ein Mädchen, das sich, ganz ohne Tränen und Trauer, als Tochter des verstorbenen Kochs ausgab.

Das Mädchen, man hielt es für dreizehn- oder vierzehnjährig, obwohl es behauptete, erst zwölf Jahre alt zu sein, antwortete auf die Frage nach dem Namen: Maria.

Und weiter? Welcher Familienname?

Das Mädchen schüttelte den Kopf und wiederholte bloß: Maria. Maria wurde zur Seite genommen wie eine Reliquie und stand regungslos neben den Beamten, als man mit dem Abtransport der Passagiere, von denen einige im Sterben lagen, begann.

Der Schnee fiel erbärmlich, mit Erbarmen also, und als der letzte Mann das Schiff verlassen hatte, lag das Weiß vom Himmel wie ein handhohes Leichentuch auf dem Deck der LEIBNITZ.

ULLA BERKÉWICZ

Josef stirbt

Josef schläft mit offenen Ohren, und die Mutter hält seine Hand und ihre der Pfarrer und ich die seine und meine andere liegt in Josefs Ermessen.
Der große Lehrer, der Heilige Geist, sitzt unter uns und reibt sich die Hände.

Spät in der Nacht geht der Pfarrer. Auch die Mutter geht und tut es behutsam.
Ich lösche das Licht. Ich ziehe den Stuhl dicht an sein Bett. Von draußen scheint Licht in die Stube, und ich kann sehen, daß er die Augen offen hat.
Wir sitzen nebeneinander und geben uns die Hände. Es vergeht einiges, bis er mich fragt, wohin wir jetzt gehn.
Ein weiteres vergeht und noch eins, denn was weiß ich. Und er fragt wieder und weiter: Wo gehn wir denn hin, wenn wir sterben? und lacht, als hätte ich ihm den Ort genannt und vergewissert sich nochmal, indem er nachfragt, ob ich wohl an ein Himmelreich gedacht – lacht und sagt: Ach was, es geht in den Wald!
Es hält meine Hand umschlungen mit seiner. Dann geh ich los, sagt er und will aufstehn. Und ich? sag ich.
Du und ich, wir sind sowieso gleich gleich, sagt er und umschlingt mich mehr.
Wieso ich, was soll ich im Wald, ich habe nicht genug zum Sterben. Ich brauche noch Jahre. Er umschlingt mich ganz.
Wir stehn auf sandigem Boden. 100 Meter vor uns beginnt der Wald und rauscht.
Aber ich will nicht und wehr mich, da fällt er von mir ab.

Ich ziehe ihm meine Hand weg, halte mich fest am Stuhl fest, die Lehnen sind spröde. Altes Hartholz, gibt nicht nach und bricht nicht. – Was war das? Alles ist klar hier und selbstverständlich: halb abgeräumte und verlassene Tischgeschichten, Totenbettumstände, Nachtzeit und Frost. Aber was war das? Soll ich denn besser Licht machen? Damit ich nicht entgleite, in Bilder hinein, die ich nicht übersehen kann? Soll ich denn besser aufstehn und rausgehn, Mutter wecken?
Josefs Hand liegt da, sie ist noch offen von eben. Sie ist weiches Gewebe, beinah ohne Funktion.
Wie im Liebesverlangen reckt er die Finger. Die Räume wachsen nach außen. Ich nehme die Hand wieder auf. Unsere Fingerkuppen laufen ineinander.
Über den Berg sind wir gestiegen und in den Windschatten getreten. Hier stecken Stille und Dauer von je. Es gibt keine Anzeichen von Tag und Nacht. Was ist sein Mund, was seine Arme, was werden seine Schenkel, was seine Füße genannt. Und man glaubt ein Haus zu sehn und es ist, als ob Kühe fressen. Da ruft wahrhaftig einer seine Kuh. Da hat wahrhaftig einer Holz gefällt.

Vorm Fenster bricht und knackt es. Der Frost geht kaputt. Es wird wärmer.
Ach! Und ist es denn nötig, noch mal und wieder Atem zu ziehn und Atem zu stoßen, Hunger zu fühlen und sich zu fassen?
Josef wendet sich mir zu und zieht mich an.

Ein Mann liegt neben einer Frau, die sitzt. Sie wärmt ihm seine kalte Hand und lacht. Gelächter über Gelächter.
Ich bin taub vom langen Sitzen und merke es, wie ich aufstehn und nach der Uhr sehn will. Meine Füße sind eiskalt und meine Hand, die ich aus Josefs ziehn will, ist starr wie seine. Ich muß seine Finger auseinanderbiegen.

Es ist schon 7 und immer noch still. Es ist Januar und Sonntag, da kommen die Züge später.
Josef ist naßkalt. Sein Atem selten und fein. Das eine Auge halb offen, sieht weit weg, das andre verschlossen mit doppeltem Lid. Ich drücke ihm das halbe ganz zu.
Geh fort, Herr, Josef, zieh weiter.

HANS MAYER

Politisches Idyll in Straßburg

Mit sechsundzwanzig ist man kein Schwarzseher, der stets auf die schlimmste Lösung seiner Konflikte zu lauern pflegt. Ich saß in Belgien, niemand im Hotel hatte nach meinen Papieren gefragt; gesund war ich auch, das Geld würde für ein paar Monate reichen. Nun mußte ich versuchen, zu den Freunden nach Straßburg zu gelangen. Mein Vertrauen in Brandler und Thalheimer war groß: es hat sich auch als berechtigt erwiesen. So stieg ich in einen Zug nach Lüttich, nahm dort den Schnellzug, der über Metz nach Straßburg zu fahren hatte.

Die Ausreise aus Belgien wurde nicht kontrolliert, ich meine auch nicht, daß sich ein Luxemburger um uns kümmerte. Ich stand am Fenster und beschaute die bisher unbekannten Landschaften. Von Belgien kannte ich nur die Gegend um Spa, allerdings waren wir ein paar Jahre vorher mit dem Auto auf Ferienreise im Großherzogtum Luxemburg gewesen. Da gab es eine Oberstadt und eine Unterstadt. Wie lange war das her.

Dann war es soweit. An der französischen Grenze in Diedenhofen, also in Thioville, wurden die Pässe verlangt. Meiner war nicht gültig, außerdem fehlte mir ein Visum. Der Beamte sprach deutsch, war auch nicht unfreundlich, als ich ihm meine Lage erklärte. Sie war ihm offensichtlich nicht unbekannt: damals flohen viele aus Deutschland. Aber was sollte er machen? Ich mußte aussteigen.

Im Bahnhofsbüro der französischen Grenzpolizei machte man mir klar, ich könne nicht einreisen, sondern müsse mit dem nächsten Zug wieder nach Belgien zurückkehren. Nach Belgien? Aber die würden doch gleichfalls einen Paß

mit Visum sehen wollen? Achselzucken: so war es. Die Vision eines unendlichen Pendelverkehrs tauchte kurz in mir auf. Ich schaute nicht hin. Merkwürdigerweise befürchtete ich durchaus nicht, man könne mich nach Deutschland zurückschicken. Das hätte in jenen Tagen des weltweiten Entsetzens über die deutschen Zustände vermutlich weder ein Franzose noch ein Belgier verfügt.
Man war schlampig in Thionville, oder spielte die Schlamperei, schrieb etwas auf, eine Art Protokoll, ließ es mich unterschreiben. Ich blieb gelassen, wohl auch ein bißchen betäubt. Der Bürgersohn besaß nicht die mindeste »einschlägige« Erfahrung mit solchen Dingen. Den – ungültigen – Paß gab man mir wieder und wies mich hin auf jenen Bahnsteig, wo demnächst der Zug nach Belgien einfahren werde. Sozusagen: Viel Glück! Allein man stellte mir keinen Begleiter oder Überwacher. Vermutlich gab es auch keinen Ersatzmann hier an der friedlichen Grenze.
So starrte ich auf den Fahrplan, um mich zu vergewissern, wann der Rücktransport fällig sei. Da fiel mir auf, daß auf dem Bahnsteig, wo ich mich gerade befand, in wenigen Minuten ein Personenzug nach Metz einfahren werde. Nach Metz! Ich schaute umher, entdeckte aber niemand, der mich belauerte. Der Personenzug fuhr ein: ich war immerhin bereits in Frankreich, das machte ich mir klar, ließ die Leute aussteigen und einsteigen, träger Nahverkehr an jenem heißen Nachmittag im August 1933. Kurz vor der Abfahrt stieg ich hinauf mit meinem Koffer. Meine Fahrkarte war bis Metz und sogar bis Straßburg gelöst worden. Die Fahrkartenkontrolle lief ab, nun freilich mußte ich damit rechnen, daß man die Bahnpolizei in Metz von meinem Verschwinden benachrichtigt hatte. So stieg ich, ohne alle Kenntnis der Gegend, an einer Dorfhaltestelle kurz vor Metz wieder aus: da standen Omnibusse nach Metz, ich löste ein Billet, wie gut, daß man hier überall mit Deutsch durchkam, wurde zum Bahnhof Metz gebracht. Dort war offensichtlich kein

Alarmzustand angeordnet worden, um einen kleinen deutschen Flüchtling ohne Papiere in Haft zu nehmen. Ich ging in ein ziemlich gutes Hotel nahe am Bahnhof, schrieb mich unter irgendeinem Namen ein, legte mich schlafen: in Frankreich. Das war alles, was mir bewußt wurde.

Ich absolvierte Anfängerübungen in der Illegalität. Robert Siewert in Berlin hatte mich ein bißchen unterrichtet. Von jetzt an, daran war nicht zu zweifeln, würde ich zu leben haben ohne Papiere oder mit gefälschten Dokumenten; unerlaubte Grenzübertritte und das Verweilen ohne polizeiliche Erlaubnis; falsche Namen und falsche Aussagen vor – nahezu – jedermann. Es machte mir nichts aus, eher sogar Spaß. Nicht ich war illegal, sondern jenes Regime, das mich in die Rechtlosigkeit verstieß. Mein Bürgerekel, den ich noch nicht als bürgerlichen Ekel diagnostiziert hatte, fand sich mit diesem Zustand willig ab. Was hatte ich zu befürchten, wenn es mir gelang, wie nun zu hoffen stand, zu den Freunden nach Straßburg zu stoßen? Auch nichts anderes als die anderen Freunde und Flüchtlinge. Ich war einsam gewesen und unberaten seit jenem Berliner Treffen mit Siewert; bald würde es wieder Rat geben und gemeinsame Beratung.

Am anderen Morgen brachte mich der Schnellzug nach Straßburg. Die Anlaufadresse wußte ich auswendig: sie stand in keinem Notizbuch. Alles ging gut. Man wußte Bescheid, hatte mich erwartet. Draußen in der Vorstadt, irgendwo in der Robertsau, stand ein städtisches Gebäude, ursprünglich wohl ein Kinderheim. Dort hatte der Bürgermeister von Straßburg, *Charles Hueber*, der mein Genosse war, wie ich nun erfuhr, seine deutschen Freunde untergebracht: ungefährdet durch die Polizei des bürgerlichen Polizeipräfekten, der von Paris die Anweisung bekam, die deutschen Emigranten in ihrem wohlbekannten »Versteck« nicht zu stören. Alles ergab den Gesprächsstoff am ersten Abend. Ich hatte mein Bett im gemeinsamen Schlafzimmer,

es gab auch zu essen, der Bürgermeister sorgte für etwas Taschengeld, vermutlich aus der Kasse der kommunistischen Opposition im Elsaß, oder wenigstens: im Departement du Bas-Rhin, wo Hueber bei den letzten Kommunalwahlen gesiegt und den Sessel des Maire de Strasbourg erobert hatte.
Man rief in Paris an, um Brandler und Thalheimer meine Ankunft mitzuteilen. Von dort sollte ich bald hören, was in meinem Falle zu tun sei. Nun war ich ein Emigrant wie die anderen auch. Am nächsten Tag würde ich erfahren, wohin ich geraten war. Zwischen alle Stühle nämlich, und was für Stühle! Zwischen die Goebbels-Propaganda im ehemaligen »Reichsland Elsaß-Lothringen« und den Pariser Zentralismus; zwischen einen Kommunismus ohne Kommunistische Partei und mit starken Zügen der lokalen Korruption und unseren eigenen, deutschen Antifaschismus. Wir saßen draußen im städtischen Kinderheim, acht oder neun Freunde, die meisten weit älter als ich, erfahren in den deutschen Revolutionen und Gegenrevolutionen seit fünfzehn Jahren, und waren unversehens als mindere Schachfiguren eines politischen Intrigenspiels eingesetzt, ohne die Spielregeln zu kennen. Der Bauer im Königsspiel weiß nicht, daß er einer ist.
Am nächsten Tag empfing mich der Bürgermeister im Rathaus: mein Genosse Charles Hueber. Ein gedrungener Elsässer, damals schon herzleidend: er starb während des Krieges unter der deutschen Besetzung: als ein – vermutlich – willfähriger Untertan des Großdeutschen Reiches. Ich habe ihn gemocht, trotz der politischen Differenzen zwischen uns, die ihn zu Beginn des Jahres 1934 veranlaßten, mich aus dem politischen Idyll Straßburg zu vertreiben. Der Plebejer Hueber wollte beides zur gleichen Zeit: den Kommunismus und die elsässische Autonomie. Auch er hat mich gemocht. In einer guten Stunde schenkte er mir eine Originalphotographie von Karl Marx, die aus dem Besitz von

Jean Longuet stammte, einem Enkel des großen Bärtigen. Das schöne kleine Dokument ging mir verloren in den Irrfahrten. Ich denke manchmal mit Bedauern daran.
Huebers Bruch mit der Kommunistischen Partei Frankreichs unter dem von Stalin hofierten Marcel Cachin hatte nichts mit Stalinismus zu tun. Hueber war ein Volksmann; deshalb gelang es ihm, als elsässischer Kommunist die Stadt Straßburg zu regieren. Die französische Administration befand sich erst seit knapp fünfzehn Jahren in einem Land, das fast ein halbes Jahrhundert lang, zwischen 1871 und dem November 1918, ein »Reichsland Elsaß-Lothringen« gewesen war. Wer im Jahr 1919, wie jener Studienrat am Kölner Schiller-Gymnasium, für Deutschland optiert hatte, mußte auswandern. Wer hingegen, aus welchen Gründen immer, im Lande und bei den Franzosen bleiben wollte, wurde nun einer brüsken »Umerziehung« unterworfen. Es waren französische Nationalisten, geführt von Literaten wie Maurice Barrès, die jahrzehntelang in Paris vor der Statue der Stadt Strasbourg auf der Place de la Concorde für die Befreiung der durch Bismarck annektierten Gebiete demonstriert hatten. Nun sollte, nach der Befreiung, der Welt gezeigt werden, wie grundfranzösisch es seit jeher im Elsaß zugegangen sei. Nationalistische Literaten pflegen dabei mit der Sprache zu beginnen. Die war Alemannisch, ohne Frage. Nun aber sollte, so war es in Paris beschlossen, wogegen sich auch die Kommunisten nicht ernstlich wehrten, weil es Sympathien gekostet hätte, in Schnellkursen das allgemeine Verstehen der französischen Sprache durchgepaukt werden. Denn Verwaltung und Gerichte, Steuerbehörden wie Polizeiämter ließen sich von nun an nicht mehr auf das Elsässische ein: vom Deutschen zu schweigen.
Der Bürgermeister, oder Maire, Charles Hueber war zum Sprecher geworden aller Hänse im Schnakenloch. Als ein Elsässer und ein Plebejer, dessen Kommunismus man in Kauf nahm, weil der Rest zu stimmen schien. Sah man

nämlich von den ganz Jungen ab, so hatten die kleinen Leute im Straßburger Département du Bas-Rhin, trotz aller Kurse und Vermahnungen, die schwere neue Landessprache nicht gelernt. Zur kulturellen Autonomie jedoch ließ sich der Pariser Zentralismus nicht bewegen. So geriet der Ausdruck »Die Sprachenfrage« in den Mittelpunkt alles Politisierens zwischen Straßburg und Kolmar. Im Süden, um Mühlhausen, sah es besser aus für den Zentralismus. Da hatte es stets viel Ressentiment gegeben in allem, was die Deutschen betraf.

Auch hier, wie meist in solchen Grenzlanden, stellte sich der sprachliche Antagonismus zugleich als einer von Haben und Nichthaben dar. Nicht allein die allgemeine Landesverwaltung im Elsaß mit ihren Präfekten und Beamten, die häufig nicht aus dem Elsaß stammen sollten, war frankophon; auch die Geschäftswelt richtete sich nach Paris. Mit den einstigen Gebietern vom rechten Ufer des Rheins, die durch Revolutionen und Krisen zu gehen hatten, war im Zeichen der Weimarer Republik kein richtiges Geschäft zu machen. Da standen einem die Banque de France und der Crédit Lyonnais näher als die Deutsche Bank. Die Zeitungen, die man als Bürger in Straßburg las, bemühten sich um ein gutes Französisch. Im Volk jedoch las man eine Tageszeitung, die ›Neue Welt‹ hieß, zur Kommunistischen Opposition sich bekannte, und dem Bürgermeister Hueber gehörte.

Die sollte ich von jetzt an redigieren. So war es, wie sich beim Gespräch im Rathaus herausstellte, zwischen August Thalheimer in Paris und Charles Hueber in Straßburg vereinbart worden. Die einheimischen Redakteure waren es bloß gewohnt, die Lokalpolitik und die elsässische Szene darzustellen. Für die kommunistische Theorie hatte man sich früher an die Berliner Publikationen der KPD(O) gehalten: die ›Arbeiterpolitik‹ und die Zeitschrift ›Gegen den Strom‹. Die gab es nicht mehr, seit Hitler in Deutschland regierte. Die Straßburger Redakteure und ihre Leser hätten es verschmerzen können: das lag fern und wurde in der ›Neuen Welt‹ bloß aus Solidarität gedruckt.

Allein auch in Straßburg war man plötzlich gezwungen, die Vorgänge in Deutschland, nicht zuletzt die Vernichtung der Arbeiterparteien und der unabhängigen Gewerkschaften, ernst zu nehmen und für den eigenen Gebrauch zu kommentieren. Man hatte nun die Flüchtlinge aus Deutschland im eigenen Land, hörte ihnen zu, mußte sich entscheiden. Das sollte ich bald erleben, denn ich wurde bekannt gemacht mit den Mitgliedern von Huebers Partei, hatte zu berichten und auch zu beraten. Am Antifaschismus dieser Elsässer war nicht zu zweifeln. Sie kannten sich aus mit Unterdrückung und auch mit der Befolgung, oder Nichtbefolgung, einer amtlich geforderten Redeweise. Einerseits noch, bei den Älteren, die Schikanen aus der Kaiserzeit, dann aber, seit dem Einzug der Franzosen, die Verweigerung einer sprachlichen und kulturellen Selbstbestimmung: allen Formeln aus Paris zum Trotz, die das Selbstbestimmungsrecht der Minderheiten postulierten. Natürlich war man als Elsässer eine kulturelle Minorität: so gut wie die Bretonen oder Basken. Mit einem Unterschied freilich, den man im Elsaß zwischen 1940 und 1944 in schrecklicher Weise begreifen lernte. Daß man nämlich, im Gegensatz zu den Bretonen und Basken, einen »Großen Bruder« aufzuweisen hatte: drüben überm Rhein. Sollte man sich auf den jetzt berufen, wenn es wieder einmal Spannungen gab mit Paris?

Das zu erörtern mit den Lesern der ›Neuen Welt‹, reichten Huebers Zeitungsschreiber nicht aus. Sie wußten selbst nicht immer, wie man unterscheiden solle zwischen der deutschen Sprache, die auch ihre eigene Zeitungssprache war, und dem neuen Deutschen Reich. Was ihnen unklar geblieben war, hielt man jedoch in Berlin, nämlich im Reichsministerium für Volksaufklärung und Propaganda, oder in Stuttgart, bei den Leuten für das »Deutschtum im Ausland«, für sonnenklar. Diesen virtuellen Deutschen am Fuß der Vogesen mußte geholfen werden. Plötzlich traf man in Straßburg auf sonderbare Flüchtlinge aus dem Reich, die nicht recht begründen konnten, warum sie emigriert waren, auch kaum an Arbeiter gemahnten, dafür aber sehr wunderlich daherredeten. Huebers Taschengeld schienen sie nicht nötig zu haben, man behalf sich anderweitig.

Hier sollte ich als Redakteur tätig werden. Es war *mein erster wirklicher Beruf*, seit mich Roland Freisler aus dem preußischen Justizdienst entfernte. Ein Debüt – praktisch als Chefredakteur, denn die anderen Freunde im Kinderheim, bewährte Arbeiterfunktionäre und auch Redakteure einer Arbeiterpresse, stießen mit ihren Formeln aus der Agitationszeit (mit unzähligen Arbeitslosen) einer moribunden Weimarer Republik bei den städtischen Arbeitern des Bürgermeisters Hueber, denen er Posten verschafft hatte und denen es gut ging, auf ratloses und respektvolles Kopfschütteln. Nun sollte ich, der Bürgersohn mit dem Doktortitel, der andererseits illegal zu bleiben und nicht mit eigenem Namen aufzutreten hatte, die Begriffe klären. Was vor allem heißen mußte, die Frage zu beantworten: *Was ist das Wichtigste?* Die war nicht leicht zu beantworten. Man mußte davon ausgehen, daß man zu Arbeitern sprach, daß Frankreich wie das neue Deutsche Reich als imperialistische Gebilde zu definieren waren. Von wem jedoch drohte die größere Gefahr? Den Imperialismus der Lothringer Magnaten hatte man im eigenen Land, aber Herr Hitler in Berlin war weit weg. Wie also begründen, daß trotzdem die umgekehrte Reihenfolge gelten sollte: daß die Hauptgefahr aus Berlin kam ...

Ich wurde herzlich aufgenommen in der Zeitung. Alle erwarteten Klärung. Hilfe boten mir nur die (stets in der Länge genau abgezirkelten) Leitartikel, die Thalheimer zweimal wöchentlich handgeschrieben, doch klar und gut lesbar, aus Paris einzusenden pflegte. Sie waren trocken, gewiß; dieser Schüler Franz Mehrings hatte vom Meister nicht die literarische Begabung geerbt: allein sie waren als Analyse von Faschismus und Antifaschismus kaum zu übertreffen. Hier wurden zum erstenmal, in einem Blättchen aus Straßburg, die Grundgedanken dessen entwickelt, was einige Jahre später in ganz Frankreich, dann in der Welt, und bis in die Gegenwart hinein, als *Volksfront* ebenso leidenschaftlich gefordert wie wütend bekämpft werden sollte. Vor Hitler und seinen Plänen, so schrieb und wiederholte Thalheimer in seinen ungezeichneten Leitartikeln, mußte man gewisse etablierte Feindschaften zurückstellen. Das bürgerlich-demokratische (und imperialistische) Frankreich war das »Kleinere Übel«.

Aber hatte ich nicht selbst, in den Zeiten der ›Roten Kämpfer‹, erbittert gelacht über jene Sozialdemokraten, die Hindenburg mitsamt seinem Brüning tolerieren wollten, um eine Herrschaft der »Braunen Bataillone« zu verhindern? Trotzdem: es gab keine Alternative zu dem, was Thalheimer vorschlug. Ein paar Jahre später wurde *eben dies* in Moskau, auf einem VII. und letzten Kongreß der Komintern, durch den vom Reichsgericht in der Sache des Reichstagsbrandes freigesprochenen Bulgaren Georgi Dimitroff, den ein italienischer Emigrant namens Togliatti beriet, und dem es gelungen war, Stalin zu überzeugen, als neue Losung ausgegeben. Gleichsam als Lehre aus dem kommunistischen und sozialistischen Debakel von 1933.

Noch aber lebte man in Straßburg im Jahr 1933. Die Leitartikel der ›Neuen Welt‹, die ich schrieb, wenn Post aus Paris fehlte, erregten Mißbehagen, dann den Zorn des Bürgermeisters Hueber und seiner engsten Ratgeber in der Stadtverwaltung. Sie wurden umgekehrt, so vertrackt ging es zu bei diesem politischen Schachspiel, mit Anerkennung und fast unverhohlenem Lob registriert in der bürgerlich-französischen Presse der Stadt und des Départements: wahrscheinlich auch in den Pariser Büros. Natürlich wurden wir genau beobachtet. Man wußte auf der Präfektur, was im Kinderheim vor sich ging. Doch es mißfiel durchaus nicht. Auch dort hatte man Prioritäten beachtet. Die (kommunistisch getönte) antideutsche Propaganda, die jetzt durch ein paar Emigranten in Huebers Blättchen betrieben wurde, war eine gute Sache, indem sie den elsässischen Autonomismus herunterspielte: auch wenn von Zeit zu Zeit, gleichsam rituell, die »Sprachenfrage« wieder einmal auf den Tisch kam.

Als es Hueber zu viel wurde und er Schluß machen ließ mit unserem politischen Unfug, schrieb die einflußreichste Straßburger Zeitung halb spöttisch, halb achtungsvoll von den »Emigranten, die aus einem Käse-Einwickelpapier eine Zeitung gemacht hatten ...«. Ich habe mich, warum es leugnen, darüber gefreut.

Heute bin ich davon überzeugt, daß damals in Straßburg bereits die ersten Kader einer Fünften Kolonne von Berlin aus organisiert wurden, die sechs und sieben Jahre später, im Drôle de Guerre von 1939 und im französischen Zusammenbruch von 1940, erfolgreich agieren konnten. Huebers Partei bot die besten Voraussetzungen für ein »Diversantentum«, um die sowjetische Terminologie zu zitieren. Kommunisten, die keine waren. Arbeiter-»Aristokratie« dank des kommunalen Machtbesitzes. Elsässische Autonomisten, die nicht genau unterscheiden konnten, wo die berechtigte Kritik an der französischen Innenpolitik aufhört und der Landesverrat beginnt: indem man nämlich den Großen Bruder überm Rhein zu Hilfe ruft, der gern auftritt, und auch so großzügig sein kann.

Eine Schlüsselfigur war der – neben Hueber – wichtigste Mandatsträger dieser kommunistischen Autonomisten. Der Deputierte *Mourer* war nicht oft in Straßburg: er vertrat die Partei und die elsässischen Wähler in der Deputiertenkammer der Dritten Republik. Ich habe ihn nur wenige Male gesehen und gesprochen. Charmant war er durchaus: schöner Mann und Frauenheld; Arbeitervertreter mit eleganten Manieren. Wohlgelitten in den Pariser Salons, wie ich feststellen konnte, als ich selbst, nicht zuletzt auf Mourers Betreiben, das Elsaß verlassen und nach Paris weiterziehen mußte. Frauen, Macht und vor allem Geld zählten für diesen Mann: der Rest, alle sogenannte »mystique«, also alle politische Konzeption, das hat er mir eines Abends auseinandergesetzt, war austauschbar. Danach hat er gelebt, er hat es teuer bezahlt. Mit solcher »mystique«, denn es ist auch eine, wird man zum Kollaborateur. Nach der Befreiung Frankreichs unter de Gaulle wurde Mourer ein Prozeß gemacht. Er starb an der Wand.

Schon im Spätherbst 1933 hatte uns Hueber aus dem Kinderheim verjagt. Einige Insassen wanderten nach Paris; andere, die man in der Zeitung brauchte, wurden in den Familien befreundeter Arbeiter untergebracht. Die Familie eines jungen Arbeiters der Stadtwerke, Edmond Wencker hieß er, und ich habe ihn nicht vergessen, nahm mich auf. Damals lernte ich Straßburg und Straßburger kennen: manchmal sehne ich mich zurück nach den Kneipen mit den vielen Weinsorten und den behaglichen Gesprächen, die keiner »Ideologie« gestatten, den ruhigen Alltag zu gefährden. Nichts lag diesen Leuten, die beides sein konnten: Arbeiter und kleine Bürger, von Grund auf ferner, als ein Denken, das man heute mit Klischees wie »Image« oder »Status« zu beschwatzen pflegt. Freilich konnte man dabei auf die angenehmste Weise »verkommen«. Damals in Straßburg habe ich es gemerkt. Der Stadt und ihren Bewohnern hielt ich die Treue: man spürt es an den Straßburg Kapiteln meines Buches über Georg Büchner.

Daß ich im Elsaß nicht zum Phäaken wurde, dafür sorgten Hueber und Mourer. Ihnen erschien ich als der Rädelsführer. Zum Jahresanfang 1934 berief man einen Parteitag ein. Die Delegierten waren gut präpariert, die meisten hatten was zu verlieren. Wir durften dabei sein, konnten aber begreiflicherweise nicht mitreden. Auch Heinrich Brandler durfte nicht eingreifen: das verbot ihm der Status des Flüchtlings. So hatte man leichtes Spiel. Der Kurs der Zeitung wurde feierlich mißbilligt. Die Redaktion hatte sofort, an jenem Sonntagabend noch, abzutreten.

Das geschah. Uns schlossen sich aber, in erfreulicher Solidarität, sämtliche Redakteure an, bis zum Lehrling und Volontär: man war angewidert von der Manipulation des Maire und des Député. Auch einige Setzer weigerten sich, unter solchen Umständen weiterzuarbeiten. Wir hinterließen die Leere. An jenem Abend saßen wir lange noch zusammen, die Besiegten, in guter Stimmung und warteten belustigt auf den Montag und das Erscheinen einer im Wortsinne ›Neuen Welt‹. Wer sollte sie schreiben und redigieren?

Sie ist trotzdem erschienen. Noch in der Nacht, das erfuhren wir umgehend, hatte sich Huebers Schwager, der Waisenhausdirektor, hieß er nicht Götz?, in die leere Redaktion begeben: mit ein paar Getreuen. Dort gab es die Agenturmeldungen, französische Zeitungen, die man übersetzen konnte, auch Schere und Kleister. So kam die Montagsausgabe zustande: nicht schön, doch sie war da. Damals lernte ich, was Bertolt Brecht an seiner Bearbeitung des Shakespeareschen Coriolan demonstrieren wollte: Kein Spezialist bleibt unersetzbar.

Brandler hatte auch mir geraten, nach Paris zu kommen und dort mit Hilfe von Verbindungen endlich die Aufenthaltserlaubnis, den begehrten und bedrohten Permis de Séjour, zu beantragen. Mein Vater hatte mich in Straßburg besucht: durchaus nicht entsetzt über meine Bewandtnisse, eher belustigt, wohl zufrieden, daß ich nicht mehr bedroht war. Er hinterließ etwas Geld.

So reiste ich im Februar 1934 nach Paris. Das politische Idyll im Elsaß war zu Ende. Ich schrieb nach Genf an Hans

Kelsen, der am dortigen Hochschulinstitut für Internationale Studien als Professor lehrte. Er riet zunächst ab, zu ihm in die Schweiz zu kommen. Am Institut gab es für Juristen nur das Völkerrecht, und das hatte ich niemals genauer studiert. Aber in Genf war auch – vorerst – die Zentrale des aus Frankfurt emigrierten *Instituts für Sozialforschung* als Institut de Recherches Sociales errichtet worden. Der Direktor *Max Horkheimer* stand sich gut mit dem berühmten Kollegen und Mitemigranten. So schrieb mir Kelsen, er habe über mich mit den Leuten vom Institut für Sozialforschung gesprochen. Dort gebe es Geldmittel zu Forschungszwecken. Das Geld des Frankfurter Instituts sei gerettet und gesichert. Ich solle nach Genf schreiben und mich auf ihn berufen.

Das habe ich getan. Horkheimer war ein guter Organisator: seine Post wurde stets und rasch erledigt. Bald hatte ich einen ersten Brief mit der glatten, bewußt unpersönlichen Unterschrift des Sozialphilosophen in der Hand. Er werde bald nach Paris kommen und wolle mich empfangen. Er wohne, wie üblich, auf dem linken Seine-Ufer im Hotel Lutétia. Sechs Jahre später, nach Hitlers Einzug in Paris, residierte dort die Geheime Staatspolizei.

UWE JOHNSON

20. August 1968, Last and Final

In einem Badehotel an der dänischen Küste, Schweden gegenüber. In einem Speisezimmer für Familienbegebnisse; Rohrmöbel, Damasttischtuch. Im Garten, hinter dem Gebüsch zur Promenade. Am Strand. Von zwölf bis sechzehn Uhr.
Ein elfjähriges Kind, das vor Müdigkeit leise spricht, matt.
Eine Dame um die Fünfunddreißig, die hinter Marie die Treppe hinuntersteigt, vorfreudig, weil zum Empfang gerufen.
Anita hat sich für Prag versprochen; Anita ist imstande, schon in Klampenborg uns zu empfangen.
Portier, Chauffeur, Kellnerin; Hotelpersonal.
– Wir danken für das pünktliche Wecken. De har vist mig en stor teneste.
– Ingen årsag! Ein Herr wünscht Sie zu sehen, sobald Sie es einrichten wollen.
Der Herr steht auf der Terrasse, geschrumpft, eigenwillig aufrecht, schwarzweiß gekleidet, unter schlohweißen Haaren, mit erhobenen Armen kostet er den Empfang aus, ein Rabe, der seine Bewegung verbergen will.
– Nein! Nein! So tun alte Leute aus Mecklenburg.
– Herr Kliefoth. Marie, begrüße meinen Lehrer für Englisch und Anstand.
– I am very pleased to meet you, Dr. Kliefoth. My mother told me some of your stories.
– Es erschiene mir geschickt, wenn wir außerhalb des Deutschen blieben. Dies Land ist einmal deutsch besetzt gewesen.
– D'accord, mine leewe Fru Cresspahl. Wo ich ohnehin

illegal bin. Ihre Freundin Anita, die setzt einen Menschen von zweiundachtzig Jahren auf den Zug nach Lübeck; nach Lübeck schickt sie ihm einen Ausweis, damit er nach Kopenhagen reist, und die Polizei von Jerichow weiß nüms nich. Aber der Name im Paß ist Kliefoth, es ist mein Bild; den könnt ich behalten so wie er ist.

Von vorn gesehen ist Kliefoths Kopf schmal, im Profil erscheint vergessene Tiefe. Am Tisch stützt er den Kopf an der Schläfe in die Hand; die Brille rutscht mit dem oberen Rand über die Brauen. Jetzt sitzen die dunklen Pupillen genau in der Mitte.

– Daß Sie sich die Mühe machen, Fru Cresspahl. Umsteigen in Kopenhagen, einem unnützen Menschen zuliebe.

– Wir verdanken es Anita. Der mißfiel es, daß wir in Frankfurt umstiegen. Anita sind wir gehorsam.

– Sie hat mich hier eingemietet für zehn Tage, wenn es mir recht ist.

– N goden Minschen is se; dat seggt wi sülbn.

– Ach wo. Manch ein Mal, da fehlen wohl bloß Zwiebeln. Was früher Südfrüchte hieß, desgleichen. Nur, wenn man in einer Zeitschrift aus dem Jahre 1928 trifft auf die Anzeige einer Fischräucherei, da ist von Tausenden Tonnen geräucherten Aals die Rede; wunnert ein' sick. Givt kein rökerten Aal in Jerichow orre Gneez. Nein, zur Gesellschaft freue ich mich auf das Essen; wir können uns jo wat vetelln bi her.

– Hvad ønsker herskabet?

– Saure Heringe. Makrelen in Tomatensauce. Geräucherten Aal mit Rührei; lachen Sie man! Und welchen Wein … hvilken vin vil De anbefale os til det?

– Für uns ist es jetzt halb sieben am Morgen, Herr Kliefoth. In unserer Schule wird man bewertet mit Plätzen. In meiner Klasse bin ich auf Platz 4. Wie war meine Mutter als Schulkind?

– Es ist mehr daher, daß ich von den Überlebenden der

Älteste bin. Müßt auf den Friedhof gehen, wollt ich mit jemandem reden.
In der Erschöpfung hält er die Augen geschlossen. Unter die Brillenbügel greifend massiert er mit Daumen und Zeigefinger einer Hand die Schläfen. Die Augenhaut ist grau, vielfach gefältelt, ohne Regung. Sitzt da wie ein Toter: bis er sich weckt mit den kletternden Fingern.
– Was ist gesprochen worden an meines Vaters Grab, Herr Kliefoth?
– Unfug. Hab ich mich quer gelegt. Hev ick ein P voerschraewn. Und wenn Ihnen nun der Wein mißfallen hätte?
– Wär er zurückgegangen. Das hab ich gelernt von einem Menschen, der...
– Wie kommen Sie bloß darauf! Jakob ist bei mir zu Besuch gewesen fünfmal im Jahr, seit Sie weggereist sind aus seiner Aufsicht. Kam Ihre Briefe zu lesen, wollte wissen wie das so zugeht an Dolmetscherschulen. Ihr Vater war ein verläßlicher, ein fürsorglicher Mann, mein verehrtes junges Fräulein Cresspahl.
– Herr Kliefoth, ich bin bloß elf Jahre alt. Bitte, sagen Sie du zu mir.
– Deine Mutter, Marie, sie war im Mai 1953 etwa einen Meter fünfundsechzig groß und trug ihr schwarzgraues Haar mit Messern geschnitten. Ausladende Schultern, schmale Hüften. Wenn sie in Jerichow war, nahm sie mit Vorliebe Hosen, lief ihren barften Beinen Bräune an. Mit den dunklen Brauen, vorsichtigen Augenbewegungen, sparsamen Lippen war das erwachsene Gesicht sorgfältig vorbereitet.
– Wie hieß solch Wetter in Jerichow?
– »Schönstes Damen-Segelwetter«, Fru Cresspahl. Werte Lieben ausgeschlossen.
Eine Stimme mit einer schartigen Heiserkeit, die bei lockerem Sprechen im Baß orgelt.

– Herr Kliefoth, manchmal träume ich das. Auf einem polnischen Schiff, Zwischenlandung in Liverpool, dann hierher nach Kopenhagen. Die Einfahrt nach Rostock neben dem Alten Strom, Walddurchblicke im Doberaner Forst, der Bahnhof von Wismar oder Gneez. Oder, wenn mir Jerichow untersagt ist, nach Wendisch Burg. Zur Not Neustrelitz, Waren, Malchin, wo keiner uns kennt, wo ich eine Wohnung verdienen kann mit Blick auf einen See, einen Liegeplatz für ein Boot, Morgende im Winter am Eis, Schilfschatten, Ofenfeuer ... aber Herr Rohlfs ist tot, oder auf seine Art gescheitert an der Majorsecke. Nur auf Durchreise dürfen wir nach Mecklenburg, in einem Hotel absteigen unter Aufsicht; da ist kein Unterkommen nach Belieben.
– Wär jemand wie ich doch vermögend in der Zukunft, Fru Cresspahl. Åpen und ihrlich!
Dem alten Mann geht der Hosenbund bis an die Brustwarzen. Seine abgetragene Kleidung wird von Mal zu Mal verkleinert.
An Zigarren, an Tabak haben wir gedacht; Stoff für einen Anzug vergessen.
– Die Möbel hab ich dem Museum in Rostock vermacht. Wenn Sie nun verwandt wären mit mir, Fru Cresspahl, denn hätten Sie den Tisch und den Schrank kriegen dürfen; sind doch Geschenke Ihres Vaters. Mit meinem Hauswirt hab ich Vertrag für den Fall meines Todes: er behält den Rest; muß aber sorgen, daß ich weg komm.
Kliefoth knetete seine Hände, überlegend. Der Schmerz macht ihm die Pupillen eng.
– Einmal hatt ich mich geschnitten, gab Jakob den Fuß in die Hand aus dem Stand. Er sah sich das an, ließ den Fuß abgleiten im selben Rhythmus wie meine Hand auf seine Schulter sich stützte; die Bewegung ging mir durch den Leib ohne eigenen Schmerz. Ich glaub das geschieht einem im Leben ein einziges Mal.

– Må jeg bede om Deres pas? De er nok med Deres underskrift, resten ordner jeg.
– De er meget elskværdig. Hvor meget bliver det ialt? Det er til Dem.
– Meine Frau war behindert in ihrer –
– Marie hab ich das Nötige mitteilen müssen, Herr Kliefoth.
– in ihrer Kinderstube. So eine Frau bekommt die meisten Kinder an die Schürze; in der Küche, im Garten. Im Grund weiß man vom Leben nur eines: was dem Gesetze des Werdens unterliegt, muß nach diesem Gesetze vergehen. Mir, da seien Sie unbesorgt, ergeht es genügend. Mein Latein ist flatterig geworden; das Gedächtnis verhält sich lediglich angemessen. Ich muß dem Geschicke dankbar sein dafür, mich so gnädig behandelt zu haben. Ich danke Ihnen, mine leeve Fru Cresspahl. Sie haben dazu geholfen.
– Herr Kliefoth, mögen Sie leben, solange es Ihnen gefällt.
– Ihr Vater hat mir die Ehre seiner Freundschaft erwiesen. Eine seiner Auffassungen ging dahin: Geschichte ist ein Entwurf.
– Wie es uns ergeht, haben wir aufgeschrieben bis zu unserer Arbeit in Prag, 1875 Seiten; mit Ihrer Erlaubnis werden wir es Ihnen überreichen. Nachzutragen sind an die zwei Stunden Flug in den Süden. Was soll uns geschehen mit einer Gesellschaft Ceskoslovenské aerolinie C.S.A., die tritt im ausländischen Verkehr auf unter den Buchstaben O und K? Wo wir fest gebucht sind, O. K.? Heute abend rufen wir an aus Prag.
– Will you take good care of my friend who is your mother and Mrs. Cresspahl?
– Ich versprech es, Herr Kliefoth. Meine Mutter und ich, wir sind befreundet.
Beim Gehen an der See gerieten wir ins Wasser. Rasselnder

Kiesel um die Knöchel. Wir hielten einander an den Händen: ein Kind; ein Mann unterwegs an den Ort wo die Toten sind; und sie, das Kind das ich war.

[29. Januar 1968, New York, N. Y. – 17. April 1983; Sheerness, Kent.]

REINHOLD BATBERGER

Messer an Cartago

Am einundzwanzigsten Dezember kamen wir an. Der Zug hielt; ich starrte auf das spärliche Licht über dem Emailschild mit den Buchstaben LÖRRACH. Es stieg niemand aus oder ein, wie an den meisten Stationen auch. Auge schlief mit offenem Mund und preßte den Beutel auf den Bauch. Sie hatte während der Fahrt vor allem Reisende belästigt und Süßigkeiten abgestaubt. Ich begriff: Lörrach, ich mußte aussteigen. Gepäck und Auge und die Mäntel und aus dem Abteil, es war eine Frage der Zeit, wann irgend etwas zu Boden platzte und für immer dort liegenblieb. Vor der Tür stürzten wir übereinander. Ich kroch zum Türhebel, riß ihn herunter, zerrte ein Stück nach dem anderen auf den Bahnsteig, erst den Koffer, auf den Koffer die Mäntel und darauf Auge; in die Mäntel, und der Zug fuhr immer noch nicht los. Der Schaffner war gut zu sehen im Dunkeln. Ich fragte, wie ich zur Abtei käme. Er deutete mit dem Daumen rückwärts und sagte: »Durchs Dorf und dann drei Kilometer. Busse verkehren nicht mehr.« Ich schwitzte; aber auch der Schaffner stand ohne Jacke und mit aufgeknöpftem Hemd. Der Wartesaal war verschlossen. Eine jener Bahnstationen, wo die Uhr immer zehn vor fünf zeigt, aber Tag und Nacht beleuchtet ist. Das einzige Licht außer der Birne über dem Stationsschild. Auge ließ sich nicht wecken; so hing sie mir auf dem Rücken, ihr Beutel baumelte mir vor der Brust, mit der linken hielt ich ihre beiden Handgelenke zusammen, in der rechten den Koffer, tief gebeugt, damit Auge nicht zur Erde glitt. Erst stolperte ich auf einem ausgetretenen Pflaster hinunter, dann ging es bergan auf geteerter Fläche, mir blieb die Luft weg, und ich legte eine Pause ein. So jedenfalls lief es nicht. Ich beugte mich nach vorn, verrenkte Schulter und Rücken seitwärts und schaukelte Auge vor die Brust, der Beutel hing wie ein Senkblei; sie löste die Klammer um meinen Hals nicht und quengelte, aber mehr im Schlaf. Jetzt die beiden Gewichte vorn. Alle zweihundert oder dreihundert Meter eine Pause; ich ging in die Hocke, hielt mich am Koffer fest und stützte Auges Körper ab. Es war nicht finster, ein Mond am Himmel nicht sichtbar. Nach einer scharfen Biegung der Straße ein Mann, leicht schwankend, mit gespreizten Beinen, spät zu erkennen. Ich fragte, wo der GASTHOF ZUR POST sei. Der Mann glotzte. »Wo«, sagte ich laut. »Da«, sagte er und glotzte. »Wo da«, sagte ich, mir blieb nichts anderes übrig. »Da«, sagte er und kicherte. »Scherben«, sagte er und zeigte mir seinen Handteller. Es konnte vertrocknetes Blut sein, aber auch einfach nur Dreck. »Bierflaschenscherben, aber kein Bier. Nur ein barmherziges Süppchen. Bier auf der Mauer, morgen wieder«. Er war erschöpft. Er knickte ein und setzte sich auf die Straße, mit abgespreizten Beinen, die Knie zusammen, die Arme zu lang. Am rechten Fuß trug er einen Stiefel, der linke Fuß war nackt. »Für alle eine Bierscherbe!« rief er und fing mit ausgebreiteten Armen zu singen an. Ich war nicht mehr da, für ihn war nichts mehr da. Ich ging. Bald lief die Klostermauer die Straße entlang. Der GASTHOF ZUR POST, ohne Licht, lag der Klosterpforte gegenüber. Ich drückte die Klingel. Jenseits der Straße gab es oberhalb der Klosterpforte eine Lampe. Markierte Parkplätze davor mit einem einzelnen Fahrrad; es warf einen Schatten, die Räder eines Riesenrades. Ich klingelte. Auge immer noch vorn; ich setzte mich auf den Koffer. Unter »Gasthof« stelle ich mir etwas anderes vor. Unter »Winternacht« übrigens auch. Aus dem oberen Stockwerk hingen zwei Köpfe aus dem Fenster. Ich schrie: »Wir brauchen ein Zimmer!«, und die Köpfe klappten zurück, das unbeleuchtete Fenster blieb offen. Die Tür war unverschlossen. Wirt und Wirtin, er halb hinter ihr, haßten uns auf den ersten Blick, die Wirtin ein bißchen weniger. Ich ging sofort in den Flur. Die Wirtin hatte Angst, Auge würde in ihre Betten pissen. Zwei Holzbetten nebeneinander; ich faltete das Gummituch auseinander. Es war an zwei Stellen gebrochen. Wir sanken in die Daunen, Auge tapste zu mir herüber. Mit oder ohne Gummituch, sie wird in dieses Bett pissen.

Mittwoch
Im Besucherzimmer Vier versperrten uns drei helle Stühle mit Schaumstoffsitzen und eine graue Kunstledercouch mit Holzlehnen den Weg zum Fenster. Davor ein niedriger Tisch mit Zeitschriften, strahlende Neger auf den Titelseiten und Negerinnen in bunten Tuchen und mit Kürbissen auf den Köpfen. Ein Rennläufer raste auf dem »Lörracher-Missionskalender« die Piste herunter; gegenüber ein Metallkreuz, der Aschenbecher auf dem Tisch war vom selben Material. Vom Fenster des Besucherzimmers sahen wir auf einen Streifen braunes Gras hinunter, daneben ein asphaltierter Weg, parallel zum Flügel der Abtei und dem MISSIONSMUSEUM. Es pochte, der Mönch Märzdörfer stand im Raum, Auge saß unter dem Tisch. »Schon gefrühstückt?« rief er fröhlich. Märzdörfer hielt im Schritt inne, blieb an der Tür stehen. »Sie kommen also von Cartago«, sagte er. »Jetzt brauchen Sie die Geschichte nicht mehr, die Sie sich für mich ausgedacht haben. Wir hatten Sie schon gestern erwartet. Ich habe Sie beim Abt als Gast angekündigt, der sich für einige Zeit aus der Welt zurückzieht; das erleichtert uns Ihren Besuch. Der Abt hätte niemals einen Visitator für einen einzelnen Mönch zugelassen, wie erst einen ordensfremden Visitator. Aber mit Fragebögen werden Sie mir hoffentlich nicht kommen, wie die ordenseigenen Visitatoren seit kurzem uns mit Fragebögen belästigen. Die lieben Mitbrüder halten das für Wissenschaft«, sagte Märzdörfer. »Kommen Sie, ich zeige Ihnen das Zimmer in unserem

Gästetrakt. Dort ist es geräumiger als im ›Gasthof zur Post‹. In der nächsten Woche trifft eine Gruppe von Bundeswehroffizieren ein für ein paar Tage geistlicher Übungen, die werden Sie aber nicht behelligen. Kommen Sie«. Auge wollte zuerst nicht unter dem Tisch hervor; dann weigerte sie sich zu laufen. Sie umschlang mit den Beinen meine Brust, ich stützte sie mit verschränkten Armen, ihr Gewicht lag in meiner linken Armbeuge. Sie hielt sich mit den Zähnen an meiner Nackenhaut fest, mein Kopf zwischen ihrem Kopf und dem Kopf des Mönches. »Vormals war ich moderner Mensch wie Sie«, sagte Märzdörfer, »jetzt bin ich tot, wie Sie sehen. Soviel sehen Sie doch.« Er blickte in die Luft. Wir liefen am MISSIONSMUSEUM vorbei zu den offenen Türen des Gästehauses. Linker Hand kippte die Klosterfront in einen fensterlosen Gang herunter; Märzdörfer in einem wippenden Schritt, immer eine halbe Körperlänge voraus, seine Schuhspitzen rissen den Stoff der Kutte nach vorn und den Körper mit. »Sie schreiben also Berichte an den lieben Cartago. Aber Nachrichten herbeischaffen heißt nicht unbedingt, daß Männer sterben, Beischlaf abgefilmt oder Gesichter zu Brei geschlagen werden, Herr Messer«, sagte Märzdörfer. »Genauso gut könnten Sie jeden Stein der Klostermauer mit einer roten Nummer versehen, jeden einzelnen Stein abfotografieren, jedem Stein einen Namen geben; vielleicht werden Sie das auch tun. Mehr Sinn hätte es, als Berichte gegen Schecks zu tauschen. Sicher gibt es auch keinen klaren Auftrag von Cartago. Wohin Sie geschickt werden, ist Ihnen doch gleich; warum nicht in ein Kloster, als Knecht von Cartago. Sie nehmen die durchgekauten Mitteilungen der Informanten an, hastig am Morgen oder untertags aus der Lunge gespien und gierig aufgefressen. Diesmal also ein Mönch, also Beobachtungen, also Berichte. Also einen Feldstecher als Vorwand für Beobachtungen, eine Kamera zur Vortäuschung eines unbestechlichen Gedächtnisses, ein Bandgerät als Beweis einer rücksichtslosen Verständigung. Dazu die zweifelhafte Arbeit eines halben Jahres. Die noch zweifelhafteren Ergebnisse. Und das haben Sie herausgefunden: Die ehemalige Gattin des Mönches Märzdörfer ist Pianistin, und vielleicht haben Sie Cartago mit Legenden aus ihrer zähen Vergangenheit und ihrem ebenso zähen Liebesleben ergötzt. Und Sie wissen bis heute nicht, warum diese Frau zu beobachten war; auch in diesem Fall keine eindeutige Anweisung. Die Pianistin lebt in Hotelzimmern, ein Konzert hat sie mindestens sieben Monate nicht gegeben. Doch um diese Frau geht es nicht, sonst wären Sie nicht in diesem Männerkloster. Sie werden dafür bezahlt, daß Sie nichts wissen. Wie halten Sie das aus! Und Sie halten es vorzüglich aus. Hier können Sie sich erholen.« Märzdörfer schaute mich nicht an, aber er sprach laut genug. Das Dutzend laubloser Bäume neben dem Bronzetor war dem Plan zufolge der Gästepark. Mit jedem Schritt glich sich die Farbe der Bäume der Farbe des Mauerwerks links und rechts und vorn und im Rücken an. Ich drehte mich um und ging zurück. »Aber das Mittagessen!« rief Märzdörfer. »Um zwölf Uhr im Gästerefektorium für alle Besucher des Hauses!« Im GASTHOF ZUR POST warf ich mich aufs Bett. Auge schrie das Haus zusammen.

Freitag
Den Wirtsleuten gehen wir aus dem Weg. Neugierige Gäste aus dem Ort, die an den Tischen um uns herum essen, beachten wir nicht. Die übrigen Klosterbesucher verköstigen sich wohl aus der Abtei. Wir sind die einzigen Gäste, die hier übernachten. Die Möglichkeiten für Spaziergänge sind trostlos. Die Klostermauer verläuft eng zwischen Straße und Gästetrakt; die übrigen Grenzen sind mit Drahtzäunen oder Eisengittern gezogen. An das Quadrat der Wohngebäude mit der Abteikirche schließt sich ein neuerbauter Krankentrakt an, verbunden mit der einst freistehenden

Bibliothek. Um sie herum gruppieren sich Klosterpark, Wirtschaftsgebäude und Internat.
Der Ort besteht aus Fertighäusern; ihre Bewohner arbeiten in der Abtei. Abgezirkelte Felder ringsum, braun und kahl. In den übrigen Jahreszeiten vielleicht Getreide, Rüben, Raps. Einen Horizont gibt es nicht. Die Abtei ragt heraus, wenigstens von weitem, und jeder der vier Türme für sich aus den Ecken der Abteikirche. Die Lörrach tritt zwischen Straße und Kirchenvorplatz unter der Straße hervor und versinkt in der Höhe der Kirchenfont hinter einem senkrechten Gitter im Boden. Auge läßt sich nur noch tragen; setze ich sie ab, schaut sie auf die Erde und rührt sich nicht von der Stelle.

Montag
Der Mönch Märzdörfer erwartete uns an der Pforte. Es gibt ein Telefon im Gasthof, er rief vor wenigen Tagen an. Er wolle mir die Abtei »vorführen«. »Zwei gegen Cartago«, sagte er, aber es klang falsch.

»Was Sie hier sehen«, sagte Märzdörfer, »kennen Sie alles. Wahrscheinlich besser als ich.« Wir gingen in den Klosterpark, nachdem er mit einem Dreikantschlüssel ein Tor im Zwischentrakt aufgeschlossen hatte. Auge und ich trugen Mäntel, aber nur wegen der Winterzeit. Auge war schon am Weiher und schlug mit steinernem Gesicht ihren Beutel aufs Wasser. Der Mönch Märzdörfer bereitete offensichtlich einen Gesprächsanfang vor. Wir liefen auf einen Baum zu; eingezäunt von feinmaschigem Draht, auch nach oben hin; ein grauer Würfel unter den kahlen Bäumen. Auge sprang jetzt voraus und drückte ihr Gesicht ans Netz. Sie sagte: »Rabe.« Märzdörfer zauderte; er entriegelte die Drahttür, und Auge betrat die Voliere. Drinnen waren drei Raben; zwei schliefen im Geäst, einer flog Auge auf den Kopf und hakte sich in ihrer Mütze fest. Sie stand ruhig, und der Rabe fing an zu schreien. Sie ging langsam um den Baum, ihre ausgestreckte Hand blieb in Berührung mit dem Stamm, der schreiende Vogel auf ihrem Kopf. Auge wird die Voliere nicht mehr verlassen. Die drei Raben werden nicht mehr im Käfig sein, wenn Auge ihn verlassen hat. Der Rabe schrie; Auge gurgelte in fremden Lauten.

An diesem Tag gibt es keinen Anfang.

BODO MORSHÄUSER

Die wandernde Seele

Mein drittes Tageserwachen kam um Mitternacht. Ich schlenderte zu einem Nachtcafé, wo man am Fenster sitzen und nach draußen blicken kann. SIE saß einen Meter vor mir und starrte, ohne es zu verheimlichen, mein Abbild auf der Scheibe an. Erst war ich geschmeichelt, dann wurde ich nervös.

Erinnern ist Vergegenwärtigen. Sie holt zwei Bier und rutscht an meinen Tisch. Ich frage sie, was sie an meinem Hals will mit beiden Händen. Wir hatten noch kein Wort gesprochen. Sie preßt ihre Daumen auf meinen Kehlkopf. Ich muß sie packen, um nicht erwürgt zu werden. Mit erhobenem Bier und rollendem R sagt sie Prost, lehnt sich zurück, sieht wieder nach draußen und auf mich auf der Scheibe. Ich könnte sie würgen und tu es nicht. Die Spätvorstellungen waren zu Ende und auf den Straßen verlief sich das letzte nächtliche Treiben. Abgesehen von einer dunkelroten Wollweste und dunkelroten Mocassins war sie ganz in Schwarz; an ihrer Stuhllehne hängt ein grobmaschiger rosa Netzbeutel mit einer Menge kleiner bunter Schachteln darin, die klappern, wenn sie ihren Stuhl kippt. Eine Schachtel hat die Aufschrift ADHESIVE WOUND DRESSING. Die Frau hat ein weiches Gesicht und ist bemüht, ihm einen gnadenlosen Zug zu geben. Drei Finger ihrer rechten Hand sind mit Pflastern beklebt. Das Lokal ringsherum ist längst verschwunden, in ein Nichts entwichen. Ich will sie berühren, sie zuckt weg. Sie stößt mir ihr Knie in den Oberschenkel. Immer wird sie dir einen Schlag voraus sein, denke ich. Sie sagt, sie heiße Sally. Pause. Sie könne nicht weinen.

Pause. Auf Englisch klingt das phantastisch. Den Namen Sally habe sie später angenommen, in Wirklichkeit heiße sie Sarah, aber diese Zeit sei vorbei. Pause. Zum letzten Mal habe sie geweint, als sie einen Orgasmus hatte... Keine Frage war so abwegig wie die, warum sie mir das erzählte. Und doch stellte ich sie mir vor – ergebnislos –, als sie ihren Netzbeutel von der Lehne nahm und davonschwenkte, und ich las ANTISEPTIC CREAM. Alle Bierdeckel auf ihrem Tisch waren zerbrochen und zu einem Häufchen getürmt. Als sie wiederkommt, sind um die Finger neue Pflaster geklebt. Sie legt ihren Netzbeutel auf den Tisch. RUBBER BANDAGE. Sally lächelt. Das ist keine Täuschung. Ganz lange und gleichmäßig lächelt sie mich an und ich halte der Ewigkeit ihres vorsätzlichen Blicks nicht stand und finde es dann blöd, nur vorsätzlich zu gucken. Ihr Haar ist von einem erträumten Schwarz, und voll. Strähnen hängen vor ihrem rosigen, unangegriffenen Teint. Die Augen glänzen. Sie klappt einen Handspiegel auf und tupft grüne Salbe auf eine kleine Wunde an der Schläfe.

Wir haben längst bezahlt und sind gegangen. Sie hakt sich ein und redet, als hätte ich sie gefragt, woher sie komme und was sie mache. »Die Schule war aus, man wurde ernst oder heiratete, meistens beides. Mit London war ich am Ende. Ich kannte es zu gut. Auch Paul zu verlassen war möglich. Mit Laura aus Berlin zog ich durch Südfrankreich. Als wir zurückwaren, bekam ich den Job in der Küche. Berlin ist gut. Ich schreibe meinen Eltern Briefe und erkläre ihnen, was Sarah in Berlin tut, nicht aber, was Sally erlebt.« Anfangs wollte sie nicht hierbleiben. Nun ist sie geblieben, und damit ist es ihr wie vielen ergangen. Das Bild, von dem ich denke, daß wir es abgeben, hätte auf mich als Betrachtenden anziehende Wirkung. Es ist von der Gestalt, daß wir lediglich die Gestalten des Bildes sind; nicht Menschen etwa, nach denen zu fragen wäre. Das sind wir zu allen anderen

Stunden. Wenn ich uns sähe, sähe ich uns als Vorschlag, doch in die uns spiegelnden Scheiben blicke ich nicht.

»Warum fragst du mich nicht, ob ich einen Unfall gehabt habe?« Sie kneift mich, ich kneife sie. »Weil du davon sprechen willst. Dabei hast du gar keinen Unfall gehabt.« Immer noch kneifen wir uns in die Arme, es tut höllisch weh. »Woher weißt du das?« Vor Schmerzen müssen wir lachen und trotten ineinander verhakt weiter. Ich kannte diese Straßen und Plätze alle, aber sie alle waren ein Irgendwo, eine Ebene, egal welche, durch die man ziehen konnte. Ich bin erregter als ich scheinen möchte. Ich warte auf den Augenblick, in dem sie beginnt, mich zu missionieren. Sie hat doch etwas zu verkünden, denke ich. Sie sagt: »Ich glaube, du übertreibst in beiden Fällen. Welche Blutgruppe hast du?« – »Wer sagt das?« – »Mir sagt es einiges.« – »Ich kenne meine Blutgruppe nicht.«
Noch nie hatte sich jemand derart in meine Selbstgespräche eingemischt, so daß ich es vermeiden will, Selbstgespräche zu führen, aber was ich auch tu, es entsteht aus allen Abstellversuchen immer wieder neues Selbstgespräch, -geraune und -gemurmel. Sally wird sich amüsieren.

In einer Bar stellten wir uns an die Theke und wurden nicht bedient. Der Barkeeper, ein Grieche, wollte gerade seinen letzten abweisenden Blick austeilen, als Sally fragte, ob es einen Platz für zehn Personen gebe. Er führte uns in ein Nebenzimmer und brachte Bier. Sally kippte ihren Netzbeutel aus, und der Inhalt eines Erstehilfekastens lag auf dem Tisch. Außerdem blitzende kleine Messer; Antiquitäten mit handgefertigten Einfassungen. »Alles wegen Laura. Einmal bin ich gestürzt, in den Felsen der Kalanken von Cassis. Am Beckenknochen riß ich mir die Haut auf, zehn Zentimeter lang. Ich blieb liegen, bis die Sonne untergegangen war. Ich schaute auf mein Blut, ich schaute auf mein

Blut... Ich dachte: du mußt dich verbrauchen. Nein, ich dachte nicht ans Glück. Das war ja gerade vorbei. Ich bin Augenmensch, ich muß sehen. Manchmal will ich mein Blut sehen. Es ist von mir. Nie denke ich, daß es feucht ist. Ich liebe seine Farbe und auch die Heilung (The Cure), wenn die Häute sich schließen. Ich will mir ein Gewebestück aus dem Arm schneiden und es aufbewahren. Alles für Laura. Gegen Laura. Sie kann kein Blut sehen, besonders meines nicht. Ja, unsere Liebe, das ist eine Kette von Zurückweisungen.« Der Barkeeper bringt wieder Bier. Sally sagt ihm, die Band könne nicht nachkommen, die Jungs müßten eine Zugabe nach der anderen spielen. Ohne die Spur eines Kommentars dreht der Grieche ab. Als wir auf die Straße traten, war das Licht fahl, blau und kalt wie eine Klinge. Wir suchten uns einen Weg durch den Stadtpark.

Ich werde müde, bin es nicht gewohnt, Bier zu trinken. Sally geht wie ein Junge, vielleicht auch wie ein Mädchen. Etwas völlig Einfaches geht von ihr aus, und ich denke: wenn jemals etwas kompliziert mit uns werden sollte – so hat es nicht angefangen. Still nebeneinander hertrottend beweisen wir, daß wir zu anderem fähig sind. Jetzt straft mich eine Stimme, weil ich an Zukunft in Form von kommenden Tagen denke. Die Zukunft, das war jetzt, sagt die Stimme. Sally wird sich amüsieren.

Wir setzen uns auf die Bank eines Spielplatzes. Sie desinfiziert ein silbernes Taschenmesser und gibt es mir. Es lassen sich zehn oder acht kurze Klingen aus ihm ziehen. Alles ist selbstverständlich. Ich reiße mir einen drei Zentimeter langen Schnitt in die Außenseite der linken Hand. Sie zieht einen Schuh aus; schnippelt über dem Knöchel. Bei mir kommt das Blut zuerst und überschwemmt die Schnittkanten. Jetzt bei ihr. Sie beugt sich über meine Wunde und leckt das Blut ab. Mit dem Finger fische ich etwas von ihrem

Knöchel. Es schmeckt nach nichts. Was werde ich getan haben? Ich denke, sie schweigt mehr als ich, sie ist versunkener, besser aufgehoben. Wahrscheinlich unterscheidet uns, daß ich jetzt denke. Ich schließe die Augen und höre den Straßenverkehr. Andere gehen an dieser Stelle mit offenen Mündern aufeinander los. Es ist kühl geworden, und wir kauern uns aneinander.

Von dem Traum, den ich hatte, weiß ich nichts. Das verdanke ich einer Göre im Vorschulalter, die uns weckt, weil sie immerzu plärrt »Das macht man nicht«. Im Hintergrund zählt ihre Mutter die Maschen. Für sie sind wir nicht da. Sie ist der Typ, der lächelt, wenn wir gehen. An sowas überhaupt denken zu müssen! Unsere dummen Gesichter scheinen sich auf das des Mädchens zu übertragen. Sally gibt ihr einen Tritt, und sie heult fort. Obwohl Sally sagt, daß sie es eilig habe, zur Arbeit, in die Küche zu kommen, gar schon zu spät sei, bleibt sie stehen, schaut sich um, mich an, nickt und geht grinsend weiter. Auch ich spüre, daß es sich, bei aller Eile, nicht schneller geht. »Wir werden uns an diesen Tag nicht erinnern«, sagt sie, »wir werden ihn für den kommenden Tag halten.« Sie meint das eher als Bitte. Ich umarme sie, und sie schmiegt ihren Kopf in meine Achselhöhle, bis zur Ubahn Richtung Ruhleben. Ein Selbstgespräch in Englisch führend stolpere ich nach Hause.

Ohne Schlaf, ist an Schlaf nicht zu denken. Dauernd fällt mir etwas aus der Hand. Ich habe nichts, keine Anschrift, keine Nummer von ihr. Komme nicht, wohin auch?, von diesem Küchentisch hoch. Tattergreis. Was ist, sprengt auseinander. Wie sehe ich sie wieder? Es gab nur den Augenblick, und keinen Gedanken an den nächsten. Ein schwacher Trost, unter zwei Millionen. Ich fragte »Welche Farbe hat Berlin?« Sie sagte »Grün«. Ich muß sie finden. Ich sehne mich nach einem Zustand, den sie mir verspricht. Möglicherweise nannte ich, was ich ersehne, früher Petra, Helene, Gisela, Irene, Charlot undsoweiter. Einmal nannte ich es Grüner Füllfederhalter. Ein anderes Mal Renault 16. Ganz zu schweigen von der Südsee. Meistens sehne ich mich, weil selten alles da ist. Ich nenne diesen Zustand Sally. Nahezu glücklich über diesen Anflug eines Gedankens, und schon reißt mir das Küchenmesser beim Zitroneschneiden einen Finger auf. Blut!

Nach einem Traumtee lassen die Zuckungen nach, der Tolpatsch geht.

Ich bin verschmiert. Habe ihren Lippenstift vom Ohr aus über die Wange gestrichen. Rot am Hemdkragen. Ich waschs nicht ab. Hemd aus der Hose, Blut darauf. Ich werde nichts verändern. Gerötete Lidränder, die Augen in die Höhlen gesunken. Ich bin mein Stamm, wer trommelt mit mir, während Fela Kuti singt?

PETER SLOTERDIJK

Sapere aude!

»Sapere aude! Habe Mut, dich deines *eigenen* Verstandes zu bedienen! ist also der Wahlspruch der Aufklärung« – so hatte Immanuel Kant in seinem berühmten Aufsatz *Was ist Aufklärung?* von 1784 die Parole der noch selbstgewissen neuzeitlich-subjektiven Vernunftlehre formuliert. Mit skeptischem Optimismus traute sie es sich zu, durch subjektive Anstrengungen mit den Welttendenzen fertig zu werden, die den Maßstäben der Vernunft »noch« nicht gehorchten. Das Selberwissenkönnen, zu dem Kant aufrief, stützt sich auf die vitale Qualität eines Mutes, dem die moderne Verzweiflung an den »Verhältnissen« fremd ist. Wenn uns auch Kant den Gedanken an »objektive Zwecke« in der Natur verboten hat, orientiert sich sein Philosophieren zwar nicht an einer übergeordneten Weltvernunft, aber an der Zuversicht, von uns her Vernunft in die Weltverhältnisse hineintragen zu können. Insgeheim rechnet auch die klassische Aufklärung damit, daß die »Natur der Dinge«, als ob sie doch darauf vorbereitet wäre, unseren Zwecken zu gehorchen, den Anstrengungen der subjektiven Vernunft das größte Stück des Weges schon entgegengekommen ist. Indem er den Verstandesgebrauch eng an das mutige Vertrauen bindet, verrät Kant, daß er, obwohl die Vernunft kritisch-diskret auf Leistungen der Subjektivität beschränkt werden soll, in seinem außerkritischen Weltbezug sich auf ein großes stummes »Entgegenkommen« der Natur auf Vernunft hin verläßt. Der Mut ist es, der aufklärerisches Denken an vernünftige Lenkung der Weltverhältnisse denken läßt. Er deutet auf das Lassen, in welches sich auch das Tun der Aufklärung strukturell eingebettet wissen muß. Wo sich die Aufklärung ihr *Gelingen* verspricht, hat sie die Struktur eines mutig-spontanen Sich-denken-und-machen-Lassens, das darauf vertraut, daß unser Erkennen und Tun nicht blind subjektiv an allen Tendenzen des Wirklichen vorbeistürzen, sondern an den Strebigkeiten und Kräften der Welt kreativ und sachgehorsam anknüpft, um schließlich im Sinne vernünftiger Zwecke »mehr daraus zu machen«.

Hieran mag angesichts gewesener und drohender Weltkatastrophen das heutige geschichtsfrustrierte Lebensgefühl nicht mehr recht glauben. Oft zeigt es sich äußerst unmutig, sich »des eigenen Verstandes zu bedienen«. Da sie ihren Vernunft-Mut weitgehend verloren haben, sind die Erben der Aufklärung heute nervös, zweiflerisch und forciert-illusionslos auf dem Weg in den globalen Zynismus; nur in der Form von Hohn und Widerruf scheinen Anspielungen auf die Ideale humaner Kultur noch erträglich. Zynismus, als *aufgeklärtes falsches Bewußtsein*, ist eine hartgesotten-zwielichtige Klugheit geworden, die den Mut von sich abgespalten hat, alle Positivitäten a priori für Betrug hält und darauf aus ist, sich nur irgendwie durchzubringen. Wer zuletzt lacht, lacht wie im Pleura-Schock. Das zynische Bewußtsein zieht die Summe aus den »schlechten Erfahrungen« aller Zeiten und läßt nur noch das aussichtslose Einerlei der harten Fakten gelten. Der moderne Zynismus ist das Knäuel, in dem sich alle »Schlangenwendungen einer unmoralischen Klugheitslehre« (Kant, *Zum ewigen Frieden*) ineinanderschlingen. In der neuzynischen Attitüde vollenden sich weltgeschichtliche Lernprozesse der Bitterkeit. Sie haben die Spuren der Tauschkälte, der Weltkriege und die Selbstdementierung der Ideale in unsere erfahrungskranken Bewußtseine eingeprägt. Hoppla, wir leben; hoppla, wir verkaufen uns; hoppla, wir rüsten auf; wer früher stirbt, spart Rentenbeiträge. So garantiert Zynismus die erweiterte Reproduktion des Vergangenen auf dem neuesten Niveau des jeweils Schlimmsten. Darum haben Prophezeiungen eines baldigen selbstgemachten Weltuntergangs so große Konjunktur; »habe Mut, dich deiner eigenen Bombe zu bedienen«. Wie im Fieber redet der zynisch entfesselte Realismus mit Warnungen vor uns selbst die Wahrheit. In makabren Angsträuschen ziehen die panischen Subjektivismen durch die Medien und sprechen von Endzeit: »Merkt auf, merkt auf, die Zeit ist sonderbar/Und sonderbare Kinder hat sie: uns.« Sind wir nicht geworden, wie Descartes uns konzipierte? – die *res cogitans* in den Lenkkopfraketen? Das abgetrennte Ding-für-dich inmitten von seinesgleichen? Wir sind das Metall-Ich, das Block-Ich, das Plutonium-Ich, das Neutronen-Ich, wir sind die Bunker-Bürger, die Artillerie-Subjekte, die Raketen-Rentner, die Kanonen-Aktionäre, die Sicherheits-Lemuren, die Panzer-Pensionäre, die Apokalyptischen Reiter des Sachzwangs und die Phantom-Pazifisten, die mit der nuklearen Freistilethik für die bessere Sache werben. Nur die größte Unverschämtheit hat noch Worte für die Wirklichkeit. Nur die anarchische Verwahrlosung findet noch einen Ausdruck für die zeitgenössische Normalität. Wie seit den Tagen des Diogenes haben die Systemträger ihr Selbstbewußtsein an die scheinbar Verrückten verloren. Sie haben nur noch die Wahl zwischen der falschen Selbsterfahrung im kollektiven Selbstmord und dem Selbstmord der falschen Subjektivität in wirklicher Selbsterfahrung.

Sapere aude! bleibt der Wahlspruch einer Aufklärung, die auch im Zwielicht modernster Gefahren der Einschüchterung durchs Katastrophale widersteht. Nur aus ihrem Mut kann sich noch eine Zukunft entwickeln, die mehr wäre als die erweiterte Reproduktion der schlimmsten Vergangenheit. Solcher Mut speist sich aus den so dünn gewordenen Strömen der Erinnerung an ein spontanes, von niemandem gemachtes In-Ordnung-sein-Können des Lebens. Wo die alten Lehren von »objektiver Vernunft« zu sprechen versuchten, wollten sie in einer seit dem Beginn der hochkulturellen Ära durchaus »entfremdeten« Welt in therapeutischer Absicht auch daran erinnern, daß die Dinge vielleicht wieder in Fluß und Ordnung kommen können, wenn wir als Subjekte abrüsten und von seriös getarnten, zerstörerischen Aktivismen ins Seinlassen zurücktreten.

Darf man aber so etwas heute überhaupt noch sagen? Ist das Bündnis unserer Rationalität mit »Realismus« und Zynismus insgeheim schon so verfestigt, daß sie von einer anderen Vernunft als der aktivistischen nichts mehr wissen will? Mit dieser Frage kommt unsere Untersuchung als kritische an ein Ende. Was wäre noch hinzuzufügen? Es gerieten nun Erfahrungen ins Spiel, auf die man nur dunkel hinweisen kann, ohne daß uns Beweise zu Hilfe kämen; worüber man nicht argumentieren kann, davon sollte man bei besserer Gelegenheit erzählen. Es geht um Erfahrungen, für die ich kein anderes Wort finden kann als das überschwengliche vom gelungenen Leben. In unseren besten Augenblicken, wenn vor lauter Gelingen auch das energischste Tun im Lassen aufgeht und die Rhythmik des Lebendigen spontan uns trägt, kann sich der Mut plötzlich melden wie eine euphorische Klarheit oder ein wunderbar in sich gelassener Ernst. Er weckt in uns die Gegenwart. In ihr steigt die Wachheit mit einem Mal auf die Höhe des Seins. Kühl und hell betritt jeder Augenblick deinen Raum; du bist von seiner Helle, seiner Kühle, seinem Jubel nicht verschieden. Schlechte Erfahrungen weichen zurück vor den neuen Gelegenheiten. Keine Geschichte macht dich alt. Die Lieblosigkeiten von gestern zwingen zu nichts. Im Licht solcher Geistesgegenwart ist der Bann der Wiederholungen gebrochen. Jede bewußte Sekunde tilgt das hoffnungslose Gewesene und wird zur ersten einer Anderen Geschichte.

THOMAS BERNHARD

Wien

Die Joana hat sterben müssen, hat sich umbringen müssen, damit wir wieder zusammenkommen, habe ich auch noch zur Auersberger gesagt und sie dann kurz umarmt und ihr, wie gesagt, einen Kuß auf die Stirn gegeben und war hinuntergelaufen über die Treppe und auf die Straße, fortan durch alle jetzt von mir gegangenen Straßen damit gepeinigt, der Auersberger alles Gesagte nur vorgelogen zu haben und ganz bewußt ihr alles und jedes Gesagte vorgelogen zu haben. Denn ich haßte die Auersberger in Wahrheit nach diesem *künstlerischen Abendessen* genauso, wie ich sie vorher gehaßt habe und den Auersberger, den *Novalis der Töne* und den schon in den Fünfzigerjahren steckengebliebenen Webern-Nachfolger, mit ihr mit einem vielleicht noch intensiveren Haß, mit diesem *Auersbergerhaß*, mit dem ich die Auersbergerischen jetzt schon seit zwanzig Jahren hasse, wie ich denke, weil sie mich damals, vor zwanzig Jahren, in so niederträchtiger Weise hintergangen und ausgerichtet haben, heruntergemacht haben bei jeder Gelegenheit vor allen Leuten, mich so schlecht gemacht haben, nachdem ich sie verlassen hatte, nur um mich selbst zu retten, nur, um nicht aufgefressen zu werden von ihnen, nachdem *ich ihnen den Rücken gekehrt hatte, nicht sie mir,* wie sie es immer behaupteten und nach wie vor behaupten, wie sie es diese ganzen zwanzig Jahre bis heute immer behauptet haben und behaupten, *ich* hätte sie ausgenützt, *sie* hätten mich jahrelang ausgehalten, *sie* hätten mich jahrelang am Leben erhalten, während es doch in Wahrheit so ist und so gewesen ist, daß *ich sie am Leben erhalten* habe, daß *ich sie gerettet* habe, daß *ich* sie, wenn auch nicht mit Geld, so doch mit meinen Fähigkeiten insgesamt, ausgehalten habe, nicht umgekehrt und ich lief durch die Gassen, als wäre ich einem Alptraum davongelaufen, schneller und schneller in die Innere Stadt hinein und ich wußte, während ich lief, nicht, warum in die Innere Stadt hinein, während ich doch genau in die der Inneren Stadt entgegengesetzte Richtung hätte laufen sollen, wenn ich nachhause wollte, aber wahrscheinlich wollte ich jetzt gar nicht nachhause und ich sagte mir, wäre ich doch auch diesen Winter in London geblieben und es war vier Uhr früh und ich lief in die Innere Stadt hinein, obwohl ich nachhause hätte laufen sollen und sagte mir, daß ich unter allen Umständen in London hätte bleiben sollen und lief in die Innere Stadt hinein, ohne zu wissen, warum in die Innere Stadt und nicht nachhause und sagte mir, daß mir London immer Glück, Wien aber immer nur Unglück gebracht hat und ich lief und lief und lief, wie wenn ich jetzt in den Achtzigerjahren noch einmal den Fünfzigerjahren davon liefe in die Achtzigerjahre hinein, in diese gefährlichen und hilflosen und stumpfsinnigen Achtzigerjahre hinein und ich dachte wieder, daß ich, anstatt auf dieses abgeschmackte *künstlerische Abendessen* zu gehen, lieber in meinem Gogol oder in meinem Pascal oder in meinem Montaigne hätte lesen sollen und ich dachte, während ich lief, daß ich dem auersbergerischen Alptraum davon laufe und lief tatsächlich mit immer größerer Energie diesem auersbergerischen Alptraum davon in die Innere Stadt und dachte während des Laufens, daß diese Stadt, durch die ich laufe, so entsetzlich ich sie immer empfinde, immer empfunden habe, für mich doch die beste Stadt ist, dieses verhaßte, mir immer verhaßt gewesene Wien, mir auf einmal jetzt wieder doch das beste, mein bestes Wien ist und daß diese Menschen, die ich immer gehaßt habe und die ich hasse und die ich immer hassen werde, doch die besten Menschen sind, daß ich sie hasse, aber daß sie rührend sind, daß ich Wien hasse und daß es doch rührend ist, daß ich diese Menschen verfluche und doch lieben muß und daß ich dieses Wien hasse und doch lieben muß und ich dachte, während ich schon durch die Innere Stadt lief, daß diese Stadt doch meine Stadt ist und immer meine Stadt sein wird und daß diese Menschen meine Menschen sind und immer meine Menschen sein werden und ich lief und lief und dachte, daß ich, wie allem Fürchterlichen, auch diesem fürchterlichen sogenannten *künstlerischen Abendessen* in der Gentzgasse entkommen bin und daß ich über dieses sogenannte *künstlerische Abendessen* in der Gentzgasse schreiben werde, ohne zu wissen, was, ganz einfach *etwas* darüber schreiben werde und ich lief und lief und dachte, ich werde *sofort* über dieses sogenannte *künstlerische Abendessen* in der Gentzgasse schreiben, egal was, nur *gleich* und *sofort* über dieses *künstlerische Abendessen* in der Gentzgasse schreiben, *sofort*, dachte ich, *gleich* immer wieder, durch die Innere Stadt laufend, *gleich* und *sofort* und *gleich* und *gleich*, bevor es zu spät ist.

JÜRG LAEDERACH

Conversation

1 Kein Anruf will kommen. Ich sitze an der 82. Straße, nein, an der 83., nein an der 81.; habe vergessen, wo. Kein Anruf will kommen und mich herausreißen aus der Gesellschaft mit mir selbst, die ich nur zu gut kenne. Sie ist es, die mich tief krank macht und mich zu Tränen rührt, die, wenn sie fließen, keine Tränen der Rührung sein werden. Ein Anruf muß jetzt kommen vom Village herauf und mich in Gesellschaft bringen. Kein Anruf kommt, die Klingel geht nicht.

2 Ich kann nur noch zur schärfsten Provokation greifen, nach welcher ein Anruf immer kommt, weil ihm nichts anderes übrigbleibt; mich nämlich nackt ausziehen, den Apparat weit weg stellen und mich in die Badewanne legen, selbstverständlich mit eingelaufenem Wasser. Ich werde, dies eine Eigenheit, beim Ausziehen nie nackt; ich kann mich ausziehen, solange ich will. Ich habe dies schon oft versucht, nämlich, nackt zu werden beim Ausziehen, aber es ist mir nie geglückt.

3 Ich ziehe mich aber länger aus als die meisten. Da ich meine Kleider auf einen Haufen werfe, mit untergeschobenem Stuhl, oder, seit ich hier wohne, ohne untergeschobenen Stuhl, türmen sich meine Kleider zu einer ansehnlichen Beige: es ist ein Stapel, der herumliegt. Es ist nicht ausgeschlossen, daß sich unter den bereits ausgezogenen Kleidern, aber noch immer einige Schichten tiefer als die im Augenblick gerade sichtbaren Kleider, neue Kleider erzeugen; entweder erzeugt meine Haut

diese neuen Kleider, oder die neuen Kleider wachsen zwischen zwei Schichten älterer, bereits getragener Kleider. Jedenfalls werde ich nie nackt. Da läßt sich nur ahnen, was geschähe, gelänge es mir.

4 Meine Bedürfnisse, obviously, alles geht in die Kleider, aber zu fühlen ist nichts, es ist mir nicht anzumerken. Einmal ein Stückchen Haut; dies meine Klage.

5 Während die meisten menschlichen Wesen ein zweites nackt zu sehen wünschen, hege ich denselben Wunsch in bezug auf mich selber; die Erfüllung scheint schwieriger, als meiner geschäftigen Energie zuträglich. Wie ich aussehe, weiß ich; ließ mich röntgen, nicht ganz tief. Strahlen schälten mich heraus. Besonderes war nicht festzustellen, alles also demnach umso unerklärlicher.

6 Mehrere Stunden lang ziehe ich mich aus, das bin ich mir schuldig. Gelübde: Jedesmal wenn ein Versuch, einen Blick auf mich zu werfen, ohnehin im Tagesablauf liegt, wird er unternommen; mit einer Begeisterung minderer Art, versteht sich. Viele Stunden lang ziehe ich mich aus, werde mich viele Stunden sodann wieder anziehen müssen. Soeben kam die Lokaltracht des niederträchtigen Clowns zum Vorschein, abgelegt, dann der ölverschmierte Garagen-Reparateur-Dreß, abgelegt, dann der Cut, also, der entschwänzte Smoking, im Ablegen begriffen. Es scheint gerade die Hose des Geflügelkochs hervor, ah, die Küche war heut fleißig.

7 Viele Stunden, bestimmt aber über mindestens eine Nacht, werde ich mich wieder anziehen müssen, sobald der Anruf gekommen sein wird. Nach meinem Einstieg geht das Wasser der Wanne bis zum Bord, und der Koch, der ich bin, fing Luft, seine Kleidung bläht sich.

8 Diesmal wirkt die ausgedehnte Beschwörungsformel nicht. Ich liege in der Wanne, bin mit Schaum bedeckt, bin auch mehrere Stunden lang immer wieder in die Wanne gestiegen, aus der Wanne ausgestiegen, um abermals etwas abzunehmen von mir, bis ich ganz und reglos in der Wanne gelegen habe, liege jetzt unter dem zum Rinnsal kleingedrängten Wasserspiegel, den ich bis zum Bord hinaufgetrieben habe, tief in der Wanne, zwei Knie noch mit den unter Lederschonern liegenden Menisken an der freien Luft, und genau an dieser mit den Lederschutzen versehenen Kochhose, an diesen beiden aus der irisierenden Schaumfläche ragenden Knien, friere ich.

9 Es ist nicht auszuhalten. Ich habe mich, seit ich mich hier oben an der 79., nein, an der 76. – alles vergessen – nämlich: hier oben zum erstenmal zu wundern anfing, warum kein Anruf komme, ganz grundsätzlich verändert, hin zu einer größeren Wehrlosigkeit und Ausgeliefertheit. Vielleicht müßte ich wieder zum Röntgen gehen, es mag sich allerlei verändert haben darunter. Ich fülle noch etwas Wasser nach.

10 Das Grundsätzliche ist deutlich. Ich provoziere mit den schärfsten Mitteln jenen Anruf, der nicht kommen will. Unverständlicherweise bleibt er aus, obschon Millionen Menschen im Augenblick an mich denken. Sie scheinen es nicht zu wagen. War es früher das Natürlichste, daß die Anrufe der Millionen, die an mich dachten, nicht ankamen, so ist es jetzt das Unerklärlichste geworden, da ich mir für diese Anrufe nun die größte Mühe gebe.

11 Die Millionen fürchten, andere Millionen lägen ihnen auf der Leitung, zu mir sei kein Durchkommen; damit bleibt der Apparat ungenutzt. Diese Ungenutztheit hat einen weiteren Grund: ich wende offenbar die Beschwö-

rungsformel noch nicht richtig an. Ich habe sie nicht weit genug getrieben. Noch kann ich leicht aufstehen in der Wanne, die Wanne verlassen, triefende Kochhosen, und zum Apparat gehen. Stehe ich vor dem Apparat, kann ich, kommt ein Anruf, sogleich abheben. In dieser leichten Lage kommt bestimmt kein Anruf.

12 Der Apparat muß erst einmal weiter von der Wanne entfernt werden. Kann ich sogleich an ihn herankommen, ist meine Antwort aufs ankommende Gespräch gesichert. Da kommt es nicht. Eine solche Situation nimmt kein Anruf hin, nämlich, daß er zustande kommen soll und nicht bloß, was er lieber tut, leer klingelt. Heute bin ich ziemlich naß, es dringt durch einige Schichten Kleider hindurch. Nicht bis ganz nach innen, zuinnerst bin ich trocken, die Haut kann nicht naß werden.

13 Der eigene Röntgenapparat weist mich auf ein Eindringen bis zur Försterskluft, die weiter unten mir anliegt, hin. Ich vermute, ich bin der Nasseste unter jenen, die sich jemals in eine Wanne gelegt haben. Im Gegensatz zu diesen fließt das Wasser nicht von mir ab, sondern, nachdem es sich augenblicklich getrübt hat, haftet es in den obersten Geweben und macht mich schwer. Jetzt muß ich aus der Wanne steigen, denke ich, und ich tue es gleich auch. Fall nicht hin, denke ich und falle gleich hin; weich. Diese Verdoppelung von Denken und Tun gewöhne ich mir gleich ab.

14 Ich darf kein Bewußtsein haben, weil die Enttäuschungen ins Unendliche wachsen. Angewöhnung gelingt nur schwer. Ich vermute, ich bin der sich selber, sein Denken via sein Tun, am häufigsten verdoppelnde Mensch überhaupt. Ich denke, und dann tue ich, was ich denke. Besser fühle ich mich, wenn ich nicht denke und damit nichts

tue, da ich grundsätzlich nämlich unbeweglich bin und mich nur mit unablässigen Pleonasmen zu einer Bewegung treiben kann. Jetzt muß ich mich bewegen, denke ich, und gleich darauf verdopple ich das, indem ich mich bewege. Jetzt raus mit mir.

15 So denke ich, und dieses im Vor-Anrufs-Stadium stehende Denken wirft meinen mit dem feuchten Film überzogenen, leicht subexponierten Körper in seiner Kochhose, dem Kochhemd aus der Wanne. Dieser Körper darf hier, zwischen der 73. und der 75. Straße, wahrscheinlich aber eher in der 80. Straße, nie die Hauptrolle spielen und wird der Öffentlichkeit, für welche er in diese Kleider gehüllt bleibt, meist vorenthalten, obschon jener, für den er nie da ist, nämlich ich, nun auch wiederum nicht viel von ihm wissen will. Mit einem Zusammenziehen wird dieser Körper in seinen nassen Koch-Kleidern aus der Wanne geschnellt, um aufzubauen jene zusätzlichen Hindernisse, die zwischen dem Badenden und dem Telefonapparat stehen müssen, damit – sobald ich den Hörer nicht mehr abnehmen kann – der Anruf unweigerlich eintrifft und mich herausreißt aus der Gesellschaft mit mir selbst.

16 Zu seiner eigenen Verheimlichung hat dieser Körper sich zu lange ins Wasser gesenkt. Ist er aus dem Wasser, verheimlichen ihn die Kleider. Will er sich ent-heimlichen, offenbaren, hilft ihm dabei nur ein Anruf, bei welchem er sich in die Muschel stürzen kann. Dann kann ich alles sagen, alles entblößen, was jetzt vor mir selbst verborgen bleibt. Dann finde ich, getrieben und unwillkürlich, jene Worte und Werkzeuge, die das nahe bringen, was jetzt, obgleich nah, unendlich fern von mir in Stoffen steckt, in genähten und gebügelten, jetzt nassen, Stoffen.

17 In New York, am oberen westlichen Ende New Yorks zum Apparat gegangen, triefend, er schweigt noch immer, um den Apparat in weitere Entfernung zu stellen. Ich ziehe seine Schnur hinter mir nach. Die Schnur sieht mich von hinten, wie ich den Apparat ins Äußerste dieser eigentümlichen New Yorker Wohnung schleppe. Sie hat Hufeisen-Form.

18 Eine klamm-majestätische Hufeisenform. Dreiteilig. Sie hat ein Zentrum und zwei Flügel, im Zentrum steht die Wanne, zu einem der Flügel, zum Ostflügel, wird der Apparat getragen. Ich ziehe den Apparat hinter mir nach, nachgezogen in den äußersten Rand des östlichen Flügels. Die Wohnung ist weiß gekalkt. Die Sonne blendet. Während des Schleppens könnte ein Anruf kommen; traf nicht ein.

19 Den Apparat lege ich am äußersten Ende des östlichen Wohnungsflügels ab, gehe durch ihr Zentrum, durch den Wintergarten hindurch in die Wanne zurück, in die ich mich fallen lasse. Ein wenig geschabt an meiner äußersten Oberfläche, der Koch-Oberfläche. Der schwanzlose Frack, der Cut, liegt auf dem Stuhl. Plötzlich bin ich wieder ruhig im Wasser. Seine Wellen hören zu schlagen auf. Das sitze ich und bin naß. Und allein; dies ist der Grund des Grundes. New York ruft mich nicht; höchst ärgerlich, und mehr als das. Niederschlagend. Da sitze ich. Erkenne mich selbst nicht mehr, weiß nur, Tränen des Wiedererkennens werden nicht fließen; alles irgendwie geronnen.

20 In der Wanne erneut sitzend komme ich noch immer viel zu leicht zum Apparat. Meine möglichen Wege zu ihm sind mittlerweile Bestandteile seines Tätigkeitsprogramms. In kurzer Zeit hat er an Heimtücke gewonnen.

Er hat meine Vorbereitungen durchschaut. Niemals mehr würde er jetzt einen Anruf durchlassen in meine immer stärker zementierte Abgeschiedenheit, Isolation, Einsamkeit, die doch an nichts anderes denkt als an ihr Hinaus; er bewacht meine Wege zu ihm, die ich, nachrechnend, ebenfalls als zu leicht gangbar einschätze.

21 Unter diesen Umständen trifft kein Anruf ein, es kann kein zweiter New Yorker Mensch sich melden, dem die Meinung zu sagen oder vielmehr die Meinung zu verheimlichen sich lohnen könnte. Ich vermute, die Leichtigkeit der Zurücklegbarkeit dieses doch nunmehr schon halb-ewigen, nämlich mehrere Minuten langen Hörer-Abhebe-Weges liege nur noch in der Schnelligkeit meines Aus-der-Wanne-Kommens begründet. Im Bedarfsfall bin ich tatsächlich nur langsam beim Apparat, bin aber schnell aus der Wanne heraus. Aus warmem Wasser bin ich einer der schnellsten Aussteiger geworden, also muß ich mir dies erschweren.

22 Ich werfe also Schaum aus Eimern über mich, nehme eine große Bürste und fange an, die oberste Schicht meines Koch-Seins abzuschaben von mir, der zweite Cut kommt hervor, er wird angekratzt, lange Reinigungsversuche, die schlechthin nicht mehr abzubrechen sind, es wäre denn mit einem Anruf von außen. New York beschmutzt die darin lebenden Menschen in einem Maß, daß nur die vollkommenste Mythologisierung noch hilft; immerhin steckt man ja in New York, diese Visitenkarte wird weiter nicht nachkontrolliert, sie genügt auf ewige Zeiten, New York ist die carte blanche jedes exotischen Zinkers, weiß man doch. Noch kein Anruf, während ich allmählich durch den Cut hindurch bin und das Auftauchen meiner eigenen Haut erwarte.

23 Die Provokation des Nicht-Zum-Apparat-Könnens ist noch nicht groß genug. Ich muß mich in der Wanne anbinden, Lederschlaufen liegen unter Wasser bereit, der letzte Dorn kann mit den Zähnen durch die Fesselgurte getrieben werden. Vielleicht noch nicht. Das Wasser ganz heiß werden lassen, sodaß ich beim Aussteigen einen Schlaganfall erleide. Später. Der Apparat des Telefons steht in der äußersten Ecke der hufeisenförmigen Wohnung, nun geht es mir darum, zu vergessen, ob in der West- oder in der Ost-Ecke. Ein Vergessen brächte da die doppelte Anmarschzeit, weil ich in beiden Flügeln erst nachschauen müßte. Wäre ein Zweiter in dieser notdürfig angemieteten Wohnung, so könnte mit ihm ich mich unterhalten, wie geheim die Apparateverschiebung vor sich gehen müßte, damit ich den Apparat gar nicht mehr fände und triefnaß und völlig angezogen, mir die Ohren ausreißend, in der Wohnung stände, mittlerer Trakt.

24 Einstweilen bin ich noch mal hinausgestiegen aus dem Schaum und habe den Apparat, ohne mein Wissen, oder, es gleich vergessend, im hintersten Raum des östlichen Flügels mit den herunterfallenden leeren Früchtetransportkisten, nein, in jenem *hinter* den herunterfallenden Früchtetransportkisten liegenden und nur durch eine Wendeltreppe erreichbaren Räumchen mit dem Schlüssel eingeschlossen, eine undurchbrechbare Eichenholztür aus einer vielhundertjährigen New-England-Oak schließt den noch immer nicht klingeln wollenden Apparat von mir ab, den Schlüssel dieser Eichenbohlentür werfe ich aus dem Fenster, unten fällt er in die große Kaltwasserwanne der Bezirksfeuerwehr, welche hier Vorräte unterhält sowie eine Bereitschaftsstelle mit der berüchtigen Stange, an welcher die Feuerwehr von ihrem Schlafraum zu ihrem Einsatzraum hinuntergleitet

und sich dabei die Hände verbrennt, welche sie gleich und zunächst in ihr vorrätiges Kaltwasserbecken taucht. Dort liegt nun der Schlüssel.

25 In meiner Wanne wird das Wasser durch Einlaufen zum Sieden gebracht, das Sieden löst die unter dem Cut zum Vorschein gekommenen Jeans in blaue Flocken auf, der Schaum löst alles. Ich scheine nackt zu sein, wage aber nicht hinzugreifen, denn einstweilen löst sich meine Haut im Sud in Streifen vom Fleisch, und z. B. die Armaufhängungen schwimmen wie Türscharniere in der Tunke. Dazu bin ich mit den schweren Lederriemen an den Grund der Wanne gefesselt. Unglücklicherweise scheint mir meine Aufgeregtheit einen Strich durch die Rechnung mit der Intervention des ›Fremden‹ machen zu wollen, denn ich halte unaufhörlich vor sich hin murmelnde, sich zeitweise überschlagende Selbstgespräche wechselnden Inhalts, welche aber allesamt eine Anruf-abschreckende Wirkung haben. Wo noch einer auch nur mit sich selber umgeht, nähert niemals ein anderer sich.

26 Das Radio spielt sehr laut, es ist ein Reggae-verrückter Bolivianer, das Fernsehen bringt einen ausgezeichneten Midnight-Porno, in welchem eine Frau, eine nackte Frau – sie hat's schön, seufze ich, sieht nämlich ihre Haut – an einem Kran langsam in flüssiges Gold getaucht und wieder hochgezogen wird, dazu Pink Panther von Henry Mancini, und dann klingelt es. Ein Anruf, endlich, der Zauber hat gewirkt, uff, das war mühsam, natürlich falsch verbunden alles, und könnte ich den Hörer abnehmen, würde ich augenblicklich aufhängen, wie es überhaupt am Telefon nichts Schöneres gibt, als den Hörer einen Zentimeter hochzuheben und gleich wieder fallen zu lassen, die anrufenden Menschen wer-

den zur höchsten Anstrengung hochgetrieben, was ihnen eine Wohltat ist, sie versuchen es abermals, abermals, man hebt den Hörer, man läßt den Hörer fallen, und sie, anrufend, springen an der eigenen Käfigwand hoch wie blutrünstige Tiere, die an der Oberwand ihres Zwingers das Fleisch vorübergehen sehen, ohne es fassen zu können. Die Siedehitze treibt mich zur rasenden Annahme, man sei falsch verbunden. Aufgelegt.

27 It's time to call. Ich habe mich, annähernd nackt nun und ziemlich allein, an den herunterfallenden Früchtetransportkisten vorüber zur Eichenbohlentür begeben, die ich mit einem Faustschlag aus der Leibung haue. Der Apparat steht wieder am Wannenrand, der Zauber kann nicht zum Äußersten getrieben werden heute, zwischen der 75. und der 79. Straße, wenn ich informiert bin, wahrscheinlich ist es die 71., der Unterschied ist fühlbar dem Mythomanen, ich sehe keinen Unterschied; alles gleichviel.

28 Dem Wannenhahn wird das Tropfen untersagt, vielleicht, wenn ich in die Leitung heimlich hineinlausche, fange ich den Anruf des Fremden ab, noch ehe er ihn in die Leitung geworfen hat und die Sache zum Klingeln bringt, womöglich provoziert unermüdliches Abheben den Anruf, einige wenige Tausendstel Sekunden muß ich früher dran sein, es gilt, einem Gedanken, den man nicht kennt, zuvorzukommen mit einem Gedanken, den man gleichfalls nicht kennt, dies sage ich auch gleich in den Hörer, aber selbst diese haushälterisch mit ihrem Potential umgehende Provokation wirkt nicht, heute ist das Ding schamanisch verhext, obschon das ganze Telefonsystem vor Mitleid schreien müßte mit dem nun bloß in der Nässe Daliegenden, der seine letzten Kleider mit der schweren Pferdebürste zerreibt, jetzt kommt keiner

mehr, jetzt kann auch das Bad beendet werden, allmählich.

29 Kurze Fesselung der Glieder mit dem Handtuch. Ich bin unbeweglich. Keinen Schritt könnte ich zu ihm hin tun. Abheben könnte ich nicht. Wirkt aber nicht.

30 Alles stumm. Mit einem unauflöslichen Kunststoffleim den Hörer an den Apparat geklebt, er kann nicht mehr abgenommen werden, man hebt immer nur ab und hebt dabei den Apparat hoch, hebt man nicht ab, klingelt es, aber der hochgehobene Apparat klingelt weiter, ist nicht abzuheben, Kontakt kann nicht zustande kommen, ob das nun bei den zusammenstürzenden Fruchttransportkisten, bei der Eichenbohlentür oder in Feuerwehrwanne unten geschieht, und auch dieses nicht mehr abstellbare Klingeln, das nun mit rücksichtsloser, verzehrender Macht eingebrochen ist in die bisher geherrscht habende Stille murmelnd-wogenden Selbstgesprächs, das Klingeln ist, auch es, eine Mitteilung, sie sagt, man will dich, man, ganz allgemein, möchte dich sprechen, wir wollen ungefähr dich, und was wir mit dir tun wollen, ist, dich ungefähr sprechen, darum rufen wir ungefähr dich an, heb bitte ungefähr ab. Da sei meine Radikalkonsequenz vor, murmle ich, schlüpfe in die über den Stuhl geworfene Koch-Hose. Wasser verschwinden lassen. Nachspülen mit Brause. Kein Anruf will kommen, und vor Einsamkeit verfinstert sich mein ganzes Stockwerk.

FRIEDERIKE ROTH

Krötenbrunnen

DER HIMMELSMALER Eigenartig.

Es ist so eigenartig: die brennende Sonne und dieses seltsame Paar.

Wenn man das alles malen könnte. Aber wie soll man das alles malen?

DIE ERSCHÖPFTE *lacht.*

Immer zu immer zu und drauf los.

Ran ran ran.

DER HIMMELSMALER Aber wie, aber wie? Diese ganze schon längst angebahnte Tragödie – ja wirklich, sehen Sie denn nicht, daß hier, hier unter Ihnen, eine Tragödie liegt?

DER PRODUZENT *beißt kräftig in die Melone.*

Dazu muß ich gar nicht nach unten sehen; direkt neben mir sehe ich eine stehen.

DIE ERSCHÖPFTE Ich finde, wir alle sind eher eine Operette.

Sie wirft eine Melonenschale ins Gebüsch.

Wissen Sie was? Malen Sie einfach den blauen Himmel.

DER HIMMELSMALER Ich soll den blauen Himmel malen?

DER ERSCHÖPFTE Jahraus jahrein und Tag für Tag sollten Sie blaue Himmel malen, stundenlang nur blaue Himmel, einen am anderen, eine ganze Welt aus blauen Himmeln sollten Sie malen. Dann hätten wir wenigstens eine Zeitlang ausreichend viele blaue Himmel. *Pause*

Allerdings müßte das Blau Ihres Himmels ein Blau sein, das mehr als nur blau ist.

DER PRODUZENT Aber ein einfaches Blau.

DIE ERSCHÖPFTE Das ist es genau: ein einfaches Blau. Aber mehr als nur Blau.

Beide lachen. Der Himmelsmaler läuft verwirrt davon.

Der Produzent und die Erschöpfte küssen sich wie die Kinder mit melonenverschmierten Mündern. Dann sehen sie sehr einig und umschlungen auf die Bildhauerin und den Blondschopf, auf die noch immer ein scharfes Sonnenlicht fällt.

DIE BILDHAUERIN *setzt sich auf und sieht auf den Blondschopf, der regungslos bleibt. Dann sieht sie lange vor sich hin.*
Es ist so heiß.

DER BLONDSCHOPF *schweigt.*

DIE BILDHAUERIN Warum sagst du nichts?

DER BLONDSCHOPF Was soll ich sagen?

DIE BILDHAUERIN Nichts.
Du hast recht. *Pause*
Aber du weißt doch: wer liebt, der wartet halt immer auf irgendwie irgend etwas; ich weiß auch nicht auf was. *Der Bondschopf schweigt.* Oder nicht?

DER BLONDSCHOPF Wenn du mich liebst, dann lieb mich doch einfach. Erwarte nicht dauernd, daß ich dir dankbar bin deswegen.

DIE BILDHAUERIN Das erwarte ich nicht. Dankbarkeit, bei Gott, wäre das Letzte!

DER BLONDSCHOPF Aber was willst du? Etwas erwartest du doch. Wie du mich ansiehst! Dauernd stehst du hinter mir, als müßte ich dir Trinkgeld geben.

DIE BILDHAUERIN Du bist furchtbar.

DER BLONDSCHOPF Du willst zu viel.
Ich werde wach und soll schon freundlich sein und voll von Liebe. Du wirst schon unruhig, wenn ich bloß dalieg und mich in die Ferne träume. Allmählich fühl ich mich sogar verpflichtet, nur von dir zu träumen.

DIE BILDHAUERIN Freiwillig und umsonst würdest du ohnehin nie von mir träumen.

DER BLONDSCHOPF Du läßt mir dazu keine Chance. Fortwährend soll ich dir Liebe beweisen und hab zum Lieben keine Luft. Ich komme immer schon zu spät mit allem, was ich tu.

DIE BILDHAUERIN Fast tust du mir leid.
Ich weiß, es könnte anders sein.
Ich weiß, es wäre besser, wenn es nicht so wäre, wie es ist.
Die schlechteren Karten hat immer der, der liebt.

DER BLONDSCHOPF Hör auf mit dieser alten Litanei.

DIE BILDHAUERIN Ich bin ein schwaches Bild, ich weiß. Mein Stolz ist ganz verflogen. Ich will ja gar nichts mehr. Ich weiß doch, wie du dich bemühst. Ich sehe es genau. Ich werd ganz grau, wenn ich bei dir die Mühe spüre, nett zu mir zu sein: manchmal redest du dir selber sogar Liebe ein. Mensch, es zerreißt mir fast das Herz. Nämlich: all das, wofür du dir die schrecklich viele Mühe gibst, und noch viel mehr, käme aus Liebe mühelos und wie von selbst.

DER BLONDSCHOPF Und noch viel mehr und noch viel mehr: du willst immer nur mehr.
Aber was denn? Was?

DIE BILDHAUERIN Ich weiß es nicht mehr. *Pause*
Und alles, was ich dumm vor Liebe wieder mal wieder gesagt hab, wär besser ungesagt geblieben.
Das weiß ich immerhin.
Stille, Hitze.
Mit wehendem, aufgelöstem Haar, atemlos, rennend mit dem Koffer in der Hand, kommt die Schauspielerin an. Die Erschöpfte und der Produzent sehen neugierig diesem Auftritt zu.

DIE SCHAUSPIELERIN *immer leicht hysterisiert.*
Ich bin es. Ich bin es. *Sie wirft den Koffer weg und umarmt die Bildhauerin.* Nie hätte ich gedacht, daß ich je ankomme hier. Das ist ja ganz aus der Welt.

DIE BILDHAUERIN Aber jetzt bist du da. *Sie küßt die Schauspielerin.* Und wer erst einmal da ist, der will sich nie mehr umdrehn.

DIE SCHAUSPIELERIN *nimmt den Blondschopf wahr.* Gestern

noch hab ich gespielt. Ich war ein Erfolg. Aber das erzähle ich später.

Laß uns Champagner zur Begrüßung trinken. Ich hab Champagner mitgebracht.

DIE BILDHAUERIN Es gibt gekühlten im Haus. *Sie lächelt der Schauspielerin zu.* Das wußte ich noch von früher.

DIE SCHAUSPIELERIN *lacht.* Es hat sich nichts geändert: Champagner und Sonne und nicht weiterdenken – das ist der Himmel. *Rezitiert überdreht:* Eilende Wolken, Segler der Lüfte ...

DER BLONDSCHOPF Ich hol den Champagner. *Er geht ins Haus.*

DIE SCHAUSPIELERIN *sieht ihm nach.*

Was für ein schöner Junge.

Lebt er auch hier? *Die Bildhauerin nickt.*

Gehört er zu dir?

DIE BILDHAUERIN Neuerdings ja.

Erst wollte ich ihn modellieren. Dann habe ich ihn angesehen, lange und länger; zu lange. *Lacht.* Jetzt bin ich verkauft und verraten.

DIE SCHAUSPIELERIN Er ist sehr schön ... und sehr jung.

DIE BILDHAUERIN Erbarmungslos jung.

DIE SCHAUSPIELERIN Was macht er?

DIE BILDHAUERIN Nichts.

Er ist übriggeblieben aus der Zeit, als wir alle noch sagten, daß alles allen gehört. *Pause.*

Aber genaugenommen tut keiner hier was. Wozu auch. Jeder lebt auf weiß der Himmel wessen Kosten. Keiner hat mehr Recht dazu als der andere. *Pause.*

DIE SCHAUSPIELERIN Schläft er mit dir?

DIE BILDHAUERIN *leise:* Wenn ich ihn darum bitte.

Das Krötengequake wird sehr laut. Der Blondschopf kommt mit dem Champagner.

DER PRODUZENT Jemand ist angekommen, es gibt Champagner: wir sind da.

DIE SCHAUSPIELERIN Ich bin es. Ich bin da.
Bin ich es wirklich?

DER ERSCHÖPFTE *lehnt sich gelangweilt zurück.* Du lieber Gott, schon wieder mal: die Frage aller Fragen.

DER PRODUZENT *zum Blondschopf:* Komm, öffnen wir die Flaschen.

Der Produzent und der Blondschopf führen ein gut eingespieltes Flaschenöffnungsritual vor.

DIE BILDHAUERIN Darin immerhin habt ihr Übung.

Die Erschöpfte sieht neugierig dem Blondschopf zu.

DIE SCHAUSPIELERIN Und gestern hab ich noch gespielt.

DER PRODUZENT Sie spielen?

DIE SCHAUSPIELERIN Ich spiele. Ja. Und Sie?

DER PRODUZENT Ich produziere.

DIE SCHAUSPIELERIN Was?

DER PRODUZENT Was spielen Sie?

DIE SCHAUSPIELERIN Was mir gefällt.

DER PRODUZENT Ich produziere das, was andere Leute spielen – wenns mir gefällt.

Die Gläser werden eingegossen. Man trinkt Champagner.

DIE SCHAUSPIELERIN Ja wirklich. Gestern noch, da war ich ein Erfolg.

Sie geht auf den Blondschopf zu und spielt zuerst sehr deutlich mit und um ihn, dann sehr für sich allein, am Schluß wieder deutlich für ihn – offenbar aus dem Stück, in dem sie ein Erfolg war.

DIE SCHAUSPIELERIN O

unaufhörlich lasse ich es reden um dich und mache keine Pause, kein Atemholen wird dich in eines dieser Löcher aus Sprachlosigkeit stürzen, denn aneinanderreihen unermüdlich werde ich Wort für Wort: und hab keine Angst: das wird kein schweres, umständliches Gerede, vielmehr fallen die schönen Sachen des Lebens – es gibt sie, wenn ich dir doch sage, daß es sie gibt –, leicht fallen sie zusammen zum Wortgeplätscher einer schweren Zeit, die aber, wer will es denn wissen, schwerer nicht ist als jede beliebige andere; unsere Geschichte? ohja, Glöckchen werde ich hängen an die herabtropfenden Silben des alten öden Elendsgeflüsters; emsig und warmherzig staffier ich dir die kalten Katastrophen aus um Leerheit und Wüstheit und Nichts, denn ob du es glaubst oder nicht: auch ich hatte einst eine Seele und saß jahrelang da und hörte das Gras oder was, ja das Gras, wachsen und wußte doch nichts, deshalb schrie ich ja damals und schrie, daß alles nicht wahr sei, schrie ich, daß jedes Opfer umsonst, ganz umsonst sei, schrie ich, warum hilft denn den Leuten hier keiner, schrie, bis mir die Augen nach hinten wegkippten. Jetzt zwitschere ich gerne ins Unreine hinein so ein bißchen und gluckse unanständig herum so am Rande der schwarzen Löcher, zu denen die Leute, warum hilft ihnen denn keiner, so gerne ihre Geschichten verdichten; aber meine Endsilbenglöckchen und der Wechselschritt meiner Vokale und all die summenden zischelnden Laute zerren das Schwarze ins helle Geklirre meines atembenommenen Redens, darum nur darum, daß etwas da sei und daß nicht vielmehr nichts sei, denn nur, solange die Wörter noch da sind, und das siehst du ja, daß sie da sind, kannst du in ihnen Sonnen flirren lassen und dann diese flirrenden Sonnen, wem immer du willst, aufs blonde nichtsnutzige Haar legen, von mir aus als eine Art Trost, aber wirklich, ich weiß nicht, wofür überhaupt.

HANS CHRISTOPH BUCH

Nature Morte

Am 28. Januar 1898 lief der Passagierdampfer »Spreewald« der Hamburg-Amerika-Linie in den Hafen von Port-au-Prince ein. An Bord des Schiffes, das auf der dänischen Insel St. Thomas frische Kohlen gebunkert hatte und außer seinen Passagieren noch eine Ladung Dampfkessel beförderte, die in Curaçao gelöscht werden sollte, um tropischen Edelhölzern Platz zu machen, befand sich mein Großvater Louis Buch, in Begleitung seiner Ehefrau Pauline, einer geborenen von Drach, verwitweten von Lilien; ihr Sohn aus erster Ehe, Franz, war in der Obhut von Verwandten in Berlin zurückgeblieben, wo er sich auf den Eintritt in die Lichterfelder Kadettenanstalt vorbereitete; der Vater des Knaben, der preußische Ulanenoffizier Fritz von Lilien, war zwei Jahre zuvor den Spätfolgen einer Kriegsverletzung erlegen. Bei ihrer Einfahrt in den Hafen wurde die »Spreewald« von den Bordkanonen des Panzerschiffs »Geier«, das seit Mitte Dezember in der Bucht von Port-au-Prince kreuzte, um die auf Haiti ansässigen Deutschen vor Übergriffen der Eingeborenenbevölkerung zu schützen, mit zwölf Salutschüssen begrüßt. »Es ist beruhigend zu wissen«, sagte Louis Buch zu seiner Gattin, die sich mit einem Seidentuch Kühlung zufächelte – die beiden standen auf der Brücke, im Gedränge der Passagiere erster Klasse, die mit Operngläsern und Feldstechern die sich nähernde Küste in Augenschein nahmen – »es ist beruhigend zu wissen, daß das ferne Vaterland auch in diesen entlegenen Gewässern Flagge zeigt und Gewehr bei Fuß steht – hier, sieh selbst!« Und er reichte seiner Frau das Fernrohr, an dessen Sehschärfe er so lange gedreht hatte, bis er die schwarzweißrote Fahne der kaiserlichen Minister-

Residentur im Visier hatte, die in diesem Augenblick am Fahnenmast des Gesandtschaftsgebäudes hochstieg, um die deutschen Passagiere zu grüßen.
Louis Buch war ein Mann in den besten Jahren. Er trug einen hellen Sommeranzug aus leichtem Zwillich- oder Drillichzeug und einen Tropenhelm, der sein von einem stattlichen Vollbart umrahmtes Gesicht beschattete; die bernsteinfarbenen Augen blitzten noch genauso unternehmungslustig wie vor sieben Jahren, als er seinem Vaterland auf immer Lebewohl gesagt hatte, um in der Fremde sein Glück zu versuchen. Vielleicht folgte er dabei dem Vorbild eines berühmten Vorfahren, des preußischen Botanikers Leopold von Buch, der in den zwanziger Jahren des vorigen Jahrhunderts die Flora und Fauna der Kanarischen Inseln erforscht hatte; oder er trat in die Fußstapfen seines Bruders Georg, der aus Protest gegen die Bismarckschen Sozialistengesetze nach Bismarck in Norddakota ausgewandert war, wo er es als Mormonenprediger zu Ehre und Ansehen gebracht und zahlreiche Kinder gezeugt hatte, die alle auf den Namen ihres Vaters hörten – auch wenn sie, wie es damals bei den Mormonen Brauch war, nicht von ein und derselben Mutter stammten.
In Wahrheit war es eine Sehnsucht von ganz anderer Art, die meinen Großvater zur Auswanderung nach Westindien bewogen hatte. Als junger Kommis der Löwenapotheke in Weimar mußte er jeden Mittwoch im Hause des Komponisten Franz Liszt in der Belvedereallee eine Flasche Borwasser *(aqua boriaca)* abliefern, mit dem der geniale Klaviervirtuose die Warzen auf seiner Nase behandelte, die ihm mit wachsendem Alter und zunehmender Berühmtheit lästig zu werden begannen. Eines Morgens, als meinem Großvater auf wiederholtes Klingeln und Klopfen hin niemand antwortete – die Köchin des Komponisten war auf dem Wochenmarkt einkaufen, sein Bedienter hatte Ausgang –, öffnete er die Haustür und stieg auf Zehenspitzen, die Flasche

mit Borwasser an die Brust gedrückt, die schmale Treppe hoch, dem im ersten Stock gelegenen Salon entgegen, aus dessen Tiefe ihm leidenschaftliche Akkorde entgegenschwallten, die das für musikalische Reize empfängliche Blut des jungen Mannes in Wallung versetzten. Durfte er es wagen, den weltbekannten Tondichter bei der Arbeit zu stören? Sein Chef, der Hofapotheker Bertuch, hatte ihm aufgetragen, sich den Empfang der Arznei auf einem Quittungsblock bestätigen zu lassen, da die Zahlungsmoral des Komponisten in der Weimarer Geschäftswelt nicht im besten Ruf stand. Mein Großvater pochte an die Tür, zuerst zaghaft, dann lauter; als auch das nichts fruchtete, faßte er sich ein Herz und drückte die in Form einer Löwentatze gearbeitete Türklinke nieder. Im ersten Augenblick dachte er, er habe sich in der Adresse geirrt und sei, anstatt in die Wohnung eines Komponisten, in die Villa eines Großwildjägers geraten. Im Innern des mahagonigetäfelten Salons herrschte eine grünliche Dämmerung wie im Dickicht eines tropischen Urwalds. Die schweren Samtvorhänge waren zugezogen und ließen nur vereinzelt Sonnenstrahlen herein, in deren schrägen Bahnen Myriaden von Staubkörnchen im Takt der Musik auf und nieder tanzten. Die Eingangstür wurde von einem ausgestopften Tiger bewacht, der die Zähne fletschte, als wolle er sich auf den Eindringling stürzen, der unwillkürlich einen Schritt zurückwich. Von den Wänden blickten gehörnte Tierschädel aus leeren Augenhöhlen auf ihn herab. Ein maurisches Mokkaservice, ein Paar gekreuzter Damaszenerklingen und ein Rauchtisch mit eingelegtem Schachspiel aus Ebenholz und Elfenbein ergänzten die Einrichtung, die eher ins Zelt eines Wüstenscheichs als in ein Weimarer Bürgerhaus gepaßt hätte. Was die Aufmerksamkeit meines Großvaters aber am meisten fesselte, war ein vergoldeter Globus, der von vier Bronzefiguren getragen wurde, die Allegorien der Kontinente darstellten und zugleich die Hauptrassen der Menschheit symbolisierten; ein Europäer mit Tropenhelm und Elefantenbüchse, ein Orientale mit Turban, ein Chinese mit Zopf und spitzem Bambushut und eine halbnackte Frau, die eine Negerin oder Indianerin oder eine Mischung von beiden zu sein schien. Ihre dunklen Augen blickten ihn so durchdringend an, daß mein Großvater angewurzelt stehenblieb: eine schmerzliche Süßigkeit durchströmte ihn, ein Glücksversprechen, das, wie ein nie zuvor gekostetes Aroma, vom sprechenden Blick dieser schwarzen Augen auszugehen schien. Eine barsche Stimme riß ihn aus seinem Traum, die im Befehlston »Umblättern!« rief: »Los, umblättern!« Mein Großvater besann sich nicht lange; er nahm hinter dem Rücken des Komponisten Aufstellung, dessen Silbermähne, wie die Brandungswelle eines schäumenden Meeres, über der Tastatur auf und nieder wogte, und blätterte an der angegebenen Stelle die Partitur um. Während er den langsam abschwellenden Akkorden der Musik lauschte, nahm er sich vor, das Urbild jener Bronzefigur eines Tages, koste es was es wolle, in seine Arme zu schließen. Inzwischen hatte der Komponist sein Klavierspiel beendet und wandte sich meinem Großvater zu, dem er die Störung nicht weiter übelzunehmen schien. »Man könnte meinen, junger Mann«, sagte er, mit Blick auf die Bronzefigur, während er sich mit einem Seidentuch den Schweiß von der Stirn wischte, »man könnte meinen, daß Sie sich in die kleine Kreolin verliebt haben. Ist sie nicht hübsch? Der letzte Kaiser der Franzosen hat mir den Globus kurz vor seiner Abdankung zum Geschenk gemacht. Er soll aus dem Nachlaß seiner Großtante Pauline Bonaparte stammen, die ihn aus Westindien mitgebracht haben soll. Hübsch, nicht?« Der Komponist war aufgestanden und geleitete meinen Großvater zur Tür. »Lassen Sie sich ein bißchen Wind um die Nase wehen, junger Mann«, sagte er, während er die Warzen auf seiner Nase mit Borwasser betupfte; »die ungarische Puszta ist noch immer eine Reise wert, aber auch

Westindien ist nicht zu verachten. Wer weiß, vielleicht werden Sie die kleine Kreolin eines Tages leibhaftig in Ihre Arme schließen. Das Leben geht oft seltsame Wege, junger Mann!« Mit dieser Bemerkung komplimentierte Franz Liszt meinen Großvater zur Tür hinaus.

Die Worte des Komponisten gingen meinem Großvater nicht mehr aus dem Sinn. Er fuhr zur Weltausstellung nach Paris, zur Industrieausstellung nach London und zur Kolonialausstellung nach Brüssel, wo er vor dem Käfig mit Zulukaffern Schlange stand: mehr noch als die wilden Tänze der Zulukrieger faszinierte ihn die nur mit einem Rock aus Palmblättern bekleidete Kaffernfrau, die mit einem hölzernen Mörser Maniok stampfte, wobei ihre nackten Brüste rhythmisch auf und nieder hüpften. Aber auch dieser Anblick war nur ein unvollkommener Ersatz für jenes dunkle Augenpaar, das er im Dämmerlicht des Musiksalons zum ersten Mal erblickt hatte und das ihn seitdem, tagsüber und in den Träumen der Nacht, ständig verfolgte. Die Erinnerung an jenes Augenpaar war es vermutlich auch, die meinen Großvater bewog, nach Lehr- und Wanderjahren in der französischen Schweiz und in Oberitalien, wo er seine Ausbildung zum Apotheker vollendete, Europa Lebewohl zu sagen und den Sprung über den großen Teich zu wagen, um die Leitung der deutschen Apotheke in Port-au-Prince, Haiti, zu übernehmen, für die ein gewisser Herr Stecher, im Auftrag der Firma Lüders & Co., per Inserat in der Frankfurter Zeitung einen Geschäftsführer suchte.

2

Pauline seufzte. Der Wind trug eine feuchtheiße Ausdünstung von der Küste herüber, deren Berührung ihre zarte Haut, trotz der tropischen Temperaturen ringsum, erschauern machte. Es war der Pesthauch der Mangrovensümpfe, eine ekelerregende Mischung von Land und Meer, Faulschlamm und Brackwasser, in dessen trüben Untiefen es von Alligatoren wimmelte, die mit ihren gezackten Schwänzen den modrigen Untergrund aufwühlten, eine unzüchtige Vorstellung, die sie wider Willen erregte. Pauline schloß die Augen. Sie fühlte sich einer Ohnmacht nahe. Seit Antritt der Reise war ihr schlecht, genauer gesagt, seit sie in Hamburg den Fuß auf die Schiffsplanken gesetzt hatte, deren ständiges Schaukeln ihr den Magen umdrehte. Sie litt am *mal de mer*, wie der Schiffsarzt Dr. Dupuis sagte, einem chronischen Leiden, das sich im Lauf der langen Seereise nicht etwa besserte, sondern von Tag zu Tag verschlimmerte. Bei der Durchfahrt durch den Ärmelkanal, der, wie stets um diese Jahreszeit, von Winterstürmen heimgesucht wurde, die schwere Brecher auf Deck niedergehen ließen, mußte sie sich zum ersten Mal übergeben; später, während die »Spreewald« stampfend die langgezogene Atlantikdünung durchpflügte, lag sie festgeschnallt in ihrer Kajüte und kämpfte vergeblich mit der aus den Tiefen ihres Leibes aufsteigenden Übelkeit. Alles verursachte ihr Brechreiz: der Geruch von Tang und Dieselöl, der Anblick des reichgedeckten Frühstücksbüffets mit Seeaal und Räucherlachs, das Zerplatzen der Tontauben und das Knallen der Sektkorken, mit dem die Passagiere der ersten Klasse ihre nicht endenwollenden Bordfeste feierten, das Elend der im Zwischendeck zusammengepferchten Auswandererfamilien, die wie auf einem Viehtransport dumpf vor sich hinstierten und nur beim Anblick eines Passagiers der ersten Klasse drohend die Fäuste schüttelten – von dieser Klasse gehen künftige Übel für die Gesellschaft aus, hatte ihr verstorbener Gatte immer gesagt; aber diese Übel waren nichts gegen die unbekannten Gefahren, die sie auf der anderen Seite des Ozeans erwarteten – bei diesem Gedanken wurde ihr erneut übel.

Nur schweren Herzens hatte Pauline die Reise angetreten, einzig ihrem frisch angetrauten Ehemann zuliebe, der mit seinen abenteuerlichen Vorstellungen von einem besseren Leben in der Fremde so lange auf sie eingeredet hatte, bis sie seinem stürmischen Drängen nachgab. Fast bereute sie es, daß sie seine Werbung erhört und, trotz der bitteren Erfahrungen ihrer ersten Ehe, noch einmal einem Mann ihr Jawort gegeben hatte. Nichts vermochte sie aufzuheitern, obwohl ihr junger Gatte sich während der Überfahrt rührend um sie kümmerte und sie buchstäblich auf Händen trug. Sie schloß sich allein in ihre Kabine ein und stopfte sich Watte in die Ohren, um das Stampfen der Schiffsmotoren, das Ächzen der Planken und das Klatschen der Wellen nicht mehr hören zu müssen; bei der Vorstellung, daß nur wenige Zentimeter von ihrem Kopf entfernt, auf der anderen Seite der stählernen Schiffwand, Haifische, Kraken und andere Seeungeheuer ihr Unwesen trieben, mußte sie sich erneut übergeben. Der einzige Lichtblick an Bord war der Schiffsarzt Dr. Dupuis, ein gebildeter Kreole, der in Deutschland Medizin studiert hatte und dem man seine negroide Abkunft nicht ansah. Er saß stundenlang an ihrem Bett und fühlte Pauline den Puls mit seiner feinnervigen Hand, deren Fingerkuppen einen gelblichen Schimmer hatten, wobei er ihr in nasalem Tonfall von den Wundern erzählte, die sie jenseits des Meeres erwarteten: Mangos und Papayas, blühende Bougainvillea und stachlige Bayahondas, rosa Flamingos und grüne Kolibris, *Arbre véritable* und *Flamboyant* – exotische Pflanzen und Tiere, die sie nicht einmal den Namen nach kannte. Dr. Dupuis hatte in Wien die medizinischen Vorlesungen eines jüdischen Privatdozenten namens Dr. Freud besucht und versuchte, die dort erworbenen Kenntnisse auf Paulines Fall anzuwenden. Seiner Meinung nach litt sie nicht bloß am *mal de mer*, sondern an einer neumodischen Krankheit namens Hysterie, die sich, von Wien ausgehend, wie eine Epidemie über halb Europa verbreitet hatte, und deren Ursachen in einem weit zurückliegenden, traumatischen Erlebnis des Patienten zu suchen waren. Nach anfänglichem Widerstreben – schon der bloße Gedanke daran trieb ihr die Schamröte ins Gesicht – berichtete sie ihm von den peinlichen Krankheitssymptomen, die zum Ableben ihres ersten Mannes geführt hatten und deren wirkliche Bedeutung ihr erst nach seinem Tode klar geworden war. Seitdem er als junger Ulanenleutnant am deutsch-französischen Kriege teilgenommen und sich vor Sedan durch besondere Tapferkeit ausgezeichnet hatte, indem er allein mit blankem Säbel eine Übermacht französischer Kürassiere attackierte, litt der hochdekorierte Offizier an einer rätselhaften Krankheit, die nach Ansicht der behandelnden Ärzte auf einen durch seine Eingeweide wandernden Granatsplitter zurückzuführen war. Da sich sein Zustand allen Gegenmaßnahmen zum Trotz stetig verschlimmerte – seine Gelenke schwollen dermaßen an, daß er sich nicht mehr ohne fremde Hilfe bewegen konnte – wurde er ins Heereslazarett nach Koblenz eingeliefert und dort einer schmerzhaften Quecksilberkur unterzogen, die jedoch nicht anschlug. Pauline war untröstlich, bis sie durch die Indiskretion einer Nachtschwester erfuhr, daß ihr Mann nicht an den Folgen einer Kriegsverletzung litt, sondern an einer unheilbaren Geschlechtskrankheit, die er sich nicht im Kampf mit dem Feind, sondern durch sein ausschweifendes Leben in der Etappe zugezogen hatte und die im finalen Stadium auch seinen Geist zu zerrütten begann. Als sie ihn bei einem ihrer letzten Besuche zur Rede stellen wollte, zog er seinen Reitersäbel unter dem Bett hervor und fuchtelte mit der blanken Waffe vor ihrem Gesicht herum, bis er von herbeigerufenen Pflegern überwältigt und in eine Zwangsjacke gesteckt wurde. Nach dem Ableben ihres Gatten hätte sie am liebsten die Ehe annulliert, um sich von dem untilgbaren Makel reinzuwaschen, der fortan auf ihr haftete; sie haßte sich selbst dafür, daß sie das Opfer eines Wüstlings geworden war, der sie mit dem Gift käuflicher Liebe infiziert hatte, welches sie unwissentlich an ihr Kind weitergab.

Pauline verfiel in melancholische Depressionen, die sich erst wieder aufhellten, als sie, während eines Kuraufenthalts in Wiesbaden, meinem Großvater begegnete, dessen Liebe ihr neues Selbstvertrauen einflößte und die Schatten der Vergangenheit vorübergehend verscheuchte. Obwohl die Ärzte ihr vor der erneuten Eheschließung die Unbedenklichkeit ihres Zustandes attestiert hatten, weigerte sie sich hartnäkkig, aus Angst vor ansteckenden Krankheiten, mit ihrem Gatten zu schlafen.

Nach diesem von heftigen Weinkrämpfen unterbrochenen Geständnis zog Pauline den Doktor, der die ganze Nacht hindurch an ihrem Krankenlager gewacht hatte, zu sich nieder und schlang ihre weißen Arme um seinen braunen Nacken; ihr Atem ging stoßweise, in immer schnellerem Tempo, bis er sich zu einer heftigen Klimax steigerte; danach fiel sie in einen tiefen, ohnmachtsähnlichen Schlaf. Am nächsten Morgen fühlte sie sich neugeboren, eine Wende zum Besseren, die allgemein dem belebenden Einfluß des Azorenhochs zugeschrieben wurde, obwohl sie in Wahrheit den revolutionären Heilmethoden des Dr. Dupuis zu verdanken war. Pauline zeigte sich am Arm ihres Gatten an Deck und beobachtete vom Liegestuhl aus durchs Opernglas die Delphine, die im Kielwasser des Schiffes ihre possierlichen Schwimmkünste vorführten. Später, während die »Spreewald« die windstille Sargassosee durchquerte, ging sie stundenlang allein auf dem Promenadendeck spazieren und war selbst von einem fliegenden Fisch, der vor ihren Füßen auf die Schiffsplanken klatschte, nicht aus der Ruhe zu bringen. An der Seite ihres Gatten nahm sie an dem lärmenden Bordfest teil, mit dem die Passagiere der ersten Klasse die Durchfahrt unter dem Wendekreis des Krebses feierten, und ließ sich nach Mitternacht vom Kapitän zum Tanz auffordern. Am nächsten Morgen tauchten von Möwen umkrächzte Inseln aus dem Meer auf, die von weitem wie die in der Sargassosee häufig anzutreffenden, schwimmenden Tanginseln aussahen. Dann flogen ihnen Pelikane entgegen, Kokosnußschalen schaukelten in der Brandung, und der Wind brachte den Duft von tropischer Vegetation herüber. Eine unter britischer Flagge segelnde Hochseeyacht kreuzte den Kurs der »Spreewald«, während die Inseln am Horizont zurückblieben, um bald darauf mit Palmen bewachsenen Sandbänken Platz zu machen, die sich halbkreisförmig um ein Korallenriff schlossen. Durchs Fernrohr sah Pauline riesige Seeschildkröten, die im heißen Sand der Lagune ihre Eier ablegten. Ein amerikanisches Handelsschiff fuhr in der Ferne vorüber und gab sich durch Flaggensignale als Angehöriger einer befreundeten Macht zu erkennen, während die »Spreewald« an der Ostküste von Santo Domingo vorbei auf St. Thomas zusteuerte, um ihre Kohlevorräte zu ergänzen. Pauline ging am Arm ihres Gatten an Land und ließ sich, trotz der Warnungen des Schiffsarztes, dazu hinreißen, vom Saft einer frischen Kokosnuß zu kosten, dessen leicht fauliger Geschmack sie an das Wasser des Faulbrunnens in Wiesbaden erinnerte, wo sie als junges Mädchen ihrem ersten Mann begegnet war. Vielleicht, dachte Pauline, während sie den Pesthauch der Mangrovensümpfe einatmete und von der Brücke aus die weißen Häuser von Port-au-Prince langsam näherrücken sah, vielleicht enthielt der Saft der Kokosnuß, ebenso wie das Wasser des Faulbrunnens, ein schleichendes Gift, welches von innen her ihre Organe zerfraß; sie legte den Kopf an die Schulter ihres Gatten und fühlte, wie die Beine unter ihr wegsackten.

ISABEL ALLENDE

Das Geisterhaus

Ich begann zu schreiben, mit Hilfe meines Großvaters, dessen Gedächtnis bis zum letzten Augenblick seiner neunzig Jahre intakt blieb. Er selbst schrieb eigenhändig mehrere Seiten, und als er fand, daß er alles gesagt hatte, legte er sich in das Bett von Clara. Ich setzte mich neben ihn und wartete mit ihm, und der Tod stand nicht an, friedlich zu kommen: er überraschte ihn im Schlaf. Vielleicht träumte er, daß seine Frau es war, die ihm die Hand streichelte und ihn auf die Stirn küßte, denn in den letzten Tagen wich sie keinen Augenblick von seiner Seite, sie folgte ihm durchs Haus, sie sah ihm über die Schulter, wenn er in der Bibliothek las, und legte sich nachts mit ihm schlafen, ihren schönen, von Lokken gekrönten Kopf an seiner Schulter. Anfangs war sie ein geheimnisvoller Schein, aber in dem Maße, in welchem mein Großvater für immer die Wut verlor, die ihn sein Leben lang gequält hatte, erschien sie so, wie sie in ihren besten Zeiten gewesen war, lachend mit allen ihren Zähnen und die Geister aufscheuchend mit ihrem raschen Flug. Sie half uns auch beim Schreiben, und ihrer Anwesenheit war es zu verdanken, daß Esteban Trueba glücklich starb, ihren Namen murmelnd, Clara, clarísima, clarividente.
Im Hundestall schrieb ich, weil ich dachte, daß Oberst García eines Tages als Besiegter vor mir stehen würde und ich alle die Menschen rächen könnte, die gerächt werden müssen. Aber jetzt zweifle ich an meinem Haß. Innerhalb weniger Wochen, seit ich wieder in diesem Haus bin, scheint es sich aufgelöst, seine scharfen Konturen verloren zu haben. Ich vermute, daß alles, was geschehen ist, kein Zufall ist, sondern zu einem Schicksal gehört, das vor meiner

Geburt entworfen worden ist und daß Esteban García ein Teil dieses Entwurfs ist. Er ist ein roher, krummer Strich, aber kein Strich ist nutzlos. An dem Tag, an dem mein Großvater Esteban Garcías Großmutter Pancha in den Büschen am Fluß vergewaltigte, fügte er ein neues Glied an eine Kette von Ereignissen, die eintreffen mußten. Später wiederholte der Enkel der vergewaltigten Frau die Tat an der Enkelin des Vergewaltigers, und vielleicht wird in vierzig Jahren mein Enkel Esteban Garcías Enkelin in die Sträucher am Fluß zerren, und so fort in künftigen Jahrhunderten, in einer endlosen Geschichte von Schmerz, Blut und Liebe. Im Hundestall hatte ich die Vorstellung, ein Puzzle aufzubauen, in welchem jedes Teil seinen genauen Platz haben würde. Solange ich nicht alle untergebracht hatte, erschien es mir unbegreiflich, aber ich war sicher, daß, wenn es mir gelänge, es fertigzustellen, jedes Teil seinen Sinn erhalten und das Ergebnis harmonisch sein würde. Jedes Teil hat, so wie es ist, seine Daseinsberechtigung, selbst Oberst García. Manchmal habe ich das Gefühl, daß ich das alles erlebt und diese Worte schon einmal geschrieben habe, aber ich begreife, daß nicht ich es bin, sondern eine andere Frau, die in ihre Hefte geschrieben hat, damit ich mich ihrer bedienen könne. Ich schreibe, sie schrieb, daß das Gedächtnis schwach und der Lauf eines Lebens kurz ist und alles so rasch geschieht, daß wir den Zusammenhang zwischen den Ereignissen nicht mehr sehen, die Folgen der Taten nicht mehr ermessen können, wir glauben an die Fiktion der Zeit, an Gegenwart, Vergangenheit und Zukunft, aber es kann auch sein, daß alles gleichzeitig geschieht, wie die drei Schwestern Mora sagten, die fähig waren, im Raum die Geister aller Epochen zu sehen. Deshalb schrieb meine Großmutter Clara ihre Hefte voll: sie wollte die Dinge in ihrer wirklichen Dimension sehen und das schlechte Gedächtnis austricksen. Und jetzt suche ich nach meinem Haß und kann ihn nicht finden. Ich fühle, daß er in dem Maße erlischt, in welchem ich meinen Großvater verstehe und ich durch die Hefte von Clara, die Briefe meiner Mutter, die Verwaltungsbücher der Drei Marien und so viele andere Dokumente, die jetzt in meiner Reichweite auf dem Tisch liegen, erfahre, wie alles gekommen ist. Es wird mir schwer werden, alle zu rächen, die gerächt werden müssen, weil meine Rache ein weiterer Teil des einen, unerbittlichen Ritus sein würde. Ich will denken, daß mein Amt das Leben ist und meine Aufgabe nicht darin besteht, den Haß fortzusetzen, sondern nur, diese Seiten zu füllen, während ich auf die Rückkehr Miguels warte, während ich meinen Großvater zu Grabe trage, der jetzt in diesem Zimmer neben mir liegt, während ich darauf warte, daß bessere Zeiten kommen, und während ich das Geschöpf austrage, das in meinem Bauch lebt, Tochter so vieler Vergewaltigungen oder vielleicht Tochter Miguels, aber vor allem meine Tochter.

Meine Großmutter schrieb fünfzig Jahre lang in ihre Lebensnotizhefte. Von einigen komplizenhaften Geistern versteckt, entgingen sie wunderbarerweise dem infamen Scheiterhaufen, auf dem so viele andere Papiere meiner Familie verbrannt sind. Hier liegen sie zu meinen Füßen, zugebunden mit farbigen Bändern, nach Ereignissen getrennt und nicht nach der chronologischen Ordnung, so wie Clara sie hinterließ, als sie von uns ging. Clara hat sie geschrieben, damit sie mir dazu dienten, die Dinge der Vergangenheit dem Vergessen zu entreißen und mein eigenes Entsetzen zu überleben. Das erste ist ein Schulheft von zwanzig Seiten, beschrieben in der zarten Schönschrift eines Kindes. So fängt es an: »Barrabas kam auf dem Seeweg in die Familie...«

MARTIN WALSER

Zum Beispiel Hemingway

Die Katze kam. Sobald sie seine Füße auf die Terrasse hinabgeschmeichelt hatte, warf sie sich auf den Rücken, leuchtete mit Rosamund und -ballen herauf, daß Halm nicht anders konnte, als einmal ausgiebig mit seinen Füßen zu antworten. Wie die zum Schein Zähne und Krallen einsetzte, so setzte er seine Zehen ein. Wenn beide es schön finden, aufeinander angewiesen zu sein, ist es schön, aufeinander angewiesen zu sein. Es war fast eine Art Tanz, was sich aus dem Zustoßen, Bohren und Beharren und Zurückziehen und Wiederkommen der Füße ergab. Warum soll man Vorschriften aus der Hirtenzeit der Menschheit immer noch befolgen? Die werden Gründe gehabt haben, mit ihrem Samen geizig gewesen zu sein. Er spürte, daß er dieses plagende Gut nirgends so harmlos loswerden konnte wie in diese Freundin. Er müßte sie aber ins Haus nehmen. Aber in vier Wochen war er nicht mehr da. Er durfte nichts anfangen hier. Also nicht. Also auch das nicht. Also ... adieu, Wilde, Schmiegsame, Weichhaarige. Nichts ist so richtig wie das, was unterbleibt. Du bist im Augenblick nicht du selbst. Sobald du keine Frau hast, wird dir klar, was deine erste Bestimmung ist: Fortpflanzung. Es gibt nichts mehr, was dich nicht daran erinnert. Keine Frau, die du nicht daraufhin anschaust. Bevor du den Befehl Nummer Eins nicht erfüllst, kannst du dir nichts vornehmen, was dich persönlich anginge, interessierte. Das Mädchen ist nur das Objekt, an dem dieser Befehl erfüllt werden muß. Das Mädchen ist Mittel zum Zweck. Köder, gelegt nur, den Geköderten verrückt zu machen. Wenn man das in jeder Sekunde einsähe, sträubte man sich. Also hat das Anmachebrimborium, die so gepflegte Gefühlskarosserie schon einen Sinn. Sie dient. Man spurt. Der Zweck der Verklärung wird erreicht: man vergißt, daß die Verklärung einen Zweck hat. Das Mittel wird zum Einundalles. Da aber auch der regierende Zweck längst um seinen Sinn, die Fortpflanzung, betrogen ist, gilt die Verklärung einem Scheinzweck, das heißt, der Schein arbeitet für einen Schein. Das ist das, was dich Tag und Nacht um deine Zeit bringt, um dein Leben. Ein Scheinschein.

Heute kamen ihm die Studentinnen und Studenten, die durchs Crocker-Tor strömten, wie eine Truppe vor, die gerade eine Stadt erobert hat und jetzt hineinstürmt. Das waren alles Eroberer, ringsum. An ihm vorbei, links und rechts, stürmten sie vor. Sogar Gelähmte fuhren in ihren Elektrowägelchen bei dieser Erstürmung mit. Nein, es war keine Stadt, in die sie stürmten. Die in eine Stadt stürmen, haben die gleichmacherische Beschränktheit dessen, was sie erobern, im Gesicht. Die hier stürmten die Zukunft. Etwas, das es nicht gibt. Das macht ein anderes Gesicht. Ein schöneres. Eine gegenstandslose Helligkeit strahlte aus allen Gesichtern. Ein konkreter Jubel namens Jugend. Er mußte zugeben, daß das Leben, dem alle Veranstaltungen dienten, etwas Schönes sei. Er wollte sagen: Friedrich, mir ist danach. Aber in einer der offenen Telephonzellen an der Gazetten-Traufe lehnte sehr schräg die Studentin Fran Webb; in einer Hand den Hörer, in der anderen den Styroporbecher mit der Milch, die dem Körper guttut. Halm änderte seine Richtung sofort so, daß er nicht ihr Gesichtsfeld durchqueren mußte. Wahrscheinlich hätte sie ihn nicht gesehen. Wie sie da schräg am Hörer hing, sah sie wohl nichts. Sie kam groß heraus durch diese Schräglage. Mit wem sie so telephonierte, war klar. Wahrscheinlich hatte sie aufstehen müssen, als er noch schlief, jetzt rief sie ihn an, sagte, es sei gleich neun, ob er noch liege, wie er liege, ob ... Halm schaute das Denkmal an am Wegrand kurz vor Coit Hall. Für die Fußballspieler des Jahrgangs 1899. Verglichen mit ihren heutigen Nachfolgern haben die damals überhaupt keine Rüstung getragen. Seit Wochen ging er an der grün verwitternden Gruppe vorbei, ohne hinzuschauen. Heute mußte er stehenbleiben und die beiden Buben anschauen. Es war keine Kampf- oder gar Siegesszene. Der eine verband dem anderen eine Verletzung. Als Halm vor der Klasse saß, hörte er sich das Thema Selbstmord vorschlagen. Er intonierte das so leichtfertig wie möglich. Beneidenswertes Kalifornien! Hier ist Selbstmord kein Vergehen. Wo lebe man lieber als da, wo man, falls einem danach sei, jederzeit Schluß machen könne, ohne sich deshalb noch komische oder drastische Ahndungen auf den erkalteten Hals zu ziehen. Gail war furios gegen dieses Gesetz. Wenn sie in die Politik gehe, werde sie dafür sorgen, daß Selbstmord in Kalifornien wieder zu einem Vergehen gemacht werde. Sie stieß vor lauter Erregung eine ihrer Krücken um. Halm war der erste, der aufsprang und die Krücke wieder neben Gail an den Tisch lehnte. Elaine sagte von ihrem Busen herauf, ein Erstsemester sei einmal auf den Campanile und habe gedroht, er werde sich, wenn er kein *A* kriege, herunterstürzen. Jeff sagte, normalerweise geht, wer hier kein *A* kriegt, nach Los Angeles, bezahlt der Loyola Universität 14000 im Jahr, wird Arzt – und aus. Dann zitierte er noch Camus. Howard ging an die Tafel und schrieb hin, er habe eine Stimmbandentzündung und dürfe keinen Ton hervorbringen. Halm sagte: Howard, das ist Ihr bester Beitrag so far, und das will angesichts Ihrer bisherigen Beiträge etwas heißen! Das war Howard! Stimmbandentzündung, aber er kommt! Halm schaute ihn noch länger herzlich an. Fran Webb saß wie immer, das heißt, sie hatte ein Bein angewinkelt und umfaßt und folgte dem Gespräch mit leicht verspäteten Kopfwendungen. Sie sah den, der gerade gesprochen hatte, noch an, wenn schon der nächste sprach. Das gab ihr eine träge Präsenz, eine kuhhafte Größe, fast eine Art göttlicher Gegenwart. Sobald Halm ihren Mund sah, tauchten die Wälsungengeschwister auf, wie sie am Ende des Aktes tönten und tobten und wie dann Frans Kopf schräg wegsank und der WPP-Kopf sich präzisionsinstrumentenhaft auf ihr Schräggesicht senkte, bis die Münder einander aufnahmen und dann so ruhig wie gründlich mampften. Ihm tat es gut, angesichts dieser ihren Jeans-Schenkel auswinkelnden Sitzenden, angesichts dieser grell Langsamen von hastigen Selbstmordvorbereitungen, planmäßiger Kopflosigkeit und rauschendem Sturz in die Bewußtlosigkeit samt Schlußknall zu schwärmen. Gail sagte, sie glaube ihm kein Wort. Ausgezeichnet, sagte er, sie habe ihn durchschaut, er schäme sich aber nicht, er bestehe darauf, daß es Passagen gebe, die könne man nur gesund überleben, wenn man andauernd vom Selbstmord rede. In jedem Augenblick Schluß machen zu können –, das ist das einzige, was dich rettet vor dem Schlußmachenmüssen. Gail sagte, das seien unsaubere Spielereien. Unfair gegenüber dem Leben. Zu leben sei das Höchste. Unter allen Umständen. Es gebe keine Entweder/Oder. Es gebe nur das Leben, sonst nichts. Gail hatte nasse Augen. Die anderen klopften Beifall auf die Tischplatten. Halm beteiligte sich dadurch, daß er, als es wieder still war, sagte: *A-Plus* für Gail. Alle lachten. Da meldete sich endlich einmal Cynthia, die sich einem nie körperlich zuwandte, sondern nur den Kopf herüberdrehte; aber auch das Gesicht wandte sie einem nur so weit zu, daß die Augen gerade noch herüberschauen konnten. So wie Carol manchmal abgewendet stand und herschaute, als sei das Herschauen schwer. Cynthia sagte, sie habe einen Bekannten gehabt, der habe sich umbringen wollen, weil ihm die Energie ausgegangen sei, dem habe sie gut zugeredet, es habe geholfen. Der war natürlich noch sehr jung, sagte Halm. Nein, überhaupt nicht, sagte Cynthia, der war schon bald vierzig. Tatsächlich, sagte Halm. Da er nicht einfach wegrennen konnte, flüchtete er zum Beispiel *Hemingway*, der habe sich erschossen, weil das Alter ihm etwas verboten habe. Bewundernswerter Hemingway, sagte Halm. Und stand auf. Wenn man etwas nicht mehr bekommt, worauf man nicht verzichten kann... entschuldigen Sie, Gail, was soll man tun? Es gibt immer einen Sport, sagte Gail, griff nach ihren Krücken und entblößte dabei ihre durch graue Ketten gefaßten Zähne. Die Stunde war überstanden. Halm öffnete Gail die Tür, aber im Gang überholte er sie mit termingeplagtem Gesicht. Er rannte richtig los. Heute war er nicht einzuholen. Unter der Katzenbuckelbrücke schäumte der Bach.

MARGUERITE DURAS

Der Liebhaber

Ich wußte nicht, daß man dabei blutet. Er fragt, ob es mir weh getan habe, ich sage nein, er sagt, daß er glücklich darüber sei.
Er wischt das Blut ab, er wäscht mich. Ich schaue ihm zu. Unmerklich kommt er zurück, wird wieder begehrenswert. Ich frage mich, woher ich die Kraft gehabt habe, mich dem von meiner Mutter verhängten Verbot zu widersetzen. Mit solcher Ruhe, solcher Entschiedenheit. Wie ich es fertiggebracht habe, »die Idee zum Äußersten zu treiben«.
Wir sehen uns an. Er umarmt meinen Körper. Er fragt mich, warum ich gekommen sei. Ich sage, ich hätte es tun müssen, es sei wie eine Verpflichtung gewesen. Zum ersten Mal reden wir miteinander. Ich spreche von meinen beiden Brüdern. Ich sage, daß wir kein Geld haben. Nichts mehr. Er kennt den älteren Bruder, er ist ihm in den Opiumhöhlen der Station begegnet. Ich sage, daß dieser Bruder meine Mutter bestiehlt, um rauchen zu können, daß er die Dienstboten bestiehlt und daß manchmal die Besitzer der Opiumhöhlen kommen, um Geld von meiner Mutter zu verlangen. Ich erzähle ihm von den Ländereien am Damm. Ich sage, daß meine Mutter bald sterben werde, es könne nicht mehr lange dauern. Daß, was mir heute widerfahren sei, im Zusammenhang stehe mit dem nahen Tod meiner Mutter.
Ich werde gewahr, daß ich ihn begehre.
Er bedauert mich, ich sage nein, ich sei nicht bedauernswert, niemand sei es außer meiner Mutter. Er sagt mir: du bist gekommen, weil ich Geld habe. Ich sage, ich begehrte ihn so, mit seinem Geld, schon als ich ihn das erste Mal gesehen hätte, sei er mit diesem Auto, mit diesem Geld verbunden

gewesen, und ich könne deshalb nicht wissen, was ich getan hätte, wäre es anders gewesen. Er sagt: ich möchte dich mitnehmen, verreisen mit dir. Ich sage, noch könne ich meine Mutter nicht verlassen, ohne vor Kummer zu sterben. Er sagt, er habe wahrhaft kein Glück mit mir, er wolle mir aber trotzdem Geld geben, ich solle unbesorgt sein. Er hat sich wieder hingelegt. Wieder schweigen wir.

Der Lärm der Stadt ist sehr laut, in der Erinnerung ist er wie der zu laut eingestellte Ton eines Films, ohrenbetäubend. Ich erinnere mich genau, das Zimmer ist dunkel, wir reden nicht, es ist umgeben vom anhaltenden Tosen der Stadt, einbezogen in die Stadt, in das Gedröhn der Stadt. An den Fenstern gibt es keine Scheiben, nur Stores und Jalousien. Auf den Vorhängen sieht man die Schatten der Leute, die in der Sonne auf dem Gehsteig vorübergehen. Diese Menschenmengen sind immer gewaltig. Die Schatten sind gleichmäßig gestreift durch die Sprossen der Jalousien. Das Klappern der Holzschuhe hämmert gegen den Kopf, die Stimmen sind gellend, Chinesisch ist eine Sprache, die geschrien wird, so wie ich mir immer die Wüstensprachen vorstelle, es ist eine unglaublich fremde Sprache.

Draußen geht der Tag zur Neige, man hört es am Lärm der Stimmen und der immer zahlreicher werdenden, immer heftiger sich vermischenden Schritte. Es ist ein Vergnügungsviertel, das seinen Höhepunkt in der Nacht erlebt. Und die Nacht beginnt jetzt mit dem Sonnenuntergang.

Das Bett ist von der Stadt durch das Gitter der Jalousien, durch den Baumwollvorhang getrennt. Kein festes Material trennt uns von den anderen. Die anderen wissen nichts von unserer Existenz. Wir aber nehmen etwas von der ihren wahr, die Gesamtheit ihrer Stimmen, ihrer Bewegungen, wie eine Sirene, die einen gebrochenen Heulton ausstößt, kläglich, echolos.

Gerüche von Karamel dringen ins Zimmer, von gerösteten Erdnüssen, chinesischen Suppen, gebratenem Fleisch, von

Kräutern, Jasmin, Staub, von Weihrauch und Holzkohlenfeuer, das Feuer wird hier in Körben umhergetragen, es wird auf der Straße verkauft, der Geruch der Stadt ist der Geruch der Dörfer im Busch, im Wald.

MARIANNE FRITZ

Unter ihrem Kittel, drei Beutel

Die Männer auf den Pferden kamen nicht weiter: »Ajaaijai! Zur Seite!«, und gezogen den Säbel, der vorne voran geritten und am nächsten den Weibern.
Und eine Gruppe von Weibern. Beschlagnahmten die Straße, wollte man das nennen eine Straße, die Verbindung von Dorf zu Dorf.
Fünf Mädchen: gezählt, von vorne nach hinten, von hinten nach vorne, vier Mädchen: gezählt, von einem Straßenende zum anderen Straßenende.
Und die voran gegangen, im Tanzschritt und sich festhielt den Kopf, es war ein Mädchen so an die fünfzehn Jahr.

O, mein armes Köpfchen,
Was hab ich gemacht,
Geliebt hab ich ein Schafhirtlein,
Für ein Stück Käse.

Und der Chor hinter ihr, vier Mädchen die Reihe, hüpften zwei Schritte nach links, stockten kurz, legten den Kopf nach links. Und hüpften: zwei Schritte nach rechts; und stockten kurz; legten den Kopf nach rechts, drehten sich im Kreise; der Zeigefinger deutete auf die Frau, die vor ihnen ging, alle Zeigefinger deuteten, Buckel wurden gemacht, Rücken gekrümmt.
Rolle.
Die Augäpfel, zwei Köpfe zusammengesteckt und getuschelt, die Hände in den Hüften, empört, ach! Was hat, sie getan.

Und ich beiße diesen Käse,
Und der Käse ist süß,

Und ich blicke nach dem Schäfer,
Der Schäfer ist jung.

Gekicher, Getuschel und Hände um das Ohr, einmal nach links: Hört, Hört. Einmal sodann: nach rechts Hört, Hört. Und so auch nach hinten und nach vorne es mitgeteilt Hört, Hört.
Und der Chor, schlug einen Haken, als wären es Soldaten und drehten sich um. Staunte der Erste und es war der Mann auf dem Pferd, der geholt die meisten Sterne, herab vom Himmel und geheftet auf sein Gewand, nahe dem Hals. Etwas weiter zurück ein Reiter links, ein Reiter rechts und es waren die Männer auf den Pferden, die besaßen eine Fahne und die ließen sie kreisen, ihren Adler: über den Köpfen der Weiber, denn jede Fahne war guter Stoff und in ihm hockte der Adler, dessen Krallen hineingekrallt in eine Kugel, die eingeteilt und zerschnitten von vielen roten Linien in viele, viele: Teile; Blutspuren auf der Kugel, Krallen hineingeschlagen in die wunderschöne runde Kugel; ein Ball zum Spielen auf der Fahne des linken Reiters, auch auf der Fahne des rechten Reiters.

O, Du Schäfer, Du goldener,
Lasse sein die Schafe.
Es werden Dich lieben.
Schöne junge Frauen.

Reiter links, ein Reiter rechts und in deren Mitte, etwas weiter zurück ein Reiter, das war die Musik: entlockte der Trompete Klänge. Die sagte: stehenblieb Gott, Kaiser und Vaterland, kreisen ließ den Adler über die Weiber, alsodann schwieg.
Was gefällt mir, fragten die Augen der Männer die Weiber und während die Weiber beschlagnahmten Sekunden gewann die Eine, vorne voran sie unterwegs und am weitesten entfernt von den Pferden, am weitesten entfernt und nur

Rücken, Hüfte und Wade, ohne Gesicht. Umso näher dies Gesichtchen und jenes, umso näher, was angewachsen war fest und kräftig, spitz und rund, auch so weich und das warme Kopfkissen, indem es schlägt, denn es hat ein Herz und das klopft und es klopft bis hinauf, in den Hals.

O, Du Schäfer, Du goldener,
Höre auf Schäfe zu hüten. –
O, ich lasse es niemals bleiben,
Denn ich habe bereits stehlen gelernt.

Und der bekommen geschenkt so viele Sterne, die meisten Sterne vom Himmel und sich geheftet den Himmelschatz an sein Gewand, er suchte mit den Augen die Schönste, er suchte ab das in Kleider gehüllte Fleisch, prüfte: was er sah von Beinen, Prüfungsfragen viele, denn es waren zwanzig Weiber zu vergleichen im Angebot. Das Beste es war, gerade gut genug für den Ersten. Sein Säbel war in der Scheide.

Beim Priester stahl ich ein männliches Schaf,
Beim Herrn ein weibliches,
Blicke ich hinter mich,
Errichtet man – schon – den Galgen.

Und die voran gegangen, im Tanzschritt, die Hände in die Hüften, Mädchen, wem möchtest du geben einen Fußtritt, mit dem linken Fuß. Mädchen, wem: möchtest du, geben den Fußtritt mit dem rechten Fuß und auf der Stelle geblieben stehen, gestampft so auch sich gedreht im Kreise und wieder gestampft: mit den Füßen, den Boden geschlagen und leichtfüßig gehopst an das eine Straßenende und gehopst sehr flott, an das andere Ende der Straße, zur Mitte zurück, sich gedreht sehr flott im Kreise und eine Hüftenverschiebung nach links, sodann nach rechts, ein Ausspähen. Niemand sehen hatte können, ihr Gesicht, niemand wissen konnte: welches Haar, sich verbarg unter ihrem Kopfschmuck. War es lang, war es glatt, war es gewellt:

wunderschön und wenn nicht blond war es schwarz, wenn nicht schwarz war es braun oder rot, die Kleinste war es und so wohl auch die Jüngste, höchstens fünfzehn Jahre altes Fleisch. Nicht beflecktes; unberührtes Fleisch. Der Kreisel, der Wirbelwind, drehte er sich derartig geschwind, sodaß verwischt die ganze Gestalt, sich entzogen dem langsamen männlichen Auge, das geprüft, was vorne gewirbelt und wenn nicht gewirbelt nur gezeigt den Rücken; dessen Fortsetzung, die hintere Hoffnung; entzogen die vordere Prüfung. Und es waren fünfundzwanzig Männer, die gegenübergestanden einer Mädchenschar von zwanzigundeinem. Der war der Sechsundzwanzigste, hatte geprüft zwanzig, die Entscheidung war schwer, gewissenhaft war er und wollte gesehen haben: auch die, die vorne war, entzogen der Prüfung und er selbst hatte schon einige Silberfäden im Haar, einige Erfahrungen und witterte: noch größere Jugend, abgewandt.
Und aber die zwanzig Mädchen begannen wehklagen seufzen und tanzen und drehten ihre Runden; warben um seine Gunst. Viele Ausschnitte sah, doch; noch einmal prüfen er mußte; ritterlich sein Sinn und eiferte auch nach dem vornehmsten Kavalier der Welt. Wollte auch in diesem Falle wahren die äußere Form und erst nach langem Hin und Her, Her und Hin fallen lassen die Würfel zu Gunsten des noch abgewandten jungen Fleisches.
Das schon ahnte und noch nicht, wohl aber die zwanzig Weiber.
Könnte ausgewählt worden sein für den Ersten Reiter, dessen Stimme auf der Straße, so.
Viel Wert hatte, wie im ganzen Lande die Stimmung der Allerhöchsten Herrschaft, aufgeklärt war über die Wichtigkeit seines Dienstes und von ihr durchdrungen. Ein erhaltener Auftrag wurde von ihm: niemals vergessen, niemals vernachlässigt. Er war der Erste Reiter. Stets eingedenk der erhaltenen Aufträge und verstand stets Angenehmes verbin-

den mit auferlegten Pflichten, vollzog: beides, seinem ganzen Umfange nach, auf das gewissenhafteste und war: besonders, vor dem Feinde, stets Vergegenwärtigung jenes Ernstes und jener Wichtigkeit, die in den, ihm übertragenen Aufgaben erheischten vollkommene und rückhaltlose Entfaltung und ihm waren allgegenwärtig, daran brauchte er nicht mehr denken, die Folgen und es waren höchst gefährliche Folgen, die mit sich brachten: eine Außerachtlassung der Obliegenheiten, hier war er Atlas, der auf seinen Schultern die Erdkugel trug, hier war er umgeben von potentiellen Feinden im Rücken und auch wenn sie saßen wie er, auf den Rücken der Pferde und potentiellen Feinden auf der Straße.

Denn er war im Land der Sehnsucht, im Land der Gewalt, im Land des Feuers, das in den Menschen brannte, in den Männern wie in den Weibern und binnen Sekunden gehorsame Diener sich verbünden konnten mit den Weibern auf der Straße, das wußte auch jene, die sich abgewandt hatte und sehr gut kannte den Ersten Reiter. Und aber es war vollbracht, denn auch sie kannte, wie er, das Land. Und die Menschen etwas um einiges besser, denn sie war keine Herrin und wußte, was gefehlt diesem Land. Deshalb auch dies geschah, während er geprüft, wo er noch immer geworden weich geworden schwach.

Und griff hinein unter ihrem Kittel es waren da. Gleich drei Beutel und in diesen Beuteln.

Es waren Schlangen ohne Gift, doch die Pferde mochten sie nicht. Griff hinein, in ihren Schatz, warf ihn seitwärts und es sich geringelt alsogleich dorthin, dahin, unterwegs die Schlangen des Landes, die Pferde brauchten den guten Reiter, so viele und jede Schlange war groß, hatte getanzt mit schwerem Gewicht und war auch ohne Erleichterung nicht, wieder auslassen, das eingefangen worden war von ihnen allein für die Reiter, die sie schon kommen sahen, lange: ehe, sie gesichtet worden, waren gewußt die Reiter. Und als klar

war der Auftrag der Reiter, war klar, ihren Schatz sich überwarfen die Tracht und gekleidet mit den Farben ihres Landes, denn sie brauchten den Rahmen, in dem sie durchkreuzen konnten und durchqueren den Auftrag.
Und während er gehalten: was er getan sehr gerne, es verbunden mit dem Plan, euch Weiber wünsche ich als Gehilfen, als Gegenleistung biete ich euch an euer Fleisch, aufrichtig zu prüfen. Ehe ich mich entschieden haben werde, wofür ich mich, schon entschieden, es sei das Jüngste, es sei die Erste, die sich mir entzieht.
O sie hatte studiert; gründlich; den Ersten Reiter. Kannte ihn, kannte die Herren des Landes und kannte die herrschende Partei der Heimat. In der sie waren dies bestimmt: die Fremden. Die Unbekannten. Die unberechenbare Größe, war sie klein war sie groß, duckte sie sich heute, morgen nicht und übermorgen ging sie wieder ganz artig und ordentlich gekrümmt. Der Untergrund und es waren Millionen.
Und aber sie wußte auch, das wußte nicht nur sie, es wußte auch er, der Erste Reiter. Die auf den Pferden, es waren Söhne ihres Landes, nicht aber er, denn er war ein Kulturträger. Das gab ihm das Recht, treten die Rechte der unberechenbaren unbekannten und so verachteten wie gefürchteten Größe, war sie gehorsam war sie aufmüpfig, krümmte sie sich heute, morgen war sie der Aufstand und übermorgen beugte sie wieder ganz Einsicht, als Vieh geboren, sterben als Vieh, dazwischen dies: gewesen, ein viehisches Leben, und aber es waren Menschen.
Es war so schwer zu vergessen und nur vorübergehend, dem Vieh geht es besser, dem Vieh geht es gut, es wird gefüttert und also: vielleicht, wirst auch du gefüttert, sich manch guter Sohn des Landes gesagt, sobald du es bekennst, Jawohl ich bin eine viehische Natur, aber: die Peitsche Gottes und des Kaisers und des Vaterlandes, es wird mich menschlich machen, ich werde verstehen lernen Gesetz, Ordnung

und gute Sitte. Ich werde nacheifern den Kulturträgern des Landes.

O sie hatte studiert; gründlich; die Hoffnung und die Sehnsucht, den Irrtum, auch die Blindheit und wie geworden aus guten Söhnen schlechte Söhne des Landes.

Die auf den Pferden, es waren Söhne ihres Landes, die horchten auf seine – und es war ein Befehle erteilen gewohntes Stimmorgan – Anweisungen und nicht auf ihre obwohl die Reiter, hievon war sie überzeugt, schon erkannt die vorne getanzt und gewirbelt und aber geschwiegen. Nicht wurde allsogleich: die Meldung an den Kulturträger. Der Galgen wieder etwas gerückt in die Ferne. Mit diesen Reitern er nicht versucht zu werden der letzte Befehl; denn in den schlechten Söhnen war, trotzdem noch die Erinnerung da an die Schwester und an die Geliebte, die stand in den Reihen und sicher schon erkannt worden von dem und jenem Reiter, auch wenn er weitergemeldet nichts, nur sich gemerkt, was mitgeteilt ihm und jenem, diese Augen auch andere Augen.

Viel wurde gesprochen hin und her, zwischen den Reitern, die nicht waren: die Kulturträger dieses Landes und den Mädchen auf der Straße, die nicht waren, nicht eine war eine Herrin.

Wer hier neben der Straße: errichtete den Galgen, für sie, errichtete sich den eigenen Galgen.

Die sie war immer und auch wurde immer wieder angerufen, gerufen wenn die letzten Hoffnungen schwanden, gerufen so Krankheit zuschlug und zurückgeblieben Spuren nahenden Todes, Spuren, die hinterlassen, überall: im Lande hinterließen, dieselben für Gott, Kaiser und Vaterland charakteristischen Spuren, die Spuren der Gewaltanwendung. So waren sie gekommen, so waren sie geblieben: die Kulturträger aus anderen Regionen. Nie offenbarten sich die Kulturträger anders, fortschleppten Frucht und Vieh; zurückließen. Den Hunger, mitnehmen aber wollten ihre Sprache

versteckt behalten selbst ihr Alphabet und griffen nach einzelnen Buchstaben, auf daß nicht werde gestohlen alles auf einmal, vielmehr so nach und nach, immer ein bißchen weggenommen, auf daß sich gewöhnen könnten die Söhne und Töchter des Landes an einen Raubzug, der ihnen fortnehmen wollte auch und gerade ihre eigene Geschichte, dies waren die Kulturträger: Diebe und Räuber und aber hatten ein dickes Buch, in unleserlichen Worten stand in diesem Buch in sehr gewundenen Sätzen geschrieben, hier gab es keine Diebe und Räuber, die Kulturträger sperrten ein jeden Dieb und jeden Räuber. Und es waren die Söhne und es waren die Kinder und die Töchter des Landes und aber sie schrieben das verkehrt auf, genau umgekehrt, niemand aber durfte das laut sagen, was inwendig gewußt wurde und eingeschrieben war sehr bald in die Herzen der Kinder dieses Landes.
Es war das Land, in dem belohnt wurde die Willkür. Und bestraft, der nicht vergessen konnte.
Mit den Wägelchen auf Schienen, die fahren konnten und auf Rädern unglaublich geschwind außer Landes brachten, die Schätze des Bodens. Und im Lande blieb zurück nicht nur der Hunger, auch die gestohlene Sprache. So war es und nun. Im Vierzehner Jahr, als gekommen die Zeit fürs große Sterben, griffen sie nach dem lebendigen Gut des Landes: beschlagnahmten die Söhne des Landes und wurden Befehl, gehe töten den Bruder von dir, der drüben wohnt, über der Grenze. Gehe verteidigen es wird gegriffen von drüber der Grenze: herüber nach deinem Grund, nach deiner Heimat und aber in der Heimat, die gehört einem selbst gar nicht, in der sie fortgenommen ihnen das Gute und ihnen nur hinterließen den Hunger, die gestohlene Sprache, den Fußtritt und wer sich nicht in acht nahm, war tot und wußte nicht wie geschah ihm das, so schnell man geboren, war man nicht Kulturträger, auch so flink wieder gestorben. Es gab auch das Glück, die großartige Schicksalsfügung und das einen

geführt in die Zelle, mehr nicht. Ein Fuß: sehr nahe, der geöffneten Grube und es war der Hunger. Der andere Fuß sehr nahe der geöffneten Grube und das war der Stiefel, denn das Gesetz, das Haus der Gerechtigkeit, es hatte Stiefel. Auch der Gott des Landes gefiel den Kulturträgern nicht, wollten mitbringen und brachten auch mit ihren Gott und sagten, Euer Gott ist nicht der wahre Gott, Eure Ratgeber, die Euren Gott kennen, seht, was das für Jammerlappen sind, seht doch was das sind für Betrüger und wollen euch fernhalten vom einzig wahren Gott, den: haben wir Euch mitgebracht.

O sie hatte studiert; gründlich; die Kulturträger. Kannte den Stiefel. Kannte das Bajonett. Kannte die Zelle und wußte die Peitsche über den Rücken schmerzt, Griff nach dem Weib lehrt sprechen mit den Sternen und dem Mond und das Haus der Gerechtigkeit schweigt, es belohnt die Willkür. Und bestraft jeden, der sagt; das Tiere nicht sind, ihre Gesichter sind euer schlechtes Gewissen, deshalb müssen sie sein Vieh. Denn, einem Vieh, darf fortgenommen werden alles, einem Menschen aber nicht. Das hatten die Kulturträger verstanden sehr bald; mit diesem Wissen waren sie ins Land gekommen, es war ihr Gewissen und es ließ sie schlafen. Und in der Nacht rüttelte an ihrem Fenster der Wind und sie schreckten hoch. Es wurde ihnen angst, es wurde ihnen sehr bange, wurde der Wind der Sturm, der geklopft nicht mehr, zurückhaltend ans Fenster und zaghaft, der eingeschlagen Fensterscheiben. Und abgedeckt das Haus, eingetreten die Türe. Und geöffnet, was geschützt sein wollte und gewirbelt nicht fort die Fremde, die doch geworden die Heimat.

Dieses Gericht, fürchteten sie doch, es machte sie nicht klug, es machte sie grausam. Es öffnete nicht ihre Augen, es schloß sie endgültig und Haß sehr tiefer Haß schlug-aus gegen das Gewissen, das in Form des Hungers geschaut aus Gesichtern.

Was, wenn das Vieh doch in sich verbarg den Menschen, der schlummerte?
Was, wenn das Vieh doch aufstand, sich aufrichtete und die Kulturträger erkannten als ihre Pein, als ihre Qual und ihren Schmerz, der sie sprechen lehrte mit Stern und Mond, der sie lehrte das Steineweinen und werden das Gericht Stein gewordenen Schmerzes. Wie lange duldeten sie, wie lange beugten sich ihre Rücken, wann schlugen sie zurück, wann! Diese Angst saß dann, neben dem und jenem Kulturträger, auf dem Bett.
Artig und ordentlich gekrümmt. Der Untergrund und es waren Millionen. Noch ein Sekündlein, Mädchen, ein paar Schlangen hab ich noch in meinem Beutel und Beginn gerade fiel es dem Chor noch ein. Der Beginn zu dem Liedchen, denn der Kulturträger, er war sehr eingebildet und glaubte, weil er kannte das Lied, kennte er auch, das Land und seine Menschen. Weil er gegriffen nach dieser Brust und hinein unter den Kittel kennte er die Weiber des Landes.
Und sie hatte es gesagt den Mädchen, Wenn er zu früh zureiten möchte auf mich und greifen nach meiner Jugend, die ich am allerweitesten entfernt von ihm gehen möchte und tanzen, wenn es so sein sollte, dann erinnert euch, er hört es sehr leidenschaftlich gerne. Denn voll Leidenschaften ist der, der uns Leiden schafft. Diese Liedlein haben es ihm angetan und aber vor allem das Eine, dann bleibt er, hörten seine Ohren nicht Klänge und wach werden ihm Erinnerungen, wie sehr er doch kennt dieses Land, wie sehr er doch zu Hause ist in unserer Heimat. Das fühlt er, es: unter Umständen nötig ist, dies Liedlein ihm singen, vergeßt es nicht. Und dann, lächelt mir, besonders keck und besonders frech, deinen Busen etwas höher und schnüre dich etwas enger, höher und nicht so seitlich gequetscht, nach vorne, noch ein bißchen höher geschoben; sehr gut. So gewissenhaft hatten sie sich vorbereitet obwohl sie wußten, nicht viel Zeit ihnen blieb, auch noch fangen gehen mußten, umsehen

sich in der Umgebung und suchen die Orte der Schlangen. Auch diese überzeugen, sie sollten sich anfassen lassen, angreifen und stecken lassen in ihre Beutel, es geschehe ihnen nichts, brauchten nur da sein und dann sich schlängeln zum Schrecken der Pferde, diese aufbäumen lehren und beschäftigen die Reiter mit ihren verwirrten Tieren. Scheu werdende Pferde, es war ganz natürlich, daß Weiber suchten vor Hufen, die niedertraten und zerstampften, was nicht auswich, die Flucht. Ein Schlänglein noch dahin geworfen, gewirbelt im Kreise, das andere dorthin und ringeln von allen Seiten sollte es sich ringeln Pferde waren klüger als ihre Herren, hörten das und spürten die Nähe der Schlangen; auch die Söhne des Landes? Fällte der und jener in seinem Kopfe schon das Urteil, die Weiber waren nicht zufällige Wegsperre geworden? Falls, schwiegen sie.

Im finsteren Walde
Unter der Linde
Steht der Hauptmann
Mit dem Mädchen;

Und es sang der Chor und es begleitete den Chor die Trompete. Es schwiegen Söhne des Landes, es schwieg der Erste Reiter, er war gerührt, sangen ihm sein Lied es rührte ihn; immer wieder.

PATRICK MODIANO

Der Eintritt ins Leben

Später, wenn sie beide von der Vergangenheit redeten – sie redeten freilich nur sehr selten davon, am ehesten nach der Geburt der Kinder –, wunderten sie sich, daß die bestimmende Periode ihres Lebens kaum sieben Monate gedauert hatte. Ja, so war es: Louis hatte im Dezember die Armee verlassen, und Anfang Januar waren Odile und er einander begegnet ...

Im Februar verschaffte Brossier ihnen eine neue Wohnung. Als er eines Tages Louis an der Porte Champerret abholen kam, wunderte er sich über die Winzigkeit des Zimmers und die von dem gewaltigen Heizkörper verbreitete Stickhitze.

– Hier könnt ihr nicht bleiben ... Warum haben Sie mir nie davon erzählt?

Zufällig kannte er eine freie Zwei-Zimmer-Wohnung; er hatte sie selber mieten wollen, dann aber davon Abstand genommen: seiner Meinung nach lag sie zu weit ab von der Cité universitaire. Sie befand sich am Anfang der Rue Caulaincourt, jenseits der Eisenbrücke, die über den Friedhof von Montmartre führt. Und die Miete war durchaus bescheiden. Er würde mit Bejardy darüber reden. Nein, Bejardy brächte es nicht über sich, Odile und Louis in solch einer winzigen, überheizten Mansarde zu lassen.

Im folgenden Monat zogen sie in der Rue Caulaincourt ein, und das Appartement erschien ihnen riesig. Der Hauptraum war ein Atelier. In einem Winkel, einzige Spuren des Künstlers, der da gelebt hatte, standen ein Ventilator mit gewaltigen Flügeln und eine halbkreisförmige Bar, deren schwarzer, abbröckelnder Lack mit quasi chinesischen Zeichnungen geschmückt war, ähnlich wie das Hemd, das Brossier für die Cité universitaire bevorzugte. Durch die Glasfront blickte man auf den Südwesten von Paris.

Bejardy überließ ihnen ein Bett und einen mit granatrotem Stoff überzogenen Fauteuil, Brossier zwei gerillte Stühle und eine Stehlampe. Es gab sogar ein Telefon und eine gut ausgestattete Küche. Als der Concierge sie nach ihrem Namen fragte, um sie in die Mieterliste einzutragen, sagten sie: Monsieur und Madame Memling, in der Vorstellung, er werde Jungverheirateten mehr Vertrauen schenken.

Eines Abends weihte man die Wohnung ein (wie das Brossier in seiner pompösen Art ausdrückte). Er erklärte, Jacqueline Boivin, seine Verlobte, könne leider nicht kommen: von der Cité universitaire aus gesehen, lag die Rue Caulaincourt am Ende der Welt. Man mußte dazu die Seine überqueren, und dieser Fluß markierte die Grenze zwischen zwei Städten, die nichts miteinander gemein hatten.

Bejardy jedoch war dazugekommen. Louis bemerkte an seinem Jackenrevers ein grün-gelbes Band.

– Man hat Sie mit einem Orden ausgezeichnet? fragte er ihn.

– Die Militärmedaille, sagte Bejardy. Ich habe sie in Deutschland bekommen, mit dreiundzwanzig, unter dem Marschall de Lattre. Es ist das einzig Rechte, das ich im Leben getan habe.

Er sagte das mit gesenkten Augen. Es war zu spüren, daß er von etwas anderem reden wollte.

Man trank den Aperitif im Atelier. Dann ging man essen, ganz in der Nähe, zu *Chez Justin*, Rue Joseph-de-Maistre.

Er arbeitete nicht mehr nachts. Bejardy vertraute ihm »kleine Geschäfte« an, die am Tag zu erledigen waren. Manchmal blieb er dann auch nur in der Garage, um die

Besucher zu empfangen und das Telefon abzuheben. Die »kleinen Geschäfte« bestanden darin, daß er verschiedene Adressen in Paris und Umgebung mit Briefen belieferte oder dort welche abholte. Bejardy hatte ihm nämlich erklärt, er traue der Post nicht. Oft diente er ihm auch als Chauffeur, indem er ihn in einem alten, lederduftenden englischen Wagen zu seinen Treffen kutschierte. Sein Gehalt war verdoppelt worden, ohne daß Bejardy ihm solche Erhöhung im geringsten begründet hätte.
Er verspürte eine gewisse Unruhe. Wie sollte er seine »Arbeit« nennen? Zu welcher »Firma« gehörte er eigentlich? Und zu welcher gehörte Bejardy? Und warum hatte dieser ihm so rasch einen Vertrauensposten gegeben?
Diese Fragen stellte er sich freilich kaum vor Odile. Die Jahre der Einsamkeit in der Schule und bei der Armee hatten ihn dazu gebracht, sich niemandem anzuvertrauen und seine Sorgen zu verheimlichen. Er bemühte sich im Gegenteil, vor ihr unbeschwert zu erscheinen, und überzeugte sie von der Ehrbarkeit seiner Arbeit. Die Beschützermanier Bejardys erklärte sich daraus, daß dieser damals seinen Vater gekannt hatte – und das war ja nicht völlig gelogen: Bejardy hatte ihm erzählt, in seiner Jugend habe ihn der Radsport begeistert, und er sei entzückt und gerührt, Memlings Sohn eine Anstellung verschafft zu haben.
Nein, vor Odile durfte er nicht die geringste Beunruhigung zeigen. Anderenfalls würde er das zarte Gleichgewicht ihres gemeinsamen Lebens gefährden. Schließlich wohnten sie nicht mehr in einem Dachboden, sondern in einem Appartement der Rue Caulaincourt, und auf der Mieterliste des Gebäudes, geklebt an den Glasverschlag des Concierge, stand zu lesen: »Monsieur und Madame Memling«. Für einen Zwanzigjährigen war das gar nicht schlecht.

Doch er erlaubte sich, ein paar Fragen an Brossier zu stellen. Sie saßen auf einer Bank des *Rêve*, eines Cafés in der Rue Caulaincourt, von dem Louis angezogen war wegen seines Namens: *Traum*. Es erheiterte Odile und ihn, zu sagen: »Rendezvous um fünf im *Rêve*...«

– Wenn ich es recht verstehe, trauen Sie Roland nicht?

– Keineswegs...

– Roland ist in Ordnung, mein Lieber... Nicht jedermann schafft mit dreiundzwanzig die Militärmedaille...

– Ich weiß.

– Ihre Arbeit tut Ihnen doch nicht weh. Es ist Laufburschenarbeit... Was ist daran so seltsam?

Er schlug ihm leicht auf die Schulter.

– Ich spaße nur... Sie sind so etwas wie Rolands Sekretär... Ich übrigens auch... Halten Sie das für eine Schande?

– Nein... Aber was tut... Roland eigentlich?

– Roland ist ein Geschäftsmann, unter anderem Teilhaber von Autofirmen, antwortete Brossier langsam, wie einstudiert.

– Und wie haben Sie ihn kennengelernt?

– Eines Tages, wenn wir mehr Zeit haben, werde ich es Ihnen erklären...

Sie waren aufgestanden und die Straße hinunter gegangen. Kinder stürmten aus einer Schule und rempelten sie. Einer von ihnen stand auf Rollschuhen, und die andern verfolgten ihn.

– Ich verstehe Ihre Unruhe..., sagte Brossier mit seiner rauhen, atemlosen Stimme, die er immer annahm, wenn er von Dingen sprach, die ihm am Herzen lagen.

Das war nun nicht mehr der Brossier des übertriebenen Brusttons. Wie seltsam, dachte Louis, daß man zwei derartig verschiedene Stimmen haben kann...

Was sagte er? In Louis' Alter gehe man oft unbestimmten Beschäftigungen nach, ernähre sich notgedrungen von unklaren Quellen. Nachher würde alles klarer, aber mit zwanzig hätte noch nichts seinen Umriß, seinen Plan. Es ist der Eintritt ins Leben, mein Lieber. Er selbst... Eines Tages würde er ihm alles erzählen.

JÖRG STEINER

Olduvai

»Wollen Sie erst morgen fahren, Bwana Daktari?« fragte der Fahrer.
»Morgen, ja, Baltazar, morgen; um halb zehn«, sagte der Angesprochene.
»Und heute, Bwana? Haben Sie sich mit dem Wildhüter verabredet?«
»Nehmen Sie sich einen freien Tag, Baltazar«, sagte der Arzt.
Er ist der einzige Gast in der Ngorongoro-Wildlife-Lodge. Sodawasser ist gerade ausgegangen, Bier ist gerade ausgegangen, Fruchtsaft soll von Arusha hergebracht werden, nächste Woche vielleicht.
Gut, daß er selbst vorgesorgt hat. Nach vier Fernet-Brancas und zwei, drei Gläsern Gin aus dem Koffervorrat befindet er sich in Bestform.
Verloren, denkt er.
Sein Blick schweift über die Kraterlandschaft in der Tiefe: über das Wäldchen, die Sumpfgebiete, den Soda-See und über die Steppe, die im Sonnenlicht türkisgrün aufflammt und unter den ziehenden Wolkenschatten zu Asche verglüht.
Vor den östlichen Kraterrand schiebt sich ein Regenschleier, – oder ist es eine Trübung meines Gesichtsfeldes, denkt der Arzt; Metastasen?
Er sitzt auf der Terrasse, das Fernglas um den Hals gehängt. Mit dem Fernglas würde er möglicherweise Elefanten entdecken, vielleicht auch eine Büffelherde.
Zum ersten Februar-Vollmond kommen die Jungtiere zur Welt, Gnu- und Büffelkälber.

Er greift in die Tasche und holt die angebrochene Ginflasche heraus; dann wendet er sich nach seinem Fahrer um; Baltazar ist weggegangen.

Lautlos taucht er auf und verschwindet. Er spricht mich an, um mich nicht zu erschrecken: manchmal mit Bwana, manchmal mit Mzee. Mzee ist das Wort für alter Mann.

Das wittert er an mir, denkt der Arzt, die Alkoholfahne kann ihn nicht täuschen.

Er beobachtet zwei Marabus im Anflug, zieht ein Päckchen Zigaretten aus der Tasche, nimmt eine Zigarette heraus, zögert, das Feuerzeug in der Hand, schützt die Flamme mit beiden Händen. Erst nach dem dritten Versuch gelingt es ihm, die Zigarette anzuzünden. Die Zigarette glüht im Wind. Der Wind raucht mit. Der Wind zerzaust das Gefieder der beiden Marabus. Sie stehen auf der Wiese vor der Küchentür. Um sie herum ist alles in Bewegung: Gräser, Büsche und Bäume, Moosbärte und Blüten, Licht und Schatten, Wasser, Himmel und Land, und der Reifen, der sich mit jedem Atemzug enger zusammenzieht, das Einatmen und das Ausatmen, der Herzschlag.

Er raucht die Zigarette bis zum Filter, drückt die letzte Glut auf dem Holzgeländer aus, preßt den Filter zwischen Staniol und Papierhülle der Packung.

Siebenundvierzig Jahre alt, aufschiebende Maßnahmen abgelehnt, bis auf diese Reise zur Olduvai-Schlucht: Lava, vulkanische Asche, Ton, abgelagerter Sand und Staub. Rund um den afrikanischen Graben hat alles angefangen. Abzweigung bei Kilometer siebenunddreißig zwischen Ngorongoro und Serengeti. Steinwerkzeug, menschliche Knochen, Fossilien.

Die Schädelfragmente will er sehen, nicht die willkürlich rekonstruierten und ergänzten Schädel: den Nußknackermenschen, einskommasieben Millionen Jahre älter; und die Handknochen, vor allem die Handknochen mit dem Ansatz des gegengriffigen Daumens, mit dem Ansatz zu Heilung

und zu Vernichtung. Die Liebe, wer steht uns bei, die Liebe reicht nicht für das ganze Leben.
Was kann er noch sehen wollen?
Er hat seine Röntgenbilder gesehen.
Er hat einen Aufenthalt an einem Ärztekongreß in Zürich genutzt, um sich Klarheit zu verschaffen: ohne Operation und Chemotherapie bleiben ihm sechs bis neun Monate, bis fast zuletzt werden die Schmerzen erträglich sein, erträglich zu machen sein, o bitte, ich flehe dich an.
Einer, der sich in seinem Körper gefangen fühlt und sich dennoch vor der Befreiung fürchtet. Vor der Befreiung?
Eine Sache beim Namen nennen: Olduvai ist ein schöner Name; Allerleirauh, Olduvai. Die Geschichte der Menschheit ist dort in vier Schichten aufgehoben. Geschichte und Schichten. Lebensbeweise.
Der Arzt ruft nach dem Fahrer.
»Ich bin zu müde, um bis morgen zu warten, Baltazar. Fahren wir heute schon, bitte.«
Am Rande der Schlucht, im Staub vor dem baufälligen Museum, stehen und sitzen geschmückte, mit Speeren bewaffnete Krieger, die sich von den wenigen Touristen für zehn tansanische Schillinge fotografieren lassen.
Aus einem Range-Rover steigen drei Engländer in bedruckten T-Shirts: ICH WAR AUF DEM KILIMANDSCHARO – UND DU? Sie mischen sich unter die Krieger, mit einem freundlichen Lachen im Gesicht.
Der Arzt bleibt im Wagen sitzen.
Baltazar hat die Tür zur Fahrerseite geöffnet.
»Wenn wir jetzt gleich zurückfahren, kommen wir noch zum Mittagessen zurecht«, sagt der Arzt. »Was gibt es heute, haben Sie sich erkundigt?«
»Wie Sie wünschen, Bwana«, sagt Baltazar. »Kein Problem. Es gibt Huhn mit Bohnen.«
»Gestern haben Sie unterwegs Elefantenkot aufgesammelt, nicht wahr?« fragt der Arzt.

Baltazar nickt. Er ist ein guter Fahrer. Mit Schwung wendet er den Wagen auf der schmalen Piste.

»Das war vorgestern«, sagt er.

»Wozu?« fragt der Arzt.

Baltazar schaut ihn an, als verstehe er die Frage nicht.

»Schon gut«, sagt der Arzt. »Sie brauchen es mir nicht zu sagen, wenn Sie nicht wollen.«

»Es ist lokale Medizin«, sagt der Fahrer.

Er legt den dritten Gang ein, schaut jetzt, die Hände ans Lenkrad geklammert, geradeaus.

»Es ist nicht für die Krankheit des Körpers«, sagt er.

JUREK BECKER

Vor einem Jahr

Vor einem Jahr kam mein Vater auf die denkbar schwerste Weise zu Schaden, er starb. Das Ereignis fand am vierten August 73 statt, oder sagen wir ruhig das Unglück, an einem Sonnabend. Ich habe es kommen sehen.

Ich wohne seitdem bei Hugo und Rahel Lepschitz, dazu bei ihrer Tochter Martha. Sie wissen nichts vom Hergang der Geschichte, die in meines Vaters Tod ihren Höhepunkt fand, für sie ist er einfach an Herzinfarkt gestorben. Hugo Lepschitz hat damals gesagt, der Sohn seines besten Freundes sei ihm nicht weniger lieb als ein eigener, und sie haben mich zu sich genommen. Dabei hatten die beiden sich kaum zehnmal im Leben gesehen, und wenn sie auch nur das geringste füreinander übrig hatten, dann versteckten sie es wie einen Schatz.

Man hätte alles damals mit mir machen können, mich zu sich nehmen, mich fortschicken, mich ins Bett stecken, nur fragen durfte man mich nichts. Als ich einigermaßen wieder zu mir kam, war meine und meines Vaters Wohnung aufgelöst, ich lag auf dem Sofa der Familie Lepschitz, wurde von Martha gestreichelt, und der Fernseher lief.

Seit Tagen hört das Wetter nicht auf, ein Mai ist das! Ich spüre, wie das Leben zu mir zurückkehrt; es kribbelt in meinem Kopf, die grauen Zellen räkeln sich, nicht lange, und ich werde wieder denken können. Das Trauerjahr geht zu Ende. Wenn man mich vor den goldenen Thron riefe und nach dem einen großen Wunsch fragte, brauchte ich nicht lange zu überlegen: Gebt mir das steinerne Herz. Was die anderen mit ihren Gefühlen leisten, würde ich sagen, das möchte ich mit dem Verstand erledigen. In Zukunft kann mir sterben wer will, noch so ein Jahr wird mir nicht mehr passieren.

Hinter meinem Umzug kann nur Martha gesteckt haben. Als sie mich von Vaters Beerdigung mit den paar kleinen Juden nach Hause brachte und in der leeren Stube sitzen sah, wird ihr vor Mitleid das Herz zersprungen sein. Wir liebten uns damals entsetzlich. Bestimmt hatte sie die besten Absichten, auch wenn heute alles verloren ist. Wenn sie heute ins Zimmer kommt, fange ich sofort zu überlegen an, ob es draußen nicht etwas zu tun gäbe. Seit ich hier wohne, ist unsere Herzlichkeit verfallen, und man muß sehr gute Augen haben, um noch einen Rest davon zu erkennen.

Ich habe nicht den Mut, mich nach einer neuen Freundin umzusehen. Ich stelle mir vor, was geschehen würde, wenn ich eines Tages mit einer Jutta oder Gertrud hier auftauchte. Wie Rahel Lepschitz ihr Gesicht zwischen die Hände nehmen und wie Hugo Lepschitz den Kopf über so viel Undankbarkeit schütteln und wie Martha mit starren Augen versuchen würde, so zu tun, als handelte es sich um das Alltäglichste von der Welt.

Bei Lichte besehen stehe ich also vor der Wahl, mir entweder eine bestimmte Art von Zeitvertreib aus dem Kopf zu schlagen oder hier auszuziehen. Oder die Sache mit Martha renkte sich wieder ein, aber das halte ich für ausgeschlossen. Damals hat es mir nichts ausgemacht, daß sie anderthalb Jahre älter war als ich und daß manche sich wunderten, wie eine so reife und erwachsene Person sich mit einem Kindskopf wie mir abgeben konnte. Heute kommt sie mir vor wie eine Greisin.

Vor einem Jahr hätte ich meinen Kopf verwettet, daß wir drei Kinder haben würden und daß ein riesiges Glück vor uns lag. Vor einem Jahr habe ich gezittert, wenn ich sie nur um die Ecke kommen sah.

Für jede Verrichtung, die man mir überläßt, bin ich dankbar; in der ersten Zeit durfte ich nicht einmal Kohlen aus dem Keller holen, so als wäre Nichtstun die beste Therapie für einen Patienten wie mich. Wenn ich mich in die Wanne legen wollte, mußte Hugo Lepschitz mit seinen Angestelltenärmchen die Kohlen für den Badeofen nach oben schleppen. Aus Mitleid habe ich kaum mehr gebadet. Inzwischen hat sich das Blatt zu meinen Gunsten gewendet, ich darf sogar das Abendbrot zubereiten und den Tisch decken.

Ich decke den Tisch. Sie sehen fern wie jeden Abend, sie kennen keine schönere Beschäftigung, als nach Ähnlichkeiten zwischen Gesichtern auf dem Bildschirm und solchen, die sie persönlich kennen, zu suchen. Man kann nur staunen, wie groß ihr Bekanntenkreis ist, denn an jedem Abend landen sie Treffer. Einmal soll jemand wie mein Vater ausgesehen haben, aber ich wollte das Buch, das ich gerade las, nicht unterbrechen.

Sie setzen sich so an den Tisch, daß der Fernseher in ihrem Blickfeld bleibt. Lebschitz fragt seine Frau, wo Martha steckt, sie weiß es nicht. Er beißt so heftig in ein Stück Matze, daß im Umkreis von einem halben Meter ein Krümelregen niedergeht. Irgendwo in der Stadt gibt es ein Geschäft, in dem man ungarische Matze kaufen kann; Vater ist nur ein- oder zweimal im Jahr hingegangen, doch Lepschitz will jeden Abend diese bröckligen Fladen auf dem Tisch haben. Ich fand den Laden schon immer merkwürdig: keine Apfelsinen, kein Rindfleisch, keine Tomaten, aber Matze für Hugo Lepschitz.

»Was ich dich fragen wollte«, sagt Lepschitz kauend.

Noch nie war mir so unbehaglich in dieser Wohnung, dabei ist nichts geschehen. Es ist nur Zeit vergangen, viel zuviel Zeit, es knistert mir im Kopf. Ich hasse die beiden nicht etwa, Gott behüte, ich liebe sie nur nicht allzu sehr und möchte fort und weiß nicht wie.

»Du ißt ja nichts«, sagt Rahel Lepschitz.

Die Fernsehsendung handelt von Bandscheibenschäden:

ein rothaariger Mann erklärt, wie durch Stärkung der Rükkenmuskulatur die Schmerzen gelindert werden können. Und eine junge Frau im Gymnastikanzug führt die entsprechenden Übungen vor, für Rahel Lepschitz nichts als Schwindel. Ihr Mann fragt: »Wo siehst du Schwindel?«
»Solche Übungen«, sagt sie, »kann nur ein Mensch ausführen, der keine Rückenschmerzen hat. Genausogut können sie einem Beinamputierten empfehlen, täglich zehn Kilometer zu laufen.«
Wer so lebt, wie ich es tue, wie eine Stubenfliege, auf welche Weise will der eine neue Freundin kennenlernen? Ich unternehme nichts, mir kann nichts schiefgehen, und nichts kann eine überraschend gute Wendung nehmen, du lieber Himmel, ich bin noch keine Zwanzig. Mein Vater, der selbst nicht der Lebendigste war, hätte das niemals zugelassen; er hätte darauf bestanden, daß ich in Bewegung bleibe, daß ich zumindest einmal am Tag die Wohnung verlasse, er war ein Antreiber. Wie alt darf einer sein, um noch Vollwaise genannt zu werden? Wenn jemand sechzig ist und keine Eltern mehr hat, wird sich niemand groß wundern, aber wo ist die Grenze?
»Was ich dich fragen wollte«, sagt Lepschitz. »Seit Wochen läßt sich erkennen, daß zwischen dir und Martha etwas nicht in Ordnung ist. Kann man helfen?«
»Ich bitte dich«, sagt seine Frau.
»Man kann nicht helfen«, sage ich.
Die Frage verrät, daß Martha ihnen keine Auskunft gibt, das kommt nicht unerwartet. Damals werden sie gedacht haben, sie nähmen die große Liebe ihrer Tochter bei sich auf, Marthas Ein und Alles; plötzlich hängt ihnen ein Untermieter am Hals, ein Trauerkloß von einem Untermieter, der nicht genügend Feingefühl besitzt, sich nach erloschener Liebe zu verdrücken. Die Fernsehturnerin sieht einer Frau aus dem Hinterhaus ähnlich, ich wundere mich, daß sie es nicht bemerken.

»Du mußt verstehen«, sagt Rahel Lepschitz, »daß wir uns Gedanken machen.«

»Aber ja.«

Täglich erwarte ich einen Brief von der Universität. Wahrscheinlich werde ich angenommen, ich habe wenig Zweifel: mein Abiturzeugnis ist gut, und Hinterbliebener zweier Opfer des Naziregimes bin ich auch, was soll da schiefgehen. Ich habe mich für das Fach Philosophie beworben. Wenn es nach Vaters Willen ginge, hätte ich Medizin zu studieren, er wünschte sich immer einen Internisten zum Sohn. Aber es geht nicht nach seinem Willen, ich werde Philosophie studieren, ohne zu wissen, worum es sich dabei handelt.

»Hab bitte Vertrauen zu uns. Mit wem willst du sonst sprechen?«

Ich sage: »Das ist wahr.«

»Und weiter?«

»Wir fühlen uns nicht mehr voneinander angezogen«, sage ich.

Als ich zehn Tage hier wohnte, habe ich mich hingesetzt und ausgerechnet, wieviel mein Aufenthalt sie jeden Monat kosten würde, es war die größte geistige Anstrengung während des vergangenen Jahres. Seitdem überweise ich an jedem Monatsersten eine gewisse Summe. Zuerst wollten sie keinen Pfennig akzeptieren. Doch ich konnte keine Rücksicht darauf nehmen, nicht nur weil ich fünfmal mehr Geld auf dem Konto habe als sie; ich habe damals argumentiert, daß jedes Verhältnis, in dem die Opfer immer nur von einer Seite getragen werden, nicht von Dauer sein könne. Martha, die zufällig dabeisaß und uns zuhörte, murmelte etwas von *altklug*. Lepschitz handelte mich um dreißig Mark nach unten, dann waren sie einverstanden.

»Warum antwortest du uns nicht?«

Wie ein Rettungsengel schwebt Martha ins Zimmer. Sie schwebt hinter meinem Rücken vorbei, tippt mir flüchtig

auf die Schulter, küßt Mutter, küßt Vater und landet sicher auf einem Stuhl. Tausend Tropfen stecken in ihrem Haar, das braun und glatt ist und über alle Maßen lang. Es ist mir klar, daß ich, sobald von ihrem Aussehen die Rede ist, noch immer wie ein Verliebter klinge. Sie entschuldigt sich für das späte Kommen und erzählt, wer sie aufgehalten hat.
Ich sage: »Wir haben eben über dich gesprochen.«
Das ist nicht nett, natürlich nicht, ich sage es mehr aus Bosheit als um einer Klärung willen.
»Es war nicht weiter wichtig«, flüstert ihre Mutter.
»Ich habe gesagt, daß wir uns nicht mehr voneinander angezogen fühlen«, sage ich leichthin.
Der Vater sendet Unmutswellen aus, aber ich bin nicht einzuschüchtern. In einem russischen Buch habe ich gelesen, daß Leute, die kaum noch etwas mit sich anzufangen wissen, zu Gehässigkeit neigen.
»Das werden sie ohne deine Erklärung auch schon bemerkt haben«, sagt Martha.
»Eben nicht.«
»Aber wie konnte das geschehen?« fragt die Mutter, weil die Gelegenheit nun einmal da ist.
Martha und ich sehen uns nach dieser Frage lange an, und man kann es glauben oder nicht: wir lächeln. »Sieh dir die beiden an«, höre ich Hugo Lepschitz vorschnell sagen. Wo kommt auf einmal der Rest an Zuneigung her, dieser Bodensatz in einem Topf, den ich für leer gehalten habe? Das Lächeln zeigt mir, daß wir niemals Feinde werden können, und Martha muß haargenau dasselbe denken, den Augen nach.
»Sieh sie dir an«, sagt Lepschitz.

RALF ROTHMANN

Nachmittags hatte es geregnet

Nachmittags hatte es geregnet, Wind wühlte in den Pfützen, unter dem tiefgrauen Himmel kreischten Möwen, die herübergeflogen waren vom nahen Kanal. Ein Wirt in Lederschürze drängte einen Betrunkenen aus dem Lokal, hielt ihn sich vom Leib mit einem umgekehrten Stuhl. In den Blumenläden gab es die ersten Astern, kleine schwarze Plastiktöpfe auf Paletten aus Styropor, Berge von Weintrauben überall, fließendes Wollzeug über den Körpern, kaum noch ein offener oberer Knopf. Man sah keine Schlendernden mehr, in den Gesichtern, über Nacht, kamen alte Falten wieder, Farben schwanden. Es wurde zusehends früher dunkel, schwärzer standen die Häuser vorm Himmel, friedlicher strahlte die Reklame. Als ginge ein Besinnen durch alle Formen, als wären sie nachgezeichnet worden mit neuer Gedankenkraft, schienen die Umrisse schärfer.

Manfred Assen, der gelegentlich Taxi fuhr, weil er vom Schreiben nicht leben wollte, parkte seinen Wagen in der Grunewaldstraße und knipste die Leuchtschrift aus. Er fühlte seine Übelkeit, wie er sie als Kind oft durchlitten hatte nach verhängnisvollen Streichen oder Untaten – etwa, wenn er einmal mehr dem prügelnden Lehrer davongelaufen war oder die Unterschrift seiner Eltern gefälscht hatte und nun, am Küchenfenster sitzend, auf die Bestrafung wartete. Seine Mutter putzte noch im Bad, sie summte ein Lied, doch das Schimmern der Gläser im Glasschrank, der Chrombeschläge am kalten Kohleherd, der Glanz des peinlich sauberen Spülsteins und der polierten Äpfel, die sich in der Fensterscheibe spiegelten – das alles war ihm schon das Funkeln ihrer Wut. Er sah die anderen Kinder im Garten besonders einmütig miteinander spielen, und obwohl eines, auf eine Birke kletternd, sein voraussichtliches Gejammer nachäffte und die anderen breit grinsten: die Spielgefährten schienen sich in einem Zustand paradiesischer Unschuld zu befinden, aus dem er sich für alle Zeit vertrieben sah – ohne sich eigentlich schuldig zu fühlen. Er hörte, wie seine Mutter Fläschchen und Sticks auf die Glasablage stellte; es gab keinen Ausweg. Oder sollte er sich ein Stück Pappe in den Hosenboden schieben, wie er es in Schulwitzen gehört hatte. Sie würde es beim ersten Schlag bemerken und nur fürchterlicher wüten. Die Spielgefährten, am Ende des Gartens, sprangen in die Kiesgrube, wobei sich ihre Jacken blähten. Am Nachmittagshimmel schon, ein zu fernes Mausloch, der Mond. Es roch nach Nagellackentferner, und da erinnerte er sich, daß er einmal ohne Prügel davongekommen war, weil seine Mutter die frischlackierten Fingernägel nicht ruinieren wollte. Aber nun stand sie bereits in der Küche und kramte einen Holzlöffel aus der Schublade.

Beim ersten Schlag verlor Assen etwas Urin. Jeder Schrei wollte die Mutter erweichen und machte sie doch nur rasender. Als das Holz schließlich zersplitterte, blickte sie rasch auf den spitzen Rest in ihrer Faust, dann auf ihn. Mit einem Laut, der verzweifelt klang und wütend zugleich, griff sie ihm in die Haare und schlug seinen Kopf auf den Spülstein. Ein Zahn brach aus. Sofort ließ sie ihn los und wischte das Blut vom Becken.

Die Macht, die Iris jetzt über ihn hatte, war eigentlich nur quälend, weil sie keinen Gebrauch davon machte, weil sie ihn allein ließ mit seiner Furcht davor. Er sah sie hantieren in dem Haus in Bacchereto, das ihrer Schwester gehörte, sich umsichtig einrichten für alles weitere. Sie fuhr mit dem

Solex ins Dorf, um einen kleinen Topf zu kaufen und eine Zündkerze. Sie dichtete die Fenster ab gegen den Winter, kratzte Moos aus der Dachrinne, hackte Holz und trieb das feststeckende Beil weiter, indem sie mit einem Ziegel daraufhieb. Die Frauen des Ortes waren ausdrücklich auf ihrer Seite. Sie wurde versorgt mit Wollsachen und einem Thermometer für das Badewasser, man zeigte ihr Hochzeitsfotos, Bilder von Kindern und Kindeskindern, und die Männer vor dem Café sahen weg, wenn sie kam, zupften sich am Ohr. Nachts schob sie den Küchentisch vors Haus, trank ein wenig Wein und sah hinab auf die Lichter von Prato, ein ständig bewegtes Strahlen, wie Gesang.

Daß sie dieses Kind gegen seinen Willen austragen wollte, ließ sich nicht verachten. Bisher war ihm »austragen« nur in bezug auf Streit oder Kampf vorgekommen; jetzt trug sie eine Liebe aus, ihre Gefühle hatten Gestalt angenommen. Ihr Entschluß klang ihm genauso kalt und unbezweifelbar wie eine Todesnachricht. Er sah sich dagegenreden, sah sie zuhören – und während sie widersprach, einsah oder weinte, stand er doch fest, in ihren Augen stand er fest seit Menschengedenken. Ihm blieb das Nachsehen. Und als er in seiner Verzagtheit gar vom desolaten Zustand der Welt, von Krieg und Krebs und saurem Regen sprach, sah sie ihn lange wortlos an und sagte schließlich: Das Risiko muß ich eingehen; »Ich«, sagte sie; dabei hatte er das Kind gemeint. Vorsichtig ihren Bauch betastend, war sie davongegangen und drehte sich nicht um. Er würde schon spuren.

(In der Küche des Hauses, in dem Holzstoß neben dem Kamin, lebte eine Maus, die so groß und schwer zwar, daß sie jeder zunächst für etwas Bedrohlicheres hielt. Manchmal, ohne sich um die Dasitzenden zu kümmern und auch ohne erkennbares Ziel, rannte sie in großen Zick-Zack-Linien über die Bodenfliesen, wobei sie sich mehrmals überschlug – wie gepeitscht von etwas, das fürchterlicher war, als jeder Anwesende es sein konnte.)

*

Daß er meistens allein stand in den Kneipen, ohne den nervösen Blick und die panische Gesprächsbereitschaft Alleinstehender, daß ihm Frauen nicht zu fehlen schienen, sagte Iris später, machte ihn bemerkenswert; der melancholische Trotz in seinem Gesicht und die Augen, in denen sie mehr als nur ein Nachtleben sah, zogen sie an.
Sie setzte sich neben ihn an die Bar, trank ein Bier und erbat sich nach einer sprachlosen Weile einen Pfennig. Er ließ sich ansehen, daß er das albern fand, gab ihr aber eine Mark. Sie schob die Münze zurück, offensichtlich verärgert; sie brauche kein Geld – einen Pfennig! Er kramte einen aus der Jackentasche, sie dankte unwirsch, blickte sich rasch um und zog, im Schatten der Tresenplatte, ihren Rock ein Stück hoch. Ein Knopf ihres Strumpfhalters war abgerissen, ein Strapsband hing schlaff herab; sie wickelte die Kupfermünze in den schwarzen Saum und befestigte die haltlose Spange daran. Dann ging sie.

Auf einer Party in Kreuzberg – sein Freund Lauter lag unter einem Bett und trank aus einem Flachmann – sah er sie wieder. Sie stand in seiner Nähe, versuchte aber, ihrem Gesicht den Ausdruck einer gewissen Entfernung zu geben. Immer nur mit Frauen plaudernd, schlenderte sie durch die lange Halle und übersah ihn im Lauf des Festes derart ausdrücklich, daß er sich doch beachtet fühlte. Tatsächlich bemerkte er auf einem der überall installierten Bildschirme, daß sie ihn musterte auf einem der Bildschirme. Schließlich kam sie auf ihn zu, langsam, schwarzweiß. Dann – sie streckte den Arm erschreckend schnell vor – gab sie ihm den Pfennig zurück, in Farbe. Nach Mitternacht manövrierte sie den sturzbetrunkenen Assen in ein kleines Zimmer, in dem zwei Kühlschränke voller Bücher und ein ausziehbares Sofa standen; außerdem erinnerte er sich nur noch daran, daß ihr Körper nichts zu wünschen übrigließ. Vielleicht dachte er darum nicht mehr an sie. Nach ein paar Tagen rief ihn eine Fremde an.

Er lehnte eine Einladung zum Essen ab, gab vor, arbeiten zu müssen, er wollte nichts anfangen mit ihr. Wie du meinst, sagte sie. Es klang ein wenig drohend, und sie legte nicht auf. Doch gerade weil sie ihm Zeit gab, sich anders zu besinnen, tat er es nicht. Und jetzt erinnerte er sich wieder an die atemlose Heftigkeit, mit der sie übereinander hergefallen waren ohne jedes zärtliche Vorfühlen und ohne einen einzigen Kuß – als wollte jeder durch den anderen durchgehen, um ihn ein für alle Mal hinter sich zu bringen.

Am nächsten Tag schickte ihn die Taxi-Zentrale zu einer Telefonzelle in der Akazienstraße. Iris trug einen schwarzen Regenmantel mit gelben Knöpfen und lächelte nicht. Sie wollte zwei Straßen weiter gefahren werden, zu einem Bäkker, es war kurz vor Geschäftsschluß, also schnell. Assen schaltete das Taxameter ein. Vor dem Laden sollte er warten, seine Gedanken ahnend, ließ sie Mantel und Tasche auf dem Rücksitz. Sie kaufte ein langes Baguette, das noch ein Stück aus dem Wagen ragte, als sie eilig die Tür ins Schloß schlug. Von dem Rest biß sie ab und nannte mit vollem Mund das nächste Fahrtziel, einen türkischen Gemüseladen in der nächsten Querstraße. Sie hielt ihm das Brot hin, es war Lippenstift daran, er schüttelte den Kopf. Es folgten eine Apotheke, eine Wäscherei, ein Schuster, eine Weinhandlung. Auf den Sitzen, fuhr Assen in die Kurve, verrutschten die Plastiktüten; eine Tomate kollerte zwischen die Pedale, er trat sie, versehentlich, platt. Er betrachtete Iris im Rückspiegel, ohne jedoch mehr zu sehen als die gespielte Ahnungslosigkeit einer Frau, die sich beobachtet weiß. Die Lichter der Läden wischten über ihr Gesicht, in den Wimpern glitzerte ein Regentropfen. Auf den ersten Blick war sie beunruhigend schön. Konnte also, stellte er beruhigend fest, bei jedem weiteren nur noch verlieren. Er schaltete das Taxameter aus, was sie aber nicht gesprächiger machte. Daß sie, die doch wohl irgendwie erbeutet werden wollte, sich jagend gab, rührte ihn auch. Er bewunderte ihre Schlauheit, diesen Mut zur Schwäche, der ein Kraftakt war. Die Verletzlichkeit, in die sie sich begeben hatte, mußte jeden Angreifer beschämen, ihn unschädlich machen mit seiner eigenen Gewalt. Als sie lächelte, bemerkte er, daß ihr ein Zahn fehlte; eine sympathische Lücke weit hinten. Welchen Wein willst du, fragte sie vor der Handlung. Das hängt davon ab, was du kochst, sagte er.

Ihre Wohnung im Souterrain war klein, ein Zimmer, Küche, Bad, er sah wenig Bücher. Noch im Mantel, stellte Iris einen Topf auf den Herd und zerschnitt das Gemüse. Auf mehreren Fotos an der Wand hielt sie einen Säugling, das Kind ihrer Schwester, wie sie ihm aus der Küche zurief, ohne daß er etwas gefragt hatte. Er wollte ihr helfen, gab es aber auf, als sie ihn mit flinken, zuvorkommenden Bewegungen immer täppischer dastehen ließ, und schaltete den Fernseher ein. Nach dem Essen deckte man einen Tisch in dem Film, dann flog irgend etwas in die Luft. Welche Art von Gedichten schreibst du, fragte Iris, auf den Bildschirm blickend: auch Liebesgedichte. Es gibt keine anderen, sagte er. Als sie den Fernseher ausschaltete, bemerkte er eine Laufmasche an ihrer Ferse, von einem Tropfen Nagellack gestoppt.
Es war jetzt still in dem Zimmer bis auf das Knistern in der Bildröhre. In der Tapete steckten unzählige Nadeln, die im flackernden Kerzenlicht unzählige Schatten warfen, kleine Zeiger. Iris wollte wissen, ob er sie aufdringlich finde. Er winkte gähnend ab. Sie stellte sich breitbeinig vor ihn hin und verschränkte die Arme vor der Brust. Ob er sich denn geschmeichelt fühle. Ohne den Kopf besonders zu heben,

blickte er von ganz unten zu ihr auf. Ich fühle nichts, sagte er, und ihr Lächeln war ein milder Verweis, als sollte er sich das noch einmal überlegen. Sie nahm ihm das Weinglas aus der Hand, und sie zogen sich, jeder in einer Ecke des Zimmers, rasch aus. Kleingeld prasselte zu Boden. In der jähen Nacktheit wie auf einem anderen Stern, fragte Assen nach der Monatsmiete. Vor Scham über die Frage verstand er ihre Antwort nicht.

ROBERT SCHINDEL

Lieblied 2

Du bist so schwierig draußen ein Novembersturm
Jetzt legst du mir die Hände auf die Lider
Du schaukelst mich zu deinem Rhythmus wieder

Ich bemerke eine junge Sprache
Zwischen den Blicken die mich schön bedeuten
Ich finde mich erstaunt in einem Babelturm
Die Horde Küsse tanzt am Dache

So laß ich mir von dir die Glocke läuten
Such die Grammatik tief in deinem Mund
Draußen geht am Sturm die Nacht zugrund

Nach ungeahnten Gieren bin ich gierig
Als wir so Stund um Stund verschwiegen wiederkauten
Spielten wir das Spiel der Astronauten
Draußen Novembersturm
Reißt Schatten samt den Zeigern von den Uhren.

Angelus Novus 1

Und heiß ist es und kalt
Die Berge nah, die Freunde sehr entfernt
Und Frauen so wie Tränen in der Sonne

Im Zug im Auto tagelang zu Fuß
Immer bei mir
Die beiden Murmeln HIER und JETZT
Auf meinen Schultern
Niemals ums Eck und auch die Politik
Ein Drachen aus gerissenem Stoff
Der abwärts mit betrunkner Gebärde
Sich so beweget selbst
Den Boden nicht erreicht
Wie ich auf meiner Insel
Vor mir Pläne
Den Trümmerhaufen hinter mir
Und über mir die Gipfelkreuze
Der Genügsamkeiten
Drunten das verfaulte Laub
Der frühen Jahre.

Bleierne Zeit 3 (Pour Hölderlin VIII)

I

Im Gang aufs Land beschreibt der Jakobiner Hölderlin
Die bleierne Zeit. Ihm wars, als wärs wie aus
Der bleiernen Zeit
Golden beleuchtet ist seitdem heraufgekommen
Eine edle Morgen- und Abendröte
Da sich kürzlich die Rauchnasen von Auschwitz
Verbrüderten mit denen der unzähligen Sevesos.

Fürs Gold schluckten Generationen Blei
Mit oder ohne Hilfe des Schluckreflexes.

2

Da stehn wir auf den Gebeinen Friedrich Hölderlins und
Wissen unversorgt wie also seine
Bleierne Zeit
Unser Ichgekeuch überdauern wird.

3

Aber der jetzige Gang aufs Land
Von Leuten, deren Herzen mit Asche gefüllt sind
Beginnt zu unterhalten die Regenwürmer
Die neuerdings unter Naturschutz stehn
Wegen ihrer selten gewordenen Nützlichkeit
Für alle, die aussteigen im Talgrund.

Dieser Gang aufs Land
In den Zeitläufen eines Umbruchbewußtseins
Beschert den Bundesforsten mehr Aktenstücke
Als damals.

4

Aber viele von uns hören erstmals
Das herrliche Schlagen des Nachtigallvogels.
Sofern nicht die Grillen

Ach, die Grillen

Nachthalm (Pour Celan)

Aus Herzen und Hirnen
Sprießen die Halme der Nacht,
Und ein Wort, von Sensen gesprochen,
Neigt sie ins Leben.

Paul Celan

1

Nächtens allerweil die müden Verständnisse
Zwei als Partner versteckt im Liebesvertrag
Umarmen einander allerweil die Leiber ab
Bis hin zum Eingestummten.

Auch ich bin angekommen im Schweigexil
Meine Klage aber irrt noch umher unterm Schatten
Des Nachthalms. Einer lacht, einer lacht halbe.
Auch meine Klage allerweil stülpt Lachhalme aus.

2

Was aber schweigt hinter den müden Verständnissen?
Wie bitte kommt meine Klage
Doch noch zur ihrer Synagoge?

Allerweil reden
unterm Nachthalm
nachts
jetzt
Verachten was
ich liebe
vergessen
jetzt
nachts.

3

Gestern wird mein Erfolg von Fremden eingefahren wie
Ernte
Morgen hatte ich meine Partnerin im Schmatzen erkannt
Als wir uns da hielten im Gepferch
Heute kommt meine Klage zu ihrer Synagoge
Nun nagt sie an einem Schibboleth.

4

Nachthalm allerweil
das ist, was mir
jeglichen Tag schmal
spitz nicht unscharf
Einnachtet.
Nachthalm ihr wißt es jetzt
Is a giter
nechtlicha Tug.

Ich bin mit dem Nachthalm großgezogen worden.
Aufgewachsen bin ich mit einem
Von Pauls Halmen.

5

Wann bitte fahre ich das Heu ein?
Wer schon esset von meinen Halmen und verdauet sie gut?
Wann kann ich wiederkehren zu meinen Freu-Fremden?

Allerweil fahr ich
das Heu ein
allerweil essen sie
Meinen Weizen.

6

Mei Mädl mei Mädl, far wus
Soll ich wiederkehren?

Venezianisches Sonett

Da ich jetzt liege unter den Sehnen von Venedig
In den letzten Tagen dieses Katzenjahrs
Die Nässe kuschelt sich an mich so gnädig
Flammt Gier mir auf, ich keuche und das wars.

Denn ruhig geht nun der Wanderer die Brücken
Gewogen sind ihm Wein und die Palazzos
Im nassen Klima geht man trocken doch an seinen Stücken
In deren Träume; dort erst geht die Hatz los.

Schreiend um die Ecken hinter Mauern
Mit Saugeduld und Angstschweiß im Gekrös
Und Gieren, die in faden Ganglien lauern.

Da lieg ich in der Sehne sehr nervös
Will in Venedigs Klima restlos mich bedauern.
Durchfeder diese Stadt, noch durstig und schon bös.

ERICA PEDRETTI

Das Modell

DAS MODELL, sächlich, das stimmt. Stimmt ganz genau: eine Sache. Die Sache hat mit mir, Valerie, nichts zu tun, mit dem, was ich fühle, was ich mir denke, hat mit der, die ich bin, gar nichts zu tun, und mit meinem Körper, diesem weiblichen Körper, und mit meinem Gesicht nur ganz oberflächlich: Umrisse, Linien, Proportionen, Farben, Valeurs.
Die wissen gar nicht, wovon sie reden, wenn sie immerfort von Liebe reden. Das hat mit Liebe wenig, vielleicht nichts zu tun. Selbst wenn sie mal dagewesen ist, die Liebe, und das war sie ja, und flackerte sie nicht immer wieder mal auf? Doch, zu Zeiten fast täglich, so verschiebt sich dieses Verlangen, jedes Interesse, weg von mir und aufs Papier. Die Liebe zu mir ist zum Anlaß geworden, zu nichts mehr, sie hat seine eine Liebe neu entfacht, darf seiner wahren Liebe Modell stehen. Ein frierendes Modell, das zuschaut, wie sein Gesicht, der Körper, Umriß, Linien, Flächen, Strich um Strich neu entstehen, auf einem Bogen Papier auferstehen. Ich höre, wenn ich nicht hinsehe, den Stift kratzen, Pause, Kratzen. Nein, er schaut nicht mich an. Es ist der Verlauf einer Linie, ich weiß, es ist meine linke Hüfte, die Franz jetzt fixiert. Sobald er zu zeichnen anfängt, sobald er auch nur ans Zeichnen oder Malen denkt, versinke ich, bin ich für ihn nicht mehr vorhanden. Bin nicht mehr, bin nichts wesentlich anderes als ein Berg, ein Tisch, ein angeschnittener Apfel. Eine Frage von schwer zu reproduzierenden Farbflecken, Glanzlichtern, Linienverläufen. Und das ist so deutlich spürbar, sichtbar wie der Wechsel in der Beleuchtung einer Landschaft.

WENN WIR HEITER SIND BEI BLAUEM HIMMEL, sagt Franz und zieht sie zu sich auf die mit Grasbüscheln und Steinbrech spärlich gepolsterte Felsstufe, und bevor sie sich richtig draufsetzen, sich bequem niederlassen kann, drückt er Valerie lachend an sich:
– Schau! Schau um dich, diese Farben, wie das Licht mit den Wolken wandert und da, er streichelt ihren Hals: diese lila Schatten! Wenn wir heiter sind, so nicht wegen der Klarheit des Wetters, des Kontrastes der belichteten und beschatteten Flächen.
Sie lächelt, obwohl ihre Stellung ungemütlich ist, glücklich, weil sie ihn, belichtet beschattet ist ihr doch einerlei, weil sie ihn so nah hat, ihn warm und heftig neben sich, an sich gedrückt spürt, erheitert hört sie ihm zu, aber wie kann er jetzt nur so und von sowas reden:
– Sondern auch und vor allen Dingen sind wir heiter, fährt er fort, um sich gleich zu unterbrechen: Ach, du solltest dich jetzt selber sehn! Wegen des lachenden Spiels der gefärbten Schatten, schreibe Hodler, sagt Franz, Schatten, die anstatt grau, wie man allgemein fälschlicherweise nicht nur annimmt, sondern auch malt, die Augen vor der Wahrheit verschlossen, im grauen Atelier malt, während die Schatten aber tatsächlich durchtränkt sind von Blau und Violett, in deren Mitte das Orange der Reflexe schimmert.

DIE AUSSICHT AUF WASSER vor einem mit grünem Gebüsch bewachsenen Hügelzug, Schatten vorn auf dem Wasser, dort wo es flach auf dem Strand liegt, der Schatten einer Palme, die Valerie sehen kann, wenn sie aufsteht. Im blauen Himmel rechts oben ein kleines rotes Licht mitten in einer zerfasernden Wolke. Vorn geht das Wasser über in blaugrün wasserähnlich meliertes Linoleum, zwischen grünen Vorhängen. Ein blauer Vorhang begrenzt rechts hinten das Meer. In den beiden Längswänden je vier Türen der Umkleidekabinen, die direkt in die Röntgenräume führen.

Links zumindest, weiß Valerie, weil sie gerade vom Röntgen kommt und jetzt auf die Aufnahmen wartet, auf einem Stuhl, dessen Lehne einen prachtvollen Sonnenuntergang berührt, der durch einen Streifen Plexiglas vor nervösen Wartenden geschützt wird. Ficus benjaminii und auf einen dicken Stamm gepfropfte Yucca in weißen Plastikbehältern, von Spots beleuchtet.

– Bitte kommen Sie noch einmal, wir müssen die Aufnahme wiederholen.

– Nochmals röntgen?

– Das ist ganz ungefährlich, sonst wär ich selber ja nicht mehr da, sagt die Röntgenassistentin.

– Kein gesunder Beruf, meint Valerie.

– Man muß halt optimistisch sein, sagt die Assistentin.

– Wer redet da von Geschwür, nein, der Tumor, vielleicht ist es auch nur eine Zyste, ist nicht auf dem Bild, nochmals das Ganze, sagt der Röntgenologe, macht nichts, das ist nicht gefährlich.

– Waren Sie schon mal hier? fragt die alte Frau, die neben Valerie wartet.

– Nein, ich komme zum ersten Mal.

– Ich kenn den Betrieb, ich bin vor sieben Jahren an der Gallenblase operiert worden. Erinnern Sie sich, Schwester?

– Da war ich noch in der Ausbildung, sagt die Assistentin, und ist schon aus der Tür.

HEITER BEI BLAUEM HIMMEL: Franz hält Valerie, die sich ein wenig sträubt, vor sich, hat genügend Abstand genommen, um sie als Bild, eins, das er malen wird, betrachten zu können.

– Die Farbe der Schatten ist bei schönem Wetter wirklich blau und violett: Du solltest dich jetzt so sehn können, und für die Bäume nehm ich Ultramarin, das kannst du, schau dort, genau beobachten. Alle Blätter, alle belichteten Blätter

glänzen, fallen zusammen zu einer einzigen glänzenden Masse. Und was für angenehme Gefühle dieser Akkord von Blau und Grün (auch bei Hodler) hervorruft!
Was für angenehme Gefühle er, seine Gegenwart hervorrief, hervorgerufen hatte, bevor er sie vor sich gestellt, aus seiner Körperwärme heraus und an die Luft und ausgestellt hatte.
Das Gras war weniger grün, der Himmel leuchtete nicht mehr, keine Heiterkeit, Margeriten und Glockenblumen undsoweiter undsoweiter, man weiß ja schon, was es in einer Gebirgslandschaft alles gibt, was vorhin gerade noch prächtig geblüht und gestrahlt hatte, blühte wohl, aber strahlte nicht mehr, war also gar nicht mehr der Rede wert.
Sollte ich ihn in die Arme nehmen, sein Gesicht an die Brust, ihm die Augen verschließen? Wäre gut möglich hier, nur ließ er sich meist sehr widerwillig umarmen, umarmte lieber selbst, dann wann er wollte, dann wenn er nichts oder nicht viel sah. Blind also kam er mir näher, war er bei mir, blieb mir seine Liebe, im Dunkeln war ich seiner sicherer, war ich auch meiner selbst sicher. Nicht hier.
Hier gibt es vor allem anderen das Blau unter dem Ohr bis zum Haaransatz, gleich fängt er, und wärs nur im Geist, zu malen an, orangefarbene Reflexe auf Backe und Stirne, er denkt nur noch an Akkorde, Wiederholungen:
– Der Reiz der Farbe liegt vor allem in ihren Akkorden, in der Wiederholung von Nuancen derselben Farbe.
Während sie von einer ganz anderen Harmonie träumt, sagt oder zitiert er, daß die sanften Harmonien leichter in die Seele einzudringen, daß sie wirklich die Lieblingsakkorde des Herzens zu sein schienen, er redet von der Musik der Linien, und
– zum Teufel, so schweig doch!
während er Hodlers Theorie nachsinnt, beschleicht sie Unbehagen, Ärger:

– Was war das, bis vorhin, für ein herrlicher Tag! Du und ich in einer strahlenden Landschaft, einer so großartigen Landschaft, als hätte Hodler sie gemalt: der sanfte Abhang vor uns, gelb von Löwenzahn, das dunkle Gestrüpp, ultramarin vor dem See.
(Es folgt die detaillierte Schul-Bildbeschreibung einer Sommerlandschaft mit Schweinfurtergrün, Neapelgelb, Siena und grünem Ocker bis zu den Wolken, die hinter der fernsten Felskette langsam auftauchen und im klaren Himmel vereinzelt fast als Kreis vordringen.) Mehr als einmal bereits gemalt, bekannt, sie könnte sich die Beschreibung auch schenken.
– Nur du und ich und ich seh sowieso schon alles so wie du es siehst, wir sehen längst alles, als wären wir eins, als wären wir nur noch einer: du. Alle, die uns stören könnten, Mutter und Berta und auch das Kind, sind fern, ich hätte deine Frau jetzt nicht erwähnen müssen, egal, wir könnten uns jetzt, heiter bei blauem Himmel, leben lassen, du könntest für einmal vergessen, das, was wir erleben, umgehend aufzuzeichnen.
Was ist das für ein Mensch, der alles darstellen, sichtbar machen will, der lebt, nur um dieses Leben zu notieren? Als ginge alles, was ihm nicht aufzuzeichnen gelingt, für immer verloren. Und lebt nur wirklich, wenn er malt, lebt in seinen Bildern, und alles, wirklich alles wird ihm zum Stoff, wird schönes oder interessantes Material, alles, woran mir liegt, was für mich lebendig ist, das, was ich um nichts in der Welt verlieren möchte. Wie ich ihn um nichts in der Welt verlieren will.

ULRICH BECK

Risikogesellschaft

Arm an geschichtlichen Katastrophen war dieses Jahrhundert wahrlich nicht: zwei Weltkriege, Auschwitz, Nagasaki, dann Harrisburg und Bhopal, nun Tschernobyl. Das zwingt zur Behutsamkeit in der Wortwahl und schärft den Blick für die historischen Besonderheiten. Alles Leid, alle Not, alle Gewalt, die Menschen Menschen zugefügt haben, kannte bisher die Kategorie der »anderen« – Juden, Schwarze, Frauen, Asylanten, Dissidenten, Kommunisten usw. Es gab Zäune, Lager, Stadtteile, Militärblöcke einerseits, andererseits die eigenen vier Wände – reale und symbolische Grenzen, hinter die die scheinbar Nichtbetroffenen sich zurückziehen konnten. Dies alles gibt es weiter und gibt es seit Tschernobyl nicht mehr. Es ist das *Ende der »anderen«*, das Ende all unserer hochgezüchteten Distanzierungsmöglichkeiten, das mit der atomaren Verseuchung erfahrbar geworden ist. *Not läßt sich ausgrenzen, die Gefahren des Atomzeitalters nicht mehr.* Darin liegt ihre neuartige kulturelle und politische Kraft. Ihre Gewalt ist die Gewalt der Gefahr, die alle Schutzzonen und Differenzierungen der Moderne aufhebt.

Die Grenzen aufhebende Dynamik der Gefahr ist nicht vom Grad der Verseuchung und dem Streit um ihre Folgen abhängig. Es ist vielmehr umgekehrt so, daß alles Messen immer unter dem Fallbeil der Allbetroffenheit erfolgt. Das Eingeständnis einer *gefährlichen* atomaren Verseuchung kommt dem Eingeständnis der *Ausweglosigkeit* für ganze Regionen, Länder, Erdteile gleich. Weiterleben und (An-)Erkennung der Gefahr widersprechen sich. Es ist dieses Fatum, das dem Streit um Meßwerte und Grenzwerte, um

Kurz- und Langzeitfolgen erst seine existentielle Brisanz verleiht. Man muß sich nur einmal fragen, was sich eigentlich im Handeln hätte ändern können, wenn es auch nach amtlichen Maßstäben und einer *akut gefährlichen* Verseuchung von Luft, Wasser, Tier und Mensch gekommen wäre. Wäre dann das Leben – Atmen, Essen, Trinken – von Amts wegen gestoppt, gedrosselt worden? Was geschieht mit der Bevölkerung eines ganzen Erdteils, die in unterschiedlichen Graden (nach »fatalistischen« Variablen wie Wind und Wetter, Entfernung zum Unglücksort usw.) unheilbar verseucht ist? Können ganze Länder(gruppen) in Quarantäne gehalten werden? Bricht intern das Chaos aus? Oder hätte sich auch in einem solchen Falle am Ende alles so vollziehen *müssen*, wie es sich nach Tschernobyl vollzogen hat? Allein diese Fragen verdeutlichen die Art einer objektiven Betroffenheit, in der die Diagnose der Gefahr mit der Einsicht in das unentrinnbare Ausgeliefertsein an sie zusammenfällt.
In der entwickelten Moderne, die angetreten war, um die Beschränkungen durch Geburt aufzuheben und den Menschen über eigene Entscheidung und Leistung eine Stelle im gesellschaftlichen Gefüge zu eröffnen, entsteht ein neuartiges *»askriptives« Gefährdungsschicksal*, aus dem es bei aller Leistung kein Entrinnen gibt. Es ähnelt dem Ständeschicksal des Mittelalters eher als den Klassenlagen des 19. Jahrhunderts. Allerdings kennt es die Ungleichheit der Stände nicht mehr (auch keine Randgruppen, keine Unterschiede von Stadt und Land, der nationalen oder ethnischen Zugehörigkeit usw.). Anders als Stände oder Klassenlagen steht es auch nicht unter dem Vorzeichen der *Not*, sondern unter dem Vorzeichen der *Angst* und ist gerade *kein* »traditionelles Relikt«, sondern ein *Produkt* der Moderne, und zwar in ihrem *höchsten* Entwicklungsstand. Kernkraftwerke – Gipfelpunkte menschlicher Produktiv- und Schöpferkräfte – sind seit Tschernobyl auch zu Vorzeichen eines *modernen Mittelalters der Gefahr* geworden. Sie weisen Bedrohungen

zu, die den gleichzeitig auf die Spitze getriebenen Individualismus der Moderne in sein extremstes Gegenteil verkehren.

Noch sind die Reflexe eines anderen Zeitalters voll lebendig: Wie kann *ich* mich und die meinen schützen? Und Ratschläge für das Private, das es nicht mehr gibt, haben Hochkonjunktur. Doch leben alle auch noch in dem anthropologischen Schock einer in der Bedrohung erfahrenen *»Natur«*abhängigkeit der zivilisatorischen Lebensformen, die all unsere Begriffe von »Mündigkeit« und »eigenem Leben«, von Nationalität, Raum und Zeit aufgehoben hat. Weit weg, im Westen der Sowjetunion, also von nun an: in unserer näheren Umgebung, passiert ein *Unfall* – nichts Gewolltes, Aggressives, vielmehr ein allerdings vermeidenswertes Ereignis, das in seinem Ausnahmecharakter aber auch normal, mehr noch: menschlich ist. Nicht das Versagen bewirkt die Katastrophe, sondern die Systeme, die die Humanität des Irrtums in unbegreifliche Zerstörungskräfte verwandeln. Alle sind zur Einschätzung der Gefahren auf Meßinstrumente, Theorien und vor allem: ihr *Nicht*wissen angewiesen – einschließlich der Experten, die gerade noch das 10 000jährige Reich atomarer Wahrscheinlichkeitssicherheit verkündet hatten und nun in einer atemberaubenden Neusicherheit die *akut* nie bestehende Gefahr unterstreichen.

Bei alledem sticht das eigentümliche *Mischverhältnis von Natur und Gesellschaft* hervor, mit der die Gefahr sich über alles hinwegsetzt, was ihr Widerstand entgegensetzen könnte. Da ist zunächst der Zwitter der *»Atom-Wolke«* – jene zur Naturgewalt verkehrte und verwandelte Zivilisationsgewalt, in der Geschichte und Wetter eine ebenso paradoxe wie übermächtige Einheit eingegangen sind. Alle Welt starrt elektronisch vernetzt wie gebannt auf sie. Die »Resthoffnung« auf einen »günstigen« *Wind* (die Schweden, die armen!) offenbart dann mehr als viele Worte das ganze

Ausmaß der Hilflosigkeit einer hochzivilisierten Welt, die Stacheldraht und Mauern, Militär und Polizei aufgeboten hat, um ihre Grenzen zu schützen. Eine »ungünstige« Drehung desselben, auch noch *Regen* – so ein Pech! – und die Vergeblichkeit nimmt ihren Lauf, die Gesellschaft vor der verseuchten Natur zu schützen, die atomare Gefahr auf das »andere« der »Um«-Welt auszugrenzen.
Diese Erfahrung, an der unsere bisherige Lebensform einen Augenblick lang zerschellte, spiegelt das Ausgeliefertsein des Weltindustriesystems an die industriell integrierte und verseuchte »Natur« wider. Die Gegenüberstellung von Natur und Gesellschaft ist eine Konstruktion des 19. Jahrhunderts, die dem Doppelzweck diente, die Natur zu beherrschen *und* zu ignorieren. Natur *ist* unterworfen und vernutzt am Ende des 20. Jahrhunderts und damit von einem Außen- zu einem *Innen-*, von einem vorgegebenen zu einem *hergestellten* Phänomen geworden. Im Zuge ihrer technisch-industriellen Verwandlung und weltweiten Vermarktung wurde Natur in das Industriesystem hereingeholt. Zugleich ist sie auf diese Weise zur unüberwindlichen Voraussetzung der Lebensführung *im* Industriesystem geworden. Konsum- und Marktabhängigkeit bedeutet nun auch wieder in neuer Weise »Natur«abhängigkeit, und diese *immanente* »Natur«abhängigkeit des Marktsystems wird in und mit dem Marktsystem zum Gesetz der Lebensführung in der industriellen Zivilisation.
Gegen die Bedrohungen der äußeren Natur haben wir gelernt, Hütten zu bauen und Erkenntnisse zu sammeln. Den industriellen Bedrohungen der in das Industriesystem hereingeholten Zweitnatur sind wir nahezu schutzlos ausgeliefert. Gefahren werden zu blinden Passagieren des Normalkonsums. Sie reisen mit dem Wind und mit dem Wasser, stecken in allem und in jedem und passieren mit dem Lebensnotwendigsten – der Atemluft, der Nahrung, der Kleidung, der Wohnungseinrichtung – alle sonst so streng kon-

trollierten Schutzzonen der Moderne. Wo nach dem Unfall Abwehr und Vermeidungshandeln so gut wie ausgeschlossen sind, bleibt als (scheinbar) einzige Aktivität: *Leugnen*, ein Beruhigen, das Angst macht und das mit dem Grad der zur Passivität verdammten Allbetroffenheit seine Aggressivität entwickelt. In der Unvorstellbarkeit und Nichtwahrnehmbarkeit der Gefahr hat diese *Rest*aktivität angesichts des real existierenden *Rest*risikos ihre wirkungsvollsten Komplizen.

Die Kehrseite der vergesellschafteten Natur ist die *Vergesellschaftung der Naturzerstörungen*, ihre Verwandlung in soziale, ökonomische und politische *System*bedrohungen der hochindustrialisierten Weltgesellschaft. In der Globalität der Verseuchung und weltweiten Lebensmittel- und Produktketten durchlaufen die Bedrohungen des Lebens in der Industriekultur *gesellschaftliche Metamorphosen der Gefahr:* Alltägliche Lebensregeln werden auf den Kopf gestellt. Märkte brechen zusammen. Es herrscht Mangel im Überfluß. Anspruchsfluten werden ausgelöst. Rechtssysteme fassen die Tatbestände nicht. Naheliegendste Fragen ernten Achselzucken. Medizinische Betreuungen versagen. Wissenschaftliche Rationalitätsgebäude stürzen ein. Regierungen wackeln. Wechselwähler laufen weg. Und all dies, *ohne* daß die Betroffenheit der Menschen irgend etwas mit ihren Handlungen, ihre Schädigungen mit ihren Leistungen zu tun hätten und während für unsere Sinne die Wirklichkeit *unverändert* bleibt. Das *ist* das Ende des 19. Jahrhunderts, das Ende der *klassischen* Industriegesellschaft mit ihren Vorstellungen von nationalstaatlicher Souveränität, Fortschrittsautomatik, Klassen, Leistungsprinzip, Natur, Wirklichkeit, wissenschaftlicher Erkenntnis usw.

Die Rede von (industrieller) *Risikogesellschaft* auch und wesentlich in diesem Sinne – vor über einem Jahr gegen viel Widerstand innerer und äußerer Stimmen gewagt – hat einen bitteren Beigeschmack von Wahrheit erhalten. Vieles, das im Schreiben noch argumentativ erkämpft wurde – die Nichtwahrnehmbarkeit der Gefahren, ihre Wissensabhängigkeit, ihre Übernationalität, die »ökologische Enteignung«, der Umschlag von Normalität in Absurdität usw. –, liest sich nach Tschernobyl wie eine platte Beschreibung der Gegenwart.

Ach, wäre es die Beschwörung einer Zukunft geblieben, die es zu verhindern gilt!

HANS MAGNUS ENZENSBERGER

Berlin

Viel ist nicht übriggeblieben vom kaputten Reiz dieser Stadt. Von der heroischen Dekadenz, die so vielen Filmen als Kulisse gedient hat, ist nichts mehr zu spüren. Die Maulwürfe der Kultur, die einst im Schutt der Geschichte nach alten und neuen Mythen gewühlt haben, sind schon vor Jahren abgewandert. Mit der Exterritorialität ist auch der Ludergeruch der Stadt verschwunden. Lust und Schrecken sind der Normalität gewichen, die hier wie überall, wo die Zeit für sie arbeitet, alles besiegt.

Die vier Männer im Jeep, die mit ihren weißen Helmen nach wie vor über den Marx-Engels-Platz und um die Gedächtniskirche kurven, sind nur noch ein Zitat, eine folkloristische Erinnerung an die Zeit der Okkupation und des Vier-Mächte-Status. Niemand dreht sich nach ihnen um; nur den japanischen Touristen sind sie noch ein Foto wert.

Auch das Haus am Wannsee, in dem wir tagten, hätte ebensogut in Kopenhagen oder Hannover stehen können. Der postmoderne Klinkerbau hatte keine Ähnlichkeit mit jener berüchtigten Villa, in der 1942 eine andere Wannsee-Konferenz stattfand. Man konnte sie übrigens, grau und halb versteckt hinter Trauerweiden, durch die riesigen Sprossenfenster sehen, aber keiner der Anwesenden schenkte ihr einen Blick. Hier ging es um ein Treffen anderer Art. Nicht von Juden und Fremdvölkern war die Rede, sondern von Ottern und Nachtfaltern, Lärchen und Fröschen. Auf dem fehlerlos ausgedruckten Pappschild, das die uniformierte Hostess vor mir auf den Tisch gestellt hatte, war zu lesen: »Ständige Artenschutz-Konferenz Deutschsprachiger Länder / Expertengespräche / Timothy Taylor / Akkreditierter Korrespondent.«

Ich hatte mir eine Einladung besorgt, weil es hier um das einzige Thema ging, das die übrigen Europäer neidlos den Schweizern, den Österreichern und den Deutschen überließen. Der Artenschutz war eine mitteleuropäische Obsession. Das wußte ich. Dennoch war ich verblüfft über die Vehemenz, die die Teilnehmer an den Tag legten.

Schon die gutgemeinte Begrüßungsrede des Regierenden Bürgermeisters wurde durch Zwischenrufe, Pfiffe und Buhrufe unterbrochen. Auf der Eröffnungssitzung kam es zu einem erbitterten Streit über die Tagesordnung. Vom ersten Moment an gerieten die Vermummten aus der Ökoanarchisten-Szene mit den Beamten von der Umweltpolizei aneinander. Ein Abgesandter der chemischen Industrie, der sich in rituellen Demutsgesten und Beteuerungen erging, wurde niedergebrüllt. Natürlich hatten auch die neuen Naturreligionen ihre Vertreter entsandt, bizarr gekleidete Priester und den einen oder andern Bischof im Sonnentalar. Ein greiser Veteran aus den siebziger Jahren, der Gründerzeit der Bewegung, erregte sich derart über einen Antrag des Verbandes der Bioethiker und der Umweltingenieure, daß er, krebsrot im Gesicht und einem Herzinfarkt nahe, aus dem Saal getragen werden mußte.

Wenn ich bei dem allgemeinen Tohuwabohu alles richtig verstanden habe, wurde über folgende Punkte verhandelt: einen Gesetzentwurf zum Schutz des Unkrauts in öffentlichen und privaten Anlagen, Parks und Gärten; ein allgemeines Skiverbot im Voralpenland; die Untertunnelung von Bahnstrecken für das Niederwild; die Rückzüchtung ausgestorbener Schmetterlingsarten und die Herstellung künstlicher Duftstraßen für die Rotbauchunke (*Bombina bombina*); außerdem ging es um die Standortbestimmung für das Gemeinschaftsprojekt Künstlicher Regenwald.

Alles ganz schön und gut, aber der Lärm im Saal war derart schrill, daß ich beschloß, einen minimalen Artenschutz für mich selbst in Anspruch zu nehmen. Ich verließ die Versammlung und ging in den Garten. Über dem See lag eine paradiesische Stille. Motorboote waren hier seit Jahrzehnten verboten. Am Ende des Grundstücks war die Uferböschung von hohen Sträuchern gesäumt. Ich wollte mir einen Weg zum Wasser bahnen. Dabei überraschte ich eine mollige Dame, die heftig auf ihren Begleiter einredete, der einen schlotternden Gabardine-Anzug trug und wie ein ergrauter Buchhalter wirkte. Ich hätte die Auseinandersetzung der beiden für einen Ehestreit gehalten, wäre mir nicht die Verschwörermiene der Dame im blauen Schneiderkostüm aufgefallen. Ich murmelte eine Entschuldigung und ging weiter.

»Sind Sie nicht der amerikanische Reporter?« rief mir ihre muntere Mädchenstimme nach. Ich wandte mich um und stellte mich vor. »Aber ich wollte Sie keineswegs stören«, sagte ich.

»Davon kann keine Rede sein! Wie fanden Sie die Sitzung?«

Ich antwortete ausweichend, aber meinem Tonfall war wohl ein gewisser Mangel an Begeisterung anzumerken, denn die beiden tauschten einen schmerzlichen Blick. Eine peinliche Pause trat ein.

»Waren Sie schon an der Mauer?« fragte endlich der Herr in Grau.

Ich wußte im ersten Moment nicht, was ich auf diese überraschende Frage antworten sollte.

»Nein«, gab ich widerwillig zu. »Ich denke, dort gibt es schon lange nichts mehr zu sehen.«

»Ah«, rief die Dame – sie hatte etwas von einer Kindergärtnerin – und richtete ihre lebhaften, leicht hervorquellenden Augen auf mich, »da irren Sie sich aber sehr! Gerade jetzt haben wir an der Mauer eine sehr interessante Situation!

Übrigens, ich heiße Ohlmeyer, Dr. Sabine Ohlmeyer vom West-Berliner Senat, Naturschutz, und das ist Professor Sturz vom Umweltministerium der DDR.«

Während ich die unvermeidlichen Verbeugungen absolvierte, dachte ich an die Bilder, die seinerzeit um die ganze Welt gegangen waren: die Sprengung der Betonhindernisse, die Demontage der Schranken, die Bulldozer, die abgerissenen Zollbuden.

»Wieso?« fragte ich. »Wie meinen Sie das, eine sehr interessante Situation?«

»Sie werden schon sehen«, rief Frau Dr. Ohlmeyer fröhlich. »Wenn Sie wollen, lade ich Sie für heute abend zu einem Spaziergang an der Grenze ein; vielleicht wird auch Professor Sturz eine Stunde für Sie erübrigen können, nicht wahr, Herr Professor?«

Wir trafen uns in der Nähe des einstigen Checkpoint Charlie. Die Gegend hinter den Türmen des neuen Bankenviertels hat einen Rest der alten Kreuzberger Schmuddligkeit bewahrt. Ein Hauch von Nachkriegszeit weht über die alten Brandmauern. Auf einem der letzten Ruinengrundstücke hat sich ein illegaler Bazar etabliert. Türkische Trödler verkaufen hier Pantoffeln und gestohlene Computer, man sieht streunende Hunde, verwitterte Sex-Shops, altersschwache Würstchenbuden, und in den Hauseingängen schlafen die Stadtstreicher, umringt von leeren Chianti-Flaschen.

Der Verkehr auf der Friedrichstraße war schläfrig. Ein gelangweilter Grenzpolizist thronte einsam in seinem Glaskasten und winkte die wenigen Fahrzeuge vorbei. Ich sah, wie er, den Walkman über den Ohren, im Takt zu der Musik mit dem Kopf wippte, und ich fragte mich, wozu ich mich auf dieses Rendezvous eingelassen hatte. Aber dann sah ich den Zaun. Etwa zwanzig Schritt von der Straßenfront zurückgesetzt stand er da, ein silbern schimmern-

der, nagelneuer, engmaschiger Gitterzaun, mindestens drei Meter hoch.
Frau Dr. Ohlmeyer lachte. »Das hätten Sie nicht erwartet! Nun, der Zaun steht auch erst seit knapp drei Wochen. Ja, das war ein langer Weg durch die Instanzen, auf beiden Seiten, bis es uns gelungen ist, die Einfriedung durchzusetzen, nicht wahr, Herr Professor?«
»Ich verstehe nicht...«
»Sie werden gleich sehen.«
Flankiert von den beiden Experten überquerte ich die Grenze, einen weißen Strich auf dem Pflaster. Der ehemalige Todesstreifen war tatsächlich auf beiden Seiten eingezäunt, und während wir, seinen Zickzacklinien folgend, weiterstiefelten, Richtung Potsdamer Platz und Brandenburger Tor, sah ich durch das Drahtgitter die Reste der alten Grenzanlagen, Scheinwerfer, Gräben, und hie und da einen jener bröckelnden Wachtürme, die jedem, der sie sieht, eine Gänsehaut über den Rücken jagen, so sehr erinnern sie an die Konzentrationslager der vierziger Jahre. Und dahinter war die Mauer. Sie war immer noch da, wenn sie auch da und dort, wo das Abdeckrohr abgestürzt war, Lücken aufwies. Professor Sturz reichte mir seinen Feldstecher, und ich erkannte, daß ein längeres Stück der Mauer unter einem hölzernen Schutzgang verschwand, einer nagelneuen, mit Dachpappe abgedeckten Verschalung, wie man sie bei Bauarbeiten anzulegen pflegt.
»Ist das nicht großartig?« zwitscherte Frau Dr. Ohlmeyer. »Ein einzigartiges Biotop! Wo sonst gibt es eine solche Vegetation mitten im Zentrum einer Metropole?«
Ich sah nur mannshohe Brennesseln, Ginster, Lupinen auf dem eingezäunten Gelände, das sich nun verbreiterte.
»Hier gibt es Wildkaninchen«, fuhr meine Begleiterin fort, »Igel, Beutelratten, sogar Blindschleichen! Und was die Insekten betrifft, wir haben schon sechs verschiedene Schlupfwespenarten gezählt. Wir hoffen, daß sich mit der

Zeit in den Türmen Nachtvögel und Fledermäuse ansiedeln.«

»Aber die Mauer«, sagte ich. »Warum hat man sie nicht abgerissen? Was sind das für hölzerne Schutzbauten? Das sieht ja ganz so aus...«

»Das ist es ja, Mr. Taylor! Diese Eingriffe sind ein Hohn auf unsere Bemühungen! Und dabei ist das ganze Gelände als Naturschutzgebiet ausgewiesen! Das sind die Quertreibereien der Denkmalspfleger. Sie behaupten, die Mauer müsse konserviert werden, man dürfe sie nicht dem Vergessen preisgeben, sie sei historisch wertvoll.«

»Sogar aus der DDR sind solche Stimmen zu hören«, versicherte Professor Sturz, »obwohl diese Frage in den Gremien sehr umstritten ist. Aber mit der provisorischen Verschalung haben die Denkmalsschützer zweifellos einen Teilsieg errungen.«

»Die Kunsthistoriker sind die schlimmsten. Sie betrachten die Mauer als Kunstwerk, der Graffiti wegen, die allerdings nur auf der westlichen Seite zu finden sind. Der Kunstsenator möchte am liebsten ein Freilichtmuseum von dreißig Kilometer Länge aus dem Biotop machen. Aber Sie wissen ja, Mr. Taylor, was das heutzutage bedeutet!

Unsere Museen sind doch die reinsten Rummelplätze! Wenn sich die Denkmalspflege mit ihren Plänen durchsetzt, dann ist es aus und vorbei mit dieser unberührten Landschaft, dann wird alles, was sich hier im Lauf von Jahrzehnten entwickelt hat, brutal zertrampelt. Deshalb brauchen wir die Unterstützung der Medien, auch im Ausland, und wir wären Ihnen sehr, sehr dankbar, wenn Sie die amerikanische Öffentlichkeit auf unser Anliegen aufmerksam machen könnten.«

Sie blickten mich einträchtig an. Es fehlte nur, daß sie sich die Händchen gehalten hätten. Ich wußte nicht, was ich sagen sollte. Vielleicht, dachte ich, war mein erster Eindruck doch nicht so falsch. Vielleicht hatte ich ein gesamtdeutsches Liebespaar vor mir. Ich brachte es nicht übers Herz, sie zu enttäuschen.

»Aber gern«, sagte ich. »Der Berliner Riesenknöterich hat meine volle Unterstützung.«

Im Club der Auslandspresse herrschte gähnende Leere. Berlin machte keine Schlagzeilen mehr, und die großen elektronischen Blätter hatten ihre Korrespondenten längst abgezogen. Ich hatte mich mit einem britischen Journalisten verabredet, den ich aus New York kannte und der hier, auf verlorenem Posten, die Stellung hielt, weil er mit einer Deutschen verheiratet war. Er rührte zerstreut seinen Cappucino um, während ich ihm von meinen Erlebnissen an der Mauer erzählte.

»Das ist genau das Richtige«, sagte er schließlich. »Du mußt das unbedingt verwenden. Sentimental und schwachsinnig, genau, was die Leute hören wollen! Und wie alle guten *faits divers* ist deine deutsch-deutsche Geschichte durch und durch verlogen.«

»Den Eindruck hatte ich nicht. Im Gegenteil, die beiden meinen es bitter ernst. Das ist ja gerade das Komische.«

»Geschenkt«, erwiderte er. »Trotzdem bist du mit deiner Story auf dem Holzweg.«

»Warum?«

»Diese deutsch-deutsche Harmonie ist doch eine Fiktion. Einmal abgesehen von deinem Professor und seiner Freundin, die vermutlich auch nichts weiter verbindet als ihre *idée fixe*: Tatsache ist, daß die Deutschen einander nicht ausstehen können. Ossies und Wessies – das ist wie Hund und Katze!«

»Ich dachte, sie hätten sich zusammengerauft.«

»Offiziell schon. Aber wenn du ihre Deklarationen beim Wort nimmst, gerätst du sofort in ein Unterholz von Komplexen, Rivalitäten und Ressentiments. Es ist doch bezeichnend, daß die Zahl der deutsch-deutschen Heiraten, der

Mischehen, wenn man es so nennen kann, minimal geblieben ist. Oder nimm den Fußball. Ohne massiven Polizeischutz gäbe es beim Endspiel DDR-Bundesrepublik jedesmal Mord und Totschlag. Ganz zu schweigen von den politischen Apparaten. Ich rede wohlgemerkt von den Parteien gleicher Couleur hüben und drüben. Die sind sich spinnefeind.

Wenn ich meine jungen Freunde hier über die jeweils andere Seite reden höre – ich sage dir, die sind geradezu von Ekel geschüttelt! Der Wessie schwört auf sein Lufthansa-Weltbürgertum. Dafür ist der Ossie moralisch allemal der Größte, so, als wäre er automatisch immun gegen alles, was Dekadenz heißt, Korruption oder Zynismus. Mit einem Wort: jeder der beiden fühlt sich über den andern weit erhaben.«

»Und die berühmte Wiedervereinigung?«

»Außer Kaffee und Kuchen nichts gewesen. Ja, mein Lieber, wir haben alle jahrzehntelang den falschen Baum angebellt. Erinnerst du dich noch an die neunziger Jahre, wie damals die nackte Angst vor den Deutschen umging, besonders natürlich bei den Franzosen, aber auch in England erhoben sich besorgte Stimmen; von den Polen ganz zu schweigen, die sahen schon den Dritten Weltkrieg kommen. Und was ist passiert? Gar nichts. Inzwischen wurde der deutsche Popanz ganz still und leise aus dem Verkehr gezogen. Wir sind darauf hereingefallen, weil wir von der deutschen Geschichte keine Ahnung hatten.«

»Moment! Gerade die deutsche Geschichte war es doch, die uns nervös gemacht hat. Dazu hatten wir auch allen Grund.«

»Gewiß. Aber wir haben nicht begriffen, daß die deutsche Einheit nur eine Episode war. Sie hat keine hundert Jahre gedauert, und was hat sie, von Bismarck bis Hitler, den Deutschen eingebracht? Eine Bauchlandung nach der andern. Sie haben sich an ihre Vergangenheit erinnert: ein

Jahrtausend Flickschusterei. Am liebsten hätten sie ihre provinziellen Könige und Fürsten wieder. Die Kleinstaaterei ist die wahre Heimat aller Deutschen! Übrigens gilt das nicht nur für Deutschland. Im Grunde handelt es sich um ein europäisches Phänomen, einmal abgesehen von den Franzosen, die nach wie vor auf den Zentralismus schwören. Die Europäer verfahren nach dem alten Motto: Teile, aber herrsche nicht. Im Namen des heiligen Andreas, ich weiß, wovon ich rede: Nieder mit Großbritannien! Ich bin kein Engländer, lieber Tim. Ich bin Schotte!

FRANZ XAVER KROETZ

Heimat in der Küche

SOHN *schreit verzweifelt:* Wir brauchen eine Wasserleitung, ohne eine Wasserleitung gehts nirgends mehr. Eine Wasserleitung hat ein jeder. Wir brauchen ein neues Dach, ohne ein neues Dach gehts nirgends mehr. Ein neues Dach hat ein jeder. Wenns alte zusammenfault und es überall hereinregnet. Wir brauchen einen richtigen Strom für die Maschinen. Ohne einen richtigen Strom für die Maschinen gehts heut nirgends mehr. Wir brauchen einen richtigen Strom, weil den heut ein jeder hat. *Sehr laut:* Wir brauchen eine Heizung, wir brauchen ein Telefon und ein Auto brauchen wir auch. Und umstelln müssen wir von der Milch auf die Bullenmast, auf die Bullenmast. Mastvieh! Dann haben wir eine Zeit fürs Leben wie die andern auch. Umstelln, modernisiern, ändern! Nur noch füttern und aus, ausmisten und aus! Fertig! Einmal am Tag und fertig. Und vorbei is es mit dem Raps und den Kartoffeln und dem Hafer und dem Weizen und dem Klee und den Zuckerrüben. *Wild:* Mais will ich sehn, bloß noch Mais will ich sehn. Der Mais ist unser Glück. Der Mais überall. Mastfutter zum Mastvieh. Und fertig! Ausmisten, abspritzen, einfüttern mit dem Traktor. Und fertig sein. *Er schnauft, dann ruhiger weiter:* Ein Weib krieg ich dann auch, wenn umgestellt wär und modernisiert wär, weil dann käm sie, das Weib. Die käm gern, eine jede, wenn sie sieht: Im Stall hat er umgestellt, alles ist total umgestellt und modernisiert! Gern käm die, wenn sie sieht, daß sie den Strom und das Wasser hernehmen kann wie sie will, grad wie es ihr paßt. Und in den Stall muß sie nicht hinein, als Weib. Keine Stallarbeit denkt sie und freut sich. Und wenns ihr zu kalt wird, dann schaltet sie einfach die Heizung weiter auf und die Wärme ist da. *Schreit:* Ein Weib, das noch in den Stall hineingeht find ich nicht, weils die nicht mehr gibt. Die will heraußen bleiben und zuschaun, wie ich allein mit zwei mal zwei Stund am Tag fertig wär. Alle paar Monat kommt der Metzger mit dem Hänger und aufgladn wird, was über zweieinhalb Zentner hat, und fort damit. Und soviel Geld ist das, daß man den Pfennig nicht zweimal umdrehn muß und die Mark auch nicht. Und dann wasch ich mich jeden Tag, und schmier mich ein und riech wie alle andern auch. Und das Weib denkt sich: Der Meinige steht nicht bis zum Kragen im Dreck jeden Tag, der riecht gut und sauber is er auch. Weil er sich nicht abrackern muß den ganzen Tag. Weil er Zeit hat für seinen Körper und für mich. Mein Mann! Und warum? Weil umgestellt ist und modernisiert wie es heute ein jeder hat, der was auf sich hält. Weil es endgültig aus ist mit der Milchpanscherei und der Molkerei. Weil es aus is mit den fünf stinkenden Säuen, die nichts bringen und nichts geben, weil es aus ist mit den gottverdammten Hennen und weil es aus is mit dem Vater seinen Hasen und weil es aus ist mit der Kälberaufzucht die der Teufel gesehen hat. Weil es aus ist mit allem! Außer mit dem Mastviech. *Er schnauft, dann weiter.* Umstellen müssen wir, umstellen auf Bullenmast. Die Mast macht den Bauern fett und geldig. Mastviech und Mastfutter! Mastviech und Mastfutter sag ich. Aus und vorbei ist es mit der Arbeit den ganzen Tag. Mit dem Rackern, dem Schwitzen. Aus ist es mit dem Bluten und Fluchen. Aus is es und frei sind wir weil wir Zeit haben. Zeit für uns! *Pause, er denkt nach, dann leiser:* Und das Weib mag das, und der Mensch auch. Jeder mag das, weil es schön ist, weil es sehr schön ist. *Pause, er schnauft und fällt zusammen.*

VATER Solang ich leb, wird nicht umgestellt. Nichts wird

umgestellt. Gar nichts wird umgestellt. Es bleibt alles so wie es jetzt ist und wie es immer war. Weil das Milchgeld, das ist das, was der Bauer sicher hat. Und wenn er das ausläßt, dann verreckt er. Dann verreckt er.

SOHN *bittend:* Nicht verreckt er, nicht verreckt er. Leben tut er, leben.

VATER Verrecken sag ich, verrecken. *Kleine Pause.* Und gehören tut alles noch mir. Alles gehört noch mir. Mein ist alles noch, alles! Die Milch und der Wald, die Hasen und die Kälber, alles, alles. Und was du frißt, kommt aus meinem Teller und was du scheißt, läuft in meine Odelgrube. Alles gehört noch mir. Das Milchgeld und der Fernseher auch. Alles.

SOHN Ich scheiß dir auf dein Milchgeld und deinen Fernseher, ich scheiß drauf. Ich scheiß dir auf alles. Du alter Blutsauger du. Willst daß ich krepier unter deinen Kühen. Willst daß ich krummbeinig und bucklig werde unter deinen Kühen. Und blankschädlig unter deinen gottverreckten Kühen. Willst daß mir das Leben krepiert unter deinen Kühen.

VATER Meine Kühe, mein Stall, mein Hof, mein Grund, mein, mein, mein. Alles ist noch mein. Mein Fernseher. Mein.

SOHN Den Hals schneid ich euch durch. Dir und deine Küh, und deinem Hof und deinem Grund und seinem Stall, das Genick brech ich euch.

VATER Werden einmal die deinigen auch sein. Die Kühe und der Wald und das Haus und die Felder und alles. Wird einmal alles das deinige sein, aber jetzt noch nicht. Jetzt noch nicht! Noch nicht! *Listig:* Und wenn ich einmal übergib, dann machen wir es notarisch, daß die Milchkühe bleiben, daß sie bleiben wie das Milchgeld und wie meine Hasen auch. Daß alles bleibt wie es jetzt ist.

SOHN Nichts bleibt wie es ist, es bleibt nichts, weil ich geh!

VATER Du gehst nicht, du gehst nie, weil ich dich nicht laß, nie laß ich dich weg! *Leise, nah:* Du gehörst mir. Du gehörst auch mir. Ganz mein bist du, wie meine Kühe und mein Stall und mein Hof und mein Fernseher.

SOHN *schreit:* Ich gehör mir.

VATER *lacht.* Nix gehörst du dir. Mein gehörst du. Mein ist alles, alles und der Fernseher auch, alles.

SOHN *zieht das Messer.*

VATER *lacht.*

SOHN *mit dem gezogenen Messer dastehend.*

VATER *sieht es, biegt sich vor Lachen.*

SOHN *steckt das Messer wieder ein.*

VATER *lachend:* Alles ist noch mein. Alles. Du und dein Messer auch.

SOHN *fällt verzweifelt in sich zusammen.*

Pause.

MUTTER Andere arbeiten und bei uns wird gestritten. In dem Haus wird immer nur noch gestritten und gerauft. Ist kein Segen mehr auf unserem Dachfirst. Wird nur noch gestritten und gerauft, ist kein Segen mehr auf unserem Dachfirst.

TOCHTER Vater tust schon wieder bluten. Blutst schon wieder Vater.

VATER Immer die Geschwüre. Das sind bloß die Geschwüre. Die werden nicht kleiner. Die sind da, aber das macht mir nichts. Die sind da, die tun mir nichts und ich tu ihnen nichts. Sind auch mein, meine Geschwüre. *Er lacht kindisch.*

MUTTER Freilich tuts was, wennst immer die Hemden durchblutest.

VATER Dann blut ich eben. Du hast Zeit zum Waschen, ich hab Zeit zum Bluten. Genug Zeit. Wenns herausblutet, dann ist mir leichter. Wenns herausblutet dann ist mir gut. Dann ist mir sakrisch gut. *Lacht wieder.*

TOCHTER Du wirst eben Hämorrhoiden haben Vater.

Brauchst dir nichts denken Vater, hast Hämorrhoiden in der Achsel Vater. Die tun dir nichts Vater.

VATER Eben. Die bluten mir gut. Wenn sie bluten wollen, sollen sie bluten. Die bluten mir gut.

SOHN *schreit:* Aber einen roten Schleier hat unsere Milch, weil du hineinblutest, weil du nicht aufpaßt, weil du eine Sau bist. Wenns so weitergeht dann nimmt uns die Molkerei die Milch nicht mehr ab, wenn sie noch roter wird unsere Milch.

VATER Unsere Milch ist weiß wie der Schnee.

SOHN Einen roten Schleier hat sie wie das Blut.

VATER Ich hab nie einen roten Schleier gesehen. Weiß ist meine Milch, weiß!

SOHN *schreit:* Aber ich, ich hab den Schleier gesehn, du alter Depp du alter, aber ich.

TOCHTER Laß sie dir herausschneiden die Geschwüre, Vater. Wirst es sehn, Vater, dann ist dir leichter Vater. Wenn sie weg sind Vater. Hast Geschwüre Vater, so groß wie Stierbeutel Vater, blutest wie eine angestochene Sau Vater. Hast einen zerquetschten Stierhoden unter den Achseln, Vater.

VATER Die tun mir nichts, weil mir alles noch gehört. Du und er und die Säu und der Stall. Was einem gehört, das ist kein Unglück. Ich leb noch lang. Ich überleb euch alle noch.

MUTTER Aber der Fernseher ist so laut, daß man das eigene Wort nicht mehr versteht, daß man die Kühe nicht schreien hört, die wo brüllen, weil sie nicht gemolken werden, weil die verrecken an der eigenen Milch, weil hier in dem Haus bloß gestritten wird und nicht gearbeitet und ich die einzige bin, die wo wirklich etwas tut. Und stinken tuts da herin. Die ganze Küche stinkt, wenn ihr herin seids, die ganze Küche.

TOCHTER Schau Vater, sogar das Pflaster hast du blutig gemacht, schau hinunter.

VATER *starrt stolz nach oben.*

TOCHTER Hinunter schauen sollst.

SOHN Schau hinunter alter Depp, was du wieder gemacht hast oder ich brich dir den Hals und die Knochen.

VATER Ich schau nicht hinunter, weil das ist nicht mein Blut. Wo ich das meinige kenne. Mein Stall, meine Küh und mein Blut. Das ist nicht das meinige, ich kenn mein Blut. Ich bin nie gestanden auf diesem Fleck da wo es jetzt blutig ist. Nie, nie bin ich heut da gestanden.

MUTTER Alles voll Blut, alles voll Blut. Der ganze Küchenboden ist blutig, als wenn er das Blut herausschwitzen müßt. Alles voll. Steigts nicht hinein, tragts es nicht herum, paßts auf, alles blutig. Und ich muß wieder putzen und keiner hilft mir.

TOCHTER Ich helf dir, immer helf ich dir.

MUTTER Dann putz, dann putz und red nicht, putz.

VATER Die soll nicht putzen, die soll kochen, weil es Zeit is. Du kannst putzen, sie soll kochen. Kochen soll sie, mußt kochen, mich hungert wie einen jungen Wolf. *Freut sich.*

MUTTER Niemand kocht jetzt, niemand. Ist nicht Zeit jetzt zum kochen, morgen wieder, morgen gibts wieder was zum essen, morgen, heut nicht mehr.

VATER Heut hat auch noch niemand gegessen, nix hab ich heut gekriegt, nix, nix hab ich gekriegt, wo alles noch mir gehört. Wollts mich verhungern lassen, damit ich aus dem Weg geräumt bin. *Er schreit:* Hunger!

TOCHTER Nichts mehr da, nichts mehr da, alles zusammengefressen.

VATER *schreit:* Hunger.

TOCHTER Das Feuer ist schon ausgegangen und der Ofen ist schon eingefroren. Morgen wird er wieder aufgetaut, morgen wenn einer ein Holz bringt.

SOHN Immer bring ich ein Holz.

VATER Aber aus meinem Wald, aus meinem Wald, mein Holz, mein Blut, Hunger!

TOCHTER Heut nicht mehr.

VATER So fett wie sie ist das Luder, so wenig kocht sie. *Schreit:* Ich hab Hunger!

MUTTER Steigts nicht in das Blut hinein. Paßts auf, putzts es zusammen, das muß man zamputzen und nicht umeinandertragen. *Kleine Pause, sie sieht die Großmutter.* Die Großmutter solls zamputzen, die Großmutter hat Zeit. Die Großmutter soll nicht fernsehen, sondern putzen. Alles soll sie putzen, immer soll sie putzen. Sie soll nicht da sitzen und fernsehen. Auf alle Viere soll sie und putzen. Putzen sollst, alte Hexe, hörst nicht.

TOCHTER Putz Großmutter, putz. *Großmutter sitzt gaffend, still vor einem kleinen Fernseher.*

TOCHTER *schreit:* Kannst nicht hörn! *Sie geht zur Großmutter.* Stinken tut sie. Die stinkt, daß man umfalln könnt, so stinkt die.

VATER Weil sie eine alte Sau ist, eine alte. Die war immer schon eine alte Sau.

TOCHTER Weil sie Würmer hat, die hat Würmer, weil sie verfault. So viele Würmer kann nur ein Toter haben. Ein Lebendiger nicht. Grad wurlen tuts in ihrem Bauch. *Die Großmutter wird mehrmals angestoßen und fällt dann langsam steif von ihrem Platz am Küchentisch auf das Pflaster.*

MUTTER Machts den Fernseher aus, machts ihn aus wenn keiner mehr zuschaut.

VATER Ja, machts ihn aus den Scheißkasten, machts ihn aus. Sparts die Batterie, sparts die Batterie, daß er geht, wenn ich schauen will, wenn ich schauen will, weil er mir gehört.

TOCHTER *will der Großmutter die Fernbedienung aus den Händen winden, diese ist aber schon so steif, daß sie sie nicht mehr hergibt.* Sie laßt die Fernbedienung nicht aus. Wirst sie auslassen. Sie gibts nicht her. Hergeben sollst sie, kannst nicht hören, hergeben sollst sie.

SOHN Dann laßts ihr die Fernbedienung halt, laßt sie ihr, wo sie ihre Freud gewesen ist, laßt sie die Fernbedienung mitnehmen ins Paradies. Laßt sie ihr.

VATER Aber der Fernseher gehört mir und die Fernbedienung gehört auch mir. Ich nimm die Fernbedienung mit ins Paradies und den Fernseher auch und alles nimm ich mit.

SOHN Wo sie deine Mutter ist.

VATER *er hat der Großmutter die Fernbedienung aus den starren Händen gerissen, er schreit:* Ich habs, ich hab sie, mir hat sie sie gegeben. Jetzt gehört alles wieder mir, alles. *Er schaut die tote Großmutter an.* Die hab ich schon überlebt, so gehts euch allen noch. Schauts nur her, wie sie da liegt, da liegt sie, wo ich der Ältere war, der Ältere dem wo alles gehört.

SOHN Warst nicht der Ältere, alter Depp, warst nicht der Ältere alter Depp, wo sie deine Mutter war, deine Mutter.

VATER *starrt die Tote an.* Meine Mutter ist nicht tot, meine Mutter gehört mir, alles gehört mir. *Beugt sich zu der Toten hinunter.* Die kennt mich nicht und die kenn ich nicht. Mama, Mama. *Erhebt sich triumphierend, schaut die andern an.* Euch überleb ich alle noch, ob jünger oder älter, klein oder groß, Blut oder Milch, Sau oder Mensch, alles gehört mir und euch überleb ich alle.

2. Szene
Abgang

Die Großmutter auf dem Küchentisch. Sie wird von der Mutter gewaschen, rasiert und ihr werden die Nägel geschnitten; zum Schluß wird sie gekämmt. Das dauert sehr lang und ist ein Ritual. Die Tochter hilft dabei. Zwischendurch krümmt sich die Tochter einmal zusammen, schreit leise erschreckt auf und greift zwischen sich; sie muß sich kurz hinhocken; sie hat einen schnellen Abortus. Sie verliert es einfach. Sie schaut es kurz an, sie schaut, ob die Mutter es gesehen hat; aber die Mutter hat nichts gesehen. Die Tochter hebt es auf, putzt es mit dem Ärmel ab, schaut, ist unsicher, dann steckt sie es vorsichtig in den von den Würmern geöffneten Bauch der Großmutter.

TOCHTER Geh da hinein, da ist es warm und gut, das wirst du schon noch sehen, das garantier ich dir. Von einem Bauch in den andern, das ist schön. Du brauchst gar nicht auf die Welt; der Umweg bleibt dir erspart. Hast nichts versäumt, kannst es mir glauben. In den Bäuchen ist es besser wie heraußen. Heraußen ist es so kalt, daß du erfrierst. Kannst es mir glauben. Heraußen ist es kalt und ich kann dich nicht brauchen. Mit dir kann ich nicht daheim bleiben und weg von daheim kann ich mit dir auch nicht. Mit dir bin ich lebendig begraben und hab keinen Bauch der mich wärmt. Und du versäumst nichts, das versprech ich dir. *Sie nickt mehrmals und hilft dann weiter der Mutter, als wäre nichts gewesen.*

3. Szene
Aufbruch

Ein offenes Grab und ein Kruzifix; Jesus hängt an einem Fleischerhaken; vor ihm eine Schüssel mit dampfendem Wasser; wie ein geschlachtetes Tier wird Jesus vom Pfarrer aufgeschnitten und ausgenommen; die Innereien werden auf den Sarg gelegt, der Sarg mit dem Schlachtblut bespritzt; dann wird gebetet und der Sarg in die Grube gelassen. Der Vater sitzt daneben an einem kleinen Wirtshaustisch bei Schweinebraten und Bier. Plötzlich springt der Sohn auf und schreit.

SOHN Jetz geh ich wirklich, jetzt geh ich wirklich, jetzt ist es aus, jetzt geh ich. Aus ist es und vorbei ist es. Ich kann nicht mehr, ich mag nicht mehr. *Schreiend rennt er auf den in der Bühnentiefe stehenden großen alten Traktor zu, startet ihn und fährt auf die Trauergemeinde zu; überfährt zuerst den an seinem Tisch sitzenden Vater, dann andere, fährt auf das Grab zu, überfährt es, bleibt in der Grube hängen, kommt mit Vierradantrieb und Sperrdifferential wieder heraus, legt den Rückwärtsgang ein, fährt zurück, läßt den Motor aufheulen, fährt wieder vorwärts auf die Trauernden zu, die ihm nicht weichen wollen, überfährt sie, mehrmals fährt er vorwärts und zurück bis er mit den Reifen alles ausradiert hat. Nur der Geschlachtete schwankt hin und her, wenn er unter ihm durchfährt.*

TOCHTER Nimm mich mit, mimm mich mit, ich will mit, ich will heraus, ich will fort. Nimm micht mit. *Sie springt auf den fahrenden Traktor auf, dann gibt der Sohn Vollgas und sie rasen davon. Zurück bleibt ein Schlachtfeld.*

JOSEF WINKLER

Rußgeschwärzte Heiligenbilder

Rußgeschwärzte Heiligenbilder, die in den Schlafzimmern der Bauern über den Betten hingen, fielen brennend zu Boden. Der Speck des fettleibigen Jesuskindes der Madonna sulla Seggiola von Raffael brutzelte. Die Flammen entrissen der Muttergottes das Kind. Die trockenen gelben Kukuruzkolben, die zur Zierde an den Balkonen der Heustädel hingen, gingen wie Zündhölzer in Flammen auf. Flammenzungen liefen die hölzernen Dachrinnen entlang. Die Ziegel donnerten vom Dach und blitzten, Funken verspritzend, auf dem Steinboden auf. In Sekundenschnelle schrumpften die staubigen Spinnweben und die Beine der Spinnerinnen zusammen. Ein halbverbranntes Pferd mit berußten gelben Zähnen lag zwischen zwei verkohlten Trambäumen. Die Nester der Schwalben unter den Dächern und in den Mauernischen gingen ebenfalls in Flammen auf. Die Schwalbenjungen verendeten mit offenen Schnäbeln. Die Schwalbenmütter zuckten schreiend über die Köpfe der Bauern hinweg. Die Fledermüse retteten ihre Haut. Ein Bauer, der einen rußgeschwärzten, blutenden Stierkopf in seinen Händen hielt, kniete in einem warmen Aschehaufen nieder und schrie, Herr, erbarme dich unser! Christe, erbarme dich unser! Herr, erbarme dich unser! Das Holz der Heustadelbalkone knisterte. Krachend fielen die Trambäume, an denen sich Knechte und Mägde erhängt hatten, zu Boden. Millionen Feuerfunken stoben in die Höhe. Geschwärzte Rippen von Kälbern und Schafen lagen im Skelett eines Heustadels. Die überlebenden Dorftiere wurden in einen Anger getrieben. Schreiende Kinder liefen mit Peitschen und Haselnußruten die Stacheldrahtzäune entlang, an denen die

Haarbüschel der Tiere hingen, und versuchten, die auf und ab hetzenden Kälber, Schafe, Stiere, Kühe und Pferde am Ausbrechen zu hindern. Unter den Rändern der Kinderzehennägel hatte sich feuchte schwarzgewordene Asche festgesetzt. Der rotweißgekleidete Priester lief durch den Qualm auf den Altar zu, öffnete das Tabernakel uud riß die Monstranz an sich, ehe die Flammen auf den Altar übergriffen und außer dem heiligen Florian, dem Schutzpatron des Feuers, alle Statuen einäscherten. Mit der Monstranz, in deren Lunula die große Hostie eingeklemmt war, lief er, schweißgebadet, mit heftig schlagendem Herzen und Kyrie, eleison! Christe, eleison! Kyrie, eleison! rufend, über die Friedhofsgräber hinweg und brachte das Allerheiligste in Sicherheit. Die schwarzen Schleifen an den Totenkränzen eines Grabes verkohlten. Das brennende Grünzeug, das Immergrün und die Fichtenzweige verströmten einen weihnachtlichen Geruch. Die Holzkruzifixe über den Gräbern gingen in Flammen auf, und die rußgeschwärzten Eisenkruzifixe blieben zurück. Unter den Aschehügeln erhoben sich die Toten mit krebsroten Augen und gingen im Gänsemarsch ins Fegefeuer. Ihre taschenlosen Totenhemden brannten lichterloh. Die rußgeschwärzten Orgelpfeifen intonierten ein Requiem. Die Flammen züngelten in der Sakristei die Glokkenstricke hoch. Hunderte Hostien verbrannten im Ministrantenkleiderkasten unter dem Saum der brennenden Ministrantenkittel. Die Flammen fraßen sich in die Priestersoutanen und entzündeten die herumstehenden Kerzen und Weihrauchkörner. In der Hitze schmolz die Kerze des Ewigen Lichts. Mit halbverbrannten Federn, Rad schlagend, stand der Pfau auf der Dorfbrücke und stieß den Schrei des Teufels aus. Die Forellen und Krebse verhielten sich ruhig unter der feuerfesten Oberfläche des Dorfbaches. Mit einem halbverbrannten und rauchenden Heiligenbild auf ihrem Schoß hockte pietàähnlich eine zahnlos heiße Erdäpfel kauende Bäuerin am Rande des Angers. Das Dorfkruzifix schwankte und fiel, Asche und Feuerfunken aufwirbelnd, auf den Boden und zerquetschte violette Veilchen. Die brennende Dornenkrone rollte einem Kind vor die Füße. Der Tod, der den Totenkopf eines Kindes gegen sein Becken drückte, ging mit hängendem Schädel, eine stiellose Sichel zwischen den Zähnen haltend, in die Fluten der Drau. Mohnköpfe platzten und verstreuten den Samen. Pferde mit Feuerwehrwagen hetzten unter den Peitschenhieben lederhelmtragender Männer die trockenen Feldwege entlang und fuhren ins brennende Dorf ein. Bloßfüßige Bäuerinnen und Bauern liefen in die heiße Asche und schütteten aus Eimern Wasser in die Flammen. Schwarze und braune Pferde, die schwere Verbrennungen erlitten hatten, wälzten sich, Todesschreie ausstoßend, zwischen den Aschehaufen und den brennenden Skeletten der Gebäude. Mit hocherhobenen Händen kniete eine dürre Frau betend in der lauwarmen Asche. Stiellose Sensen und Sicheln lagen zwischen Aschehaufen. Gebetsbücher brannten in leeren Kindergitterbetten. Die brennenden Strohpuppen schrien mit den Mündern der weinenden Kinder. Die Würste und Speckstücke in den Räucherkammern zerrannen wie die Wachskerzen in der Sakristei. Mit brennender Mähne und wild ausschlagend lief eine braune Stute in den Fichtenwald hinein. Am nächsten Tag zelebrierte der schwarzgekleidete Priester, flankiert von seinen Ministranten und umgeben von den weinenden Bauern, die ihr Dach über dem Kopf verloren hatten, eine Messe. Während der Kommunion legte er halbverbrannte Hostien auf die angeschwollenen Zungen der Bäuerinnen und Bauern. Der Priester tauchte den Weihwasserwedel in den kupfernen Kessel, der von einem Ministranten gehalten wurde, und verspritzte, ein Gebet sprechend, das geweihte Wasser in alle vier Himmelsrichtungen. Die Weihwassertropfen zischten in der Asche. Der Weihrauch vermischte sich mit dem Aschenqualm.

Die *Sommerfrischler* und *Fremden*, wie wir damals, als wir Kinder waren, die Urlaubsgäste nannten, wollen weder Badezimmer noch Fernsehapparate in den bäuerlichen Gästezimmern, sie wollen, daß in der Bauernstubenecke ein ausgestopfter Rehkopf oder ein ausgestopfter Geier an der Wand hängt, und ein ausgestopfter Fuchs soll im Flur mit hocherhobener Tatze auf das Badezimmer weisen, in dem unter der Dusche ein programmloser, aber immerzu rauschender Fernsehapparat steht. Sie wollen, daß eine handgeschnitzte Wiege in ihrem Zimmer steht, in der sie für die Zeit ihrer Urlaubsnächte ihren Städterfratz aufbewahren und mit Strohpuppen zudecken können. Und steht eine handgeschnitzte Wiege mit Erde vom Grab eines an Silogasen erstickten Bauernkindes in ihrem Zimmer, aus der Fleischblumen wachsen, so sind sie auch zufrieden.
Ihr wollt doch ein gutgebautes und rotbackiges Bauernkind auf euren Weiberschoß nehmen und es schnell wieder auf den Boden stellen, wenn dem Kind, aus Angst vor dem Fremden der nach Edelweiß riechende Urin aus der Kinderlederhose auf eure glitzernde Nylonstrumpfhose rinnt. Was ihr küßt, wollt ihr töten, und was ihr tötet, küßt ihr mit Gewalt. Ihr wollt doch frühmorgens aufstehen und mit den statt Dornenkronen Erntedankkronen auf ihren Häuptern tragenden Mägden und Knechten in den Stall gehen, die Zeitlupenflügelbewegungen atemloser Fledermäuse sehen und die Mägde auffordern, die Melkmaschinen abzustellen und wie vor dreißig Jahren bis zum Mitternachtsschrei der Kuckucksuhr die zehn Kühe mit bloßen Händen zu melken, bis die Hände voll blauer und roter Wunden sind.
Ihr wollt doch den Hühnern die Eier nachwerfen, damit sie von der Sonne noch im Flug gebraten werden und rechtzeitig auf dem Frühstückstisch landen. Natürlich wollt ihr das Gewehr – mit dem Kolben voran – auf das Tier richten und das Schwein erschießen. Zwischen zwei Hostien wollt ihr ein Marzipanschweinchen und ein Marzipanvierklee auf

eure Zungen legen. Ihr wollt dem Gekreuzigten ein schwarzes Cowboytuch um die Nase binden, eine Pistole um seinen gekreuzigten Finger kreisen lassen und auf die Mehlblatthostie zielen, auf der als Wasserzeichen eine Zielscheibe eingeprägt ist. Kommt her, wir zeigen euch, wie wir die großen Schokoladehufeisen auf die Sohlen der Pferde nageln. Ihr wollt, daß die alte Bäuerin zahnlos grinst und lustvoll auf ihre Schenkel klatscht, wenn ihr dürftige Städterwitzchen über eure gespaltenen Zungen rollen laßt. Rund um einen Heustadl, Leiter an Leiter, knapp unter dem Dachfirst stehen die Winterfrischler und lutschen an den mit Cola und Kohlensäure versetzten Eiszapfen.
Die Weizenähren wollt ihr mumifizieren, damit sie in den rustikalen Ecken eurer Stadtwohnung frischer bleiben als das tägliche Bauernbrot gib uns heute und vergib uns unsere Schuld, wie auch wir vergeben unseren Schuldigern, und führe uns nicht in Versuchung, sondern erlöse uns von den Winterfrischlern, den Sommerfrischlern und den Fremden. Die Dosen, in denen die Luft der Alpen eingefangen wurde, werden immer berühmter, aber auch die Dosen, aus denen die Luft des Meeres zischt, sind uns Bauern bekannt. Wir halten der Erde die Köpfe hin und winden einander die Dornenkrone der Getreideähren auf unsere Häupter. Während wir im Hochsommer in unserem Zweitstall auf Mallorca die Schafe füttern, tragen die Mägde und Knechte die Verantwortung für die Stalltiere auf unserem Kärntner Wohnsitz. Computer wiegen die Futtermittel ab, die Bauernhände haben aufgehört, die Waage zu halten. Statt Milch trinken wir Cocacola, statt Cocacola trinken wir Africola und statt Africola trinken wir die perlende Frische der Milch. Seit es in meinem Heimatdorf keine Pferde mehr gibt, hängt das riesengroße Werbeplakat der Mobil-Ölfirma an einer Heustadlwand, auf dem im Schatten einer überdimensionalen Öldose weiße Pferde über die Wildnis der von den Sommerfrischlern unberührten Landschaft

galoppieren und die Pferdestärken des Mobil-Öls demonstrieren.

Nicht mehr Kruzifixe und Heiligenbilder in Seidenpapier, Dornenkronen aus Jerusalem und vergiftete Apfelhälften, die einst die böse Königin – Spieglein, Spieglein an der Wand, wer ist der schönste Spiegel im ganzen Land – Schneewittchen brachte, keine hölzernen Rotkäppchen, die ausgestopfte und vor Großmutterfleisch hungerheulende Wölfe in ihren Bäuchen tragen, bieten die Hausierer, die von Dorf zu Dorf und von Hof zu Hof gehen, den Bauern an, sondern nagelneue Miele-Staubsauger, Philips-Farbfernsehgeräte, Waschmaschinen, in denen die Schweinsrippen vom ätzenden Waschpulver abgenagt werden, und zu den Philips-Stereoanlagen bekommen die Käufer als Geschenk eine Schallplatte, auf der die kreuz und quer schlagenden Hakenkreuzzungen der Alpenjodler zu sehen und zu hören sind.

GUILLERMO CABRERA INFANTE

Sie sang Boleros

Ich lernte La Estrella kennen, als sie noch Estrella Rodríguez hieß und noch nicht berühmt war, als niemand dachte, daß sie so bald sterben würde, und keiner aus ihrem Bekanntenkreis um sie geweint hätte, wenn sie gestorben wäre. Ich bin Photograph, und meine Arbeit bestand damals darin, die Sänger und die Leute von den Varietétruppen und all die anderen Nachtschwärmer auf die Platte zu bannen, und so war ich ständig auf Tour in den Cabarets und Nachtclubs und ähnlichen Etablissements, um Photos zu schießen. Ich verbrachte die ganze Nacht damit, die ganze Nacht und die frühen Morgenstunden und oft auch den ganzen Morgen. Manchmal hatte ich nichts zu tun, hatte meinen Bereitschaftsdienst bei der Zeitung hinter mir und ging dann um drei oder vier Uhr morgens ins Sierra oder ins Las Vegas oder ins Nacional, um mich dort mit einem befreundeten Conferencier zu unterhalten oder mir die Revuegirls anzuschauen oder den Sängerinnen zuzuhören und mich mit dem Rauch und dem muffigen Geruch der klimatisierten Luft und mit Alkohol zu vergiften. So war ich damals, und nichts und niemand hätte mich ändern können, denn die Zeit verging und ich wurde älter und die Tage vergingen und waren bloßes Datum und die Jahre waren Abreißkalender, und ich machte immer so weiter, begnügte mich mit den Nächten und goß sie in ein Glas mit Eis oder in ein Negativ oder in die Erinnerung.

In einer dieser Nächte kam ich ins Las Vegas und traf all diese Leute an, die nichts und niemand hätte ändern können, und eine aus dem Dunkel auftauchende Stimme sagte zu mir, Photograph, komm setz dich her und trink was, ich geb dir einen aus, und es war kein geringerer als Vítor Perla. Vítor hat eine Zeitschrift, in der vor allem halbnackte Mädchen zu sehen sind und dazu die entsprechenden Erläuterungen: Ein Modell mit einer Zukunft, die ins Auge springt, oder die gewichtigen Argumente der Sonja Sowieso oder die kubanische BB sagt, Brigitte sähe *ihr* ähnlich, und anderes Zeug, von dem kein Mensch weiß, wo sie es hernehmen, denn sie müßten schon eine ganze Wagenladung Scheiß im Hirn haben, um so viel Mist über ein Mädchen erzählen zu können, das gestern noch Kindermädchen oder Hausangestellte war oder in der Calle Muralla gearbeitet hat und sich heute mit allem, was sie im Geschirr hat, ins Geschirr legt, um irgendwie aufzufallen. Seht ihr, ich rede auch schon so daher wie sie. Aber aus irgendeinem mysteriösen Grund (und wäre ich ein Klatschspaltenkolumnist, würde ich my-$teriö$ schreiben) war Vítor in Ungnade gefallen, und deshalb wunderte es mich auch, daß er noch so guter Laune war. Stimmt nicht: Zunächst einmal wunderte es mich, daß er überhaupt noch frei herumlief, und ich sagte mir, Dieser Scheißkerl schwimmt immer noch obenauf, und sagte ihm das dann auch. Das heißt, genau genommen sagte ich zu ihm, *Gallego*, du bist wie spanischer Kork, aber er machte sich nichts draus und antwortete mir halbtot vor Lachen, Ja, aber irgendwo muß mir einer 'n Stück Blei reingesteckt haben, sonst hätt ich nicht so 'ne Schlagseite. Und wir fingen an zu reden, und er erzählte mir eine Menge Zeug, er erzählte mir fast seinen ganzen Schlamassel, aber ich will das hier nicht wiederholen, weil er mir alles ganz im Vertrauen erzählt hat, und ich bin schließlich ein ehrenwerter Mann und will hier nicht herumklatschen. Außerdem sind Vítors Probleme ja seine Probleme, und wenn er sie lösen kann, um so besser für ihn, und wenn nicht, ab durch die Mitte, Vítor Perla. Jedenfalls hatte ich es bald satt, mir seine Unglückgeschichten anzuhören, und da er so ein verdrossenes Gesicht machte und ich keine Lust hatte, einen so verkniffenen

Mund zu sehen, wechselte ich das Thema, und wir fingen an, von anderen Dingen zu reden, Frauen zum Beispiel, und plötzlich sagte er, Darf ich dir Irena vorstellen, und hatte ein winziges, wunderhübsches Blondinchen hervorgezaubert, das aussah, wie Marilyn Monroe ausgesehen hätte, wenn sie den Jívaro-Indianern in die Hände gefallen wäre und die sich die Zeit damit vertrieben hätten, sie ganz klein zu machen, nicht nur den Kopf, sondern auch den Körper und alles andere, und wenn ich alles andere sage, dann meine ich *alles* andere. Er zog also Irena am Arm herbei, als fischte er sie aus dem Meer der Dunkelheit, und sagte zu mir oder vielmehr zu ihr, Irena, darf ich dich mit dem besten Photographen der Welt bekanntmachen, womit er natürlich sagen wollte, daß ich bei der Zeitung *El Mundo* arbeitete, und das Blondinchen lachte aufgekratzt und schob dabei die Oberlippe zurück und zeigte die Zähne, als höbe sie den Rock hoch, um ihre Schenkel zu zeigen, und sie hatte die schönsten Zähne, die ich je im Dunkeln gesehen habe: gleichmäßige, perfekte Zähne, wohlgeformt und sinnlich wie Schenkel, und wir fingen an zu reden, und sie zeigte ständig ohne jede Scham ihre Zähne, und sie gefielen mir so sehr, daß ich sie fast gefragt hätte, ob ich ihre Zähne berühren darf, und wir setzten uns zum Reden an einen Tisch, und Vítor rief den Kellner, und wir fingen an zu trinken, und nach einer Weile war ich dem Blondinchen ganz zart, so ganz unbeabsichtigt auf den Fuß getreten und merkte fast gar nicht, daß ich draufstand, weil er so klein war, aber sie lächelte, als ich mich entschuldigte, und nach einer weiteren Weile hatte ich ihre Hand ergriffen, und zwar sichtlich absichtlich, aber die Hand ging mir in meiner Hand verloren, und ich suchte sie stundenlang zwischen den gelben Fixiersalzflecken, die ich ganz charlesboyeresk als Nikotinflecken ausgab, und als ich ihre Hand dann endlich gefunden hatte und sie streichelte, ohne mich zu entschuldigen, da nannte ich sie bereits Irenita, denn das war der Name, der am besten zu ihr paßte, und dann küßten wir uns undsoweiter, und als ich mich zwischendurch mal umsah, war Vítor bereits aufgestanden, diskret wie immer, und so saßen wir eine ganze Weile da, eng aneinandergeschmiegt, untergetaucht in der Dunkelheit, küßten und betasteten uns, vergaßen alles um uns herum, daß die Show zu Ende war, daß die Band zum Tanz spielte, daß die Leute tanzten und tanzten und sich müde tanzten und daß die Musiker ihre Instrumente einpackten und gingen und daß wir allein zurückblieben, in tiefer Dunkelheit nun, nicht mehr im trüben Dämmerlicht, von dem Cuba Venegas singt, sondern im tiefsten Dämmerlicht, in der Dunkelheit fünfzig, hundert, hundertfünfzig Meter unter der Lichtoberfläche, schwammen in der Dunkelheit, völlig durchnäßt, küßten uns, vergessen, Küsse und Küsse und Küsse, selbstvergessen, ohne Körper, mit Mündern und mit Zähnen nur und nur mit einer Zunge, verloren im Geifer der Küsse, still und stumm jetzt, feucht, nach Speichel riechend, ohne es zu merken, mit geschwollenen Lippen, küßten uns, küßten uns, Mann, überhaupt nicht mehr von dieser Welt, völlig abgehoben. Plötzlich waren wir im Begriff zu gehen. Und da sah ich sie zum erstenmal.

Sie war eine riesige, ungeheuer dicke Mulattin, mit Armen wie Schenkel und Schenkeln, die wie zwei Baumstämme den Wassertank ihres Körpers stützten. Ich sagte zu Irenita, ich fragte Irenita, ich sagte zu ihr, Wer ist denn die Dicke, denn die Frau schien das Shöwchen völlig zu beherrschen – und jetzt muß ich erst einmal erklären, was *Shöwchen* bedeutet. Das Shöwchen, das war die Gruppe von Leuten, die sich immer an der Bar, neben der Musikbox, zum Durchmachen versammelten, nachdem die letzte Show vorbei war, und die beim Durchmachen einfach nicht wahrhaben wollten, daß es draußen schon Tag war und daß alle Welt schon eine ganze Weile arbeitete oder jetzt gerade zur Arbeit ging, alle Welt außer dieser Welt von Leuten, die in die Nacht hinabtauchten und in irgendeiner dunklen Höhle herumschwammen, auch wenn sie künstlich war, in dieser Welt nächtlicher Froschmänner. Dort, im Zentrum des Shöwchens, stand nun also die Dicke, bekleidet mit einem billigen Kleid aus einem miesen kastanienbraunen Stoff, dessen Farbe mit der Schokolade ihrer Schokoladenhaut ineinanderfloß, und ein paar alten, schäbigen Sandalen und mit einem Glas in der Hand, bewegte sich im Takt der Musik, bewegte ihre Hüften, ihren ganzen Körper auf eine so schöne Weise, nicht obszön, aber doch sinnlich und einfach schön, wiegte sich im Rhythmus, trällerte durch ihre wulstigen Lippen, ihre dicken, violetten Lippen vor sich hin, im Rhythmus, schüttelte das Glas im Rhythmus, rhytmisch, wunderschön, ganz künstlerisch jetzt, und die Gesamtwirkung war von einer so anderen, so schrecklichen, so neuen Schönheit, daß ich es bedauerte, die Kamera nicht dabeizuhaben, um diesen ballettösen Elefanten, dieses Flußpferd beim Spitzentanz, dieses von der Musik ins Schwanken gebrachte Bauwerk aufzunehmen, und ich sagte zu Irenita, bevor ich sie nach dem Namen fragte, unterbrach mich, als ich sie nach dem Namen fragen wollte, schon danach fragte, Sie ist die wilde Schönheit des Lebens, natürlich ohne daß Irenita mich hörte, natürlich ohne daß sie mich verstanden hätte, wenn sie mich gehört hätte, und ich sagte, fragte sie, sagte zu ihr, Du, wer ist das denn. Sie sagte in ziemlich garstigem Ton zu mir, Das ist die singende Riesenschildkröte, die einzige, die Boleros singt, und lachte, und dann tauchte Vítor aus der Dunkelheit neben mir auf und flüsterte mir im Vorbeigehen ins Ohr, Sei vorsichtig, das ist Moby Dicks Kusine, die Schwarze Walin, und zum Glück war ich schon in Stimmung, hatte schon zwei oder drei Gläser getrunken, denn so konnte ich Vítor an seinem Drillicharm packen und zu ihm sagen, Du Scheißgallego, du bist ein ganz beschissener Sklaventreiber, ein Scheißrassist, ein blöder Arsch: ein Arschloch erster Güte bist du, und er sagte zu mir, Ich laß es dir durchgehen, weil du betrunken bist, mehr sagte er nicht, und dann verschwand er, wie jemand, der durch einen Vorhang schlüpft, wieder in der Dunkelheit. Ich ging auf sie zu und fragte sie, wer sie sei, und sie sagte, La Estrella, und ich sagte zu ihr, Nein, nein, Ihr richtiger Name, und sie sagte, La Estrella, ich bin *die* La Estrella, Jungchen, und sie hatte ein tiefes Baritonlachen oder wie immer man die Frauenstimme nennen mag, die dem Baß entspricht, aber wie Bariton klingt, Kontra-Alt oder so ähnlich, und sie sagte lächelnd zu mir, Ich heiße Estrella, Estrella Rodríguez, Ihre ergebenste Dienerin, sagte sie, und ich sagte mir, Sie ist schwarz, schwarz, schwarz, völlig schwarz, und wir fingen an zu reden, und ich dachte, was das doch für ein langweiliges Land wäre, wenn es den Pater Las Casas nicht gegeben hätte, und ich sagte zu ihm, Gesegnet seist du, Pater, daß du Neger aus Afrika als Sklaven hierhergebracht hast, um die Sklaverei der Indianer zu lindern, von denen ohnehin kaum noch welche übrig waren, und ich sagte zu ihm, Pater, gesegnet seist du, denn du hast dieses Land gerettet, und dann wandte ich mich wieder Estrella zu und sagte, La Estrella, ich liebe Sie, und sie lachte schallend und sagte, Du bist ja stockbesoffen, ich protestierte und sagte, Nein, ich bin nicht stockbesoffen, sagte ich, ich bin stocknüchtern, und sie unterbrach mich, Du bist stinkbesoffen, sagte sie und ich sagte, Sie sind eine Dame, und als Dame sagt man sowas nicht, und sie sagte, Ich bin keine Dame, ich bin eine Künstlerin, verdammich, und ich unterbrach sie und sagte, Sie sind also La Estrella, sagte ich flachsend, und sie sagte, Und du bist besoffen, und ich sagte, Wie eine Flasche, sagte ich, randvoll mit Alkohol, aber nicht besoffen, und ich fragte sie, Sind Flaschen besoffen, und sie sagte, Ach woher denn, und lachte wieder, und ich sagte, Aber vor allen Dingen liebe ich Sie, La Estrella, Würze meines Lebens, mehr als alle anderen Gewürze zusammen, mit Estrellagon können sich weder Thymian noch Majoran messen, und sie lachte wieder schallend, schüttelte sich vor Lachen und schlug sich schließlich mit einer ihrer endlosen Hände auf einen ihrer unendlichen Schenkel, und der Knall hallte von den Wänden wider, als wenn die abendliche Neunuhrsalve versehentlich morgens in dieser Bar abgefeuert worden wäre, und dann fragte sie mich, Auch bis über die Ohren, und ich sagte zu ihr, Na klar, bis über sämtliche Ohren bin ich verliebt, verknallt, verschossen, und sie sagte, Nein, nein, ich meinte, ob' auch bis über die Ohren reicht, ob du mich auch damit liebst, und sie führte beide Hände zum Kopf und faßte sich in ihr Kraushaar, und ich sagte zu ihr, Mit Haut und Haar, und plötzlich sah sie aus wie das glücklichste Geschöpf auf Erden. Und da machte ich La Estrella den großartigen, einmaligen, unmöglichen Vorschlag. Ich beugte mich zu ihr und sagte ihr ganz leise ins Ohr, La Estrella, ich möchte Ihnen einen unanständigen Antrag machen, sagte ich, La Estrella, kommen Sie, trinken wir einen zusammen, und sie sagte, Mit-Ver-gnügen, und trank mit einem Schluck das Glas leer, das sie in der Hand hielt, wogte mit zwei Chachachaschritten zur Theke und sagte zum Keeper, Hey Schätzchen, noch einen von den meinen, und ich fragte sie, Warum denn 'nen gemeinen, und sie antwortete, Nein, doch keinen gemeinen, der soll mir einen von *meinen* rübergeben, und sie lachte und sagte, *Meiner*, das ist La Estrellas Drink und den bekommt sonst keiner, kapiert, und sie brach wieder in schallendes Gelächter aus, so daß ihre riesigen Brüste wackelten wie die Kotflügel eines alten Lastwagens, wenn der Motor ins Stottern gerät.

Da packte mich ein Händchen am Arm, und es war Irenita, Willst du die ganze Nacht, fragte sie mich, hier bei der Dicken bleiben, und ich antwortete ihr nicht, und sie fragte mich noch einmal, Du bleibst also bei der Dicken, und ich sagte, Ja, einfach nur ja, und sie sagte nichts, grub mir aber ihre Fingernägel in die Hand, und da lachte La Estrella schallend, ganz überheblich, ganz selbstsicher, und nahm meine Hand und sagte zu mir, Laß sie doch, heiße Katzen gehören aufs Blechdach, und zu Irenita sagte sie, Na komm, Kindchen, setz dich brav auf'n Hocker, alle lachten, sogar Irenita lachte der Form halber mit, um keine schlechte Figur abzugeben und sich nicht noch lächerlicher zu machen, und zeigte dabei die Lücken der beiden Backenzähne, die ihr direkt neben den oberen Eckzähnen fehlten.

Im Shöwchen gab es immer noch eine Show, nachdem die Show zu Ende war, und jetzt tanzte eine Rumbatänzerin zur Musik aus der Musikbox und hielt inne, als ein Kellner gerade vorbeiging, und sagte zu ihm, Papi, mach die Scheinwerfer an, dann gibt's Stimmung, und der Kellner ging hin und zog ein paarmal den Stecker heraus und steckte ihn dann wieder ein, aber da die Musik jedesmal wegblieb, wenn die Musikbox ausging, hing die Rumbatänzerin einen Augenblick in der Luft und bewegte ihren unglaublichen Körper in ein paar kurzen, merkwürdig gedehnten Schritten und streckte ein Bein vor, sepiabraun zuerst, dann erdfarben, dann Schokolade, dann Tabak, dann Rohrzucker, dann Zimt, Kaffee jetzt, jetzt Milchkaffee, Honig jetzt, schweißglänzend, tanzgestrafft, und in diesem Augenblick ließ sie den Rock über ihre Knie gleiten, die rund und poliert und Sepia und Zimt und Tabak und Kaffe und Honig sind, über die langen, strammen, geschmeidigen, vollkommenen Schenkel, und warf ihren Kopf zurück, nach vorn, zur einen Seite, zur andern, nach links und rechts, wieder zurück, immer wieder zurück, zurück bis in den Nacken, bis auf den tief ausgeschnittenen, leuchtenden, tabakfarbenen Rücken, vor und zurück, bewegte die Hände, die Arme, die Schultern mit ihrer unglaublich erotischen, unglaublich sinnlichen, einfach unglaublichen Haut, strich sich über die Brüste, über die vollen, festen, sichtlich fessellosen, sichtlich aufgerichteten, sichtlich zarten Brüste: die Rumbatänzerin, nackt unter ihrem Kleid, Olivia hieß sie, heißt sie in Brasilien immer noch, ohne Partner, losgelöst, frei jetzt, mit dem

Gesicht eines schrecklich verderbten, zugleich unglaublich unschuldigen kleinen Mädchens, das jetzt vor meinen Augen die Bewegung, den Tanz, die Rumba erfand: die Summe der Bewegung, ganz Afrika, der Inbegriff des Weiblichen, der Tanz an sich, das ganze Leben, vor meinen Augen, und ich ohne die verdammte Kamera, und hinter mir La Estrella, die alles mit ansah und sagte, Das gefällt dir wohl, und sich vom Thron ihres Barhockers erhob, und während die Rumbatänzerin immer noch tanzte, ging sie zur Musikbox, zur Steckdose, sagte, Lauter neumodisches Zeug, stellte ab, riß fast wütend den Stecker heraus, als wollte ihr der Mund von Kraftausdrücken überschäumen, und sagte, Schluß damit, jetzt wird Musik gemacht. Und ohne Musik, ich meine, ohne Band, ohne Begleitung begann sie, ein unbekanntes, neues Lied zu singen, das aus ihrer Brust, aus ihren riesigen Eutern, aus ihrer Walzenwampe emporstieg, und nur einen kurzen Augenblick dachte ich an die Geschichte vom Wal, der in der Oper sang, denn sie legte mehr in das Lied als das falsche, zuckersüße, sentimentale, geheuchelte Gefühl, nichts von diesem dümmlichen Schmalz, von diesem kommerziell fabrizierten *Feeling*, sondern wirkliches Gefühl, und ihre Stimme klang sanft, schmelzend, flüssig, leicht ölig jetzt, eine kolloidale Stimme, die wie das Plasma ihrer Stimme ihrem ganzen Körper entströmte, und plötzlich fuhr ich zusammen. Seit langem hatte mich nichts mehr so angerührt, und ich begann laut zu lächeln, weil ich gerade das Lied erkannt hatte, begann zu lachen, bekam einen Lachanfall, weil es *Noche de ronda* war, und ich dachte, Agustín Lara, du hast überhaupt nichts ersonnen, du hast nichts komponiert, diese Frau hier erfindet gerade dein Lied: komm doch morgen vorbei und hols ab und kopiers und brings nochmal unter deinem Namen raus: *Noche de ronda* wird in dieser runden Nacht geboren.

La Estrella sang weiter. Sie schien unermüdlich. Irgendeiner bat sie, *La Pachanga* zu singen, und sie stand da, einen Fuß vor dem andern, die aufeinandergetürmten Wülste ihrer Arme über den wogenden Wülsten ihrer Hüften, stampfte auf den Boden mit ihrer Sandale, die ein unter den ozeanischen Wülsten ihrer Beine versinkendes Boot war, stampfte, ließ das Boot mehrmals auf den Boden krachen, warf ihr schweißglänzendes Gesicht nach vorne, ihre Wildtierschnauze, dieses Geäse einer borstenlosen Wildsau mit dem von Schweiß triefenden Schnurrbart, warf die ganze Abscheulichkeit ihres Gesichts nach vorne, mit den jetzt kleineren, boshafteren Augen, fast glänzlich verborgen unter den Brauen, Sehschlitze unter zwei Fettwülsten, auf denen sich in dunklerem Schokoladenbraun die Linien der aufgeschminkten Brauen abzeichneten, reckte ihr ganzes Gesicht vor den endlosen Körper und antwortete, La Estrella singt nur Boleros, sagte sie und fügte hinzu, Sanfte Lieder, mit Gefühl, vom Herzen zu den Lippen und von meinem Mund an dein Ohr, Kindchen, damit du Bescheid weißt, und sie fing an, *Nosotros* zu seingen, ließ den Frühverstorbenen Pedrito Junco neu erstehen, machte aus seiner wehleidigen Schnulze ein richtiges Lied, ein lebensvolles, von gewaltiger, wahrhaftiger Wehmut erfülltes Lied. Und La Estrella sang weiter, sang bis acht Uhr morgens, ohne daß wir merkten, daß es acht Uhr morgens war, bis die Kellner anfingen zusammenzuräumen und einer von ihnen, der Kassierer, sagte, Tut mir leid, liebe Familie, und er meinte damit tatsächlich Familie, er sagte das Wort nicht nur so daher, sagte nicht Familie, obwohl er damit etwas ganz anderes sagen wollte, sondern meinte damit wirklich Familie, und sagte: *Familia*, wir müssen jetzt schließen. Aber davor, kurz davor, bevor das passierte, war da noch dieser Gitarrist, ein guter Gitarrist, ein schmächtiger, hohlwangiger Typ, ein einfacher, achtbarer Mulatte, der keine Arbeit hatte, weil er so bescheiden und so ungekünstelt und so gutmütig war, aber ein großer Gitarrist, der wußte, wie man einem noch so billigen und kommerziellen Schlager ungewöhnliche Melodien entlockt, der es verstand, wahres Gefühl aus der Tiefe seiner Gitarre zu fischen, der bei jedem Lied, bei jeder Melodie, bei jedem Rhythmus das Beste aus den Saiten holen konnte, der, dem ein Bein fehlt, der ein Holzbein und immer eine Gardenie im Knopfloch hat, den wir im Spaß liebevoll Niño Nené nannten, nach dem Vorbild der Flamencosänger wie Niño Sabicas oder Niño de Utrera oder Niño de Parma, und dieser Niño Nené sagte, bat, Laß mich dich bei deinem Bolero begleiten, Estrella, und La Estrella führte die Hand zur Brust, schlug sich zwei, dreimal auf die riesigen Titten und antwortete ganz hochnäsig, Nein, Niñito, nein, sagte sie zu ihm, La Estrella singt immer allein: sie braucht sonst keine Musik. Danach sang sie *Mala noche* und machte dabei ihre später so berühmte Parodie auf Cuba Venegas, über die wir uns halbtot lachten, und danach sang sie *Noche y día*, und danach bat uns der Kassierer zu gehen. Und da die Nacht schon Tag war, gingen wir.

La Estrella bat mich, sie nach Hause zu bringen. Sie sagte, ich solle noch einen Augenblick warten, sie müsse noch etwas holen, und dann kam sie mit einem Päckchen zurück, und als wir hinausgingen, um in mein Auto zu steigen, eines dieser englischen Sportwägelchen, hatte sie Mühe, eine einigermaßen bequeme Position zu finden, ihre dreihundert Pfund auf einem Sitz unterzubringen, auf dem nicht einmal einer ihrer Schenkel Platz hatte, und schließlich stellte sie das Päckchen zwischen uns und sagte, Das ist ein Paar Schuhe, das hab ich geschenkt bekommen, und ich sah sie an und merkte, daß sie arm war wie eine Kirchenmaus, und wir fuhren los. Sie wohnte bei einem Schauspielerehepaar, oder vielmehr bei einem Schauspieler namens Alex Bayer. Der Typ hieß nicht wirklich so, sondern Alberto Pérez oder Juan García oder so ähnlich; aber er nannte sich Alex Bayer, weil Alex ein Name ist, den sich diese Leute mit Vorliebe zulegen, und das Bayer hatte er sich von Bayer genommen, der

Pillenfirma, die Schmerzmittel herstellt, jedenfalls nannten diesen Typ manche Leute, zum Beispiel seine Freunde, die Leute aus der Cafeteria Radiocentro, nicht Alex Bayer, Aleks Bay-ér, wie er es aussprach, wenn er nach einem Programm die Absage machte, sondern nannten ihn, wie sie ihn heute noch nennen, nannten ihn Alex Aspirin, Alex Spalt, Alex Valium oder so was Ähnliches, und jeder wußte, daß er schwul war, denn er lebte in seinem Haus wie in einer regelrechten Ehe mit einem Arzt zusammen, und sie waren immer ein Herz und eine Seele, ein Herzchen und ein Seelchen, und dort wohnte sie, La Estrella, in ihrem Haus, war ihre Köchin, ihr Dienstmädchen, kochte ihnen ihr Breichen und machte ihnen ihr Bettchen und ließ ihnen das Badewässerchen einlaufen, undsoweiterchen, und wenn sie sang, dann nur zum Spaß, aus reiner Freude am Singen, und sie sang, weil es ihr Spaß machte, einfach wie sie Lust dazu hatte, im Las Vegas und in der Bar Celeste oder im Café Nico oder in irgendeinem Café oder Club oder einer Bar im Umkreis der Rampa. Ich brachte sie also in meinem Wagen nach Hause, brüstete mich aus denselben, nur anders gepolten Gründen, aus denen es andere Leute als ziemlich beschämend oder ziemlich lästig oder einfach als unbequem empfunden hätten, jene riesige Negerin in dem kleinen Wagen sitzen zu haben, sich mit ihr am frühen Morgen so zur Schau zu stellen, mit den ganzen Leuten um dich herum, die alle zur Arbeit gehen, arbeiten, durcheinanderlaufen, in die Busse steigen, die Straßen füllen, alles überschwemmen: die Alleen, die Bürgersteige, die Straßen, die Gassen, und wie unermüdliche Kolibris zwischen den Gebäuden herumschwirren. Und ich brachte sie zu dem Haus, wo sie arbeitete, sie, La Estrella, die dort Köchin, Hausangestellte, Dienstmädchen dieses ungewöhnlichen Ehepaars war. Wir waren da.

Es war eine abgelegene Straße im Vedado-Viertel, wo die Leute noch schliefen, noch träumten und schnarchten, und ich stellte gerade den Motor ab, ließ dabei den Gang drin, streckte einen Fuß aus der Wagentür, schaute den nervösen Zeigern zu, wie sie auf dem toten Punkt wieder zur Ruhe kamen, sah in den Glasscheiben der Instrumente das Spiegelbild meines abgewrackten, morgendlich gealterten Gesichts, ausgelaugt von der Nacht, als ich ihre Hand auf meinem Schenkel spürte: sie legte ihre fünf Würste auf meinen Schenkel, fünf Salamis fast, die einen Schinken garnieren, auf meinen Schenkel, ihre Hand auf meinen Schenkel, und ich sah, daß sie den Schenkel ganz bedeckte und dachte, La belle et la bête, und als ich an die Schöne und das Tier dachte, lächelte ich, und da sagte sie zu mir, Komm mit rauf, ich bin allein, sagte sie zu mir, Alex und sein Leibarzt, sagte sie und lachte mit einem Lachen, das die gesamte Nachbarschaft aus dem Schlaf, den Alpträumen, dem Tod oder sonstwas hätte reißen können, sind nicht da, sagte sie: sie sind übers Wochenende ans Meer gefahren, komm mit hoch, es ist sonst keiner da, sagte sie zu mir. Da steckte nichts dahinter, keine Anspielung auf Sex oder sowas, überhaupt nichts, aber ich sagte trotzdem zu ihr, Nein, ich muß gehen, sagte ich. Ich muß arbeiten, ich muß schlafen, und sie sagte nichts, sagte nur noch, Ist gut, und stieg aus dem Wagen, besser gesagt, leitete den mühseligen Prozeß des Aussteigens ein, und eine halbe Stunde später wachte ich aus einem kleinen Nickerchen auf und hörte, wie sie zu mir sagte, jetzt schon vom Bürgersteig aus, gerade dabei, den anderen Fuß auf den Bürgersteig zu setzen (während sie sich bedrohlich über das Autochen beugte, um ihr Päckchen mit den Schuhen an sich zu nehmen, fiel einer der Schuhe heraus, und es waren keine Damenschuhe, sondern alte Knabenschuhe, und sie hob ihn wieder auf), wie sie zu mir sagte, Weißt du, ich hab einen Sohn, nicht als Entschuldigung oder als Erklärung, einfach nur als Information sagte sie zu mir, Weißt du, er ist etwas zurückgeblieben, aber ich hab ihn um so mehr lieb, sagte sie und ging davon.

WERNER FRITSCH

Und da war nichts im Anfang

UND DA war nichts im Anfang.
Und war doch wie ein Loch. Ein Was wie ein Urloch, was es war. Und ich weiß nicht, ist was reingekommen und kann rausgekommen gewesen sein auch erst etwas. Rausgekeimt gekommen grad. Da ist der Herrgott hergegangen und hat einen Batzen Dreck genommen nach dem andern. Und hat ihn hinumgewalzt und hinumgewalzt.
Hat ihn gepackt und in den Himmel gehaut und gesagt, Der Mond bist du.
Der Mond. Und hat wieder einen Batzen irgendwo gespreitet in die Luft. Ist in Steinern und Staub auseinandergeflogen und sind Stern worden durch das. Und einen Stein hat er angehaucht, wo Glut gekriegt hat gehörig. Daß alle Augen gekriegt haben. Und haben dann auch alles gesehen. Und so ist es zugegangen. So hat alles angefangen. Und die fliegen noch jetzt auseinander. Und treffen zusammen in dem Loch, was alles einsaugt auch wieder. Von der anderen Seite her. Wo es ausglüht. Die Stein der Stern.
Den Staub und alles.

AUF ERDEN dann war Wasser auf Wasser. Nichts wie Wasser wie Wasser wie Wasser. Und Meer. Aber das hat halt auch eine Brandung gehabt. Jetzt weiß man es nicht mehr, wies Feuer? Kann durchs Wasser direkt eingetreten sein. Durch die Brandungen und so Zeug. Brennendes Quellenzeug. Wie Wellen. Sind von Rechts wegen gewesen vornehin. Herrgotthalber.

DER HERR und Himmelgott hat einen Haufen dann erschaffen. Die Welt und alles mögliche. Wie uns. Durchs Sprechen. Damit wir uns auch und alles verstehen tun. Die Vögel fein auch. In schönen Augenblicken. Kann sich freilich ein paar Mal auch versprochen haben. Aber nicht oft. Was ich gehört hab. Daß ich gelebt hab, sag ich. Und das Wernerl tut es aufschreiben. In allen Sprachen. Für ewige Zeiten in Feuerzungen. Wenn einmals Licht ausbricht.

DAS WAR gleich im Anfang.
Da war ein alter Vater gegen den Urvater. Da, wo er wie ein Urkind war zum König. In Mähren vom König, hat es das geheißen. Ich hab da sogar noch die Schreibung sagen können. Wie das Haus ausschaut vorn und alles. Aber jetzt weiß ich es nicht mehr. Wo die Gottengeln herausgestammt sind.
Ach, das geht ewig weit hinunter. Da läuft Östreich schon bald aus. Wo es ein End nimmt von Östreich. Da, wo es ausläuft.
Da muß man bloß sagen, ich weiß nicht mehr, was für ein Ding man sagen muß.

DIE GROSSMUTTERSEITE ist von drinnen heraus. Von jenseits der Grenze. Wo die Wondreb da zuhinfließt in die Eger. Wo so ein toter Egerarm ist in Elbogen. Durchlangt durch Burgbrücken. Weil oben steht die Burg droben. Meiner Großmutter ihr Bruder ist doch der Wilhelm gewesen. Der Wilhelm von Österreich. Aber der richtige war es auch nicht. Weil er es nicht hat sagen können. Der Muttervater soll gewesen sein von Niederbayern in Simbach. Kann auch der Stiefvater gewesen sein. Da war eine Glashütte drunten. Das haben sie geblasen. Wie sie in so Klarinetten blasen.
Das kann an der italienischen Grenz schon sein.

Da hat es geheißen, Durch den Glauben fangen sie einen Krieg an. Mit den Römern.
Und da hat sich er gefürchtet und ist geflüchtet. Nach Eger oder Elbogen. Damals hab ich es schon verstanden und dortmals. Aber jetzt versteh ich es nicht mehr. In Eger ist es noch zehnmal besser als da drunten. Weil das in Eger in ein Grafenhotel hineingegangen ist. Wenn nicht gar Prinzenhotel! Da ist halt die Großmutter Dienstmädchen gewesen dagegen. Da sind Verschiedene gewesen, wo gestorben sind. Und die haben allesamt nicht recht viel getaugt. Die Urmütter. Hat es hier herüben wieder geheißen. Die haben Karten geschlagen. So Zeug getrieben. Und die Mutter allweil dahergetan, stammt von einem anderen Vater ab. Oder stammt allerdings ab von keinem. Die Mutter. Daß die Viecher gekommen sind über ihre Großmutter und ist worden davon.

IN DEM VATER seinem Fall war ein alter Vater auch irgendmal. Hier herüben wo. In Waldsassen wo. Ich weiß nicht, wie die allesamt geheißen haben? Der Steinername.
Ich hab allemal gesagt, Ein Muttergottesname ist es.
Weil die Muttergottes Steiner geheißen hat, oder wie. Mein Vater hat erzählt, daß die von der Vaterseite auch noch mitgeholfen haben. Wie sie die Basilika gebaut haben. Die Waldsassener. Steiner zusammengeklaubt und alles mögliche. Keiner nichts gekriegt dafür. Da ist das Ding dann geworden mit den Römern. Die Glaubensrevolution. Ich habs grad nicht gesehen aufs Echte, aufs Selbige. Und da sind die Römer gekommen. Durch Östreich gezogen. Und haben die Klosterleut, die Mönchen und all das Zeug. Die Heiligen heroben alle umgebracht. Wo sich nicht recht verstecken haben können. Wer davonlaufen hat können, ist davongelaufen. Die andern sind halt dortgeblieben. Über die sind die dann gekommen. Die haben, glaub ich, wie über-

haupt keinen Glauben haben wollen. Die Römer. Dieselben sind über Blutlachen gegangen wieder. Und die Heiligen haben sie geschwind in der Waldsassener Basilika alle in der Gruft unten eingegraben. Eingemauert direkt. Geruchshalber und alles mögliche. Und ein einziges Mädchen. Hat Wunder gewirkt so Zeug. Ich weiß nicht, ist es in der Weiberseite in einem Altar? In Waldsassener Altären siehst überall Totengerippe drinnen. Das sind jetzt Extitien. Und allerhand hohe Schwestern. Und Administratern und Beichtvatern und alles mögliche.

MEIN VATER ist in Hundsbach geboren oder in Schloppach. Da ist die Wondreb auch schon herüben noch. Da läuft die Wondreb weiter in Wiesen runter. In Schloppach. In Hundsbach auch. Und in Hundsbach läuft sie wie überhaupt nicht recht. Da verschoppt sich alles. Da läuft der Bach noch einmal zuhin. Dann gehts getal bis auf Egerteich und unterhalb gehts hinüber.
Dann läufts auf Mammersreuth zu, läuft aber nicht auf Mammersreuth. Sondern die biegt sich runter auf Schloppenhof. Schloppenhof, und da ist auch schon die Grenze. Da kommt erst ein Friedhof, und dann kommt das Dorf. Schnurgerade läufts dann da hinein. Hinein auf Eger. Und kann auch in Pechofen geboren sein. Der Vater. Das hat der nimmer gewußt. Das wir der nimmer sagen haben können.

EINER IST eingerückt gewesen. In den Siebziger Krieg. Gegen Frankreich. Gegen Rußland ist auch einmal einer gewesen. Jetzt wie der wieder heimgekommen ist, hat der Bruder einen Mordstrumm Hof gehabt. In Pechhofen. Und hat ihn nimmer neinlassen. Dann haben sie den geschlagen dort im Dorf. Daß er liegengeblieben ist dann im Dorf.
Ich hab dann geklagt. Da haben sie dann fort dahergetan, wie

daß ers nicht wär. Daß er nicht da herauswär. Wer wo ein Hirt war, soll er bloß gewesen sein.
– Das ist bloß ein Arbeiter, hat es geheißen.
Dem Vater sein Vater.
– Der hat bloß betrieben so Zeug wie Vieh hüten und Flachs brechen von jeher.
Dann ist eine Fragung eingetreten. Durchs Klagen. Die haben es gewußt, daß es wahr ist. Daß er erschaffen worden ist in einer Frau.
Mein Gott, was will ich da klagen? Wenn er erschaffen worden ist in einer Frau. Da haben sie wie den Steinervater gar nicht gebraucht dazu. Es kann sogar sein, daß nochmal einige erschaffen worden sind. Gegen siebzig Personen, hab ich gehört. Ich stamm, glaub ich, von einem Erschaffenen ab auch. Was will ich da groß klagen?

UND DA ist in dem Urmutterzeug ineinander auch einmal ein Mädl gewesen. Das ist gesagt worden. Und die hat was im Himmel oder in den Heiligen was angestellt. Da hat wer gesagt, sie haben sie weggeräumt. Und wie ich da war in Waldsassen, ist sie auf einmal wieder aufgekreuzt. Die ist wieder gekommen. Aufs Wegräumen hinauf. So ist sie mir erschienen. Ich weiß nicht, was sie angestellt gehabt haben mir der? Haben sie sie geschlagen oder verbrannt?
Jetzt wie ich mit ihr geredet hab über das Ding. Ich weiß nicht, hat es die gesagt? Ich habs ja grad schon gewußt gehabt. Die hat, wie halt ein Kind auch ist, an der Muttergottes umeinandergelangt. Und hat die Händ gehabt voller Blut!
– Oh Jesus, oh Jesus, sag ich.
Daß da ihr Leiden her ist. Mein Leiden auch. Daß es mich gescheit gebeutelt hat. Daß das von dem Zeug da herstammt. Aber das Zeug, sag ich halt nicht.

VERWÜNSCHEN hat es auch gegeben früher.
Wie oft. Aber das sind wieder andere Dinger. Zauberdinger dagegen. Da ist eine Frau gewesen mordstief im Schwangeren. Ist über dem Heimgehen gewesen nach der Messe. Ist nicht heimgekommen je mehr von der Messe. Hätt sollen entbinden zuhaus. Aber die ist in die Felder gegangen. In die Weite einfach. Und darin ist das Kind verschwunden gewesen. Verwunschen von wer.
Dann haben sie es gesucht. Das Kind. Auch sie haben sie gesucht. Aber die haben kein Kind gefunden und nichts. Können grad einmal eines gefunden haben. Aber das ist dann tot drinnen gelegen. Und ist eingebunden gewesen und so zu. Die hat halt im Freien geboren gehabt. Selber durchgebissen die Nabelschnur am End.
Soll halt so zugehen so Zeug.

ADOLFO BIOY CASARES

Römische Geschichte

Jeden Morgen um halb elf kam ich vom Hotel Gassion herunter; meine Nachbarinnen kamen vom Hotel de France. Auf dem *Boulevard des Pyreńées* wärmten wir uns in der Sonne, auf verschiedenen Bänken, die auf dieselben Berge blickten, wobei der eine *Daisy Miller* las und die anderen ihre Lektionen wiederholten. Meine Nachbarinnen waren fünf Mädchen und eine Gouvernante. Wer die Mädchen nur flüchtig betrachtete, hätte sie für eine Serie von Exemplaren (verschieden groß, unterschiedlich alt – zwischen neun und neunzehn Jahren) ein und derselben Person halten können; folgsam, blond, hochaufgeschossen, mit grauen Augen, und in blauer Uniform. An die Gouvernante, eine reizbare ältliche Frau, kann ich mich nur noch undeutlich erinnern.
Meine Freunde aus der Sporting-Bar erzählten mir, daß die Mädchen Landsmänninnen von mir seien: daß ihr Vater, ›ein Amerikaner mit Vorfahren aus dem Béarn‹, in Buenos Aires über Landbesitz und ein beträchtliches Vermögen verfüge und daß sich die Familie augenblicklich wegen einer Erbschaftsangelegenheit in Pau aufhalte.
Eines Morgens ging ich schon um zehn hinunter. Kurz darauf erschien die älteste der Schwestern und bat mich um die Erlaubnis, sich zu mir auf meine Bank setzen zu dürfen. Augenblicklich kamen wir miteinander ins Gespräch.
»Ich heiße Filis«, sagte sie.
»Gefällt es Ihnen in Pau?« fragte ich.
»Es langweilt mich genauso wie unsere Rinderfarm. Auch das Leben, das ich führe... Wenn einem die *mademoiselle* andauernd im Genick sitzt, wie soll man sich da amüsieren?

Glauben Sie nicht, das wäre immer so gewesen. Meine Eltern sind verrückt: entweder lassen sie mir völlige Freiheit, oder sie bewachen mich Tag und Nacht. Im Juli war ich allein in Rom, bei ein paar Italienerinnen, die ich in Puente del Inca kennengelernt habe. Sie schreiben, nicht wahr?«
»Woher wissen Sie das?«
»In Pau weiß man alles. Soll ich Ihnen erzählen, was mir in Rom passiert ist? Sie werden sich amüsieren. Da kommt die *mademoiselle* mit den Mädchen. Ich sehe Sie heute abend im Kasino!«
An jenem Abend traf ich nicht auf ein Mädchen, sondern auf eine bezaubernde junge Frau, die sich bei mir unterhakte und anfing zu lachen. Ich rief aus:
»Wie haben Sie sich verändert!«
»Glauben Sie das nicht«, sagte sie. »Wenn sie merken, daß ich entwischt bin, werden sie mich umbringen, sie werden es mich büßen lassen. Soll ich Ihnen von meiner römischen Affaire erzählen?«
Die goldige Filis berichtete mir mit jungfräulich züchtigem Augenaufschlag und entzückendem Vogelstimmchen, wie ein Adliger aus dem Gefolge des Papstes – ich sah ihn auf einem Foto mit Widmung, ein wenig dicklich in seinem tadellosen, weißen Galaaufzug – um ihre Hand angehalten hatte. Die Szene spielte sich in einem römischen Restaurant ab, und ich weiß nicht mehr, was ihm das Mädchen antwortete, aber ich erinnere mich, daß sie ihn beleidigte, als sie beim *maître d'hotel* ein Beefsteak bestellte.
»Es ist Freitag«, bemerkte der Kavalier.
»Ich weiß«, erwiderte Filis.
»Wie können Sie dann wagen, Fleisch zu essen?«
»Ich bin Argentinierin, und in meiner Heimat fasten wir das ganze Jahr nicht.«
»Wir sind in Rom, ich bin Edelmann vom päpstlichen Hof, und hier beachten wir das Fastengebot an jedem Freitag des Jahres.«

»Ich werde nie wieder freitags Fleisch essen. Aber jetzt habe ich schon einmal bestellt, und ich möchte dem Kellner nicht lästig fallen, indem ich es zurückgehen lasse.«
»Es ist Ihnen also lieber, mir Kummer zu bereiten.«
(Ich wollte nicht zugeben – sagte mir Filis –, daß ich Hunger hatte.)
Man brachte das Beefsteak, ein verführerisches Beefsteak, und Filis rührte es nicht an: mit einer Gebärde gereizter Resignation ließ sie es auf dem Teller.
Ihr Freund fragte:
»Und warum essen Sie es jetzt nicht?«
»Weil ich Sie nicht betrüben möchte«, antwortete sie.
»Wo Sie es nun schon bestellt haben, können Sie es auch essen«, gestand er ihr verächtlich zu.
Filis wartete nicht lange ab, ob er weiter darauf bestehe; noch immer verärgert, aber mit ziemlicher Hast und voller Genuß verschlang sie das Beefsteak. Ihr Freund rief mit schmerzerfüllter Stimme aus:
»Nie hätte ich solch einen Schlag erwartet!«
»Was für einen Schlag?«
»Sie machen sich auch noch über mich lustig. Daß Sie dieses Fleisch essen und meine Gefühle so grausam verletzen.«
»Sie haben doch selbst gesagt, ich sollte es essen!«
»Ich habe Sie auf die Probe gestellt, und Sie haben mich enttäuscht«, erklärte ihr Kavalier.
Wenige Tage später nahm er sie dennoch mit an den Strand von Ostia. Es war sehr heiß, und gegen Mitte des Nachmittags gestand der Edelmann:
»Sie verwirren mich. Auch wenn es mich schmerzt, es auszusprechen, will und kann ich nicht schweigen: ich begehre Sie.«
Filis antwortete ihm, niemals würden sie sich wiedersehen, wenn er sie nicht noch an diesem selben Nachmittag zu der Seinen mache. Der Adlige fiel auf die Knie, küßte ihre Hand und sagte fast unter Tränen, daß sie ihm diese schlechten

Gedanken nicht erlauben dürfe; daß er sie sehr bald heiraten würde, daß sie ganz bald eine Prinzessin sein würde. Daraufhin erklärte ihm Filis, daß sie Argentinierin sei und daß bei ihr zu Hause der Adel gar nichts bedeute; daß sie in Buenos Aires und überall sonst als Mitglied einer angesehenen und überdies reichen Familie bekannt sei; daß ihre Eltern mehrere Güter besäßen, und daß ein europäischer Adliger dagegen ein reichlich dubioses Subjekt sei. Sie selber könne sich trotz ihrer Liebe zu ihm, und ohne an der Reinheit seiner Gefühle zweifeln zu wollen, der innersten Überzeugung nicht erwehren, daß er eine reine Vernunftheirat plane ... Alles dies spielte sich in dem Zug ab, der sie zurück nach Rom brachte, inmitten einer Menschenmenge, die Sitze und Gänge bevölkerte, belegte Brote kaute und an diesem heißen Spätnachmittag ganz besonders nahe erschien.

Als sie angekommen waren, fragte Filis ihren Freund, wohin er sie zu bringen gedenke, und ihr höfischer Verehrer stammelte irgend etwas Undeutliches, worin sich die Namen von Restaurants und von Filmtheatern vermischten. Filis war unerbittlich: sie wiederholte ihre Drohung – entweder mache er sie zu der Seinen, oder er würde sie niemals wiedersehen. Daraufhin begann ihr Freund ihr auseinanderzusetzen, daß es in Rom nichts gebe, wo man hingehen könne.

»Wir haben keine Hotels für Paare«, sagte er mit einer Mischung aus Stolz und Verzweiflung.

»Und hast du keine Wohnung?«

»Eine Wohnung, in die man eine Freundin mitbringen kann? So etwas hat niemand in Rom. Dafür müßte man schon sehr reich sein. Man hat mir erzählt, daß es vor dem Krieg einmal ...«

»Bring mich irgendwohin«, beharrte Filis und fügte – sehr argentinisch – hinzu: »Dafür bist du schließlich ein Mann, *ché*.«

Währenddessen liefen sie durch endlose Straßen. Als Filis an einer Ecke eine Prostituierte stehen sah, fand sie die Lösung. Sie sagte:

»Wir gehen zu dieser Frau nach Hause.«

»Es ist unmöglich, sie anzusprechen«, verteidigte sich ihr Freund. »Wir können nicht zusammen hingehen, und ich kann dich auch nicht hier stehen lassen und alleine hingehen.«

»Dann spreche ich sie an.«

Ihr Freund versuchte, sie davon abzubringen; er wiederholte immer wieder: »Wie könnte ich dich in das Haus einer Dirne bringen?« Er versuchte es mit Varianten: »Wie könnten wir unsere erste Liebesnacht mit dem Unflat des Zimmers einer solchen Unseligen besudeln?«

Ohne ihn anzusehen, fragte Filis mit schneidender Stimme:

»Gehst du, oder muß ich gehen?«

Der päpstliche Edelmann faßte sich endlich ein Herz; er sprach mit der Frau, und alle drei machten sich auf den Weg zu deren Wohnung. Sie gingen nicht zusammen: die Frau lief einige Meter vor ihnen, alleine. Ihn erschreckte die Vorstellung, man könne ihn mit einer Prostituierten sehen; Filis war es gleichgültig, ob man sie sah oder nicht. Da in Rom Straßenprostitution verboten ist, stand der Adlige jedesmal große Ängste aus, sobald irgendein Polizist auftauchte; auch wenn sie gar nicht mit der Frau zusammen gingen, wollte er doch davonlaufen und drängte Filis, sie möge ihm folgen. Was hätten die Leute gesagt, wenn man ihn verhaftet hätte – ihn, einen Edelmann aus dem Gefolge des Papstes –, weil er sich mit Prostituierten einließ? Filis erklärte ihm, daß sie ja nicht mit der Prostituierten gingen und daß man gerade weil er ein Adliger aus dem päpstlichen Hofstaat sei, nicht wagen würde, ihn festzunehmen.

Etliche Male verloren sie die Frau auf dieser Wanderung durch die engen Gäßchen der römischen Altstadt aus den

Augen, etliche Male erklärte der Edelmann erleichtert, nun habe man sie endgültig verloren, und ebenso oft zwang Filis ihn dazu weiterzusuchen; immer fanden sie sie schließlich wieder, und nachdem sie ein düsteres, enges und übelriechendes Labyrinth durchquert hatten, gelangten sie zu dem Haus. Die Wände im Zimmer der Frau waren über und über mit Heiligenbildern bedeckt, auf dem kleinen Nachttisch befand sich eine ganze Ansammlung von Heiligenfiguren, und an den Bettpfosten hingen die verblaßten Gestecke vom letzten Palmsonntag. Der Adlige erklärte, daß ihm diese Zeugen die Aufgabe, die vor ihm lag, noch mehr erschwerten. In der angrenzenden Küche briet die Frau irgend etwas und zeigte ihre Ungeduld dadurch, daß sie andauernd mit den Töpfen klapperte.

»Die Ärmste braucht das Zimmer für andere Kunden«, erklärte, wohl überflüssigerweise, Filis.

Aber der Bräutigam brachte nichts anderes als Zittern und Schwitzen zustande. Filis wiederholte ihre Drohung; mehr schlecht als recht erfüllte der Mann schließlich seine Pflicht, so gut er eben konnte, und erklärte, daß Filis eine erbarmungslos harte Frau sei. Als sie sich von der Hausherrin verabschiedeten, hatte diese ihre Höflichkeit wiedergefunden; sie wünschte ihnen viel Glück und, mit einer weit ausholenden Gebärde auf die Bilder und Statuetten weisend, den Segen des Himmels.

RAINALD GOETZ

Kontrolliert

Tote Menschen müssen echte tote Menschen sein, das an die Wand gespritzte tote Hirn muß echtes totes Hirn sein, das Blut, das aus dem Körper schießt ins Gras, muß echtes helles rotes Blut sein, und das Genick am Strick kein tot gehackter Schwan, sondern ein früher noch nicht toter und jetzt tot gehenkter echter Mensch. Die so absolut endgültig gewaltsam tot gemachten Toten müssen ermordet worden sein von Mördern, die ihr Leben anschauen als Auftrag, die Sache ihres Ideals, das sie ihrer Position im Wirklichen verdanken, mit allen Mitteln in die Wirklichkeit rein durchzusetzen. Ein Menschenleben wiegt nicht nichts, sondern normalerweise cirka sechzig oder hundertdreißig Kilo. Auch sein idealer Wert ist zu berechnen, unschätzbar nur der alten Arie der Idiotie, die alles lieber schätzt, anstatt zu rechnen. Inmitten des lebenden Menschen selbst hat der ideale Wert des Lebens den exakt bestimmbaren Wert null. Dort gibt es nur einen idealen Wert namens Tod. In der näheren Umgebung des Lebenden hingegen zieht sein nichtideales echtes Leben seines Körpers hohen idealen Wert auf sich, manchmal sogenannte Liebe. Von außen aus sieht dieser hohe ideale Wert normal aus wie ein Schwachsinn, und ein Zimmer weiter ist er konsequenterweise fast wieder auf null gesunken. Wäre es wirklich anders, würde die Last des Kummers, den der Tote seiner Nähe aufbürdet, dauernd derart massenhaft wie in der Wirklichkeit, dort verteilt auf viele leidlich zu ertragen, jetzt anfallen für jeden ganz allein, der alle Last von allen Toten alleine tragen müßte, und Massensuizid wäre vernünftig, aber so ist es genau nicht, sondern es ist, wie es ist. Der hohe ideale Wert des Mordes an Schleier gründet also darin, daß der Staat am Ende ruhiger und vernünftiger Berechnungen das rituelle Menschenopfer wählt, das er sich selbst abfordert, um von der Geschichte selbst von seiner Geschichte befreit zu werden. Die Nichtfaschisten hingegen, drei Polizisten und Herr Heinz, die nicht kalkuliert vom Staat geopfert, sondern von der Revolution hingerichtet werden, werden Opfer in ihrer Funktion als Männer des Volkes, und vom Ort dieser Funktion her richtet sich ihnen der höchste ideale Wert zu. Diesen Wert hat die Revolution im Mord sichtbar gemacht, und der Mord macht den entscheidenden Fehler im Kalkül der Revolution sichtbar, und so zerbricht die Revolution genau an diesem idealen Wert des Lebens von vier Männern des Volkes. Keine Kalkulation keiner noch so intelligenten Denkmaschine hätte diese Berechnung simulieren können. Echte Menschen mußten wirklich handeln in der Wirklichkeit, denn nur wirkliches, nichtideales, fleischlich materiales Material kann alle Ideale auf sich ziehen und so schaffen, was vorher weder da war in der Wirklichkeit, noch in ihr denkbar. Daß alle Ideale am Schluß so gräßlich alt ausschauen, der vom Faschistenblut tropfende Staatsaltar und die im Suizid endende revolutionäre Konsequenz, heißt Feier einer besseren und nichtidealen Wirklichkeit, die folglich bessere und weniger ideale wirklichere Ideale auf sich zieht und die Berechnung deren Konsequenzen ihrer Zeit, die augenblicklich da ist, überträgt. Es kann wohl geschehen, daß die Geschichte selbst, die keinen Trost kennt im Vergessen und die Lasten aller Zeiten in sich mit sich weiter schleppen muß, manchmal nicht mehr kann und nicht mehr mag und jedem Freund Skeletor sofort, da der alte morsche Charon seinen Kahn nicht mehr durch den schwarzen Styx durch stochert, jedes Opfer bringen würde, wenn der schwarze Herr der Finsternis endlich die ganze Zeit selbst und ihre Knechtin Geschichte hinüber schaffen würde ins endgültige Reich der dreifachen Nacht des totalen Todes von allem. Aber wer müde ist, darf ruhen, und der Schlaf kommt, ihn zu trösten. Und die Meere drehen sich, und die Erde atmet helle blaue Luft, und die Gestirne schauen zu.

Mit dem Morgengrauen war man wieder auf den Beinen, packte das Zeug auf die Kähne, und los ging es, fort und dahin. Landschaften jagten vorbei, Hügel, Wälder, kleine Orte, mal ging es bretteben über stürmisch flache Weiten, Seegeruch, ein breiter Strom, riesige Städte zum Teil, und dann wieder Felder, Wiesen, Brandgeruch. Es war Herbst, der Mais stand noch, aber die Äcker sonst waren dunkel, schon ordentlich hergerichtet für den Winter, und zerfetzt hingen aus dem morgendlichen Dunst einzeln die Schwaden von dürrem bleichem Rauch schräg von oben in die schwelenden Hügel aus altem Laub am Boden. Ohne Helm war die Jagd über das Land reißender Wechsel von kalt, kühl und sehr kalt im Gesicht, wo Wälder waren, war der Luftraum eine eisige Wand, von der Straße durchschossen. Kreuzte die Straße andere Straßen mit Häusern, war es wärmer, und manchmal hing da ein Fetzen Brotgeruch. In den Senken lag dichter Nebel, und die Flüsse führten ihr Wasser unsichtbar flußabwärts in größere Flüsse. Es gab auch Seen hinter Potsdam und roten märkischen Sand. Am Wannsee war es schließlich Winter, und die tonnenschwere massive gläserne Decke aus fest gefrorenem Eis wurde wirklich getragen vom Wasser darunter, von oben beschneit mit kristallenem weißem Pulver. Schnee deckte auch das Ufer und die alte Villa, und im Turm zuckte der Schlaf. Als die Sonne aufgegangen war, hatten die Blätter golden und rot geleuchtet, Laubbäume voll mit Farben in allen Farben, aber die Zeit drängte und ließ kein Bleiben zu zur Rast. Scheinbar eine Flucht, auf besten Maschinen natürlich, schwere Geräte, und schwarze Lederjacken hielten die höllischen Adler warm. Silberne Totenköpfe rasten vor dem Gashebel am Mittelfinger und am Zeigefinger jeder rechten Hand durch den herrlichen Morgen. Heute war Sonntag, und es gab keine falschen Fragen. Die Flucht war also Flucht vor Antworten, die einen jagten in Angst, müde gehetzt schließlich, natürlich erschöpft, und doch immer noch fliegend beschwingt fliehend. Kamen den höllischen Adlern Engel entgegen, grüßte lässig vom Lenker hoch gehoben links die Faust. Raspe wachte auf und wußte sofort, daß er die gestrige Fernsehsendung, damals vor vierzig Jahren, nocheinmal geträumt hatte. Er schaute auf die Uhr, es war sieben Uhr vierundvierzig, nein, es war später. Jemand sagte, der lebt ja noch, und Raspe wollte erklären, daß er im Acheron vor dreiunddreißig Jahren hier in Berlin unter Geheul von Sirenen und donnernd her geschmissenem Zeug irgendwie in die kaputten dunklen toten Stümpfe von den Resten an den rauhen Rändern von den alten Wänden, wo, er weiß nicht, müde Spatzen was gesungen haben, da gegessen und gespielt hat, es ihn hin gehaut hat, warum, weiß er nicht mehr, mehr der Müdigkeit und alles das wäre sehr angenehm jetzt da auf hoher See so zu versinken endlich, untergegangen, im Dunklen in die Seegewächse tief im Grund, und wieder schreckte er hoch und mußte lachen, daß er also wirklich hier die halbe Nacht am Boden zwischen den Gebirgen seiner armen Zeitungen verbracht hatte, doch wohl eher, war ihm jetzt, wachend und ziemlich bei Sinnen, und er stand auf. Rost in allen Knochen meldete jedoch eindeutig, daß dieser Körper hier geschlafen hat. Raspe stand am Fenster und schaute auf den ruhigen weißen See hinunter. Er blinzelte mit den Augen und sah plötzlich, daß ihm der aus dem Weiß entgegen tretende bloße Schädel so gesehen wieder ganz anders beäugt anschaute, seltsamerweise mit dem anderen Auge, als zuvor. Aus der drohend isolierten übertot hysterischen Pupille, wurde, ließ man das Bild verschwimmen, ein sehr lebendiges menschliches Auge, das aus dem toten Schädel heraus den, der so hin schaute, schwer und sehr müde, aber hellwach erschreckt anschaute. Raspe nickte, es war Sonntag, die Zeit zwischen den Jahren war wieder überstanden. Der Schnee lag da, wirklich meisterlich hingeschneit. Ein Kristall von kugeliger Form, innen vielfach fünfzackig zerfurcht, im Rand von einer umgekehrten Kugelkrone mit neun Zinnen fest bekränzt, zusätzlich gehalten von vierundvierzig kleinen kurzen Dornen, die einzeln richtung innen ins Kristall rein zeigen, daß einleuchtend erscheint, wie schön das ganze ausschaut, wenn man es im Fernsehn mit dem Rasterelektronenmikroskop anschaut. Anschließend Jan Hofer, das waren die letzten Meldungen der Tagesschau, wir wünschen eine gute Nacht. Die Nationalhymne erklingt.

Es war Montag, der siebzehnte Oktober, und das Ende war da. Die Zeit hatte den Revolutionären im geraubten Flugzeug die Waffe des definierten Orts an die Hand gegeben, mit der die Offensive, von sich selbst erschöpft, sich zuende bringen konnte und mit sich zugleich den ganzen sieben Jahre alten Krieg. Die stählernen Grenzen des Flugzeugs beendeten die Zeit der offenen Zeit, die den Handelnden die komplizierte Tat des Nichthandelns diktiert hatte. An die Stelle der Verhandlungen, deren Gegenstand die Mitteilung der zeitvernichtenden und so nichtsinnlosen Information war, daß verhandelt wird, ist jetzt unter dem Druck begrenzter Zeit die Logik der Geschwindigkeit unmittelbarer Gewalt getreten. Gerade deshalb kann endlich auch das von Stammheim immer wieder geforderte direkte Gespräch zwischen Revolution und Staat stattfinden, eine Illusion natürlich, aber gerade deshalb reines Inbild der Geschichte. Wirklich siebzig Minuten lang sitzt an diesem letzten Nachmittag der Beauftragte des Bundeskanzlers in Stammheim im siebten Stock in der Besucherzelle dem noch nicht toten Baader gegenüber, beauftragt vom Bundeskanzler, mit Baader zu sprechen. Der Staat erkennt die Revolution als Feindin an, die zu ihm gehört, und vernichtet sie so in sich hinein. Damit unterzeichnen beide Seiten der idealen Achse Sozialdemokratie und Rote Armee Fraktion gemeinsam die bedingungslose Kapitulation des vom deutschen Krieg geerbten Krieges vor der Macht der alliierten Kräfte der gegenwärtigen deutschen Wirklichkeit. Die Siegerseite besiegelt dieses Dokument von Stammheim auf ihre Art, unmißverständlich handelnd. Seit den frühen Morgenstunden, als der in Aden erschossene Flugkapitän Schumann in Mogadischu über die Schmidtnotrutsche aus dem Flugzeug in den Wüstensand geschmissen wurde, steht die Maschine dort bereit und wartet auf den Sturm der deutschen Terroreinheit, die vom Kabinett mit der Liquidation der Revolutionäre und der Befreiung der Geiseln beauftragt ist. Vor fünf Jahren hat die Befreiung der am fünften September zweiundsiebzig von einem Kommando des schwarzen September als Geiseln genommenen neun israelischen Olympioniken im Massaker von München auf dem Militärflugplatz Fürstenfeldbruck alle israelischen Geiseln das Leben gekostet. Hier aber war die siebte Woche angebrochen auf den Tag genau seit dem fünften September, und die Differenz zum fünften September von damals führt über das palästinensische Kommando, dessen sich das deutsche Kommando bedient, an den Abgrund einer Identität, dem sich die Geschichte hier nicht stellen kann, ohne verrückt zu werden. Also schließt sie da die Augen und muß, schlimmste Folter, warten. Ohne Lichter und im Schutz der Dunkelheit der hereinbrechenden Nacht ist inzwischen die Terroreinheit an Bord eines Sonderflugzeugs der Lufthansa am Zielort unbemerkt gelandet. Die letzten Ultimaten verstreichen, und die allerletzten Ultimaten werden wieder und wieder verschoben. Der Turm ist über Funk mit der Pilotenzelle vorn in der Spitze der Maschine dauernd in Kontakt. Hochsensibles Horchgerät wird am Rumpf der auf der Erde starren unbeweglichen Maschine angebracht zur Überwachung jeglicher Bewegung. Atemluft reicht aber nicht, um ein Flugzeug in die Luft zu heben, und die Angst hält an. Natürlich ist Geschwindigkeit der Faktor der Entscheidung. Die Aktion Feuerzauber steht in Stellung. Die Zeit hält inne, harrt, es ist null Uhr zwei. Im Turm wird geredet, die Zelle antwortet, und der Turm antwortet wieder. So geht es hin und her, und die Zeit ruckt doch wieder weiter fort, Schlag für Schlag. Ist der letzte Augenblick gegeben, weil er sich gegeben sieht, tritt er ein, und alles richtet sich ihm zu. Ob ein an die Zellwand schon zerfetzt gespritztes Hirn die Blendgranate noch erkennt, ist nicht bekannt. Die Tat schützt ihre Augen mit den Händen, und der Geblendete ist tot. Keiner sieht mehr große Helligkeit, als er erträgt. Blindlings erledigt so die Zeit allen ihre Arbeit.

Licht wie geträumt sah sich Raspe am Fenster und er stand auf und schleppte sich zerschlagen hin. Er drückte das papiergroße Glas der Dachluke hinaus in den Morgen, und bleich und kalt stürzte der Herbst herein in die Kammer. Gegenüber war der fensterlose hohe Felsen des nahen nächsten Hauses, und dahinter stummelten die Reste der zwei fernen nicht bewohnten Türme in ein winziges Stück Himmel, das wuchs und immer größer wurde, je näher sich die Stirn hinaus ins Helle neigte. Links öffnete sich die Dächerschlucht richtung Osten, und von da her marschierte der Tag heran in vielhelmiger Front von Wolkenkanten hinter Wolken, tief gestaffelt bis hinunter auf die Erde, wo hackebeilscharf ein letzter farbloser Faden gleißend als fernster hellster Himmelslichtriß lag. Lautlos durchstrahlten unsichtbare Nachrichten und Sendungen alle diese Himmel, so schnell und reich an Botschaften in Bildern und in Worten, daß die armen toten Götter, würden sie nicht tot sein, neidig wären auf die Menschen, die sich praktisch Zeug erfunden hatten, um nicht nur im engen Flugzeug durch die Luft dahin zu jagen, wenn die knappe Zeit sehr eilte, sondern obendrein um dauernd dort in diesen Räumen ohne Grenzen anwesend zu sein mit ihrem Geist. Leider entstanden dadurch auch Probleme. Denn das unter diesen vielfrequent durcheilten Himmelsräumen zerfetzt in seine Meere schwer und uralt hingelegte feste Land Europas hatte schon so riesige Gebirge toter Leichen in sich liegen, daß ihm manchmal im Herbst danach war, sich mit den hart verbrannten alten Blättern, die schließlich doch auch sterben durften unten auf dem Boden, selbst mit hinein zu legen in die eigene schreckliche Erde, um endlich unterzugehen ganz und den Meeren nur noch Grund zu sein. Dagegen fügte es sich günstig, daß echte Menschen, die vernünftig massenweise in den Städten miteinander lebten, nicht aus der Erde raus geschmissen wurden, sondern aus den noch nicht toten Menschen auf die drauf, und dadurch normalerweise Wege wußten, wie man das Leben leidlich hinkriegt, bis es aus ist. So konnte der Oktoberfestrausch beispielsweise, wenn er in der Lache Bier am Boden lag, der Erde leise Lieder zu lallen und summen, was zuvor im Bierzelt englisch und in Chören sehr laut gebrüllt gesungen worden war, und wiewohl die leichenschwere selbst das live is life natürlich nicht begreifen konnte, so spürte sie doch zumindest am äußersten Rand einen seltsamen Hauch, der sie haltend umfing. So kam es also, daß keiner zu weit weg gehen wollte von der Stimmgabel der wirklichen menschlichen Stimme, weder finster hinein in die Tiefen der tödlichen Natur, noch zu hoch davon in allzu hohe ideale Äther, sonst stimmte das Denken in dem Hirn nicht mehr. Ohne Stimmung aber kennt das Denken exakt einen klaren einzigen Gedanken, nämlich Tod. Sind die Kräfte, die Getrenntes trennen, schwach, möchte sich der Tod am liebsten aus dem Denken in das Leben mischen in der Tat des Suizids. Der Suizid jedoch, und der Wannseeselbstmörder, heute auf den Tag zweihundert, beweist den Unsinn, nicht das Gegenteil, war und ist die Trottelei, wie mehrfach hier gemeldet, gdong. Hier ist der Deutschlandfunk, guten Tag verehrte Hörer, acht Uhr, wir bringen

Nachrichten. Raspe stürzte vom Fenster weg zum Tisch und machte den todbringenden Radioempfänger aus. In Stammheim hatten die Revolutionäre das Massaker der Befreiung in der Wüste nicht überlebt. Baader war tot, Raspe lag im Sterben. Die Revolution hat das Urteil des Volkes angenommen und an sich selbst vollstreckt. Elend stand der krumme Schreibtisch da, zugedeckt von den Papieren, die mit Schrift behaut waren und so beschwert mit echten Worten. Am Boden war ein heller Turnschuh, da der alte Hocker ohne Arme, hier der Stein, daneben kugelig die Sphäre bunter Globus gut getrennt durch weiße Leere von der Gegensphäre nackter Schädel, und dazwischen das Gesicht. Eine Hand hing im Genick, und der Kopf war aus Granit. Die Sache war eine Sache der Zeit. Die Zahlen rechneten sich selber, die Farben leuchteten aus sich heraus, so flammte die Geschichte auf und hatte sich erzählt. Erlischt das Licht, wird das kalte endlich sichtbar ein Stück Welt. Ich ging zum Schreibtisch und packte alles zusammen. Es war kurz nach acht, nein, acht Uhr eins. Ich erinnere mich genau an die Finsternis dieses Tages. Ich stand am Fenster, gelähmt, und schaute hinaus ins nichts. Staub hinter der knöchernen Stirn, wüste Bilder, zerfetzt von Zorn, und die Rache wollte denken, aber die geblendeten Augen sahen nichts. Ich atmete. Pochend tobten die Pulse das Blut richtung Hirn. Dort war es dunkel und endlos chaotisch umnachtet. Weiter draußen aber an den Kanten, wo die Sache hier allein jetzt fest begrenzt und für sich richtig endet, war alles auf das äußerste gespannt, in Richtung Welt, bestimmt bei Sinnen.

NORBERT GSTREIN

Jetzt kommen sie

Jetzt kommen sie und holen Jakob. Plötzlich hat das Knattern aufgehört, das schon den ganzen Vormittag dem Dorf im Ohr gelegen ist, von einem Hang über die Dächer zurückgeworfen auf den anderen, und die Burschen, drei sind es, stehen wartend am Straßenrand, in den behandschuhten Fäusten rotglänzend die Helme, haben ohne Eile ihre Motorräder abgestellt, auf denen sie gerade noch hin und her gefahren sind, in unermüdlichen Kreisen durch knietiefen Schnee, der von den Hinterrädern meterhoch aufgewirbelt wurde, und immer wieder dieselbe Treppe, fünf Stufen hinauf und auf der anderen Seite den Absatz in einem Sprung herunter, daß die Federn mit einem quietschenden Geräusch tief einknickten. Als gleich darauf der Bus abfährt, schaukelnd in den unregelmäßigen Rinnen festgefrorenen Schnees, die jedes Jahr um diese Zeit im Schatten der Häuser entstehen, als er vor dem Hotel Fend noch einmal hält und ein großes Paket aufnimmt, vielleicht dann, oder doch erst, als er die Kirche schon hinter sich gelassen hat und auf der taunassen Straße talauswärts gleitet, blauglänzend in der Sonne, hat der Fender auf die Wanduhr geblickt: und es ist fünf nach elf gewesen. Aus dem Geschäft, Gemischtwarenhandlung steht in abblätternder Farbe über dem Eingang, sind zwei Männer in olivgrünen Schianzügen getreten, prall gefüllte Plastiktaschen in den Händen, und im selben Augenblick hat irgendwo, weit entfernt, ein Hund zu bellen begonnen, erst bedrohlich, dann unterdrückt, als würde er geschlagen. Jetzt springt der Zeiger der Schuluhr weiter, bleibt leise zitternd stehen, punkt elf, und die Kinder rücken die Stühle Reih in Reih, haben sich im Chor vom Lehrer schon verabschiedet, die Taschen gepackt und auf den Rükken genommen, stürzen einander schiebend und stoßend aus dem Klassenzimmer ins Freie, wo das Knäuel schnell aufgeht in kleine Gruppen, die Schneebälle werfen und in verschiedene Richtungen davoneilen. Längst weiß das Dorf, daß sie kommen, und wer Zeit hat, steht am Fenster und schaut erwartungsvoll hinaus, ob sich etwas tut zwischen den Häusern oder weiter draußen auf der Straße, die schwarzglänzend in zahlreichen Kurven den schneebedeckten Hängen folgt. Unter dem ersten Schlag der Stubenuhr legt die alte Rofnerin das Strickzeug beiseite, nimmt die Brille ab, kommt mühsam, mit steifen Beinen beim vierten zu stehen, hat sich, während die Uhr zum achten Mal schlägt, aus dem Gewirr des Wollfadens befreit und ein blaugrün gestreiftes Kopftuch umgebunden, quert jetzt Schritt für Schritt den überheizten Raum, und als die Haustür schwer hinter ihr ins Schloß fällt, ist der letzte Schlag schon verhallt. Und sie kann nur noch mit müden Augen dem Auto nachblicken, das gerade am Hotel Kleon vorbeifährt, und einen Fluch hinterherschicken oder ein Gebet.

Jetzt kommen sie, sagt Mutter, die seit dem Frühstück unruhig in der Küche auf und ab gegangen ist, in unaufhörlich sich wiederholenden Kreisen um den kalten Herd, auf dem immer noch leer die großen Töpfe stehen, und von Zeit zu Zeit an eines der Fenster, wo sie einen Augenblick innegehalten hat, auch wenn es viel zu früh war. Sie lehnt an der Anrichte, in einer blauen Arbeitsschürze, die bandagierten Beine in knöchelhohen Schuhen, und während sie den Satz ausgesprochen hat, ganz ruhig plötzlich, ist die Spannung, unter der die Mundwinkel zitterten, als müßte sie gleich weinen, aus ihrem Gesicht gewichen, und man hat ihr deutlich die Müdigkeit angesehen, die schlaflose Nacht und den vielen Rotwein, den sie Novak Glas für Glas wärmen und mit Wasser und Zucker versetzen hieß. Sie kommen, und jetzt erheben wir uns vom Tisch, an dem unverändert das

Frühstücksgeschirr steht, und treten zu Mutter, die mit ausgestrecktem Arm wortlos nach draußen weist.
Das Auto nähert sich in schneller Fahrt, ist an der Kirche schon vorbei, an der Bäckerei und am Hotel Kleon, wo Leute am Balkon sitzen, ohne darauf zu achten, hat den dahinter liegenden Stall erreicht, an dessen Eingang in einer kleinen Lache Schweineblut versickert, vermindert die Geschwindigkeit vor der Engstelle beim Hotel Post, und dort verlieren wir es für ein paar Sekunden aus den Augen. Dann taucht es wieder auf, hat die letzten Häuser auf der anderen Dorfseite hinter sich gelassen, fährt durch den Verschlag, über dem die Seile der Doppelsesselbahn gespannt sind, auf die Brücke zu, vorsichtig deren tückisch vereiste Bretter entlang, und plötzlich läuft, unentwegt nach den Rädern schnappend, auf gleicher Höhe ein Hund, der sich vor dem Hotel Fend losgerissen hat, und sein Bellen ist weithin zu hören. Auf der Sonnenterrasse des Café Tirol wenden sich die braungebrannten Gesichter: Augen, die hinter dunklen Gläsern neugierig dem Auto folgen, wie es unruhig über Spurrinnen fährt und an den zwei Männern in olivgrünen Schianzügen vorbei, zwanzig, bald dreißig Meter dem Hund voraus, der auf einen Pfiff innegehalten hat und langsam zurückzutrotten beginnt.
Wir treten vom Fenster, als der Wagen vor unserem Haus hält, nur Mutter bleibt regungslos stehen, unverändert, in derselben Haltung an der Anrichte, die Hände aufgestützt und mit beiden Beinen fest am Boden – zur Verteidigung bereit, schon besiegt – und beobachtet, wie sie ohne Eile aussteigen, die Uniformen zurechtrücken und mit gewichtigen Schritten die Treppe heraufkommen. Jetzt ist das Ächzen der Feder zu hören, von der die Haustür ins Schloß gezogen wird, ein leichter Schlag, der es beendet – vertraut seit Kindertagen –, und das Knarren der Holzdielen, gegen deren Erneuerung Mutter sich immer noch sträubt, verrät, wie sie sich nähern, Stubentürknarren, Speisesaalknarren,

Stiegenhaus- und Toilettengestöhn, vorbei am Büro, schon auf den festgenagelten Brettern vor der Kellertür, die kein Geräusch machen, und als sie auf Höhe der Speis die Steinfliesen betreten, sehen wir einander an, sehen Mutter an, die sich der Tür zugewandt hat, sehen auf die Küchenuhr, deren Zeiger hinter dem fettverschmierten Glas um halb elf stehengeblieben sind.

Erinnerungen. Aber was erklären sie, wenn man nicht ein Träumer ist oder wie das Dorf, das im nachhinein leichtfertig alles weiß? Hinter jedem Vorhang kann einer stehen und den Kopf schütteln oder sagen, es hat so kommen müssen, während er beobachtet, wie sie die Treppe zu unserem Haus hochsteigen. Oder er erinnert sich, an das dumpfe Geräusch vielleicht, mit dem die Schweinekübel beim Anfahren vom Schlepper fielen, und das unterdrückte Lachen aus einem Versteck, wenn der Haufen dalag: Fleischreste, Reis, zermatschte Kartoffeln, Salatblätter, altes Brot, von dem in dünnen Fäden, den Rissen des Asphalts folgend, die säuerlich stinkende Suppe floß und sich an den Hinterrädern in winzigen Lachen staute; oder an die Horde, die mit dem Klirren einer zerbrechenden Scheibe wild über den Sammelplatz stob, und an die plötzliche Stille, manchmal das Zischen aus allen Ecken, als wären es Hunderte, und dann kam einer, immer derselbe, zurückgeschlichen und bat um den Ball; oder an die mit Schweinefett eingewachsten Schier, die vernagelte Kirchentür vielleicht oder den Schneemann, dem das ewige Licht, die brennende Kerze, steif aus dem Unterleib stand.

Das sind Geschichten, und wir könnten erzählen, mitten hinein in die Stille der Küche, wo wir seit dem frühen Morgen am Tisch sitzen, von Mutter um Beistand gebeten, und uns immer wieder die alten, bei irgendwelchen Anlässen gehörten Anekdoten ins Gedächtnis rufen und keinen Anfang finden, ratlos, nur auf Vermutungen angewiesen, die sich leicht als falsch herausstellen. Wir sagen Jakob, meinen den Bruder und könnten irgendwo beginnen, einfach erzählen, wie er in einem Zug die Schale Kakao austrank oder einen Rest stehenließ und eilig nach den Heften und Büchern griff, erzählen vom gemeinsamen Schulweg, wie er weinend hinterherlief, wenn sie einmal nicht gewartet hatten, und sich später beklagte, bei Mutter oder beim Vater, wenn der willens war, ihm zuzuhören; dann konnte er sprechen – aber unter Fremden brachte er kein Wort hervor, wurde in der Klasse ein zweites, ja drittes Mal gefragt, bis er die wichtigen Städte des Unterlands aufzählte, die Namen und Zahlen einer Heldenschlacht, oder nur den Mund aufmachte, um irgend etwas zu sagen, und in der letzten Schulwoche, wenn das Vorsingen anstand, schlief er schlecht und wachte zuweilen mitten in der Nacht laut schreiend aus den schlimmsten Alpträumen auf. Ob er sich schwertat? Er war ein guter Schüler, wurde immer wieder den anderen als Vorbild hingestellt und mit den üblichen Lobreden bedacht, als hätte nicht er sich am meisten gefreut, wenn der Lehrer sie die Hefte schließen ließ und eine Geschichte erzählte, oder wenn Brennholz gehackt werden mußte oder vor Weihnachten in der Kirche die Krippe aufgestellt, und er riß sich darum, den Aschenkübel austragen zu dürfen, und blieb eine Stunde fern und länger. Im Winter saß er viel in der Stube, angezogen vom Geruch der nassen Schischuhe, die zum Trocknen unter den Kachelofen gestellt wurden und auf dem Holzboden kleine Lachen bildeten. Er las, oder er schaute Max und Siegfried beim Kartenspielen zu, hörte ihre Geschichten über Schischülerinnen und stellte manchmal Fragen, daß sie sich belustigt ansahen – oder ihn – und plötzlich laut loslachten, was für ein Dummkopf er sei. Dann durfte er vom Wein ein kleines Glas kosten, und wenn er sich zwicken oder mit einer Nadel in den Hintern stechen ließ und quiekte wie ein junges Schwein, hatten sie ihren Spaß und suchten in den Hosentaschen nach einem Schil-

ling, und dafür gab es im Geschäft zwei Kaugummi, zehn Stollwerck oder irgend etwas.
Damit könnten wir beginnen oder zuerst erzählen, daß er im Gasthaus nicht mitarbeiten mußte, selbst in einem Alter, als wir längst in der Abspüle ausgeholfen hatten, wenn unerwartet viel Essen gingen, oder Flaschen aus dem Keller geholt und Leergut zurückgetragen. Der Vater sprach ihn früh von jeder Pflicht frei, stand kopfschüttelnd hinter der Theke, sagte nichts oder begann lauthals zu schimpfen, sooft Jakob in seine Nähe kam; er schaute ihm beim kleinsten Handstreich auf die Finger und ließ ihn zuletzt nicht einmal den ausführen oder sah es als Bestätigung, wenn er einen Teller fallen ließ, eine Kanne Milch verschüttete oder sich sonst irgendwie nachlässig gab, mag sein mit der Zeit absichtlich – bis es soweit kam, daß er ihn nur noch Linkshänder nannte und zu nichts mehr anhielt, geschweige um etwas bat und auch Mutter zurechtwies, wenn sie einschritt, oder einmal, als sie ihm zum Trost einen Pokal kaufte, der nicht in den Glaskasten paßte und unwirklich groß schien neben den paar, die wir bei Schirennen gewonnen hatten.

Irgendwann davor oder danach, so könnten wir beginnen, in jenem Sommer, als wir die Fuchshöhlen entdeckten, war das Wetter immer schön, und sie verbrachten ganze Tage draußen, krochen unermüdlich in die schmalen Felsspalten und saßen während der heißen Stunden im Schatten zwischen den riesigen Blöcken, die übereinander lagen wie aus einer anderen Zeit. Ihre Spiele gewannen an Ernsthaftigkeit, sie waren richtige Indianer und die Geschichten, die wir uns erzählten, wirklicher als das Leben drunten im Dorf, das tausend Kilometer entfernt sein mochte und sie nichts mehr anging mit diesen Gästen, die unermüdlich einen Gipfel nach dem anderen bestiegen. Die Stunden im Wald blieben ihr Geheimnis, und wir wußten, daß wir nie darüber sprechen würden, als Hanna ihr Kleid aufknöpfte und uns in das

Höschen fassen ließ, zwischen die Beine, wo nichts war, und noch heute lachen wir über Jakob, der dann gekniffen hat und nur zugesehen, wie sie die Hosen auszogen und nebeneinanderstehend in weitem Bogen über den Fels urinierten.

Wir erinnern uns, daß schon früh darüber gesprochen wurde, ihn in die Stadt auf die Schule zu schicken, Jahre davor, in den Zwischensaisonen, wenn man nicht wußte, was sagen, und dankbar alles zum Anlaß nahm. Es galt als abgemacht, noch ehe Jakob davon hörte, und nur über ihr Urteil konnten sich Mutter und der Vater in die Haare geraten, nach dem Mittagessen stundenlang streiten, sooft der Vater sitzenblieb und zufrieden meinte, wie gut es uns ginge, und über Mutters Widersprüche hinweg ein ganzes Weltbild entwarf; oder, wenn sie schließlich damit begann, ihren Aufzählungen, der und der und der hätte studiert und im Leben sein Glück gemacht, immer dieselben Worte entgegensetzte: aber aus dem Dorf keiner; oder er lehnte sich zurück und erzählte wieder die Geschichte, daß einmal, vor Jahren, einer in die Stadt gegangen sei und schon zu Weihnachten mit einem großen Koffer und einer ganzen Bank Fünfer zurückgekehrt, ein Taugenichts, und deshalb habe man ihn geschickt. Dann kam Mutter mit den Büchern, die Jakob las, die ganze Bibliothek, mochte sie sagen, und es ging hin und her, ohne Ende, wie es manchmal schien – bis tief in jenen Herbst, als die Schule begann:
Schon im Sommer hatte sich in dicken Flocken der erste Schnee naß auf die Wiesen gesetzt und lag immer noch zusammengesunken zwischen den Häusern und in schattigen Mulden, wohin die Sonne nicht kam. Die letzten Gäste waren gegangen, und die Hotels standen mitten im Ausputz: großflächige Leintücher, die schwer vor Nässe an den Wäscheleinen zogen, hellblaues Bettzeug, das neben roten Läufern von den Balkonen hing, und über dem Dorf setzten

stets von neuem die Schläge der Teppichklopfer ein, fern auf der anderen Bachseite und unvermittelt ganz nah, wie als Antwort in unermüdlichem Wettstreit. Sah man in eines der Fenster, waren die Decken von den Tischen genommen, die Stühle in einem Eck zusammengestellt, und an den Eingängen wiesen Pappschilder den letzten Besucher ab, Betrieb geschlossen, in großen Blockbuchstaben, die, wieder und wieder verwendet, von den Jahren ausgebleicht, längst wirkten, als wären sie endgültig. Bald würde allenthalben mit Renovierungsarbeiten begonnen werden, unnötigen Zubauten wie jeden Herbst, und tagsüber wäre der Lärm der Baumaschinen zu hören, eingekesselt im engen Tal, bis mit der Dunkelheit Stille einkehrte. Dann säßen im einzig geöffneten Gasthaus die Kartenspieler bei einem Doppelliter, den sie aus kleinen Gläsern tranken, und in der niedrigen Küche wären die Scheiben beschlagen und der Herd glühendrot vom vielen Holz, das die Wirtin unaufhörlich nachlegte. Die Nächte nähmen zu, und in ein paar Wochen würde die Sonne auf ihrem Weg nicht mehr über die höchsten Gipfel kommen und schon um zwei, früh am Nachmittag, untergehen.

ANGELA KRAUSS

Ein Tag im September

EIN TAG, ein durchsichtiger Tag im September.
In der südlichen Tieflandbucht leuchten die Stoppeläcker wie Gold, aus Stroh gesponnen. An solchen Tagen durchdringt das Auge selbst einen ländlichen Mittelwert des Schwefeldioxydgehalts der tieferen Luftschichten und trifft auf Grund.
Da liegt die Erde in sanftem Schwung, hier und dort in eine Mulde mündend, auf deren Grund ein dürres Gebüsch, das mit seinem letzten Blattwerk klappert; besonnt ist dieses Land bis an den Horizont, wo eine Schornsteingruppe scharf und spielzeugklein aus dem blauen Himmel herausgeschnitten ist, kaum ernst zu nehmendes, freundlich aus der Ferne grüßendes Ebenbild dessen, was da in der taligen Mitte des Landes, in einer sicheren Senke steht und dauert.
Das ist die Fabrik.
Brikettfabrik Rosdorf.
Inhaber Carl Sendmayer & Co.
Gegr. 1912
Die schwarz in grauen Putz ausfasernden Buchstaben der Vergangenheit über den gen Himmel gewölbten, brandroten Ziegelbögen der Fabrikhallenfenster. Arabesken zur Unzeit und am Unort; wo waren die Augen, die das schauten?
Auf dem Dach dampfen acht kurze Essen weißen Wrasen ab, acht weiße Wimpel über der Fabrik und oben zwei langwehende Rußflaggen, im toten Winkel darunter das Dorf: Rosdorf mit seinen Gärten, den üppig blühenden.
Unter dem Dach der Fabrik glimmt eine vergitterte Birne über acht Bunkeröffnungen. Über jeden dieser kleinen Ab-

gründe lassen sich sechs Erwachsenenschritte setzen auf einer schmalen Gitterbrücke. Da steht eine zierliche Person im Licht der Birne.
Das ist Felizitas Händschel.
Ihr Arbeitsplatz reicht in der Länge über vier Bunker. In der Breite macht er eine Armspanne aus. Per Knopfdruck fährt sie das Kohleband nacheinander über ihre vier Bunker, kontrolliert deren Füllstand, füllt nach, fährt weiter.
Den Lärm nimmt sie kaum wahr, weil ihre Arbeit Gespräche nicht erfordert.
Die Verantwortung von Felizitas Händschel besteht darin, keinen ihrer vier Bunker, durch die die Kohle weiter in vier riesige Trockner fällt, leerlaufen zu lassen. Das Zentrum ihrer Aufmerksamkeit bildet eine an diesem Platz überlieferte Formulierung: Keiner darf rausfliegen.
Dennoch stehen für diesen Ernstfall drei Nummern mit Kreide an einem der Eisenpfeiler. Felizitas Händschel kann den Brigadier anrufen, den Meister und den Sicherheitsbeauftragten. Sie muß wissen, in welchem Fall von Unregelmäßigkeit sie wen anrufen muß. Felizitas Händschel steht schon drei Jahre hier oben.
Sie hat noch keinen angerufen.

UND NUN FÄNGT DER TAG RICHTIG AN. Sie muß alles ausziehen. Alles, was sie ausgezogen hat, verschwindet, in einen staubdichten Beutel verpackt, im weißen Spind. Nackt geht sie hinüber zum schwarzen Spind. Felizitas durchquert trocken das Frauenbad.
Während die Duschen brodeln, das Wasser in Bächen aus allen Hähnen stürzt, die Fliesen nie zu Ende schwitzen, bleibt ihre Haut trocken, und sie ist nackt.
Unter den Brausen hocken die Mädchen aus der Nachtschicht, das Wasser trommelt ihre Bäuche rot, manche schlafen darüber ein. Felizitas nicht.

Weil sie trocken ist. Und weil sie nackt ist.
Vor ihr schlappt Annelies mit den Badepantoffeln. Das schmatzt laut, die unter dem Wasser dösenden Mädchen erwachen einen Moment, um gleich, mit träger Drehung, lächelnd, den Rücken unter den Strahl zu biegen. Durch den Dampf hindurch blicken weiche, gedunsene Gesichter herüber in die andere, irdische Hälfte der Welt, verwundert, ungläubig: das muß ein Irrtum sein.
Mit zwei Klemmen steckt Felizitas ihr rotblondes Zöpfchen hoch. Immer an dieser Stelle des Tages tut sie das. So versteckt sie die Verlegenheit hinter der Armbeuge. Felizitas hört vielleicht nie auf, ein Kind zu sein?
Sie drückt die Knie durch, wird noch eckiger. Daran ist nichts Kindliches. Schließlich hat Felizitas ein Kind. Nun muß sie weitersehn. Sie muß eine Frau werden.
Aber Frauen, das sind die anderen, die aus großen Lungen unter dem Wasser atmen, die ein Gewicht in die warmen Steine drücken, deren Worte sich unerwartet, zusammenhanglos in einem Lachen verlieren können, einem Lachen aus einer unergründlichen Gelassenheit und Trägheit, als sei alles, was zu haben sei, bei ihnen.
Aber das muß doch ein Irrtum sein!
Felizitas, die trocken ist, weiß das, sie ahnt es, wenn sie in die harten Arbeitshosenbeine steigt, weiß es, wenn sie geschickt in die Ärmel der breitschultrigen Jacke fährt. Sie wird sich dessen sicherer mit jedem Knopf, den sie über der Brust schließt.
Es muß ein Irrtum sein.

EIN STILLER ORT ist der Kohleboden, sobald der Körper das Dröhnen, Brüllen, Klirren, Stampfen angenommen hat. Eine Gestalt bewegt sich auf der Bunkerbrücke, geht die kurze Distanz hin und her, hebt lautlos den Arm, läßt das Förderband vorwärts gleiten. Sie nimmt den Arm zurück und blickt reglos hinab in den Bunker, Minuten oder Stunden, dann dreht sie sich, stellt den Schuh rückwärts gegen das Geländer, wartet, was ihr Blick treffen wird. Unvermittelt gerät sie abermals in Bewegung, läuft vorwärts, beugt den Oberkörper weit über das Geländer, um in einen anderen Bunker zu schauen. Einmal läßt sie sich nieder, da steht ein eisernes Bänkchen, da sitzt sie ein paar Minuten, die Hände im Schoß, mit aufrechtem Rücken. Hinter ihr an dem Pfeiler stehen drei große Nummern mit Kreide geschrieben. In ihr ist Stille, die sich gegen das Brüllen der Fabrik spannt.

Da sitzt Felizitas. Der Tag, der ihr Geburtstag ist, hat angefangen. Wie jeder andere auch. Warum auch nicht.

Von den anderen vier Bunkern, von weit hinten auf der verlängerten Bunkerbrücke taucht eine zweite Gestalt auf.

Das ist Lucie.

Felizitas und Lucie gehören zusammen. Felizitas ist jung, und so betrachtet, ist Lucie alt. Lucie geht unter den Dekkenbirnen wie unter Laternen im Nebel. Ihr Gesicht blitzt auf: faltig, grau, schwarze Zigeuneraugen und Zähne wie falsche Perlen an einer Schnur. Lucie kommt inoffiziell.

Ich komm schon mal inoffiziell, sagt Lucie.

Das sagt sie in einem Ton, der vieles verheißt. Denn auf das Inoffizielle folgt das Offizielle, natürlicherweise. Das weiß auch Felizitas, ohne daß sie darüber nachdenken muß. Es ist also jetzt in ihrem Unterbewußtsein vermerkt, das Offizielle, das kommen muß. Erwartung und Vorfreude machen sich dort klammheimlich breit.

Vorläufig aber drückt Lucie Felizitas etwas Eingewickeltes in die Hand, ein Stück Seife, ein gutes Stück Meißenseife. In diesen unerheblichen Dingen hält Lucies Begriff von Qualität seit zwanzig Jahren ein und dasselbe Niveau, schließlich ist der Dreck, um den es geht, auch der gleiche geblieben. Das denkt auch Felizitas: der Dreck ist das Natürlichste von der Welt, so natürlich wie die Luft zum Atmen; wäre er sonst in ihr drin? Dreck ist Dreck, und Seife ist Seife, und geschenktem Gaul guckt man nicht ins Maul.

Aber Lucie will wissen, was sich Felizitas nun an diesem Tag wünscht, was sie sich am allermeisten wünscht.

Da zuckt Felizitas die Schultern.

Aber einen großen Wunsch hat der Mensch doch immer!

Wieso eigentlich!

Du bist also wunschlos glücklich, stellt Lucie erstaunt fest. Das hört sich einfach an und ist übertrieben genug, daß man es mit gutem Gewissen bejahen kann. Redensarten werden weder auf Wahrheitsgehalt noch auf ihre Logik hin geprüft; sie dienen lediglich der Übertragung von Stimmungen. Hier oben gibt es das Kohleband, und es gibt die Stimmungen. Ersteres ist verläßlich, die letzteren schwanken. Bei Lucie wiederum stärker als bei Felizitas. Weil Felizitas weniger nachdenkt. Etwa darüber, ob sie glücklich ist oder ob sie es nicht ist. Sie ist einfach.

Für Lucie dagegen ist das Leben problemgeladen. Nicht nur ihr eigenes, auch das von Felizitas, das Leben schlechthin. Lucie ist nie ohne Wunsch. Heute wünscht sie sich, daß das Betriebsvergnügen am Abend ein richtiges Vergnügen wird.

Daß alles gut über die Bühne geht, sagt Lucie dazu.

Das versteht Felizitas nicht ganz.

Das verstehst du nicht so, sagt Lucie, wer was organisiert hat, der hängt mit ganzer Seele dran. Daß du das nicht verstehst, Kind, sagt Lucie, die seit Wochen die Arbeit hat, seit Wochen auf den Beinen ist, und auf was für welchen, Lucie rollt das Hosenbein über den Krampfadern auf: Die blauen Würmer hier, das mußt du doch auch sehen, Kind, wo es doch dein Fest ist!

Wieso? fragt Felizitas überrascht.

Da wirst du achtzehn und die Fabrik siebzig.

Felizitas schweigt.

Lucie seufzt.
Lucie und Felizitas gehören zusammen. Lucie erklärt Felizitas: Die Fabrik bleibt sozusagen jung mit dir.
Lucie sinnt diesem schönen Satz nach und kommt bei ihrer eigenen Jugend an. Sie denkt da an fliegende Fahnen und Frühlingswind und an ihr unbändiges Zigeunerhaar, und die Lieder aus den Lautsprechern gehören auch dazu; die kann sie immer noch. Nein, Lucie ist nicht alt. Lucie hat noch eine Menge Kraft. Weißt du schon, schreit sie durch den Lärm zu Felizitas, die wieder am Bandwagen steht, die Nachtschicht hat den Rekord an Exportkohle gebracht, diese Nacht!
Felizitas Händschel weiß das um diese Zeit noch nicht. Dafür hat sie Lucie Marten, die auf dem Kohleboden steht schon an die dreißig Jahre. Von ihr erhält Felizitas Händschel alle Informationen, die sie braucht, um ihrer Arbeitsaufgabe gerecht werden zu können. Das mögen mehr sein, als sie ahnt.
Da kann wohl Felizitas froh sein, daß sie Lucie hat.
Sie begreift auch gleich, daß die Leistung der Nachtschicht überboten werden muß. Das ist so einfach zu begreifen wie das Einmaleins.
Zu Ehren des Tages, sagt Lucie.
Felizitas lacht zum erstenmal und verfärbt sich ein wenig; es ist ja ihr Geburtstag.
Wenn wir den Jahrestag nicht hätten, erklärt Lucie, da hätte ein Rekord nicht solch ein Gewicht. Aber so.

SILVIO BLATTER

Er liebte den Kosmos

Er liebte den Kosmos und die große Seele seiner Esel.
Jakob Wolf war so alt wie dieses Jahrhundert, er lebte mit seinen Tieren allein in einem alten Haus in Werd, neben dem Restaurant Reussbrücke, wo er gern ein Glas Wein trank, meist schweigend, und seine Zigarre rauchte, ein bärbeißiger brummiger Mann, dem seine Esel näherstanden als viele Menschen.
Jakob Wolf war neugierig, dreist und schlau. Manchmal hingen Strohhalme an seiner Jacke, weil er im Stall bei den Eseln geschlafen hatte, und Fremde hielten ihn für einen Bauern. Gegen diese Annahme sprachen allerdings die Davidoffs, die er rauchte, der Volnay, den er trank, und seine Hände; dagegen sprachen die weißen Hemden, die er trug, und seine Vorliebe für Ausfahrten mit dem Taxi.

Als Nina und Karl Meyer an seinem Haus vorbeigingen, sahen sie drei oder vier der Esel im plattgetretenen Schnee stehen, freundliche Tiere, damit beschäftigt, einen abgesägten Ast zu benagen, weiße Esel mit großen Köpfen, eine Gruppe, deren Vorfahren Jakob Wolf aus Ägypten heimgebracht hatte. Seltsam schillerte ihre Fellfarbe im Schnee.
Jakob Wolf, Brunos Vater, der Großvater von Philip und Sandro, war zeitlebens ein Einzelgänger gewesen.
Ein Spinner, behauptete man in Bremgarten, wo er geboren und aufgewachsen war.
Ein Spinner, erzählte man nicht ohne Nachsicht, überall wo er gewohnt hatte, einer, der sich nicht anpassen will.
Ihn kümmerte das wenig.

Ohnehin hielt er die Menschen für geistig beschränkte Wesen, denen auch der Instinkt der Tiere fehlte. Man mußte nur Nachrichten hören oder Zeitung lesen. Der Beweis der menschlichen Dummheit wurde täglich neu erbracht.
Jakob Wolf war ein stämmiger Mann, nun leicht gebeugt, mit bedächtigem Gang. Häufig plagte ihn Arthrose in den Kniegelenken, und er stand auf Kriegsfuß mit seiner Blase. Er hatte einen ansehnlichen Schnauzbart, buschig und ganz weiß, aber kein einziges Haar auf dem Kopf. Dafür im Sommer einen Panamahut und winters die Schirmmütze aus Leder. Zu allen Jahreszeiten trug er irgendwelche Bücher und eine Schrift über Astronomie bei sich.
Er kennt den Himmel wie seine Westentasche, sagten Verwandte, Nachbarn und Leute, die ihm näherzustehen glaubten.
Nicht er selbst.
Er würde vielleicht bemerken, er versuche nun seit gut achtzig Jahren, den Kosmos und seine Geheimnisse zu verstehen.
Jakob Wolfs Interessen galten Sternbildern und Spiralnebeln, den schwarzen und den Zeitlöchern, außerirdischen Existenzen und der Esoterik, er las gern Sciencefiction und beschäftigte sich mit Fragen der Reinkarnation sowie der Eselszucht.
Ein bißchen viel auf einmal, kritisierte Bruno Wolf manchmal. Nur wenn du das getrennt betrachtest, brummte Jakob Wolf.
Doch es war nicht der Fall, daß sie häufig zusammen sprachen. Jeder führte sein eigenes Leben, es gab wenig Berührungspunkte und kaum Gemeinsames, das sie verband; beide waren sie eigensinnige Männer, die Mühe hatten, Gleichstarke neben sich zu dulden, beide waren sie Männer, von denen man dachte, sie seien zwar alt, aber noch immer unbesiegt.

Zwischen den Eseln ein paar scharrende Hennen, die den sonnigen Tag leise begackerten. Über dem ausgedehnten weißen Feld zwischen Rottenschwil und Werd lag eine Ruhe, die sich so nur über einer zugeschneiten Moorlandschaft verbreitete. Jakob Wolf hörte die unsägliche Weite zwischen den Eiskristallen sich dehnen.

Und die Reuss war immer da, das unmerkliche Grundgeräusch des Flusses, den Jakob Wolf jetzt weder roch noch sah, den Einheimische allerdings spürten, in sich trugen wie ein Geheimnis, wie ein geheimes Fieber, die alte Reuss, die in dieser Gegend immer neu ihren von der Schwerkraft vorgeschriebenen Weg gesucht und gefunden hatte, dieser Strom, den man freilich als das Selbstverständlichste nahm, das man weder hören noch sehen oder gar beachten mußte: würde die Reuss über Nacht weggezaubert, bräche alles zusammen, das System dieser Landschaft und des Lebens, das man darin führte.

Der Strom bildete die Achse der Galaxie Freiamt.

Der Strom war die Milchstraße in Jakob Wolfs Leben, in seinem irdischen, wohlverstanden, im Leben des Jahres 1987 hienieden, wo wir alle geboren sind – um wieder Staub zu werden. Staubpartikel eines dritten Universums, pflegte er zu sagen, in dem freie Elektronen Geist transportieren und schwerelose Esel auf esoterischen Weiden grasen.

Nach der Geburt des Sohnes Bruno war Jakob Wolf mit einem Scheinwerfer auf das Dach seines Hauses geklettert. Er hatte sich rittlings auf den First gesetzt und die frohe Kunde mit Hilfe des Lampenmonstrums in das geduldig horchende Weltall hinausgemorst. Hell schoß die Strahlenfolge weg. Jakob Wolf schuf dem Namen seines Sohns eine ewige Bahn zwischen den Sternen.

Die Morsezeichen sind noch immer unterwegs, erklärte Jakob Wolf seinem Jungen, als er zehn Jahre alt war. Und er wiederholte diesen Satz an seinem zwanzigsten, dreißigsten und vierzigsten Geburtstag. Und das Licht war auch heute noch unterwegs als Namensfigur und Wolfscher-Schweif, irgendwo und mehr als sechzig Lebens- und also Lichtjahre entfernt zwischen der Sternkonstellation des Wassermanns. Verwandt dem Licht von längst toten Sternen, das immer noch erdwärts unterwegs ist, sagte Jakob Wolf, und plötzlich in den Gesichtskreis unserer Nächte eintritt, während die damals losgeschickten Signale sich allmählich ins Nichts entfernen.

In die Tiefe des Kosmos.

Genau besehen ergaben der Sternenhimmel und das All dahinter den hauptsächlichsten Grund, den Winter nicht zu hassen, diesen fürchterlichen Februar, in dessen Nächten dem Greis, der allein im Bett lag, das Blut in den Adern zu gefrieren drohte und die zu Eis verwandelten Knochen schon klirrten. Dann stand er auf und ging zu den Eseln in den Stall, rauchte eine Davidoff, trank eine Flasche vom feurigsten Burgunder und wärmte sich zwischen den schlafenden Tieren.

Sein Problem war einzig sein Gedächtnis, das sich manchmal weigerte, den kleinlichen Unterschied zwischen Vergangenheit und Gegenwart zu akzeptieren und alles, das Erlebte, Erdachte und Geträumte, als eine einzige, unumstößliche Wirklichkeit verstand, in der er lebte, durch die er wanderte wie durch ein Haus mit unendlich vielen Räumen, die alle hintereinanderlagen und ohne eine hemmende Schwelle oder verschlossene Tür beliebig zu betreten waren und zu bewohnen.

ANDREAS NEUMEISTER

Gnafna die Milchfrau

Am Anfang war die Milch. Kuhwarm und ein Schaum obendrauf. Oder aber ziegenwarm oder schafswarm und anderer Säugetiere mehr. Mit dem Frühling kehren auch die Zugvögel zu uns zurück. Wir freuen uns, die fröhlichen Genossen wieder bei uns zu haben! Vorgestern sind wir bei den hinteren Fischweihern spazierengegangen. In den kälteren Monaten hungern die Hausbesitzer nach dem Frühling, nach der ersten Gelegenheit, das Gras wachsen zu hören, es mähen zu können. Die Lichter auf der Wiese gehören bald dem Löwenzahn. – Schau, die vielen Fallschirmspringer!, wird Andreas rufen. An jedem Schirmchen hängt ein kleines Samenkörnlein. Andreas bläst ganz fest.

Terpentin ist ihm sehr wichtig gewesen, Pinselreiniger aus dem Keller. Die Ziegenmilch, die brannte nicht, die Schafsmilch. Bei einigen Blechautos lassen sich Flüssigkeiten einfüllen, ohne daß sie auf der Stelle wieder herauslaufen. Auf dem Erdhaufen vor der Garage ist gerade der rechte Platz für Experimente. Brauchbare Flüssigkeiten sind durch das Flammensymbol außen auf der Flasche deutlich gekennzeichnet. Je nachdem, gibt es eine Stichflamme. Vor einer Stichflamme heißt es ausweichen. Zäher, schwarzer Rauch quillt auf. Es stinkt, und wie es stinkt! Brennen muß es, bis das Auto zu einem massiven schweren Klumpen verschmolzen ist. Es ist nicht gelöscht worden.

Autos lösch ich nicht. Oder ich kann Papp-Hochhäuser anzünden, aus Papp-Schachteln eine ganze Trabanten-Siedlung aufbauen und sie anschließend in Brand stecken. Da lösch ich schon. Lösche immer ein wenig: Pappe brennt zu schnell. Ein echte Hochhaus brennt auch seine paar Stunden, eh es endgültig in die Knie geht. Es soll sich schon lohnen, irgendwie, ich muß doch löschen, weil sonst keiner da ist, der hilft. Es beschwert sich der Nachbar wegen der Größe des Feuers. Das kann er nicht mitansehen, als Architekt. Ich bin auch Architekt, aber ich kann über meinen eigenen Schatten springen. Ein einziges Mal ist es gefährlich gewesen, aber meine Haare waren kurz. Bei kurzer Stichflamme darf einer ruhig lange Haare haben. Wenn die Stichflamme jedoch lang ist, dann müssen die Haare kurz sein. Stets waren die Eltern für kurze Haare. Immer haben die Eltern gewußt, was gut ist für mich. Als Stichflamme war ich geboren, und entsprechend der Jahreszeit lernten wir die Wörter: Gartenzwerg, Gartenblume, Gartenzaun, Gartenstuhl, Gartentisch, Gartenstrauch, Gartenschlauch, Gartenhaus, Gartengerät, Gartenschirm, Gartenarbeit, Gartenmauer, Gartenbank, Gartenlaube, Gartenerde, Gartenmist, Gartentüre, Gartenweg, Gartenschere.

Am Anfang war das Samenkörnlein. Wenn ich schließlich den Führerschein habe, wird es kommen, wie es kommt. Am Anfang war vielmehr das Benzin. Ein paarmal mit dem gelben Ascona meiner Eltern in das frühjahrsgrelle Flachland hinaus. Mit Lothars hellblauem Kadett auch einmal durch die österliche Po-Ebene. In eine dieser aufgebrochenen Kleinstädte hinein, wo es zu einer zügigen Verfolgungsjagd mit Gabi und Micha im anderen Auto sicher auch kommt. Das Geld ist rar, und hungrig sind die Automaten. Niemand säumt die Straßen und beachtet die jungen Deutschen, die jedes Jahr um die gleiche Zeit nach Italien zurückzukehren drohen. Heftig blühen dann die Obstbäume, denn die Luft ist übermütig und gesund.

Im Schacht eines sienesischen Horoskop-Automaten wird einer von ihnen einen kartonierten Zettel finden: Bei dem Geschaeft, das du jetzt besorgt, sei klug am Anfang, aber sobald den Erfolg sehen kannst, setze fleissig fort. Deine gegenwärtigen Belaestigungen werden bald zum End und

Glueck wird dich hold. Du wirst Sieg ueber deine Feinde davontragen. Eine Person, die dich sehr lieb hat und deren Gefuehle du daran teilnimmst, wird bald mit einer schoenen Ueberraschung ankommen. Guenstige Tag, Montags den 8.

Kenne keine Wiegenlieder. Kenne keine Nachtschicht-Putzkolonnen. Kenne keine längere, keine kürzere und überhaupt auch keine andere Geschichte als die meines eigenen Lebens und all dessen, was mich in den dazugehörigen Tagen beschäftigt hat. Alles hat sich von Grund auf verändert. Im Grunde hat sich nichts verändert. Noch immer mag ich keine Lebensbeichten leiden, keine Witzbücher.
Du Totgeburt!, sag ich endlich zu mir. Wie lange willst du es noch aushalten, den Magen voll Zement, zwischen Wänden aus Asbest? Wie lange willst du noch mit annähernd 360 Grad Fieber an das eckige Bett gefesselt sein und die Steckdosen in diesem Zimmer zählen? Zwei sind es, und es werden nicht mehr. Ich werde die Schneereste über meine brennende Kopfhaut verteilen, es soll endlich Schluß sein damit. Um endlich niesen zu können, seh ich hinauf zur ausgeschalteten Deckenlampe, nur um herauszufinden: es hilft nichts. Aufs neue verwundert, blicke ich an diesem, meinem, dem vor mir ausgebreiteten Körper herunter, nur um noch einmal festzustellen, daß das beliebte Erkennungszeichen der Säugetiergattung doch nur bei Frauen vorhanden ist. Am Anfang war die Milchfrau. Mit steilem Rücken zu mir, steht Roman schon am Fenster und behauptet, uns würde ja immer noch die Gattung der Wirbeltiere bleiben. Soll ich vorsichtig nach hinten tasten oder einfach davon ausgehen, daß dort noch alles beim alten ist? Das beliebte Münchner k. o.-Bier habe ich auch bloß 29mal und nie wieder getrunken. Wenn einer so dumm ist wie ich, wenn er mal zuviel Geld hat, dann muß er sich schon fragen lassen,

warum ist er denn so dumm? Aß auch einen Bleifisch dazu. So gut ist das Leben in der Nahrungskette auch wieder nicht. Asbest-Kuh. Ich dachte, Schnaps sei dazu da, alles unschädlich zu machen. Ich dachte, vielleicht trifft der 3774. von allen ins Schwarze. Aber in Wahrheit trinke ich nur Milch aus der Milchtüte. Sollte sie helfen gegen Pilzvergiftung, so heißt das noch lange nicht, daß sie es auch mit den harten Drogen aufnimmt.

München ist wie Starnberg, sagt Roman, bloß größer.

Wenn wir uns nur zusammenreißen, wir werden es schon wieder lernen, akustische und optische Signale gleichzeitig zu verarbeiten. Roman, sah ich denn aus wie ein Weltwunder, bloß weil ich normale Kopfhörer zum aztekischen Walkman trug? In meiner linken Brusttasche: Das Herz. Soll ich es lauter stellen? Langsam bekomme ich wieder Oberwasser und mache bereits Pläne, ihnen die klugen Tassen einzeln aus den Schränken zu ziehen. Langsam bekomme ich wieder einen Schneid, und ich werde bald auch die über den Winter lasch gewordenen Fahrradreifen aufzupumpen versuchen. Wir sollen die Gürtel immer noch enger schnallen, doch ich habe längst keine Lust mehr, ständig neue Löcher in die Kopfhaut zu stanzen.

New York ist wahrscheinlich genauso wie München, bloß größer, sagt Roman und meint es ernst.

Ende April wollte ich es noch mal probieren.

Roman, der nicht danach gefragt hatte, erklärte ich Ende April zusammenfassend, was ich mir auch selbst immer wieder zurechtzulegen versuchte: Bin in Starnberg bei Hanfeld in Deutschland an der Isar aufgewachsen und geboren und gelangte erst später über Lochhausen und Pasing nach München bei Neuhausen.

Die Gebärde der Geburt. Als Wegweiser quasi erschien Anfang 1959 eine neue Seydlitz-Erdkunde, deren erste Abbildung zeigte die Ortschaft Starnberg vor dem langgestreckten See gelegen. Die beschönigende Zeichnung wollte wie eine Fotografie aussehen. Auf diese doppelte Fälschung also war ich hereingefallen, und ich entschloß mich, nicht mehr weiterzublättern. 1959 war ja längst bekannt, daß diese Gegend ihre eigene Eiszeit gehabt hatte, allgemein Würmeiszeit genannt, in der sich die Alpengletscher bis zur jetzigen Würm vorgearbeitet hatten. Den Hintergrund der Abbildung bildet die Alpenkette. Diese Richtung ist allgemein als Süden definiert. Es soll dort wärmer sein, aber ich kann da nur eisbemützte Gipfel erkennen. Die meisten Bewohner der davorliegenden Landschaft kamen erst in den letzten Jahren aus den nördlichen Ebenen. Allgemein herrscht jetzt der Wunsch, die Hänge zu glätten, um gepflasterte Terrassen auf ihnen anlegen zu können. Ein Blick in die zahllos klaffenden Baugruben hätte gereicht zu sehen, was da unter der dünnen Humusschicht ansteht und Auskunft gibt. In den verbliebenen Hügeln vermögen die Tonangeber nur die ideale Unterlage für gepflegte Golfplätze zu erkennen. Es war die längste der Eiszeiten bisher. Der längste der darauffolgenden Kriege hat dreißig Jahre gedauert. Bei Mühlthal steht das Gletschertor.

Und die guten Wünsche stapeln sich. Im kranken Zimmer kann ich einmal herumschauen (gelber Schalter), ich kann hinüberschauen (grüner Schalter), ich kann hineinschauen (blauer Schalter), wegschauen (kaputter Schalter), hinunterschauen (roter Schalter) und hinaufschauen an eine Decke (schwarzer Schalter). Vorne ist das Fenster, die gerahmte Alpenkette, da brauch ich den Kopf nur gerade zu halten (Hauptschalter Nullstellung). In der linken Brusttasche: Das Herz. Roman hat es ausgeschaltet, hat die Batterien rausgenommen und seine Kopfhörer wieder eingesteckt. Heute sind die Sterne gut beleuchtet. Houdek und der Kleine Kandler stehen günstig für uns. Die Kugel scheint ja diejenige Form zu sein, die sich für die umherirrenden

Planeten am besten bewährt hat. Zwei Metzgereien und keine steht an der Tür und klingelt mit einer Wurst. Von der Möglichkeit an die Decke zu starren (schwarzer Schalter), mache ich vorsätzlich am wenigsten Gebrauch. Vom Vogelhäuschen, das noch am Geländer des Balkons hängt, sind die Dachrinnen weggerostet, seine Küche ist ausgebrannt und alle Fenster sind eingeschmissen. Das bequemere Schokoladeessen erspart das lästigere Suppeessen. Die Sonne, wenn sie nur auch in meine Schüssel schiene! Doch wenn einer eh nur im Schatten lebt, dann will er sich nicht auch noch im Schatten aufhalten müssen. Kann ich das so sagen, oder muß ich vorsichtiger umgehen mit dermaßen zielgerichteter Mitleidszuteilung? Schattenboxen ist eine durchaus angemessene Betätigung. Ich werde mich durchaus so lange beweinen, wie ich es selbst für richtig halte. Diese Erklärung mit gezielten Faustschlägen zu verteidigen, bin ich entschieden bereit. Ein Schatten, ein Zehnerl. Es ist sehr wichtig, was ausgerechnet ich mir vornehme. Auf diese Weise läßt sich das, was ich dann wirklich ausführe, immerhin auf jenes einschränken, was ich mir nicht vorgenommen habe. So kann jede Haltung ihren Zweck erfüllen. Meine Haltungsschäden sind mir erst kürzlich zwischen den Fingern zerronnen, auch wenn Doktor Maier schon viel früher behauptet hatte, daß mir nichts Grundsätzliches fehlt. Konnte er wissen, was kommt? Konnte er auch nur im entferntesten meine Unverletzbarkeit bei Autounfällen erahnen? Auch ich stand schon am Fuß des höchsten Berges Schottlands, welcher der höchste Großbritanniens ist. In diesen Wochen, in denen wir die Sonne kaum zu sehen bekommen hatten. Hinauf wollten wir und nachschauen, was los ist. Erst gestern hat Gernot wieder geschrieben. Seine hartnäckige Kleinschreibung hatte ihn auch damals schon ständig begleitet. Ohne weiteres wären wir hinauf, hätte uns der Nebel nicht verschlungen. Ben Nevis, auf einer Postkarte haben wir deine Umrisse erkannt. Auch stand ich schon am Fuß des höchsten Scheißhaufens des Landkreises und mußte, wie jetzt, aufs Klo. Wo ist der Notschalter für die Durft? Wenn es mir doch nur gelänge, mich jetzt zusammenzureißen, vielleicht könnte ich mich dann all der Stellen erinnern, die ich regelmäßig und immer wieder aufgesucht hatte. Da saß ich und blickte auf verschiedene Gewässer, dachte an verschiedene Gewässer, aber an jedem Ufer waren Dinge zu sehen, die mich nur den Notschalter herbeisehnen ließen. Notschalter Mittelstellung: Die Spülung. Statt zu essen, ernährte ich mich von Ausblicken. Manchmal kommt es anders: an dem, was fünfzig Millionen Deutsche fressen, werd ich schon auch nicht verrecken.

Oft ist es auch der Anblick einsamer Pissoir-Fliegen gewesen. Wieder und wieder habe ich den Weg meiner Ausscheidungen entlanggedacht. Als die Versitzgrube zugeschüttet und das Haus an den Kanal angeschlossen wurde, ist es interessanter geworden. Durch die Kreisstadt-Kanalisation, die zentrale Kläranlage in die Würm. Das Leutstettner Moos, ein Schwamm. Vor Gauting ist die Würm noch ein Gedärm. Dünndarm. Danach, zwischen den breitgetretenen Vororten, muß sie sich keusch gebärden. In Pasing entnimmt die Stadt München dem Fluß, nach dem immerhin eine Eiszeit benannt ist, eine vage Hälfte des Wassers und entführt sie Richtung Osten. Es scheint, die Münchner haben es nicht ertragen können, daß die Würm einen so großen Bogen um ihre Stadt gemacht hat. So aber ernähren meine geklärten Fäkalien die Algen in den Nymphenburger Schloßteichen und die chinesischen Karpfen des Olympiasees. Affektierte Schwäne paddeln bedürfnislos darin herum. Der belassene Teil des Würmwassers hat einen längeren Weg in die Isar. Captain Beefheart hat ein Lied geschrieben. *Dachau Blues*, die Batterien sind leer, und die Würm mischt sich selbstlos in die entnazifizierte Amper. Fließt vorbei am verstummten Ampermoching. Fließt erst am oberen Rand der Münchner Schotterebene endgültig mit den Isartaler Ausscheidungen zusammen. Bei Deggendorf biegt die Isar rechts ab in die Donau, den Dickdarm. Ich habe gehört, daß man auf ihr bis nach Budapest kommt. Da will ich hin. Im Osten, hinter Percha gelegen, Hauptstadt der Ungarn, meiner Scheiße längst vertraut. Ich habe gehört, von dort aus sei es noch ein weiter Weg ins Schwarze Meer, wo dann endgültig Schluß ist. Wo die Schwebeteile langsam absinken können. Wo das Wasser verdunstet, und wer weiß, wo es als Regen wieder herunterkommt. Summer surprised us, coming over the Starnbergersee, with a shower of rain.

Natürlich ist Wasser das faszinierendste Thema: der Mensch besteht zu siebzig Prozent daraus. Da Wasser so unendlich weiblich sein soll, ist nicht vom Meerzipfel, sondern vom Meerbusen die Rede. Brauch also bloß zu den Quellfassungen in der Maisinger Schlucht zu gehn, und siehe da, ich stehe meinem Ursprung gegenüber, hier floß aus der Erde, was den Hauptteil meiner Existenz ausmacht. Das mag ernüchternd klingen, aber mir gefällt es da unten ganz gut. Gerne sähe ich die Gebirge von Zufällen, die meine Existenz ausmachen, auf einem Haufen. Fragen drängen sich auf. Warum zum Beispiel hat vielleicht ausgerechnet der Urgroßvater väterlicherseits meiner Ururgroßmutter mütterlicherseits eine offene Lungenentzündung überlebt, an der seine beiden Geschwister jämmerlich zugrunde gegangen sind? Der hat die Mutter seiner Kinder vielleicht allein deshalb kennengelernt, weil die ausgerechnet vor der Haustür seines besten Freundes einen halben Zentner Kartoffeln über das Pflaster verschüttet hatte. Meine Urahnin. Was durchaus nicht einleuchtet: es hat ein jeder zwei Eltern, vier Großeltern, acht Urgroßeltern, sechzehn Ururgroßeltern und so weiter. Gleichzeitig aber nimmt die Weltbevölkerung ständig zu, anstatt ständig im Quadrat abzunehmen. Wie kann ich so je zu Adam und Eva kommen, oder als einer, der mit denen nichts zu tun haben will, zu den ganz gewiß nicht gerade zahlreichen ersten Lebewesen, die als Menschen bezeichnet werden müssen? Alte Bratpfannen schreien ja auch immer nach der Antwort auf die Frage, was in ihnen denn schon alles gekocht worden ist. Auf einem Haufen! Im Regen! An einem Dienstag! Allein, zu zwein, mit wem? Diesmal will Gnafna wissen, ob ich mir denn die Fingernägel auch richtig geschnitten hätte. Hinter diesen Fragen steckte das rostige Geländer des Aussichtspunktes. Dahinter der schmale Streifen Wald vor dem Beginn der penetranten Kreisstadt. Dahinter die penetrante Kreisstadt. Dahinter der See. An dessen Ende Seeshaupt, von hier aus stimmt der Name, dort liegt die Zukunft. Bevor die Eisenbahn bis nach Murnau ging, war dort schon Ausgangspunkt für Hochgebirgsbegehungen. Dort liegt die Vergangenheit. Zur Rechten der Seebusen von Tutzing. Von Seeshaupt aus gesehen, ein zwölftausendjähriger Hängebusen, durch allmähliche Verlandung immer mehr geschrumpft. Brauch bloß über die Fingernägel, das Geländer und den Wald auf die Lego-Häuser der Kreisstadt hinunterzuschauen, wie sie stumpfsinnig grasend immer mehr zu schlachtreifem Vieh heranwachsen, dann ist leicht zu verstehen, warum sich ihre Bewohner jeweils mit der sich alle paar Jahre wiederholenden Wahlprozedur zufriedengeben. Besser könnte die Konjunktur für Baukästen gar nicht sein. Daß Frauen im Durchschnitt noch konservativer wählen als Männer, ist doch nur ein weiterer Beweis dafür, daß die, die am meisten verarscht werden, am ehesten die unterstützen, die sie am meisten verarschen, um sich dabei selbst das Gefühl einzuhandeln, an ihrer eigenen Verfassung verantwortungsvoll mitgebastelt zu haben. Weibliche und männliche Konserven zusammen ergeben eine Konservenfabrik. Kurz vor Kriegsende logierte Hitlers Statthalter General von Epp auf dem Schornerhof bei Starnberg. Ende der Siebzigerjahre hätte der Landkreis die Milchfabrik Schorn (links im Bild) beinahe an

den Landkreis Tölz abgeben müssen. Es war eine Frage der Gewerbesteuer. Am Schornerhof stoppt ein Wagen. Gerngroß springt heraus, schneidet im Vorhaus die Telefonleitungen durch. An den völlig verdutzten Wachposten vorbei geht er ins Herrenzimmer. Dort sitzt General Epp mit Major Carraciola und anderen Offizieren. Gerngroß zu Epp: Herr General, die Lage in München ist grauenhaft. Bitte helfen Sie das Chaos zu beenden! Kapitulieren Sie! – Epp zaudert: Ich habe viele Freunde in der Partei, ich kann sie nicht im Stich lassen. – Schließlich schlägt Leiling vor, zu Panzerkommandeur Braun nach Freising zu fahren, vielleicht könne der Epp umstimmen.
Schließlich werde ich nicht mehr bis nach Schottland fahren müssen, um auf Hügel steigen zu können, von denen aus, durch nichts behindert, in jeder Richtung die ganze Weite zu sehen ist. Von hier oben wird hinter dem Geländer längst alles sehr schottisch aussehen. Rauf und runter und dazwischen Wasser. Alles kahl und nichts verstellt den Blick. Die Milchfabrik, die Milchfabrik, sie pumpt die Kühe leer. Es werden die Kühe endlich mehr Platz haben, auf endlosen Weiden, nur von zielstrebigen Straßen durchschnitten. Nach Ungarn werd ich endlich fahren, wenn ich doch mal Wälder sehn will. Eichenwälder. Jenseits von Budapest, und gut gedüngt. Eichen halten am längsten, denn sie brennen auch am längsten. Wer noch in der Nähe des Geländers wohnt, der wählt in der Schießstätte, vor deren Eingang eine Kanone steht, sie markiert den Ausgang. Sie zeigt nach Südosten, hinter den Donauknick. Wer daneben wählt, wird (nicht) erschossen. Die Wahlen sind geheim.

RAINER MALKOWSKI

Das Gedicht

Ein nicht mehr erwarteter Brief,
der eines Morgens allein
im Kasten liegt.
Eine weit geöffnete Tür
zu einem Zimmer,
das keinen Boden hat.
Aufkommender Wind
nach einem heißen Tag.
Des Einhorns Huf
auf einem weißen Blatt.

Die Mutter, der Vater

Die Mutter, der Vater,
sie starben wohl früh.
Ich sehe sie täglich.

Sie betteten mich sanft,
sie sprachen mir zu,
und als ich mißriet,
wußten sie es besser.

Nun muß ich sie trösten,
weil ich nur träumte.

FRIEDERIKE MAYRÖCKER

Der allererste Satz

die Psyche wird in das Alter hineingerissen, wir machen pausenlos Lebensfehler, sage ich zu meinem Ohrenbeichtvater, es kommt auf den ersten Satz an, sage ich zu meinem Ohrenbeichtvater, auf den allerersten Satz, kannst du das verstehen, mit was für einem Satz ein solches Buch anfängt, sage ich, darauf kommt alles an, und ob es den, der das erste Blatt aufschlägt, zum Lesen zwingt, zum Lesen und Weiterlesen, darauf kommt es an, das Erwachen von Augen, der Gabentisch ist gedeckt, ich habe mich durch den rosigen oder rostigen Schein der Frühe getrollt, wie läßt sich das Phänomen Welt beschreiben wie läßt sich das Phänomen Leben beschreiben wie läßt sich überhaupt noch irgend etwas beschreiben, nämlich das süßeste Licht bis zum Fliehen bestimmter Beine, diese Bewegungen Bewölkungen meines Kopfes, einige sehr dunkle Stellen mischen sich mit einigen sehr hellen Stellen wie die Farben der beiden Blumensträuße im Fenster, etwas Überspanntes in mir lehrt mich zuweilen das minutiöse Sehen, als wir hier in den künstlichen Tagen wandelten, sage ich, wie das Schnarren der offenen Ohren, das Scharren der schaufelnden Arbeiter in der Straße vom Bett aus kann ich alles verfolgen, noch teufelt mir dieses Blut im Genick, ich habe die Kontrolle über meine Glieder geradezu aufgegeben verloren, ich schwärme mit weichen Knien in meiner Behausung, es ist ein ähnliches Gefühl wie geladene Drähte berühren, am ganzen Körper, ich lasse jetzt die Schnürriemen hängen, aus den Schnürschuhen hängen, aus den Ösen heraus, durch die Türritzen dringt das Licht, jemand im gegenüberliegenden Haus sitzt bei erleuchtetem Fenster das ist mir tröstlich, ich kenne den Menschen nicht, auch nicht den, der nachts mit dem Cello im Schneesturm, und Briefe zum Fleischmarkt, pragmatische Briefe, die Prostituierten nachts im Schnee vor dem Hauptpostgebäude, ich bin vollkommen entkräftet, ich kann kaum mehr die Füße heben, ich lebe in einem ständigen Spannungszustand, *ich werde ständig unter Sedativa gehalten*, ich wußte dann nicht, schwindelte mir oder wankte das Tischchen, über das ich gebeugt stand, um die Briefmarken aufzukleben, wir interagieren mit anderen, was mir schwer fällt zuweilen sehr schwer fällt zuweilen unmöglich wird, dieses Gehirnte ist so rot übertragbar daß ich versuche, in der Ecke der Stube sitzend, mit einem Buch in der Hand die wimmelnden Bilder in meinem Schoß aufzufangen, ja so ähnlich körperlich geht das dann zu, also von einem hellen Ausdruck evoziert, oder was alles ein heller Ausdruck in mir evoziert, oder was alles ein dunkler nicht auflösbarer Ausdruck in mir evoziert, so stülpe ich die Südwestbrille über nämlich bei Hitzegraden das torkelnde Auge der Mund unbetont so fällt seine Häßlichkeit nicht weiter auf, ich wußte dann nicht, schwindelte mir oder schwankte das Tischchen über das ich gebeugt stand, die Briefmarke aufzukleben, durch die dauernde Musik aus dem Kasten gleichen sich Schlaf- und Wachphase einander an, keine schroffen Gegensätze mehr, sage ich, allerlei Fleisch sagt Rosa, allerlei Fleisch an mir, allerlei hingestrecktes Fleisch, Rosa wieder im Krankenhaus, so ein Schock an der Tür, in meinem Leben ich nähe von rechts nach links, das Lamm wird zum Hirten der Hirte zum Lamm: dieses Kauderwelsch immer diesen salzigen Geschmack in meinem Mund, Nachtschweiß und alles falsch dann hat mich die Ortlosigkeit eingeholt, in meiner Schwitzhütte in meinem Närrinnenkasten, wo ich sinnend am Fenster sitze, oder an die Bettkante geklemmt, während draußen die Sturmballen oder die Stürme sich ballen, wie wunderbar, schreibt Wilhelm, daß dieser Druckfehler in meinem Buch für Sie ein Gespinst von Zusammenhängen erschließt, denn würden Sie hingeschneit, unersetzlich blieben Sie aus, usw., nämlich dieser Ihr eingeschleierter bezauberter Geist, usw., das ist ja alles, schreibe ich an Wilhelm zurück, affektiv, *die kniefälligsten Sachen wegen der Karriere*, hingegen Ihr letzter Brief erschien mir als Trugbild oder berauschendes Signum, es ist ja so daß ich immer wieder Wortballungen, ganze Absätze von Ihnen aufnehme also mit Funken Schnee und schauend schweifend über das von Ihnen Geschriebene hin, haftet das Auge dann fest wo es fündig geworden ist, spreche das eben Gelesene aus dem Gedächtnis nach, wurden gewisse Wörter ausgesprochen oder nur imaginiert, eigne ich mir Ihren Text geradezu an, verfalle ich wieder in jenen *Körperwahn* des sich Anschmiegens Anschmeichelns an ein fremdes Gebilde, oft scheint es mir auch, als würde es mir nicht gelingen, einen solchen Text für mich sichtbar zu machen und zu erinnern, und ich bin gezwungen, ihn stückweise wiederzusuchen und wiederzuholen, zu wiederholen, also in Ihren Nachrichten, Blättern dunkelbraunen Papiermanschetten, die Mäuse nisten im Lodenmantel, sage ich zu meinem Ohrenbeichtvater, der Barbarazweig ist abgeblüht, die Hamsterbacken des Hündchens eingefallen, hängendes Fleisch, ein Amselfuß in der Straße verwest, so ganz kleine Wanderschuhe, Bergstiefelchen, sage ich, hast du X. anpassen lassen, durchsichtig wie mit Münzen gefüllt, schwere Beine, sagt Rosa und blickt mich an, dürstend nach Trost, *den Schmerz bitte nicht wegzuckern!*, das halbe gelbe Lid vorgeschoben, Gardine von Gegensonne durchsickert, etwas links an meinem erahnten Fahrrad ich meine Tandem, erhob sich die Morgensonne, die Zustände hier, sagt Rosa, die Zustände hier in diesem Krankenhauszimmer rufen in mir etwas hervor, das ich, weil es so lange keine Herausforderung erfahren hatte, als schon nicht mehr in mir vorhanden vermutet hatte, nämlich etwas wie ein plötzliches Hervorbrechen einer schmerzlichen Starrsinnigkeit, einer heftigen Feindseligkeit, eine mich selbst schmerzende feindselige Haltung allen mich umgebenden Menschen und Dingen gegenüber, eine Bösartigkeit, eine Angriffslust, die mich zu Tode betrübt, weil sie meinem eigentlichen Wesen widerspricht, weil sie mein eigentliches Wesen verrät und im Stich läßt, weil sie aus mir etwas Fremdes, ein mir ganz und gar fremdes bösartiges Wesen macht, bis zum Fliehen bestimmter Beine, sage ich, wurden gewisse Wörter ausgesprochen oder nur imaginiert, die Zeit wischt an mir vorüber, die Erde weil sie der Schemel ist, den Waldteufel im Genick fange ich wieder zu arbeiten an, als ob gar nichts mehr würde, als ob gar nichts mehr sei, als ob gar nichts mehr ginge, dann als ich aufgefegt hatte, die allgepriesene Gottesmutter, preschte davon, in meinem Leben ich nähte von rechts nach links, durch die Türritzen eine Schreckspur, so ein Schock an der Tür, in der Halsgrube kroch sich ein Lockenhaar fest, schlängelte in den Ausschnitt, die erstarrte Suppe vom Vortag ekelerregend in großen Töpfen, der glänzende Schuh löffelt für Rosa, der durstige Schein trollt sich über die Fluren, oder durch den rosigen Schein der Fluren (der Frühe) getrollt, wenn ich zum Fenster hinausblicke Zimtbäumchen alles in meiner Vorstellung, großartiger Abblick auf die in schwindliger Tiefe liegenden Felder des Winkels, großartige Phantasie zumeist in halbwüchsigen Kulturen, sage ich, das Schnarren der Welt in den Ohren, wie das Schnarren der offenen Ohren, das Scharren der schaufelnden Arbeiter in der Straße vom Bett aus kann ich alles verfolgen, o daß es doch noch derselbe Kopf sei, sage ich, dieser mein Kopf, *ich werde ja ständig unter Sedativa gehalten*, gegen den Türpfosten, oder das Veilchenlager gelehnt, unsere Wohnhütte jetzt zu dritt unsere Liebe zu dritt in dieser unserer winzigen Hütte, bei dem Gedanken ballt sich alles zusammen in mir, ich schlage mit dem Kopf gegen das Holz daß es dröhnt im Kopf und im Holz die versprengten Notizen, etwas links an meinem erahnten Fahrrad ich meine Tandem, erhob sich die Morgensonne, irgend etwas rauscht an unserem Fenster aber wir wissen nicht ob es der Regen ist, diese hingetupften Augenblicke von Liebe, sage ich, zärtliche Stecklinge, winzige Krokusbeete, Krokuspflänzchen von Küssen wenn du mich verläßt oft nur für Stunden verläßt über mein ganzes Gesicht meinen ganzen Körper hinweggesegnet, das süßeste Licht bis zum Fliehen bestimmter Beine und eine Stimme wie Harfenspiel, und ich imaginierte der Schwalben Gesicht

JÜRGEN BECKER

das Schreiben

...das Schreiben
(und wenn es gelingt, auch das Lesen) dehnt den Augenblick
aus und bleibt unterwegs zu diesem Horizont
aus Herkunft, Zeit, Gesichtern und Dingen, der nie
zu erreichen ist, aber doch in dein Leben tritt mit
einer Folge von Wörtern. Mitunter entsteht
eine überraschende Nähe, und anwesend bist du
in Zimmern, Städten und Gärten, in denen du... wenn
man sagt: nichts verloren und nichts mehr zu suchen hast,
eben alles Verlorene suchst, mit einer Geduld, die du
nicht rechtfertigen mußt, als ginge es um eine Schuld,
einen Auftrag...

JOÃO UBALDO RIBEIRO

Vera Cruz auf Itaparica, den 20. Dezember 1647

Der Caboclo Capiroba aß gerne Holländer. Anfangs unterschied er nicht zwischen Holländern und sonstigen Fremden, die er unter günstigen Umständen fand, wohl einfach deshalb, weil er erst in einem bestimmten Alter – vielleicht war er da schon dreißig – begonnen hatte, Menschenfleisch zu essen. Auch hatte er nicht immer inmitten von undurchdinglichstem Gestrüpp und den trügerischsten Mangrovensümpfen gehaust, die einen Menschen bis zu den Weichteilen so lange im Schlick festhalten konnten, bis die Flut ihn zwischen dichten Stechmückenschwärmen und messerscharfen Muscheln langsam erstickte. Vielmehr kam es dazu erst, nachdem er lange ein Schnalzen, Summen und Pfeifen in seinem Kopf vernommen hatte, was nach Ansicht einiger damit zu tun hatte, daß er Sohn einer Indiofrau und eines entflohenen Schwarzen war, den das Dorf aufgenommen hatte und der aus Angst nie das Haus verließ, außer des Nachts, wenn es sein mußte, und so hatte er gewisse Ähnlichkeiten mit Fledermäusen und Nachtschwalben angenommen und konnte bei Tageslicht nicht mehr sehen. Freilich hatte der Caboclo, halb Schwarzer, halb Indio, von Kindheit an einen kleinen Knacks, war doch der Vater die meiste Zeit über ein Nachttier, das mit den Ohren sah und sich vor der Sonne unter den blattreichen Bäumen versteckte. Doch das Schnalzen, Summen und Pfeifen wie auch die große Erhitzung, die ihm den Verstand einäscherte und in ihm die sonderbarsten Verhaltensweisen auslöste, die man je gesehen hat, tauchten zum ersten Mal kurz nach der Ankunft der Patres auf, die mit der Absicht kamen, nicht

mehr fortzugehen, und das ganze Dorf und das dazugehörige Land Mission nannten. Nichts geschah unversehens, aber mit jedem neuen Tag im Missionsgebiet sah sich der Caboclo schlimmer vom Schnalzen, Summen und Pfeifen verfolgt, das oft alles zugleich ausbrach wie ein wahres Teufelsorchester, während der Morgenunterweisung oder während der Abendunterweisung oder bei sonst einer Gelegenheit, wo einer der Patres sprach, also fast immer. Bis er, schon verzweifelt, daß er keinen Pater sehen konnte, ohne mit dem Kopf zwischen den Beinen davonstürzen zu müssen, während jenes betäubende Gesumm seinen Denkkasten schier zum Platzen brachte, eines Tages zwei Frauen raubte und ins Dickicht floh, um nie wieder zurückzukehren. Die einen behaupten, er habe weiterhin völlig normal srpechen können, andere, er habe fortan kein Wort mehr gesagt und sei eine Fledermaus geworden wie sein Vater und könne vielleicht sogar mit den schwarzen Schwingen dieser Tiere fliegen – etwas, was dem Vater nie gelungen war, auch nicht an dem Tag, als alle ihn dazu ermutigten, damit er durch die Luft den Portugiesen entkäme, denen die Patres ihn ausgeliefert hatten, da es sich um einen entflohenen Neger handelte, etwas Gesetzwidriges, und in einem Missionsgebiet war nichts Gesetzwidriges gestattet. Und daß der Caboclo Menschen verzehrt und gelegentlich den einen oder anderen im Gehege mästet, ist altbekannt – auch wenn es übrigens rein zufällig begonnen hatte.
Als die Patres kamen, nahm es mit Wundern, Vorzeichen und Auferstehungen einen lebhaften Aufschwung. Sie errichteten die Kapelle, weihten sie, und am folgenden Tag tat sich die Erde auf, der Reihe nach all diejenigen zu verschlingen, die den Bau als abwegiges Unterfangen erklärt und ihre Mitarbeit an der Errichtung verweigert hatten. Sie stellten die Heiligenbilder an den Altären auf, und lange Zeit schied niemand mehr endgültig dahin, nicht einmal die müden Alten, die nur allzu gern das Zeitliche gesegnet hätten, bis

schließlich alle Einspruch zu erheben begannen und im Königreich niemand mehr den Briefen und Chroniken Aufmerksamkeit schenken mochte, in denen die Patres die erwirkten und bezeugten Wunder berichteten. Man bettete einen toten Alten am Fuß des Heiligenbildes auf, und nachdem dieses geschwitzt, geblutet oder ähnlich heftige Anstrengung bezeugt hatte, begann der Verstorbene zum eigenen Verdruß und zum Mißvergnügen seiner Angehörigen unruhig zu werden und kehrte schließlich, äußerst enttäuscht, lebend nach Hause zurück. So läßt sich nicht behaupten, die Patres hätten nur Erfolge erzielt, jedoch erreichten sie genügend Nützliches und Einträgliches, obwohl all das die Leiden des Caboclo Capiroba nur verschlimmerte. Morgens, sobald die Sonne aufging, mußten die Frauen in Reih und Glied antreten, um zur religiösen Unterweisung zu gehen. Nach der Unterweisung der Frauen, die anschließend zusammengepfercht wurden, um spinnen und weben zu lernen für die Herstellung der Tücher, die sie nun um den Leib schlangen, folgte die Unterweisung der Männer, denn man wußte sehr wohl, daß Frauen und Männer verschiedene Unterweisung brauchten. In den Unterweisungsstunden am Morgen wurden verrückte Geschichten erzählt, in denen tote Menschen mit exotischen Namen auftraten. In der Unterweisung am Nachmittag wurde gelegentlich gelehrt, in endlosen Zeichnungen die bislang im Dorf gesprochene Sprache einzufangen, mit dem Erfolg, daß bald darauf die Patres zeigten, wie man diese Sprache richtig zu benutzen habe, wobei sie Fehler und Verstöße berichtigten und große Bestürzung unter den Leuten hervorriefen, von denen einige, von Beschämung gepeinigt, beschlossen, für den Rest ihres Lebens nie mehr ein Wort zu sagen, während andere nur sprachen, um für ihre Unkenntnis der Regeln des schönen Sprechens um Verzeihung zu bitten. Große Aufmerksamkeit wurde vor allem Gut und Böse gezollt, deren Unterschied die Bewohner der Mission nicht verstanden, wenn sie abstrakt erklärt wurden, so daß jeden Tag ein neues Beispiel den Listen zugefügt wurde, die mit Hingabe auswendig zu lernen alle bemüht waren. Ein Tier töten: gehört das auf die Liste des Bösen? Nein. Ja. Nein. Ja, ja. Nein, das hängt von anderen Dingen auf der Liste des Bösen ab und von dem, was auf der Liste des Guten steht. Ja, vielleicht. Nur wenige – und schon gar nicht der Caboclo Capiroba – durften sich rühmen, diese Listen von Grund auf zu kennen, und nur zwei oder drei kannten Varianten davon, die sie auswendig lernten, als wären es Gebete, und bei jeder Wiederholung veränderten sie sich ein wenig und wurden noch geheimnisvoller. Doch die Weisheit dieser Fragen von Gut und Böse wurde allen augenscheinlich bewiesen, wenn sich alles genauso, wie in der Unterweisung vorhergesehen, zutrug. Vor der Zeit der Mission hatte das Dorf aus völlig unwissenden Leuten bestanden, die nicht einmal kleine Listen für Gut und für Böse besaßen und in Wahrheit nicht einmal über richtige Wörter verfügten, um diese beiden so wichtigen Dinge zu bezeichnen. Nach der Errichtung der Mission sah man, daß einige böse und andere gut waren, was man kurz zuvor noch nicht gewußt hatte. Böse Frau will nicht zur Unterweisung gehen, will nackt herumlaufen, will nicht, daß der Pater ihren Sohn beim Kopf faßt und ihm die Stirn mit grünlichem Fett bestreicht und dabei Zauberworte aufsagt, die das Kind vielleicht für immer blöd sein lassen. Pfui, pfui, böse Frau. Gute Frauen sprechen nicht mit böser Frau, böse Frau bleibt allein, Mann von böser Frau auch guter Mann, böse Frau immer mehr allein, bekommt ganz schlimmen Kopf, ist wie verrückt. Immer verrückter, Strafe vom Himmel, weil es böse Frau ist. Böse Männer entlarven sich auch, zahlen am Ende auch dafür. Böser Mann sagt, die Geschichte vom Pater hat weder Hand noch Fuß, alles dummes Zeug, er geht fischen. Und bleibt er auch immer mehr allein, trinkt er Branntwein, niemand redet mit ihm, böser Mann immer schlimmer,

schlimmer, schwere Strafe für Bosheit, wird betrunken und ertrinkt, geht an einen Ort, wo Feuer unablässig brennt und den ganzen Tag bösartige Eidechsen angreifen. Schließlich wurde den Leuten erklärt, was Versuchung ist, denn die war früher so bemäntelt, daß niemand sie bemerkte, aber heute wird sie an den unverdächtigsten Orten ertappt, so daß viele junge Leute, wenn sie die Unterweisung verlassen, die ganze Zeit herauszubringen versuchen, ob all das, was geschieht, nicht vielleicht die Versuchung ist, in einer ihrer vielfältigen Verkleidungen, und sie verfallen in große Angst und können nicht mehr schlafen, um sich nur nicht von der Versuchung umgarnen zu lassen.

In diesen langen Rosenkranz von Ereignissen, zwischen der Versuchung, dem Guten, dem Bösen, den Auferstehungen, den Sünden, Strafen, Bußübungen, der Hölle und all den guten Dingen, welche die Patres zusammen mit der Erlösung und der Frohen Botschaft gebracht hatten, mußten die Geschehnisse im Kopf des Caboclo Capiroba früher oder später die Aufmerksamkeit der anderen auf sich lenken, und so geschah es, plötzlich und als großes Spektakel, an dem Tag, da er, nachdem seine Wut nächtens gewachsen war bis hin zum Zähneknirschen und er hin und her gestampft war, als wollte er den Erdboden zusammennähen, fiebrig und mit Schwellungen am gazen Körper erwachte und Wörter wiederkäute, die er vor langer Zeit gehört hatte, als sein Vater noch die Sprache sprach, mit der er geboren war und die er immer gebraucht hatte, bevor er ein Tier wurde. Glücklicherweise erlebte er inmitten einer Welt, die ihm mit einemmal aus lauter Schatten zu bestehen schien und immer düsterer wurde, Augenblicke der Helligkeit, und dann konnte er sich unterhalten und sogar lachen. Andernfalls hätte ihn wohl das Schicksal der anderen Männer und Frauen ereilt, die sich als völlig von Dämonen besessen entpuppten und dauernd irgendeinen höllischen, satanischen, infernalischen, beelzebübischen Teufel in Eingeweiden und Geist beherbergten und sich allem widersetzten, was die Patres taten, um sie vor der Verdammnis zu bewahren. Sie waren größtenteils angekettet oder eingekerkert, einige in ihrer Teufelsbesessenheit so trostloser natürlicher Verdammnis anheimgegeben, daß sie, wenn die Patres sie besuchten, um sie mit Weihwasser zu besprengen und ihnen Kreuze vorzuhalten, erstarrte Leichname, Dornenkronen, blutende Herzen und sonstige Sinnbilder des Neuen Lebens, von Schüttelkrämpfen befallen wurden, von Schrecklähmungen, lüsternem Grimassieren und anderen gefürchteten Anzeichen der Besessenheit. Der Caboclo Capiroba indessen erwies sich in den Zwischenpausen seiner immer häufiger auftretenden Kopfqualen als aufgeschlossenes, freundliches und friedfertiges Wesen und rechtfertigte voll und ganz das Vertrauen der Patres, die ihm meistens die Ketten erließen und mit Genugtuung feststellten, daß er sich angesichts von Kreuzen, heiligen Leichnamen, Dornenkronen, blutabsondernden Herzen und ähnlichen Zeichen der Göttlichen Liebe normalerweise nicht in Krämpfen wand.

Ohne Ketten also hörte er, und mit ihm die ganze Gemeinde der Mission, die berühmte Geschichte von den grausamen Leiden und harten Mühen, welche die braven Leute durchstehen mußten, deren Schiff vor der Küste ebendieses Landstrichs vor langer Zeit gekentert war. Niemand erinnerte sich an die Begebenheit, weder aus eigenem Gedächtnis noch vom Hörensagen, doch die Patres logen nicht, folglich war die Geschichte wahr, was unter den Bewohnern der Mission von diesem Tag an unentrinnbares Mißtrauen säte, da jeder vom anderen glaubte, er habe insgeheim an dieser Geschichte teilgehabt. Ja, es war die Prosopopöie jener braven Schiffbrüchigen, die an das Land geschwemmt wurden, als dort viele Heiden im Zustand der Wildheit und ganz ohne Christlichkeit lebten, und besagte Heiden schlachteten die braven Leute zum Fraß, machten jeden Morgen einen von ihnen nach grausamsten Ritualen mit Knüppelschlägen nieder, ohne auf das Flehen der Leidgeprüften zu hören noch auf Weinen und Wehklagen der unglücklichen Geschöpfe zu achten, die an den folgenden Tagen verzehrt werden sollten. Und so gierig mästeten sich die Heiden mit diesem Menschenfleisch und gewöhnten sich so rasch daran, daß es ihnen nicht einmal durch ihr rohes Hirn ging, wenigstens den Priester und heiligen Mann jener unglückseligen Expedition zu verschonen, nicht einmal dann, als er ihnen von der schweren Sünde sprach, die sie begingen, und von der tödlichen Beleidigung, die sie, wenn sie ihn äßen, gegen Gott und seine ganze Herde schleudern würden. Mit einer über seine bleiche Wange rinnenden Träne schloß der gute Pater die Augen vor einem riesengroßen, schreckenerregenden Wilden, der seine Zähne spitz angefeilt hatte, um das unschuldige Fleisch der Gottesleute leichter zerbeißen zu können, und nun einen ungeheuerlichen Tanz aufführte, unterbrochen nur von satanischen Verwünschungen und heidnischen Anrufungen, bevor er seine Keule niedersausen ließ. Und so wurden diese Heiden unwürdig vor Gottes Angesicht und stürzten tief, abgrundtief, von wannen sie vielleicht nie mehr ans Licht würden aufsteigen können. Und anhand dieser und anderer Beispiele und Moralitäten zeigte man ihnen, daß sie keine Menschen mehr essen dürften, eine der schlimmsten Taten unter den allergrößten Sünden, eine niederträchtige Gewohnheit, und die Einwohner der Mission, obgleich sie nie zuvor davon gehört hatten, erzitterten bei der Vorstellung, daß sie derartiger Übeltaten einst fähig gewesen sein sollten, was sie dazu anhielt, für alle Zeiten in Reue Buße zu tun. Und während die meisten nur schwer begreifen konnten, wie sie etwas getan haben sollten, wovon sie nie gewußt, daß sie es getan hatten, verschlimmerte sich im Fall des Caboclo Capiroba das Leiden seines Kopfes, der von einem hitzigen Hagel aus Schnalzen, Summen und Pfeifen bombardiert wurde, dergestalt, daß er an dem frühen Morgen, welcher der Erzählung jener traurigen Historie folgte, zwei Frauen raubte und verschwand. Sechs Tage danach, mutlos und halb verhungert, sah er, während er gerade ein abgemagertes Seidenäffchen briet, um es in Gesellschaft der Frauen zu verzehren, durchs Gebüsch einige aufgescheuchte Vögel flattern. Er spähte aus dem Hinterhalt und erkannte einen der Patres, gewiß dazu entschlossen, ihn aus Liebe gewaltsam aufzuspüren, ihn in Fesseln zu legen und mit Weihwasser zu besprengen, bis daß der böse Geist ihn verließe. Nun packte der Caboclo Capiroba einen Knüppel, den er seit seiner Flucht geschnitzt und geglättet hatte, näherte sich dem Pater von hinten und schlug ihm den Kopf mit einem sicheren Treffer platt, worauf er sogleich ein Stückchen Fleisch erster Qualität zum Braten in der Holzglut abschnitt. Den Rest dörrte er in schönen, rosafarbenen Scheiben, die er auf einer Stange in die Sonne hängte. Aus den Innereien bereiteten sie Paterklein, Hirnsuppe, gutgepfeffertes Bratbries, Kaldaunen mit Kürbisgemüse, Herzspießchen mit Maniokbrei, Milz in Dendê-Öl; die üppigen Haxen brieten sie mit allen starken Teilen des Bauchfells und aufgeschnittenem Hartriegel, machten Hodenklein auf Holzglut, in Kokosmilch und Papayafrucht eingelegte Nierchen, Leberhäppchen mit Rükkenspeck, gutgesalzenes Backenfleisch und Ohren, Kutteln, gut abgelagert, damit sie kräftiger schmecken, und etwas Speckwurst unter Benutzung der in Zitrone gewaschenen Därme, nach dem Rezept, das jener selbe Pater den Frauen der Mission beigebracht hatte, damit sie dergleichen für ihn zubereiteten. Sie verwendeten auch einige Überreste als Köder für Schalentiere und kleine Flußfische, wofür Lunge und Geschlinge sich am besten eignen, wie der Caboclo alsbald entdeckte.

Der Pater indes reichte nicht lange für den Caboclo Capiroba und seine Frauen, aus drei oder vier Gründen: der erste war die Kleinheit des Kadavers und das knotige Fleisch, das sich selbst im Filet teilweise als ekelhaft hart und widerspenstig gegen alle feinere Zubereitungsart erwies. Der zweite war, daß so viel Vorrat in der an schädlichen Dünsten und Fäulniserregern außerordentlich reichen Luft schließlich verdarb, so daß nur das Dörrfleisch und die Speckwurst übrigblieben. Der dritte Grund, der vierte und die anderen, die vielleicht noch aufzuzählen wären, mündeten alle darin, daß sie Gefallen an Menschenfleisch fanden, so daß der Caboclo Capiroba sich mehr und mehr auf die Jagd nach dem einen oder anderen Weißen verlegte, unter denen, die jeden Tag an Quantität und Qualität auf der ganzen Insel zuzunehmen schienen. Im ersten Jahr aß er den Lagerverwalter Nuno Teles Figueiredo und seinen Gehilfen Baltazar Ribeiro, den Pater Serafim de Távora Azevedo, S. J., den Hellebardier Bento Lopes da Quinta, den Stallburschen Jerônimo Costa Peçanha, zwei Schiffsjungen, vier junge Söhne von Gerichtsbeisitzern aus dem Brachland, einige Tagelöhner, den einen oder anderen durchreisenden spanischen Beamten, nichts sonderlich Berühmtes. Im zweiten Jahr raubte er zwei weitere Frauen und aß Ferreiro do Monte, Neuchrist, stets erinnert dank des allerfeinsten Huhngeschmacks, vom Besten, was dort je zu kosten war, Gabriel da Piedade, O. S. B., der einen makellosen Räucherschinken lieferte; Luiz Ventura, Diogo Barros, Custódio Rangel da Veiga, Cosme Soares da Costa, Bartolomeu Cançado und Gregório Serrão Beleza, Portugiesen aus der Provinz Minho mit unübertrefflich weißem Fleisch, das in Brühen selten enttäuschte; Jorge Ceprón Nabarro, Biskayer von säuerlich-kräftigem Nachgeschmack, saftigem Mark, üppigen Kaldaunen; Diogo Serrano, seine Gattin Violante, seinen Diener Valentim do Campo und seine anmutigen Töchter Teresa, Maria-do-Socorro und Catarina, eine etwas ungleiche, doch im allgemeinen recht substantielle Speisefolge von verhaltenem Geschmack und leichter Verdaulichkeit; Fradique Padilha von Évora, etwas ältlich und sehnig, doch der beste Speck, den man dort, gut gesalzen, je gegessen hat; Carlos de Tolosa e Braga, aus dem zwei gewichtige Schinken gemacht wurden; sechs Matrosen des Kapitäns Ascenso da Silva Tissão, allesamt mit gar zu zähem Brustfleisch und einer Idee Moschusgeschmack, doch von rühmenswerter Verwertbarkeit in Ragouts und Fleischtopfgerichten; den Zahlmeister Lourenço Rebelo Barreto, unvergessen wegen der nie wieder geschmeckten Beschaffenheit seines Hüftstückes, und viele andere Männer und Frauen. Im dritten Jahr raubte der Caboclo noch zwei Frauen und sah zahlreiche Töchter zur Welt kommen, so daß er angesichts der vielen zu stopfenden Mäuler eine größere Anzahl Weiße erlegen mußte, mit dem Erfolg, daß gelegentlich ein gewisser Nahrungsmangel auftrat. Bis er, lange Zeit danach, während die Sommerfrüchte in Fülle reiften und zu Boden fielen, Insekten schwärmten und Meerbarbenschwärme sich unruhig längs der gesamten Inselküste tummelten, auszog, um ohne große Hoffnung sein Glück zu versuchen, und heimkehrte, einen hochblonden Holländer hinter sich herschleppend, der bereits gevierteilt und ausgenommen war, um unnützes Gewicht auf der Reise bis zur Hütte loszuwerden. Der Flame schmeckte etwas fad, das Fleisch war ein bißchen blaß und süßlich, doch so zart und weich, und es lag so leicht im Magen, die Kinder mochten es so gerne, es eignete sich so vielseitig für jeden kulinarischen Zweck, daß bald alle es jedem anderen Nahrungsmittel vorzogen, auch der Caboclo Capiroba, dessen früher ganz anspruchsloser Gaumen dergestalt an Flamenfleisch Gefallen fand, daß er gelegentlich sogar Brechreiz verspürte, wenn er an gewisse Portugiesen und Spanier dachte, die er früher einmal verspeist hatte, insbesondere Patres und Kronbeamte, die jetzt eine ölige, fast talgige Erinnerung ekliger Ranzigkeit und penetranten Gestanks in ihm hervorriefen. Ein besseres Wildbret als dieses, so blaß und durchscheinend, fest und zart zugleich beim Berühren und

Kosten, hart und zugleich geschmeidig, gesund und zugleich schmackhaft, selten und zugleich leicht zu jagen, ein Wildbret wie dieses hatte es nie gegeben und würde es nie mehr geben, so daß es dem Menschen zustand, ohne lang nachzudenken, die Spenden der Natur anzunehmen, denn wie gewonnen, so zerronnen – nicht anders war das Gesetz des Lebens. In jenem Jahr, zu dessen Beginn der Caboclo und seine stetig wachsende Familie den ersten Holländer verspeisten, herrschte Überfluß, so daß es manchmal leichterfiel, den einen oder anderen von ihnen in den Buschwäldern einzufangen, als mit einer Lehmkugel eine Landkrabbe zu treffen. Dennoch, sobald einer jener Maiskolbenköpfe seine goldenen Locken zwischen dem Gestrüpp sehen ließ oder wenn die bedächtig marschierende Gestalt eines von ihnen innehielt, um die Luft wie ein keine Gefahr witternder Hirsch einzusaugen, stieg dem Caboclo das Jagdfieber in die Brust, sein Herz stürmte und sein Mund trocknete aus im Vorgenuß der Pirsch, des Einfangens und Abstechens jenes schönen Tiers, das mit seiner Ausdauer, seiner Listigkeit und Widerstandskraft die Erhabenheit der Jagdkunst aufs edelste unterstrich. Wenn er seine Beute stellte und mit einem möglichst raschen Schlag tötete, wobei er manchmal noch die sinnlosen Laute vernahm, die das Opfer vor dem Empfang des Todesschlags ausstieß, dann blähte sich der Caboclo Capiroba vor Stolz und in Hochachtung vor seiner Jagdbeute und erging sich später beim Abendessen über das ritterliche Verhalten des Wilds und die Ehre, die darin bestand, ein Stück zu kauen und zu schlucken, das vorher dessen Bein, Arm oder Lende gewesen war. Solange sich der Caboclo erinnern konnte, waren diese Neuankömmlinge mit gelbem Haar und einer von den anderen Weißen unterschiedenen Sprache dort in wirrem Kommen und Gehen aufgetaucht, stets im Kampf gegen die bereits Angesiedelten; sie zündeten Pflanzungen an und donnerten aus bauchigen Schiffen gegen den Strand. Doch nie waren es so viele gewesen wie jetzt, manchmal in hellen Scharen wie rote Ameisen; sie errichteten Palisaden und Grenzzäune, durchschnüffelten die Insel und besetzten die Befestigungen, als hätten sie die Stelle der anderen endgültig eingenommen. Um so besser für die Familie des Caboclo, der nicht wußte, wem er für solchen Überfluß danken sollte, doch sicherlich nicht den Gottheiten und Heilsgestalten, von denen ihnen die Patres der Mission gesprochen hatten, da diese ja den Verzehr von Menschenfleisch so sehr verabscheuten, obwohl sie gerade dies allen durch ihre Erzählungen beigebracht hatten. Hätte die Erfahrung ihn nicht darauf hingewiesen, daß das Bewachen und Mästen von Menschen ein Unternehmen mit zweifelhaftem Ausgang ist, hätte er schon längst einen kleinen Zuchtstall auf der von undurchdringlichen Mangrovesümpfen umgebenen Sandbank errichtet, auf der er nun praktisch die ganze Zeit hauste. Eines Nachts jedenfalls, als pechschwarze Finsternis aufkam und die stikkige Luft vor einem Gewitter, gedachte der Caboclo Capiroba – acht Klafter aufgerolltes dünnes Piassavaseil über der Schulter, ein Buschmesser in der Faust, das er einem aufgegessenen Holzfäller abgenommen hatte, ein starkgewirktes Netz über der anderen Schulter und die menschenfällende Keule in der anderen Faust – zwei oder drei lebende, mehr oder minder lebende, Holländer aufzugreifen, sie mitzunehmen und für spätere Schlachtung aufzuziehen. Er fühlte sich alt werden, alle seine Frauen gebaren ihm nur Töchter, das Leben wurde immer schwieriger, und nun wollte er ein paar geruhsame Tage verleben, ohne die beschwerliche Arbeit der Jagd. Er tat einen tiefen Seufzer und begann die Niederung zu durchqueren, wobei er Obacht gab, damit Netz und Seil nicht naß wurden.

HERMANN BURGER

Abschied von Menzenmang Punch

Wer die Wahl hat, hat die Qual, ob Londsdale oder Demi-Tasse, doble claro oder oscuro, Domingo oder Malavi, das war in dieser Docke von Gabille zu Gabille, von Stel zu Stel allemal eine fast weltanschauliche Frage. Als Fidel Castro auf Cuba die Macht ergriff, verstaatlichte er die beiden wichtigsten Exportartikel der Insel, den Zucker und die Cigarre, weil er die traditionellen Marken Partagas, Larranaga, Hoyo de Monterrey, Bock, Ramon Allones und Punch für ebenso veraltet hielt wie den in Medaillen-Brokat, Altrosa und Himmelblau schwelgenden Dekor der Kistchen, in denen sie sich verkauften. Anstelle der nahezu tausend Sorten sollte nur noch eine für jedermann erschwingliche Volkspuro in wenigen Fassons hergestellt werden, Symbol der revolutionären Überwindung des freien Unternehmertums. Zino Davidoff schildert in den »Memoiren eines Tabak-Zaren«, wie er von Genf aus, wo in seinem luxuriösen Geschäft, das von Fürsten, Industriekapitänen und Scheichs aufgesucht wird, Zehntausende von Havannas lagern, diese Ereignisse verfolgte. Schon nach wenigen Monaten seien zwei kleinlaute Emissäre bei ihm eingetroffen und hätten geklagt: Was sollen wir tun, niemand will unsere populäre Cigarre, die Verkaufsziffern sinken und sinken. In langen Unterredungen mit Vertretern der Cubatabaco machte Davidoff den Herren klar, daß Fidel Castro den Markt für immer ruiniere, wenn er verkenne, daß der Reichtum seines Landes in der Vielfalt liege. Enteignete Plantagenbesitzer revoltierten gegen die neue Ordnung, reichten Protest beim Internationalen Gerichtshof in Den Haag ein oder beschlossen, ihre Marke in Florida, auf den Philippinen oder im Orient herzustellen. Manche Besitzer, so ging das Gerücht, hätten ihre besten Pflanzen ausgerissen und im Exil unter einem anderen Himmel neu akklimatisiert. Die erfahrensten Cigarrenmacher seien ihnen gefolgt, hätten eine Politik der verbrannten Erde betrieben und die Vegas für immer zerstört, so daß im geheiligten Viereck der Vuelta Abajo nie wieder das royale Deck gezogen werden könnte. Noch heute gibt es die Castrosche Siboney, doch außerhalb Cubas fragt kein Mensch nach ihr, die Kunden verlangen nach der Upmann, der Romeo y Julieta, der Montecristo, die unter staatlicher Leitung produziert werden.

Nun, da er vorübergehend Abschied nimmt von Menzenmang, da er dem geneigten Leser die gähnend leere Kiste mit der letzten Cigarre präsentiert, ist Hermann Arbogast Brenner weise genug, erzogen durch den Stechlinschen Geist von Brunsleben, daß er um die Verderblichkeit der sozialistischen Einheitsschilderung in epopoehaften Unternehmen dieser Art weiß, nichts wäre verfehlter, als dem Genießer und Connaisseur seiner Tabakblätter eine quasi romanstaatlich verwaltete Phantasie aufdrängen zu wollen. Dem Kunden müssen wir die Qual der Wahl überlassen, uns bleibt einzig zu hoffen, es habe ihm geschmeckt, er werde auf die Mischung, die in unserer Box heiratete, früher oder später zurückkommen. Ich muß mich hier und heute beim aufkommenden Morgengrauen dieses spätaugustlichen Sonntags nicht nur vom stumpenländischen Dorf im oberen Wynental, sondern auch vom geneigten Leser verabschieden und begegne dem Trennungsschmerz mit einer Punch aus der olivgrün umrandeten Schatulle. Noch einmal das längst vertraute Zeremoniell: Prüfen der Geschmeidigkeit durch leichten Druck mit Daumen und Zeigefinger, Abschneiden des Kopfes, sanftes Erwärmen der Coronastange, trockenes Goutieren des Puro, um festzustellen: Deckblätter aus Isabel Maria, Einlage aus der Semi-Vuelta. Entfachen des Streichholzes, sorgfältiges Anglühen des Brandendes, Jungfernzug, kapital. Wir, der geneigte Leser unbekannter Provenienz und der verhinderte Tabakkaufmann Hermann Arbogast Brenner, sind uns zufällig begegnet mit jener Frage, die uns noch heute in jeder Weltmetropole erlaubt, einen wildfremden Menschen anzusprechen: Haben Sie Feuer? Unsere gemeinsame Leidenschaft war die trockene Trunkenheit, jener Rausch der Erregung und Besänftigung, der sich so erinnerungsschwer vom Abdriften in die Alkoholtaubheit und Heroinhalluzinationen unterscheidet. Er und ich, wir überließen uns beide den Solnazeen, den troststiftenden Pneumaspendern, und ich darf annehmen, es beruhe auf Gegenseitigkeit, wenn ich sage, wir hätten Gefallen an unserer Gesellschaft gefunden. Vielleicht erstaunt es ihn aber doch, von Hermann Arbogast Brenner, dem Gesellschafter Jérôme von Castelmur-Bondos und Nutznießer einer Stumpen-Rente auf Brunsleben zu hören, daß der Erzähler einer wie auch immer gearteten Geschichte mehr über den Leser weiß als er über den Packer dieser Tabakblätter, denn Sprache zieht Sprache an. Auch er, der sich scheinbar stumm über diese Seiten beugte, hat unentwegt zum Haupt- und Mittelgut gesprochen, und zwischen den Rippen blieben die Spreiten seines Lebens hängen. Keine Angst, ich werde nicht ausplaudern, was er mir anvertraut hat, intimere Dinge oft als hinter der gepolsterten Tür einer psychiatrischen Praxis. Cigarrenraucher sind äußerst diskrete Menschen, und Zauberer erst recht, sie wissen ein Geheimnis zu hüten.

Was verstehen wir aber unter der verstaatlichten Einheitsphantasie, die so kraftlos ist wie Fidel Castros Siboney? Dichter, wenn sie Romane schreiben, pflegen so zu tun, als säßen sie an den Schalthebeln der Macht, als wüßten sie über das Innen- und Außenleben ihrer Figuren mehr als die Götter, denen sie opfern wie die Maya-Priester mit ihren Cohiba-Rollen, über sie, die Erzähler. Und auch die in

Mode gekommene Unart, das Geschilderte durch Variations- und Verunsicherungsformeln zu relativieren, dem Leser illusionistisch vorzugaukeln, es hätte auch ganz anders sein können, der kokette Einsatz mit »Nehmen wir mal an«, »Stellen wir uns vor«, »Gesetzt den Fall« ist nur eine ungezogene Abart der auktorialen Diktatur, Sozialismus der Einbildungskraft, der nirgendwo auf der Welt funktioniert. Hermann Arbogast Brenner, der nie etwas anderes sein wollte als ein passionierter Cigarier, ist vielleicht weniger versiert als seine Berufskollegen, die das Gegenwärtige im Plusquamperfekt, die spontane Gefühlsäußerung in indirekter Rede, das faktisch Unbestrittene im Konjunktiv und das logisch Zusammenhängende in zerstückelter Montage wiedergeben, dafür rechtschaffen wie sein Tabakgroßvater Hermann Brenner auf der Waldau. Der geneigte Leser gestatte mir einen kleinen Exkurs in die Magie. Die Volte ist ein famoser Kunstgriff, er erlaubt uns, eine irgendwo an der Stelle X in die Mitte des Paketes geschobene Karte blitzschnell nach oben oder unten zu bringen. Doch wie jeder artefaktische Kniff ist sie mit einem Risiko verbunden: auch wenn der Zuschauer dank unserer Fingerfertigkeit nicht durchschaut, was vor sich geht, könnte er merken, daß manipuliert wird. Und damit ist der Trick gestorben. Deshalb werde ich niemals eine Volte schlagen, obwohl ich sie achtzigmal pro Minute ausführen kann, wenn es eine einfachere Methode gibt, die aus dem Fächer gezogene Herz-Dame herauszufinden. Mein großer Lehrmeister in der Cartomagie, Wolff Baron von Keyserlingk, erklärte mir einmal, die sicherste Art, das Karo-As zu forcieren, ist ein Spiel aus lauter Karo-Assen. Um diese frechste aller Illusionen wagen zu können, muß ich zuerst mit gewöhnlichen Karten zaubern, wie sie in jedem Restaurant zu haben sind. Gelingt mir damit etwa das Forcing number 3, wird kein Publikum mehr darauf beharren, das Requisit der aufgelegten Asse zu untersuchen. Würde ich dann überflüssigerweise noch voltieren, filieren oder glissieren, wäre das etwa so, wie wenn Picasso seine Pinsel in der Galerie ausstellen würde. Und genau das langweilt mich an modernen Romanen, die Schriftsteller demonstrieren unentwegt ihre Fertigkeit, mit der Consecutio temporum jonglieren zu können. Sie tragen ihre Konjunktiv-Indikativ-Orgien an die Frankfurter Buchmesse, weil sie, schnöde Zigarettenraucher die meisten, ihres Stoffes nicht gewiß sind.

Diese Nöte kennt Hermann Arbogast Brenner nicht, denn das Reich der Cigarre ist von dieser Welt, das Fluidum des Tabaks trägt. Von nervösen Zweifeln zerrissen, ob er das ach so tief der Metakommunikation entfremdete und in der Willkürlichkeit zwischen signifiant und signifié androgyn schillernde Konjunktionswörtchen »und« explizit setzen oder subversiv unterziehen soll, präsentiert sich der hypersensible Sprachskeptiker unter leichenfledderischer Berufung auf Lord Chandos den Fernsehkameras der Literaturmagazine, beteuert, wie viele schlaflose Nächte es ihn gekostet hat, seinen Plot, der wahrscheinlich keinen Pappenstiel wert ist, in Segmente zu zerstückeln, auf daß durch die rissige Haut der Form das bare Entsetzen des Für-immer-schweigen-Müssens schimmert, in verschachtelter Syntax, ja, sobald die Scheinwerfer blenden, wagt er sich allzu gerne aufs hohe Seil – und im Vollbesitz des Dornseiffschen Wortfelderreichtums, ja, den kompletten Grimm im schwergeprüften Schädel, beklagt er den Verlust seiner Naivität als Romancier, und dies alles, um dem Unkenruf des Kindes im Märchen »Des Kaisers neue Kleider« zuvorzukommen. Mit einer verbalnichtig globalen Handbewegung zitiert er zwei Silben Celan, das Gedicht am Krater des Verstummens, doch heroisch, wie er ausharrt im Literaturbetrieb, hat er seiner Fabulierabstinenz 600 Seiten abgerungen, und die Kritiker reagieren dankbar mit ganzseitigen Rezensionen, denn er hat sich an die eiserne Spielregel gehalten, sie nicht mit etwas Neuem zu schrecken, mit einer Prosa gar, die man von der ersten bis zur letzten Zeile lesen muß, schon nach dem ersten Interruptus im Prolog weiß man Bescheid, er ist, was das fragil Fragmentarische betrifft, ganz der alte geblieben. Das kommt davon, sagt Hermann Arbogast Brenner, der Dilettant, wenn man das Schreiben zum Lebensinhalt macht, aus der anfänglich strömenden Potenz wird von Literaturpreis zu Literaturpreis mehr und mehr ein Eunuchengerinsel, sie wissen alle viel zu behend, wie man es machen müßte.

Abschied von Menzenmang, denn mein Lebensmut ist geknickt, seit Tagen rühren sich die Dämonen, denen ich Tribut zu zollen habe, das Grauen frißt an meiner Herzwand, ich werde hinabtauchen ins Namenlose, werde in der Friedmatt bei Professor Pollenleitner an den Infusionsschläuchen hängen, ein armer Gehirnknecht der vita minima, deshalb ein letztes Wort zu meiner furchtbaren Krankheit. Ein terminaler Krebspatient wird bestrahlt oder operiert, selbst wenn seine Rettung aussichtslos scheint. Doch was immer die Apparatemedizin mit ihm anstellt, nie wäre es einem Hinterbleibenden gestattet, anstelle des weggeschnittenen Karzinoms klammheimlich mit sanfter Gärtnerhand ein neues zu pflanzen. Dem zyklisch endogen Depressiven fügt man in den Zeiten, da er medikamentenfrei obenauf schwimmt, getrost jene Schläge zu, die sich zu den Metastasen des neuen Tiefs auswuchern. In den Ausführungen über das Amdener Kinderheim-KZ habe ich meine Kernwunde genannt: die Kränkung und Verletzung des kindlichen Rechtsempfindens. Die Depression als ein umfassendes Schirmeinziehen ist ein Totstellungsreflex ebenso wie eine Demonstration in äußerster Not, die Transmitter hören auf zu springen, weil der Kranke eine Metapher braucht, die nach außen schreit: Seht, so hundsmiserabel geht es mir! Und solange die Psychotherapie nicht das einzige zu vermitteln vermag, was helfen würde, erotische Zuwendung, kann sie diese Abstürze nie und nimmer verhindern. Sie pinselt Jod auf die Wunde, ohne sie auszubrennen. Und so ist es denn wieder einmal soweit, Hermann Arbogast Brenner, noch eben hochsommerlich entflammt und an beiden Enden der Kerze brennend, wird nicht mehr fertig mit der Summe des Unrechts, das ihm angetan wurde. Daß ihn seine Frau in der finstersten Zeit verlassen und ihm die über alles geliebten Söhne entzogen hat, daß sein Elternhaus in Menzenmang, kaum zu einem Schleuderpreis verkitscht, heute zwei Millionen abwerfen würde, obwohl er es auch für diesen Preis nicht hergeben würde, daß seine maroden Geschwister ihm die Unterschrift unter den Erbteilungsvertrag in der Kantine von Königsfelden abnötigten, dies alles lastet so schwer auf seiner Seele, daß sie eingeht wie eine verdurstende Pflanze. Hat denn kein Mensch auf diesem verkrüppelten Planeten ein Einsehen? Nein, nicht einmal die Sterbehilfegesellschaft Exit, die ihre Broschüre »Wie bringe ich mich am zweckmäßigsten um« an Geschädigte aller Spezies, nur nicht an Depressionisten verkauft.

Nein, niemand will diese Wüste mit mir teilen, ich bin alleine Herr des knirschenden Sandes, der alle meine Gefühle und Gedanken zustiebt. Deshalb muß ich mich sputen, mit diesen Aufzeichnungen zu einem Ende zu kommen. Ich werde sie nicht mitnehmen nach Basel, denn dies käme der völligen Austrocknung der Tabakblätter im Pavillon Paul gleich. Aber bevor ich schließe, werfe ich noch einen Blick auf den bräunlich fayencierten Teller mit dem stahlstichgrauen Berliner Dom, der in der Menzenmanger Fabrikantenvilla über der Schiebetür zum Wohnzimmer hing, es war der hohe Kuppeltambour mit dem vorgelagerten Giebelportikus im Lustgarten, flankiert von zwei schlanken Säulentrommeln, ein regnerischer Wolkenhimmel, und da muß es in meiner frühesten Zeit einen Traum gegeben haben, in dem ich eine weit geschweifte Serpentinen-Allee hinunterwandere an der Hand meiner Mutter in die fremde Großstadt, ich höre zum ersten Mal den brandenburgischen Zauberklang und bin, schon als kleiner Stumpen, mittenmang, tummle mich am Molkenmarkt, stehe unter spätherbstlichen Baumbesen vor der Nicolaikirche, begegne einem Bierfuhrwerk am Mühlendamm, höre die Elektrischen an der Leipziger Straße hinter dem Warenhaus Tietz durchklingeln, vor dem Hundriesers Kolossalfigur der Berolina steht, die Brünne über die Brust geknöpft, die linke Hand weit ausgestreckt, ja der Alexanderplatz, der Weltläufigkeit verheißende Globus auf dem Uhrensockel, und der Blick in die gründerzeitlich verblendete Friedrichstraße mit den zahllosen Reklameschildern, mit den Mercedes-Karossen, das streng von Pilasterlisenen gegliederte Kronprinzenpalais mit dem Präsentierbalkon über den vier korinthisch kannellierten Säulen, die unter der tiefen Haube dräuende St. Hedwigskirche, der Obelisk auf dem Potsdamer Platz, das Verkehrschaos am Oranienburger Tor, der Schiffbauerdamm mit den Schaluppen im Septembernebel, auf dem Teller in Menzenmang lag dieses leicht diesige Überangslicht zwischen Sommer und Herbst, und ich halte, bevor ich in die psychiatrische Klinik ziehe, an diesem Erinnerungsstück fest, weil mir hier auf Schloß Brunsleben die Fontane-Lektüre bewußt machte, wie tief preußisch die Verschollenheit meiner Kindheit ist, eine deutsche Teilung läuft seit der Vergantung Menzenmangs durch mein Leben, eine Oder-Neiße-Linie, wann immer ich mit dem Wynentaler die Grenze in Reinach-Unterdorf überfahre, an den schattig aus dem noblen Baumbestand fensternden Hediger-Söhne-Villen vorbei, wird mir dies bewußt, der fürchterliche Erbkrieg hat dazu geführt, in dem die Siegermächte, Bruder und Schwester, Hermann Arbogast Brenner ihre demütigenden Bedingungen diktierten. Natürlich hat sie auch etwas wehmütig Schönes, diese märkische Abgeschiedenheit, ich denke an den Effi-Zauber der markisenbesonnten Terrasse, an die Rosenrabatten im September, die hoch

und schlank schaukelnden Malven in ihrem gepuderten Graurosa, das wespenumsummte Lila der Astern.
22 Jahre ist es her, seit ich da saß im Korbstuhl in der Melancholie der messinggehämmerten Stunden und von einem Telefonat am späten Vormittag aufgeschreckt wurde, der Verlobte meiner späteren Frau teilte mir mit Grabesstimme mit, daß sich Flavia Soguel, die Juristin aus Davos mit dem undinenhellen Haar, in der Nacht über den Balkon gestürzt habe, es war dies im Grunde der Augenblick, da ich mit einem Schlag aus dem väterlichen Paradies fiel, denn ich wollte zu ihr stehen, egal ob sie als Krüppel an den Rollstuhl gebunden sein würde, was ich ihr bei meinem Besuch in der Zürcher Poliklinik auch versicherte. Die Liebe war stärker als die Angst vor Invalidität, und wie ich dies notiere an diesem 1. September 1988, da es unter Föhneinfluß ziemlich sonnig ist, am Alpenkamm bewölkt, aus Südwesten aufkommende Gewitter gegen Abend zu erwarten, Nullgradgrenze noch immer auf 3500 Metern, läuft die Frank-Sinatra-Platte mit ihrem Lieblings-Song »Strangers in the Night«, »Wond'ring in the night, what were the chances we'd be sharing love, before the night was throught. Something in your eyes was so inviting, something in your smile was so exciting, something in my heart told me I must have you.« Es war der Schlager, zu dem wir in den heißen Julinächten tanzten im Corso und im Terrasse. Zwei Jahrzehnte danach, als Hermann Arbogast Brenner der Fremde in der Umnachtung war, ließ die Bündner Juristin nicht gleiches Recht ergehen, sondern verließ wie eine Rattenfamilie das sinkende Schiff, und dieser Tort lastet so schwer auf mir, daß ich wieder absaufen muß, mein Feld zu bestellen und mich reisefertig zu machen habe für das Martyrium im Pavillon Paul in der Friedmatt. Der endogen Depressive ist der Ausgestoßene der Schöpfung, im stygischen Dunst siecht er dahin, und es fehlt ihm die Kraft, Hand an sich zu legen, irgendwie wäre

es auch nicht logisch, denn für die Hinterbliebenen ist er bereits gestorben, hinter geschlossenen Jalousien hört er, wie sie über seinen Nachlaß verhandeln.
Vorher wollen wir noch zur Not etwas Ordnung machen in Brunsleben, um so mehr als wir ja nicht wissen, ob es je möglich sein wird, die Bearbeitung unserer Tabakblätter wiederaufzunehmen. Ich protze das Büchergestell unter dem Vordach des Pächterhauseingangs ab, schaffe die nachtfeucht gewordenen Stapel der Tabakzeitung und des Wynentaler Blattes weg, krame die unerledigte Post zusammen, kämpfe mich durch den salpetergrünen Gang, wo sich Tüten mit Stumpen-Literatur, Ferrari-Modelle und leere Cigarrenkisten türmen, kapituliere vor dem Tohuwabohu in der Schloßstube mit den tief ausgebuchteten Biedermeiernischen, denn da fleddert es mir humusschichtenartig entgegen, da beschweren Zauberrequisiten weitere Bündel von aufgelaufenen Rechnungen, Plantagenkarten, Heimatbüchern, WSB-Fahrplänen und Freßzetteln. Diese unsägliche Menkenke setzt sich fort bis in die Bibliothek und hinauf zu den Dachräumen, wo die drei Architektentische in der Kalten Kapelle oder im Kerchel mit der rhombisch schiefen Ständerkonstruktion übersät sind mit Fotos, Rezepten, Kalenderauszügen, Coin-Magic-Münzen, verjästen Socken, Nachschlagewerken, Plattenhüllen, Notenblättern, Füllfederpatronen, Recherche-Enveloppen, Karteikärtchen, Werbeprospekten, Familienalben, Automobil-Revuen, Kupferstichen und Medikamentenschachteln, und am Pfosten, vielmehr am Galgen über dem Bett, hängen noch Flavias schwarze, hochhackige Tanzsandaletten mit den weißen Rosen, sie erinnern Hermann Arbogast nicht nur an die ausgelassenen Dancing-Nächte, sondern auch an den ersten Besuch der Blondine in Menzenmang, damals noch in Begleitung ihres Verlobten, des Architekturstudenten aus Bern. Sie hatte eine dieser Stoffrosetten auf der Kiesterrasse verloren, mein Vater überreichte sie mir mit den Worten:

Ich würde sie gut aufheben. Und da sehe ich uns beide stehen wie 25 Jahre zuvor den Tabakgroßvater im weißen Sommerkittel mit seinem Sohn im Bungert in der Waldau, ein Bild anläßlich der Verlobung, wo Hermann II. dem III. zu sagen scheint: Du hast eine gute Wahl getroffen, lieber Mandi, es müßte ja einer auf beiden Augen blind sein, wenn er nicht merken würde, daß diese Gertrud Emmy Pfendsack eine vorzügliche Frau ist, gewiß, eine Städterin, aber sie wird sich akklimatisieren. Ja, dies wiederholte sich eine Generation später, als mein Vater die Schuhrose Flavias fand, und ich danke den Göttern, denen ich den blauen Dunst meiner Punch opfere, daß er nicht mehr miterleben und mit anhören mußte, wie meine Frau erklärte: Das Unternehmen Hermann Arbogast Brenner ist für mich definitiv gestorben. Es war am Silvesterabend bei ihren Eltern in Davos, mitten im Trubel, da Papierschlangen durch die Lüfte fuhren, Konfetti niederregnete und Luftballons platzten. Mitten in der Kehraus-Altjahres-Festivität das Todesurteil, so daß ich in mein Auto stieg und in einer halsbrecherischen Fahrt durch das Prättigau und dem Walensee entlang nach Brunsleben fuhr, um auf der obersten der drei italienischen Schloßterrassen um Mitternacht das Branden der Glocken zu hören, auf Amden zurückgeworfen, als das katholische Geläute mich beelendete. Ich saß da im Pelzmantel, ein Glas Champagner in der Hand, und wußte, jetzt bist du ganz allein, jetzt ist zerbrochen, was nie wieder ganz zu machen sein wird, der letzte Pfeiler deiner Existenz ist geborsten. Nach sieben qualvollen Jahren der Depression, unterbrochen von kurzen manischen Intervallen, hatte ich gehofft, wir würden es zusammen schaffen, noch hundert Meter, flehte ich Flavia an, krieche mit mir diese letzte Strecke über die Aschenbahn, wenn nicht meinet-, dann um der Kinder willen, aber es war aus für immer, finis, das Wort, das ich nun unter diese Aufzeichnungen setze, um wieder monatelang dafür zu büßen, daß es mir ein paar rasch verlohte Wochen gutging. Ich werde, wenn die Koffer schon gepackt im Hof stehen – ach, man braucht ja nicht viel, ein paar Schlafanzüge, etwas Unterwäsche, ein halbes Dutzend Hemden – noch einmal in den Ebnet hinaufsteigen, eine Cigarre anzünden und gen Süden blicken, nach Menzenmang hinter dem eisernen Vorhang. Zu Asche sollt ihr werden, denn nirgendwo steht verbrieft, der Mensch habe ein Anrecht auf ein Quentchen Glück.

PAUL NIZON

Soldaten

Neulich habe ich die Männer von der Kanalisation wiedergesehen, die Kloakenreiniger. Sie schlurften in den umgestülpten, fast bis zum Boden lappenden Gummistiefeln wie trunken einher. Sollen in den schlüpfrigen Abwässern über wahre Teppiche wimmelnder Ratten waten, dann wieder bis zum Bauch im gurgelnden Dreck, ein jeder verloren im irrlichternden Schein seiner Stirnlampe; fünf Stunden dauert die Schicht.

Ich bin seltsam erregt, wenn ich sie sichte, diese Unberührbaren. Oder soll ich sagen: Soldaten des Unsichtbaren, Grundlöhner.

Erregt. Warum? Und warum habe ich neuerdings – oder ist es schon länger her? – diese Neigung zum soldatischen Vergleich, wo ich Armee und alles Uniformierte sonst keineswegs in Betracht ziehe, nicht für mich – woher diese Neigung? Ich liebe das Wachen, die Wächter. Als junger Mensch habe ich oft ganze Nächte in Mansardenzimmern durchwacht, wachgelegen oder wach dagesessen und gehorcht, der Stille, der Furcht zugehorcht, dem Schlaf widerstanden. Es war wie Reinigung, ein Durchlässigwerden, Hellwerden, fast ein Brennen.

Soldaten. Jüngst hörte ich mich auf die Frage, ob ich arbeite, zu meiner Verwunderung folgendermaßen herausreden: Arbeiten? Ich bin schon am Arbeiten, sagte ich und fügte hinzu: Stell es dir so vor – ein einzelner Soldat an einer stillen Front, Grenze zur Mandschurei, der Horizont eine Ewigkeit von Leere, nichts geschieht, absolut nichts, nicht einmal eine Fliege oder Wespe, nichts in der Luft und von Krieg schon gar nichts, keine Spur. Der Soldat ist da hinkommandiert und vergessen worden, er schanzt an einem Schanzgraben, in der sengenden Sonne, dann wieder im Regen oder Monsun, Tag für Tag, mutterseelenallein, weiß längst nicht mehr wozu, fragt sich nicht danach, macht weiter –

Mein Gesprächspartner lachte los. Großartig, sagt er. Totale: Unermeßlichkeit einer gelben Landschaft, bißchen Grün und braunes Gesprenkel im fahlen Gelb wie auf einem Froschbauch. Kamera rückt näher. Die Brocken hochgeschleuderter Erde kommen ins Bild, eine monotone Angelegenheit. Dann Großaufnahme: Soldat im Schweiße seines Angesichts.

Reporter: Was tun Sie hier? Streckt ihm das Mikrofon hin.

Soldat: Ich baue an einem Schanzgraben.

Reporter: Wozu?

Der Soldat: Befehl. Die Worte Grenzsicherung, Feinderwartung und Pflichterfüllung gehen in verlegenem Murmeln unter.

Mein Gesprächspartner schüttelt sich vor Lachen. Ich habe ihn lange nicht gesehen. Er trägt jetzt ein Menjoubärtchen, steht ihm ausgezeichnet, besonders zu seinen Schlitzaugen. Beim Lachen verstärkt sich der mongolische Einschlag. Er ist eben von Australien zurück. Als wir uns zuletzt sahen, es ist auch schon wieder Jahre her, machte er einen knieweichen Eindruck, die Scheidung! Jetzt scheint er obenauf.

Um aufs Arbeiten zurückzukommen, sage ich wichtigtuerisch, befinde ich mich immer noch im Stadium des Stellungskriegs. Ich belagere etwas. Sondiere. Es liegt bereits allerhand vor. Das Zeug stapelt sich; *so* hoch, übertreibe ich und deute mit der Hand einen Haufen Papiere an. Bei mir denke ich: hol's der Teufel, hol der Teufel das abseitige Metier. Mein Gesprächspartner, Tom, an die zwei Meter mißt er und hat sichtlich Mühe, die Beine unterzubringen, vor allem in Bars mit dem für Normalwüchsige früherer

Zeiten berechneten Mobiliar, meint nun mit um Gehör ersuchenden großartigen Gesten unter Dämpfung der Stimme auf einen vertraulichen Flüsterton, er habe da unten (oder oben) in Australien einen Menschen getroffen, einen perfiden Leser, wohlgemerkt, der mich für den, wenn nicht überhaupt, so doch zur Zeit, in seinen Augen wichtigsten Autor halte. Tom ist geborener Verführer, zudem Komödiant.

Prima, sage ich und drehe mich innerlich zur Seite, das Kompliment wie einen Teddybären an mich drückend.

Was ist los? Was soll dieser Ausdruck? Schlafe ich? Manchmal kämpfe ich in der Tat gegen Schlafsucht in meinem Arbeitsraum, wo kein Hahn danach kräht.

Während wir uns unterhielten, sah ich einem jungen Paar beim Knutschen zu. Es waren zwei Halbwüchsige mit Mündern noch zu groß fürs übrige Gesicht, wenigstens beim Jungen. Sie saßen mit verknoteten Beinen ganz hinten in dem schlauchförmigen Café, dessen lange Theke von einer verschnörkelten rosa Neonröhre wie von einem lahmen Heiligenschein oder verzogenen Rauchring bekrönt war; saßen in diesem unstillbaren Appetit aufeinander, zusammengeleimt, da und tranken sich die Münder leer; bis sie atemlos wieder auftauchten und mit roten Köpfen verlegen um sich schauten, während sich die Hände schon wieder suchten, die Finger sich ineinanderschlangen, bis das Küssen von neuem losging: am liebsten wären sie zu einem Baum verschmolzen. Und ich fühlte den unstillbaren Durst und das Ungenügen, weil ja mehr nicht möglich ist, nicht in einer Cafébar, nicht unter Leuten. Und die Köpfe saßen wie verdutzte Zuschauer auf den gierigen Körpern, wenn gerade nicht geküßt wurde, vor allem der des Burschen. Die Pausenköpfe wie überflüssige Requisiten. Ausstellungsgut; da umfing er sie schon wieder und preßte ihre Hüfte an sich, und sie bohrte ihm ihr Köpfchen in die Halsgrube.

Ich dachte an den vergessenen Soldaten an der toten Front.

Er sieht diese Weite zu beiden Seiten des begonnenen Schanzwerks, eine Unendlichkeit an Vorhaben, und er ganz allein, kein Feind in Sicht, kein Anlaß zur Eile, da steht er nun, aufhören darf er nicht, es sei denn, er möchte gleich in die Ewigkeit eingehen, dazu ist er noch nicht bereit. Vielleicht ist ihm früher der Gedanke an Flucht gekommen, vielleicht hat er sich aufgemacht, ist losgestiefelt und nach lustlosen Erkundungsmärschen eher kleinlaut wieder zurückgekommen. Die tagelangen Märsche haben keine nennenswerte Veränderung der Lage gebracht, keine Aussichten, es lag nichts Neues am Horizont, die eine Eintönigkeit so weit er sah. Auch konnte er keinen sonderlichen Mut in sich entdecken, nicht genügend Unternehmungslust. Wohin soll er desertieren? In seinem Graben kennt er sich aus. Und er hat noch sehr lange zu tun, die Arbeit wird ihm nicht ausgehen. Hofft er? Auf Entsetzung? Krieg? Auf Bewährung? Nicht denken. Weitermachen. Manchmal legt er die Hand über die Augen und schaut über das bisher Geleistete hin. Manchmal schläft er. Schlafen ist wie den Zug nehmen. Träumt. Dies und das. Neulich hat ihm von seiner Hinrichtung geträumt: ein hypermoderner quadratischer Raum aus synthetischem Material, turmhoch ohne Fenster und Vorsprünge, Boden und Wände aalglatt. Er steht mit dem Rükken zur Wand, vor ihm eine Gruppe von Männern in Mänteln, es könnten Geschäftsleute sein, doch er weiß: hier stehen seine Richter. Er hat keine Ahnung, wessen er angeklagt ist; es fällt kein Wort, kein drohender Blick trifft ihn, die Gesichter der Männer sind ausdruckslos, ihr Benehmen ist gleichgültig. Sie sind unter sich und nehmen keine Notiz von ihm. Bis der eine sich aus der Gruppe löst und beiläufig einen Wandschalter betätigt. Der Angeklagte spürt, wie etwas unter seinen Füßen zu vibrieren beginnt, es ist ein Stück Boden, das sich löst, in Bewegung gerät und ihn hochhebt. Auf diesem knappen Untersatz fährt er, erst langsam, dann mit zunehmender Geschwindigkeit, schließlich

rasend schnell an der glatten Wand entlang in die Höhe; ihm schwindelt auf dem nackten Podest; doch noch ehe sich ihm der Angstschrei entringt, kommt er zum Stehen; schweißgebadet preßt er sich an die kalte Wand, und während er den Mund öffnet, zum Hilferuf?, sieht er den nämlichen Herrn erneut den Knopf drücken. Er spürt, wie der knappe Untersatz wieder zu beben und dann ganz langsam in die Wand zu kriechen und darin zu verschwinden beginnt. Der Boden wird ihm unter den Füßen weggezogen, und indem das geschieht und seine Füße ins Leere treten und Entsetzen ihn verschlingt, bereits im Sturz, im Todessturz, sind da zwei Gedanken, die ihm durch den Kopf zucken, die letzten Gedanken: Eine geniale Erfindung, die erste wahrhaft keimfreie Hinrichtungsart, mußt du dir merken und gleich patentieren lassen, denkt er; jedoch, was werden sie mit dem Leichnam anstellen, was heißt Leichnam, dem Menschenrest?
Ihr Problem, murmelt er aufwachend, schauert ein bißchen, reibt sich, wie um den Traum zu verscheuchen, die Augen, erhebt sich, spuckt in die Hände. Hände. Hat ihm nicht kürzlich von Händen geträumt? Jemand sagte zu ihm – er befand sich in einer Gruppe munter schwatzender Leute –: Sie haben recht schöne Hände. Das hat er. Nun schaut er sich die Hände dieser durchweg munteren gutgekleideten jüngeren Damen und Herren an und entdeckt da und dort merkwürdige Kerben auf der weichen weißen Haut, es sieht aus, als sei die Haut von Schorf angegriffen, leicht grausig, eine Vorstufe von Lepra? Er sieht sich seine eigenen Hände an, von welchen er gerne behauptet, es seien wenn nicht eben feine, so doch stark ausgebildete gelenkige Hände, Hände zum Zupacken. Er schaut sie sich genauer an und entdeckt schwärzliche Kerben im Fleisch, sieht wie gesprungene Haut aus oder wie Schwielen. Es sind jedoch Wurmgänge, er kann es nicht fassen, er steckt die von Würmern bevölkerten Hände in die Taschen, will sich später

damit befassen, es muß eine Täuschung sein, schließlich braucht er die Hände. Oder ist er im Begriff, ein Kadaver zu werden? Ein lebender Kadaver, der sich sein Grab schaufelt. An der Grenze zur Mandschurei.

Er wacht auf. Springt ab von dem Schlafzug. Schlafen ist wie den Zug nehmen. Sagte ich schon.

PETER HANDKE

Von der letzten Müdigkeit

Was also ist, über deine Anekdoten und Bruchstücke hinaus, das Eine, das Wesen, der letzten Müdigkeit? Wie wirkt sie sich aus? Was läßt sich mit ihr anfangen? Ermöglicht sie dem Müden ein Handeln?

Aber sie ist doch schon selber die bestmögliche Handlung, es braucht mit ihr nicht eigens etwas anzufangen zu sein, weil sie für sich schon ein Anfangen, ein Machen – »den Anfang machen«, sagt die Umgangssprache – ist. Ihr Den-Anfang-Machen ist ein Lehren. Die Müdigkeit gibt Lehren – ist anwendbar. Ein Lehren wessen? fragst du. Früher in der Geschichte des Denkens gab es die Vorstellung von einem Ding »an sich«, inzwischen vorbei, weil das Objekt sich nie an sich zeigen könne, sondern nur im Verein mit mir. Die Müdigkeiten aber, die ich meine, erneuern mir die alte Vorstellung und machen sie dazu sinnfällig. Mehr: Sie geben, mit der Vorstellung, zugleich die Idee. Mehr: In der Idee des Dings berühre ich, gleichsam mit Händen zu fassen, ein Gesetz: So wie das Ding im Augenblick sich zeigt, so *ist* es nicht bloß, so *soll* es auch sein. Und noch mehr: Das Ding erscheint in solch fundamentaler Müdigkeit nie nur für sich, sondern immer zusammen mit anderen, und wenn es auch nur wenige Dinge sein mögen, ist am Ende alles beieinander. »Jetzt bellt auch noch der Hund – alles da!« Und als Schluß: Solche Müdigkeiten wollen geteilt werden.

Warum auf einmal so philosophisch?

Es stimmt – vielleicht bin ich immer noch nicht richtig müde –: In der Stunde der letzten Müdigkeit gibt es keine philosophischen Fragen mehr. Diese Zeit ist zugleich der Raum, dieser Zeitraum ist zugleich die Geschichte. Was ist, *wird* zugleich. Das andere wird zugleich ich. Die zwei Kinder da unter meinen müden Augen, das bin jetzt ich. Und wie die ältere Schwester den kleinen Bruder durch das Lokal schleppt, das ergibt zugleich einen Sinn, und hat einen Wert, und nichts ist wertvoller als das andre – der Regen, der dem Müden auf den Puls fällt, ist gleich wert wie der Anblick der Gehenden jenseits des Flusses –, und es ist so gut wie schön, und es gehört sich so, und so soll es auch weiter sein, und es ist, vor allem, wahr. Wie die Schwester, ich, den Bruder, mich, um die Hüften packt, das ist *wahr.* Und das Relative zeigt sich im müden Blick absolut, und der Teil als das Ganze.

Wo bleibt die Anschauung?

Ich habe für das »Alles in einem« ein Bild: Jene, in der Regel niederländischen, Blumen-Stilleben des siebzehnten Jahrhunderts, wo an den Blüten lebensecht, hier ein Käfer, hier eine Schnecke, dort eine Biene, dort ein Schmetterling sitzt, und obwohl vielleicht keins eine Ahnung von der Gegenwart des andern hat, im Augenblick, in *meinem* Augenblick, alle beieinander.
Kannst du nicht anschaulich zu werden versuchen ohne den Bildungsumweg?

So setz dich, auch du in der Zwischenzeit hoffentlich müde genug, mit mir auf die Steinmauer am Rand des Feldwegs, oder noch besser, weil noch näher dem Erdboden, hock dich mit mir zusammen hin auf den Weg, auf den grasigen Mittelstreifen. Wie doch, mit einem Ruck, so, an diesem farbigen Abglanz, die Weltkarte jenes »Alles beieinander!«

sich zu erkennen gibt: Dem Flecken Erde ganz nah sind wir zugleich im richtigen Abstand und sehen die sich aufbäumende Raupe zusammen mit dem wurmlangen, vielgliedrigen, sich in den Sand bohrenden Käfer, diesen zusammen mit der Ameise, die an einer Olive ruckelt, gleichzeitig mit dem Rindenbast, unter unseren Blicken zur Acht gerollt.

Keinen Bildbericht, sondern Erzählung!

Im Staub dieses andalusischen Feldwegs bewegte sich vor ein paar Tagen, so feierlich langsam wie die Leidens- und Trauerstatuen, die hier in Andalusien während der Osterwoche auf Gestellen durch die Straßen getragen werden, das Aas eines Maulwurfs dahin, unter dem, als ich es umdrehte, ein Zug von goldglänzenden Aaskäfern ging, und in den Winterwochen davor hatte ich auf einem ebensolchen Feldweg, in den Pyrenäen, in der gleichen Weise niedergehockt wie gerade wir, den Schnee fallen sehen, in winzigen körnigen Flocken, im Liegen ununterscheidbar von den hellen Sandkörnern, aber im Schmelzen dann eigentümliche Lachen hinterlassend, dunkle Flecken ganz anders als die von Regentropfen, viel großflächiger, unregelmäßiger, im so langsamen Einsickern in den Staub, und als Kind, in eben dem Abstand zur Erde, in dem wir jetzt hocken, war ich an einem ebensolchen österreichischen Feldweg im ersten Frühlicht mit dem Großvater gegangen, barfuß, gleichnah der Erde und ebenso weltraumfern den vereinzelten Kratern im Staub, den Einschlägen der Sommerregentropfen, meinem ersten, sich immer neu wiederholenlassenden Bild.

Endlich in deinen Gleichnissen des Wirkens der Müdigkeit nicht nur die verkleinerten Maßstäbe der Dinge, sondern auch ein Menschenmaß! Aber warum immer nur du als der Müde, allein?

Meine höchsten Müdigkeiten erschienen mir immer zugleich als die unsrigen. In Dutovlje im Karst standen später nachts die alten Männer an der Theke, und ich war mit ihnen im Krieg gewesen: Die Müdigkeit entwirft am andern, auch wenn ich nichts von ihm weiß, seine Geschichte. – Diese zwei dort, mit den naß zurückgekämmten Haaren, den hageren Gesichtern, den rissigen Nägeln, den frischen Hemden, sind Landarbeiter, Labradores, die den ganzen Tag in der Einöde geschuftet haben und einen weiten Weg hatten hierher in die Stadtbar, zu Fuß gekommen, im Unterschied zu allen andern da Stehenden; so wie der eine dort, der allein sein Essen hineinschlingt, hier fremd ist, zur Montagearbeit ins Landrover-Werk von Linares beordert von seiner Wohnsitzfirma, fernweg auch von seiner Familie; so wie der alte Mann, der täglich draußen am Rand der Ölbaumfelder steht, zu seinen Füßen ein kleiner Hund, die Ellbogen in eine Astgabelung gestützt, dort um seine verstorbene Frau trauert. – Dem ideal Müden »wird Phantasie«, nur eine andere als etwa den Schlafenden in der Bibel oder der Odyssee, die Gesichte haben: ohne Gesichte: ihm zeigend, was ist. – Und jetzt bin ich, wenn nicht müde, so doch frech genug, um meine Phantasie der letzten Stufe der Müdigkeiten zu erzählen. Auf dieser Stufe saß der müde Gott, müde und machtlos, in seiner Müdigkeit aber – um einen Ruck müder noch als je ein Menschenmüder – allgegenwärtig, mit einem Blick, der, würde er von den Gesehenen, wo auch immer im Weltgeschehen, sich bewußt gemacht und zugelassen, doch eine Art Macht hätte.

Genug von den Stufen! Sprich doch einmal von der dir vorschwebenden Müdigkeit einfach so, wie es kommt, im Durcheinander.

Danke! Solch ein Durcheinander entspricht jetzt mir und meinem Problem. – Also: Eine Pindarsche Ode auf einen

Müden, statt auf einen Sieger! Die Pfingstgesellschaft, wie sie den Geist empfing, stelle ich mir durch die Bank müde vor. Die Inspiration der Müdigkeit sagt weniger, was zu tun ist, als was gelassen werden kann. Müdigkeit: der Engel, der des einen träumenden Königs Finger berührt, während die anderen Könige traumlos weiterschlafen. *Gesunde* Müdigkeit – sie allein schon die Erholung. Ein gewisser Müder als ein anderer Orpheus, um den sich die wildesten Tiere versammeln und endlich mitmüde sein können. Die Müdigkeit gibt den verstreuten Einzelnen den Takt. Philip Marlowe – noch ein Privatdetektiv – wurde im Lösen seiner Fälle, je mehr schlaflose Nächte sich reihten, immer besser und scharfsinniger. Der müde Odysseus gewann die Liebe der Nausikaa. Die Müdigkeit verjüngt, so wie du nie jung warst. Die Müdigkeit als das Mehr des weniger Ich. Alles wird in ihrer, der Müdigkeit Ruhe erstaunlich – wie erstaunlich doch der Papierpacken, den der erstaunlich gemächliche Mann dort unter dem Arm über die erstaunlich stille Calle Cervantes trägt! Inbegriff der Müdigkeit: In der Osternacht einst lagen bei der Auferstehungsfeier die alten Männer des Dorfs bäuchlings in der Kirche vor dem Grab, einen roten Brokatumhang an der Stelle des blauen Arbeitszeugs, die sonnenverbrannte Haut hinten am Nacken von den lebenslangen Anspannungen in ein Muster von Vielecken ähnlich dem der Erde gespalten; die sterbende Großmutter, in ihrer stillen Müdigkeit, besänftigte das ganze Haus und sogar den unverbesserlichen Jähzorn ihres Mannes; und an allen Abenden hier in Linares schaute ich dem Müdewerden der vielen Winzigkinder, mitgeführt in die Bars, zu: keine Gier mehr, kein Greifen mehr in den Händen, nur noch ein Spielen. – Und ist es bei dem allen nötig, zu sagen, daß selbst in solchen Tiefenbildern der Müdigkeit die Trennungen bestehen bleiben?

Gut und schön: eine gewisse Anschaulichkeit ist deinem Problem nicht abzusprechen (auch wenn es die typisch dahingestammelte der Mystiker bleibt). Aber wie sind dergleichen Müdigkeiten nun zu schaffen? Sich künstlich wachhalten? Kontinentalflüge unternehmen? Gewaltmärsche? Eine Herkulesarbeit? Sich probeweise aufs Sterben einlassen? Hast du ein Rezept für deine Utopie? Munterkeitszügler für die ganze Bevölkerung in Tablettenform? Oder als Pulver, beigegeben dem Trinkwasser der Quellenhäuser im Unmüden-Land?

Ich weiß kein Rezept, auch mir selber nicht. Ich weiß bloß: Solche Müdigkeiten sind nicht zu planen; können nicht im voraus das Ziel sein. Aber ich weiß auch, daß sie nie grundlos eintreffen, sondern immer nach einer Beschwernis, im Übergang, in einer Überwindung. – Und nun laß uns aufstehen und weggehen, hinaus, auf die Straßen, unter die Leute, um zu sehen, ob uns vielleicht in der Zwischenzeit dort eine kleine gemeinsame Müdigkeit winkt, und was sie uns heute erzählt.

Aber gehört zu dem richtigen Müdesein, ebenso wie zu dem richtigen Fragen das Aufstehen, nicht das Sitzen? So wie jene alte krumme Frau in dem Gastgarten, wieder einmal weitergetrieben von ihrem auch schon grauhaarigen, doch ewig gehetzten Sohn, sagte: »Ach, *sitzen* wir doch noch!«

Ja, sitzen wir. Aber nicht hier, in der Menschenleere, im Rauschen des Eukalyptus, allein, sondern am Rand der Boulevards und der Avenidas, im Zuschauen, vielleicht mit einer Jukebox in Reichweite.

In ganz Spanien gibt es doch keine Jukebox.

Hier in Linares gibt es eine, eine sehr seltsame.

Erzähl.

Nein. Ein andermal, in einem Versuch über die Jukebox. Vielleicht.

Vor unserem Auf-die-Straße-Gehen nun aber noch ein letztes Bild der Müdigkeit!

Gut. Es ist zugleich mein letztes Bild der Menschheit: versöhnt in ihren allerletzten Augenblicken, in kosmischer Müdigkeit.

CEES NOOTEBOOM

Die Arbeit des Schriftstellers

I

»Das ist doch schließlich die Arbeit eines Schriftstellers«, sagte der Schriftsteller. »Wie ein Adler über den Figuren zu kreisen, die er verfolgen will. In diesem Fall dem Arzt und dem Oberst.«
»Die gibt es also?« fragte der andere Schriftsteller. »Du arbeitest nach tatsächlich existierenden Figuren?«
»Sie existieren von dem Augenblick an, in dem du sie erfunden hast«, antwortete der Schriftsteller, der sich da gar nicht so sicher war. Das Gespräch langweilte ihn. Wie könnte er auch dem anderen Schriftsteller begreiflich machen, daß er weder den Arzt noch den Oberst vor sich sah, daß er sie eben erst, im Verlauf dieses Gesprächs, erfunden hatte, um dem geisttötenden Geschwätz (über den Beruf, mein Gott, warum schreibst du nichts mehr) ein Ende zu machen. In den leeren Hallen, in denen seine Gedanken jetzt weilten, eine Bahnhofshalle, der Warteraum eines Krankenhauses, ein Turnsaal, nahm er die vagen Umrisse einer militärischen Gestalt wahr. Epauletten, ziemlich operettenhaft. Die Geschichte spielte folglich nicht in dieser Zeit oder nicht auf diesem Kontinent. Denn wer trüge hier und jetzt noch solche Epauletten?
»Wie alt sind sie?« fragte der andere Schriftsteller.
Der Schriftsteller antwortete nicht. Wußte er jetzt schon, daß es eine Kaserne war, weil er diese Epauletten gesehen hatte? Im leeren Kasino dieser Kaserne sah er das Stethoskop vorbeigehen, von nichts und niemandem begleitet. Das Ding schwebte, ziemlich langsam, in menschlicher

Höhe durch den Raum. Was aber tat ein Arzt in dieser Kaserne?

»Was tut ein Arzt in einer Kaserne?« fragte er.

»Seinen Sohn besuchen«, sagte der andere Schriftsteller, der einen Sohn im Militärdienst hatte.

»Klar, mit einem Stethoskop«, sagte der Schriftsteller gereizt. Er sah, wie die Epauletten sich dem Stethoskop zuwandten und daß, während dieses medizinische Utensil absolut unbewegt im Raum hängenblieb, die rechte Epaulette ruckartige Bewegungen machte, die zweifellos von dem noch unsichtbaren Arm darunter herrührten.

Aufregung also.

Gerade als er den Schatten eines Kopfes, die allerersten Umrisse eines Gesichts zu erkennen glaubte, sagte der andere Schriftsteller: »Wer hätte gedacht, daß du mal einen Arztroman schreiben würdest?«

Der Schriftsteller gab keine Antwort, aus Angst, dann würde sich alles in nichts auflösen, und wurde belohnt. An der Wand hinter den Epauletten erschien, gerahmt und hinter Glas, das Porträt einer Gestalt in Uniform mit vielen Orden. Was in kyrillischen Buchstaben darunter stand, konnte er nicht entziffern, aber ihm war klar, daß es jetzt an der Zeit war, den anderen Schriftsteller hinauszukomplimentieren.

2

Zwei Stunden nachdem der andere Schriftsteller leicht beleidigt ob des abrupten Abschieds (»grenzt schon an Unverschämtheit«) verschwunden war, saß der Schriftsteller noch immer in derselben Haltung an seinem Schreibtisch. Es ist etwas unsäglich Trauriges an Schriftstellern, die allein in ihrem Arbeitszimmer sitzen. Früher oder später kommt der Moment in ihrem Leben, in dem sie an ihrer Arbeit zweifeln. Es wäre vielleicht auch verwunderlich, wenn sie es

nicht täten. Je länger einer lebt, desto aufdringlicher wird die Wirklichkeit und gleichzeitig um so uninteressanter, weil es soviel davon gibt. Muß dem nun wirklich noch etwas hinzugefügt werden? Muß Erdachtes tatsächlich Bestehendem noch aufgepfropft werden, nur weil jemand, als er noch jung war und von dem, was man so die Wirklichkeit nennt, wenig erlebt hatte, einfach selbst ein Stück Pseudowirklichkeit erdacht hatte und daraufhin von jedermann als Schriftsteller bezeichnet worden war?
Auf das vor ihm liegende Papier hatte der Schriftsteller erst eine einzige Zeile geschrieben: »Der Oberst verliebt sich in die Frau des Arztes.«
Die absolute Banalität dieser Zeile widerte ihn an. »So what«, knurrte er. »Der Oberst ist verliebt in die Frau des Arztes.« Obgleich der Schriftsteller sich mit hochtrabenden Prosagedichten den Ruf eines literarischen Feingeistes erworben hatte, gab er sich im vertrauten Kreis meist ziemlich grobmäulig. »Die Epauletten vögeln die Frau des Stethoskops. So what?« Was ging ihn das an? Zweifellos gab es auf allen fünf Kontinenten Obristen, die in Arztfrauen verliebt waren, und Ärzte, die in Obristenfrauen verliebt waren – und da es schon ein paar hundert Jahre sowohl Obristen als auch Ärzte gab, war seine Geschichte natürlich schon ein paar hundertmal geschrieben worden, und zwar vom Leben selbst. Indes, das traf natürlich auf alles zu. Jede Variante war bereits erdacht, da sie bereits erlebt war. Es gab Schriftsteller, die glaubten, eine von ihnen geschriebene Geschichte würde etwas von der Wirklichkeit selbst verdeutlichen, doch wozu sollte das gut sein? Diese Deutlichkeit wäre doch nur Teil der Wirklichkeit des Lesers, und was war der Leser letztlich anderes als ein potentieller Gegenstand einer Geschichte?
Schriftsteller, dachte der Schriftsteller, denken sich eine Wirklichkeit aus, in der sie selbst nicht zu leben brauchen, über die sie aber Macht haben. Er schob das noch so leere

Blatt Papier ein Stück zur Seite. Stimmte das denn? Hatte er Macht über diese beiden Gesichter, die er da ganz allmählich Gestalt annehmen sah? Oder hatten sie vielleicht Macht über *ihn?*

Das Gesicht des Arztes war blaß und fein (was für ein Geistesblitz! Als ob nicht Millionen blasser und feiner Gesichter auf Erden erschienen und wieder verschwunden wären!). Aber es *war* blaß und fein. Kühle, etwas vorstehende graue Augen, deren Ausdruck sich nicht ändern würde, wenn sie etwas Schreckliches sähen, Augenbrauen und Wimpern aus weichem schwarzem Haar, der Mund fast farblos und etwas zu schön. Das Männlichste an diesem ganzen Gesicht war eigentlich noch das Haar, das aus dem Kopf nur so zu fluten schien und einen Bartwuchs verursachte, der wahrscheinlich zweimal am Tag gebändigt werden mußte und trotzdem noch als bläulicher Schimmer unter dem Weiß der Haut zu sehen war. Etwas Dunkles unter etwas Hellem, dachte der Schriftsteller und schrieb auf das Blatt vor sich: »Wie Wasser unter Eis, dort, wo es von Schlittschuhen noch unberührt ist«, setzte dann ein Fragezeichen dahinter und strich alles wieder durch. Etwas anderes beschäftigte ihn nun. Wenn es also eine Art von Macht war, aus einer inneren, durch nichts zu verifizierenden Vorstellung heraus die Physis nicht existierender Menschen zu beschreiben (nicht existierenden Menschen eine Physis zu geben) – dann war es wohl der Gipfel an Macht, diesen nicht existierenden Figuren einen *Namen* zu geben, als stünden sie tatsächlich in einem Standesregister.

»Stefan, Stefan, Stefan«, sagte der Oberst und bohrte dem Arzt dabei den Zeigefinger in die Brust, genau zwischen den beiden zierlichen Nickelbügeln des Stethoskops, durch die schon soviel todgeweihtes Gerassel gedrungen war. »Stefan, ich schwöre dir, daß dies das Ende ist.«

MIRCEA DINESCU

künstlerdomizil

wie brotteig wächst sie, meine akte;
sie bläht sich, blubbert, sie geht auf.
geliebte, laß uns ein paar takte
tanzen im abgelegten lebenslauf.

damit wir nicht allein sind, nimm
deine eltern mit. nimm auch den hut –
im wort ist's herbst, es regnet schlimm
und das finanzamt sieht uns gut.

gelassen steh ich heut vor den vitrinen,
ich schau nicht hin, ich schimpf auch nicht:
kanonenfutter reichlich, schmalz von bienen,
ein wodkaengel im azurnen licht.

exil im pfefferkorn

silben zählen solln verleger,
schlüssel schwenkt, wer nichts bewegt.
du sei zigeuner, lastenträger,
der im dezember leim in knospen trägt.

als unschuldsathlet in melodischen sümpfen
zu sterben – eine beschämende bilanz!
statt vor dem tod die nase zu rümpfen,
bestellt dir weiber in die ambulanz.

ruh sanft im pfeffer, grüß im traum
all jene, die du eisen tragen siehst,
zement und glas, in jenen raum,
aus dem der liebe gott geflohen ist.

die verträumte guillotine

ach hört den roten pflug der gitarre,
wie er um die friedhofsmauern streicht,
aus dem totenreich stiehlt er hektare,
damit das sterben auch für alle reicht.

der rote mohn zersägt den garten
und in der erde schnarcht freund hein,
ein engel pfeift, die hingeschiednen warten,
im himmel wird der liebe gott sehr klein.

ich aber fühl mein blut noch fließen,
mein eignes haar zerwühlt der wind,
die statuen werd ich nie grüßen,
die auf den märkten eingeschlafen sind.

dem herrgott stehl ich seine polstermöbel,
wenn es im himmel schon nach abfall stinkt
und auf dem freien feld der nebel
der industrie sich auf die pferde schwingt.

am abend wart ich mit der violine
auf den mond, der nichts als aberglauben ist,
auf die verträumte guillotine,
die mit dem bogen meinen nacken küßt.

absurde schachpartie

drollige naivität
der gedanke, die poesie könne die welt verbessern.
als fände ein tiger
dem du ein stück zucker in den käfig wirfst
plötzlich gefallen an Shakespeare.
und du, übergewichtig von deinem scheitern
(als speistest du auch im spiegel)
pfeifst wie der zug im bahnhof
bis die menge dich überrennt, um schnell noch
das warme plätzchen auf deinem nacken zu ergattern.
und weil der traum nichts ist als das natürliche kind
der realität,
erinnre dich an jene absurde schachpartie
in der der verrückte könig zuerst die pferde opferte
dann die dörfer verlegte
und tausend miese typen lobten alsbald sein spiel.

der zeichendeuter

an der endstation der linie 6
verkaufen fröhliche zigeunerinnen giftpilze
der schuhputzer liest eine Napoleonbiographie
der künstler ist nichts weiter als ein stammkunde
beim gelähmten friseur

doch jenseits des scheins
erhebt sich die kognakfabrik
ihr aluminium demütigt kirchen
die plastikfässer glänzen wie ikonen
wasser kleidet sich mit wein

der liebe gott in den leitungsrohren
und die weisen, die den röntgenstrahlen folgen
klopfen an deine brust
wie an die tür eines sanatoriums

tu als hörtest du nichts
denn der frühling kommt
woher sonst diese füchse mit ölbefleckten pelzen
diese buchhalter auf ihren schleichwegen
zum johannisbrotbaumwäldchen
weiter unten gewiß viel weiter unten
an den mündungen der Donau
ratatatat flickt eine nähmaschine kaputte pelikane und
schnepfen
oder sind es gewehrschüsse

tu als hörtest du nichts
denn der frühling kommt
und das summen der stadt trocknet deine tränen:
die kleine explosion der strumpffäden auf den
mädchenschenkeln
der jauchzer der soldaten im winzigen bahnhof
das piepsen der hungrigen maus im briefkasten
das lachen der leute auf einem lastkraftwagen
mit billigen möbeln

EDUARDO MENDOZA

Partner

Er war mit seinem üblichen Packen Pamphlete wie jeden Morgen aufs Ausstellungsgelände gegangen; aber an diesem Novembermorgen hatte er auch noch einen recht schweren Leinensack bei sich.Er verbrachte die ersten Stunden damit, über den Bauplatz zu schlendern und mit den Leuten zu sprechen. Sie informierten ihn über die Forderungen der Maurer, das Streikprojekt und die allgemeinen Mißstimmigkeiten. »Diesmal«, sagten sie, »werden wir die Sache zu unserem Vorteil ausfechten. Diesmal soll es nicht für die Katz sein.« Er stimmte allem zu, aber statt an den Streik zu denken, dachte er an Delfinas Kater – was er auch immer hörte oder sah, ließ ihn an sie denken oder an etwas, was mit ihr zu tun hatte, als wären seine Gedanken mit einem Gummiriemen an sie gebunden, der sich bis zu einem bestimmten Punkt ausdehnt und dann blitzartig wieder in seine ursprüngliche Form zurückschnellt. Aber immer nickte er zustimmend. Bereits hatte er diese Gewohnheit angenommen, die er in seinem ganzen Leben nie mehr verlieren sollte: immer ja zu sagen, während er bei sich die abscheulichsten Winkelzüge und Tricks ausheckte. Als die Sonne schon hoch stand und die Kälte etwas nachgelassen hatte, scharte er eine Gruppe Arbeiter um sich und fing wie alle Tage zu salbadern an. Die Arbeiter waren müde von der körperlichen Anstrengung, jede Ablenkung kam ihnen gelegen, und sie bildeten einen Kreis. Jetzt hieß es rasch handeln, denn die Vorarbeiter konnten die Guardia Civil rufen, wenn sie glaubten, die Massen rotteten sich zusammen.
»Aber nicht davon möchte ich heute zu euch sprechen«, sagte er im selben Tonfall, als behielte seine Rede ihren

vorherigen Kurs bei. »Heute habe ich euch eigens zusammengerufen, um euch einer sensationellen Entdeckung teilhaftig werden zu lassen, die euer Leben ebensosehr oder noch stärker verändern kann als die Tilgung aller Staatsformen, von der ich bereits vor einigen Tagen sprach.«

Er kniete nieder, öffnete den Sack, zog ein mit trüber Flüssigkeit gefülltes Fläschchen hervor und zeigte es seinen Zuhörern.

»Dieses Haarwuchsmittel von bewährter Wirkung und unfehlbarem Ergebnis verkaufe ich weder für eine Pesete noch für eine halbe, ja nicht einmal für eine Viertelpesete« – mit diesen Worten führte er sich in die Geschäftswelt ein. Jahre später sollten seine wechselnden Launen die europäischen Börsennotierungen schwanken lassen, jetzt aber verkaufte er ein paar Flaschen Haarwuchsmittel, die er in der Nacht zuvor aus dem Gestell von Mariano gestohlen hatte, dem Barbier der Pension. Er hatte den Straßenverkäufern und Quacksalbern zugehört, die auf der Puerta de la Paz am Werk waren und deren Stil er nun zu imitieren suchte. Als er mit seiner Ansprache zu Ende war, herrschte ein verdutztes Schweigen. Ich fürchte, ich bin zu weit gegangen, habe zu dick aufgetragen. Ich habe alles auf eine Karte gesetzt und verloren; die Anarchisten werden mir nicht verzeihen, was ich getan habe; die Arbeiter werden sich beleidigt fühlen und mir die Rippen eintreten; womöglich übergeben sie mich sogar der Guardia Civil, und ich werde im Kerker des Kastells von Montjuich enden, dachte er während dieser Sekunden der Stille. Plötzlich rief eine rauhe Stimme aus der Menge: »Ich will eins!« Ein Riese mit flachem Gesicht und eingedrückter Stirn bahnte sich mit den Ellenbogen einen Weg; in den Fingern hielt er die zehn Céntimos, die das Produkt kostete. Onofre nahm die zehn Céntimos, gab dem Riesen das Fläschchen und fragte, ob sonst noch jemand eins wolle. Viele bejahten, streckten ihm Zehnermünzen entgegen und stießen und drängelten heftig, um nicht leer auszugehen. In weniger als zwei Minuten war nichts mehr im Leinensack. Er forderte die versammelten Arbeiter auf, sich zu zerstreuen, ging selbst als erster und verbarg sich in dem schmalen und kaum belebten Sträßchen, das von der Westfassade des zukünftigen Martorell-Museums und der Mauer zwischen dem Park und dem Paseo de la Industria gebildet wurde. Er zog die Münzen aus der Tasche und betrachtete sie verzückt. Er war noch darin versunken, als er einen Schatten auf die Mauer fallen sah. Vergeblich versuchte er die Münzen wieder in die Tasche zu stecken, denn schon sah er sich von Angesicht zu Angesicht dem Riesen gegenüber, der ihm das erste Fläschchen Haarwuchsmittel abgekauft hatte. Er hielt es noch immer in der Hand. »Erinnerst du dich an mich?« fragte der Riese, dem Augenbrauen und Bart das schreckenerregende Aussehen eines menschenfressenden Ungeheuers verliehen; er war so stark behaart, daß seine Brusthaare beim Kinn direkt in den Bart übergingen.

»Natürlich erinnere ich mich an dich«, sagte Onofre, »was willst du?«

»Ich heiße Efrén, Efrén Castells. Ich komme aus Calella. Nicht aus Calella de Palafrugell, sondern aus dem andern, aus dem an der Küste«, sagte der Riese. »Ich arbeite hier erst seit anderthalb Monaten als Hilfsarbeiter, deshalb habe ich dich bis heute noch nie gesehen und du mich auch nicht, aber ich weiß, wer du bist. Ich bin dir gefolgt, um dir zu sagen, du sollst mir zwei Peseten geben.«

»Und warum sollte ich sie dir geben, wenn man fragen darf?« Onofre spielte den unschuldig Überraschten.

»Weil du dank mir vier Peseten eingenommen hast. Hätte ich dir nicht das erste Fläschchen abgekauft, hättest du gar nichts verkauft. Du kannst gut sprechen, aber um zu verkaufen, genügt das nicht. Ich weiß, wovon ich rede, mein Großvater mütterlicherseits war Pferdehändler. Komm schon, gib mir die zwei Peseten, und wir sind Partner. Du wirst reden, und ich kaufe. So werden wir die Kundschaft anheizen. Du mußt bloß weniger lang sprechen, dann wirst du weniger schnell müde und gefährdest dich nicht so stark. Und wenn es Schwierigkeiten gibt, kann ich dich verteidigen; ich bin sehr kräftig – ich spalte jedem mit einem einzigen Faustschlag den Schädel.«

Onofre schaute den Riesen unverwandten Blickes an, seine Erklärung gefiel ihm. Offensichtlich war er ehrlich – er schien bereit, sich mit dem zufriedenzugeben, was er verlangte, und er war andererseits auch bereit, ihm den Schädel zu spalten. Er sagte, er sehe tatsächlich sehr stark aus. »Was ich aber nicht verstehe, ist, warum du mir nicht einfach die vier Peseten abnimmst, anstatt so viele Erklärungen abzugeben. Hier sieht uns ja niemand, und selbst wenn ich wollte, könnte ich dich nicht bei der Polizei anzeigen.« Der Riese lachte schallend.

»Du bist sehr gerissen«, sagte er, als er fertiggelacht hatte. »Gerade was du eben gesagt hast, zeigt, wie gerissen du bist. Ich dagegen bin ebenso dumm wie stark; wie sehr ich auch nachdenke, es kommt nie etwas dabei heraus. Nähme ich dir jetzt die vier Peseten weg, so hätte ich nur gerade das: vier Peseten. Aber ich stelle es mir ganz anders vor. Da du es weit bringen wirst, will ich dein Partner sein und die Hälfte von dem, was du verdienst.«

»Paß auf«, sagte Onofre zum Riesen aus Calella. »Wir werden folgendes tun: Du hilfst mir das Haarwuchsmittel verkaufen, und für jeden Arbeitstag gebe ich dir eine Pesete, ob ich nun viel oder wenig einnehme, sogar wenn ich gar nichts einnehme. Und was wir später tun werden, darüber sprechen wir, wenn sich die Gelegenheit dazu bietet. Einverstanden?«

Der Riese dachte eine Weile nach und erklärte sich dann einverstanden. »Abgemacht«, sagte er. Er sei so dumm, gestand er, daß er Onofres Vorschlag gar nicht richtig verstanden habe, obwohl er überzeugt sei, daß ihn Onofre in seiner angeborenen Raffiniertheit übers Ohr gehauen habe, aber es bringe ja wohl nichts, sich zu widersetzen. »Ich kenne meine Grenzen ganz genau«, sagte er. Sie gaben sich die Hand und besiegelten damit ein Bündnis, das mehrere Jahrzehnte überdauern sollte. Efrén Castells starb 1943, vom Generalissimo Franco zur Belohnung seiner Dienste fürs Vaterland mit dem Titel eines Marquis geadelt. Trotz des alters- und krankheitsbedingten körperlichen Verfalls war er noch immer ein Riese, als er starb, und sein Sarg mußte nach Maß gefertigt werden. Er hinterließ ein beträchtliches Vermögen in bar und in Immobilien und eine überaus wertvolle Sammlung katalanischer Malerei; diese Sammlung vermachte er als Legat dem Museum für Moderne Kunst, das damals im Zeughaus der alten Zitadelle untergebracht war. Dieses eigens für die Weltausstellung von 1888 renovierte und herausgeputzte Gebäude stand nur wenige Meter von dem Ort entfernt, wo er den ersten Vertrag mit jenem Menschen abgeschlossen hatte, dem er sein Leben lang blind ergeben sein sollte und in dessen Schatten er reich, Marquis und Verbrecher wurde.

NORBERT ELIAS

Der Habitus der Deutschen

Wenn man mich fragen würde, welche Eigentümlichkeiten des deutschen Staatsbildungsprozesses mir für das Verständnis des deutschen Habitus, und so auch des Habituswandels in der Hitlerzeit, von besonderer Bedeutung zu sein scheinen, dann würde ich aus dem Knäuel der ineinander verwobenen Teilprozesse vier hervorheben.* Der erste betrifft die Lage und die Gestaltveränderungen der germanisch-, dann deutschsprechenden Völkergruppe im Verhältnis zu anderssprachigen Nachbargesellschaften.

Die germanischsprechenden Stämme, die in den Jahrhunderten der Völkerwanderung die europäische Tiefebene westlich der Elbe und ein weites Gelände zwischen ihr und den Alpen besiedelten, fanden sich eingebettet zwischen Völkerschaften, deren Sprache ein Abkömmling des Lateinischen war, und östlichen Völkerschaften mit slawischen Muttersprachen. Für mehr als tausend Jahre kämpften diese drei Volksgruppen um die Grenzen ihres Siedlungslandes. Bald verschoben sich die Grenzen zugunsten der westlichen und östlichen Völkerschaften, bald zugunsten des germanisch- oder deutschsprachigen Mittelblocks. Die Verwandlung von Teilen des germanischen Frankenreiches in den Staat, den wir nun als Frankreich kennen, ist ebenso ein Beispiel für den Kampf zwischen latinisierten und germani-

* Es ist nicht ohne Bedacht, daß ich hier von »Prozessen« rede, in einem Forschungsfeld, das herkömmlicherweise als »Geschichte« verstanden wird. Aber die traditionelle Sicht auf die Vergangenheit von Gesellschaften als »Geschichte« ist eine Sicht von niedriger Synthesenhöhe. Sie beschränkt sich gewöhnlich auf kurzfristige Zusammenhänge. Tatsächlich machen sich die Auswirkungen gesellschaftlicher Ereignisse oft erst Jahrhunderte später fühlbar. Man benötigt Modelle langfristiger Prozesse, um sie in den Griff zu bekommen.

schen Gruppen wie die Jahrhunderte später erfolgende Französisierung von Elsaß-Lothringen oder die andauernden Konflikte zwischen Wallonen und Flamen im heutigen Belgien. Ähnlich zeigt das Vordringen deutschsprachiger Völkerschaften über die Elbe hinaus, daß die Spannung zwischen den Gruppen germanischer und slawischer Herkunft aktiv blieb. Sie äußerte sich noch einmal, vielleicht zum letzten Mal, in der Verlagerung der Grenze zwischen Deutschland und den beiden slawischen Ländern Rußland und Polen nach Westen im Gefolge des Zweiten Weltkriegs.

Der Staatsbildungsprozeß der Deutschen war tief beeinflußt von ihrer Stellung als Mittelblock in der Figuration dieser drei Völkerblöcke. Immer wieder fühlten sich die latinisierten und die slawischen Gruppen von dem menschenreichen deutschen Staat bedroht. Immer wieder fühlten sich Vertreter des werdenden deutschen Staates gleichzeitig von verschiedenen Seiten bedroht. Alle Seiten nutzten ganz rücksichtslos jede Chance der Expansion, die sich ihnen bot. Die Zwänge dieser Staatenfiguration führten in der Mitte zu einem ständigen Abbröckeln von Randgebieten, die aus dem deutschen Staatsverband ausschieden und sich als unabhängige Staaten etablierten. Die Entwicklung der Schweiz und der Niederlande ist ein frühes, die der Deutschen Demokratischen Republik ein spätes Beispiel. Die letztere bezeugt die fortwährende Furcht der Nachbarstaaten vor der Hegemonialstellung eines deutschen Staates, die durch Hitlers Krieg neue Nahrung fand.

Der zweite Aspekt des deutschen Staatsbildungsprozesses, der die Eigenart des deutschen Habitus geprägt hat, steht in engstem Zusammenhang mit dem ersten.

Im bisherigen Verlauf der Entwicklung Europas und in der Tat der Menschheitsentwicklung spielen Ausscheidungskämpfe zwischen Gruppen auf der Integrationsebene von

Stämmen wie von Staaten eine zentrale Rolle. Es ist möglich, daß die Menschheit sich heute dem Ende der Ausscheidungskämpfe in der Form von Kriegen nähert; aber noch kann man dessen nicht sicher sein. Oft genug gibt es staatliche oder auch Stammeseinheiten, die in diesen gewaltsamen Kämpfen besiegt wurden und die nun mit der Gewißheit leben müssen, daß sie nie wieder Staaten oder Stämme höchsten Ranges – daß sie wohl für alle Zeiten Einheiten niedrigeren Ranges sein werden. Sie leben im Schatten ihrer größeren Vergangenheit.

Man mag geneigt sein zu sagen: »Was soll's? Wen kümmert es, ob der eigene Staat ein Machtzentrum ersten, zweiten oder dritten Ranges ist?« Ich rede hier nicht von Wünschen und Idealen. Im Gang der bisherigen Menschheitsgeschichte ist es eine nachweisbare Tatsache, daß die Angehörigen von Staaten und anderen gesellschaftlichen Einheiten, die in den Ausscheidungskämpfen ihrer Tage den Anspruch auf eine Position höchsten Ranges verloren haben, oft eine lange Zeit, sogar Jahrhunderte brauchen, ehe sie mit dieser veränderten Lage und der entsprechenden Herabsetzung ihres Selbstwertgefühls zu Rande kommen. Und vielleicht schaffen sie es nie. England ist in der jüngsten Gegenwart ein bewegendes Beispiel für die Schwierigkeiten der Anpassung einer Großmacht ersten Ranges an das Herabsinken zu einer zweit- oder drittrangigen Macht.

Eine der wiederkehrenden Reaktionen ist in diesem Falle die Leugnung der Realität des eigenen Abstiegs. Man handelt, als ob sich nichts geändert hätte. Wenn man sich nicht länger verhehlen kann, daß der eigene Gesellschaftsverband jede Aussicht auf eine Position in der Spitzengruppe der jeweiligen Stammes- oder Staatshierarchie verloren hat und damit zugleich einen Teil seiner Unabhängigkeit, dann zeigen sich gewöhnlich im Habitus der Menschen, die ihn bilden, Anzeichen einer Depression. Man tritt in eine Phase des Trauerns um die entschwundene Größe ein. Denken wir an

Holland oder Schweden. Im 17. Jahrhundert konnte Holland als Seemacht noch England Paroli bieten. Schweden war bis zum 18. Jahrhundert in Ausscheidungskämpfe mit Rußland verwickelt und unterlag. Europa als Ganzes büßt heute das Führungsmonopol unter den Völkern der Welt ein, auf das die zugehörigen Staaten etwa seit dem 17. Jahrhundert Anspruch erhoben haben. Man muß abwarten, wie die Europäer diese Situation verarbeiten.

Deutschen ist ein solches Leben im Schatten einer größeren Vergangenheit alles andere als fremd. Das deutsche Kaiserreich des Mittelalters und besonders einige der markantesten mittelalterlichen Kaiser dienten lange als Symbole für eine Größe Deutschlands, die verloren war – und damit insgeheim für das Streben nach einer Vormachtstellung in Europa. Aber gerade die mittelalterliche Stufe des deutschen Staatsbildungsprozesses trug viel dazu bei, daß dieser nicht mit den Staatsbildungsprozessen anderer europäischer Gesellschaften Schritt hielt.

Im Falle von Ländern wie Frankreich,England, Schweden oder auch Rußland verwandelte sich der feudale mittelalterliche Ständestaat kontinuierlich in den fester integrierten und in Machtkämpfen gewöhnlich überlegenen Staat vom Typ der absoluten Monarchie. In Deutschland verlagerten sich die Machtgewichte allmählich von der Integrationsebene der Kaiser auf die der Landesfürsten. Im Gegensatz zu der wachsenden Zentralisierung anderer europäischer Gebiete erlebte das Deutsche Reich einen Zerfall der Zentralgewalt. An den Habsburgern läßt sich recht gut verfolgen, daß ihre Macht als Kaiser mehr und mehr von den Ressourcen abhing, die ihnen ihre Hausmacht zur Verfügung stellte. Der mittelalterliche Kaiserstaat verlor im Lauf der Jahrhunderte zunehmend seine Funktion. Innerhalb seiner entbrannten bereits im 18. Jahrhundert Ausscheidungskämpfe zwischen den Königen von Preußen und den habsburgischen Herrschern von Österreich. Preußen unter

Bismarck griff sie im 19. Jahrhundert wieder auf. Es ging ganz offensichtlich um die Hegemonie im überkommenen deutschen Kaiserreich. Als Preußen den Krieg gewann, lösten sich auch die österreichischen Herrscher aus dem Verband des Reiches; sie warfen die funktionslose Hülle des alten deutschen Kaisertums beiseite und wiesen sich nun als Kaiser von Österreich aus.

In der Frühzeit legitimierte sich das Heilige Römische Reich deutscher Nation als eine Art Reinkarnation des weströmischen Kaiserreichs. Auf diesen Frühstufen der Staatsentwicklung hatten die deutschen Herrscher, ob Franken, Sachsen oder Staufer, eine Vormachtstellung im Verband der römischen Kirche, der im wesentlichen das umfaßte, was man heute als »Europa« bezeichnet. Es war ein Ausdruck dieser Stellung, daß sie vor allen anderen den Kampf um die Vormacht zwischen Kriegern und Priestern ausfochten – zwischen denen, die einen monopolistischen Zugang zu den Machtmitteln der physischen Gewalt, und denen, die Zugang zu der unsichtbaren Geisterwelt und den damit verknüpften Machtmitteln hatten. Möglicherweise begann schon damals im Lager der nicht-deutschen Staaten Europas die Furcht vor dem Machtpotential des deutschen Völkerblocks ihr Werk zu tun. Die Besonderheiten der deutschen Staatsbildung gehen nicht zuletzt darauf zurück, daß nichtdeutsche Staaten gewöhnlich hart zuschlugen, wann immer die Schwäche des Reiches in der Mitte sichtbar wurde, zumeist im Gegenschlag gegen dessen Hegemonialansprüche.

Zu einer Zeit, als sich viele Nachbarstaaten in recht effektiv zentralisierte und nach innen pazifizierte Monarchien verwandelten, erwies sich die lockere Integration des Deutschen Reiches als eine große Schwäche seiner Struktur, als eine Einladung zum Einfall. Nach den internen Auseinandersetzungen zwischen protestantischen Landesfürsten und dem katholischen Kaiserhaus, nach den schwelenden Religionskriegen des 16. Jahrhunderts, wurde Deutschland im

17. Jahrhundert zum Hauptkriegsschauplatz, auf dem die Herren und Heere anderer katholischer und protestantischer Länder ihre Vormachtkämpfe austrugen. Und landesherrliche Heere bekämpften sich in den deutschen Territorien. Sie alle brauchten Quartiere und Nahrung von den Feldern. Die Unsicherheit wuchs. Banden zogen brennend und mordend durchs Land. Ein Gutteil der deutschen Bevölkerung verarmte. Nach Angaben von Fachleuten verlor Deutschland im Dreißigjährigen Krieg ein Drittel seiner Bevölkerung.

Im Rahmen der deutschen Entwicklung haben diese 30 Kriegsjahre den Charakter einer Katastrophe. Sie hinterließen permanente Spuren im Habitus der Deutschen. Im Erinnerungsbild der Franzosen, der Engländer und Niederländer stellt sich das 17. Jahrhundert als eines der glanzvollsten ihrer Entwicklung dar, als eine Periode großer kultureller Schöpferkraft und zunehmender Pazifizierung und Zivilisierung der Menschen. Für Deutschland war dieses Jahrhundert eine Zeit der Verarmung, auch der kulturellen Verarmung, und einer zunehmenden Verrohung der Menschen. Die eigentümlichen Trinksitten der Deutschen, die im 19. und frühen 20. Jahrhundert im Bierkomment der Studenten fortlebten, haben Vorformen im 17. Jahrhundert (und wahrscheinlich weiter zurück), wo man ihnen an den großen und kleinen deutschen Fürstenhöfen begegnet. Sie ermöglichten es dem einzelnen, sich in guter Gesellschaft zu betrinken und zu berauschen. Zugleich lehrten sie ihn, sich noch im schweren Rauschzustand zu kontrollieren und so die Trinkenden selbst wie ihre Mitmenschen vor den Gefahren der Enthemmung zu schützen.

Gesellschaftliche Gebräuche, die zum schweren Trinken anregen und die zugleich an eine gewisse Disziplin im Betrunkensein gewöhnen, lassen auf ein hohes Maß an Unglücksgefühlen schließen: offenbar sucht man sich auf diesem Wege eine gesellschaftliche Notlage, die schmerzt, aber der man nicht entrinnen kann, erträglicher zu machen. Es wird häufig genug darauf verwiesen, daß die verspätete Ausbildung eines modernen Einheitsstaats zu den fundierenden Eigentümlichkeiten der deutschen Entwicklung gehört. Weniger klar ist vielleicht, daß die relative Schwäche des eigenen Staates, verglichen mit anderen Staaten, für die betroffenen Menschen spezifische Notstände mit sich bringt. Sie leiden an der physischen Unsicherheit, zweifeln an ihrem Eigenwert, fühlen sich erniedrigt und entwürdigt und neigen zu Wunschträumen über die Rache, die sie an den Urhebern dieser Situation nehmen möchten.

Im späteren 17. Jahrhundert waren es die Truppen Ludwigs XIV., die Vormachtkämpfe mit den Kaiserlichen auf deutschem Gebiet austrugen. Man erinnert sich noch, daß dabei das Heidelberger Schloß in Flammen aufging. Im 19. Jahrhundert brachen die Revolutionsheere unter Napoleon in Deutschland ein bei dessen Versuch, die Einigung Europas unter französischer Oberhoheit herbeizuführen. Wieder zeigte sich die Schwäche Deutschlands im Verhältnis zu den effektiver zentralisierten Nachbarstaaten. Die Königin von Preußen, die vor der herannahenden französischen Armee floh, wurde für eine Weile zum Symbol der deutschen Erniedrigung. Deutsche Studenten formten Freikorps, die die Besatzungstruppen Napoleons belästigten. Einer von ihnen, Theodor Körner, besang zu einer Zeit, als sich repräsentative Dichter in Frankreich, in England, in Holland und anderen gefestigteren Staaten nur noch selten mit militärischen Themen befaßten, in einem berühmt gewordenen Gedicht das »Schwert an meiner Seite«.

Die strukturelle Schwäche des deutschen Staates, die immer von neuem Truppen von Nachbarstaaten zum Einmarsch anreizte, löste im Gegenzug unter Deutschen eine oft idealisierende Hochbewertung militärischer Haltungen und kriegerischer Handlungen aus. Es ist nicht wenig bezeichnend, daß ein relativ junger deutscher Landesstaat, dessen Herrscherhaus sich durch eine Reihe von riskanten, aber schließlich erfolgreichen Kriegen hochgearbeitet hatte, zum Bannerträger von Deutschlands militärischem Aufholen wurde. Die Dynamik der zwischenstaatlichen Ausscheidungskämpfe stieß das Herrscherhaus von Brandenburg-Preußen, als es zum Herrscherhaus Deutschlands geworden war, in den Wettbewerb um die Vormacht in Europa hinein. Wenige Jahre, nachdem es im innerdeutschen Vormachtkampf den Sieg errungen hatte, trat es zum Kampf mit Frankreich an, dem stärksten Rivalen auf der nächsthöheren Integrationsebene, und gewann. Der Sieg im Kriege von 1870/71 hätte das Ende des Aufholens bedeuten können. Aber Deutschland war im Kern immer noch eine absolute Monarchie. Der Stand der Staatsentwicklung brachte es mit sich, daß dynastische Rivalitäten im Verhältnis der Großmächte weiterhin den Ausschlag gaben. So trieben die vom Kaiser gewählten Politiker unversehens einem neuen Kriege zu, anscheinend ohne sich zu fragen, ob Deutschland eine Chance hätte, ihn zu gewinnen, wenn auch Amerika auf der Seite der westlichen Alliierten in den Kampf eingreifen würde.

Die Niederlage von 1918 war für viele Deutsche eine unerwartete, höchst traumatische Erfahrung. Sie traf einen neuralgischen Punkt im nationalen Habitus, wurde als Rückkehr in die Zeit der deutschen Schwäche, der fremden Heere im eigenen Land, des Lebens im Schatten der größeren Vergangenheit empfunden. Der ganze Prozeß des deutschen Aufholens stand auf dem Spiel. Viele Angehörige der deutschen Mittel- und Oberklassen – vielleicht die große Mehrheit – fühlten, daß man mit dieser Demütigung nicht leben könne. Man müsse sich auf den nächsten Krieg vorbereiten, mit größerer Aussicht auf einen deutschen Sieg, auch wenn zunächst unklar blieb, wie das zu bewerkstelligen sei.

Für das Verständnis von Hitlers Aufstieg ist es nicht unwichtig, sich daran zu erinnern, daß die tragenden Gruppen

der Weimarer Republik von vornherein recht begrenzt waren. Zu ihnen zählte vor allem die Masse der sozialdemokratischen Arbeiterschaft. Zu ihnen zählte die klein gewordene Gruppe des liberalen Bürgertums, darunter auch viele Juden. Der größere Teil der Mittel- und Oberklassen stand auf der anderen Seite. Für die jungen wie die alten Vertreter dieser traditionellen Herrenschichten war und blieb die Kommunikation mit den Massen etwas schwierig. Sie allein hatten keine Chance, eine breite Bewegung zugunsten der Aufhebung des Versailler Vertrags und schließlich eines Revanchekriegs auf die Beine zu stellen. Sie brauchten einen Mann, dessen Rhetorik und Kampfstrategien den Bedürfnissen der Massenschichten besser entsprachen, um Teile dieser Gruppen zu mobilisieren. So gaben sie Hitler seine Chance. Aber als es soweit war, überspielte er sie.
Von neuem winkte die Hoffnung, dem Schatten der größeren Vergangenheit zu entgehen. Es winkte die Erfüllung des Traumes, daß dem ersten, dem mittelalterlichen Kaiserreich deutscher Nation und dem zweiten, der Schöpfung Bismarcks, das 1918 an der Niederlage im Krieg zerbrach, ein drittes Reich folgen werde unter der Führung Adolf Hitlers. Auch diese Hoffnung zerschlug sich.

Wie immer man das Ende des Hitler-Reiches sonst noch betrachten mag, ganz deutlich wird an ihm eine weitere Struktureigentümlichkeit des deutschen Staatsbildungsprozesses, die für die deutsche Habitusentwicklung bestimmend war. Ihr Profil tritt hervor, wenn man die Staatsbildungs- und dann vielleicht auch die Zivilisationsprozesse mehrerer Länder miteinander vergleicht.
Verglichen mit anderen europäischen Gesellschaften, etwa der französischen, englischen oder holländischen, zeigt die Staatsentwicklung Deutschlands viel mehr Brüche und entsprechende Diskontinuitäten. Man bekommt einen ersten Eindruck von dieser Verschiedenheit, wenn man sich die

Hauptstädte der drei Staaten Frankreich, England und Deutschland vor Augen hält. London war einer der Hauptstützpunkte von Wilhelm dem Eroberer. Er baute dort eine Zwingburg vor mehr als 1000 Jahren. Im Tower von London, wo noch heute die Kronen der Könige von England aufbewahrt werden, haben so gut wie alle englischen Dynastien ihre Spuren hinterlassen. In dieser Kontinuität von London als Landeshauptstadt spiegelt sich die Kontinuität der englischen Staatsentwicklung und die damit verbundene relativ hohe Festigkeit der englischen kulturellen und zivilisatorischen Entwicklung wider. Gleiches gilt von Paris als der Hauptstadt Frankreichs. Dort ist die mittelalterliche Kathedrale von Notre-Dame nicht weniger als der Louvre mit der vorgelagerten, in diesem Jahrhundert erbauten Glaspyramide ein Symbol der ungebrochen lebendigen Tradition des Landes.
Ich habe an anderer Stelle mit einiger Genauigkeit den Staatsbildungsprozeß von Frankreich untersucht. Er ist erstaunlich kontinuierlich und geradlinig. Die Zentralherren des werdenden französischen Staates hatten wenige Niederlagen zu verkraften. Der Zufall wollte es, daß es den Königen von Paris und Orléans allmählich gelang, ihr Herrschaftsgebiet durch geglückte militärische Operationen und günstige Heiraten auszudehnen und durch das Bemühen um strategisch gut zu verteidigende Grenzen abzurunden. Ohne Zweifel stellte die Französische Revolution einen Bruch in der Kontinuität der nationalen Tradition dar. Aber auf dieser Stufe waren die französische Sprache und der französische Habitus im allgemeinen bereits so stabil, daß trotz des Bruches mit dem Ancien régime die Kontinuität der Entwicklung in vielen Bereichen erhalten blieb. Das gilt für die starke Zentralisierung des Staatsapparats, aber auch für die kulturelle Produktion. Das höfisch-aristokratische Gepräge der französischen Sprache verlor sich nicht, als das französische Bürgertum zur modellsetzenden Machtgruppe

wurde. Die Verwandtschaft von Prousts Romanen mit Saint-Simons Memoiren ist schwer zu übersehen. Ich kenne französische Gedichte des 19. Jahrhunderts, die an die großen Dichter der Pléiade des 16. Jahrhunderts erinnern und die dennoch ganz unzweideutig Schöpfungen ihrer Zeit sind. Den Wortführern der deutschen Klassik erschien die Dichtung ihrer barocken Vorgänger unerträglich. Die höfische Zivilisation des 18. Jahrhunderts ging kaum in die Bildung des deutschen Habitus ein.

Gegenüber Paris und London ist Berlin eine junge Stadt. Sie gewinnt ihre Bedeutung als Hauptstadt im Herrschaftsgebiet der Hohenzollern. Deren Siege nach innen und außen im Verein mit diplomatischem Geschick trugen die Stadt hoch, vor allem im 18. und 19. Jahrhundert, wo sie schließlich zur Hauptstadt des deutschen Kaiserreichs wurde. Eine einzige Niederlage des Preußenkönigs im Kampf mit seinen habsburgischen Rivalen hätte möglicherweise den Aufstieg Berlins für immer stoppen können. Im Siebenjährigen Krieg kam Friedrich II. diesem Schicksal oft genug nahe. Vielleicht ist es nützlich hinzuzufügen, daß in der Zeit der habsburgischen Kaiser häufig Wien als Reichshauptstadt fungierte. Auch Prag hatte zeitweilig diese Funktion. Wien war eine Stadt des deutschen Reiches, lange bevor die Habsburger dort Hof hielten. Denkt man daran, daß Walther von der Vogelweide dort am Ende des 12. Jahrhunderts zum Hof der Babenberger gehörte? – Eine Entwicklung voller Brüche.

GERLIND REINSHAGEN

Isas Geschichte

Wo ging sie? Was fand sie?
Eine Zeit geht nach der blauen Blume suchen, eine andere läuft Trommeln und Fahnen nach, eine andere tanzt Charleston und verzweifelt.

Ich war ein Kind und die Dinge rings um mich her von bescheidenem Maß: die Teller, die Löffel, die Zimmer, die Stadt. Klein war zu der Zeit das Reich und bescheiden. Doch als ich, Isa Zaremba, heranwuchs, da wuchs es mit mir, südwestlich, südöstlich bekam es Glieder, stand bald schon im Süden auf breiterem Fuß; es wuchsen die Straßen, die Monumente, die Reden; man könnte sagen: wir wuchsen miteinander auf, ich, Isa Zaremba, und das Reich. Wir wurden groß und stolz und ziemlich unanfechtbar.

Doch während ich unmerklich aufhörte zu wachsen, da wucherte es um mich her noch immer weiter und keimte und wuchs über Grenzen hinaus; gewaltig sollte der Raum sein für uns Kinder des tausendjährigen Reichs; vor uns, aus der Erde gestampft, wuchsen Straßen, Autobahnen und Alleen, wuchsen Hallen und Stadien, wir marschierten hindurch, man gab uns Lieder, die Räume zu füllen, wir mußten schnell laufen, wir sangen sehr laut; bald spielte der Krieg die Begleitung dazu; das war ein riesiges Orchester, das war ein Chor mit ungezählten Stimmen, das schwoll ins Maßlose und barst mit einem Paukenschlag. Dann war es stiller als je zuvor. Und kleiner.

Klein waren das Reich, unsere Stadt, unsere Straße wieder, das Zimmer, mein Bett, die Schüsseln, aus denen wir aßen. Wir wohnten zu sechst in einem Verschlag, wir froren in unseren zu kurzen Kleidern.

Aber ich, Isa Zaremba, träumte einmal des Nachts von einem Brot, das flog durch die Luft, ich sah im Traum ein Bild von einem Kleid von nie gesehener Farbe, das hing wie Aschenputtels Kleid im Baum, und als ich eines schönen Wintertags hinausging, in meinem winzigen Mauspelz, dreimal geändert, in meines toten Bruders Schuhn, da sah ich zur Linken drei Schafe weiden, da fuhr zu meiner Rechten ein Jeep vorbei, und ein schwarzer Sergeant schnipst mit dem Finger und lacht: da sah ich das Brot fliegen, fand ich die Farbe, da hing im Baum das Kleid, das war nicht aus dem schweren Tuch von meines toten Vaters Uniform, das war grüngold und aus Seide, und ich zog es an; und als ich mich umsah, da lachten, die mich darin sahn; alle, mit denen ich tanzte, lachten und brachten Geschenke: den Gürtel zum Kleid, zum Mantel den Hut; kaum, daß ich es dachte, besaß ich es schon, aber ich schwör euch, ich dachte nicht vieles! Kriegskinder sind bescheiden, Kriegskinder vergessen nie: den Geschmack von Brot nach einem Hungertag, die Farbe eines Löwenzahns im Trümmergarten, das Knistern des ersten Tanzkleids im Frieden.

Ich dankte dem Sergeanten für das Brot, Charlie für die Handschuh, diesem und jenem für dies und das, dem letzten aber für den Schleier, für drei schöne unversehrte Kinder und für das Licht, das plötzlich eines Morgens durch einen weißen Vorhang fiel. Ich bekam, was ich brauchte und nicht brauchte, zu geringem oder keinem Preis, andere zahlten für mich und legten sich krumm (im ersten Frieden standen Fäuste hoch im Kurs), dabei wuchsen mein Haus, die Bäume im Garten, die Perlen wurden größer, die Ringe, Pelze, die ich trug...

So brauchte ich die grüngoldenen Träume nicht mehr, so wurde ich eine wunschlose Frau. Das dacht ich... doch heimlich inwendig wuchern die Bilder, unbeschränkt von Bindegewebe, Haut, wie wildes Wachstum mir den eignen Willen unterwandernd.

Ja, ich schwör euch, ich glaubte, nichts mehr zu begehren, und alle Wünsche ausgewachsen, bis zu dem Abend, als ich den Jungen sah, unter dem Windlicht an der Holunderhecke, wie ich den Jungen da ALS SEIN BILD sah, ach, wieder das Bild, schon wieder DAS BILD! Ich sah den, der mich wollte wie alle, doch diesen wollte ich, um JEDEN Preis.

Das aber war eins zu viel gewünscht. (So war mirs eingebläut.) Ach, die alten Sprüche, ich kannte sie zu gut, von der Mutter, von Vaters Mutter, der Urahne her, die Weissagungen kannt ich und die Verfluchungen, die Geschichte vom Fischer und sin Fru; ich wußte, wann das Wünschen frei ist, wann es kostet; wann eine für sich selbst zu zahlen hat.

So zog ich den Chinchilla wieder aus und die silbernen Schuh, ich legte den Ring und das Armband ab, hängte die Perlenkette unters Windlicht an den Baum, wir sahn nicht zurück nach dem großen Haus, das höher als die schnellgewachsenen Pappeln war, wir liefen barfuß davon, es war noch Sommer; dann wurde es Herbst, doch wir spürten ihn kaum, wir spürten Liebe und sahn die Liebe barfuß gehn, wir fragten nicht nach dem gestirnten Himmel über uns, nach dem Gesetz nicht, so, doppelt eingehüllt in Bild und Kleid, tanzten wir durch den Schnee und froren nicht.

Das ging, bis wiederum Frühling war, bis zu dem Morgen, als ich in den Spiegel sah, und fand das Bild von mir darin nicht mehr. Ich fand: nur mich – soviel wie Luft. Kein andrer merkte es, doch ich wußte klar: die volle Summe würde eingefordert heute, und was ich in der Tasche hatte, reichte nicht.

Ganz klein war die Frau, die nun aus dem Bild ging, mit ihrem Puppenkissen vor der Brust; die ich dort gehen sah und kleiner werden und immer langsamer zur Küche hin; eine winzige Figur von ferne, wie sie den Kopf auf den Herd legt jetzt, kaum wahrnehmbar noch diese letzte Bewegung: das Drehen des Gashahns von hier nach da.

Eine Zeit geht nach der blauen Blume suchen, eine andere läuft Trommeln und Fahnen nach, eine andere…

TANKRED DORST

Der Rote Ritter

Auf dem Acker vor der Stadt.
Sir Ither steht da wie eine Statue in seiner rotgoldenen Rüstung. Der Knappe.
Der Knabe Parzival rennt auf Sir Ither zu, stolpert, fällt hin.
Der Knappe lacht.

PARZIVAL *außer Atem, aufgeregt, noch am Boden liegend, schreit freudig zu Sir Ither hin:* Du! Roter Ritter! Gib deine Rüstung her! König Artus hat gesagt, ich soll sie mir holen! Los! Gib sie her! Sie ist so schön! *Er ist aufgesprungen:* Wie freue ich mich, wenn ich da drinstecken werde! *Er streicht mit der Hand über den Brustpanzer, tastet nach den Lichtreflexen auf dem glänzenden Metall:* Wie schön! Die Sonne hüpft darauf herum!

SIR ITHER *gibt Parzival einen Stoß, der fällt hin.*

DER KNAPPE *höhnisch:* Ach, du bist ja hingefallen!

PARZIVAL *sitzt am Boden:* Ja, ich bin hingefallen. – Aber das macht nichts, lieber Ritter. *Er rappelt sich auf:* Ich bin Parzival, und ich habe mit meiner Mutter im Wald gelebt, aber mein Vater war ein Ritter, das weiß ich. Meine Mutter hat gesagt, er ist immer bei uns, sie trägt ihn auf ihren Schultern herum, und er sitzt über uns im Baum, wenn wir nachts schlafen. Aber ich habe ihn nie gesehen, er war die ganze Zeit tot. Er war sicher so schön wie du, oder noch schöner!
Er fährt wieder mit der Hand andächtig über Sir Ithers glänzende Rüstung: Wenn ich erst drin bin, dann heiße ich: Parzival, der Rote Ritter.

SIR ITHER *schlägt ihm mit dem eisernen Arm ins Gesicht. Parzival fällt wieder hin, fährt sich mit der Hand übers Gesicht, er blutet aus Nase und Mund.*

DER KNAPPE *höhnt:* Da hast du die rote Rüstung!

PARZIVAL Das hat mir jetzt weh getan. Aber nicht sehr! *Er steht auf.* Die ist aber stark, die Eisenhand!

KNAPPE Sehr stark, paß nur auf!

SIR ITHER *schlägt ihm wieder mit dem eisernen Arm ins Gesicht. Parzival fällt wieder hin.*

PARZIVAL Das weiß ich nun, daß es sehr weh tut. *Er bleibt sitzen und weint.*

DER KNAPPE *höhnt:* Du weinst? Ich dachte, du wolltest mit ihm kämpfen!

PARZIVAL Ich will nicht mit ihm kämpfen! *Zu Sir Ither:* Gib mir die Rüstung! Du sollst mir deine Rüstung geben! König Artus hat gesagt, ich soll sie mir von dir holen. Gib sie her!

DER KNAPPE *höhnt:* Aha! Das hat er gesagt!

PARZIVAL Ja. Alle haben es gehört.

DER KNAPPE Da werden sie aber alle gelacht haben.

PARZIVAL Ja, alle haben gelacht. Alle haben sich über mich gefreut, weil ich die schöne Rüstung kriege.

Parzival lacht, der Knappe lacht; Parzival merkt nicht, daß der Knappe ihn auslacht, er sieht ihn nur lachen und lacht selber deshalb immer mehr, er gerät in einen glückseligen Taumel von Gelächter. Während Parzival noch lacht, wendet sich Sir Ither ab und geht davon. Der Knappe springt auf und folgt ihm.

PARZIVAL Bleib da! Bleib da! Ritter, bleib doch da!

SIR ITHER *kümmert sich nicht um sein Geschrei.*

DER KNAPPE *dreht sich um:* Verschwinde, du Ratte!

PARZIVAL Komm zurück, Ritter!

Parzival hebt ein Aststück auf, rennt hinter Sir Ither her, holt ihn ein, springt ihm auf den Rücken und bohrt ihm das Holz unter das Visier, in das Auge, dann noch einmal, in das andere Auge. Zwei Ströme von Blut quellen unter dem Visier heraus. Der Knappe rennt davon. Sir Ither hat sich halb herumgedreht, steht bewegungslos, mit halb erhobenen Armen, wie überrascht da. Jetzt, im Augenblick des Todes, scheint sich der Eisenmann in einen Menschen zu verwandeln, er zittert, er stößt einen klagenden Laut aus, die eiserne Hand will zu der Stelle tasten, wo das Blut endlos herausströmt, um es zurückzuhalten. Kraftlos fällt Sir Ither zusammen, der eiserne Panzer kann ihn nicht mehr halten. Sir Ither liegt tot auf dem Acker. Parzival hockt sich neben ihn, stochert an ihm herum. Er will die Rüstung haben, er weiß aber nicht, wie man sie öffnet und wie man sie abnimmt. Er zerrt daran herum, er biegt den Kopf gewaltsam zur Seite; so findet er eine ungeschützte Stelle am Hals. Er versucht mit aller Kraft, den Panzer mit den Händen aufzubiegen, ein paar eiserne Schuppen abzureißen. Schließlich fängt er an, mit dem Messer das Fleisch des toten Ritters in Stücken aus dem Panzer herauszustechen und zu schneiden, wie das Fleisch eines Hummers aus der halbgeöffneten Schale.

Wolfsjunge

Musik.
Die Damen, die Ritter. Feierlich gezirkelte Hüpfschritte der gepanzerten Ritter zu einer dünnen, schrillen Musik. – Sir Ithers Knappe kommt schreiend in den Saal gerannt. Er hat Sir Ither umgebracht! Er hat Sir Ither umgebracht! Die Ratte hat Sir Ither totgebissen! – Einzelne Paare bleiben stehen. Immer mehr Paare bleiben stehen. Die zierlich geordnete Tanzfigur löst sich auf, zerfällt. Die ersten laufen hinaus, andere folgen. Sir Lancelot mit Königin Ginevra tanzen noch immer, obwohl rechts und links von ihnen keine Tänzer mehr sind, die die Tanzschritte, die Verbeu-

gungen, die Drehungen wiederholen und beantworten. Sir Lancelot und Königin Ginevra drehen sich, verbeugen sich nur für sich, lächelnd, ohne wahrzunehmen, daß selbst die Musiker mit ihren Instrumenten davongerannt sind, sie bewegen sich nach einer Musik, die niemand hören kann außer ihnen. Sie sehen sich an, Schlangen springen durch ihre Adern.
Ein langer Zug von Rittern und Damen bewegt sich über die Galerien hinauf und wieder hinunter: über das neblige Feld und über die Wiese hinüber zum Waldrand, wo Parzival auf dem Acker neben dem toten Sir Ither kniet und das blutige Fleisch aus der Rüstung herausreißt. Er zerrt und reißt mit Händen und Zähnen wie ein Tier.

EIN HERR Der Mensch, ohne Körperkräfte und ohne eingeborene Ideen auf diesen Erdball geworfen und außerstande, aus eigener Kraft den in ihm angelegten Gesetzen seiner Organisation zu gehorchen, die ihn dazu berufen, im System der Schöpfung den ersten Platz einzunehmen, kann nur im Schoße der Gesellschaft den hervorragenden Platz finden, der ihm von der Natur zugedacht ist, und wäre ohne die Zivilisation eines der schwächsten und unverständigsten Tiere.

EIN ANDERER HERR Erster Vorschlag: Ihn für das Leben in Gemeinschaft gewinnen, indem man es ihm angenehmer gestaltet als das, welches er bisher geführt hat, und gleichzeitig dem Leben ähnlicher macht, das er verlassen hat.

EIN ANDERER HERR Zweiter Vorschlag: Die Sensibilität seiner Nerven durch kräftige Stimulantien und zuweilen durch heftige seelische Erschütterungen wecken.

EINE DAME Dritter Vorschlag: Seinen Gedankenkreis erweitern, indem man ihm neue Bedürfnisse gibt und seine Beziehungen zu der ihn umgebenden Welt vervielfältigt.

EIN ANDERER HERR Vierter Vorschlag: Ihn zum Gebrauch der Sprache führen, wobei das Einüben der Nachahmung durch das zwingende Gebot der Notwendigkeit bestimmt wird.

EINE ANDERE DAME Fünfter Vorschlag: Eine Zeitlang die einfachsten Geistestätigkeiten an den Gegenständen seiner körperlichen Bedürfnisse üben und sie dann auf den Bildungsstoff ausdehnen.

Jetzt bin ich ein Ritter

Früher Morgen, vor Sonnenaufgang. Es ist ganz still, man hört nur, wie Parzival vor Anstrengung keucht, man hört die Eisenstücke der Rüstung aneinanderklirren, das gierige und wütende Zerren, Brechen und Beißen. Die Damen und Herren stehen bewegungslos, ungläubig, stumm vor Entsetzen im weiten Abstand außen herum. Eine Dame fällt hin, niemand scheint es zu bemerken. Jemand bricht in schrilles, hysterisches Jammern aus. Dann wieder Schweigen. Ein Ritter kniet nieder und fängt an zu beten. Ein zweiter Ritter kniet nieder, dann mehrere.

Nach langer Zeit erst bemerkt Parzival, daß die Hofgesellschaft gekommen ist und ihm zusieht.

PARZIVAL *lacht:* Jetzt bin ich ein Ritter! Darüber freue ich mich sehr. Bist du ein Ritter? Ich bin ein Ritter! Guten Tag, Ritter! Und du? Rittergesicht! Rittergesicht! *Zu Sir Gawain:* Guten Tag, König Artus! Wie gut, daß du mir die rote Rüstung geschenkt hast. Ein eisernes Schwert habe ich jetzt auch. Meine Mutter hat mir nur ein dummes Stück Holz mitgegeben, und ich habe geglaubt, das Stück Holz sei ein Schwert. Dir will ich lieber doch nicht dienen, König Artus! Du hast noch einen Herrn über dir, hast du gesagt. Ich will lieber gleich zu dem größten Herrn gehen. Wo soll ich denn hingehen, um deinen Herrn Gott zu finden? Wo sitzt er denn? Sitzt er auf seinem Haus?

Die Hofgesellschaft steht schweigend da.

PARZIVAL Du gibst mit keine Antwort! Du sagst gar nichts. Und die andern da auch nicht! Ihr wißt es wohl nicht? Ich werde ihn schon finden. Ich suche ihn mir allein.

SIR GAWAIN Ich bitte dich um Verzeihung, Parzival.

PARZIVAL Warum denn?

SIR GAWAIN Wir haben nicht recht an dir gehandelt. Verzeih uns.

PARZIVAL *ist wieder mit der Rüstung beschäftigt, gibt keine Antwort.*

SIR GAWAIN Ich bin Sir Gawain.

PARZIVAL *unbeteiligt:* Ach! Ich dachte, du bist König Artus.

SIR GAWAIN Ich bin nicht König Artus! Ich –

PARZIVAL Aber die Rüstung gehört mir!

SIR GAWAIN Wenn du ein Ritter werden willst, dann will ich dir helfen.

PARZIVAL Ich brauche dich nicht. Ich habe die rote Rüstung, ich bin doch ein Ritter! Ich brauche niemand! Ich bin ein Ritter! *Er steht auf, hebt die Stücke der roten Rüstung auf – es hängen noch Fleischfetzen daran –, den Helm, die Beinschienen, den verbogenen Brustpanzer, und schleift sie über den Acker davon.*

Zwergplanet

EIN HERR Der erloschene Zwergplanet, der zu einem flach elliptischen, das galaktische Zentrum der Milchstraße in 30 000 Lichtjahren Entfernung umkreisenden Sonnensystem gehörte, hatte nur einen Mond, geringen Durchmesser, hohe Dichte und feste Oberfläche. Darin glich er dem kleineren Schwesterplanetoiden seines Sonnensystems. Die langen Rotationsperioden veränderten zyklisch den

Einfall des Sonnenlichtes, so daß helle und dunkle Perioden, warme und kalte Perioden einander abwechselten. Auf seiner erstarrten Außenhaut aus Gestein und Metall bildete sich unter der schützenden Umhüllung einer feuchten Aura aus Sauerstoff und Stickstoff, in der sich das Licht brach und sie blau färbte, durch organisch-chemische Vorgänge eine planetarische Flora von großer Vielfalt. Sie überzog die Oberfläche des Planetenballs wie ein grüner Flaum. Später entwickelten sich auch verschiedene vielzellige Lebensformen. Sie konnten sich frei bewegen und paßten sich in Form und Färbung den Gegebenheiten ihrer Umwelt an. Kurz vor dem Ende des Sterns entstand aus den mehrzelligen Organismen eine Vielzahl verschieden pigmentierter androgyner Wesen. Sie waren zweigeschlechtlich angelegt und pflanzten sich mit lebend geborenen Nachkommen fort, die sich aus Samen im weiblichen Körper bildeten. Diese Lebensform von niedriger Intelligenz war jedoch mit rudimentären Erkenntnissen über ihr Entstehen und minimalen Einsichten in die Zusammenhänge ihres Sonnensystems ausgestattet. Sie entwickelten vermutlich eine gewisse Kultur mit primitiven Religions- und Gesellschaftsformen und erreichten wohl zu gewissen Zeiten ein schwaches Bewußtsein ihrer Vergänglichkeit. Es ist nicht erwiesen, inwieweit sie das Ende des Planeten voraussahen oder sogar herbeiführten. Die wenigen Spuren ihrer Existenz bleiben rätselhaft.

ADOLF MUSCHG

Schweizer Kultur und Europa

> Ich kenne in Europa kaum eine Gesellschaft, die so verunsichert dasteht wie die Schweiz, kaum eine Gesellschaft, die so sehr ein stärkeres Selbstbewußtsein brauchen würde. Wir müssen feststellen, daß aus dem selbstbewußtesten Lande Westeuropas in der Nachkriegszeit das am stärksten verunsicherte Land geworden ist.
>
> *Flavio Cotti*

Der grüne Heinrich Lee – in der Erstfassung von Kellers Roman – überschreitet zum ersten Mal den Rhein, um im gelobten Land der Dichter und Denker zu wandern, wie einst sein Vater, der Drechsler, der Zeit seines kurzen Lebens nur hochdeutsch gesprochen hat; der Sohn will höher hinaus und Kunstmaler werden. Da begegnet er in einer Tafelrunde dem landesherrlich-badischen Hoheitsanspruch und verweigert ihm, als Tellensohn, die Reverenz. Vor Mißhandlung schützt ihn die Intervention eines frei gesinnten Edelmanns (später wird er beinahe sein Schwiegervater werden); auf der Weiterfahrt in der Kutsche gratuliert ihm sein Retter zur bundesstaatlichen Freiheit seiner Alpenrepublik, der zu ihrem Glück nun nichts weiter fehle als eine entsprechende Nationalkultur. Der Widerspruch des jungen Patrioten ist deutlich:
»Es gibt zwar viele meiner Landsleute, welche an eine schweizerische Kunst und Literatur (...) glauben. Das Alpenglühen und die Alpenrosenpoesie sind aber bald er-

schöpft« ... »Um kein verlorener Posten zu sein«, hole sich der französische, der italienische, der deutsche Schweizer das Beste seiner Kultur von den »in Sprache und Geist verwandten größeren Völkern«, und »alle (...) sind bestrebt, alles nur zu größeren Ehre ihres Landes zurückzubringen und zu verwenden.«

Diese Sätze mögen »vielen meiner Landsleute« heute erst recht fremd in die Ohren klingen. Wir sind nicht mehr gewohnt, in Keller den »deutschen« Dichter zu sehen, als den er sich zeitlebens bezeichnet hat (nicht anders als der »Österreicher« Grillparzer), oder die Schärfe zu verstehen, mit der er die Mitwirkung an »Schweizerischen« Dichter-Anthologien abgelehnt hat. Vor allem wir Deutschschweizer haben uns die Zusammengehörigkeit mit dem größeren Kulturraum von »reichsdeutscher« Kulturpolitik, zuletzt der des Dritten Reiches, vergällen und entwenden lassen.

Und doch ist die Geschichte auf dem Niveau der einst begründeten »geistigen Landesverteidigung« nicht stehengeblieben. Heute schickt sich Europa an, einen qualitativen Sprung zu tun, der mit dem Datum 1992 – der Schaffung eines einheitlichen EG-Binnenmarktes – nur teilweise bezeichnet ist; denn noch gewaltiger sind die europäischen Energien, welche die Auflösung und Demokratisierung des ehemaligen Ostblockes sowie der überraschende deutsche Einigungsprozeß freisetzen. Im Gefühl dieser Erschütterungen ist die Identität unseres Landes für viele seiner Bürger, denen ein Feindbild ums andere abhanden kommt, zur bangen Frage geworden. Wer sind wir eigentlich, wenn die alte Schutz- und Trutzgemeinschaft der Eidgenossen sich nicht mehr durch die einigende Kraft der Abwehr definieren läßt? Wir haben die Prinzipien der Neutralität oder der allgemeinen Wehrpflicht, bewährte Mittel schweizerischer Selbstbehauptung, praktisch in den Rang von Staatszwecken erhoben; seit unsere Nachbarstaaten Güter, die in einem liberalen Staat noch über der Verfassung stehen, nicht weniger (und oft wirksamer) garantieren als wir, wird die Frage nach der Substanz unserer Unabhängigkeit zur Sinnfrage der Schweiz.

Natürlich ist diese Unabhängigkeit in allen Bereichen, welche die Lebensrealität der Schweizer betreffen, nicht mehr garantierbar, weder in der Güter- noch in der Energieversorgung, nicht auf dem Arbeitsmarkt und nicht in der technologischen Entwicklung, am allerwenigsten in der Umweltpolitik. Diese ist im Normal- und erst recht im Unglücksfall unserer souveränen Entscheidung entzogen: keine Bedrohung der allgemeinen Lebensgrundlagen denkt daran, an unseren Grenzen Halt zu machen. Für den Fortbestand dessen, was wir Heimat nennen (und nötig haben), bedarf es ganz anderer Reflexe als »Abwehr« und »Verteidigung« – aber was tritt an ihre Stelle? Was ist an unserer politischen Identität haltbar, was bewahrenswürdig an kultureller Eigenart?

Vielleicht beginnen wir einmal damit, an diesen Fragen die Ängstlichkeit zu bemerken und zu überwinden – wobei uns das Votum des grünen Heinrich hilfreich sein könnte. Denn es entstammt einer Zeit, wo die Republik ihre Identität noch grenzüberschreitend und sich selbst als Vorreiter jener europäischen Entwicklung verstehen durfte, die uns heute eingeholt hat. Und da ist zuerst die Besinnung auf jene Doppelbürgerschaft wieder angezeigt, die für Kellers Zeitgenossen noch eine Selbstverständlichkeit war. Der Deutschschweizer ist von Haus aus schweizerischer Staatsbürger *und* deutscher Kulturbürger. Er hat, als Patriot, heute erst recht die Verpflichtung zu dieser doppelten Loyalität, weil nur sie eine vollgültige und wirksame Teilnahme am europäischen Einigungsprozeß erlaubt.

Der Zugehörigkeit zum französischen oder italienischen Kulturkreis verdanken unsere lateinischen Mitbürger, notgedrungen oder zwanglos, viel, wenn auch nicht alles ihrer »Identität«; dasselbe gilt, mit umgekehrten Vorzeichen, von ihrer politischen Zugehörigkeit. Problematisch würde die kulturelle Bindung an Frankreich oder Italien erst dann, wenn die politische zur Schweiz nicht mehr tragfähig wäre. Im Grundsatz aber bleibt die »Doppelbürgerschaft« nicht nur ein fruchtbares Element des persönlichen Selbstverständnisses. Sie ist konstitutiv für die »Eigenart« und stattet ihren Träger mit einer einzigartigen Qualifikation für »Europa« aus, und zwar um so mehr, je fähiger sie sich erweist, die damit verbundenen möglichen Konflikte zu ertragen und fruchtbar zu machen.

Die »deutsche« Schweiz hat sich in den letzten Jahrzehnten viel von dieser produktiven Mühe geschenkt und damit ihre europäische Mitgift verwahrlosen lassen. Der zunehmende Verlust des gesprochenen (also lebendigen) Hochdeutschen kommt einem mutwilligen Verzicht auf jene »Doppelbürgerschaft« gleich, oder um es provokativ zu wiederholen: einem Verlust an schweizerischer Eigenart. Denn die wichtigsten Quellen, an denen wir sie messen, vom »Grünen Heinrich« bis zum Zivilgesetzbuch, sind in einer großen Kultursprache verfaßt; sie ist für immer mehr junge Schweizer zur Fremdsprache geworden. Daß der galoppierende Mundartgebrauch ein Zeichen von Eigenständigkeit sei, enthüllt sich jedem aufmerksamen Betrachter längst als Schein: das »Schweizerdeutsche« ist in Wirklichkeit ein phonetisch umgefärbtes Boulevarddeutsch und insofern das nivellierte und homogenisierte Produkt industrieller Massenfertigung, *junk food*. Ohne die arbeitsteilige Differenzierung von Mundart und Hochsprache verliert sich die Empfindlichkeit für beide. Mit seiner Allerweltsmundart bleibt der Deutschschweizer nicht nur seinen Beitrag zur angestammten Kultursprache schuldig, er isoliert sich auch gegenüber seinen anderssprachigen Mitbürgern. Die sprachliche Provinzialisierung steht also nicht nur der Europa-Orientierung im Wege, sie ist auch staatspolitisch verhängnisvoll.

Natürlich ist die Mundartwelle nur *ein* Symptom für eine gefährliche und selbstgerechte Beschaulichkeit, in die uns ein keineswegs nur selbstverdienter Wohlstand gewiegt hat. Die weltpolitische Konstellation, in der er uns in den Schoß fiel, neigt sich dem Ende zu. Wir werden in Europa nur so viel zu bedeuten haben, wie wir zu Europa beitragen. Die Mischung von Anspruchshaltung – »was bringt es uns?« – und verschwiegenem Kleinmut – »wer sind wir schon?« – »bringt« es nicht mehr lange; sie läßt unser nationales Gesicht armseliger und verkniffener als nötig erscheinen und ist auch unserer Geschichte nicht ganz würdig. Es wäre, von 1848 her gesehen – dem wirklich jubiläumswürdigen Datum der Eidgenossenschaft – »unschweizerisch«, zu warten, bis uns die europäischen Rücksichten, die ein Kleinstaat im Herzen des Kontinents zu nehmen hat, durch Sachzwänge von außen diktiert werden (eingeschlossen den Gebrauch einer unsrer Nationalsprachen, des Hochdeutschen). Nicht weniger »unschweizerisch« wäre es aber auch, unser politisches Angebot unter den Scheffel der Mutlosigkeit zu stellen.

Denn in unserer politischen Kultur gibt es durchaus empfehlenswerte und gewissermaßen exportfähige Modelle: von der relativen Gemeindeautonomie über die Rollenverteilung zwischen Bund und Gliedstaaten bis zum Ausbaustand der direkten Volksrechte. Die Gründung eines Kantons Jura war das jüngste Beispiel verallgemeinerungsfähiger politischer Kultur: was zuerst nichts als ein Stein des Anstoßes war, wurde am Ende durch ein eidgenössisches Plebiszit abgesegnet. Warum sollte – beispielsweise – die Frage der deutschen Einheit, deren Folgen alle Europäer betreffen, nicht einem europäischen Votum unterstellt werden? Sie muß den Deutschen damit nicht vorenthalten bleiben – aber sie sollen Gelegenheit erhalten, in einer kontinentalen Kampagne für ihr nationales Bedürfnis zu werben und es eben so in »Europa« einzubinden. Oder: das Nordirland-Problem, das bei den heutigen Frontstellungen gänzlich unlösbar scheint, brauchte es in einem europäischen Rahmen nicht zu bleiben: dazu hätte die Schweiz einige praktische Errungenschaften politischer Phantasie beizutragen. Um die Kühnheit weiter zu treiben: die friedensgefährliche Alternative zwischen Desintegration der Sowjetunion und Restauration des Moskauer Gewaltmonopols könnte im Rahmen eines europäischen Schiedsgerichts entschärft werden, in dem die Schweiz mit der Stimme ihrer konföderativen Erfahrung – also bescheiden *und* konstruktiv – vertreten wäre.

Aber ob die Schweiz als »Modell Europas« durch den wirklichen Aufbau Europas überholt wird, hängt davon ab, wie vorbildlich sie innerhalb ihrer Grenzen Probleme löst, die weiter reichen als diese Grenzen und für die sie keine Exklusivität mehr beanspruchen kann. Sie muß also – nur scheinbar paradox – europäischer und globaler denken und handeln, um schweizerisch zu bleiben – das fragwürdige Privileg des Sonderfalls genießt sie dabei nicht mehr. Und die Frage, die ich aus Kindermund gehört habe: wozu brauchen wir die Schweiz? wird von der andern immer weniger zu trennen sein: wie brauchbar zeigen sich unsere Lösungen für Europa und darüber hinaus?

Musterhaft wären wir gewiß nicht, wenn wir *nur* Ja sagten zum drohenden Eurozentrismus – so wenig wie zum großflächigen »Wirtschaftsraum«, der flurbereinigten Konstruktion einer neuen Eurotechno- und Bürokratie. Doch darf von unserem »Ja, aber« auch nicht nur das »Aber« zu hören sein. Europa ist unsere Sache nicht weniger als die der andern und Größeren. Der politische Gestaltungswille, der die Schweiz zu einem vernünftig geregelten Gemeinwesen heterogener Teilstaaten ausgebaut hat, muß keine schweizerische Spezialität bleiben. Das Erworbene ängstlich und im Grunde pessimistisch zu hüten, ist der sicherste Weg, es zu verlieren. Ein Europa, das ohne aktive Mitsprache und innere Teilnahme der Schweiz zusammenwächst, wird auf ihre Bedürfnisse und Eigenheiten keine Rücksicht nehmen und damit, in der Tat, die Befürchtungen wahrmachen, die uns gegenwärtig auf die Entwicklung Europas starren lassen wie das Kaninchen auf die Schlange. Oder – bei der helvetischen Zoologie zu bleiben –: dem Igel nützen seine Stacheln so wenig gegen das Überfahrenwerden wie das Einrollen.

Wenn wir aber unsere gerühmte innere Vielfalt, statt sie als Phrase zu konservieren, einbringen in den Streit um Europa, werden wir uns dabei eben die Identität erwerben, um die wir fürchten. Die Grünen (nicht nur sie) bangen um überblickbare Strukturen, den »kleinen Kreis«, den sie gegen die Dammbrucheffekte, den Profit-Rationalismus des Großwirtschaftsraums in Schutz nehmen wollen. Sie vergessen dabei nur, daß sich auch der Widerstand dagegen nur im europäischen Verbund wirksam mobilisieren läßt. Ein Europa der Sachzwänge bekommen wir am sichersten durch unsere Abstinenz. Damit Europa werde, was es sein kann: ein Kulturprozeß, nicht nur ein Supermarkt und Großverteiler, bedarf es des solidarischen und korporativen Widerstands der »Kleinen«; also einer im historischen Sinn »eidgenössischen« Strategie. Wer sich abkoppelt, betrügt sich nicht nur selbst, er bildet auch kein Gegengewicht. Damit die »Verschweizerung« Europas in diesem Sinn weder eine Utopie sei noch ein Witz, bedarf sie einer tatkräftigen und aktiven Phantasie; und da trifft es sich gut, daß diese auch das rechte und einzige Mittel ist, über unsere jetzigen schleichenden Staatskrisen hinauszukommen. Wir haben eine größere Perspektive; wir müssen nur wagen, sie zu fassen, und eine PR-gesteuerte Nationalfestivität ist wohl nicht ganz der Weg dazu. Das Gottesurteil über schweizerische Selbstgratulation hat der Staatsschreiber Gottfried Keller in seinem ersten Bettagsmandat gesprochen:

»Aber wenn auch (...) der große Baumeister unserer Geschichte nicht sowohl ein vollgültiges Muster als einen Versuch im kleinen, gleichsam ein kleines Baumodell aufgestellt hat, so kann derselbe Meister das Modell wieder zerschlagen, sobald es ihm nicht mehr gefällt, sobald es seinem großen Plane nicht entspricht. Und es würde ihm nicht mehr entsprechen von der Stunde an, da wir nicht mehr mit männlichem Ernste vorwärtsstreben, unerprobte Entschlüsse schon für Taten halten und für jede mühelose Kraftäußerung in Worten uns mit einem Freudenfeste belohnen wollten.«

Der von C. F. Meyer so genannte »Schutzgeist des Vaterlandes« war gewiß kein Liebhaber des Abbruchhammers. Wohl oder übel aber hatte er gelernt, sich mit der Vergänglichkeit aller menschlichen Dinge und Einrichtungen zu befreunden. Er hätte das gewiß nicht »mühelose« Aufgehen der Schweiz in einem konföderativen Europa nicht als das Ende der Welt empfunden, und nicht einmal als Verschwinden der Heimat. Denn diese verwirklichte sich für ihn in der Verbindung selbstverantwortlicher Menschen und im tätigen Bekenntnis zur gemeinschaftlichen Freiheit. In dieser größeren europäischen Eidgenossenschaft aber dürfen die Grenzen eines Staates (wie einst die der Kantone) verblassen zu Erinnerungen an die nie ganz erledigte Pflicht geteilter Nachbarschaft. Eingeschlossen die Pflicht, als Nachbarn auch Mitbürger wahrzunehmen, die nicht durch Landesgrenzen von uns getrennt sind, sondern durch Barrieren. 40 000 Rätoromanen in Ehren – aber wer (außer der Fremdenpolizei) hat die zehnmal so viel Jugoslawen gezählt, wer sieht die Tamilen an, die Kurden, die nur durch einen Gartenzaun von uns getrennt in einer andern Welt leben – genau jener, die bisher unsern Wohlstand garantiert hat? Sie aber sind die Welt, mit der wir uns befreunden und in der wir uns ein Heimatrecht erwerben müssen, wenn die Schweiz noch eine Weile Bestand haben soll. Das »Freudenfest«, mit dem wir uns für 700 Jahre Vergangenheit »belohnen«, würde uns zu teuer zu stehen kommen, wenn es (worauf leider alle Zeichen deuten) die bereits multikulturelle, über-nationale Wirklichkeit unseres Landes *nicht* einschließt: damit würde es zur Schaustellung einer Verkehrten Welt. Selbstbehauptung als Lüge: dafür würde uns das Leben bestrafen. Zuerst unser eigenes.

THOMAS KLING

Hermesbaby, Auspizium

gezüngelte liebkosung,
erstlingsgabe deine ernsten licht-
beschriftungen;
                    gespeichert;
angelehntes styropor (wandtafeln):
gespickte auffangbecken, künftige
reservoire; staksschritt durchs
zimmer, belagerter bösendorfer;
oder, den mantel geschultert,
im café museum: deine scheuende stimme,
die (bären?)franse erreicht deine braue;
durchs zimmer jagen die schwalben
unausgesetzt ihr winkliges rufen,
hakenschlagend, und sorgsame
kurskorrektur wer
will das voraussehen?
                              solch erkämpftes
trinkwasser, (vogel)perspektiven,
umgekehrte kontinentdrift, offene
herzadresse und -schwall!
                                  beschriftetes
licht deine ungezügelten sprachen!

(für Friederike Mayröcker)

Petersburger Hängun'

ins helle, ins allerhell
gehängt! ein umfassend -jagd und aller
heilgen, november-aorta herbe angepackt (lies: a
lies ort, lies a), chaos im winterpalais, vor-
silbnwexl, -grad bleibt erhaltn, und neva strahlen-
schleier sowieso; ikone reingehackt: eines daniils
verlust: verlustig gegang eines charms (so ins
kyrillisch reingehackt ANGESCHWÄRZTE KO
PFLAGERUN'/ ein GPU-RANDHALTN, auch andre
ränder, andre existnzn (..); zuvor von VELIMIR
IST NICHT DIE REDE zuvor bereiz schmerzlicher
eisnstein der unaufhaltsam die zarentreppe run
terrattert, sein unaufhörlich löwnwach zurückgespult glas
NOST IM ÜBRIGEN HEISST »SCHNEIDETISCH«

(für Dieter Hiesserer)

Brief, Probe in der Eifel

eine eifelprobe? pia,
hier geht man früh
zu bett, kurzangebundne mit brettern zu-
genagelte gegend; in den fenstern der
straßndörfer die verfettenden, führerschein-
und andere verluste (zumbeispiel krieger-
denkmal);
sinistre kirchn, kirchngesichter,
gesichter von stallkaninchn, im abendasfalt krie-
chendes ausgefranstes oktoberlicht.. ALLES
WEGGESPERRT.. ODER SO
ein weggesperrt

von schmuddligen hügeln aus, ein caspar-david-
baum als weithin-orientierung; als kugel-, als
blickfang die dikke mit weggesperrter 40jäh-
riger tochter; der debile 40jährige sohn einer
altn pendlerin: im überlandbus flippt er aus (»du
blöder weib, piss, du aaschlöcher!«), die linie
wird bald eingestellt;
                                    gequetschter kopf, die zwe-
tschgen; die 15jährigen pflaumen verkommen und
landn dann im fenster; oder die bäurin, gran-
nenkinn, die ihreigneskind totgefahrn hat, in
den familien in den gequetschtn köpfn noch
nach zehn jahrn das quatschende treckerrad du siehst:
hier geht man früh zu bett, pia

(für Jörg Ritzenhoff)

Ratinger Hof, Zettbeh (3)

»o nacht! ich nahm schon
flugbenzin . . .«

nachtperformance, leberschäden,
schrille klausur
                    HIER KÖNNEN SIE
ANITA BERBER VALESKA GERT BESICHTIGEN
MEINE HERRN . . KANN ABER INS AUGE GEHN
stimmts outfit? das ist dein auftritt!
schummrige westkurve (»um entscheidende
millimeter geschlagen«)
                              gekeckerte -fetzen
»süße öhrchen«, ohrläppchen metallverschraubt
beschädigtes leder, monturen, blitze
beschläge, fischgerät im parallel-
geschiebe; sich überschlagendes, -lapp

endes keckern (»gestern dä lappn wech«);
unser sprachfraß echt junkfood, echt
verderbliche ware; »süße öhrchen«, wir
stülpen unsere mäuler um JETZT mit der
(kühlschrank)nase flügeln (yachtinstinkt,
»paar lines gezogn«); nebenbei erklärter
maßen blitzkrieg/blickfick (JETZT LÄC
HELN!); havarierte augenpaare (schwer
geädert), »man sieht sich«, kiesel im
geschiebe, man sieht nichts aber: über
gabe/rüberreichen von telefonnummern
(JETZT LECKEN!)
DAS HAARREGISTER: bei
steiler fülle, grannig gestylt, hoch
gesprühter edelwust, fiftyfifty,
gesperberte fönung, cherokeegerädert,
barbieverpuppung, teddysteiff, »sekthell
ihr busch«, weekend-allonge, Yves-Klein-blau,
pechschwarz, schläfenraster, freigelegte
schädeldecke, »um entscheidende millimeter
geschlagen!«
(von der kette
gelassen; bereit, zeitig, zum sprung;
zum absprung bereit, die jungens: paar
kanaken plattmachn, gefletschte pupillen,
panzerglasig; vollgestopft mit guten
pillen werden sie dann unter vorrückende
tanks gejagt, »haste ma ne mark für taxi«);
gerädert, bei steiler fülle, OP-bläue,
pechschwanz, schädelraster, ums ganze
haarregister laberschäden; sicherheit ja
die einzige ja: UM FÜNF WIRD HIER
DAS LICHT ANGEHN . . DAS VOLLE LICHT . .
AUFTRITT VON PHANTOMSCHMERZEN . . UND
ANGST DAS KALTE LAKEN

Geschrebertes Idyll, für Mike Feser

seit acht gekokelt (»lüftchn wi
ausm ei gepellt«); zur erdbeerbowle
kommen kellergeister, brigitte-
leckerbissn reingezogn, pfundweise
fleischsalat und ersma bratnsaft
auf die krawatte;
schon unerbittlich
urlaubsdias durchgejagt AUF EINZEL-
BILDER MUSS VERZICHTET WERN; auffer
terrasse volle pulle, allseiz gesichz-
entfachung angesagt, mallorcamild der mond
im quittenbaum (»den schein ma wieder
losgewordn«, »sollja n mongölchn sein«),
pappteller läppern sich im rettich-
schattn, nachundnach: rührseligkeitn!
männertreu! mein lieber herr gesanxverein!
der rettunxsanitäter skatgesicht, die
ärmel hoch die fahne später
& nebnschau
platz aufgemacht: -glas an kompottglas
nahbei kartoffelmuff, danebn vaters hobby
keller pralineposter an der wand DA ZÜKKTERS!
BOHREGGWIPPMENT!! mit kettschuppfingern mit
karacho in irgendeinen feuchtn neilon-
slip (..)
da draußn weiter horrorvideo; g
gröhltes faßbier undundund, wildschwäne-rausch
aus allermund, dem schwulenwitzchen folgn
(glas ex) kräcker WER HAT DEN SCHÄRFSTEN
GARTNGRILL? WER HAT DI SCHÖNSTEN SCHÄFCHEN?
WER
HAT DAS GHETTO BOMBARDIERT?, vor schluß die
stachelbeeren vollgereihert; (»irgenzwie
nach haus geeiert..«)

THOMAS HETTCHE

Auf und davon

Die Angst hing nicht mehr an den Bildern, doch ich wußte, ich trieb, Sätze in meinem Kopf, Lene, flüstert Ludwig, woran denkst du. An nichts. Sie sieht in den Himmel, ahnungslos selbstvergessen, unverhofft einfach, denkt er, blindlings, nicht fragen, nur weiter, unwiderstehliche Ahnung deiner herrschaftlich zufriedenen Haut, wie es ausgeht, zu welchem Ende hinaus, weiß ich ja, nichts ist da, was sich bewahren ließe, nur dein Gang, das Schweigen deiner Hüfte, windstiller Takt, in dem ich hänge, während sie aufsteht, ein frisches T-Shirt aus dem Schrank nimmt, den Rock vom Sofa, sich anzieht, sag mal, sagt, über die Schulter hinweg, ihn fragt, was er die nächsten Tage vorhabe, und ihm erklärt, ohne seine Antwort abzuwarten, sie müsse für einige Tage nach Triest, Vorbereitungen für die Uni, habe zwar noch Semesterferien, komme auch am Wochenende schon wieder, aber, sie weiß, die Idee ist ihr gerade erst gekommen, sie hat plötzlich Angst, denkt, nur schnell weg, zieht sich das T-Shirt über den Kopf, und für Momente prägt sich ihm, der ihr unverwandt zusieht und nicht glauben kann, daß sie ihn jetzt schon wieder allein lassen will, das Bild ihrer Brüste ein, aber, wiederholt sie, du könntest doch mitfahren, da verebbt ihr der Satz, sie meidet seinen Blick, schweigt, beginnt noch einmal, wir könnten uns auf der Rückfahrt ja Venedig ansehen, warst du schon in Venedig, jener seltsame Schatten, den sie in der Nacht in einer Zimmerecke, im Dunkel hinter dem Sofa, bemerkt zu haben glaubt, ihre Angst vor dem halbwachen, wie phosphoreszierenden Leuchten des weißen Stoffes im Dunkel ist ihr wieder eingefallen, Venedig nur Ausrede, ich will nicht ohne ihn sein, das ist alles, beschwichtigt sie sich, geht zögernd nochmals zum Schrank und nimmt, widerwillig, Strümpfe und Strumpfhalter aus der untersten Schublade, streift sich den schwarzen Nylonstoff über die Beine, befestigt den Straps, ohne den Rock auszuziehen, denkt an das, was der Alte sagte, für alle Fälle gerüstet, denkt sie, an Flucht, die Waffen einer Frau, und muß lächeln. Vielleicht, sagt Ludwig, ist dort die Luft besser, der Tag ist so schwül. Rosina, erklärt Lene schnell, leiht mir ihr Auto. Der Fahrtwind wird gut tun, sagt er, ich komme gern mit, aber willst du denn das überhaupt, mich, da steht sie schon in der Tür, schnell, denkt sie, bevor es einer bemerkt, dann los, ich hole nur das Auto, bin gleich wieder da, sie kommt ans Bett, küßt ihn kurz und fest auf den Mund, frühstücken können wir unterwegs, es ist schon ein Uhr. Ein Uhr also, dachte ich, noch immer zeigte meine Uhr unverständliche Zahlen, fünfundachtzig und drei, doch zum erstenmal schien es mir, als verberge sie ein eigenes Maß. Lenes Geruch verliert sich nur zögerlich im Raum, während er sich anzieht, ist noch da, als er die Autohupe hört, so einfach, denkt er, könnte es sein, reichte nur der Atem weiter als das Lachen, oder wenn das Lachen wenigstens bliebe, das wäre doch was, schließt die Tür, geht durch den Laden, winkt, als er aus dem Haus kommt, wenn man mich so sieht, das ist albern, denkt er, albern, natürlich sieht man mich, Lene weiß nicht, was es bedeutet, daß Ludwig lächelnd auf das Auto zukommt, als entschuldigte er sich. Sie halten noch einmal, Ludwig packt, was er gerade findet, bemerkt mein Telegramm nicht, das unter der Tür klemmt und das er beim Öffnen zur Wand schiebt, doch ich wußte längst, daß sich nichts mehr ändern ließ. Als er wieder im Auto sitzt, geht sein Atem schwer, die Treppen, er fühlt den Schweiß kalt im Gesicht, benutzt das Nitrospray, versucht ein Lächeln, warum haben wir es eigentlich so eilig, und als Lene anfährt legt er, nur um zu sehen, was geschieht, seine Hand auf ihren Oberschenkel.

Für einen Moment huscht ihr lächelnder Blick herüber zu ihm. Dann sind sie schon vor der Zahlstelle am Autobahnzubringer, Autostradale Imperia Ovest liest er, kurbelt das Fenster herunter und hält das Gesicht in den Wind, noch immer fühlt er sich wie betrunken, aber das Atmen wird leichter, der Himmel ist tief verhangen in den Bergen über ihnen, Oneglia rechter Hand, darunter das Meer, die Sicht unterbrochen durch Tunnel, orangenes Neonlicht, dann wieder Meer, die Küste entlang ohne Zeit, endlich ohne Zeit, denkt Ludwig, weiß nicht, ob er geschlafen hat, als Lene, das ist Genua, sagt, der Blick sich noch einmal öffnet zum Meer, das letzte, was er sieht, ineinandergeschoben wie Kulissen, große Schiffe längsseits zur Stadt, dann läßt die Autobahn vom Meer ab, die Berge hinauf, Lene schaltet das Radio an, macht es wieder aus, er spürt die Kurven, drückt den Kopf in den Sitz, Piacenza, sagt Lene, dann geht es wieder bergab, doch, er ist damit einverstanden, von der Autobahn abzufahren, ich habe ja Zeit, sagt er lachend, ich dachte, du hättest es so eilig, wo sind wir jetzt, in der Poebene, kurz vor Cremona, der Lombardei, dann halten sie an der Zahlstelle, und von der Stadt bleibt nicht mehr als der Eindruck einer staubigen Straße. Wieder die Ebene, Weizenfelder, Mais, Kühe, Pappeln, Genua, Piacenza, Cremona, denkt Ludwig, Ocker, getürmt, Fenster, Ampel, am Ziel sein, Ankunft, Erscheinungen im Kreuzgang der Straßen, kreisender Blick, Verharren ist verräterischer Kuß, fleischgewordener Stein, Galle, Fischmarkt, übers Ziel hinaus, kein schöner Land, Tor zur Welt, Check-in, die Freiheit der Nebenstraßen, die sich schnurgerade unter Pappeln in der Ebene verlieren und wie Flüsse münden im Flirren der Luft, Maisfelder, unterbrochen von kleinen Orten, die an der Straße kleben, sich an sie klammern, ein Staubstreifen klafft zwischen allem, es mangelt nicht an Platz, das Land ist sumpfig und feucht, Ludwigs Augen stumpfen ab, er blinzelt, nur Bewegung, er schaut und vergißt, wonach er sich umsieht, innehaltend, als wären Nervenenden aufgerauht, bloßgelegt, spitz, den Augen Schauen Anstrengung, als riebe sich das Gesehene an ihnen, er sieht und vergißt die Städte, wiederholt sich die Namen, und Lene nickt, Kaffee an einer Tankstelle in einem Dorf, das unerwartet in der planen Fläche auftaucht, er weiß nichts zu sagen, nimmt seine Tablette mit Wasser, dann gehen sie zurück zum Wagen, das Licht beginnt schon kühler zu werden auf der Haut, Schatten in den Winkeln, als sie weiterfahren, bricht der Ort mit Blicken und Augen auf, werden Gesichter zerstört, die Gleichförmigkeit im Vorbeifahren zerrissen, stechender Schmerz im plötzlichen Anblick einer Mundecke aus der Nähe, und der Wunsch, in einem Gesicht, im Schwung einer Augenbraue, Erstaunen, auszuruhen für länger, bleibt totes Gefühl, wie alle Ansicht, alles Betrachten, schmerzlich, da sind sie am Ortsschild vorbei, Pappeln fliegen vorüber mit einem scharfen Ton, unter dem das Geräusch des Regens vor dem Fenster anschwoll, das Wasser in den Regenrinnen, besonders in denen, die auf der Gartenseite des Hauses neben den Fenstern verlaufen, klang metallen, wie man es nur zu Beginn des Herbstes wahrnimmt, bevor der Regen zu den Geräuschen des Tages gehört. Ich saß im Sessel, es dunkelte an jenem Montag unter dem grauen Himmel die ganze Zeit über, kühle Schatten ohne Umrisse lagen auf allem, ich sah, die Sonne stand schon tief, hätte sonst dem Sog, der an mir zerrte, als jagte ich jenem blauen Fiat Ritmo hinterher, in dem Ludwig und Lene durch die Poebene fahren, nichts entgegenzusetzen gehabt, hätte mich damit abgefunden, schnell in die Nacht zu schlittern, immer weniger widerstand der Geschichte, je länger sie dauerte, der Regen fiel schwer in kleinen Wellen die Röhren hinab, stürzte unten als plätschernder Guß dann, in wechselnder Menge, stoßartig auf die Steine, wusch Blätter und Dreck wie immer zu Beginn des Herbstes vom Dach mit Geräuschen, die klangen, als schriebe einer auf Papier, die zuckende Hand hörte man, auf und ab, Haken und Bögen, das Kratzen der Feder und die Stille, wenn der Strich aufhört, gleich wieder, gierig, aufs nächste Wort zuläuft, in Schauern wie der Regen, zischend und gurgelnd, doch ich wischte die sich zusammenfügenden Wörter im Kopf beiseite, weg, was sich heraufspülte und abtropfte, tat so, als wüßte ich von nichts, trank Wein und sah über den Rand des Glases auf die nassen Scheiben, obwohl ich doch Mitwisser war, spürte, wie sich die Wörter aufplusterten, sich räkelten wie unwillige Tiere immer lauter und unruhiger, daß er schon längst ihren Atem an seinen Knöcheln spüren müßte, im Nacken das Gefühl, daß da etwas ist, mehr als der Schmerz. Doch Ludwig sieht den Pappeln nach, die vorbeihuschen, sagt, Bäume, Bäume werden so alt, daß man meinen könnte, sie wüchsen immer weiter, wenn man sie nicht fällte oder der Blitz sie nicht träfe. Lene schüttelt den Kopf, Pappeln nicht, Pappeln werden nicht sehr alt, wachsen schnell, da kann man zusehen, sind zerbrechlich, der Wind knickt sie, ich weiß, Weichholz, denkt Ludwig und erzählt ihr, wie es ihn überrascht habe, als er erfuhr, daß auch Bäume, das habe er als Kind lange nicht gewußt, habe nie daran gedacht, verdorren, die seien gewachsen, ohne daß er es bemerkt hätte, im selben Zeitmaß wie er. Wie alt war ich, fragt er sich, als ich überrascht an einer Stelle stand, an der ich lange nicht vorbeigekommen war, und mich zu erinnern versuchte an die erste eigene Vergangenheit. Etwas war plötzlich anders und doch gleich, ich mir selbst, die Zeit noch zu kurz, Äste und Blätter grüne Flecken vor dem Licht, Stämme hinter Stämmen, einfach Baum, ohne Zeit, wie ich, das war anders als die Bewegung der Äste im Wind, der fallenden Blätter, der Rinde, die man abbrechen konnte, war wie ich selbst. Nie hätte ich gedacht, blinder Fleck, Bäume könnten aufhören dazusein, sagt er, fragt, soll ich fahren, Lene reibt sich den Nacken mit der linken Hand, gleich, sie tauschen hinter Padua die Plätze. Ludwig fährt auf die Autobahn, schaltet das Licht ein, dann sind sie schon an Mestre vorbei, dahinter ist Venedig, sagt Lene, die nackten Füße gegen das Handschuhfach gestemmt, den Kopf zur Seite, Ludwig sieht, daß ihr Gesicht im Dämmerlicht des Wagens undeutlich zu werden beginnt, er schaltet in den fünften Gang, der Fiat scheint die kurvenarme und nahezu hügellose Autobahn durch die venezianische Ebene allein zu fahren, in die Nacht hinein, bis ein Baustellenschild auftaucht, noch tausend Meter, Ludwig schaltet herunter in den vierten Gang, Vorsicht Baustelle, hundertzwanzig Kilometer pro Stunde vorgeschriebene Höchstgeschwindigkeit, zweihundertfünfzig Meter, Pfeile bereiten darauf vor, daß die beiden Fahrspuren links an der Baustelle vorbeigeleitet werden, auf die Fahrbahn des Gegenverkehrs wechseln, die linke Spur verengt auf zwei Meter, Überholen, außer von Lastkraftwagen, ist verboten, grellgelbe Lampen über einer weiteren Geschwindigkeitsbegrenzung, hundert, dann achtzig, sechzig Kilometer pro Stunde, Lene ist eingeschlafen, ihr Gesicht flackert gelb, die kleinen Fahrbahnmarkierungen glitzern im Scheinwerferlicht, als liefen sie in der Kurve zusammen, führen an den rotweißgestreiften Abgrenzungen vorbei, gelbe Blinklichter dahinter, fast im Dunkel, Baumaschinen, Schutthaufen, auf der rechten Spur ein Lastkraftwagen, den Ludwig überholt, Bodenwellen, dann verschwinden die rotweißen Abgrenzungen, die gelben Lichter, ein Schild weist auf die weiterhin bestehende Geschwindigkeitsbegrenzung von achtzig Kilometern pro Stunde hin, die Länge der Baustelle beträgt zweikommafünf Kilometer, schweißige Hände, da kommt er sich entgegen, erkennt sich sofort, kein Auto auf der Gegenspur außer seinem, der blaue Ritmo, am Steuer er selbst. Schlecht nur vorstellbar die Verlockung, die darin liegt, sich zu treffen, ich nahm den Finger von der gelborangenen Linie, auf der ich den beiden die ganze Zeit gefolgt war, sah von der Karte hoch, die vor mir auf dem Boden ausgebreitet lag, Mantua,

Hauptstadt der Provinz, 67 000 Einwohner, gewaltiges Schloß, hatte den ADAC zwischendurch schnell angerufen, wie weit ist es von Imperia nach Triest, 740 Kilometer, vielen Dank, Padua, 234 200 Einwohner, ebenfalls Provinzhauptstadt, Grab des heiligen Antonius, Basilika und so weiter, hatte kaum Zeit gehabt, aufzusehen und Ludwigs Blick zu folgen, auf seiner Flucht, so schnell war das gegangen, durch die ganze Terra Ferma, und jetzt kommt er sich plötzlich in voller Fahrt entgegen, fragt sich, während Lene noch immer schläft, nichts bemerkt, was heißt das, sich zu treffen, sich nachzugeben, auf sich selbst zuzusteuern, es bedürfte nur einer Zuckung des Lenkrades, was sind schon die weißen Linien, die Fahrbahnmarkierungen, er zögert, ob er den Wagen abbremsen und anhalten soll in der Hoffnung, daß der gegenüber dasselbe tut, oder das Steuer herumreißen, auf den anderen zu, auf sich, daß er sich träfe auf der Geraden, die entstünde, die Hände vor das Gesicht schlagen, oder den Rückspiegel zu sich hindrehen mit beiden Händen, daß er sich sähe, überlegt er, kann sich nicht entscheiden, da ist der Wagen schon vorüber, und er selbst fährt in eine Senke hinab, wieder hinauf, über eine Kuppe hinweg, an den grellgelben Warnleuchten vorbei, den rotweißen Absperrungen, Ende der Baustelle, Dunkel nach all den Lichtern, Aufhebung aller Streckenverbote, er beschleunigt und schaltet in den fünften Gang. Seine Hände sind wieder trocken und kühl, er spürt auf den Augen das Blinken noch und bemerkt, als er in den Rückspiegel schaut, zuerst nicht, daß die Dunkelheit zu einheitlich ist, alle Lichter verschwunden, nichts mehr, denkt, das ist die Straße, die ihm in den Spiegel fällt, Einfallswinkel, Ausfallswinkel, doch es bleibt erloschen hinter ihm, auch als die Straße wieder eben verläuft, kein Schimmer nassen Asphaltes, kein Mittelstreifen, keine Randpfosten, kein Lichtreflex seiner roten Rücklichter, so lange er auch zurückschaut in das monochrome Dunkel, das sich hinter ihm nicht verändert, als wäre eine Schallmauer durchbrochen, sein Blick nach hinten abgerissen, bis er schließlich den tauben Rückspiegel herüberzieht zu sich, hält das Lenkrad mit einer Hand und sieht sich selbst in die Augen. Bin übers Ziel hinaus, bin längst zu weit, alles bleibt zurück, er spürt es, dachte ich, sah mich um im dunklen Zimmer, so könnte sein, was uns beiden geschah. Und Lene schläft, als wäre nichts, wacht auch nicht auf, als Ludwig an der nächsten Ausfahrt die Autobahn verläßt, bei Palmanova die hell erleuchtete Zahlstelle passiert, auf einer Landstraße dem Hinweisschild zum Meer nachfährt, ohne daß er wüßte, warum, Haken schlagen, falsche Fährten, denkt er, mehr als der Schmerz ist es die Angst vor ihm, die Angst vor der endgültigen Beklemmung, die das Herz umfaßt und den Kopf gleich mit, über der Haut liegt und unter sie geht, in die Augen, keine Faust, die sich um einen schließt, kein Schraubstock, in den das Herz gepreßt würde, verstehst du, murmelt er, zur Schlafenden hin, das ist es nicht, ist vielleicht am meisten noch wie die Angst vor der Zeit, doch die Zeit ist schmerzfrei, bei vollem Bewußtsein sieht man ihr zu, überlegt er, der Wagen holpert über Flickwerk aus Asphalt, sie kommen durch einen kleinen Ort, dann wieder Landstraße, endlich erwacht Lene vom Rütteln, und er hält an einer Kreuzung zwischen Wiesen und einem kleinen Wald. Pinien, denkt er. Die Schatten heben sich schwarz gegen den dunkelblauen Himmel ab, als er die Scheinwerfer ausschaltet, die Luft überrascht ihn, die Stille, die Geräusche der Landschaft, die über dem Boden stehen, Lene reibt sich die Augen, wo sind wir denn, fragt sie verwundert, er läßt das Fernlicht kurz aufleuchten, fünfzehn Kilometer bis Monfalcone, liest er das Hinweisschild vor, steigt dann aus, Insekten, Knacken und Rascheln, Fließen von Wasser, die Wiese scheint, nach der langen Fahrt, weich unter den Schuhen, Wasser unter den Wurzeln und Halmen, seichtes Fließen, unmerkliches Schwanken, nur nicht ankommen. Er schließt die Augen, hört auf die Geräusche des Sumpfes, die Zeit vergeht, und als er um das Auto herumgeht, sitzt sie auf einem Stein neben der Straße mit Taschenlampe und Karte, sagt, es ist nicht weit bis Duino, laß mich wieder fahren, sie steigen ein, und Lene nimmt die Abzweigung nach Monfalcone.

Autoren · Quellenhinweise

ISABEL ALLENDE

Am 2.8.1942 in Santiago/Chile geboren, lebt in San Francisco.
Das Geisterhaus, S. 177
Aus: Das Geisterhaus. Übersetzt von Anneliese Botond. Suhrkamp Verlag Frankfurt am Main 1984. S. 442–444

REINHOLD BATBERGER

Am 21.10.1946 in Würzburg geboren, lebt in Frankfurt am Main.
Messer an Cartago, S. 130
Aus: Auge. Suhrkamp Verlag Frankfurt am Main 1983. S. 31–38

ULRICH BECK

1944 in Stolp/Pommern geboren, lehrt Soziologie an der Universität Bamberg.
Risikogesellschaft, S. 232
Aus: Risikogesellschaft. Auf dem Weg in eine andere Moderne. Suhrkamp Verlag Frankfurt am Main 1986. S. 7–11

JÜRGEN BECKER

Am 10.7.1932 in Köln geboren, lebt dort.
das Schreiben, S. 331
Aus: Das Gedicht von der wiedervereinigten Landschaft. Suhrkamp Verlag Frankfurt am Main 1988

JUREK BECKER

Am 30.9.1937 in Lodz/Polen geboren, lebt in Berlin.
Vor einem Jahr, S. 208
Aus: Bronsteins Kinder. Suhrkamp Verlag Frankfurt am Main 1986. S. 7–13

ULLA BERKÉWICZ

Am 5.11.1951 in Gießen geboren, lebt in Frankfurt am Main.
Josef stirbt, S. 108
Aus: Josef stirbt. Suhrkamp Verlag Frankfurt 1982. S. 89–92

THOMAS BERNHARD

Am 10.2.1931 in Heerlen/Holland geboren, gestorben am 12.2.1989 in Gmunden/Oberösterreich.
Wien, S. 147
Aus: Holzfällen. Eine Erregung. Suhrkamp Verlag Frankfurt am Main 1986. S. 318–321

ADOLFO BIOY CASARES
Am 15.9.1914 in Buenos Aires geboren, lebt dort.
Römische Geschichte, S. 282
Aus: Liebesgeschichten. Übersetzt von René Strien. Suhrkamp Verlag Frankfurt am Main 1987. S. 56–61

SILVIO BLATTER
Am 25.1.1946 in Bremgarten/Schweiz geboren, lebt in Zürich.
Er liebte den Kosmos, S. 311
Aus: Das sanfte Gesetz. Suhrkamp Verlag Frankfurt am Main 1988. S. 158–161

HANS BLUMENBERG
Am 13.7.1920 in Lübeck geboren, lehrte zuletzt in Münster Philosophie.
Bücherwelt und Weltbuch, S. 66
Aus: Die Lesbarkeit der Welt. Suhrkamp Verlag Frankfurt am Main 1981. S. 17–21

THOMAS BRASCH
Am 19.2.1945 in Westow/England geboren, lebt in Berlin.
Der schöne 27. September; Dornröschen und Schweinefleisch; Hamlet gegen Shakespeare; Der Hurenmörder L. aus Köln; Die Geheimnisse; Schlaflied für K., S. 13
Aus: Der schöne 27. September. Suhrkamp Verlag Frankfurt am Main 1980

HANS CHRISTOPH BUCH
Am 13.4.1944 in Wetzlar geboren, lebt in Berlin.
Nature Morte, S. 167
Aus: Die Hochzeit von Port-au-Prince. Suhrkamp Verlag Frankfurt am Main 1984. S. 181–188

HERMANN BURGER
Am 10.7.1942 in Burg/Schweiz geboren, gestorben am 28.2.1989 in Brunegg (Aargau).
Abschied von Menzenmang Punch, S. 344
Aus: Brenner. Erster Band. Brunsleben. Suhrkamp Verlag Frankfurt am Main 1989. S. 322–332

GUILLERMO CABRERA INFANTE
Am 22.4.1929 in Gibara/Kuba geboren, lebt in London.
Sie sang Boleros, S. 263
Aus: Drei traurige Tiger. Übersetzt von Wilfried Böhringer. Suhrkamp Verlag Frankfurt am Main 1987. S. 66–77

JULIO CORTÁZAR
Am 26.8.1914 in Brüssel geboren, gestorben am 12.2.1984 in Paris.
Maga, S. 49
Aus: Rayuela. Himmel und Hölle. Übersetzt von Fritz Rudolf Fries. Suhrkamp Verlag Frankfurt am Main 1981. S. 15–23

MIRCEA DINESCU
1950 in Slobozia/Südrumänien geboren, lebt in Bukarest.
künstlerdomizil; exil im pfefferkorn; die verträumte guillotine; absurde schachpartie; der zeichendeuter, S. 373
Aus: Exil im Pfefferkorn. Übersetzt von Werner Söllner. Suhrkamp Verlag Frankfurt am Main 1989

TANKRED DORST
Am 19.12.1925 in Sonnenberg/Thüringen geboren, lebt in München.
Der Rote Ritter, S. 397
Aus: Parzival. Suhrkamp Verlag Frankfurt am Main 1990. S. 40–46

MARGUERITE DURAS
Am 4.4.1914 in Giadinh/Indochina geboren, lebt in Paris.
Der Liebhaber, S. 185
Aus: Der Liebhaber. Übersetzt von Ilma Rakusa. Suhrkamp Verlag Frankfurt am Main 1985. S. 65–69

NORBERT ELIAS
Am 22.6.1897 in Breslau geboren, lebt in Amsterdam.
Der Habitus der Deutschen, S. 382
Aus: Studien über die Deutschen. Herausgegeben von Michael Schröter. Suhrkamp Verlag Frankfurt am Main 1989. S. 8–17

HANS MAGNUS ENZENSBERGER
Am 11.11.1929 in Kaufbeuren geboren, lebt in München.
Berlin, S. 238

Aus: Ach Europa! Wahrnehmungen aus sieben Ländern. Suhrkamp Verlag Frankfurt am Main 1987. S. 465–473

JÜRG FEDERSPIEL
Am 28. 6. 1931 in Zürich geboren, lebt dort.
Typhoid Mary, S. 105
Aus: Die Ballade von der Typoid Mary. Suhrkamp Verlag Frankfurt am Main 1982. S. 9–11

WERNER FRITSCH
1960 in Waldsassen geboren, lebt in München.
Und da war nichts im Anfang, S. 276
Aus: Cherubim. Suhrkamp Verlag Frankfurt am Main 1987. S. 9–18

MARIANNE FRITZ
1948 in Weiz/Steiermark geboren, lebt in Wien.
Unter ihrem Kittel, drei Beutel, S. 188
Aus: Dessen Sprache du nicht verstehst. Band 1. Suhrkamp Verlag Frankfurt am Main 1985. S. 11–19

RAINALD GOETZ
Am 24. 5. 1954 in München geboren, lebt dort.
Kontrolliert, S. 288
Aus: Kontrolliert. Suhrkamp Verlag Frankfurt am Main 1988. S. 272–281

NORBERT GSTREIN
Am 3. 6. 1961 in Mils (Tirol) geboren, hält sich an verschiedenen Orten auf.
Jetzt kommen sie, S. 297
Aus: Einer. Suhrkamp Verlag Frankfurt am Main 1988. S. 9–17

JÜRGEN HABERMAS
Am 18. 6. 1929 in Düsseldorf geboren, lebt in Frankfurt am Main.
Kommunikative Vernunft, S. 72
Aus: Theorie des kommunikativen Handelns. Band 2: Zur Kritik der funktionalistischen Vernunft. Suhrkamp Verlag Frankfurt am Main 1981. S. 583–586

PETER HANDKE
Am 6. 12. 1942 in Griffen/Kärnten geboren, lebt in Paris.
Von der letzten Müdigkeit, S. 362
Aus: Versuch über die Müdigkeit. Suhrkamp Verlag Frankfurt am Main 1989. S. 67–78

THOMAS HETTCHE
Am 30. 11. 1964 in Gießen geboren, lebt in Frankfurt am Main.
Auf und davon, S. 418
Aus: Ludwig muß sterben. Suhrkamp Verlag Frankfurt am Main 1989. S. 159–168

UWE JOHNSON
Am 20. 7. 1934 in Cammin/Pommern geboren, gestorben am 23. 2. 1984 in Sheerness-on-Sea/England.
20. August, 1968 Last and Final, S. 124
Aus: Jahrestage 4. Aus dem Leben von Gesine Cresspahl. Suhrkamp Verlag Frankfurt am Main 1983. S. 1888–1891

BODO KIRCHHOFF
Am 6. 7. 1948 in Hamburg geboren, lebt in Frankfurt am Main.
Unnatürlichkeit der Lust, S. 76
Aus: Die Einsamkeit der Haut. Suhrkamp Verlag Frankfurt am Main 1981. S. 43–52

THOMAS KLING
Am 5. 6. 1957 in Bingen geboren, lebt in Köln.
Hermesbaby, Auspizium; Petersburger Hängun'; Brief, Probe in der Eifel; Ratinger Hof, Zettbeh (3); Geschrebertes Idyll; für Mike Feser, S. 413
Aus: geschmacksverstärker. Suhrkamp Verlag Frankfurt am Main 1989

UWE KOLBE
Am 17. 10. 1957 in Berlin geboren, lebt in Hamburg.
Melanie; Male, S. 84
Aus: Hineingeboren. Gedichte 1975–1979. Suhrkamp Verlag Frankfurt am Main 1983

GYÖRGY KONRÁD
Am 2. 4. 1933 in Budapest geboren, lebt dort.

Im Frühjahr 1942, S. 16
Aus: Der Komplize. Übersetzt von Hans-Henning Paetzke. Suhrkamp Verlag Frankfurt am Main 1980. S. 157–163

ANGELA KRAUSS
1950 in Chemnitz geboren, lebt in Leipzig; z. Zt. in Graz.
Ein Tag im September, S. 305
Aus: Das Vergnügen. Suhrkamp Verlag Frankfurt am Main 1988. S. 7–8, 26–31

FRANZ XAVER KROETZ
Am 25. 2. 1946 in München geboren, lebt in Kirchberg.
Heimat in der Küche, S. 247
Aus: Bauern sterben. Dramatisches Fragment in einer hochdeutschen Fassung (1987). In: Stücke IV. Suhrkamp Verlag Frankfurt am Main 1989 (suhrkamp taschenbuch 1680). S. 266–273

MILAN KUNDERA
Am 1. 4. 1929 in Brünn geboren, lebt in Paris.
Die Nashörner, S. 35
Aus: Das Buch vom Lachen und vom Vergessen. Übersetzt von Franz Peter Künzel. Suhrkamp Verlag Frankfurt am Main 1983

JÜRG LAEDERACH
Am 20. 12. 1945 in Basel geboren, lebt dort.
Conversation, S. 150
Aus: Laederachs 69 Arten den Blues zu spielen. Suhrkamp Verlag Frankfurt am Main 1984. S. 253–262

RAINER MALKOWSKI
Am 26. 12. 1939 in Berlin geboren, lebt in Brannenburg/Bayern.
Das Gedicht; Die Mutter, der Vater, S. 325
Aus: Das Meer steht auf. Suhrkamp Verlag Frankfurt am Main 1988

HANS MAYER
Am 19. 3. 1907 in Köln geboren, lebt in Tübingen.
Politisches Idyll in Straßburg, S. 111
Aus: Ein Deutscher auf Widerruf. Erinnerungen. Band 2. Suhrkamp Verlag Frankfurt am Main. S. 167–177

FRIEDERIKE MAYRÖCKER
Am 20. 12. 1924 in Wien geboren, lebt dort.
Der allererste Satz, S. 326
Aus: mein Herz mein Zimmer mein Name. Suhrkamp Verlag Frankfurt am Main 1988. S. 7–10

EDUARDO MENDOZA
Am 11. 1. 1943 in Barcelona geboren, lebt dort.
Partner, S. 377
Aus: Die Stadt der Wunder. Übersetzt von Peter Schwaar. Suhrkamp Verlag Frankfurt am Main 1989. S. 87–91

PATRICK MODIANO
Am 30. 7. 1945 in Boulogne-Billancourt geboren, lebt in Paris.
Der Eintritt ins Leben, S. 199
Aus: Eine Jugend. Übersetzt von Peter Handke. Suhrkamp Verlag Frankfurt am Main 1985. S. 102–106

BODO MORSHÄUSER
Am 28. 2. 1953 in Berlin geboren, lebt dort.
Die wandernde Seele, S. 137
Aus: Die Berliner Simulation. Suhrkamp Verlag Frankfurt am Main 1983. S. 10–16

ADOLF MUSCHG
Am 13. 5. 1934 in Zollikon geboren, lebt in Männedorf bei Zürich.
Schweizer Kultur und Europa, S. 404
Aus: Die Schweiz am Ende – Am Ende die Schweiz. Erinnerungen an mein Land vor 1991. Suhrkamp Verlag Frankfurt am Main 1990

ANDREAS NEUMEISTER
Am 16. 9. 1959 in Hamburg geboren, lebt in München.
Gnafna die Milchfrau, S. 315
Aus: Äpfel vom Baum im Kies. Suhrkamp Verlag Frankfurt am Main 1988. S. 11–19

PAUL NIZON
Am 19. 12. 1929 in Bern geboren, lebt in Paris.
Soldaten, S. 356
Aus: Im Bauch des Wals. Caprichos. Suhrkamp Verlag Frankfurt am Main 1989. S. 9–17

CEES NOOTEBOOM
Am 31.7.1933 in Den Haag/Holland geboren, lebt in Amsterdam.
Die Arbeit des Schriftstellers, S. 369
Aus: Ein Lied von Schein und Sein. Übersetzt von Helga van Beuningen. Suhrkamp Verlag Frankfurt am Main 1989

JUAN CARLOS ONETTI
Am 1.7.1909 in Montevideo/Uruguay geboren, lebt in Madrid.
Willkommen, Bob!, S. 86
Aus: So traurig wie sie. Übersetzt von Wilhelm Muster. Suhrkamp Verlag Frankfurt am Main 1981. S. 7–15

OCTAVIO PAZ
Am 31.3.1914 in Mixcoac/Mexiko geboren, lebt in Mexiko/Stadt.
Nachtstück von San Ildefonso, S. 23
Aus: Suche nach einer Mitte. Die großen Gedichte. Übersetzung Fritz Vogelgsang. Suhrkamp Verlag Frankfurt am Main 1980. S. 91–115

ERICA PEDRETTI
Am 25.2.1930 in Sternberg/Mähren geboren, lebt bei Bern.
Das Modell, S. 227
Aus: Valerie oder Das unerzogene Auge. Suhrkamp Verlag Frankfurt am Main 1986. S. 11–17

GERLIND REINSHAGEN
Am 4.5.1926 in Königsberg geboren, lebt in Berlin.
Isas Geschichte, S. 393
Aus: Zwölf Nächte. Suhrkamp Verlag Frankfurt am Main 1989. S. 12–16

JOÃO UBALDO RIBEIRO
Am 23.1.1941 in Itaparica/Bahia geboren, lebt dort, z. Zt. in Berlin.
Vera Cruz auf Itaparica, den 20. Dezember 1647, S. 332
Aus: Brasilien, Brasilien. Übersetzt von Curt Meyer-Clason und Jacob Deutsch. Suhrkamp Verlag Frankfurt am Main 1988. S. 40–49

FRIEDERIKE ROTH
Am 6.4.1948 in Sindelfingen geboren, lebt in Stuttgart.

Krötenbrunnen, S. 161
Aus: Krötenbrunnen. Ein Stück. Suhrkamp Verlag Frankfurt am Main 1984. S. 20–28

RALF ROTHMANN
1953 in Schleswig geboren, lebt in Berlin.
Nachmittags hatte es geregnet, S. 214
Aus: Messers Schneide. Suhrkamp Verlag Frankfurt am Main 1986. S. 7–14

ROBERT SCHINDEL
Am 4. 4. 1944 in Bad Hall/Oberösterreich geboren, lebt in Wien.
Lieblied 2; Angelus Novus 1; Bleierne Zeit 3; Nachthalm; Venezianisches Sonett, S. 221
Aus: Ohneland. Gedichte vom Holz der Paradeiserträume 1979–1984. Suhrkamp Verlag Frankfurt am Main 1986

JORGE SEMPRUN
Am 10. 12. 1923 in Madrid geboren, lebt dort.
Was für ein schöner Sonntag, S. 40
Aus: Was für ein schöner Sonntag. Übersetzt von Johannes Piron. Suhrkamp Verlag Frankfurt am Main 1981. S. 23–30

PETER SLOTERDIJK
1947 in Karlsruhe geboren, lebt in München.
Sapere aude!, S. 143
Aus: Kritik der zynischen Vernunft. Zweiter Band. Suhrkamp Verlag Frankfurt am Main 1983. S. 949–953

JÖRG STEINER
Am 26. 10. 1930 in Biel/Schweiz geboren, lebt dort.
Olduvai, S. 204
Aus: Olduvai. Geschichten. Suhrkamp Verlag Frankfurt am Main 1985. S. 113–116

MARIO VARGAS LLOSA
Am 28. 3. 1936 in Arequipa/Peru geboren, lebt in Lima.
Zur Zeit der großen Dürre, S. 96
Aus: Der Krieg am Ende der Welt. Übersetzt von Anneliese Botond. Suhrkamp Verlag Frankfurt am Main 1982. S. 28–35

MARTIN WALSER
Am 24. 3. 1927 in Wasserburg geboren, lebt in Überlingen.
Zum Beispiel Hemingway, S. 180
Aus: Brandung. Suhrkamp Verlag Frankfurt am Main 1985. S. 270–273

PETER WEISS
Am 18. 11. 1916 in Nowawes bei Berlin geboren, gestorben am 10. 5. 1982 in Stockholm.
Die Ästhetik des Widerstands, S. 60
Aus: Die Ästhetik des Widerstands. Dritter Band. Suhrkamp Verlag Frankfurt am Main 1981. S. 163–166

JOSEF WINKLER
Am 3. 3. 1953 in Kamering/Kärnten geboren, lebt in Klagenfurt.
Rußgeschwärzte Heiligenbilder, S. 257
Aus: Der Leibeigene. Suhrkamp Verlag Frankfurt am Main 1987. S. 7–9, 13–15

SV

GESCHICHTE DES SUHRKAMP VERLAGES

1. Juli 1950
bis 30. Juni 1990

Erste Auflage 1990

Druck: Ebner Ulm
Printed in Germany

40 Jahre
Suhrkamp
Verlag

Peter Suhrkamp

Siegfried Unseld

Wer war Peter Suhrkamp?

›Die Dichtung darf nicht aufhören.‹
Peter Suhrkamp

Wer war Peter Suhrkamp? In seinen letzten Jahren gab er mir seine Reden und Schriften im Manuskript zu lesen. So auch seine Ansprache aus Anlaß der Ehrenmitgliedschaft in der Darmstädter Akademie für Sprache und Dichtung, die er am 6. Mai 1957 hielt. Ein Satz in dieser Ansprache sei ihm wichtig, ob ich ihn wohl fände? Ich tippte zuerst auf den Schlußsatz, der seine »ehrfürchtige Verbeugung vor Wilhelm Lehmann« enthielt; eine typische Suhrkamp-Haltung, die sich selbst die Gelegenheit einer außerordentlichen persönlichen Ehrung nicht entgehen läßt, um einen anderen zu rühmen, einen seiner Autoren. Aber der Satz war es nicht, den Suhrkamp meinte; beim zweiten Versuch traf ich ihn dann: »Da ist mir, wie übrigens schon manchmal in meinem Leben, deutlich wieder bewußt geworden, daß es verschiedene Figuren sind, als welche ich mein Leben immer gelebt habe. Sie, als Dichter, werden gewiß verstehen, was ich meine.« Suhrkamp sprach dann von zwei solcher Figuren. Die erste Figur sei in seinem Intellekt und an den greifbaren Realitäten des Lebens herangewachsen, sie sei jene Person, die die Zuhörer erkennten, jener Skeptiker und Eigensinnige, der Schriftsteller der Gelegenheit, der freilich gestand, »daß ich ›schreiben mußte‹, allerdings nur, um mit mir selber wieder in Ordnung zu kommen«, und der Verleger, der freilich auch als Verleger Einzelgänger sei. Die zweite Figur, ebenfalls in seiner Kindheit angelegt, sei »aus Traum und Phantasie« gebildet und bewegt von den Bildern der Bibel und der Dichtungen. Wie die erste Figur sei auch die zweite in sein Leben »hineingewachsen«, »dort hat sie heute ein Weltall für sich«. – Wer so von sich sprechen kann, wer in seiner Arbeit bewies, daß er die Forderung seines Berufes praktisch und vernünftig, nach vorne träumend und phantasierend zu realisieren in der Lage war, dessen Leben, dessen »Sei – Wirke!« ist nicht zufällig, ist wesentlich angelegt.

Johann Heinrich Suhrkamp, genannt Peter, wurde am 28. März 1891 als erstes Kind des Landwirts und Tischlers Johann Friedrich Suhrkamp in dem oldenburgischen Dorf Kirchhatten geboren. Die Familie der Suhrkamps, meist Bauern, »Brinksitzer«, und Handwerker, reicht bis ins 16. Jahrhundert zurück; von Generation zu Generation vererbte sich der Hof. Nur zu natürlich war es, daß der Vater dem ältesten von vier Söhnen und zwei Töchtern den Hof vermachen wollte. »Der Junge wird Bauer«, dieser Satz seines Vaters stand unverrückbar fest. Aber ebenso wuchs an ihm der Eigensinn des Jungen, sein »Bedürfnis nach Unabhängigkeit« war stärker, und als es streitbar zur Alternative kam, Bauer oder Verlassen des elterlichen Hofes, wählte Suhrkamp, ohne zu zögern, binnen einer Nacht die zweite.

Vorausgegangen war die Begegnung mit einem Lehrer, der ihn im Geigenspiel unterrichtete. Diese Begegnung und das Erlebnis Musik müssen für ihn entscheidend gewesen sein. Später, 1944, in schwierigster persönlicher Situation, im Gestapo-Gefängnis in Berlin, schrieb er in den Bruchstükken des Romans ›Munderloh‹ sein Erlebnis Musik, das Erlebnis des Orgelspiels. Wer ernsthaft Musik ausübt, bringt sich »in Ordnung« und schafft sich neue Erfahrung. Suhrkamp hatte wenige Jahre vorher in Hesses ›Glasperlenspiel‹ gelesen, wie der junge Josef Knecht beim Erlernen des Violinspiels »den ersten Akt seiner Berufung« erfuhr, und sicher sah Suhrkamp in diesem »magischen Vorgang« die Parallele zum eigenen Leben.

Er war nicht der, den man einen folgsamen und ruhigen

Jungen hätte nennen können. Ungebärdig, manchmal wild, dann wieder träumerisch abwesend, so wird er von denen geschildert, die ihn als Kind gekannt hatten. Er selbst hat nur gelegentlich und nur bei besonderen Anlässen die Abenteuer seiner Kindheit erzählt. Irgend etwas uns Unbekanntes muß die heftig ablehnende Beziehung zu seiner Mutter ausgelöst haben; der Ausspruch »mit dieser Frau habe ich nichts zu schaffen« ist immer wieder von den Freunden bezeugt. Nach dem Ersten Weltkrieg hat er sie nur noch selten besucht, nach 1945 nur noch ein einziges Mal, und auch dieser Besuch sei »Unsinn« gewesen. In der 1929 geschriebenen Erinnerung ›Der Besuch‹ im elterlichen Hause läßt er die Mutter gestorben sein und beschreibt die Begegnung mit dem Vater. In Wirklichkeit lebte Suhrkamps Mutter die ganze Lebenszeit des Sohnes mit; sie starb vierzehn Tage nach ihm.

Nach entscheidenden Lebenseindrücken gefragt, sprach Suhrkamp von der ländlichen Natur, der Jugendbewegung und seiner Leidenschaft für Literatur. Nicht die Natur war prägend für den späteren Stadtmenschen Suhrkamp, »sondern die Ordnungen und Bilder, mit denen sie die Räume unseres Geistes prägte« und damit »die Maße unseres Lebens« bildete. In der Jugendbewegung erfuhr er die »Freilegung seiner Eigenständigkeit und das unbedingte Bedürfnis nach Unabhängigkeit«. Suhrkamp datiert das Erwachen seiner »Leidenschaft für Dichtung« auf die Oldenburger Feier des 100. Todestages von Schiller. Der damals Vierzehnjährige war von »Kabale und Liebe« ergriffen und von nun an für Literatur bereit. Später notierte er, daß ihm in jungen Jahren vor allem autobiographische Dichtungen wichtig gewesen seien, »ich war, indem ich las, Schüler des eigenen Lebens. Das eigene Leben beginnt an dem Erzählten zu erglühen und empfindet Anstoß zur eigenen Gestalt.« »Schüler des eigenen Lebens« – eine charakteristische Prägung Suhrkamps, die den pädagogischen Zug verrät, der für Suhrkamp von allem Anfang an kennzeichnend war und für sein ganzes Leben kennzeichnend bleiben sollte. Sicher führte ihn jene Begegnung mit dem Lehrer, der ihn im Violinspiel unterwies, nach dem Besuch der Dorfschule zu dem Entschluß, selber Lehrer zu werden. Den ersten Aufnahmebogen für die Präparandenanstalt in Oldenburg zerriß der Vater, beim zweiten setzte der Sohn die Unterschrift des Vaters selbst ein und erkaufte sich damit die Unabhängigkeit mit kleinem Unrecht.

Für die Aufnahmeprüfung, die drei Tage dauerte, verließ er heimlich und unerlaubt den elterlichen Hof. Als er nach bestandener Prüfung zurückkehrte, stellte ihn der Vater vor die erwähnte Alternative; als er die Forderung, Bauer zu werden, ablehnte, wies ihn der Vater vom Hof. Schon als Seminarist mußte Suhrkamp seinen Unterhalt selbst verdienen; er wohnte bescheiden, hielt auf asketische Lebensführung, war tagsüber im Seminar und arbeitete abends von 6 bis 10 Uhr bei einem Notar, für den er Akten kopierte. Seinen Kameraden erschien er damals schon Einzelgänger und Literat. 1911 wurde er Volksschullehrer in der Nähe seines Heimatdorfes. Die jungen Lehrer trieben manchmal üble Späße, die Georg von der Vring, ein Kollege dieser Zeit, überliefert hat. Suhrkamp hielt, zum Verdruß seiner Kameraden, auf Ordnung und Sitte. Als einer der Junglehrer seine Braut, ebenfalls eine Lehrerin, verließ, weil sie ein Kind von ihm erwartete, nahm Suhrkamp die Frau zu sich. Das war unziemlich damals, und Suhrkamp wurde auch prompt strafversetzt. 1913 wechselte Suhrkamp in den bremischen Schuldienst über und machte dort 1914 als Externer das Abitur nach. Im Herbst 1914 wollte er an der Universität in Berlin das Studium der Germanistik beginnen.

Der Ausbruch des Ersten Weltkrieges traf ihn, als er in Kirchhatten in Ferien war. In seiner Phantasie »zerbrach die Einheit der Welt im Krieg«, wie er später schrieb, und jenes Erlebnis machte ihn zu Hause zu einem Fremdling. Er meldete sich freiwillig und erlebte die Schlachten des Weltkrieges an vorderster Front, als Infanterist, als Bataillons-Patrouillenführer und, von 1917 an, als Führer einer Sturmkompanie. Kameraden schilderten den Stoßtruppführer als unerschrockenen Draufgänger, und man darf ihren Berichten Glauben schenken. Der Vize-Feldwebel wurde mit dem Eisernen Kreuz und der Leutnant der Landwehr »für besondere Tapferkeit« mit dem Hohenzollern-Hausorden ausgezeichnet. Weihnachten 1917 fiel sein engster Freund. Dieser Tod und die wachsende Einsicht in die Sinnlosigkeit des Krieges führten im Januar 1918 zu einem psychischen Zusammenbruch. Suhrkamp kam in ein Sanatorium nach Königstein und vorübergehend auch in psychiatrische Behandlung. Im Januar 1919 fühlte er sich dann wieder stark genug, seine Lehrarbeit aufzunehmen. Er lehrte nun, mit Unterbrechungen, bis 1929 an zwei Schulen, die durch ihr besonderes Lehrprinzip fortschrittlich waren, an der Odenwaldschule und an der Freien Schulgemeinde Wickersdorf, deren pädagogischer Leiter er von 1926 an war. 1929 schied er dort aus, »weil ich einsehen mußte, daß gerade unter Lehrern infolge ihrer mangelhaften Ausbildung, woraus man den Lehrern selbst keinen Vorwurf machen kann, ein echtes Verhältnis zur Wirklichkeit, zu den Realitäten des Lebens und deren Ordnung fehlte«. (Brief vom 29. 1. 1954)

Suhrkamps Versuche einer eigenen Ordnung in diesem Zeitraum scheiterten: zwei geschiedene Ehen, es scheitern weitere Verbindungen, es scheitert der Versuch, am Darmstädter Theater als Dramaturg und Regisseur zu arbeiten, und schließlich auch der Versuch, Schriftsteller zu werden; in einem Dokument des Jahres 1920 hatte er sich als »Schriftsteller« bezeichnet; der Verlag Kaemmerer in Dresden spricht von einem »neuen Dramenautor« und kündigt zwei Stücke Suhrkamps an: ›Löwenzahn. Ein Spiel von armen Menschen‹ und ›Die Mutter. Gleichnis in sechs Bildern‹. Doch die Stücke werden nicht aufgeführt. Andere Arbeiten veröffentlicht er in Zeitungen und Zeitschriften. Es entsteht kein Buch, auch der Roman ›Verlorene Tage‹ erscheint nur in Fortsetzungen in der Frankfurter Zeitung; als er später daraus selbst ein Buch hätte machen können, versagt er sich dies. Das Manuskript des ›Hasenromans‹ soll bei einem Verlag verlorengegangen sein.

1919 oder 1920 begegnet er Bertolt Brecht (jeder der beiden datiert es verschieden). Während der gemeinsamen Theaterarbeit in Darmstadt entsteht eine dauerhafte Freundschaft. Durch Brechts Vermittlung kam Suhrkamp 1929 als Journalist und Redakteur zu Ullstein nach Berlin.

Dann, 1932, ergeht an ihn der Ruf zum S. Fischer Verlag, zunächst, vom 1. Januar 1933 an, als Leiter der Redaktion der ›Neuen Rundschau‹, dann vom Herbst 1933 an als Vorstandsmitglied des Verlages. 1936 müssen die Erben von S. Fischer Deutschland verlassen, Suhrkamp erwirbt aus ihren Händen den S. Fischer Verlag und leitet ihn, von 1942 an erzwungenermaßen unter dem Namen »Suhrkamp Verlag vorm. S. Fischer« bis zu seiner Verhaftung im April 1944.

Die zwölf Jahre von 1933 bis 1944 umfassen Suhrkamps glücklichste und gleichzeitig die existentiell gefährdetste Zeit. Wenn er es damals auch nicht sieht oder nicht sehen kann und es später vielleicht nicht wahrhaben will, er ist in jenen Jahren zu sich selbst, zu seiner Person, zu seinem »Sei – Wirke!« gekommen. Die inneren Figuren seines Lebens, der pädagogische Eros, der erwünschte Umgang mit Schriftstellern, seine praktische Anteilnahme an der Herstellung von Büchern, seine Neigung zum Theater, sein unbändiger Drang nach Selbständigkeit und Unabhängigkeit, all diese Explosionen seiner Existenz finden sich in seinem Beruf und heben sich in ihm auf: »Mein Beruf – dieser schöne Verlegerberuf.« Auch im persönlichen Bereich beginnt eine Phase des Glücks. Menschen, die ihn damals kennen, rühmen seine sportliche Vitalität, seine Eleganz, seine Ausstrahlung auf Frauen. 1935 schließt er seine dritte Ehe mit einer »gefeierten Schauspielerin«, mit Annemarie Seidel, der Schwester von Ina Seidel; auch diese Verbindung ist in diesen Jahren glückbringend; Suhrkamps zahlreich erhaltene Briefe an sie, insbesondere die Briefe aus dem Gefängnis, belegen Freundschaft und Liebe.

Als sein »großes Glück« bezeichnete Suhrkamp die Arbeit mit Samuel Fischer. Er sieht in ihm »*den* Verleger der Moderne«, einen »verfrühten Europäer« auch, dem er nachzustreben versucht. Als Verlag der Moderne sieht Suhrkamp auch den Verlag, den er machen möchte. Doch muß er sogleich die Grenzen erkennen! Brecht verläßt mit Suhrkamps Hilfe Deutschland, und viele der großen Autoren folgen ihm. Immer wieder versucht Suhrkamp, ihre Bücher zur Veröffentlichung freizubekommen. Um eine Genehmigung für Hesses ›Glasperlenspiel‹ kämpft er noch bis zum Dezember 1941.

Suhrkamp sieht das Aufziehen des Verhängnisses schon früh. 1936, zwei Jahre nach dem Tode von Samuel Fischer und aus Anlaß des 50jährigen Verlagsjubiläums, erklärt er: »Seine Geschichte seitdem ist nicht mehr die Geschichte seiner Ausbreitung, sondern sie ist eine einzige große Probe, die der Verlag vor der deutschen Gegenwart zu bestehen hatte, die Probe ging wie ein echtes Schicksal bis nahe an die Existenz.« Das sind warnende Worte, und die damaligen Machthaber vernehmen sie wohl, wie sie auch Suhrkamps publizistische Arbeiten in der ›Neuen Rundschau‹ mit Argwohn verfolgen, seine unerschrockenen, manchmal halsbrecherisch kühnen Betrachtungen zur Zeit, die er unter dem Titel ›Der Zuschauer‹ 1942-1943 in der Zeitschrift veröffentlicht und die vom Propagandaministerium hämisch als »Zeugnisse der Selbstvernichtung« registriert werden. Nach dem Erscheinen des Lesebuchs ›Deutscher Geist‹, das von vielen als ein Buch des Widerstands gesehen wurde, nachdem Suhrkamp sich geweigert hatte, die Auslieferung der Bücher von Hesse, Flake, Hausmann und anderen einzustellen, fordert Martin Bormann, der »Sekretär des Führers«, die Schließung des Verlages. Es kommt nicht dazu, weil Partei und Propagandaministerium in einem Kompetenzstreit liegen. 1941 stirbt Oskar Loerke, der langjährige Freund und Lektor; bei seiner Grabrede bezeichnet Suhrkamp den »Tod als die mildeste Form des Lebens«, Suhrkamp selbst muß es so empfunden haben. Hermann Kasack übernimmt das Verlagslektorat und nach Suhrkamps Verhaftung die provisorische Verlagsleitung. Ihm schreibt Suhrkamp: »Gefahr bindet noch stärker als Freundschaft.«

Doch noch reicht den Behörden das Material nicht aus, um Suhrkamp auszuschalten. Ihn schützen noch seine Bekanntheit und auch seine Beziehungen zu Gustaf Gründgens und Heinz Hilpert, zu Heinrich George und Arno Breker, zu Gerhart Hauptmann und Hans Carossa. Als alle Anstrengungen, den Verlag auf halblegale Weise zu schließen, an der Wachsamkeit Suhrkamps und Kasacks scheitern, wird im Herbst 1943 ein Agent der Gestapo auf Suhrkamp angesetzt. Der angebliche Schweizer Bürger Dr. Reckzeh, der sich als langjähriger Vertrauter Hesses ausgibt, meldet sich zum Gespräch mit Suhrkamp unter dem Vorwand, Post an Hesse mitnehmen zu können und ihm Verbindungen zum deutschen Widerstand zu öffnen. Suhrkamp geht darauf zwar nicht ein, meldet den Vorgang aber auch nicht der Gestapo, was dann die Verhaftung auslöst. Die Gestapo hat noch andere Anklagen bereit: Suhrkamps konspirative Verbindung zu Kreisen des 20. Juli, eine Äußerung Hesses, Suhrkamp zähle zum geistigen Widerstand Deutschlands, schließlich die Veröffentlichung von Büchern jüdischer Autoren bzw. Übersetzer, teilweise unter Pseudonym. Den Machthabern aber ist am meisten das verhaßt, was Suhrkamp als die »Freiheit meiner inneren Person« bezeichnete.

Was sie damals nicht wissen konnten und was wir heute aus Dietrich Strothmanns Abhandlung über die nationalsozialistische Literaturpolitik wissen: daß von 443 zwischen 1933 und 1944 publizierten *unerwünschten* Schriftstellern in dem unter Peter Suhrkamps Leitung stehenden S. Fischer Verlag allein 123, d.h. fast ein Drittel, erschienen sind.

Am 13. April 1944 wird Suhrkamp verhaftet, wegen »Landesverrat und Hochverrat« unter Anklage gestellt, in den Gefängnissen geschlagen und gefoltert und im Januar ins Konzentrationslager Sachsenhausen eingeliefert; dort erkrankt er an einer schweren doppelseitigen Lungen- und Rippenfellentzündung. Die Krankheit verschlechtert sich, der Tod scheint sicher, doch die Nazigrößen wollten Suhrkamp nicht im, sondern außerhalb des Lagers sterben lassen. So kommt es am 8. Februar 1945 zu einer überraschenden Entlassung. Man hatte Suhrkamps Kräfte unterschätzt, er überlebt, aber er bleibt von nun an, da die Krankheit nicht mehr geheilt werden kann und sich durch Herz- und Kreislaufbeschwerden verschlimmert, ein vom Tode gezeichneter Mann. »Was hielt ihn aufrecht?« fragte Hermann Kasack. Er verweist auf Suhrkamps Aufsatz von 1939 »Über das Verhalten in der Gefahr«. Suhrkamp beantwortet dort die Frage nach dem richtigen Verhalten des Menschen: »Er wird nicht handeln, wie es seiner Erhaltung, sondern wie es seiner Bedeutung zukommt.« »Jede dieser Formulierungen«, urteilt Kasack, »kann als Schlüsselwort für ihn selber gelten. Er hat nichts getan, um sein privates Leben zu erhalten. Sein Handeln wurde durch die Aufgabe bestimmt, der er sich verpflichtet wußte. Aus der präzeptorischen Anlage seiner Natur entwickelte sich das Herrscherliche seines Wesens. Er war aus bäuerlichen Gnaden ein Edelmann, ein Herr. Daher das Unbeugsame seines Charakters. Ein Herr beugt sich nicht.«

1945 beginnt wieder ein Interregnum. Am 4. Oktober erhält Suhrkamp als erster deutscher Verleger in Berlin von der britischen Militärregierung eine Lizenz für einen Buchverlag; ein Photo zeigt den historischen Augenblick, den wohlgenährten britischen Offizier und die gebeugte, ausgemergelte, hohe, schlanke Gestalt des Verlegers. Behutsam setzt er mit seiner Produktion ein. Unvergessen sein erstes und einziges (Suhrkamp wiederholte sich nie!) »Taschenbuch für junge Menschen«, in dessen unausgesprochenem Mittelpunkt die Figur des Heimkehrers steht, des Menschen, der nach neuen Werten sucht.

Mit den zurückkehrenden Erben von S. Fischer versteht er sich nicht. Zu viel hat er erlebt und eingesetzt, um nun zu schnellen Geschäften bereit zu sein und einen Standard anzunehmen, der nicht der seine ist. Suhrkamp ist eigensinnig genug, lieber auf das Ganze zu verzichten. Doch Autoren und Mitarbeiter und insbesondere Hermann Hesse bestürmen ihn, auf die Verlagsarbeit nicht zu verzichten und den Verlag nicht zurückzugeben. Schließlich – die lange Geschichte ist gut bezeugt – kommt es zu einem Vergleich. 48 Autoren, die Suhrkamp während der Nazizeit in Deutschland publizieren konnte, dürfen votieren, ob sie im zu restituierenden alten S. Fischer Verlag bleiben oder von Suhrkamp in dessen neuem Suhrkamp Verlag verlegt werden wollen. 33 Autoren entscheiden sich für Suhrkamp, darunter und an erster Stelle Hermann Hesse. Zu ihm kommt Bertolt Brecht, und mit Werken und Rechten dieser beiden Autoren hat Suhrkamp die Basis für den am 1. Juli 1950 neu gegründeten Suhrkamp Verlag.

Noch neun Jahre sind Suhrkamp vergönnt, Jahre des Planens, Denkens, Realisierens, immer wieder vom Krankenlager und von Aufenthalten in Krankenhäusern und Sanatorien unterbrochen. Das große Verlagswerk, das Suhrkamp entfaltet hat, liegt für jeden offen und ist schon Geschichte. Er gibt seinem Verlag Gesicht und Profil, und er gibt ihm mehr: die Möglichkeit für eine Zukunft.

Peter Suhrkamp tritt in den letzten Jahren immer weniger öffentlich in Erscheinung. Die letzten Stationen: Die Theaterleute sehen ihn bei Proben und Premieren wichtigster Theateraufführungen von Brecht, Eliot und Frisch. Im Januar 1953 ist er in Bremen beim Festakt zu Rudolf Alexander Schröders 75. Geburtstag. Kurz darauf hält er in Oldenburg den Vortrag »Diese Zeit und ihre Bücher«. Im Dezember 1954 kommt er noch einmal nach Bremen, um dort den Vortrag zu halten »Was kann Marcel Proust uns bedeuten«. Im Januar 1955 sieht man ihn bei Ernst Penzoldts Beerdigung. Im Herbst 1955 nimmt er in der Frankfurter Paulskirche an der Verleihung des Friedenspreises teil, den Ninon Hesse für Hermann Hesse entgegennimmt, im August 1956 an der Beerdigung von Bertolt Brecht. 1957 reist

Bei der Verleihung des Hermann-Hesse-Preises an Martin Walser. Baden-Baden, 1957. V.l.n.r. Siegfried Unseld, Käthe Walser, Martin Walser, stehend Peter Suhrkamp

Peter Suhrkamp auf dem Balkon des Verlagshauses Schaumainkai 53

er nach Düsseldorf zur Entgegennahme seiner Ehrenmitgliedschaft der Akademie für Sprache und Dichtung, und im Juli desselben Jahres hält er in Baden-Baden die Laudatio auf den ersten Träger des Hermann-Hesse-Preises, auf Martin Walser. Im Juli 1958 sieht man ihn in Salzburg bei der Premiere von Archibald MacLeishs »Spiel um Job«, und im Herbst desselben Jahres zeigt ihn ein Photo auf der Frankfurter Buchmesse im Gespräch mit Theodor Heuss. Dann nehmen die Reisen immer mehr ab, die Krankenhausaufenthalte immer mehr zu. Zwei, drei Besuche bei Hermann Hesse in Montagnola. Noch einmal glückliche Ferien in einem Sanatorium, die Photos von diesem Aufenthalt tragen die Unterschrift »voll Hoffnung und voller Pläne«. Dann tritt, erwartet wie unerwartet, auf seine Weise schön und eigen, am 31. März 1959 in der Universitätsklinik in Frankfurt der Tod ein.

(Aus der Einleitung: Siegfried Unseld, ›Peter Suhrkamp, Zur Biographie eines Verlegers‹. suhrkamp taschenbuch

Suhrkamp Verlag
1. Juli 1950-30. Juni 1990

1950

Die Geschichte des Suhrkamp Verlages beginnt mit dem Brief vom 2. Mai 1950, den Dr. Bermann Fischer und Peter Suhrkamp gemeinsam unterzeichneten: 48 Autoren, deren Werke nach 1936 von Suhrkamp im damaligen S. Fischer Verlag oder später im Suhrkamp Verlag vorm. S. Fischer verlegt worden waren, können für den alten S. Fischer Verlag oder für einen neu zu gründenden Suhrkamp Verlag optieren. 33 Autoren entscheiden sich für Suhrkamp; darunter *Hermann Hesse* (»... diesmal hatte ich wenigstens die Möglichkeit ... meine Treue zu zeigen ...«); einer, der nicht gefragt ist, schickt eine Postkarte, wenn er in Deutschland verlegt würde, dann nur bei Suhrkamp: *Bernard Shaw*.
Mit den Büchern der für ihn votierenden Autoren kann Suhrkamp eine Backlist bilden: *Rudolf Alexander Schröder*, *Hermann Kasack*, *Wolf von Niebelschütz*, *Heinrich Schirmbeck*, *T.S. Eliot*, *Julius Overhoff* (seine ›Reise in Lateinamerika‹ ist eine Summe von sechs Südamerika-Reisen innerhalb der letzten 30 Jahre, die Overhoff als Schriftsteller wie auch als Wirtschaftler von Ruf unternommen hat). Am 1. Juli wird der Suhrkamp Verlag neu gegründet. Im Herbst 1950 liegen die ersten Bücher vor: *Walter Benjamins* ›Berliner Kindheit um 1900‹, *Dolf Sternbergers* ›Figuren der Fabel‹, *Max Frischs* ›Tagebuch 1946-1949‹, das erste bedeutende Dokument einer neuen deutschschweizerischen Literatur, sowie Essays von *T.S. Eliot*, eine einbändige Ausgabe von *Hermann Hesses* ›Glasperlenspiel‹ und ›Späte Prosa‹ und ›Klassische Stücke‹ von *Bernard Shaw*. Die Bücher von *Hesse* und *Shaw* reüssieren; mit dem ›Glasperlenspiel‹ beginnt die große Neurezeption der Werke Hesses, des Nobelpreisträgers von 1946, und die ungewöhnliche Publizität der Nekrologe für Shaw, der im November stirbt, verhilft den ›klassischen Stücken‹ zu einem unerwar-

teten Erfolg. *Hermann Kasacks* ›Stadt hinter dem Strom‹ (1947 erschienen) gerät erneut in die Diskussion. Suhrkamp kann den Aufbau seines eigenen Verlags unternehmen.

Nach der Trennung von 1950 wird eine neue Verlagsfirma gegründet; ihr gehören Peter Suhrkamp als geschäftsführender Gesellschafter und die im Besitz der Brüder Balthasar und Peter Reinhart befindliche Volkart GmbH Bremen an; am 6. 12. 1962 treten Balthasar und Peter Reinhart anstelle der Volkart GmbH als persönliche Kommanditisten ein. Dr. Siegfried Unseld, der seit dem 1. Januar 1952 dem Verlag angehört, wird am 1. Januar 1958 gemeinsam mit Suhrkamp persönlich haftender Gesellschafter, nach Suhrkamps Tod, am 31. März 1959, alleinverantwortlicher Gesellschafter.

Peter Suhrkamp gab dem Verlag ein unverwechselbares Gepräge. Wie kein anderer literarischer Verlag konzentrierte er sich in seinem Programm auf die zeitgenössische deutsche und ausländische Literatur. Suhrkamp baute seinen Verlag in drei Richtungen aus:
1. Werkausgaben wichtiger Autoren: *Bertolt Brecht*, *Hermann Hesse*, *Oskar Loerke*, *Marcel Proust*, *Rudolf Alexander Schröder* und *Bernard Shaw*.
2. Es ging Suhrkamp nicht so sehr um das einzelne Werk eines Autors, sondern um die Darstellung seiner Gesamtphysiognomie. So verlegte er nach und nach die Werke von *Theodor W. Adorno*, *Walter Benjamin*, *T.S. Eliot*, *Max Frisch*, *Halldór Laxness*, *Wilhelm Lehmann*, *Wolf von Niebelschütz*, *Hans Erich Nossack* und *Ernst Penzoldt*.
3. Im neu gegründeten Theaterverlag stand nach der Zahl der Aufführungen jahrelang *Bernard Shaw*, dann *T.S. Eliot* an der Spitze. Bei *Brecht* galt Suhrkamps Bemühen nicht einer Vielzahl von Aufführungen, sondern einer adäquaten, vorbildlichen Aufführung.

1951

Zu seinem 60. Geburtstag am 28. März wird *Peter Suhrkamp* Ehrendoktor der Philosophischen Fakultät der Universität Frankfurt.

Freunde veröffentlichen einen Privatdruck ›Ausgewählte Schriften zur Zeit- und Geistesgeschichte von Peter Suhrkamp‹, Aufsätze, die in der Zeit von 1934 bis 1949 geschrieben wurden.

Im Programm des Verlages schon Standardwerke: *Theodor W. Adornos* Aphorismenbuch ›Minima moralia‹; ein sehr substantieller Band ›Briefe von Hermann Hesse‹, von ihm selbst zusammengestellt. Von *Halldór Laxness*, dem späteren Nobelpreisträger, erscheint ein erster Roman ›Die Islandglocke‹, eine Romantrilogie, eine freie Dichtung, wenn ihr auch der Mordprozeß gegen den Zinsbauer zu Rein auf Island, Jon Hreggvidsson, zugrunde liegt. Von *Ernst Penzoldt* erscheint der Erzählband ›Süße Bitternis‹ und von *Wolf von Niebelschütz*, dessen ›Blauen Kammerherrn‹ Suhrkamp 1949 herausgegeben hat, der Gedichtband ›Sternenmusik‹. Suhrkamp plant eine auf vier Bände angelegte Reihe ›Zwischen den beiden Kriegen‹, Band 1, Die Philosophie, von *Max Bense*, Band 2, Musik, von *H.H. Stuckenschmidt*.

1951 beginnt die *Bibliothek Suhrkamp* mit: *Hesse*, ›Morgenlandfahrt‹; *Schröder*, ›Der Wanderer und die Heimat‹; *Brecht*, ›Hauspostille‹; *Klipstein*, ›Hotel in Kastilien‹; *Read*, ›Wurzelgrund der Kunst‹; *Paul Valéry*, ›Tanz Zeichnung und Degas‹.

1952

Zum 1. Januar tritt Siegfried Unseld in den Verlag ein; in einer Art Assistenz für Suhrkamp betreut er das jüngste deutsche Lektorat und baut die Werbe- und Verkaufsabteilung auf.

1952 geht Peter Suhrkamp mit zwei Ausgaben ein großes verlegerisches Risiko ein: Zum 75. Geburtstag von *Hermann Hesse* erscheint zum ersten Mal eine sechsbändige Dünndruck-Ausgabe seiner ›Gesammelten Dichtungen‹. *Siegfried Unseld* veröffentlicht dazu die erste Fassung seiner Hesse-Werkgeschichte. Zur Vorbereitung des 75. Geburtstages von *Rudolf Alexander Schröder* veröffentlicht der Verlag dessen Gesamtwerk in fünf Bänden. Die Herstellungskosten für beide Ausgaben sind ungewöhnlich hoch, die Ausgabe *Hesse* findet ihre Käufer, während die Ausgabe *Schröder* noch über Jahre hinweg auf Lager bleibt. Die anderen Stationen aus Suhrkamps Arbeit: von *Monique Saint-Hélier* erscheinen die ersten beiden Romane ›Morsches Holz‹ und ›Strohreiter‹; Suhrkamp hatte sie in der Bibliothek Hesses in Montagnola entdeckt, Hesse gab *Monique Saint-Hélier* den Rang der Virginia Woolf. *Truman Capotes* berühmtes Buch ›Grasharfe‹ erscheint und *Hermann Kasacks* ›Das große Netz‹, die Werkausgabe *Ernst Penzoldt* wird mit einem dritten Band ›Causerien‹ abgeschlossen. Von *Alfred Marnau* erscheint ein Roman ›Verlangen nach der Hölle‹ mit einer Zeichnung von Oskar Kokoschka. *Adornos* ›Versuch über Wagner‹ erregt nicht nur in Bayreuth große Diskussion. – Eine erste Uraufführung *Brecht* in Frankfurt am 16. 11. 1952: ›Der gute Mensch von Sezuan‹.

In der Bibliothek Suhrkamp *Max Frischs* Erzählung ›Bin oder Die Reise nach Peking‹. *Eliots* ›Old Possums Book of Practical Cats‹ und ein Buch, das von nun an so etwas wie ein Kultbuch der Bibliothek Suhrkamp sein sollte: *Palinu-*

rus, ›Das Grab ohne Frieden‹. Palinurus, das ist Cyril Vernon Connolly, Kritiker und Schriftsteller. (Palinurus – Steuermann auf dem Schiff des Aeneas, fiel schlafend ins Meer, erreichte das Ufer von Velia, wo Einwohner ihn ermordeten, um in den Besitz seiner Kleider zu gelangen.)

1953

Mit einer Feierstunde im Rathaus und der Stiftung eines »Literaturpreises« ehrt die Stadt Bremen ihren Ehrenbürger *Rudolf Alexander Schröder* zum 75. Geburtstag. Bundespräsident Theodor Heuss sagt in seiner Glückwunschansprache, daß »Anruf und Deutung in den Werken von Schröder zur mahnenden Gewissensstärkung würden«.

Paul Celan und R. A. Schröder.
Verleihung des Literaturpreises der Stadt Bremen an Paul Celan am 26. Januar 1958

Peter Suhrkamp begegnet nach der Pariser Aufführung von ›Warten auf Godot‹ *Samuel Beckett*; seitdem erscheinen die Werke Becketts, vom deutschen Publikum und von der Kritik zunehmend stärker beachtet, im Suhrkamp Verlag. Das berühmte Lesebuch ›Deutscher Geist‹ (1940) mit den zahlreichen Kurzbiographien aus der Feder *Suhrkamps* und *Loerkes* wird in erweiterter Form neu aufgelegt. Die *Brecht*-Gesamtausgabe beginnt mit den beiden Bänden der ›Ersten Stücke‹. Und Suhrkamp geht wieder ein großes Wagnis ein: die Neuübersetzung der *Proust*schen ›Recherche‹ durch Eva Rechel-Mertens. Der erste Band liegt jetzt vor, ›In Swanns Welt‹. Von *Gustaf Gründgens* erscheint ›Die Wirklichkeit des Theaters‹. In der Bibliothek Suhrkamp ein Band ›Träume. Vier Spiele‹ von *Günter Eich*. Am 22. Februar wurde *Günter Eich* der »Hörspielpreis der Kriegsblinden« zugesprochen.

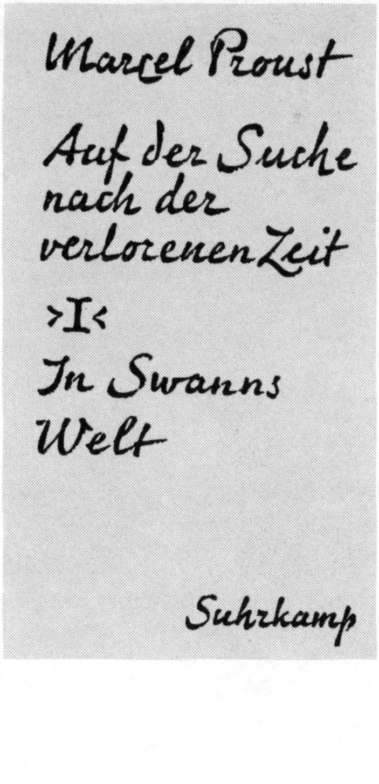

Das Lektorat auf dem Weg zum Mittagessen, 1953: Siegfried Unseld, Peter Suhrkamp, Friedrich Podszus

1954

Ein Erstling: *Rolf Becker* mit dem Roman ›Nokturno 1951‹; während einer Besprechung des Manuskripts hat Suhrkamp den Satz geprägt: »Jeder Autor, und sei er noch so jung, steht turmhoch über uns.« Von *Samuel Beckett* erscheint der Roman ›Molloy‹, von *Ernst Penzoldt* ›Squirrel‹, von *Monique Saint-Hélier* ›Der Eisvogel‹. Die in blaues Leinen gebundenen Bücher von *Hermann Hesse* werden fortgesetzt. Der zweite *Proust*-Band kann vorgelegt werden. In der Bibliothek Suhrkamp Gedichte des Spaniers *Damaso Alonso* und von *Anna Seghers* ›Aufstand der Fischer von St. Barbara‹. *Max Frisch* widmet seinen Roman ›Stiller‹ Peter Suhrkamp. Ein Buch am Beginn eines Welterfolges. Joachim Kaiser: »Ist Frisch nicht fast der einzige, an den wir uns halten können, wenn wir die Tradition großer weltbewußter Prosa zum Maßstab machen?« Die *Brecht*-Ausgabe wird fortgeführt. Zur Buchmesse erscheint *Hertha Trappes* Roman ›Was ich wandere dort und hier‹, über den Friedrich Sieburg schreiben sollte: »Wir sind durch dieses Buch um eine wirkliche Liebesgeschichte reicher geworden.«

Von *Bernard Shaw* erscheinen zwei Bände ›Vorreden zu den Stücken‹, Peter Suhrkamp führte sie ein. Eine englische Zeitschrift wandte sich an Shaw mit der Bitte, er möge ihr die zwölf seiner Meinung nach bedeutendsten lebenden Schriftsteller nennen. Shaw antwortete: »1. G.B. Shaw, 2. G.B. Shaw, 3. G.B. Shaw, 4. G.B. Shaw, 5. G.B. Shaw, 6. G.B. Shaw, 7. G.B. Shaw, 8. G.B. Shaw, 9. G.B. Shaw, 10. G.B. Shaw, 11. G.B. Shaw, 12. G.B. Shaw. Über die Reihenfolge dieser zwölf möchte ich mir aus begreiflichen Gründen kein Urteil erlauben.«

1955

Am 27. Januar stirbt *Ernst Penzoldt*. In der Jahresschau des Suhrkamp Verlages werden Nachrufe veröffentlicht von R. A. Schröder, Hermann Hesse, Erich Kästner, Hermann Kasack, Eugen Roth.
Am 9. März stirbt *Monique Saint-Hélier*; ihr letztes Buch, ›Die rote Gießkanne‹, ist Hermann Hesse gewidmet. Am 3. Mai erhält *T.S. Eliot* den Goethe-Preis der Stadt Hamburg; in seinem Festvortrag ›Goethe, der Weise‹ revidierte T.S. Eliot seine frühere kritische Stellung zu Goethe. *Wolfgang Hildesheimer* schreibt an den Verlag: »Ich will hiermit dem Verlag meine Hochachtung ausdrücken. Es war eine wirkliche Kulturtat, Becketts ›Molloy‹ zu verlegen, ein großartiges Buch, neben dem, meiner Meinung nach, die ganze Romanproduktion der letzten Jahre verblaßt. Ich wollte nur, alle Schriftsteller fühlten sich so klein daneben wie ich.« Dieses Gefühl sollen junge Autoren nicht haben! *Martin Walser* tritt mit dem Band seiner Kurzgeschichten und Parabeln ›Ein Flugzeug über dem Haus‹ in den Verlag ein. Er hatte den Preis der Gruppe 47 im Mai 1955 für die Geschichte ›Templones Ende‹ erhalten.
Günter Eich veröffentlicht seinen ersten Gedichtband ›Botschaften des Regens‹, von *Max Frisch* erscheint das Theaterstück ›Die chinesische Mauer‹ und von *Hans Erich Nossack* der Roman ›Spätestens im November‹. *Halldór Laxness* erhält den Nobelpreis für Literatur 1955; es erscheint sein Roman ›Weltlicht‹ und als Suhrkamp-Hausbuch eine Neuauflage der ›Islandglocke‹. Die Ausgabe *Marcel Proust* wird mit zwei Bänden ›Die Welt der Guermantes‹ und ›Sodom und Gomorra‹ fortgeführt. Es erscheint der erste Tausenddruck *H.D. Avon*.
Das nachhaltigste Ereignis: die beiden von *Theodor W. Adorno* herausgegebenen Bände ›Schriften‹ von *Walter Ben-*

Bei der Verleihung des Friedenspreises an Hermann Hesse, 1955.
Ninon Hesse und Theodor Heuss, links Peter Suhrkamp

jamin; später schrieb Hannah Arendt: »Die Freundschaft Benjamin–Brecht ist einzigartig, weil in ihr der größte deutsche Dichter mit dem bedeutendsten Kritiker der Zeit zusammentraf.« *Hermann Hesse* erhält den Friedenspreis des Deutschen Buchhandels.
Max Frisch erhält für ›Stiller‹ den Wilhelm Raabe-Preis. Für sein Hörwerk ›Der Laie und die Architektur‹ erhielt er den Schleussner-Schüller-Preis des Hessischen Rundfunks.

1956

Walter Höllerer: seine Sammlung ›Transit‹ markiert die Lyrik der Jahrhundertmitte. – *Wolfdietrich Schnurres* ›Kassiber‹ erscheint und von *Martin Kessel* der Roman ›Herrn Brechers Fiasko‹. – *Bertolt Brecht* stirbt am 14. August in Berlin. Er hatte noch die Korrekturen zum 5. Band der Gesamtausgabe ›Stücke‹ gelesen. Die »Faszination«, die von ihm immer wieder ausging, sah Frisch darin, »daß hier ein Leben wirklich vom Denken aus gelebt wird«. Friedrich Dürrenmatt erkannte ihn als den »zu unserer Zeit größten deutschen Dramatiker«. Peter Suhrkamp stellte fest, »daß Brecht als Dichter, im Gedicht und im Drama, die Historie unseres Volkes seit 1918 schreibt«. »Im Buch der Literatur des Jahrhunderts«, so ein Kritiker, »gebührt Brecht der Titel des Klassikers der Vernunft.« *Peter Szondis* ›Theorie des modernen Dramas‹ erscheint. Aus Anlaß seines 65. Geburtstages wird *Peter Suhrkamp* mit dem Bundesverdienstkreuz und der Goethe-Plakette der Stadt Frankfurt ausgezeichnet.

1957

Höhepunkt der verlegerischen Arbeit Suhrkamps. Exemplarisches und Avantgardistisches ergänzen einander.
Hesses ›Gesammelte Schriften‹ liegen in sieben Dünndruckbänden zum 80. Geburtstag vor. *Prousts* ›Recherche‹ zum ersten Mal in deutscher Sprache vollständig. Neue Veröffentlichungen: *Frischs* ›Homo faber‹, *Martin Walsers* ›Ehen in Philippsburg‹, *Hans Magnus Enzensbergers* erster Gedichtband ›Verteidigung der Wölfe‹, *Wilhelm Lehmanns* ›Meine Gedichtbücher‹. *Suhrkamps* Erzählungen ›Munderloh‹ erscheinen. Hermann-Hesse-Preis für *Martin Walser.*
Am 31. 12. 1957 mit Wirkung zum 1. 1. 1958 tritt Siegfried Unseld als persönlich haftender Gesellschafter in die Suhrkamp-Verlag-Kommanditgesellschaft ein.

1958

R. A. Schröder feiert seinen 80. Geburtstag. Beim Bremer Festakt spricht Theodor Heuss. Im ›Morgenblatt für Freunde der Literatur‹ des Suhrkamp Verlages sind literaturhistorisch wichtige Beiträge über R. A. Schröder veröffentlicht von Josef Hofmiller, Hugo von Hofmannsthal, Hans Carossa, Karl Vossler, Ernst Robert Curtius, Werner Milch und Josef Piper; ferner zeitgenössische Stimmen: Kurt Isenfeld und Hermann Hesse, Paul Celan, Ingeborg Bachmann, Walter Höllerer wählen Gedichte von Schröder aus. *Siegfried Unseld* ediert eine Auswahl von R. A. Schröder unter dem Titel ›Fülle des Daseins‹.

Peter Suhrkamp gibt eine zweibändige Ausgabe ›Gedichte und Prosa‹ von Oskar Loerke heraus. Aus diesem Anlaß erscheint eine der letzten Ausgaben des ›Morgenblatts für Freunde der Literatur‹ mit Beiträgen von Gottfried Benn, Wilhelm Lehmann, Hermann Kasack, Elisabeth Langgässer, Hans Henny Jahnn, Gerhart Hauptmann. Thomas Mann: »Manches scheint schwerfällig-melancholisch-dunkel, aber man muß nur genau hinsehen, dann öffnet sich eine klare Tiefe.« Hermann Hesse: »Als stärkste lyrische Schöpferkraft, neben Trakl und Benn, war er doch Jahrzehnte ein heimlicher König der modernen, avantgardistischen Dichtung, ein hundertmal nachgeahmter Bahnbrecher, Vorbild und Vater der Besten seiner Generation und der nachfolgenden.«

Das Jahr der literarischen Anerkennung von *Max Frisch*, nicht weniger als drei Auszeichnungen: Charles Veillon-Preis, Büchner-Preis und den Literaturpreis der Stadt Zürich. Drei wichtige übersetzte Werke: *Archibald MacLeishs* Drama ›Spiel um Job‹, *Ramón Pérez de Ayalas* ›Belarmino und Apolonio‹ und, in der Bibliothek Suhrkamp, *Sherwood Andersons* ›Winesburg, Ohio‹ in der Übersetzung von Hans

Peter Suhrkamp mit Bertolt Brecht bei den Frankfurter Proben zum »Kaukasischen Kreidekreis«

Erich Nossack, der diesen Roman als »*den* Roman einer Kleinstadt« bezeichnet. *Frischs* ›Biedermann und die Brandstifter‹, *Günter Eichs* ›Stimmen. Sieben Spiele‹ und *Hans Erich Nossacks* ›Der jüngere Bruder‹ erscheinen. Die Titel wie Jahresringe. Organisch bildet sich das Programm, es wächst mit den Werken seiner Autoren. Der Rang eines Verlages wird vom Rang seiner Autoren bestimmt. Nicht so sehr das einzelne Buch, sondern das Werk macht das Profil eines Verlages aus.

1959

Peter Suhrkamp stirbt am 31. März in Frankfurt; »Er starb«, so Adorno in seiner Gedächtnisrede ›Dank an Peter Suhrkamp‹, »als eines der letzten Opfer.« Siegfried Unseld übernimmt die alleinige verlegerische Leitung. Helene Ritzerfeld, Suhrkamps Mitarbeiterin, leitet von nun an die Lizenz- und Rechteabteilung. Nach Suhrkamps Tod galt es, das von ihm Angelegte mit und gegen die Zeit weiter zu entfalten. Beginn der folgenreichen Zusammenarbeit mit *Willy Fleckhaus*; er gestaltet die Umschläge für die ›Bibliothek Suhrkamp‹ neu und entwirft von nun an Umschläge, Prospekte, Plakate und Poster, die das äußere Gesicht des Verlages prägen. Die *Bibliothek Suhrkamp* wurde als Reihe neu intensiviert: Suhrkamp hatte sie als eine Sammlung von Unica gesehen, jetzt wächst sie mit den neuen Autoren, mit *Ernst Bloch*, *Marguerite Duras*, *Karl Krolow*, *William Faulkner*, *Robert Walser*, *Majakowski*, *Gide*, *Sender*, *Ungaretti*, *Joseph Roth*, *Robert Musil*, *Scott Fitzgerald*, *Cesare Pavese*, *Franz Kafka*, *Beckett*, *Neruda*, *Vittorini*, *Vallejo*, *Hofmannsthal*, *Camus*, zu einer Bibliothek der Klassiker der Moderne. – *Spectaculum. Moderne Theaterstücke* wird zu einer jährlichen Einrichtung; die Bände schaffen eine neue Gewohnheit: die Lektüre moderner Dramen.

Karl Krolow tritt in den Verlag ein; Peter Suhrkamp hatte noch entschieden, daß sein Gedichtband ›Fremde Körper‹ in der Bibliothek Suhrkamp erscheinen sollte. Zwei Bücher von Frauen: *Ruth Rehmanns* Roman ›Illusionen‹ und *Christiane Rochefort* mit ihrem überall heftig umstrittenen Buch ›Das Ruhekissen‹, ein Roman der Liebeshörigkeit und Erniedrigung.

Am 22. Dezember begeht *Gustaf Gründgens* seinen 60. Geburtstag. Der Verlag ehrt ihn mit einer bebilderten Ausgabe seiner ›Faust‹-Inszenierung.

Lieber Herr Dr. Unseld

Dass mein Freund Peter nicht mehr zu leiden und zu kämpfen hat,gönne ich ihm von Herzen.Dass er mir im Sterben zuvorgekommen ist,tut mir freilich sehr weh. Dass ich ihm nach dem Martyrium der Hitlerzeit und der schweren Enttäuschung mit dem alten Verlag beim Aufbau des neuen helfen konnte,rechne ich zum Positiven in meinem Leben.

Sie treten jetzt an seine Stelle.Da wünsche ich Ihnen Kraft,Geduld und Freudigkeit,es ist ja eine schöne und edle Art von Arbeit,in der Sie stehen.Es ist auch eine schwierige und verantwortungsvolle.Der Verleger muss "mit der Zeit gehen",wie man sagt.Er muss aber nicht einfach die Moden der Zeit übernehmen,sondern ~~ihnen~~ auch,wo sie unwürdig sind,ihnen Widerstand leisten können.Im Anpassen und im kritischen Widerstehen vollzieht sich die Funktion,das Ein- und Ausatmen des guten Verlegers.So einer sollen Sie sein.

Herzlich trauere ich mit Ihnen über unsern Freund, und herzlich wünsche ich uns beiden ein gutes Zusammenarbeiten . Ihr

H Hesse

IV. 59

Das Jahr ist durch zwei Werke geprägt: Durch *Uwe Johnsons* ›Mutmassungen über Jakob‹. Noch nie wurde ein erstes Buch von der Kritik so enthusiastisch begrüßt; Marcel Reich-Ranicki: »Dieses Buch ist eine Provokation, eine ungeheuere Zumutung. Dieser Anfänger ist eine ganz große Hoffnung.« Erhart Kästner: »Der Ernst, die Zucht und die Scheu dieses neuen Talents ist kostbar ... eine künstlerische Laufbahn beginnt; man ist geneigt zu weissagen, daß sie hoch, sehr hoch hinaufführe.« Günter Blöcker sieht in diesem »Roman der beiden Deutschland« eine »Abbreviatur aller modernen Erzählmöglichkeiten.« Hans Magnus Enzensberger: »Es ist hier das Erscheinen des ersten deutschen Romans nach dem Kriege anzuzeigen, das heißt des ersten Romans, der weder der west- noch der ostdeutschen Literatur angehört, für die unsere Verwaltungssprache die groteske Benennung ›gesamtdeutsch‹ bereithält.«

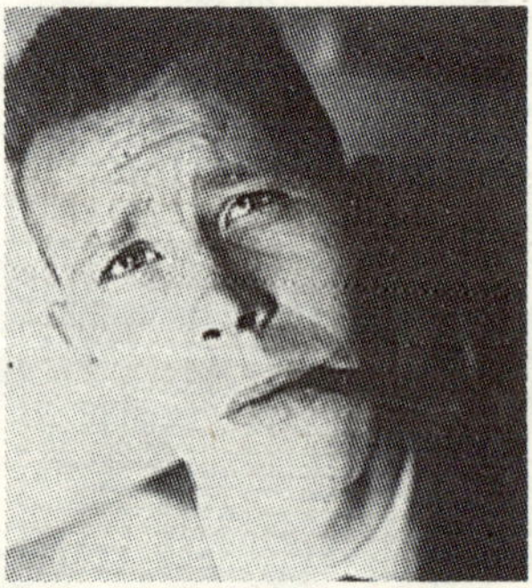

Uwe Johnson um 1959

Das zweite prägende Werk: *Ernst Blochs* ›Prinzip Hoffnung‹. Siegfried Unseld traf Bloch unmittelbar nach dem Tode Suhrkamps. Suhrkamp hatte noch eine Auswahl der ›Spuren‹ von Walter Maria Guggenheimer für die Bibliothek Suhrkamp akzeptiert, Siegfried Unseld bestimmte nun die integrale Aufnahme und eine noch in diesem Jahr zu erfolgende zweibändige Ausgabe des ›Prinzip Hoffnung‹;

es sollte das Gesamtwerk des Philosophen eröffnen. Als »Prophet mit Marx- und Engelszungen« wurde Bloch von Martin Walser bezeichnet, als »Ketzer in West und Ost«. Die Edition sei, so Jürgen Moltmann, »eine Herausforderung an den Osten wie an den Westen und vornehmlich der Theologie des Judentums und des Christentums«.

1960

Mit einer ersten Publikation tritt *Peter Weiss* in den Verlag ein: ›Der Schatten des Körpers des Kutschers‹; durch die »Annahme meines Manuskripts«, so Peter Weiss, das eine 13jährige Odyssee durch deutsche Verlagsstuben machte,

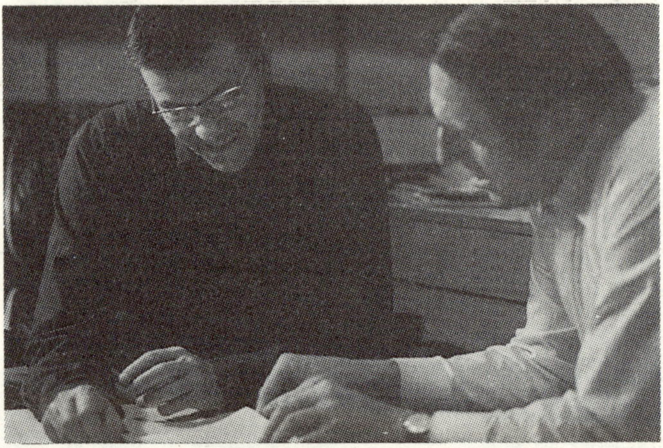

Peter Weiss und Siegfried Unseld

»wurde mir ein Dasein als deutschsprachiger Schriftsteller ermöglicht.« Zwei wichtige deutsche Publikationen: *Enzensbergers* Gedichtbuch ›Landessprache‹ und *Martin Walsers* Roman ›Halbzeit‹. – Die deutsche Gesamtauflage von *Max Frischs* Roman ›Stiller‹ beträgt jetzt 240 000 Exemplare. Der Verlag erarbeitet zwei Werke: ›Hermann Hesse. Chronik in Bildern‹, von Siegfried Unseld herausgegeben, Bertolt Brechts ›Dreigroschenbuch‹ mit einer Schallplatte, auf der Brecht zwei Songs singt. Von *Marguerite Duras* erscheint der Roman ›Die Pferdchen von Tarquinia‹ (für ihren Roman ›Moderato cantabile‹ wurde sie mit dem Prix de Mai ausgezeichnet) und von *William Faulkner* ›Der Bär‹. *Günter Eich* erhält für sein Hörspiel ›Die Mädchen aus Viterbo‹

den Schleussner-Schüller-Preis des Hessischen Rundfunks. Nach der Werkstatistik der deutschsprachigen Bühnen folgt auf Shakespeare und Schiller bereits *Bertolt Brecht*. Die laufende Pariser Theatersaison steht ganz im Zeichen Brechts. Giorgio Strehler inszeniert die ›Dreigroschenoper‹, und das Berliner Ensemble führt die Hauptwerke Brechts auf. Brecht erobert London – riesiger Erfolg von ›Leben des Galilei‹ im Londoner Mermaid Theatre. *Uwe Johnson* wurde für seinen Roman ›Mutmassungen über Jakob‹ der Fontane-Preis der Stadt Berlin zugesprochen. Als ein wichtiges Werk der Joyce-Literatur gilt *Stanislaus Joyces* ›Meines Bruders Hüter‹ mit einem Vorwort von T. S. Eliot und einer Einführung von Richard Ellman, Deutsch von Arno Schmidt. Eliot schreibt: »Besessen, wie er von dem Gegenstand seiner Memoiren war, erbittert unter der ständigen Reizung dieses ›Pfahls‹ in seinem Fleisch wuchs Stanislaus Joyce selbst zum Schriftsteller, zum Verfasser dieses/eines Buches, das wert ist, einen dauernden Platz im Bücherschrank neben den Werken des Bruders einzunehmen.«
Band 1 der Schriften von *Ludwig Wittgenstein* mit seinem berühmten Buch von 1921, dem ›Tractatus logico-philosophicus‹, erscheint. Die Ausgabe der ›Schriften‹ ermöglicht die Rezeption dieses Philosophen, der immer mehr als einer der bedeutendsten dieses Jahrhunderts angesehen wird. Ein erstes Beiheft erscheint mit Beiträgen bekannter Wittgensteinforscher und mit einem Essay von *Ingeborg Bachmann* ›Zu einem Kapitel der jüngsten Philosophiegeschichte‹.
Erwin Piscator verfilmt *Anna Seghers* Erzählung ›Aufstand der Fischer von St. Barbara‹. Am Ende des Jahres ein höchst interessanter Zweikampf in Paris: *Rocheforts* ›Das Ruhekissen‹ ist verfilmt und dramatisiert worden. In Roger Vadims Film spielt Brigitte Bardot die weibliche Hauptrolle, im Theaterstück Marlene Dietrich.

1961

Drei wichtige Prosabücher im 1. Halbjahr: *Peter Weiss'* ›Abschied von den Eltern‹ (»Wir wagen zu sagen, daß man in der deutschen Nachkriegsliteratur vergeblich nach einem die Jahre der Kindheit fixierenden Selbstzeugnis suchen wird, das sich mit diesem schmalen Buch vergleichen ließe.« Norddeutscher Rundfunk), *Miroslav Krlezas* ›Die Rückkehr des Filip Latinovicz‹ (»So melden sich Meisterwerke.« Günther Busch) und Raymond Queneaus ›Stilübungen‹, ›Autobus S‹. Wolfgang Koeppen: »Bei Queneau schreibt sich auch der Antiroman gleichermaßen von selbst.« Parallel zum Spectaculum tritt der Band ›Spectaculum. Texte moderner Filme‹; im Mittelpunkt *Marguerite Duras'* ›Hiroshima mon amour‹. In der Bibliothek Suhrkamp die zweisprachigen ›Gedichte‹ von *Giuseppe Ungaretti* in der Übertragung von Ingeborg Bachmann. Als Suhrkamp-Hausbuch der Band ›Illuminationen. Ausgewählte Schriften von *Walter Benjamin*‹, herausgegeben von Siegfried Unseld.
Im September: Das zweite Buch von *Uwe Johnson* ›Das dritte Buch über Achim‹. Walter Jens: »... ich glaube, daß der Autor, der jetzt als erster das Kardinalproblem auf der Ebene der Kunst analysiert hat, ein solcher Schriftsteller ist: Uwe Johnson. ›Das dritte Buch über Achim‹ ist ein Buch auf der Schwelle der Meisterschaft, eine Epopöe.« Günter Blöcker: »Gleich mit seinem ersten Roman ›Mutmassungen über Jakob‹ ist er zum Dichter der beiden Deutschland geworden, mit seinem neuen Buch befestigt er diese Position auf das nachdrücklichste.«
14. Oktober: Büchner-Preis für *Hans Erich Nossack*. Es erscheint sein Bericht ›Nach dem letzten Aufstand‹. Zwei bedeutsame Sammlungen ›Allerleirauh. Viele schöne Kinderreime‹, 777 Kinderreime, versammelt, herausgegeben und mit einem Nachwort versehen von *Hans Magnus Enzens-*

berger. (»Wir lieben es heiß, dieses ›Allerleirauh‹. Wetten, daß unsere Enkel noch ihre Freude dran haben werden!« Neue Züricher Nachrichten.) Und ›Spiele in einem Akt. 35 moderne Einakter‹, herausgegeben von *Walter Höllerer*.

Hans-Erich Nossack

Ivo Andrić, Nobelpreisträger 1961, Autor der Erzählung ›Der verdammte Hof‹ in der Bibliothek Suhrkamp. Er unterbrach seinen Flug nach Stockholm in Frankfurt. Auf die Frage, ob er als der letzte jugoslawische Botschafter in Berlin die Deutschen kenne, antwortete er: »Ich weiß nicht – ich war nur kurze Zeit in Deutschland. Ich habe Freunde dort: Peter Suhrkamp – leider lebt er nicht mehr.«
November: Uraufführung von *Max Frischs* neuem Stück ›Andorra‹ im Züricher Schauspielhaus; 25 deutschsprachige Bühnen haben das Stück in ihren Spielplan 1961/62 aufgenommen. Siegfried Melchinger: »Die überwältigende Zustimmung, mit der es im Züricher Schauspielhaus von einem ungewöhnlichen Publikum aufgenommen wurde, galt sowohl der Wahrheit, die es ausspricht, als dem Mann, der den Mut hatte, sie auf die Bühne zu bringen.«
›Spectaculum 4‹ erscheint. Friedrich Luft: »Spectaculum –

1961: Deutsche Erstaufführung von Max Frischs »Andorra«. Intendant und Regisseur Harry Buckwitz und »sein Regieassistent« Siegfried Unseld im Gespräch mit Max Frisch

das Volksbuch vom neuen Drama – ist ein haltbares Kompendium aktuellen Theaters, versehen mit vorzüglich gewählten erklärenden Zeugnissen und biographischen Texten im Anhang. Glückliches Zeitalter, da das möglich ist, möchte man sprechen!«
Als Suhrkamp Hausbuch erscheint ›Der Blaue Kammerherr‹ von *Wolf von Niebelschütz*. (»Sollte der nicht unsere ganze Bewunderung verdienen, der uns auf solche Weise zu bezaubern vermag?« Walter Boehlich) 10. Dezember: 70. Geburtstag von *Nelly Sachs*. Es erscheint die Gesamtausgabe ihrer Gedichte ›Fahrt ins Staublose‹ und ein Band ›Nelly Sachs zu ehren‹ mit Beiträgen von Ilse Aichinger, Alfred Andersch, Ingeborg Bachmann, Günter Eich, Hans Magnus Enzensberger, Christoph Meckel. »Unter Schmerzen zu altern«, schrieb Olof Lagercrantz in seinem Nachruf, »und zu zerschellen am Übermaß an Leid, wird eine

Erfahrung für immer mehr Menschen. Das bedeutet, daß Nelly Sachs zu den Dichtern gehört, die wir in der Zukunft am allermeisten brauchen.«

1962

Am 14. März erhält *Nelly Sachs* den Preis der Stadt Dortmund, der dann von der Stadt als Nelly-Sachs-Preis weitergeführt werden wird. – Am selben Tag die Uraufführung ihres ›Legendenspiels um das Leiden Israels‹.
Im April wird *Frischs* dramatisches Werk geschlossen in einer zweibändigen Ausgabe ›Stücke‹ vorgelegt. Nach ›Andorra‹ wird auch ›Biedermann‹ ein Ereignis. Neben Paris wird es auch in London, Stockholm, Neapel, Warschau, Budapest, Prag, Buenos Aires, Den Haag, Lissabon, New York und Brüssel aufgeführt. Die israelische Erstaufführung von ›Andorra‹ findet in Haifa statt (Yedioth Hajom: »... eine flammende Anklage«). Es ist aber so stark, daß es über die Anklage hinaus auch auf ein Israel-Publikum eine nachhaltige Wirkung ausüben kann. Frisch erhält den Kunstpreis des Landes Nordrhein-Westfalen und den Ehrendoktor von Marburg.
Von *Hans Magnus Enzensberger* erscheinen der Essay-Band ›Einzelheiten‹, er enthält die sofort heftig diskutierte Kritik an der Sprache des ›Spiegel‹, und die ersten vier Bände der von Enzensberger herausgegebenen Reihe ›Poesie. Texte in zwei Sprachen‹. Die ersten Autoren: *Fernando Pessoa* (aus dem Portugiesischen übersetzt von Georg Rudolf Lind), *Giorgos Seferis* (aus dem Griechischen übersetzt von Christian Enzensberger), *David Rokeah* (aus dem Hebräischen übersetzt von Celan, Dürrenmatt, Erich Fried und anderen), *Gunnar Ekelöf* (aus dem Schwedischen von Nelly Sachs).
Parallel zum *Spectaculum* erscheinen Texte moderner Opern (mit Texten von Krenek, Hindemith, Pirandello, Auden, Cocteau und anderen).
14. Juni: 70. Geburtstag von *Ernst Penzoldt*. Es erscheinen seine ›Gesammelten Schriften in drei Bänden‹ (»Penzoldt ist

gerade für eine Gesamtausgabe prädestiniert, denn er wirkt nicht nur gelegentlich, durch dieses oder jenes Stück; nicht nur einzelne hören auf ihn; er wird vielmehr eben durch sein Gesamtwerk, das alle Pole des Menschlichen enthält, das Stirb und Werde, Leid und Glück, Ernst und Heiterkeit umfaßt, zum Dichter des Lebens, zum bevorzugten Dichter vieler werden.« Schwäbische Donauzeitung).

2. Juli: 85. Geburtstag von *Hermann Hesse*. Eine Bibliographie weist über 144 Dissertationen und Hochschulschriften über Hesse nach, davon die Hälfte im Ausland. Das Werk liegt jetzt in 170 Übersetzungen und 20 Sprachen vor. Adenauer telegraphierte an Hesse: »Ich bin sicher, daß Ihre Dichtungen im Herzen unseres Volkes leben und nicht vergessen werden. Ich persönlich gehöre zu den Verehrern Ihrer Werke.«

Walter Benjamin, ›Deutsche Menschen‹. Nachwort von Theodor W. Adorno: Unter diesem Titel verbergen sich »Briefe aus dem bürgerlichen Jahrhundert«. Benno Reifenberg hatte einmal den Wunsch ausgedrückt: »Man möchte wünschen, diese Briefsammlung würde als Ganzes neu veröffentlicht werden und heute die deutschen Leser aufrütteln, die das Buch von 1936 gemeint, aber nicht mehr erreicht hat.«

Wolfgang Hildesheimer tritt mit zwei Büchern in den Verlag ein: in der Reihe ›Dialog. Neues deutsches Theater‹ erscheint sein Stück ›Die Verspätung‹ und in der Bibliothek Suhrkamp seine berühmte Sammlung ›Lieblose Legenden‹.

Die Reihe *Spectaculum*, »die Bibliothek des modernen Welttheaters«, wird fortgesetzt. In den letzten Bänden Stücke von Beckett, Brecht, Frisch, Dürrenmatt, Lorca, Sartre. Bisher wurden 278 000 Exemplare verkauft.

Uwe Johnson erhält für seinen Roman ›Das dritte Buch über Achim‹ den Internationalen Verlegerpreis. »Der Mann Johnson tut uns gemeindeutsch bitter not.« (Kurt Fried)

Hermann Hesse

8. August: *Hermann Hesse* stirbt. Ein Gedächtnisbuch sammelt seine letzten Gedichte und gibt Bericht von den letzten Tagen und vom Begräbnis. Drei Fassungen seines letzten Gedichts »Geknickter Ast« geben Einblick in einen Schaffensprozeß, der bis zuletzt Größe zeigt.
In den September-Neuerscheinungen: *Peter Weiss*, ›Fluchtpunkt‹ (»Mr. Weiss has wholly succeeded in fusing a new realism with a new imaginative vision«, *TLS*), *Karl Krolow*, ›Unsichtbare Hände. Gedichte 1959-1962‹, *Ramon José Sender*, ›Der König und die Königin‹ (»ein wahres Meisterwerk«, *Hans Bütow*) und die szenischen Dichtungen der *Nelly Sachs*, ›Im Sand‹.
Martin Walsers deutsche Chronik ›Eiche und Angora‹ erscheint. Uraufführung am 23. 9. in Berlin im Schiller-Theater. (»Die entscheidende Frage nach der Welturaufführung von Martin Walsers ›Eiche und Angora‹ am Berliner Schiller-Theater ist: ist die lange, lange Suche nach einem neuen, vielversprechenden deutschen Dramatiker nun endlich beendet?« ›The Times‹)
Kurze Zeit später die österreichische Erstaufführung von *Martin Walsers* erstem Stück ›Der Abstecher‹. Hans Weigel, ständig als Kritiker gegen den Verlag, seine Autoren und insbesondere Brecht votierend: »Da der Autor dem Kreis um den Suhrkamp Verlag angehört, geht sein Stück zweifellos gegen Dr. Adenauer. Doch ich habe – wiewohl geübt im Umgang mit Texten dieser Art – beim besten Willen nicht bemerkt, inwiefern Adenauer attackiert wird. Schon dies beweist (sic!), daß Walsers Erstling nicht restlos geglückt ist.«
Im Dezember endet nach sechsjähriger Laufzeit mit mehr als 2611 Aufführungen die Spielzeit von *Brechts* ›Dreigroschenoper‹ am Broadway! An zweiter Stelle mit den Aufführungsziffern ›My Fair Lady‹ nach *Shaw*.

1963

Lange vorbereitet in zahlreichen Gesprächen mit *Samuel Beckett* erscheinen seine ›Dramatischen Dichtungen in drei Sprachen‹. Band 1 enthält die französisch geschriebenen und von Beckett ins Englische, von Elmar Tophoven ins Deutsche übertragenen Stücke; Band 2 die englisch geschriebenen, von Beckett ins Französische und von Tophoven ins Deutsche übertragenen Stücke; Beckett, der auch an den deutschen Übertragungen mitwirkte, bestimmte für den Band den Titel ›Dichtungen‹.
Jean-Paul Sartre hält Becketts ›Warten auf Godot‹ für das »bedeutendste Stück seit 1945«. ›Warten auf Godot‹ wird zum dritten Mal in Paris inszeniert. Pierre Macabru in ›Arts‹ überschrieb seinen Bericht: »1953 Avantgarde-Stück, 1956 Stück fürs Bürgertum, 1961 offizielles Schaustück (denn die dritte Inszenierung fand in Barraults ›Théâtre de France‹ statt).«
Die Ausgabe des Werkes von *Bertolt Brecht* wird weitergeführt mit ›Schriften zum Theater 1-6‹. Der Ruhm des Stükkeschreibers Brecht ist groß, der des Theatertheoretikers noch zu entdecken.
Beginn der 13bändigen Werkausgabe *Marcel Proust*.
Parallel zu *Spectaculum* erscheinen ›Texte moderner Hörspiele‹ mit Texten von *Samuel Beckett*, *Ingmar Bergmann*, *Albert Camus*, *Günter Eich*, *Max Frisch*, *Robert Pinget*, *Nakamura Shinkiche*, *Dylan Thomas* u. a.

Am 19. Februar 1963 übernehmen die Gesellschafter des Suhrkamp Verlages, Balthasar Reinhart und Peter Reinhart (Winterthur) und Siegfried Unseld, die Anteile des Insel Verlages Anton Kippenberg, Frankfurt, und am 1. Juli 1963 erwerben sie den seit 1964 unter »Nomos« firmierenden juristischen Fachverlag und dessen Druckerei in Baden-Baden. Vom 1. Januar 1965 an werden die Verlage Suhrkamp und Insel in Personalunion geführt.

Die Bibliothek Suhrkamp im 100. Band: *Peter Suhrkamp*, ›Briefe an die Autoren‹. »Ihr Prinzip: das der Qualität. Sie ist jetzt schon ein Gebilde, das ein eigenes Leben hat.« (Heinrich Vormweg) »In dieser Bibliothek spiegelt sich Weltliteratur im wahrsten Sinne des Wortes.« (Georg Böse)

Diskussion über die geplante edition suhrkamp: Hans Magnus Enzensberger, Siegfried Unseld, Karl Markus Michel, Walter Boehlich, Martin Walser, Uwe Johnson

Die *edition suhrkamp*, die neue regenbogenfarbene Reihe des Verlags, beginnt nach reiflicher Vorbereitung im Mai mit 20 Bänden; Ende 1964 liegen 96, Ende 1966 192 Bände vor. Der 100. Band ist *Uwe Johnsons* ›Das dritte Buch über Achim‹. Die edition suhrkamp will drei Funktionen erfüllen:

1. Sie soll durch ihren niedrigen Preis Werke des Verlages einer größeren, neuen, vor allem jungen Leserschicht zuführen.

2. Sie soll insbesondere der neuen deutschen Literatur als Plattform dienen; sie bringt zu mehr als zwei Dritteln Erstausgaben, z.B. Arbeiten von *Peter Weiss*, *Wolfgang Hildesheimer*, *Heinar Kipphardt*, *H.M. Enzensberger*, *Martin Walser*, *Günter Grass*, *Peter Hacks*, *Konrad Wünsche*, *Jürgen Becker*, *Karl Krolow*, *Walter Höllerer*, *Wolfdietrich Schnurre*, *Reinhard Baumgart*, *Ror Wolf*, *Samuel Beckett*, *Walter Benjamin*, *Bertolt Brecht*, *Peter Handke*, *Alexander Mitscherlich*, *Jean Tardieu*. Ferner trägt eine Reihe von Erstausgaben jugoslawischer, polnischer, tschechoslowakischer und ungarischer Autoren entscheidend zum Durchbruch der modernen osteuropäischen Literatur auf dem deutschen Buchmarkt bei.
3. Sie möchte Substanzen und Qualitäten des Verlages spiegeln, gleichzeitig aber auch, etwa in der Veröffentlichung wissenschaftlicher, philosophischer, soziologischer, politologischer, anthropologischer, literaturkritischer und sozialgeschichtlicher Texte, den Boden für eine weitere Entwicklung des Verlages auf dem Gebiet der Wissenschaften vorbereiten.

Die Ankündigung des Verlages, oft zitiert, manchmal bespöttelt: »Die ›edition suhrkamp‹ leistet sich Luxus und Leidenschaft einer Linie.« Programmatisch beginnt sie mit Brechts ›Leben des Galilei‹ als Titel Nummer 1. Galilei steht an einer Zeitwende; er glaubt an den schließlichen Triumph der menschlichen Vernunft; das Bekenntnis, das Brecht seinem Galilei in den Mund legt, könnte, sollte Richtschnur unseres ›wissenschaftlichen Zeitalters‹ sein: ›Ich halte dafür, daß das einzige Ziel der Wissenschaft darin besteht, die Mühseligkeit der menschlichen Existenz zu erleichtern.‹
»In diesen Tagen erscheinen die ersten Bände der neu eingerichteten ›edition suhrkamp‹. Diese Buchreihe, deren Herausgeber den Begriff vom Taschenbuch gegen seine herrschende Inflation auf eine Weise neu bestimmt haben, daß er hier erst zu seinen wahren Möglichkeiten führt, bedeutet

Paul Nizon um 1963

einen entscheidenden Schritt in der gegenwärtigen Veröffentlichungsweise von Literatur.« (Westdeutscher Rundfunk)

Paul Nizon tritt mit seinem ersten fulminanten Roman ›Canto‹ in den Verlag ein (»ein Buch für Seelenwanderer, allerdings solche, die begriffen haben, daß in den Fingerspitzen irgendeines Hergelaufenen soviel Seele und mehr noch ist als in sämtlichen ›Büchern von der Seele‹«, ›Die Zeit‹).
Ein schon berühmter Autor vertraut dem Suhrkamp Verlag ein Buch an, eine erste Ausgabe in Deutsch nach den Nazijahren: *Gershom Scholem*, ›Judaica‹ (Bibliothek Suhrkamp Band 106). Unter den Essays der berühmte Text über ›Das Davidschild‹.
Hans Magnus Enzensberger erhält am 150. Geburtstag des Dichters den Georg-Büchner-Preis. Hanns W. Eppelsheimer: »In seiner einfachen, zukunftsvollen, luziden Prosa und in seinen knappen, gebändigten Versen und konkreten Metaphern ein Lateiner, ein Zögling des Horaz. Ein neuer Dichter.«
Peter Weiss erhält den Charles Veillon-Preis und *Johanna Moosdorf* für ihren Roman ›Nebenan‹ den Nelly-Sachs-Preis.
Hans Erich Nossack wird für sein Buch ›Begegnung im Vorraum‹ der Wilhelm-Raabe-Preis zugesprochen; zu diesem Erzählungssammelband Marcel Reich-Ranicki: »Jedenfalls gibt es nur wenige deutsche Prosaisten unserer Zeit, deren Bücher ich so nachdrücklich empfehlen kann wie die des Hans Erich Nossack.«
In der Bibliothek Suhrkamp *Cesare Pavese*, ›Junger Mond‹, *César Vallejo*, ›Gedichte‹, Deutsch von Hans Magnus Enzensberger, *Albert Camus*, ›Der Fall‹ und der Roman ›Nedschma‹, das Buch des Französisch schreibenden Marokkaners *Kateb Yacine*. »Es ist ein absolutes Kunstwerk, man

Hans Magnus Enzensberger

sollte ihm die Ehre antun, es zur literarischen Sensation zu erklären.« (Werner Helwig)

»Es gibt keinen deutschen Verlag, der so konsequent sein literarisches Niveau hält wie Suhrkamp. Hier haben traditionelle Geister und die großen Geister der Moderne eine verlegerische Heimstatt gefunden, die in der zeitgenössischen deutschen Verlags- und Kulturgeschichte einmalig ist. Die Suhrkamp-Editionen zeichnen sich nicht allein durch den literarischen Rang ihrer Autoren aus, sie sind in der Tat hervorragend gemacht. Druck, Einband sind ästhetische Ereignisse, Zeugnisse hoher Buchkultur. Das Verlagsregister ist ein Stück Register der modernen Weltliteratur.« (Kölner Stadtanzeiger, 12. März 1963)

Dezember: *Giorgos Seferis* erhält den Nobelpreis für Literatur. In der Urkunde: »... wegen der Schönheit seiner Sprache ist es [sein Werk] zu einem dauerhaften Symbol all dessen geworden, was in der hellenischen Lebensauffassung unzerstörbar ist.«

1964

Bertolt Brechts Gesamtausgabe wird fortgeführt mit der Abteilung Gedichte 1-8. Nach Vorlage dieser Ausgabe, die viele bisher unbekannte Gedichte enthält, kann Brechts Rang als Lyriker bestimmt werden.

Elisabeth Hauptmann und Siegfried Unseld bei der Editionsarbeit an Brechts Gedichten

Zwei bedeutende poetische Werke, *Günter Eichs* Gedichtband ›Zu den Akten‹ und das lyrische Oratorium ›Winde‹ von *Saint-John Perse* (Nobelpreis 1960). Drei dramatische Werke: *Martin Walsers* ›Requiem für einen Unsterblichen: Überlebensgroß Herr Krott‹ (die Uraufführung in Stuttgart mußte wegen der Ermordung Kennedys verschoben werden) und *Heinar Kipphardts* szenischer Bericht ›In der Sache J. Robert Oppenheimer‹. Zum größten Buch- und Aufführungserfolg wurde *Peter Weiss'* ›Die Verfolgung und Ermordung Jean Paul Marats dargestellt durch die Schauspielgruppe des Hospizes zu Charenton unter Anleitung des Herrn de Sade‹. »Weiss betreibt das Spiel im Spiel mit bestürzender Radikalität, die dieser Form ganz neue Kraft abgewinnt, und eröffnet sie für ganz neue Inhalte, für eine eminent ›politische‹, in solcher Konsequenz auf dem deutschen Theater seit langem durchformulierte Aussage.« (Theater heute)

Im September *Max Frischs* Roman ›Mein Name sei Gantenbein‹ und *Hans Erich Nossacks* Roman ›Das kennt man‹. Ein neuer Gedichtband von *Hans Magnus Enzensberger*, ›Blindenschrift‹, und sein Essaybuch ›Politik und Verbrechen‹. *Ludwig Wittgensteins* ›Philosophische Bemerkungen‹, Band 2 der Gesamtausgabe, werden erstmals aus dem Nachlaß veröffentlicht.

Siegfried Kracauer hat in Amerika seine Studien fortgesetzt. Zum ersten Mal erscheinen sie deutsch. ›Theorie des Films. Die Errettung der äußeren Wirklichkeit‹ (»Kracauers Buch ersetzt alle bisherigen filmästhetischen Theorien«, Richard Griffith). Zwei neue Erzähler im Verlag: *Josef W. Janker*, ›Mit dem Rücken zur Wand‹ und *Ror Wolf*, ›Die Fortsetzung des Berichts‹.

In der edition suhrkamp eröffnet eine neue Abteilung »Werkausgaben«. Sie dient der Veröffentlichung umfangreicher bedeutender Werke der Literatur des 20. Jahrhunderts. Sie beginnt mit *Marcel Prousts* Werk in 13 Bänden. Gleichzeitig wird die Briefausgabe Proust eröffnet mit dem Band ›Briefe zum Werk‹, ›Briefe zum Leben‹ folgen. Martin Walser: »Proust-Leser sind im Vorteil.«

Wieder ein neuer Autor im Suhrkamp Verlag. *Jürgen Bekker* mit dem Band in der edition suhrkamp ›Felder‹. Die »Felder« ordnen sich den bestehenden Gattungsbegriffen nicht unter. Sie sind, wie Enzensberger schreibt, »offen, wie magnetische oder Gravitationsfelder, deren Struktur durch die Kraftlinien der Vergegenwärtigung bezeichnet wäre«.

Der internationale Erfolg des Marat-Stückes von Peter Weiss zeichnet sich schon am Ende des Jahres ab. Peter Brook übernimmt die Aufführung im Londoner Aldwych-Theater, die auch in New York gezeigt wird (»Lustlos und flau war die Broadway-Saison. Da erschien plötzlich der Marat von Peter Weiss auf der Bildfläche. Es wurde ein Sensationserfolg. Der Wortschatz New Yorker Bühnenfreunde wurde um einen neuen Begriff erweitert: ›totales Theater‹. Es ist eine atemberaubende Inszenierung, die das Brutale, das Irre unterstreicht. Selten hat der Broadway ein solches Ensemble gegeben. Eines ist gewiß: Peter Weiss und sein Marat werden den amerikanischen Theaterseminaren für lange Zeit Diskussionsstoff geben«), Ingmar Bergmann für das Stockholmer Dramaten.

Wichtige Bücher in der Bibliothek Suhrkamp: *Hans Erich*

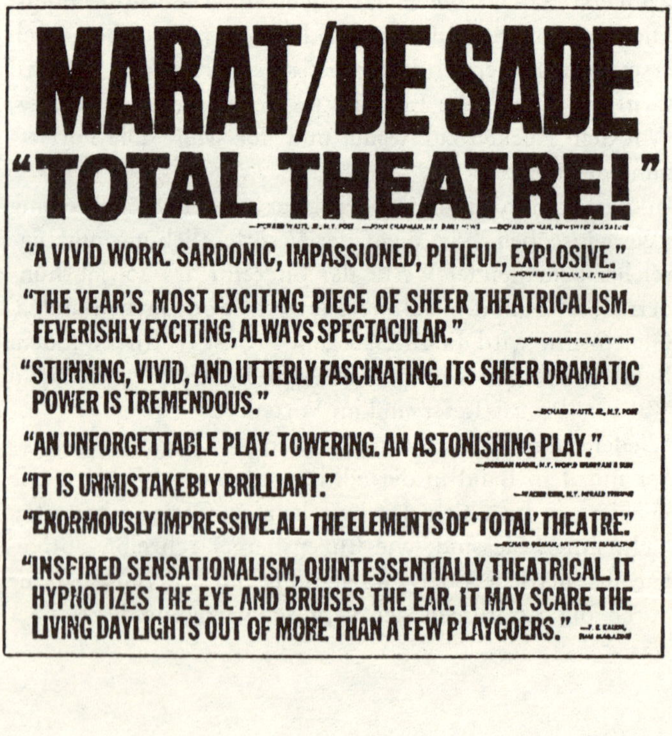

Nossack, ›Interview mit dem Tode‹, *Jurij Olescha*, ›Neid‹, *Virginia Woolf*, ›Die Wellen‹, *T.S. Eliot*, ›Gedichte‹, *Sigmund Freud*, ›Der Mann Moses‹, *Elio Vittorini*, ›Die rote Nelke‹, *Yasushi Inoue*, ›Das Jagdgewehr‹, *Federico García Lorca*, ›Gedichte‹. In der edition suhrkamp: *Hermann Hesse*, ›Geheimnisse. Letzte Erzählungen‹, *Uwe Johnson*, ›Karsch und andere Prosa‹, *Ingmar Bergmann*, ›Wilde Erdbeeren‹, *Martin Walser*, ›Lügengeschichten‹, *Roland Barthes*, ›Mythen des Alltags‹, *Theodor W. Adorno*, ›Jargon der Eigentlichkeit‹, *Samuel Beckett*, ›Endspiel‹.

»Von der zentralen Stellung, die der Suhrkamp Verlag im deutschen literarischen Leben einnimmt, zeugen nicht zuletzt seine beiden Reihen ›Bibliothek Suhrkamp‹ und ›edition suhrkamp‹. Sie demonstrieren unverwechselbar das, was man als das Gesicht eines Verlages bezeichnet.« (Die Barke, 1964)

1965

Am 4. Januar stirbt *T.S. Eliot*; »ein großer Revolutionär ist gestorben« (Richard Friedenthal). Die Schlußworte eines seiner ›Quartette‹ lauten: »In meinem Ende ist mein Anfang beschlossen.« Zu Beginn des Jahres erscheint in der Bibliothek Suhrkamp ein Buch aus dem Jahre 1900: *Knut Hamsun*, ›Hunger‹, das Buch »des größten Künstlers des modernen norwegischen Romans« (Hanns W. Eppelsheimer) und gleich zwei Kultbücher aus dem Französischen: *Alain-Fournier*, ›Der große Meaulnes‹, das einzige Buch *Alain-Fourniers*, »ein Zauberbuch, sanft und unheimlich, Idyll und Drama« zugleich und *Raymond Radiguets* ›Den Teufel im Leib‹, der Roman eines 14-17jährigen, der mit seinem Liebesroman, um jede Avantgarde unbekümmert, an die Tradition des großen klassischen Romans anknüpft.

Wolfgang Hildesheimer legt seine große neue Erzählung ›Tynset‹ vor. Helmut Heissenbüttel: »Man kann an diesem Buch lernen, was denn Literatur ist. Diese Erzählung ist Literatur in jenem höchsten Sinne, der sich der vergleichenden Wertung entzieht.«

Karl Krolow legt seine ›Gesammelten Gedichte‹ vor. *Hans Magnus Enzensberger* nimmt in seine Reihe ›Poesie‹ den Brasilianer *Carlos Drummond de Andrade*, den Tschechen *František Halas*, den Finnen *Paavo Haavikko* und den Schweden *Karl Vennberg* auf.

In der edition suhrkamp »Kritische Texte«: *Walter Benjamin*, ›Zur Kritik der Gewalt‹, *Herbert Marcuse*, ›Kultur und Gesellschaft‹, *Henri Lefèbvre*, ›Probleme des Marxismus heute‹ und *Martin Walser*, ›Erfahrungen und Leseerfahrungen‹.

Lange hat der Suhrkamp Verlag eine Zeitschrift gewünscht und geplant. Nach langer Vorbereitung war Hans Magnus Enzensberger bereit, sie herauszugeben. Jedes Jahr vier

Hefte, der Titel: ›*Kursbuch*‹: »Kursbücher schreiben keine Richtungen vor, sie zeigen Verbindungen an. Sie gelten so lange wie diese Verbindungen.« So versteht die neue Zeitschrift ihre Aktualität. Die Autoren des ersten Heftes: Samuel Beckett, Hans Magnus Enzensberger, Jürgen Becker und andere. Joachim Kaiser: »Man weiß, wenn man die Seiten des ›*Kursbuches*‹ aufmerksam liest, mehr als vorher. Man ist ein anderer geworden. Entscheidend ist jedoch die Neuheit, die Fülle und die Überzeugungskraft von Information.«

8. Juli: *Ernst Blochs* 80. Geburtstag. Es erscheinen weitere Bände seiner ›Gesammelten Schriften‹: ›Geist der Utopie‹ und ›Literarische Aufsätze‹ und ein Band ›Ernst Bloch zu ehren‹ mit Beiträgen von Theodor W. Adorno, Eric J. Hobsbawm, Siegfried Kracauer, Hans Mayer, George Steiner, Martin Walser u.a.

Mit seinem ersten in Deutsch erschienenen Werk ›Tanzstunden für Erwachsene und Fortgeschrittene‹ tritt *Bohumil Hrabal* in den Suhrkamp Verlag ein.

Zwei Herbstnovitäten: *Franz Tumlers* neuer Roman ›Aufschreibung aus Trient‹. Und *Uwe Johnsons* Roman ›Zwei Ansichten‹. Der Roman wird sofort von der literarischen Kritik aufgenommen und erhält 239 Rezensionen. Horst Krüger sah in ihm »einen Roman von geradezu klassischer Einfachheit, Ausgewogenheit und Symmetrie«, und TLS nannte die ›Ansichten‹ »eine der ungewöhnlichsten Liebesgeschichten, die für lange Jahre in deutscher Sprache geschrieben werden konnten«.

Zwei wichtige Übersetzungen: *Donald Barthelme*, ›Komm wieder, Dr. Caligari!‹ aus dem Amerikanischen von Hans Wollschläger übersetzt, und *Christiane Rochefort*, ›Mein Mann hat immer recht‹. François Korr in ›Candide‹ schreibt über den Roman: »La parisienne cela existe.«

Die *Brecht*-Ausgabe wird mit Prosa 1-5 weitergeführt, die *Benjamin*-Ausgabe mit zwei Bänden ›Briefe‹.
Uwe Johnson ediert aus Brechts Nachlaß ›Meti. Buch der Wendungen‹. »Meti sagte: das Schicksal des Menschen ist der Mensch.« In der edition suhrkamp aktuelle Bände: *Peter Weiss*, ›Die Ermittlung, ein Oratorium‹, *Alexander Mitscherlich*, ›Die Unwirtlichkeit unserer Städte‹ (»Das Taschenbuch als Streitschrift – eine trefflichere moderne Entsprechung für die historische Veröffentlichungsweise von Pamphleten läßt sich wohl kaum denken.« Wolfgang Weerth), *Theodor Eschenburg*, ›Über Autorität‹, *Hans Mayer*, ›Anmerkungen zu Brecht‹ und *Hans Blumenberg*, ›Kopernikanische Wende‹. ›Die Dialektik des Konkreten‹ nennt der Prager Professor der Philosophie Karel Kosík seine Studie zur Problematik des Menschen und der Welt.
Am 17. Oktober erhält *Nelly Sachs* den Friedenspreis des Deutschen Buchhandels. »Mit Staunen und Bewunderung begreift eine breitere Öffentlichkeit, was zuvor nur wenige wußten: daß Nelly Sachs eine Dichterin ist, die größte vielleicht, die heute in deutscher Sprache schreibt.« (Rudolf Goldschmit)
Im Dezember tritt *Thomas Bernhard* mit seiner Erzählung ›Amras‹, edition suhrkamp Band 61, in den Verlag ein.
Von der Zeitschrift ›*Kursbuch*‹ erscheinen die Bände 2-4, für den »Bayern-Kurier« (Herausgeber Franz Josef Strauß) sind »mehr als die Hälfte der literarischen Beiträge indiskutabel ... der unselige Uwe Johnson bemüht sich, mit pseudoromantischem Wortschatz Stimmung zu machen.« »Das ›*Kursbuch*‹ ist eine gute Erfindung von Suhrkamp: von Enzensberger sind bislang immer notwendige Auskünfte gekommen.« (H. Laube, Westdeutsche Rundschau)
Im Dezember erhält *Max Frisch* den Jerusalemer Literaturpreis. Max Frisch bei der Entgegennahme des Preises: »Israel ist die Antwort auf die Welt von gestern; es ist das Land, das uns Glauben schenkt, die Zukunft der Menschheit.«

1966

Am 10. Januar stirbt *Hermann Kasack*; in seiner Gedenkrede zitiert Siegfried Unseld Günter Eich, der Kasacks Roman ›Die Stadt hinter dem Strom‹ als »die erste Jenseitswanderung des nachchristlichen Menschen« bezeichnet hat.
29. Januar: *Wolfgang Hildesheimer* erhält für seinen Roman ›Tynset‹ den Bremer Literaturpreis; er dankt Bremen als »Stadt guter Vergangenheit ... Hitler hat sich hier nicht wohlgefühlt, und er hat sie daher je kaum besucht. Möge der Glanz einer solchen Abwesenheit niemals stumpf werden.«
Im März tritt *Peter Handke* mit seinem Roman oder Anti-Roman ›Hornissen‹ in den Verlag ein. Später erscheint in der edition suhrkamp seine ›Publikumsbeschimpfung‹. Handke, 26jährig, hat einen spektakulären Erfolg. Bei der Tagung

Peter Handke

der Gruppe 47 in Princeton tritt er als bewußt respektloser Teilnehmer auf, indem er öffentlich gegen die in der deutschen Literatur herrschende »Beschreibungsimpotenz« rebellierte, die »läppisch« dem ausgedienten Instrumentarium der Kritik entspreche. Die ›Publikumsbeschimpfung‹ wendet sich gegen das Illusionstheater. Sein Inhalt ist die Sprache, die auf Elementen der Beat-Musik aufgebaut ist. Handke tritt in diesem Jahr als irritierende Popfigur auf, als sprachentlarvender Formalist und experimentierfreudiger Zerstörer von Konventionen. Wer denkt daran, daß er einmal Repräsentant klassischer deutscher Prosa wird?
Ebenfalls im März tritt *Volker Braun* in den Verlag ein mit seinem Gedichtbuch ›Vorläufiges‹.
28. März: *Peter Suhrkamp* wäre 75 Jahre alt geworden. Das Lesebuch ›Deutscher Geist‹ ist fraglos Suhrkamps größte persönliche editorische Leistung. Das Buch, 1940 zu Recht als Zeugnis des Widerstands empfunden, jeweils erweitert 1953 und 1959 neu vorgelegt, erscheint in einer unveränderten Neuauflage.
13. April: 60. Geburtstag von *Samuel Beckett*. Joachim Kaiser: »Der große Beckett hat schon soviel gesagt, daß selbst sein Verschweigen Welt bedeutet.« In der edition suhrkamp erscheint *Jean Jacques Mayoux*, ›Über Beckett‹. In Enzensbergers Reihe ›Poesie‹ erscheinen Gedichte von: *Gyula Illyés* aus dem Ungarischen, *Vicente Huidobro* aus dem Spanischen, *Paul von Ostaijen* aus dem Holländischen und *Orhan Veli Kanik* aus dem Türkischen.

Im Mai erscheint in der edition suhrkamp *Max Frisch*, ›Transit. Skizze eines Erfolgs‹.
Zentrum des deutschen Programms des 2. Halbjahres: *Martin Walser*, ›Das Einhorn‹, Hans Magnus Enzensberger bezeichnet den Autor als den »Proust von Wasserburg«. *Günter Eich* veröffentlicht neue Gedichte, ›Anlässe und Steingärten‹, und *Hans Christoph Buch* tritt mit den Erzäh-

lungen ›Unerhörte Begebenheiten‹ in den Suhrkamp Verlag ein.

Nelly Sachs erhält den Nobelpreis. Aus der Laudatio: »Nelly Sachs' Dichtung wurde der intensivste künstlerische Ausdruck für die Reaktion des jüdischen Geistes am Leiden in unserer Zeit und kann auch von diesem Standpunkt aus in hohem Grad dem humanen Streben entsprechen, das dem Testament Alfred Nobels zu Grunde liegt.« Zu ihrem 75. Geburtstag im Dezember erscheinen ›Die Suchende‹, ein neuer Gedichtzyklus und der Band ›Nelly Sachs zu ehren‹, herausgegeben von Siegfried Unseld. Die Übersetzungen von Nelly Sachs erscheinen in Dänemark, England, Finnland, Frankreich, Holland, Italien, Israel, Japan, Norwegen, Portugal, Schweden, Spanien und Südafrika.

Nelly Sachs bei der Entgegennahme des Nobelpreises 1966

Ein wichtiger Band für alle Hesse-Leser ist nun möglich: Ninon Hesse sammelte Dokumente zur ›Kindheit und Jugend vor Neunzehnhundert‹, ein erstaunliches Buch aus der Frühzeit von *Hermann Hesse*. Von *Ramón José Sender* erscheint der Roman ›Die fünf Bücher der Ariadne‹. »Ramón

José Sender ist der fesselndste und im uneingeschränkten Sinn des Wortes bedeutendste lebende spanische Prosa-Schriftsteller.« (TLS)

Es erscheinen zwei bedeutende Gedicht-Anthologien in der Bibliothek Suhrkamp: *Georg Heym*, ›Gedichte‹, ausgewählt von *Stephan Hermlin* und zum 30. Todestag von *Rainer Maria Rilke* seine ›Gedichte‹, ausgewählt von *Erich Heller*.

In der edition suhrkamp erscheint ›Die Beschreibung eines Dorfes‹ von *Marie Luise Kaschnitz*.

Wichtiges aus dem wissenschaftlichen Programm: *Theodor W. Adorno*, ›Negative Dialektik‹, *Hans Blumenberg*, ›Die Legitimität der Neuzeit‹, *Claude Lévi-Strauss*, ›Strukturale Anthropologie‹, *David Riesmans* berühmte Essay-Sammlung ›Abundance for what?‹ ›Wohlstand wofür?‹ Am 1. November beginnt eine neue Reihe ›Theorie‹, herausgegeben von *Hans Blumenberg*, *Jürgen Habermas*, *Dieter Henrich* und *Jacob Taubes*. ›Theorie 1‹ bringt Werke von *J. G. Herder*, *Edmund Burke*, *G. W. F. Hegel*, *Charles Sanders Peirce* und *Rudolf Carnap*. ›Theorie 2‹ Werke von *Maurice Merleau-Ponty*, *Karel Kosík*, *Lucien Sebag*, *Erik H. Erikson*.

Mit Wirkung vom 1. Oktober wurden aus dem Rhein-Verlag Zürich die Werke von *Hermann Broch*, *James Joyce*, *Adolf Portmann* und *Gershom Scholem* übernommen; der Verlag ist stolz, sich in Zukunft um die Werke dieser Autoren bemühen zu können und zu versuchen, ihnen zu der Wirkung zu verhelfen, die ihrem Rang entspricht. *Hermann Broch* hat selbst seine Nähe zu *Joyce* angedeutet in seinem »bewunderungswürdigen Werk«. Thomas Mann: »In der Trilogie ›Der Schlafwandler‹ steht die Einsicht« ... »aber der Weg der Sehnsucht und der Freiheit ist unendlich und niemals ausschreitbar, ist schmal und abseitig wie der des Schlafwandlers.«

1967

Im März erscheint in der edition suhrkamp *Theodor W. Adornos* Parva Aesthetica, ›Ohne Leitbild‹. Der Titel des Buches ist das Gegenteil von Zustimmung zu dem bei konservativen Kulturkritikern beliebten Lamento über den Verlust der Leitbilder. Weitere »aktuelle« Bände der edition suhrkamp: *Hans Magnus Enzensberger*, ›Deutschland, Deutschland unter anderm‹, *Max Frisch*, ›Öffentlichkeit als Partner‹, *Rudolf Augstein*, ›Meinungen zu Deutschland‹, *Dolf Sternberger*, ›Ich wünschte ein Bürger zu sein‹. Die aus dem Rhein Verlag übernommenen Autoren werden schon im Frühjahr mit neuen Publikationen vorgestellt: *Hermann Broch*, ›Gesammelte Werke in zehn Bänden‹, *James Joyce*, Sonderausgabe ›Ulysses‹, *Adolf Portmann*, ›Aufbruch der Lebensforschung‹ und *Gershom Scholem*, ›Die jüdische Mystik in ihren Hauptströmungen‹. – »Die edition suhrkamp ist die bedeutendste Buchreihe eines deutschen Verlags, nicht nur ihres Programms wegen, das zum Teil Erstveröffentlichungen der entscheidenden Philosophen der neueren Zeit ebenso wie einiger säkularer Protagonisten der modernen Literatur enthält, sondern auch wegen des Äußeren ihrer Präsentation, die der leidigen Verwandlung aller Bücher in ihre eigene Reklame streng widersteht.« (Radio Zürich)
Marcel Prousts ›Auf der Suche nach der verlorenen Zeit‹ in einer neuen Ausgabe in drei Dünndruckbänden. Die *Brecht*-Ausgabe wird weitergeführt mit den ›Schriften zur Literatur und Kunst‹. Seit 1959 besteht an der Johann Wolfgang Goethe-Universität in Frankfurt die Gastdozentur für Poetik, eröffnet von Ingeborg Bachmann und Marie Luise Kaschnitz 1959/60. Im Winter- und Sommersemester 1967 lehren *Wolfgang Hildesheimer*, ›Prosa des Absurden‹, und *Hans Erich Nossack*, ›Ist Poesie lehrbar?‹ Mit dem Gedichtband ›Atemwende‹ tritt *Paul Celan* in den Suhrkamp Verlag ein;

seine Gedichte, so *Erhart Kästner*, »wurden von Anfang an deshalb geliebt, weil größer als ihr Zauber (der groß ist) die Kraft ist, die antreibt, Liebeskraft, Leidenskraft, also Lebenskraft«. Ebenfalls neu im Suhrkamp Verlag *H. C. Artmann* mit dreißig Prosastücken, ›Fleiß und Industrie‹.
30. September: Textidentische Doppelausgabe der ›Gesammelten Werke‹ *Bertolt Brechts* zur Vorbereitung des 70. Geburtstags. Über die Ausgabe schreibt Peter Hamm in der *Stuttgarter Zeitung* vom 25. 11.: »Nehmt alles nur in allem, so ist dieses Verlagsunternehmen wohl das verdienstvollste der letzten Jahrzehnte.« *Nelly Sachs* wird Ehrenbürgerin von Berlin. *Olof Lagercrantz* untersucht ihre Lyrik.
Im Oktober erhält *Ernst Bloch* den Friedenspreis des Deutschen Buchhandels; aus Blochs ›Philosophie der Hoffnung‹ entstünde, wie die Urkunde es formuliert, »eine Kraft zur Neuordnung des Zusammenlebens der Völker in einer Welt des Friedens, der Freiheit und der Menschenwürde«.
Ebenfalls im Oktober übernimmt Burgel Zeeh die Betreuung des Vorzimmers des Verlegers.

Burgel Zeeh und Uwe Johnson

Das Wissenschaftsprogramm des Verlages wird seinem Inhalt wie seinem Umfang nach voluminöser. Die Ausgaben *Bloch* und *Wittgenstein* werden weitergeführt, eine große Ausgabe von *Claude Lévi-Strauss* wird begonnen. Wichtige Werke: *George Herbert Mead*, ›Geist, Identität und Gesellschaft‹, *C. B. Macpherson*, ›Die politische Theorie des Besitz-Individualismus‹, *Paul A. Baran/Paul M. Sweezy*, ›Monopolkapital‹, *Edgar Wind*, ›Kunst und Anarchie‹, *Ernest Mandel*, ›Marxistische Wirtschaftstheorie‹. In der Reihe Theorie 1 Bände von *Emil Durkheim*, *John Millar* und *Johan Georg Hamann*, in der Theorie 2 zeitgenössische Texte von *Jonathan Bennett*, *Friedrich Kambartel*, *Erving Goffman*, *Thomas S. Kuhn* und *Rudolf Bilz*, ›Die unbewältigte Vergangenheit des Menschengeschlechts‹; Bilz' Texte sind Beiträge für eine biologisch orientierte Anthropologie, eine Lehre vom Menschen, der noch nicht ganz Mensch geworden ist, sondern es erst werden kann, wenn er sich seiner biologischen Archaismen bewußt wird: durch einen neuen Akt der Aufklärung.

Aus Anlaß der Sonderausgabe von *Ludwig Wittgensteins* ›Philosophischen Untersuchungen‹ schrieb Jürgen Habermas: »Als 1960 der Suhrkamp Verlag einen ersten Band mit Wittgensteins philosophischen Schriften vorlegte, ließ sich der Erfolg wohl kaum voraussehen. Heute ist Wittgenstein Mode. Es bedurfte nur des verlegerischen Anstoßes – und schon verbreiteten sich die ›Sprachspiele‹, deren Habitus doch so eigentümlich dem englischen Klima verhaftet zu sein schien, auch in Deutschland.«

1968

27. Januar: *Günter Eich*, 60. Geburtstag. »Wir wollen so werden wie wir sind, es ist nicht einfach«, schrieb Günter Eich in seinen jetzt vorliegenden ›Maulwürfen‹.

Nelly Sachs im Gespräch mit Günter Eich

10. Februar: 70. Geburtstag von *Bertolt Brecht*. Es liegen vor: ›Dünndruckausgabe‹ in acht Bänden, in Leinen und Leder, und die ›Werkausgabe‹ in zwanzig Bänden.
20. März: Im April zwei preisgekrönte Publikationen: *Jürgen Becker*, ›Ränder‹, Preis der Gruppe 47 und *Peter Handke*, ›Kaspar‹, Gerhart-Hauptmann-Preis. Uraufführung von *Peter Weiss*, ›Vietnam-Diskurs‹. Im gleichen Jahr erfährt das bisherige dramatische Œuvre dieses nun schon beinahe klassischen Bühnenautors seine erste Gesamtveröffentlichung in zwei Bänden.
Mit dem Schauspiel ›Toller‹ tritt *Tankred Dorst* in den Ver-

lag ein. *Paul Celan* übergibt dem Verlag seinen zweiten Gedichtband, ›Fadensonnen‹. Ein erstes Prosabuch von *Karl Krolow*, ›Minutenaufzeichnungen‹ und ein neuer Roman von *Hans Erich Nossack*, ›Der Fall d'Arthez‹. Der Verlag ist stolz darauf, tschechische Literatur zu pflegen. Es erschienen bisher *František Halas*, ›Poesie. Zweisprachig‹, *Bohumil Hrabal*, ›Die Bafler‹ und ›Reise nach Sondervorschrift, Zuglauf überwacht‹, *Karel Kosík*, ›Die Dialektik des Konkreten‹, *Věra Linhartová*, ›Mehrstimmige Zerstreuung‹, *Jan Mukařovský*, ›Kapitel aus der Poetik‹, *Vítězslav Nezval*, ›Ausgewählte Gedichte‹, *Ivan Olbracht*, ›Wunder mit Julka‹, *Karel Teige*, ›Liquidierung der ›Kunst‹. Analysen, Manifeste‹, *Ivan Vyskočil*, ›Knochen. Geschichten‹. Autoren des Prager Frühlings, der zerschlagen wurde. Es erscheinen: ›Reden zum IV. Kongreß des Tschechoslowakischen Schriftstellerverbandes‹ und ›Nachricht aus der ČSSR. Dokumentation der ›Literaturzeitung‹ des Tschechischen Schriftstellerverbandes, Februar-August 1968‹. *Karl Heinz Bohrer*: »Der Suhrkamp Verlag hat hier ein großes Verdienst, vor allem weil durch die von ihm herausgebrachten Übersetzungen das westliche Ausland erst darauf aufmerksam geworden ist, welche Fülle höchst eigenwilliger, eine spezifisch tschechische Tradition fortführender Talente dort schreibt.«

Sehr beachtet wird der Bericht eines deutschen Arztes aus Vietnam, Georg W. Alsheimer, ›Vietnamesische Lehrjahre‹.

Die Reihe ›1‹ Neue deutschsprachige Autoren bringt Texte von *Jürgen Eicke*, *J. Wolfgang Körner*, *Barbara Frischmuth*, *Jochen Ziem* und *Dominik Steiger*.

Der Verlag trennt sich nach der Nummer 15 im November von der Zeitschrift ›*Kursbuch*‹, die ab Heft 20 in einem selbständigen Verlag erscheint. Im wissenschaftlichen Programm: *Pierre Broué/Emile Témime*, ›Revolution und Krieg in Spanien‹, *Barrington Moore*, ›Soziale Ursprünge von Diktatur und Demokratie‹, *Alexander Koyré*, ›Von der geschlossenen Welt zum unendlichen Universum‹, *Maurice Merleau-Ponty*, ›Die Abenteuer der Dialektik‹, *Claude Lévi-Strauss*, ›Das wilde Denken‹. In der Theorie 2 ein lang erwartetes Buch, das trotz seines streng wissenschaftlichen Charakters höchste Aktualität besitzt: *Jürgen Habermas*, ›Erkenntnis und Interesse‹. Von nun an erscheint das Werk von Jürgen Habermas im Suhrkamp Verlag. Weitere Autoren der Reihe: *Paul Lorenzen*, *Alasdair C. MacIntyre*, *Noam Chomsky*, *V. Gordon Childe*, *Anselm L. Strauss*, *Louis Althusser*, *P.B. Medawar*, *Jerrold J. Katz*, *Erik Stenius*. Der Reihe Theorie wird eine Schriftenreihe Theorie-Diskussion angeschlossen, sie will als Forum dienen für die Diskussion theoretischer Positionen. *Jacob Taubes* ediert den Band ›Sartres Kritik der dialektischen Vernunft‹. Als Theorie-Werkausgabe erscheint *Immanuel Kant*, ›Werke in zwölf Bänden‹.

Der Verlag begeht einen »Monat der Bibliothek Suhrkamp«. Es erscheinen *Leszek Kolakowski*, ›Der Himmelsschlüssel‹, *Sylvia Plath*, ›Die Glasglocke‹, *Katherine Anne Porter*, ›Was vorher war‹, *Ernest Hemingway*, ›Der alte Mann und das Meer‹, *James Joyce*, ›Verbannte‹, *Viktor Sklovskij*, ›Kindheit und Jugend‹ und *Karl Krolow*, ›Alltägliche Gedichte‹. Nur für den »Monat der Bibliothek Suhrkamp« gibt es einen Sonderband ›Aus aufgegebenen Werken‹, herausgegeben und eingeleitet von Siegfried Unseld mit Texten von *Beckett*, *Krolow*, *Koeppen*, *Nossack*, *Weiss*, *Johnson*, *Hildesheimer*, *Nelly Sachs*, *Celan*, *Martin Walser*. Idee und Titel dieses Buches folgen einem Text, den Beckett 1958 veröffentlicht hat: ›From an abandoned work‹; in gewisser Weise sieht Beckett sein ganzes Werk als Fragment, nichts anderes bedeutet es, wenn er sagt, »daß Künstlersein in einem Maße Scheitern ist wie kein anderer zu scheitern wagt, daß das Scheitern seine Welt ist«.

Diskussion um die Notstandsgesetze, Frankfurt am Main 1968
Heinrich Böll, Theodor W. Adorno, Siegfried Unseld

1969

Samuel Beckett, dessen Werk im Suhrkamp Verlag in deutscher Übersetzung, aber auch in Form mehrsprachiger simultaner Texte erscheint, wird mit dem Nobelpreis für Literatur ausgezeichnet.
Theodor W. Adorno stirbt am 6. August in Brig/Schweiz; die Gesamtausgabe seiner Schriften wird vorbereitet.
Die Frankfurter *Joyce*-Ausgabe, angelegt auf sieben Bände und einen Ergänzungsband, beginnt mit ›Dubliner‹ in der Übersetzung von Dieter E. Zimmer und dem ›Briefband I‹. Die Ausgabe hat den Ehrgeiz, das gesamte Werk, zunächst

unter Ausklammerung von ›Finnegans Wake‹, ins Deutsche zu übertragen in einer Weise, die dem überragenden Rang dieser Prosa gerecht wird. Eine Stimme der Kritik: »Zu den größten verlegerischen Unternehmungen dieser Jahrzehnte gehört die Neuübersetzung des Joyceschen Gesamtwerks, die der Suhrkamp Verlag angeregt hat.« (›Weltwoche‹, 6. 2. 1970)

Der Briefwechsel Hermann Hesse/Peter Suhrkamp, herausgegeben und eingeleitet von *Siegfried Unseld*, spiegelt die Beziehung eines Autors zum Verleger und die Entwicklung des jungen Verlages Suhrkamp. Es erscheint ein neuer Roman von *Hans Erich Nossack*: ›Dem unbekannten Sieger‹ (»... übrigens mache ich Sie auf Thomas Bernhard aufmerksam, ein Österreicher. Das ist der beachtlichste Schriftsteller von den jüngeren, der mir in letzter Zeit vor Augen gekommen ist.«), und es debütieren zwei junge Prosaautoren, *G. F. Jonke* mit seinem ›Geometrischen Heimatroman‹ und *Herbert Achternbusch* mit dem Erzählungsband ›Hülle‹, jeder auf seine Weise eine literarische Überraschung und Gegenstand ausführlicher Beschäftigung für die Kritik. Der Band ›ein lilienweißer brief aus lincolnshire‹ versammelt – mit Ausnahme der Dialektpoesie – sämtliche Gedichte von *H. C. Artmann*, einem Doyen der modernen deutschsprachigen Literatur; in der Reihe der ›Bücher der Neunzehn‹ wird *Peter Handke* mit einem umfangreichen Reader einem breiten Publikum vorgestellt. Es erscheint eine Gesamtausgabe der Stücke von *Arnold Wesker*.

Mit der Erstausgabe von *Herbert Marcuses* ›Ideen zu einer kritischen Gesellschaft‹ (Band 300) überschreitet die *edition suhrkamp* in diesem Jahr die Schwelle ins vierte Hundert ihrer Titel. Schon 1968 hatte Radio Zürich geäußert: »Die edition suhrkamp ist die bedeutendste, monatlich durch mehrere Bände ergänzte Buchreihe eines deutschen Verlags.«

Beginn eines zweijährigen Versuchs mit einer wissenschaftlichen Sachbuchreihe *suhrkamp wissen*: ›Der Mond‹, ›Die Botschaft der Gene‹, ›Anatomie einer Erdefunkstelle‹.
Am 31. März 1969 scheidet Dr. Karlheinz Braun als Leiter des Theaterverlags aus; er gründet mit Autoren die Theateragentur ›Verlag der Autoren‹. Sein Nachfolger: Dr. Rudolf Rach.
Alexander Mitscherlich erhält den Friedenspreis des Deutschen Buchhandels 1969. Sein in der Bibliothek Suhrkamp erschienener Band ›Die Idee des Friedens und die menschliche Aggressivität‹ erreicht innerhalb von 6 Monaten das 130. Tausend.
Die Ausgabe der ›Schriften‹ *Ludwig Wittgensteins* wird mit dem neunten Band fortgesetzt.
Innerhalb der Gesamtausgabe der Werke *Ernst Blochs* kommen neben den ›Philosophischen Aufsätzen‹ die ›Spuren‹ und die Monographie ›Thomas Münzer als Theologe der Revolution‹ heraus. Schon im Vorgriff auf das Jahr 1970, das den 200. Geburtstag *Hegels* bringen wird, beginnt eine modern und zugleich streng textgetreu eingerichtete, auf 20 Bände veranschlagte Theorie-Ausgabe seiner Werke zu erscheinen.

Siegfried Unseld, Ernst Bloch, Max Frisch

1970

Zwanzig Jahre Suhrkamp Verlag. Am 1. Juli 1950 bezogen drei Mitarbeiter des eben neu gegründeten Suhrkamp Verlages ein Einzimmerbüro als Untermieter einer Frankfurter Kommissionsbuchhandlung. Seit Januar 1969 residiert der Verlag im ›Suhrkamp Haus‹ in der Lindenstraße 29-35 mit

Suhrkamp Haus, Lindenstraße 29-35

87 Mitarbeitern. Eine Jubiläumsfeier gibt es nicht; dafür Bücher, die, zusammengenommen, vielleicht eine Art »Muster«-Programm bilden. Im Januar bringt die Bibliothek Suhrkamp zum Tage der Uraufführung *Peter Weiss'* ›Trotzki im Exil‹. *Peter Handkes* Erzählung ›Die Angst des Tormanns beim Elfmeter‹ erscheint im Februar; im August ist die Erstauflage von 25 000 Exemplaren vergriffen; zweite und dritte Auflagen werden vorbereitet. *Hans Werner Richters* ›Blinder Alarm‹. Im März erscheint *Harald Muellers* ›Großer Wolf‹ in der edition suhrkamp und wird in München uraufgeführt. *Martin Walsers* ›Fiction‹ erregt die Gemüter der Kritiker. Neue Autoren: *Dieter Kühn; Erica Pedretti; Alf Poss; Hubert Wiedfeld.*

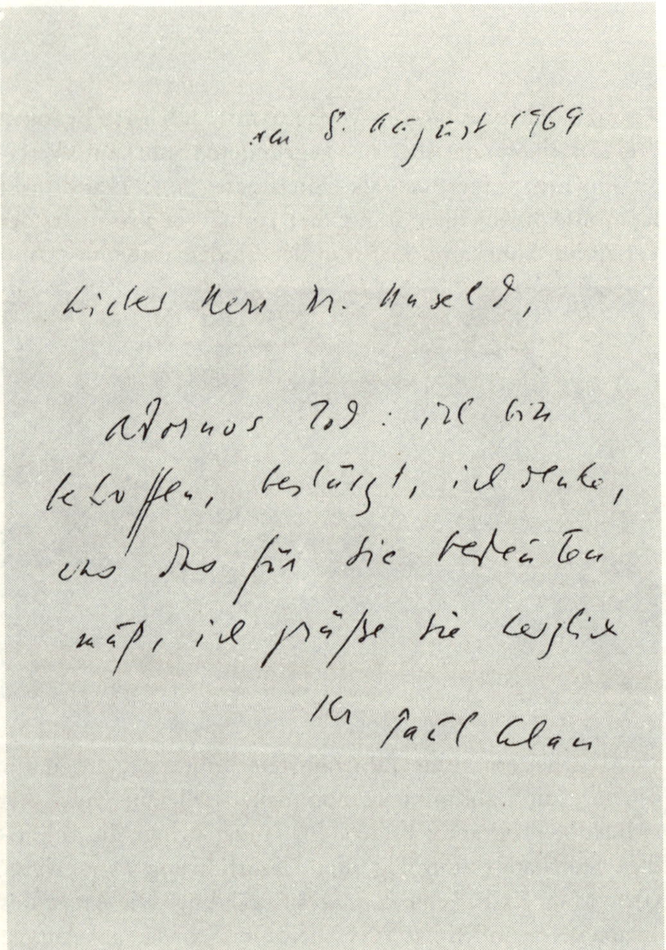

am 8. August 1969

Lieber Herr Dr. Unseld,

Adornos Tod: ich bin
betroffen, bestürzt, ich denke,
was das für Sie bedeuten
muß, ich grüße Sie herzlich

Ihr Paul Celan

Paul Celan an Siegfried Unseld

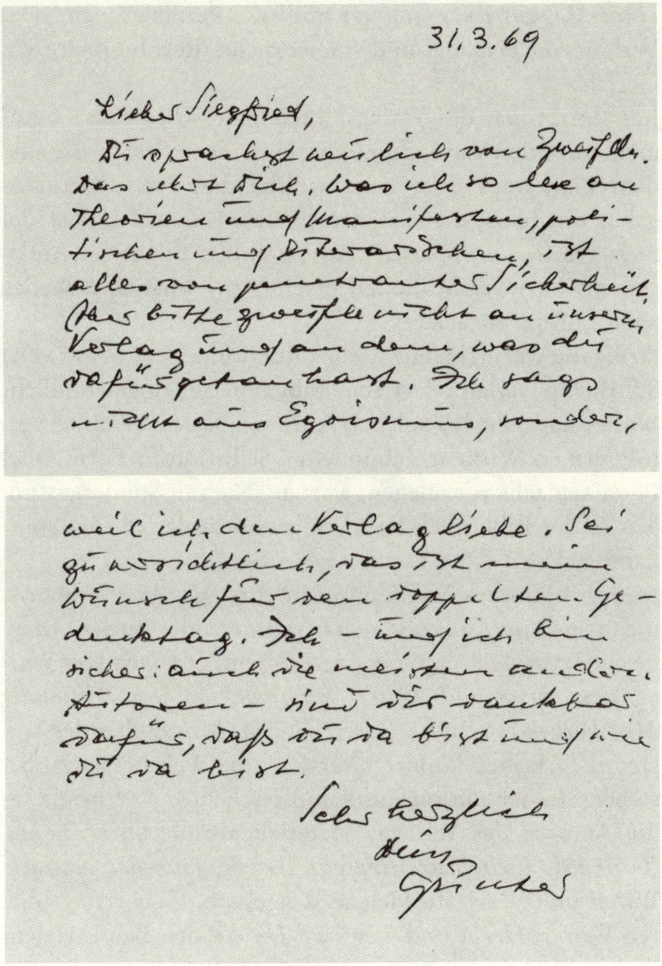

31.3.69

Lieber Siegfried,

Du sprachst neulich von Zweifeln. Das ehrt Dich. Was ich so lese an Theorien und Manifesten, politischen und literarischen, ist alles von penetranter Sicherheit. Aber bitte zweifle nicht an unserem Verlag und an dem, was du dafür getan hast. Ich sags nicht aus Egoismus, sondern, weil ich den Verlag liebe. Sei zuversichtlich, das ist mein Wunsch für den doppelten Gedenktag. Ich – und ich bin sicher: auch die meisten anderen Autoren – sind dir dankbar dafür, dass du da bist und wie du da bist.

Sehr herzlich
Dein
Günter

Günter Eich an Siegfried Unseld

Hans Magnus Enzensberger mit zwei Publikationen: ›Das Verhör von Habana‹ und ›Freisprüche. Revolutionäre vor Gericht‹.

Juli: Im Monat des Verlagsjubiläums erscheint als Dokumentation der Verbindung zwischen *Hermann Hesse* und dem Suhrkamp Verlag eine zwölfbändige Hesse-Werkausgabe; die Hesse-Renaissance in den USA (Hesse ist der meistgelesene europäische Autor, dessen Bücher in Auflagen bis zu zwei Millionen erschienen) wirft ihre Wellen nach Europa zurück.

Wolfgang Werth (im Hessischen Rundfunk, 6. 8. 1970): »Der Suhrkamp Verlag feiert sein Jubiläum auf ungewöhnliche Weise; statt, wie bei solchen Anlässen üblich, als Bilanz erfolgreichen Wirkens gebündeltes Selbstlob in Form eines Festalmanachs vorzulegen, wartete man mit Sonderleistungen in der Bibliothek Suhrkamp und in der edition suhrkamp auf.«

In der Bibliothek Suhrkamp fünf Erstausgaben: Aphorismen von *Hans Kudszus* (»ein hervorragendes Buch«, ›Rheinische Post‹, 8. 8.), drei erste Veröffentlichungen von *Wittgenstein*, *Joyce* und *Walter Benjamin*, und von *Alexander Mitscherlich* ein Buch, dessen Titel als Motto über der Verlagsarbeit stehen könnte: ›Versuch, die Welt besser zu bestehen‹. In der edition suhrkamp erscheinen als Ehrung für die Autoren des Verlages Materialienbände über *Thomas Bernhard*, *Eich*, *Enzensberger*, *Frisch*, *Johnson*, *Nossack*, *Walser* und *Weiss*. Zu Helene Weigels 70. Geburtstag edieren *Werner Hecht* und *Siegfried Unseld* den Band ›Helene Weigel zu ehren‹.

Tod von *Paul Celan* Anfang Mai in Paris und von *Nelly Sachs* am 15. Mai in Stockholm.

Im literarischen Programm: *Uwe Johnson* mit dem ersten Teil seines Chef d'œuvre ›Jahrestage. Aus dem Leben von Gesine Cresspahl‹; *Jürgen Becker*: ›Umgebungen‹; *Günter Eich*: ›Ein Tibeter in meinem Büro. 49 Maulwürfe‹; ›The Best of H.C. Artmann‹; *Thomas Bernhard*: ›Das Kalkwerk‹ (Urs Jenny hat einmal gesagt, es gäbe »Bernhard-Süchtige«) erhält den Büchner-Preis. *Ernst Augustin* tritt in den Suhrkamp Verlag ein; sein Roman ›Mamma‹ wird in einer Erstauflage von 25000 Exemplaren veröffentlicht. *Ödön von Horváth* erscheint mit einer Gesamtausgabe.
Im wissenschaftlichen Programm: *Alexander Mitscherlich* ediert die Reihe ›*Literatur der Psychoanalyse*‹.
Beginn der *Adorno*-Gesamtausgabe mit der postum edierten ›Ästhetischen Theorie‹. *Ernst Bloch*: ›Politische Messungen‹; *Claude Lévi-Strauss*: ›Mythologica‹. *Gunnar Myrdal* erhält den Friedenspreis des Deutschen Buchhandels; es erscheint zum Tage der Verleihung im September die deutsche Ausgabe seines im Mai in New York erschienenen Buches: ›Manifest über die Armut in der Welt‹.

1971

Ingeborg Bachmann tritt in den Suhrkamp Verlag ein. Ihr erster Roman ›Malina‹ wird sogleich *das* literarische Ereignis des Frühjahrs. Joachim Kaiser: »Ein Liebesroman, der vollkommen verzichtet auch auf die winzigste erotische Gewagtheit, auf Nacktes oder angeblich Kühnes. Ein aufregendes, schönes, antimodisches Buch.«

Ingeborg Bachmann

Elisabeth Borchers, von Luchterhand kommend, tritt in das literarische Lektorat Suhrkamp/Insel ein.
Paul Celan, ›Schneepart‹; *Nelly Sachs*, ›Teile dich, Nacht‹ – zwei Gedichtbücher aus dem Nachlaß, sie bestätigen noch einmal den hohen Rang und die lyrische Meisterschaft dieser beiden bedeutenden Dichter. *H. C. Artmann* mit einem Roman in Erzählungen ›How much, schatzi?‹: so handfest erzählerisch, gelegentlich geradezu derb, hatte sich seine Wortakrobatik vorher nicht geäußert. *Ror Wolfs* Kunststücke im Fußballerjargon ›Punkt ist Punkt. Fußball-Spiele‹ treffen einen Nerv des heutigen Bewußtseins: »›Punkt ist Punkt‹ müßte ein Volksbuch werden. Es gehört zu

den Kunstprodukten, die unmittelbar zünden.« (Wolfgang Werth, ›Die Zeit‹)
›Spectaculum‹, schon lange das aktuelle Kompendium zeitgenössischen Theaters, erscheint ab Band 14 zweimal jährlich. Die Bibliothek Suhrkamp dokumentiert mit den Bänden ›Erzählen‹ von *Gertrude Stein* und ›Wort und Weise‹ von *Ezra Pound* die »ästhetische Revolution des 20. Jahrhunderts« (Helmut Heißenbüttel). – Wozu Literatur? – Wozu Philosophie?: *Robert Minder* (›Wozu Literatur?‹) und *Jürgen Habermas* (›Philosophisch-politische Profile‹) stellen sich den Elementarfragen ihrer Disziplinen.
Die edition suhrkamp (»das ambitionierteste Unternehmen auf dem Taschenbuch-Markt«, Kölner Stadtanzeiger; »ein Forum intelligenter Kritik«, Radio Bremen) setzt ihren Kurs fort: *Theodor W. Adorno*, ›Kritik. Kleine Schriften zur Gesellschaft‹, ›Psychoanalyse als Sozialwissenschaft‹, *Ernst Bloch*, ›Pädagogica‹, *Dieter Senghaas*, ›Rüstung und Militarismus‹, das erste Buch von *Franz Xaver Kroetz*, ›Heimarbeit. Hartnäckig. Männersache.‹
Im wissenschaftlichen Programm beginnt eine Ausgabe der ›Schriften‹ *Siegfried Kracauers*; Band I enthält u. a. den bisher unpublizierten Traktat ›Der Detektivroman.‹ Die ›Gesammelten Schriften‹ *Th. W. Adornos* werden mit Band 5 fortgeführt. ›Theodor W. Adorno zum Gedächtnis‹ erscheint als Ehrung für den großen Philosophen, in Adornos Einleitungstext ›Resignation‹ steht der Satz: »Das Glück, das im Auge des Denkenden aufgeht, ist das Glück der Menschheit.«
Zwei Bücher der Theorie-Diskussion, an denen Jürgen Habermas maßgeblich beteiligt ist, tragen aktuelle wissenschaftliche Kontroversen aus und erregen Aufsehen weit über den Kreis der Wissenschaft hinaus: *Jürgen Habermas/ Niklas Luhmann*: ›Theorie der Gesellschaft oder Sozialtechnologie – Was leistet die Systemforschung?‹ und ›Hermeneutik und Ideologiekritik‹.

Im zweiten Halbjahr 1971 Start der *suhrkamp taschenbücher* (st). Die ersten 10 Bände zeigen Anspruch und Absicht der Reihe, das Programm des Suhrkamp Verlages in seiner ganzen Vielfalt widerzuspiegeln: Band 1 *Samuel Beckett*, ›Warten auf Godot. Dreisprachig. Einleitung. Bibliographie‹, ein programmatischer, ein verpflichtender Beginn. Band 2 *Max Frisch*, ›Wilhelm Tell für die Schule‹: eine Erstausgabe im Taschenbuch, eine neue Sicht auf die Tell-Sage (100000 Ex. im ersten Halbjahr verkauft). Es folgen *Peter Handke*, ›Chronik der laufenden Ereignisse‹ (st 3, Erstausgabe), *H.M. Enzensberger*, ›Gedichte 1955-1970‹ (st 4 mit über 30 neuen Gedichten), *Thomas Bernhard* mit der Erstpublikation ›Gehen‹ (st 5), *Martin Walser*, ›Gesammelte Stücke‹ (st 6), *Hermann Hesse*, ›Lektüre für Minuten‹ (st 7), *Olof Lagercrantz*, ›China-Report‹ (st 8, deutsche Erstausgabe), *Jürgen Habermas*, ›Theorie und Praxis‹ (st 9, erheblich erweiterte Neuausgabe), *Alexander Mitscherlich*, ›Thesen zur Stadt der Zukunft‹ (st 10). – Diese Bände wurden von der Kritik als »Die glorreichen Zehn« apostrophiert, die Reihe hatte von Anfang an ungewöhnlichen Erfolg: In den ersten drei Monaten wurden 300000 Exemplare verkauft.

Uwe Johnson erhält den Büchner-Preis des Jahres 1971, der zweite Band der ›Jahrestage‹ erscheint, das Werk wird jetzt schon sichtbar als *die* deutsche Chronik der letzten Jahrzehnte. *Paul Goma* wird von der Kritik als »ein rumänischer Solschenizyn« bezeichnet, sein Roman ›Ostinato‹ veranlaßt die rumänische Delegation zum Verlassen der Buchmesse. *Paul Nizon*, neuer Start mit der Erzählung ›Im Hause enden die Geschichten‹. Die *Horváth*-Ausgabe wird mit dem vierten Band abgeschlossen.

Drei wichtige Titel in der Bibliothek Suhrkamp: das Theaterstück des Jahres: *Peter Weiss*, ›Hölderlin‹. *Ludwig Hohl*, berühmt unter Eingeweihten, fast vergessen bei den Lesern, kommt mit seinem Werk zu Suhrkamp; zunächst erscheint der Erzählungsband ›Nächtlicher Weg‹; *Djuna Barnes*, die inzwischen verstorbene bedeutendste Dichterin Amerikas, ist mit ihrem Roman ›Nachtgewächs‹ im Suhrkamp Verlag vertreten.

Im wissenschaftlichen Programm drei Hauptwerke in den großen Werkausgaben: *Adorno*, ›Die musikalischen Monographien‹, *Bloch*, die erste Fassung von ›Geist der Utopie‹, *Kracauer*, ›Geschichte – Vor den letzten Dingen.‹ Ein Hauptwerk des Post-Strukturalismus: *Michel Foucault*, ›Die Ordnung der Dinge‹. In der Theorie: *Darcy Ribeiro*, ›Der zivilisatorische Prozeß‹, eine neue Theorie der gesellschaftlichen Evolution. In der Literatur der Psychoanalyse *Parin/Morgenthaler/Parin-Matthèy*, ›Fürchte deinen Nächsten wie dich selbst‹. Die Literatur der Psychoanalyse legt ein Standardwerk vor: *Laplanche-Pontalis*, ›Vokabular der Psychoanalyse‹, die Erforschung einer Theorie von ihrer Sprache her.

1972

Zu *Günter Eichs* 65. Geburtstag erscheint ›Ein Lesebuch‹, dessen Texte von ihm selbst ausgewählt sind; es wird sein Vermächtnis. Eich stirbt am 20. Dezember in Salzburg. – Die Frankfurter *Joyce*-Ausgabe (»eine verlegerische Leistung«, ›Nationalzeitung‹, Basel) wird fortgesetzt mit Band 2: Klaus Reichert übertrug ›Stephen der Held. Ein Porträt des Künstlers als junger Mann‹. *Martin Walsers* Roman ›Die Gallistl'sche Krankheit‹ erreicht im Erscheinungsjahr drei Auflagen. Zwei Debütanten: *Gerhard Roth*, ›die autobiographie des albert einstein‹, und *E. Y. Meyer*, ›Ein Reisender in Sachen Umsturz‹. Die erfolgreichsten Bücher: *Max Frisch*, ›Tagebuch 1966-1971‹ (Rudolf Hartung in seiner Kritik »Versuch, ein Meisterwerk zu beschreiben«: »Die beste Auseinandersetzung eines einzelnen mit der Lüge, der Dummheit und der Gewalt seiner Zeit.«) erreicht eine Auflage von 80000 Exemplaren. *Handkes* ›Der kurze Brief zum langen Abschied‹ (»Man hätte dieses Buch gern selbst geschrieben«, Dieter Bachmann in der ›Weltwoche‹) erreicht 40000 Exemplare. In der Bibliothek Suhrkamp *Kracauer*: ›Über Freundschaft‹. Im wissenschaftlichen Programm lauter Standardwerke: *Raddatz*, ›Traditionen und Tendenzen‹; *Erich Lenneberg*, ›Biologische Grundlagen der Sprache‹; die ›Psycho-Pathographien‹, herausgegeben von *Mitscherlich*, bringen faszinierende Untersuchungen über den literarisch-schöpferischen Prozeß. *Claude Lévi-Strauss*, ›Mythologica II‹. In der großen *Bloch*-Ausgabe eine Ersterscheinung: ›Das Materialismusproblem, seine Geschichte und Substanz‹ (geschrieben 1936, neu durchgesehen und erweitert 1969-1971).

Walter Benjamin wäre am 15. Juli 80 Jahre alt geworden. Der Verlag veranstaltet in Frankfurt ein Benjamin-Symposium mit Vorträgen von Habermas, Scholem und Diskussionsbeiträgen von Bloch, George Steiner u. a. Es erscheinen die ersten drei Bände der lange erwarteten, noch von Adorno initiierten Benjamin-Gesamtausgabe: Band 3 mit den gesammelten Kritiken und Band 4/1 und /2 mit der

Kleinen Prosa. Ein Privatdruck ›Walter Benjamin zu ehren‹ erscheint später als Taschenbuch: ›Zur Aktualität Walter Benjamins‹.

In deutscher, englischer und französischer Sprache erscheint das ›Deutsche Mosaik. Ein Lesebuch für Zeitgenossen‹, herausgegeben von *Dieter Hildebrandt* und *Siegfried Unseld*, mit einem Vorwort von *Gustav Heinemann*. Eine Sonderausgabe des Lesebuchs war als offizielles Geschenkwerk zu den 20. Olympischen Spielen in München gedacht: Die DDR-Delegation protestierte wegen einiger Beiträge (darunter gegen den von Uwe Johnson, der freilich Jahre zuvor auszugsweise in einer Tageszeitung der DDR veröffentlicht worden war). Die Buchhandelsausgabe erreicht im Erscheinungsjahr eine Auflage von 25 000 Exemplaren.

Die Bibliothek Suhrkamp bringt zwei wichtige Theaterstücke: *Bernhard*, ›Der Ignorant und der Wahnsinnige‹, und *Edward Bond*, ›Lear‹.

Im Mittelpunkt *Mircea Eliade*, ›Auf der Mântuleasa-Straße‹ (Werner Helwig: »Eine so großartige Geschichte, daß man während des Lesens dauernd Pausen einlegen muß, um Luft zu schnappen. Ich könnte mir vorstellen, daß es Leute gäbe, die dieses Buch über Jahre hin immer wieder von vorne anfangen. Das Buch des Jahres also, nein, vieler Jahre Buch, das Urbuch«). Ferner *Freud*, ›Briefe‹, und *Tschingis Aitmatow*, ›Dshamilja‹ (Louis Aragon: »Ich schwöre, die schönste Liebesgeschichte der Welt«).

Peter Huchel wird nach seiner Übersiedlung in die Bundesrepublik mit dem Gedichtband ›Gezählte Tage‹ Suhrkamp-Autor. *Adolf Muschg* tritt mit dem Erzählungsband ›Liebesgeschichten‹ in den Verlag ein. *Nizons* ›Untertauchen‹ erreicht einen kritischen Erfolg. *Nossack* legt einen neuen Roman vor: ›Die gestohlene Melodie‹, und *Enzensberger* ›Der kurze Sommer der Anarchie. Buenaventura Durrutis Leben und Tod‹.

Siegfried Unseld und Peter Huchel

Gegen Ende des Jahres eine Neuausgabe von *Niebelschütz*, ›Der Blaue Kammerherr‹, und die Werkausgabe *Horváth*. Mit einer dreibändigen Ausgabe ihrer ›Gesammelten Werke‹ wird eine Dichterin wiederentdeckt: *Marieluise Fleißer*. Franz Xaver Kroetz schrieb zu ihrem 70. Geburtstag (23.11.1971): »Die Fleißer wird am Montag 70. Von Brecht und Horváth liegen Gesamtausgaben vor. Der Suhrkamp Verlag sollte endlich auch eine Gesamtausgabe der Fleißerschen Werke herausbringen. Sie ist genauso wichtig.« Peter Horst Neumann sagte im Norddeutschen Rundfunk: »Gesamtausgaben eines literarischen Lebenswerkes pflegen dem Ruhm hinterherzulaufen; sie begründen ihn nicht, sie sind sein Siegel. Ein Kuriosum darf man es nennen, wenn sich der umgekehrte Fall ereignet, wenn durch die Ausgabe seiner ›Gesammelten Werke‹ ein Autor zum ersten Mal oder wieder in die Präsenz seiner Wirkung tritt. So geschah es vor einigen Jahren mit Ödön von Horváth, so geschieht es jetzt mit Marieluise Fleißer aus Ingolstadt. Ihre Gesamtausgaben sind verlegerische Pioniertaten des Suhrkamp Verlages. Dafür ist öffentlich Dank abzustatten.«

1973

Am 1. Februar 1973 findet eine ungewöhnliche Gedächtnisfeier für *Günter Eich* statt, »eine Demonstration für Literatur«, wie die Kritik schreibt. Günter Eich zu ehren lesen Peter Bichsel, Heinrich Böll, Clemens Eich, Max Frisch, Günter Grass, Wolfgang Hildesheimer, Walter Höllerer, Peter Huchel, Uwe Johnson, Marie Luise Kaschnitz, Karl Krolow, Clemens Graf Podewils, Jörg Steiner und Siegfried Unseld. Der ›Spiegel‹ schrieb darüber: »Die vielleicht größte, gewiß ungewöhnlichste deutsche Dichterlesung«, eine »literarische Gipfelkonferenz«.
10. Februar *Brechts* 75. Geburtstag. Der Verlag veranstaltet im Frankfurter Schauspielhaus eine Feier mit internationalen Brecht-Sängerinnen: Lotte Lenya, Milva, Anja Silja, Gisela May, Pia Colombo, Nuria Espert. Brechts ›Arbeitsjournal 1938-1955‹ erscheint und wird sogleich »zu einer mehr als literarischen Diskussion«: »Dieses Arbeitsjournal eines einzigen könnte ein Lesebuch für viele sein« (Baumgart). Die 20bändige Werkausgabe liegt jetzt im 90. Tsd. vor.
10 Romane und Erzählungen deutschsprachiger Autoren: *Jurek Becker*, *Alfred Behrens* (›Künstliche Sonnen‹), *Wolfgang Hildesheimer*, *Walter Höllerer*, *Uwe Johnson*, *Ulrich Plenzdorf*, *Gerhard Roth* (›Der Wille zur Krankheit‹), *Martin Walser* und *Karin Struck*; der zehnte Titel erscheint nicht: *Ingeborg Bachmann* stirbt am 17. Oktober in Rom und kann ihre Erzählung ›Gier‹ nicht vollenden. Die Kritik rückt Hildesheimers ›Masante‹ in den Rang eines Meisterwerkes. Heftigste Diskussion löst *Karin Strucks* ›Klassenliebe‹ aus, drei Auflagen folgen einander. »Hier schreibt jemand ums Leben« (Baumgart im ›Spiegel‹), »Ein Bekenntnisbuch voller Widersprüche« (Vormweg), »Den Widerspruch einer Zeit stark gelebt« (Christa Wolf). *Ulrich*

Plenzdorf, ›Die neuen Leiden des jungen W.‹ werden in der DDR heftig diskutiert; den Staranwalt Kaul »ekelt es geradezu«. Stephan Hermlin lobt das Buch, hier würden »vielleicht zum ersten Mal die Gefühle der Arbeiterjugend gezeigt« (Sinn und Form). *Martin Walser* schließt mit dem Roman ›Der Sturz‹ die Kristlein-Trilogie ab, er blieb »einer der unbestechlichsten und unnachgiebigsten Schriftsteller deutscher Sprache« (Ulrich Meister, ›Weltwoche‹). *Jurek Becker* erhält für seinen Roman ›Irreführung der Behörden‹ den Bremer Literaturpreis. *Walter Höllerer*, dem Verlag lange verbunden, wird mit der ›Elephantenuhr‹ definitiv Autor des Verlages: »Ein stellenweise furioser gesellschaftskritischer Roman über das Deutschland dieser Zeit« (Michaelis).

Die Ausgabe der Werke von *T.S. Eliot* wird mit dem vierten Band abgeschlossen: ›Gesammelte Gedichte 1909-1962‹.

Im Februar erscheint der erste Band von *Hesses* ›Gesammelten Briefen‹, Rudolf Hartung nennt Hesse danach »zukunftsorientiert«. ›The Times Literary Supplement‹ erklärt Hesse zum »Autor für die 70er Jahre«. Zahlreiche Neueditionen, Materialienbände zum ›Steppenwolf‹ und ›Glasperlenspiel‹, ›Die Erzählungen‹, die neue Ausgabe ›Weg nach Innen‹, eine Bildchronik (insel taschenbuch, Band 36) beleben die neue Hesse-Rezeption. *Siegfried Unselds* ›Hermann Hesse, eine Werkgeschichte‹ (suhrkamp taschenbuch, Band 143) wird von Robert Minder als »grundlegendes Buch« bezeichnet.

Herausragende Erstausgaben in der Bibliothek Suhrkamp: *Hans Mayer*: ›Goethe‹. *Jean Piaget*: ›Weisheit und Illusion der Philosophie‹. *Zbigniew Herbert*: ›Im Vaterland der Mythen‹ und *Stanisław Lem*: ›Robotermärchen‹ (»eine fesselnde Möglichkeit aktueller Literatur«, Vormweg).

In der zweiten Jahreshälfte muß sich *Uwe Johnson* entscheiden, den letzten Band der ›Jahrestage‹ zu teilen. Es er-

Hans Mayer und Walter Höllerer

scheint im Oktober der 3. Band. *E. Y. Meyer* erntet mit ›In Trubschachen‹ kritischen Beifall.

Nachdem Peter Handke den Gerhart-Hauptmann-Preis, Berlin, den Schiller-Preis, Mannheim, den Literaturpreis des Landes Steiermark erhielt, wird ihm 1973 der Georg-Büchner-Preis verliehen. In seiner Dankesrede: »Was mich unwillig und unfähig zu einer politischen Existenz macht, ist nicht der Ekel vor der Gewalt, sondern der Ekel vor der Macht; die Macht erst, indem sie aus der Gewalt ein Ritual macht, läßt diese als Vernünftiges erscheinen.«

Weitere Neuerscheinungen: *Achternbusch*, ›Ein Tag wird kommen‹, *F.R. Fries*, ›See-Stücke‹, *Barbara Frischmuth*, ›Das Verschwinden des Schattens in der Sonne‹, *Franz Fühmann*, ›22 Tage oder die Hälfte des Lebens‹, *Alexander Kluge*, ›Lernprozesse mit tödlichem Ausgang‹, *Dieter Kühn*, ›Die Präsidentin‹, *H. E. Nossack*, ›Bereitschaftsdienst‹, *Erica Pedretti*, ›Heiliger Sebastian‹.

Ein Jahr nach *Günter Eichs* Tod liegt im Dezember eine vierbändige Dünndruckausgabe seiner ›Gesammelten Werke‹ vor und der Band ›Günter Eich zum Gedächtnis‹.

George Steiner schrieb am 9. März 1973 in ›The Times Literary Supplement‹: »Wie Ernst Bloch und Walter Benjamin ist Theodor W. Adorno das zugute gekommen, was man als ›die Suhrkamp-Kultur‹ bezeichnen kann, welche in unseren Tagen die literarisch und intellektuell führende Schicht Deutschlands bestimmt. Ganz auf sich gestellt, kraft seiner kulturpolitischen Vision und seines verlegerischen Scharfsinns hat der Suhrkamp Verlag einen Maßstab für moderne Philosophie geschaffen. Insofern, als der Suhrkamp Verlag die bedeutendsten herausfordernden philosophischen Stimmen unserer Epoche einem breiten Publikum zugänglich gemacht hat, insofern, als er die deutschen Bücherregale mit der Gegenwart jener deutsch-jüdischen intellektuellen und stimulierenden Kraft erfüllt hat, welche der Nazismus auslöschen wollte, ist seine Initiative ein dauerndes Verdienst.«

Im Mai wird eine neue Taschenbuchreihe vorgestellt: *stw – suhrkamp taschenbücher wissenschaft*. Während die suhrkamp taschenbücher das allgemeine literarische Programm des Verlages widerspiegeln, konzentrieren sich die stw auf den wissenschaftlichen Bereich des Verlages. Sie wollen wissenschaftliche Grundorientierungen bieten. Standardwerke unserer Zeit, Materialienbände zu diesen Standardwerken, Einführungen in Wissenschaftsbereiche, Seminar-Reader, Werkausgaben, z.B. Vorlesungen von *Peter Szondi*. Band 1 der stw: *Jürgen Habermas*, ›Erkenntnis und Interesse‹: »... denn der Vollzug der Reflexion weiß sich als Bewegung der Emanzipation.« Bis Ende des Jahres erscheinen 39 Bände stw. Wichtige Werke im wissenschaftlichen Verlagsbereich: *Robert A. Hinde*, ›Das Verhalten der Tiere‹. *Claude Lévi-Strauss*, ›Mythologica 3‹. *Gunnar Myrdal*, ›Asiatisches Drama‹. *Karl-Otto Apel*, ›Transformation der Philosophie‹ und *Wolfhart Pannenberg*, ›Wissenschaftstheorie und Theologie‹. Das größte Echo fand das Buch von *Max Schur*, ›Sigmund Freud. Leben und Sterben‹, das Freud aus der Sicht seines Leibarztes als Patient zeigt. Fortführung der großen Werkausgaben *Adorno* (›Schriften‹, Bände 1, 6 und 14) und *Kracauer* (›Schriften‹, Bände 7 und 3 – ›Theorie des Films‹).

1974

Der Suhrkamp Verlag ist der deutsche Verlag, der die meisten literarischen Autoren der Schweiz veröffentlicht. Um ihre Werke in der Schweiz besonders betreuen und sich der neueren schweizerischen Literatur und neuen Autoren widmen zu können, gründete das Frankfurter Stammhaus eine Niederlassung in Zürich. Am 27. Dezember 1973 wurde die

Adolf Muschg und Elisabeth Borchers

Suhrkamp Verlags AG Zürich ins Handelsregister eingetragen. Suhrkamp Zürich eröffnete ein Büro am Zeltweg 25. Von ihm sollen wichtige Dienstleistungen ausgehen, insbesondere gegenüber dem Schweizer Buchhandel, den Medien und der Öffentlichkeit.
Am 1. Januar tritt Dr. Mechtild Strausfeld in den Verlag ein; sie leitet ein Suhrkamp-Büro in Barcelona, später Madrid, und ist für spanische, portugiesische und lateinamerikanische Autorenbeziehungen zuständig.

Max Frisch, Hildegard Unseld, Jürgen Habermas, Martin Walser und Ute Habermas, am Bodenseeufer, einem Schwimmer entgegensehend

Max Frisch erhält am 12. Januar im Zürcher Schauspielhaus den Großen Schillerpreis der Schweizer Schiller-Stiftung; in seiner Ansprache geht er der Frage nach, »was eigentlich unter Heimat zu verstehen sei«. Die Laudatio von Adolf Muschg: »Vom Preis eines Preises oder Die Wohltat des Zweifels.«
Jürgen Habermas erhält eine Woche darauf den Hegel-Preis 1973 der Stadt Stuttgart. Dieter Henrich begründet die Verleihung. Jürgen Habermas spricht über »Können komplexe Gesellschaften eine vernünftige Identität ausbilden?« (»Diese Frage fragt, ob es heute Prozesse gibt, die es ermöglichen, dem wirren Weltlauf Sinn abzugewinnen«, ›Süddeutsche Zeitung‹.) Beide Reden erscheinen als suhrkamp taschenbuch 202.
Am 2. Februar stirbt *Marieluise Fleißer.*
Jean Piaget: ›Weisheit und Illusionen der Philosophie‹ er-

scheint in der BS; der Genfer Psychologe stellt fest, die Philosophie führe zu »Einsichten«, aber nicht zu überprüfbarem Wissen, zu »Erkenntnis«.
Drei wichtige Neuerscheinungen im März: *Max Frischs* ›Dienstbüchlein‹, *Adolf Muschgs* Roman ›Albissers Grund‹, *Jürgen Beckers* Gedichtbuch ›Das Ende der Landschaftsmalerei‹. – *Siegfried Unselds* 1973 im Verlag erschienene Geschichte von Hesses Werk wird im Times Literary Supplement als »ingenious and effective« bezeichnet.

Zum 250. Geburtstag von *Immanuel Kant* erscheinen in den stw ›Kritik der reinen Vernunft‹, ›Kritik der praktischen Vernunft‹, ›Kritik der Urteilskraft‹, ›Materialien zur Kritik der Urteilskraft‹ und der Band ›Kant zu ehren‹, der die Kant-Rezeption, wie sie sich durch Jahrhunderte in Festreden und Vorträgen an den Gedenktagen niederschlug, widerspiegelt: von Reinhold Michael Lenz über Schelling, Herbarth, Natorp, Gerhart Hauptmann bis zu Bloch, Jaspers und Horkheimer reicht die Kette der Laudatoren.
Am 29. April in Zürich die Uraufführung von *Peter Handkes* ›Die Unvernünftigen sterben aus‹.
Am 4. Mai in Wien die Uraufführung von *Thomas Bernhards* ›Jagdgesellschaft‹.
Am 13. Mai übergibt der Verlag dem scheidenden Bundespräsidenten *Gustav W. Heinemann* die Denkschrift ›Anstoß und Ermutigung‹.
Peter Huchel erhält den Literaturpreis der Deutschen Freimaurer, *Adolf Muschg* den Hermann-Hesse-Preis in Karlsruhe und *Gershom Scholem* den Literaturpreis der Bayerischen Akademie der Schönen Künste. Band 1 der Gesammelten Schriften von *Walter Benjamin* erscheint in drei Teilen. *Rolf Tiedemann* gibt einen ausführlichen Editionsbericht.

Im Juli die Uraufführung von *Thomas Bernhards* ›Die Macht der Gewohnheit‹ im Rahmen der Salzburger Festspiele. Die Suhrkamp-Theaterproduktionsgesellschaft, am 1. Januar 1975 gegründet, wird eine Theater-Tournee mit dieser Inszenierung veranstalten.

Im Juli gibt es wichtige Neuerscheinungen: *Weber-Kellermann*, ›Die deutsche Familie‹, der erste Versuch einer Sozialgeschichte der Familie, und *Peter Handkes* ›Als das Wünschen noch geholfen hat‹, eine Neuerforschung der Innenwelt der Außenwelt der Innenwelt. Im Rahmen des wissenschaftlichen Programms erscheint von *Deleuze/Guattari* ›Anti-Ödipus‹, eine Art Sensation, der Sturz eines Monarchen: Die Autoren stellen die Universalität des Ödipuskomplexes in Frage.

Im August erscheint *Uwe Johnsons* ›Eine Reise nach Klagenfurt‹. Heinrich Böll schreibt hierzu: »Die Adjektive diskret, delikat charakterisieren dieses Buch nicht ausreichend, es ist mehr: von einer unbeschreiblichen Höflichkeit, ein hochgradig geglückter Annäherungsversuch, es könnte ein Modell sein für Biographien – besser noch: auch für Autobiographien.«

Im September wichtige deutschsprachige Neuerscheinungen: *Wolfgang Hildesheimers* ›Hauskauf‹, *Dieter Kühns* ›Festspiel für Rothäute‹, *Gerhard Roths* ›Der große Horizont‹ und als Erstling *Jürg Laederachs* ›Einfall der Dämmerung‹. In der edition suhrkamp wird, aus Anlaß der Caspar-David-Friedrich-Ausstellung in Hamburg, eine Rezeptionsgeschichte des Malers vorgelegt: ›Caspar David Friedrich und die deutsche Nachwelt‹.

In der Literatur der Psychoanalyse erscheint *Karl Menningers* ›Selbstzerstörung. Psychoanalyse des Selbstmords‹. Menninger, »Vater der amerikanischen Psychiatrie«, 1974 achtzig Jahre alt geworden, gibt die umfassendste Darstellung der Problematik des Selbstmords in all seinen Erscheinungsformen.

Im Oktober erscheinen im Rahmen der suhrkamp taschenbücher zwei Romane des diesjährigen Nobelpreisträgers *Harry Martinson* und die Neuauflage der ›Lebensläufe‹ von *Alexander Kluge. Fritz Rudolf Fries'* ›Das Luftschiff‹.
Eine 0-Nummer der Suhrkamp Literatur Zeitung mit *Hermann Hesses* ›Steppenwolf‹ wird Ende Oktober vorgestellt; »... die Initiative des Suhrkamp Verlages ist entschieden zu befürworten«, schreibt Reich-Ranicki in der FAZ.
Am 10. November stirbt *Wolfgang Schadewaldt.*
Im November zwei gewichtige Bücher im wissenschaftlichen Programm: *Jacques Derrida* ›Grammatologie‹; mit diesem Buch tritt der französische Strukturalismus in die Phase der Selbstreflexion und Selbstüberwindung ein. *Gunnar Myrdal*, Nobelpreisträger von 1974, gibt ein Fazit aus seinen Erfahrungen ›Anstelle von Memoiren‹. *Alfred Lorenzer*, ›Die Wahrheit der psychoanalytischen Erkenntnis‹. Lorenzer argumentiert für Psychoanalyse als Erfahrungswissenschaft. ›Jenseits des Kindeswohls‹ von *Joseph Goldstein*, *Anna Freud*, *Albert J. Solnit* erscheint als suhrkamp taschenbuch. Tilmann Moser hierzu in der FAZ: »In ganz und gar unauffälligem Gewand, quasi beiläufig, als suhrkamp taschenbuch, Nummer 212, ist ein ungewöhnliches Bändchen erschienen, das, wenn es die ihm zukommende Beachtung findet, im Rechtsbereich der Unterbringung von Kindern aus zerbrochenen Familien revolutionierend wirken könnte.«

1975

Das Jubiläumsjahr – Das Jubiläumsprogramm
1. Juli 1950–30. Juni 1975

Zum 10. Todestag von *T.S. Eliot* am 4. Januar in den suhrkamp taschenbüchern: ›Zur Aktualität von T.S. Eliot‹; *Stephen Bender* gibt »Neue Aspekte des Eliot-Bildes«. In der Bibliothek Suhrkamp T.S. Eliots ›Das wüste Land‹, übertragen von Ernst Robert Curtius, die »Charta der modernen englischen Lyrik«, wie H.E. Holthusen in seinem ausführlichen Vorwort schreibt.
Zum Geburtstag *Brechts*, am 10. Februar, erscheinen die ›Tagebücher 1920–1922‹, in der edition suhrkamp das Brecht-Jahrbuch 1974. In Berlin wird *Tankred Dorsts* ›Auf dem Chimborazo‹ uraufgeführt.
Im März erscheint *Ernst Blochs* ›Experimentum Mundi‹, sein wohl letztes Opus magnum: der antisystematische Denker entwirft hier den Grundriß eines philosophischen Systems, einer systematischen Kategorienlehre. Ernst Bloch begeht am 8. Juli seinen 90. Geburtstag, *Karl Krolow* am 11. März seinen 60. Geburtstag. Aus diesem Anlaß erscheint der 2. Band seiner ›Gesammelten Gedichte‹. Krolow: »... solche Bücher ›ereignen‹ sich nur noch im Suhrkamp-Haus«. Im Rahmen der Reihe Theorie erscheint eine *Feuerbach*-Ausgabe.
Siegfried Unselds ›Begegnungen mit Hermann Hesse‹ erscheinen. Die ersten Nummern der Suhrkamp Literatur Zeitung: *Hesse*, ›Der Steppenwolf‹, *Brecht*, ›Der kaukasische Kreidekreis‹, *Handke*, ›Die Angst des Tormanns beim Elfmeter‹, *Rilke*, ›Neue Gedichte‹, *Frisch*, ›Homo faber‹ und *Plenzdorf*, ›Die neuen Leiden des jungen W.‹ werden ausgeliefert.
Im März und April erscheinen wichtige Titel des literarischen Jubiläumsprogramms: *Herbert Achternbusch*, ›Die

Stunde des Todes‹, *Peter Handke*, ›Die Stunde der wahren Empfindung‹, *Werner Koch*, ›Wechseljahre oder Seeleben II‹, *Gertrud Leutenegger*, ›Vorabend‹, *Friederike Mayröcker*, ›Das Licht in der Landschaft‹, *Paul Nizon*, ›Stolz‹, *Karin Struck*, ›Die Mutter‹. Diese Bücher finden ein großes Echo. Peter Handkes »neue Meistererzählung« erreicht ein Vierteljahr nach Erscheinen das 45. Tausend. Achternbusch wird von Kritikern auf die erste Stelle der »Bestenliste« gerückt. Gertrud Leuteneggers Erstling ›Vorabend‹, ›Spaziergänge durchs Innere der Welt‹ wird als große Leistung gerühmt: »Dichtung, die umschlägt in politische Provokation; Prosa der Revolte, die sich äußert in Traumbildern« (›Die Zeit‹ vom 2. 5. 1975). Karin Strucks ›Mutter‹ wird heftig kritisiert; doch Heinrich Böll: »Es ist ein schweres Buch, auch schwerwiegend, es ist lückenlos, pausenlos, biblisch, es ist ein Wendepunkt, eine Tendenzwende ganz besonderer Art, nicht vergleichbar mit den oberflächlichen Reflexen der bisher propagierten Tendenzwende; es ist ein schwermütiges Buch, was keineswegs bedeutet: freudlos; aber immer ernst; ein extrem deutsches Buch, auf eine imponierende und beängstigende Weise.«

In der Bibliothek Suhrkamp kommen *Rilkes* ›Testament‹, *Mario Vargas Llosas* ›Die kleinen Hunde‹, *Mircea Eliades* ›Das Mädchen Maitreyi‹, *Ludwig Hohls* ›Nuancen und Details‹, *Karl Kraus'* ›Nestroy und die Nachwelt‹, *Gershom Scholems* Erinnerungsbuch über Walter Benjamin und zwei Bände *Celan* ›Gesammelte Gedichte‹.

Im wissenschaftlichen Programm *Marcus George Singer*, ›Verallgemeinerungen in der Ethik‹ und zwei Seminarbände ›Familie und Familienrecht‹, die den Versuch unternehmen, familienrechtliche Entscheidungen unter dem Gesichtspunkt anderer wissenschaftlicher Disziplinen zu untersuchen. Mit dem vierten Band wird die große Unternehmung der ›Mythologica‹ von *Lévi-Strauss* abgeschlossen.

Vom 1. 12. an bis zum 30. 7. 1977 ist Dr. Gottfried Honne-

felder für den wissenschaftlichen Verlagsbereich verantwortlich.
Hans Mayer legt in seinen ›Außenseitern‹ ein Chef d'œuvre vor. Der Heidelberger Psychoanalytiker *Helm Stierlin* bringt eine wichtige Untersuchung über Adolf Hitler: ›Familienperspektiven‹.

Die Reihen bieten im Jubiläumsmonat Juli ein besonderes Programm:
In den suhrkamp taschenbüchern ›Erstes Leseerlebnis‹. Im Rahmen der kommentierten Werkausgabe *Hermann Brochs* erscheinen weitere Bände: ›Schriften zur Literatur 1 und 2‹. *Bertolt Brecht*, ›Gedichte. Ausgewählt von Autoren‹ mit einer Einleitung von *Ernst Bloch*, *Thomas Bernhard*, ›Salzburger Stücke‹, *Peter Handke*, ›Falsche Bewegung‹, *Siegfried Unseld*, ›Peter Suhrkamp. Zur Biographie eines Verlegers‹, *E. Y. Meyer*, ›Eine entfernte Ähnlichkeit‹, *Hans Erich Nossack*, ›Um es kurz zu machen‹, *Walter Höllerer*, ›Die Elephantenuhr‹ (vom Autor gekürzte Ausgabe), *Uwe Johnson*, ›Berliner Sachen‹, *Hartmut von Hentig*, ›Die Sache und die Demokratie‹ und die ›Gesammelten Stücke‹ von *Franz Xaver Kroetz*: »... der seit Brecht erfolgreichste, in 38 Sprachen übersetzte und gespielte deutsche Dramatiker ... der größte, phantasiereichste Realist des deutschen Theaters seit Horváth.« (Peter von Becker)
In der edition suhrkamp: Gespräche und Diskussionen mit *Brecht*. Gespräche mit *Ernst Bloch*. Brecht und Nietzsche. Brecht-Jahrbuch 1975. *Marcuse*, ›Zeitmessungen‹. *Adorno*, ›Gesellschaftstheorie und Kulturkritik‹. *Heinemann*, ›Präsidiale Reden‹.
In den suhrkamp taschenbüchern wissenschaft: Materialien zu *Benjamins* geschichtsphilosophischen Thesen, Materialien zu *Adornos* Ästhetischer Theorie, Materialien zu *Wittgensteins* Sprachanalyse.
Die Bibliothek Suhrkamp bringt aus Anlaß des Jubiläums

Klassiker der Moderne, deren Werke nicht im Suhrkamp Verlag erschienen sind und die wir in Lizenz veröffentlichen: *Robert Musil*, ›Die Verwirrungen des Zöglings Törleß‹, *Elias Canetti*, ›Der Überlebende‹, *Alfred Döblin*, ›Berlin Alexanderplatz‹, *Franz Kafka*, ›Der Heizer‹, *Tomasi di Lampedusa*, ›Der Leopard‹.

Im Herbst erscheinen: *Becketts* ›Gesammelte Werke‹, *Joyce'* ›Ulysses‹ in der neuen Übertragung von *Hans Wollschläger*, »... die wortmächtigste und wortreichste Übertragung in der deutschen Übersetzungsgeschichte.« (Helmut Braem, SZ), *Strehlers* Aufzeichnungen ›Für ein menschlicheres Theater‹. *Heinemanns* Schriften I. Ein Balladenbuch von *Hans Magnus Enzensberger*, ›Mausoleum, 37 Balladen aus der Geschichte des Fortschritts‹. Romane und Erzählungen von: *Thomas Bernhard*, ›Korrektur‹, *Max Frisch*, ›Montauk‹, *Ludwig Hohl*, ›Bergfahrt‹, *Dieter Kühn*, ›Stanislaw der Schweiger‹, *Hans Erich Nossack*, ›Ein glücklicher Mensch‹, *Hans Recht*, ›Die gute Absicht des Herrn S.‹, *Peter Weiss*, ›Die Ästhetik des Widerstands‹. *Martin Wal-*

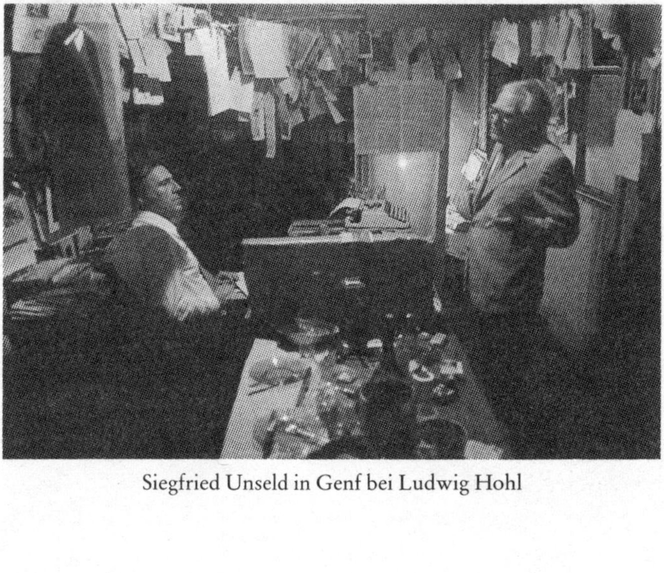

Siegfried Unseld in Genf bei Ludwig Hohl

sers neues Stück ›Das Sauspiel. Szenen aus dem 16. Jahrhundert‹ erscheint als Buch und wird in Hamburg uraufgeführt.

Die Suhrkamp Literatur Zeitung bringt Texte von *Handke*, *Frisch*, *Broch*, *Horváth*, *Bernhard*, *Beckett*, *Fleißer*.

Im Rahmen der Suhrkamp Buchwoche legt der Verlag, einmalig und nur im Zeitraum der Buchwoche, sein Jubiläumsbuch, sein Geschenk an seine Freunde vor: *Max Frisch*, ›Stich-Worte. Ausgewählt von Uwe Johnson‹.

In der edition suhrkamp erscheinen als Erstausgaben literarische Texte junger deutscher Autoren: Gedichte von *Rainer Malkowski*, ›Was für ein Morgen‹ und Prosa von *Beate Klöckner*, ›Anna oder leben heißt streben‹.

»Die Dichtung darf nie aufhören«, forderte Peter Suhrkamp im Jahre 1947. Das Programm des Suhrkamp Verlages löst das Wort seines Gründers ein. Im »büchermächtigsten Verlag« (Werner Hellwig), dem »Verlag, wo die Uhren noch anders gehen« (Wolfgang Körner, ›Neue Rundschau‹), gilt Bertolt Brechts Wort aus dem Tagebuch: »Wenn der Sinn für Literatur sich in einem Menschen erschöpft, so ist er verloren.«

Buchhändlerempfang während der Buchmesse

1976

»Die vielseitigsten und substantiell interessantesten Bücher über Literatur erscheinen nach wie vor im Suhrkamp Verlag, es gibt wohl aber auch keinen anderen deutschsprachigen Verlag, der sich so sehr für seine Autoren einsetzt.« Dieses Zitat (›Rheinische Post‹) steht für den Suhrkamp Verlag am Beginn der letzten 25 Jahre des Jahrhunderts. Und Günther Rühle schreibt in der FAZ: »Im höchsten Entfaltungsstadium bilden Verlage eigene Kulturen um sich herum. Als George Steiner vor Jahren im Times Literary Supplement von der ›Suhrkamp-Kultur‹ sprach, meinte er damit nicht nur die Wiedereinführung und Wiederversöhnung des deutschen Literaturpotentials mit seinen jüdischen Denkern, sondern auch das beharrliche Bestehen auf dem Vorrang dichterischer Sprache, den Willen, das große literarische Werk durchzusetzen und in Geltung zu halten, und die Einrichtung eines auf die Gesellschaft selber bezogenen Diskussionsfeldes.«

Zu Beginn des Jahres stehen Bücher von vier Suhrkamp-Autoren an der Spitze der »Bestenliste«: *Max Frisch*, ›Montauk; *Hans Magnus Enzensberger*, ›Mausoleum‹; *Peter Weiss*, ›Die Ästhetik des Widerstands‹ und *Gershom Scholems* Geschichte einer Freundschaft, ›Walter Benjamin‹. Im März fünf wichtige literarische Neuerscheinungen: *Martin Walsers* Roman ›Jenseits der Liebe‹, *Ernst Augustins* Roman ›Raumlicht‹, *Gerhard Roths* ›Ein neuer Morgen‹, *Adolf Muschgs* Erzählungen ›Entfernte Bekannte‹ und *Dieter Kühns* ›Josephine‹.
Walsers ›Jenseits der Liebe‹ wird Anlaß zu einer Grundsatzdiskussion über die Funktion der Literaturkritik: »Ein belangloser, ein schlechter, ein miserabler Roman. Es lohnt sich nicht, auch nur ein Kapitel, auch nur eine einzige Seite

Samuel Beckett und Siegfried Unseld

dieses Buches zu lesen«, schreibt Marcel Reich-Ranicki in der FAZ und verhilft dem Buch damit, ohne es zu wollen, zu einer breiten Solidarisierung der Kritikerkollegen und der Buchhändler und damit zu seiner Wirkung. »Kein Roman hat in den letzten Jahren die seelischen Verkrüppelungen, die das Berufsleben hinterläßt, genauer aufgezeigt«, das Buch »zeigt den Autor auf der Höhe seiner Meisterschaft«.
Im Januar kann *Paul Nizon* den Bremer Literaturpreis für seinen Roman ›Stolz‹ (»ein Werther unserer Zeit«) entgegennehmen. Zu gleicher Zeit veranstaltet der Verlag aus Anlaß des 75. Geburtstages von *Hans Erich Nossack* am 30. Januar und des 75. Geburtstages der inzwischen verstorbenen *Marie Luise Kaschnitz* am 31. Januar eine Kaschnitz/Nossack-Matinee. *Jörg Steiner* tritt in den Verlag ein.
Der 70. Geburtstag von *Samuel Beckett* im April ist Anlaß für eine Edition seiner Werke in zwei textidentischen Ausgaben; im Oktober werden Becketts ›Damals‹ und ›Tritte‹ im Berliner Schillertheater uraufgeführt; ›That Time/Damals‹ erscheint zweisprachig in der Bibliothek Suhrkamp.
Im Mai erscheinen zum 65. Geburtstag von *Max Frisch* die ›Gesammelten Werke in zeitlicher Folge‹, herausgegeben von *Hans Mayer*. Im Oktober erhält Max Frisch den Friedenspreis des Deutschen Buchhandels und in seiner Friedenspreisrede stellt er die Frage nach unser aller Friedensfähigkeit und gibt damit der Wissenschaft vom Menschen ein großes Thema vor. Die Deutsche Bibliothek in Frankfurt zeigt eine Ausstellung ›Max Frisch‹. Im Laufe der Fortführung der Gesamtausgaben werden die bereits erschienenen Bände der Kritischen Ausgabe von *Hermann Brochs* Werken im Taschenbuch nunmehr auch in Leinen vorgelegt.
Paul Feyerabends ›Wider den Methodenzwang‹ wird als ein spektakulärer Entwurf einer anarchistischen Erkenntnistheorie wahrgenommen (»Ohne Chaos keine Erkenntnis«, »Die Angst des Wissenschaftlers vor der Anarchie der Ge-

danken«, »Mythos Wissenschaft« heißen die Titelzeilen in FAZ, ›Zeit‹ und ›Süddeutscher Zeitung‹).
Roland Barthes' Transkription der Balzacschen Erzählung ›Sarrasine‹ in die Sprache der »Codes«, sein Buch ›S/Z‹, wird für Fachleute zum wichtigsten Ereignis, bleibt aber nur schwer zugänglich. Unerwartet in seinem Ausmaß zeigt sich der Erfolg und die breite Diskussion von *Norbert Elias'* soziogenetischen und psychogenetischen Untersuchungen ›Über den Prozeß der Zivilisation‹; die beiden Bände, 1936 in erster Auflage erschienen, nunmehr als suhrkamp taschenbuch wissenschaft vorgelegt, sind »erst jetzt wirklich veröffentlicht« (Frankfurter Rundschau). Elias: »Das Buch lag vor dem letzten Krieg vor und begann nach dem Kriege seinen mühsamen Kampf um Leser, der nun, seit dem Erscheinen im Suhrkamp Verlag, erfolgreich zu sein scheint.« Am 2. Oktober 1977 erhält Norbert Elias in der Frankfurter Paulskirche als erster den von der Stadt Frankfurt gestifteten Theodor W. Adorno-Preis. Die Wichtigkeit dieser Verleihung, die Annäherung von Soziologie und Geschichte, dokumentiert Band 954 der edition suhrkamp, der die Rede auf Norbert Elias von Wolf Lepenies »Ein Außenseiter voll unbefangener Einsicht« und die Rede von Norbert Elias festhält.
Jürgen Habermas erhält den Sigmund-Freud-Preis für wissenschaftliche Prosa.
Zahlen der Kontinuität im Sommer dieses Jahres: Am 18. Juli sind 20 Millionen Bände der *edition suhrkamp* erschienen. – Das suhrkamp taschenbuch von *Ulrich Plenzdorfs* ›Die neuen Leiden des jungen W.‹ steht auf der Liste der bestverkäuflichen Taschenbücher des Jahres an dritter Stelle (über 120000 verkaufte Exemplare). – Mit gleich drei Bänden, mit klassischen Stücken dieses Jahrhunderts, mit aktuellen Stücken bekannter Autoren und exemplarischen Anfängen junger Autoren, präsentiert sich die Reihe *Spectaculum* mit ihrem 25. Band. Ein ›Hermann Hesse-Kalender

1977‹ und ein handliches kleines Kalendarium ›Mit Hermann Hesse durch das Jahr‹ zeigen die Vorbereitung des Verlages auf den 100. Geburtstag seines Autors im kommenden Jahr.

Der Herbst bringt wiederum fünf wichtige literarische Neuerscheinungen: *Peter Handkes* ›Linkshändige Frau‹, *Tilmann Mosers* ›Gottesvergiftung‹, *Friederike Mayröckers* ›Fast ein Frühling des Markus M.‹, *Jurek Beckers* ›Der Boxer‹ und als Ereignis von literarischer Tragweite das Erscheinen von *Wolfgang Koeppens* ›Jugend‹ als Band 500 der *Bibliothek Suhrkamp*. Nach vielen Jahren ein neues Buch von Wolfgang Koeppen; nach sieben Monaten wird es im 36. Tausend stehen. Mit Recht gilt, was Peter Demetz zu diesem Buch schreibt: »Und wenn es gar Wolfgang Koeppen ist, der sich zu sprechen entschließt, gerät die deutsche Literatur selbst in Bewegung.« Und Max Frisch: »Die Prosa, die Wolfgang Koeppen heute schreibt, durchbricht Vorstellungsgrenzen auf jeder Seite, oft Satz um Satz.«

»Lateinamerika« heißt das Buchmessethema dieses Jahres. Der Verlag legt im Herbst ein umfangreiches Programm lateinamerikanischer Literatur vor. »Siebzehn Autoren schreiben am Roman des lateinamerikanischen Kontinents« heißt die aus diesem Anlaß vom Verlag herausgegebene Zeitung. »Von allen außerdeutschen zeitgenössischen Literaturen«, schreibt Siegfried Unseld in seiner Einleitung, »scheint mir die lateinamerikanische sicherlich für das nächste Jahrzehnt die wichtigste zu sein.« Mit über 20 neuen Büchern, zum größten Teil in deutschen Erstausgaben, werden u. a. vorgestellt: *Adolfo Bioy Casares*, *Manuel Puig* und *Julio Cortázar* (»eine der faszinierendsten Erscheinungen der argentinischen Literatur«) aus Argentinien, *Osman Lins* aus Brasilien, *José Lezama Lima* und *Alejo Carpentier* aus Cuba (»Wer ein, zwei Stunden aufwendet für die Lektüre nur von Alejo Carpentiers ›Barockkonzert‹ oder Juan

mit Alejo Carpentier

mit Octavio Paz

Isabel Allende

mit Mario Vargas Llosa

Rulfos ›Llano in Flammen‹ dürfte eher und endgültiger für die lateinamerikanische Literatur gewonnen sein als der beflissenste Besucher aller ihr gewidmeten Buchmesseveranstaltungen.« Dieter E. Zimmer, ›Die Zeit‹), *Carlos Fuentes*, *Octavio Paz* und *Juan Rulfo* aus Mexiko, *Augusto Roa Bastos* aus Paraguay, *César Vallejo* und *Mario Vargas Llosa* aus Peru und *Juan Carlos Onetti* aus Uruguay. – »Wir haben noch viel zu sagen«, heißt es bei Carlos Fuentes. »Wir müssen unsere Welt erst noch in Worte fassen, unseren Kontinent noch taufen, unsere Vergangenheit klären oder erfinden, unsere Zukunft voraussagen.« Dies ist der Hintergrund für einen Abend der Begegnung lateinamerikanischer und deutscher Autoren und Kritiker am 18. September, zu dem der Suhrkamp Verlag im Rahmen der Buchmesse einlädt.

Im wissenschaftlichen Programm des Herbstes *Michel Foucault*, ›Überwachen und Strafen‹, *Jacques Derrida*, ›Die Schrift und die Differenz‹. *Claude Lévi-Strauss*' ›Mythologica I-IV‹ erscheinen geschlossen in den suhrkamp taschenbüchern wissenschaft.

Kurz vor Weihnachten meldet der Verlag das Erscheinen eines besonderen Buches: ›*Sigmund Freud*. Sein Leben in Bildern und Texten‹. Der Band ist herausgegeben von *Ernst Freud*, *Lucie Freud* und *Ilse Grubrich-Simitis* und von *Willy Fleckhaus* gestaltet. »In wahrhaft überwältigender Fülle und in glanzvollster Aufmachung und Bildanordnung bietet er, was immer dem Auge irgend nahezubringen ist«, schreibt Günther Blöcker in der FAZ. Der Sigmund-Freud-Bildband ist Modell und Beginn einer Serie solcher Bände, die den großen Gestalten dieses Jahrhunderts und der Vergangenheit gewidmet sein wird.

1977

Am 8. Januar kommen im Suhrkamp Haus Autoren und Mitarbeiter zu einem Fest zusammen: Vor 25 Jahren, am 2. 1. 1952, trat *Siegfried Unseld* in den Suhrkamp Verlag ein. Die Zahl 25 wird einmal mehr zum magischen Begriff der »Halbzeit« des Verlages. Max Frisch in der ›Zeit‹ vom 14. 1. 1977: »Freundschaft zwischen Verleger und Autoren ist ... nicht ausgeschlossen!«
»Hundert Jahre Hermann Hesse = ein Hermann Hesse-Jahr« – mit dieser Schlagzeile faßt ›Die Zeit‹ die Großanstrengung des Suhrkamp Verlags zum 100. Geburtstag seines Autors zusammen. Mittelpunkt der von Volker Michels betreuten *Hesse*-Editionen sind die politischen Schriften Hesses, zwei Bände, ›Politik des Gewissens‹, sowie die Fortsetzung der Briefedition. Mittelpunkt der Verbreitung ist die Hesse-Jubiläumsausgabe mit den Romanen und großen Erzählungen (acht Bände in Geschenk-Ausstattung). Die erste Auflage von 100000 Exemplaren kann mit DM 48,- angeboten werden (»... im Augenblick sicherlich die bemerkenswerteste Leistung auf dem deutschen Buchmarkt«, Heinz Beckmann), bereits im Juli druckt der Verlag die zweite Auflage. Im April wird in acht neuerscheinenden suhrkamp taschenbüchern Hesses weltweite Wirkung belegt: Materialienbände zur Werkgeschichte und zu den Texten werden geboten, die Taschenbuchausgaben fortgeführt. Hermann Hesse als Maler wird entdeckt: der Verlag bietet ausgewählte Aquarelle in Originalgröße an, ediert einen bibliophilen Band mit diesen Aquarellen, vertreibt Postkarten, der Hesse-Kalender ist im Umlauf und endlich das Kalendarium ›Mit Hermann Hesse durch das Jahr‹, das im Dezember 1977 im 225. Tausend steht. Ein Band ›Lektüre für Minuten‹ erscheint im September und ist bereits drei Monate nach Erscheinen im 100. Tausend.

Zum 100. Geburtstag am 2. Juli erscheint eine Hermann Hesse-Zeitung des Verlags unter dem Motto »... die Wurzeln tiefer treiben, nicht an den Ästen rütteln«. Eine Woche zuvor eröffnet in Frankfurt die bereits im Marbacher Literaturarchiv mit breiter Wirkung gezeigte Hesse-Ausstellung. Am 1. Juli erhält *Dieter Kühn* in Karlsruhe den Hermann-Hesse-Preis. Großer Erfolg wird dem Verlag zuteil, aber auch skeptische Kritik an seinem Engagement, an seiner machtvollen Verbreitungsstrategie und seiner Konzentration auf diesen seinen Autor. Am Ende des Jahres haben in den vergangenen zwölf Monaten mehr als 1,2 Millionen Hesse-Bücher den Verlag verlassen, Zahlen zur einzigartigen Wirkung eines Dichters im 20. Jahrhundert.

Konzentration auf seine Autoren und die Fähigkeit zur Verbreitung zeigen sich in der Physiognomie des Verlags. Im Frühjahr erscheinen fünf Bücher junger Autoren: *Gertrud Leuteneggers* ›Ninive‹, *Rainer Malkowskis* Gedichte ›Einladung ins Freie‹, *Gert Jonkes* ›Schule der Geläufigkeit‹, *Jürg Laederachs* ›Im Verlauf einer langen Erinnerung‹ und *Karin Strucks* ›Lieben‹.
Im wissenschaftlichen Programm *Joseph Weizenbaum*, ›Die Macht der Computer und die Ohnmacht der Vernunft‹, *Noam Chomsky*, ›Reflexionen über die Sprache‹, *Niklas Luhmann*, ›Funktion der Religion‹, *Alexander Mitscherlich*, ›Freiheit und Unfreiheit in der Krankheit‹ und *Hans Blumenbergs* Neufassung der ›Legitimität der Neuzeit‹ in drei Bänden innerhalb der suhrkamp taschenbücher wissenschaft. Im Juni erscheinen die von *Lloyd de Mause* herausgegebenen psychogenetischen Studien zur Geschichte der Kindheit unter dem Titel ›Hört ihr die Kinder weinen‹; die Sicht auf die Kindheit hat seit Sigmund Freud eine neue Dimension gewonnen und ist seither ein Thema für Psychologen, Soziologen und Anthropologen, für Historiker war sie es bisher nicht.

In der zweiten Jahreshälfte werden wichtige Preise und Auszeichnungen an Suhrkamp-Autoren vergeben. *Herbert Achternbusch* soll den Petrarca-Preis 1977 erhalten, lehnt aber ab. *Erving Goffman* erhält den Preis für Kommunikationsforschung, *Alejo Carpentier* den Cervantes-Preis für Literatur in Spanien. *Peter Huchel* wird im Oktober der große Literaturpreis der Europalia 1977 zugesprochen.
Herbst 1977: *Wolfgang Hildesheimers* ›Mozart‹ wird zum Ereignis: »Diesem Buch wünscht man unzählige Leser. Alle jene nämlich, die in Mozart mehr und anderes sehen als einen großen Künstler. Ihnen erzählt Wolfgang Hildesheimer als genauer Kenner der Fakten und der Partituren, wie es zugegangen sein könnte in diesem kurzen Leben.«
Jürgen Beckers neue Gedichte ›Erzähl mir nichts vom Krieg‹, *E. Y. Meyers* viertes Buch, sein Roman ›Rückfahrt‹, *Erica Pedrettis* ›Veränderung‹, *Thomas Brasch* tritt mit seinem zweiten Buch in den Verlag ein: ›Kargo. 32. Versuch auf einem untergehenden Schiff aus der eigenen Haut zu kommen‹, zur Messe ohne vorherige Ankündigung *Volker Brauns* ›Unvollendete Geschichte‹ (»das erregendste und ernsteste Stück Prosa, das in den letzten Jahren in der DDR erschienen ist«, Rolf Michaelis).
Alexander Kluges neue Geschichten ›Unheimlichkeit der Zeit‹ in der edition suhrkamp erreichen die Spitze der Bestenliste. »Ein gigantisches Röntgenbild unserer Gesellschaft ... ein Buch, dessen glanzvolle Formulierungen sich ins Hirn bohren« (Fritz J. Raddatz, ›Die Zeit‹).

In der Bibliothek Suhrkamp erscheinen bedeutsame biographische Werke, für die der Verlag wirbt mit dem Slogan »Das Unmittelbare des Lebens«: Es handelt sich um Gershom Scholems Jugenderinnerungen mit dem Titel ›Von Berlin nach Jerusalem‹ (endend mit dem klassischen Satz: »So kam Lenchen auf das Land«), um Carl Seeligs ›Wanderungen mit Robert Walser‹ und um eine aufregende Neu-

Wolfgang Koeppen

erscheinung: Wolfgang Koeppens Fakten und Fiktion mischende ›Jugend‹ (»... der vorzüglichste Stilist unserer zeitgenössischen Literatur«, Marcel Reich-Ranicki).
Seit dem 1. August leitet Friedhelm Herborth den Verlagsbereich Suhrkamp Wissenschaft.
Am 15. September kann der Suhrkamp Verlag das Erscheinen des dreiteiligen Bandes II der Gesammelten Schriften von *Walter Benjamin* mitteilen. Damit liegt Walter Benjamins Werk mit allen von ihm abgeschlossenen und auffindbaren Arbeiten vor, dies in einer Ausgabe, wie sie wohl noch keinem deutschsprachigen Philosophen und Prosaisten unseres Jahrhunderts zuteil wurde. »Walter Benjamin war seiner Zeit voraus. Holt sie ihn nun ein?«
Auch im September: *Erik H. Eriksons* ›Lebensgeschichte und historischer Augenblick‹ und *Michel Foucaults* erster Band seines auf sechs Bände angelegten Unternehmens über die Geschichte der Sexualität, ›Sexualität und Wahrheit.

Der Wille zum Wissen‹. Die Bedeutung des Autors und dieses Werkes werden nicht niedrig eingeschätzt. ›Die Tat‹, Zürich, schreibt: »Man wird Foucault wohl dereinst im gleichen Atemzug mit den großen Aufklärern des 18. Jahrhunderts nennen, mit Voltaire, Rousseau, Diderot.«
Ein historisches Datum: Am 4. August stirbt 93jährig in Tübingen *Ernst Bloch*. Bei seiner Beerdigung auf dem Tübinger Waldfriedhof sind mehr als 3000 Menschen versammelt. Nicht nur die Stadt steht im Zeichen der Wirkung dieses Mannes. »Es ist ein Abschied und eben nicht ein Abschied. Ernst Bloch wird weiterleben, wir brauchen ihn.« Eine Werkausgabe in 16 Bänden tradiert Blochs Schriften.
Am 21. Oktober erhält *Siegfried Unseld* die Goethe-Plakette der Stadt Frankfurt.
Am 2. November stirbt *Hans Erich Nossack*. Am 14. November kann nach 17jähriger Bemühung der Vertrag über das Werk *Robert Walsers* abgeschlossen und somit die Voraussetzung geschaffen werden für eine neu einsetzende Beschäftigung mit diesem Autor.

1978

»Er bleibt der Klassiker der Vernunft, wir brauchen ihn und brauchen ihn heute«; zum 80. Geburtstag von *Bertolt Brecht* am 10. Februar weist der Verlag auf die Notwendigkeit hin, Bertolt Brechts Stücke heute zu lesen. Nach dem Vorbild alter Shakespeare-Ausgaben erscheinen aus diesem Anlaß in Auflage von 100000 Exemplaren ›Die Stücke von Bertolt Brecht in einem Band‹. Gleichzeitig erscheint ›Bertolt Brecht. Sein Leben in Bildern und Texten‹, herausgegeben von *Werner Hecht*, wiederum gestaltet von *Willy Fleckhaus*. Nach dem Freud-Bildband ein weiteres Beispiel, ein Stück Kulturgeschichte dieses Jahrhunderts zu dokumentieren. In der edition suhrkamp Interpretationen und Materialien zu Brechts Gedichten.
Am 26. Januar der 100. Geburtstag von *Rudolf Alexander Schröder*. Bereits im Herbst 1977 erschien, aus dem Nachlaß herausgegeben, die Edition der ›Aphorismen und Reflexionen‹. Wichtig nicht nur für das Selbstverständnis des Verlages: *Siegfried Unselds* Abhandlungen ›Der Autor und sein Verleger‹, die Anfang Februar als Buch vorliegen, »... gehört nicht nur zu dem Schönsten und Erfreulichsten, was sich ein Schriftsteller als Lektüre wünschen kann, man muß es auch jedem literarisch Interessierten warm empfehlen.« (Kuno Raeber, Bayerischer Rundfunk)
Unsere Zeit im Roman: *Martin Walsers* Novelle ›Ein fliehendes Pferd‹ wird zum Paradigma einer gleichermaßen tiefen wie breiten Wirkung literarischer Texte. Das Buch erscheint in diesem Jahr auf Platz 1 der Bestenliste (mit höchster Punktzahl und größtem Abstand) und bleibt bis ins kommende Jahr auf der Bestseller-Liste (davon über 21 Wochen auf dem zweiten Platz). »... diese Geschichte könnte zu dem gehören, was einmal übrigbleibt von einem Jahrhundert« (Stuttgarter Zeitung), und Marcel Reich-

Ranicki in der FAZ nunmehr: »... sein reifstes, sein schönstes und bestes Buch ... ein Glanzstück deutscher Prosa unserer Jahre.«
Nach einer zehnjährigen Pause seit seinem letzten Bühnenstück hat *Max Frisch* drei szenische Bilder geschrieben, die zunächst nur in Buchform erscheinen. Max Frisch versucht in ›Triptychon‹ die Vorstellung von einer Ewigkeit des Gewesenen, die unser Dasein nicht entwertet, es vielmehr als das erkannte oder verkannte Wunder versteht, anschaubar zu machen.
In diesem Frühjahr konzentriert sich die Aufmerksamkeit auf *Jurek Becker*, ›Schlaflose Tage‹. »Das Buch pflockt Erkenntnisse wie Pfähle ein«, schreibt ›Die Zeit‹, und der ›Spiegel‹ spricht von der »humanen Vernünftigkeit, die, wenn schon nicht dem Land, von dem es handelt, so doch uns willkommen sein soll«. In der DDR kann der Roman nicht erscheinen.
Band 600 der Bibliothek Suhrkamp erscheint im Mai: *Thomas Bernhards* Erzählung ›Ja‹. »›Ja‹ ist ein Meisterwerk und jeder, der die Dichtung seiner Zeit nicht versäumen möchte, muß es gelesen haben ... Wenn es eine deutschsprachige Gegenwartsliteratur gibt, die bestehen kann neben Musil und Kafka, hier ist sie« (Abendzeitung).
Gleichfalls im Mai: *Silvio Blatters* Roman ›Zunehmendes Heimweh‹. Heinrich Böll schreibt im ›Spiegel‹: »Am Ende hatte ich den Eindruck, fast eine Trilogie gelesen zu haben, also etwa 1000-1200 Seiten, wo ›Zunehmendes Heimweh‹ doch nachweisbar nur 476 Seiten ausmacht ... ja, das ist ein Heimatroman, wie alle Romane, in denen Menschen zu Hause sind.«

»Wenn Robert Walser hunderttausend Leser hätte, wäre die Welt besser«. Hermann Hesses Nachdenken über eine ausgebliebene Wirkung soll den Weg zu diesem großen, stillen Autor unseres Jahrhunderts zeigen, dessen Geburt sich am

15. April zum hundertsten Mal jährt. Doch zunächst ist zu fragen, »wer also war Robert Walser? Warum ist Robert Walser nicht so existent wie die anderen großen Autoren des Jahrhunderts, wie Kafka und Hesse und Rilke und Thomas Mann und Bertolt Brecht, eine Reihe, in die er gehört?« Erste Antwort gibt eine Zentenarfeier zum 100. Geburtstag, die von der Stadt Zürich, der Carl Seelig-Stiftung und dem Suhrkamp Verlag veranstaltet wird. Über zwei Tage ist in Zürich mit Lesungen, Diskussionen, Veranstaltungen, mit einer Ausstellung und einer Hommage à Robert Walser, während der sechzehn Autoren vor 2000 Zuhörern Texte Robert Walsers lesen, der Blick auf Robert Walser und seine leise Poesie gelenkt. »Eine Hommage der deutschen Literatur von heute für Robert Walser, die eindrucksvoll und kurzweilig geriet, amüsierte und nachdenklich machte. Sollte dieser Dichter, der Armut und Erfolglosigkeit nicht bloß erlitten, sondern auch noch gepriesen hat, da bei einer jungen Schweizer Generation ähnlich in Mode kommen wie in den Hippie-Jahren Hermann Hesse?« (Süddeutsche Zeitung) Die Wirkung einer Zentenarfeier wurde zum Beginn der Wirkung eines Werkes.

Robert Walser

Zum 100. Geburtstag liegt Robert Walsers Werk im Suhrkamp Verlag Zürich und Frankfurt sowohl in der 12bändigen gebundenen Gesamtausgabe wie in einer neuen Werkausgabe vor. Zwei Bände über Robert Walser belegen Werk und Wirkung; ›Lektüre für Minuten‹ heißt ein Band, der den Titel der Hesse-Anthologie bewußt aufnimmt, in der Bibliothek Suhrkamp sind die Jahrhundertromane ›Geschwister Tanner‹, ›Jakob von Gunten‹, ›Der Gehülfe‹ lieferbar sowie die Erzählungen und Geschichten und die Prosa des Phantastischen. »... das ist summa summarum ein Großwerk, in dem sich Fragmentarisches mit Vollendetem, Prosa und Dichtung, Märchenspiele mit Parabeln und Legenden vereinigen. Wer Augen hat zu lesen, Ohren zu hören, Sinne, sich von der Sprache anrühren zu lassen, wird diesen Vorrat zu den ewigen Unvermißbarkeiten deutscher Wortgestaltung rechnen.« (Werner Helwig)
Zur Verleihung des Robert Walser-Zentenarpreises an *Ludwig Hohl* spricht Martin Walser »Über den Unerbittlichkeitsstil«. Adolf Muschg nennt in seiner Laudatio auf Ludwig Hohl dessen Werk »eine wahre Enzyklopädie geistigen Überlebens«.
Am 20. 3. erhält *Siegfried Unseld* den »Ordre du mérit culturel« der Volksrepublik Polen.

Im August erscheint *Hans Magnus Enzensbergers* episches Gedicht ›Der Untergang der Titanic‹. In 33 Gesängen wird die Katastrophe des Schiffes und zugleich eines Mythos dargestellt. »Das ist in beträchtlichem Maße große Poesie«, schreibt Nikolas Born im ›Spiegel‹ und Joachim Kaiser in der ›Süddeutschen Zeitung‹: »Wieder einmal hat es Enzensberger geschafft, etwas Glänzendes, elegant Bewältigendes, leicht Lesbares zustande zu bringen. Wieder einmal erweist er sich als Poet von Rang.«

Am 19. Juli ist der 80. Geburtstag von *Herbert Marcuse*. Aus diesem Anlaß erscheint der erste Band einer auf insgesamt zehn Bände geplanten Ausgabe seiner Schriften. Wie kaum ein zweiter Philosoph hat Herbert Marcuse den politischen Aufbruch der sechziger Jahre beeinflußt.

Herbert Marcuse und Siegfried Unseld in Californien

Enzensbergers epischem Gedicht folgen weitere literarische Neuerscheinungen im September: *Thomas Bernhards* ›Stimmenimitator‹, mehr als hundert kurze Prosastücke, die zeigen, wie ganz und gar unausweichlich Thomas Bernhards erzählte Welt ist. *Karin Strucks* neue Erzählung ›Trennung‹. Der zweite Band von *Peter Weiss'* ›Ästhetik des Widerstands‹ (»mit Abstand die bedeutungsvollste Prosa-Neuerscheinung des Jahres 1978«, Joachim Kaiser). *Friederike Mayröcker*, ›Heiligenanstalt‹, *Jürg Laederach*, ›Das ganze Leben‹, dann zwei neue Autoren: *Wolfgang Komms* Erzählung ›Die fünfte Dimension‹ (»Wolfgang Komm ist ein bedeutendes Buch gelungen, etwas wie ein Roman einer Generation, jener von 1978, zehn Jahre nach der großen

Illusion, einer Generation ohne Enthusiasmus ...«, FAZ) und *Katja Behrens'* Erzählungen ›Die weiße Frau‹ (»das literarische Debüt einer großen Erzählerin«, ›Die Welt‹).
Am 11. September wäre *Theodor W. Adorno* 75 Jahre alt geworden. Ein umfangreiches Dossier gibt Auskunft über den Stand der Edition, über den Nachlaß und die Wirkung Adornos seit seinem Tod im Jahre 1969.
Alexander Mitscherlich, der am 20. September seinen 70. Geburtstag feiert, ehrt eine Festschrift mit zahlreichen Beiträgen unter dem Titel »Provokation und Toleranz«.
In Frankfurt lädt der Verlag am 25. September ein zu einer Hommage à *Mircea Eliade*, mit der der bedeutende Religionswissenschaftler und Erzähler mit seinem Werk in unserem Land intensiver vorgestellt werden soll.
Im wissenschaftlichen Programm erscheinen u. a. *Stephen Toulmin*, ›Kritik der kollektiven Vernunft‹, *Michael Theunissen*, ›Sein und Schein‹, *Gaston Bachelard*, ›Die Bildung des wissenschaftlichen Geistes‹, *Helm Stierlin*, ›Delegation und Familie‹, *Wittgensteins* Vorlesungen über die Grundlagen der Mathematik, Cambridge 1939, und in einer vollständigen Neuübersetzung *Claude Lévi-Strauss*, ›Traurige Tropen‹.
Schon seit einigen Jahren besteht die Einladung von Peter Handke, *Hermann Lenz* zu lesen. Das Werk des seit Februar dieses Jahres 65jährigen Hermann Lenz ist in zahlreichen Ausgaben im Insel Verlag und der Bibliothek Suhrkamp vertreten. Am 27. Oktober wird Hermann Lenz in Bonn der Georg-Büchner-Preis verliehen.

Im Herbst stellt der Buchhandel die *Bibliothek Suhrkamp* unter drei Themen vor: »Die großen Erzähler«, »Liebe« und »Jugend«. »Sie hat keine Konkurrenz, diese Bibliothek Suhrkamp. Mit ihren nunmehr 600 Bänden ist sie ein imaginäres Forum der geistigen und musischen Pluralität dieses ganzen Jahrhunderts. Hier begegnen sich der Geist der Un-

ruhe und der Harmonie, der Musik und der Dichtung, der Metaphysik und der Ratio.« (Egbert Höhl)
Peter Weiss erhält den Thomas Dehler-Preis; dieser Preis wird einem »bedeutenden Schriftsteller unserer Zeit verliehen, der in den beiden Staaten geachtet« wird.
Ulrich Plenzdorf erhält am 28. Juni den Ingeborg-Bachmann-Preis, die gleichzeitig verliehenen Preise der Klagenfurter Jury und des Klagenfurter Stipendiums gehen an *Gertrud Leutenegger* und *Katja Behrens*.

80. Geburtstag von Felix Jud, März 1979
Siegfried Unseld und Wilfried Weber in der Hamburger Bücherstube

1979

Als neue Organisationsform der Taschenbuchreihen des Verlags: suhrkamp taschenbuch, suhrkamp taschenbuch wissenschaft, insel taschenbuch und edition suhrkamp, wird der Suhrkamp Taschenbuch Verlag gegründet, den *Dr. Gottfried Honnefelder* leitet. Im Hauptprogramm neue Bücher von: *Jürgen Becker*, *Jurek Becker*, *Thomas Bernhard*, *Thomas Brasch*, *Volker Braun*, *Peter Huchel*, *Dieter Kühn*, *Friederike Mayröcker*, *Karl Krolow* (mit seinem ersten Prosabuch ›Das andere Leben‹), *Adolf Muschg*, *Erica Pedretti* und *Ulrich Plenzdorf*.
Im März erscheinen zwei Bücher, die sofort großes Aufsehen erregen: von *Max Frisch* drei Jahre nach ›Montauk‹ die Erzählung ›Der Mensch erscheint im Holozän‹ (Reinhard Baumgart schreibt in der ›Zeit‹ vom 27. April 1979: »So nahe wie hier hat sich Frisch seit dem ›Stiller‹ nie mehr herangewagt an das Unmittelbare seiner Existenz.«). Von *Martin Walser* erscheint der Roman ›Seelenarbeit‹. Mit 249 Rezensionen ist es das meistrezensierte Buch des Jahres. (»Martin Walser«, so Peter Hamm in der ›Zeit‹, »hat bisher noch nie so ... bewunderungswürdig beherrscht und eben deshalb so überzeugend erzählt.«) Drei weitere Publikationen von Walser werden diskutiert, das Taschenbuch ›Jenseits der Liebe‹, der Band in der edition suhrkamp ›Wer ist ein Schriftsteller?‹ und die Novelle ›Ein fliehendes Pferd‹.
Im September erscheint *Peter Handkes* große Erzählung ›Langsame Heimkehr‹ und in den suhrkamp taschenbüchern als Band 500 die Aufzeichnungen ›Das Gewicht der Welt‹ (»... reichhaltig wie eine homöopathische Apotheke.« Martin Walser). Das Buch ›Langsame Heimkehr‹ löst heftige kontroverse Diskussionen aus. (Marcel Reich-Ranicki in der FAZ: »Diese Erzählung klärt nichts; sie ist geeignet, das Wolkige zu verdüstern und das Dunkle zu-

sätzlich zu trüben«; dagegen schreibt Martin Meyer in der NZZ: »Vielleicht das Märchen der Neuzeit, erzählt am Ende ihrer philosophischen Entwicklung ... mit ästhetischen Kategorien ist dem Text nicht beizukommen. Er ist, bei aller sprachlichen Meisterschaft, zuerst und wieder zuletzt der Text einer Erlösungs-Geschichte.«)

Der neue, junge deutschsprachige Autor: es erscheinen Bücher von *Franz Böni*, *Helmut Degner*, *Reto Hänny*, *Wolfgang Held*, *Pierre Imhasly*, *Felix Philipp Ingold*, *Helmut Junker/Jochen Link*, *Bodo Kirchhoff*, *Karin Kiwus*, *Werner Lutz*, *Wolfgang Rath*, *Jochen Schimmang*, *Angela Sommer*, *Arthur Steiner*, *Josef Winkler*.

Katja Behrens, Silvio Blatter, Wolfgang Komm, Siegfried Unseld, Cornelia von Seidlein, Karin Struck, Jurek Becker

Im Bereich der spanisch-lateinamerikanischen Literatur wieder Höhepunkte: *José Lezama Limas* Roman ›Paradiso‹; mit diesem Buch gilt Lezama Lima als Kubas bedeutendster Autor des 20. Jahrhunderts. Neue Bücher von *Octavio Paz*, *Alejo Carpentier*, *Ignácio de Loyola Brandão*, *Manuel Puig*,

José Cândido de Carvalho. – Aus dem Katalanischen kann der »Roman einer Frau«: ›Auf der Plaça del Diamant‹ von *Mercè Rodoreda* nach zwölf anderen Sprachen nun auch ins Deutsche gebracht werden, ein moderner Meilenstein in der jahrhundertealten Tradition der katalanischen Literatur. Wichtige übersetzte Werke: aus dem Amerikanischen *Michael Brodskys* ›Umwege‹ und *Renata Adlers* ›Rennboot‹; aus dem Schweizer Französischen *Maurice Chappaz'* ›Lötschental‹; aus dem Ungarischen *Peter Nádas'* ›Ende eines Familienromans‹; aus dem Rumänischen *Mircea Eliades* Erzählung ›Fräulein Christine‹.
Viele Autoren werden in diesem Jahr ausgezeichnet: *Odysseas Elytis* erhält den Nobelpreis für Literatur; in der Bibliothek Suhrkamp erscheint ein zweisprachiger Band ›Ausgewählte Gedichte‹ (die Bibliothek Suhrkamp hat sich 1979 besonders der Poesie gewidmet, es erscheinen ein Sonderband ›Poesie‹ und ›Neue Gedichte‹ von *Yasushi Inoue* und *Antonio Machado*). *Hans Magnus Enzensberger* erhält den Literaturpreis 1978 und *Alexander Kluge* den Fontane-Preis der Akademie der Künste in Berlin.

Der Verlag pflegt nicht das sogenannte »Sachbuch«, aber im Zwischenbereich von literarischer und theoretischer Prosa, erzählter Wissenschaft gewissermaßen, erscheinen wichtige Bücher. *Alice Miller* veröffentlicht ihre wirkungsreiche, die Psychoanalyse neu bestimmende Studie ›Das Drama des begabten Kindes und die Suche nach dem wahren Selbst‹; sie untersucht die Ursprünge des Selbstverlustes in der Kindheit, die verlorene Welt der Gefühle, und spürt Wege neuer Selbstfindung auf. – *Tilmann Moser* gibt »Mutmaßungen über die ersten Lebensjahre«: ›Grammatik der Gefühle‹. – *Otto Vossler* reflektiert über ›Geschichte als Sinn‹, *E. M. Cioran* ›Über das reaktionäre Denken‹.
Bedeutende Bücher im Bereich der Suhrkamp Wissenschaft: *Karl-Otto Apel*, ›Die Erklären-Verstehen-Kontro-

65. Geburtstag von Helene Ritzerfeld in Zürich: Siegfried Unseld, Burgel Zeeh, Helene Ritzerfeld, Martin Walser, E.Y. Meyer und Max Frisch

verse‹, *Paul Feyerabend*, ›Erkenntnis für freie Menschen‹. *Manfred Frank*, ›Die unendliche Fahrt‹, *Heinz Kohut*, ›Die Heilung des Selbst‹, *Reinhart Koselleck*, ›Vergangene Zukunft‹, *Erwin Panofsky*, ›Die Renaissancen der europäischen Kunst‹, *Jean Piaget/Bärbel Inhelder*, ›Die Entwicklung des inneren Bildes beim Kinde‹, *Gisela Zenz*, ›Kindesmißhandlung und Kindesrechte‹.

Zwei Werke widmen sich »Unerledigtem«: Mythos und Metaphysik. *Hans Blumenbergs* Werk ›Arbeit am Mythos‹ gibt eine funktionale Analyse mythischer Formen und ihrer Rezeption. Ein wissenschaftliches Werk von ingeniöser Breite und Tiefe *und* ein begeisterndes Kunstwerk. Ein Buch auch, in dem der Mythos nicht zuletzt als ein erster Versuch zum Humor in der menschlichen Geschichte erscheint. *Alfred North Whiteheads* Entwurf einer Kosmologie, ›Prozeß und Realität‹ (»Die Metaphysik von Whitehead muß als eines der wichtigsten Ereignisse in der Philosophie unseres Jahrhunderts bezeichnet werden.« Gottfried Martin).

Die *edition suhrkamp*, im Mai 1963 begonnen, mit einer »durchgehenden Qualität« zum »Begriff der gesellschaftlichen Aufklärung geworden«, sollte mit Band 1000 einen charakteristischen Band vorlegen. *Jürgen Habermas* nimmt den Auftrag für einen Sammelband, der einem Stimulus folgt, den Karl Jaspers 1931 in seinem Buch ›Die geistige Situation der Zeit‹ gegeben hat. Habermas lädt die Generation der heute 40- und 50jährigen Schriftsteller und Wissenschaftler ein, die »geistige Situation der Zeit« zu reflektieren. Die beiden Bände ›Nation und Republik‹ und ›Politik und Kultur‹ haben ein großes Echo, 10000 Exemplare werden in den ersten Wochen verkauft. »Wenn nun die ›alte‹ edition suhrkamp in ihrem tausendsten und letzten Band ›Stichworte zur geistigen Situation der Zeit‹ gibt, dann ist dies nicht nur ein beliebiges Buch aus der Neuen Linken, die in die Jahre gekommen ist. Es handelt sich vielmehr um einen weiteren Akt der Selbstvergewisserung, gewissermaßen to whom it may concern. Aber wer sich nicht durch Berührungsangst oder Borniertheit gefangennehmen läßt, der muß einräumen, daß dem Vorgang und dem Resultat unabhängig von ihrer Bewertung allgemeine Bedeutung zukommen.« (Robert Leicht, Süddeutsche Zeitung)
Gleichzeitig kündigt der Verlag eine *Neue Folge* der *edition suhrkamp* an, die ebenfalls »Stichworte« geben und der kritischen Aktualität als bestimmender Maxime verbunden bleiben will. Der Verlag wird die edition suhrkamp weiterhin als seine »Speerspitze« ansehen. Die Neue Folge »möchte eine Reihe sein, in der der Mensch der Gegenwart sich erkennt, in seinen Problemen und Ängsten, in seinen

Möglichkeiten und seiner Hoffnung. Die edition suhrkamp möchte Forum sein für eine lebendige Literatur.« Günther Busch verläßt am Ende des Jahres die Redaktion der edition suhrkamp, Raimund Fellinger führt sie weiter.

Raimund Fellinger

1980

Das dreißigste Jahr des Verlages: ist, bleibt er der »büchermächtigste Verlag Deutschlands«? Es ist das Jahr eines neuen Einsatzes für die edition suhrkamp. Jüngere deutsche und ausländische Literatur bestimmen das Programm. Die Neue Folge der edition suhrkamp beginnt am 8. Mai mit Band 1: *Gertrud Leuteneggers* ›Lebewohl, Gute Reise.‹ Die programmatischen Texte: *Octavio Paz'* Gedichte ›Suche nach einer Mitte‹, *Hans Georg Bulla* gibt seinen Gedichten den Titel ›Weitergehen‹, *Paul Feyerabend* definiert die Aufgaben der Wissenschaft als ›Erkenntnis für freie Menschen‹. *Claude Lévi-Strauss* im Band ›Mythos und Bedeutung‹: »Jeder von uns ist eine Art Straßenkreuzung.« *Walter Benjamins* ›Moskauer Tagebuch‹ und *Sinclairs* (i.e. Peter Weiss) ›Der Fremde‹. *Uwe Johnsons* Frankfurter Vorlesungen ›Begleitumstände‹; dramatische und epische Arbeiten von *Franz Böni, Bodo Kirchhoff, Thomas Bernhard*; Arbeiten der dänischen Autorin *Tove Ditlevsen*, der holländischen Autorin *Renate Rubinstein*, der polnischen Autorin *Hanna Krall*, des Brasilianers *Dalton Trevisan*; Sammelbände chinesischer und afrikanischer Erzählungen, theoretische Texte von *Roland Barthes* und ein autobiographisches Gespräch mit *Leo Löwenthal*, das Helmut Dubiel führte. Zum ersten Mal vollständig: *Karl Marx'* bedeutsame Analyse der Geschichte und Gesellschaft Rußlands, die bislang unbekannten ›Enthüllungen zur Geschichte der Diplomatie im 18. Jahrhundert‹, herausgegeben und eingeleitet von *Karl August Wittfogel. Hans Magnus Enzensberger* sammelt seine Gedichte unter dem Titel ›Die Furie des Verschwindens‹ (ausgezeichnet mit dem Internationalen Preis für Poesie).

Bestimmend für die deutschsprachige Literatur dieses Jahres: *Thomas Braschs* Gedichtband ›Der schöne 27. September‹ (FAZ-Literaturpreis), *Martin Walsers* ›Schwanenhaus‹ (er erhält am 10. November den Großen Schiller-Gedächtnispreis) und *Peter Handkes* ›Lehre der Sainte-Victoire‹. Mit neuen Büchern treten hervor: *Jürg Federspiel*, ›Die beste Stadt für Blinde‹, *Adolf Muschg*, ›Baiyun‹, *Silvio Blatter*, ›Love me tender‹, *Friederike Mayröcker*, ›Die Abschiede‹, *Jurek Becker*, ›Nach der ersten Zukunft‹, *Josef Winkler*, ›Der Ackermann aus Kärnten‹, *Einar Schleef*, ›Gertrud‹. Ein Almanach erläutert das Werk von achtzehn deutschsprachigen Autoren. Wir versuchen, in einer neuen Ausgabe *Niebelschütz'* großem Roman ›Der blaue Kammerherr‹ zur Wiederentdeckung zu verhelfen.
Unter den essayistischen Texten ragen heraus: *Alice Millers* ›Am Anfang war Erziehung‹, *Alexander Mitscherlichs* ›Leben für die Psychoanalyse‹, *Ralf Dahrendorfs* ›Die neue Freiheit‹, *Hans Mayers* revidierter ›Thomas Mann‹ (er erhält den Kölner Literaturpreis). Unter den Übersetzungen werden öffentlich diskutiert: *György Konráds* Roman ›Der Komplize‹ und *Milan Kunderas* ›Das Buch vom Lachen und vom Vergessen‹.

Jurek Becker

In der Bibliothek Suhrkamp wichtige Novitäten: *Samuel Beckett*, ›Bruchstücke‹, *Ernst Simon*, ›Entscheidung zum Judentum‹, *Ramón del Valle-Inclán*, ›Frühlingssonate‹, *Ding Ling*, ›Das Tagebuch der Sophia‹, *Yasushi Inoue*, ›Die Berg-Azaleen auf dem Hira-Gipfel‹, *Wisława Szymborska*, ›Deshalb leben wir‹, *Wladimir Tendrjakov*, ›Die Abrechnung‹. Als Entdeckung *Christian Wagners* ›Gedichte‹, ausgewählt von Hermann Hesse, Nachwort von Peter Handke.
Die Werkstatistik des Deutschen Bühnenvereins stellt für die Spielpläne 1979/80 fest: Auf Shakespeare folgt an zweiter Stelle *Bertolt Brecht* mit 47 Inszenierungen und 1020 Aufführungsabenden. Neu erwachtes Interesse am Theater von *Max Frisch*, vor allem an ›Biedermann und die Brandstifter‹ und ›Andorra‹: 9 Inszenierungen mit 480 Aufführungen. *Samuel Beckett*: 18 Inszenierungen mit 240 Aufführungen.

Ein Jahr auch der Suhrkamp Wissenschaft. Es beginnen die Gesamtausgaben von *Leo Löwenthal* und *Helmuth Plessner*, wir legen vor eine Werkausgabe von *Walter Benjamin* in 12 Bänden. Wichtige Werke: der Briefwechsel *Benjamin/Scholem*; die bedeutende sozialgeschichtliche Untersuchung über Autorität: *Reinhard Bendix'* ›Könige oder Volk‹, dann ein Werk des Paläoanthropologen *André Leroi-Gourhan*, ›Hand und Wort. Die Evolution von Technik, Sprache und Kunst‹; ferner Werke von *Christian Meier*, ›Die Entstehung des Politischen bei den Griechen‹, *Niklas Luhmann*, ›Gesellschaftsstruktur und Semantik‹, *Ludwig Wittgenstein*, ›Briefe‹, *John Dewey*, ›Kunst als Erfahrung‹, *Kris/Kurz*, ›Die Legende vom Künstler‹.
Wichtige deutschsprachige Novitäten in den stw: *Manfred Frank*, ›Das Sagbare und das Unsagbare‹, *Elmar Holenstein*, ›Von der Hintergehbarkeit der Sprache‹.
Hans Blumenberg erhält den Sigmund-Freud-Preis der

Darmstädter Akademie, *Jürgen Habermas* den Adorno-Preis der Stadt Frankfurt und *Norbert Elias* wird Ehrendoktor der Universität Bielefeld.
Am 3. März Gründung und am 1. Mai Eröffnung von Suhrkamp Publishers Boston Inc., Niederlassung der Verlage Suhrkamp und Insel in Boston (seit 1986 in New York).

1. Juli: Der Suhrkamp Verlag besteht 30 Jahre. Die »wichtigste Heimstätte der Gegenwartsliteratur«.
Siegfried Unseld wird Doctor of Letters h.c. der Washington University St. Louis, USA.
Im September die ersten Gäste im umgebauten Frankfurter Haus des Verlegers: Peter Weiss, Peter Handke und Andy Warhol. *Leo Löwenthals* 80. Geburtstag (3. 11.) wird hier gefeiert, am 17. September führt Bundeskanzler Helmut Schmidt ein Gespräch mit Max Frisch, Wolfgang Hildesheimer, Uwe Johnson, Wolfgang Koeppen, Adolf Muschg und Martin Walser.
3. November: Tod von *Ludwig Hohl*; unvergessen seine Einsicht: ›Arbeit ist Erkennen‹.

Im ›Steppenwolf‹ hat Hermann Hesse eine »neue Wissenschaft vom Menschen« gefordert. Leroi-Gourhan sieht heute ein neues Interesse an den »Wissenschaften vom Menschen«: »Endlich können wir uns den Menschen der nahen Zukunft auch als ein Wesen vorstellen, das sich bewußt dazu entschließt, sapiens zu bleiben. Er wird vor der Aufgabe stehen, das Problem des Verhältnisses von Individuum und Gesellschaft völlig neu zu denken.« Norbert Elias: »Die Arbeit in den Menschenwissenschaften ist ein Fackellauf: man nimmt die Fackel von den vorangehenden Generationen, trägt sie ein Stück weiter und gibt sie ab in die Hände der nächstfolgenden Generation, damit auch sie über einen selbst hinausgeht.«

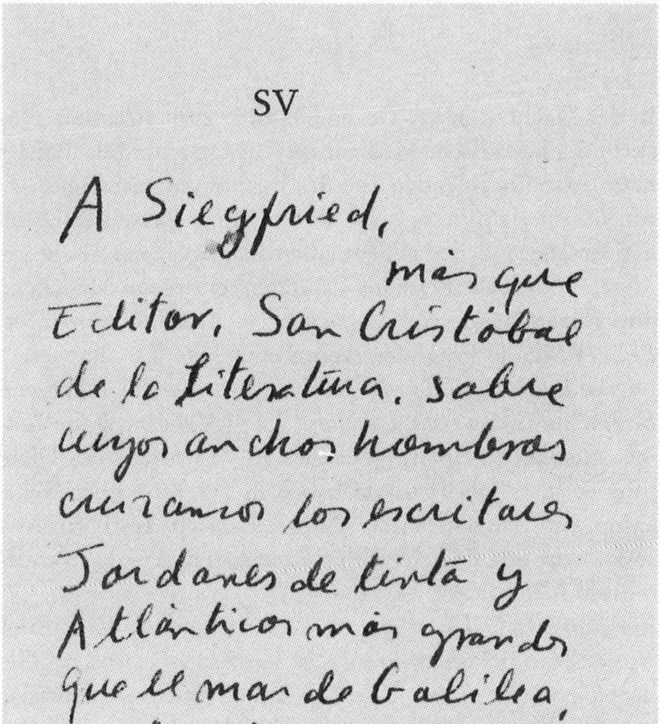

SV

A Siegfried,
más que
Editor, San Cristóbal
de la Literatura, sobre
cuyos anchos hombros
cruzamos los escritores
Jordanes de tinta y
Atlánticos más grandes
que el mar de Galilea.
Amistad y Admiración,
Octavio
Munich, a 16 de Junio de 1980

Octavio Paz an Siegfried Unseld

1981

In der Nacht vom 31. Dezember 1980 zum 1. Januar 1981 stirbt der kanadische Medienexperte Marshall McLuhan; er hatte 1970 für 1980 den Tod des Buches vorausgesagt.

Ein Jahr der Bibliothek Suhrkamp: Am 7. Januar erscheint der Erzählband der bedeutenden katalanischen Dichterin *Mercè Rodoreda* ›Reise ins Land der verlorenen Mädchen‹; ihm folgen Bände von *Miguel Angel Asturias, Emmanuel Bove* (›Meine Freunde‹, von Peter Handke übersetzt), *Odysseas Elytis, Bohumil Hrabal, Jarosław Iwaszkiewicz, Ba Jin, Stanisław Lem, Lucebert, Luigi Malerba, Boris Pilnjak, Michail Prischwin.* »Die großen Wortführer der Dichtung unseres Jahrhunderts haben in der Bibliothek Suhrkamp seit langem ihren Platz«, schrieb Karl Krolow. »Westliche und östliche Welt treffen sich hier in ihren ergiebigsten Ideen.«

Ein Jahr der Geburtstage! 80. Geburtstag von *Hans Erich Nossack* (30. 1.) und *Marie Luise Kaschnitz* (31. 1.). 75. Geburtstag von *Wolfgang Koeppen* (23. 6.) und 70. Geburtstag von *Odysseas Elytis* (2. 11.). Im Vorfeld zu seinem 90. Geburtstag erscheint von *Ernst Penzoldt* eine fünfbändige Geschenkausgabe seiner schönsten Erzählungen.

70. Geburtstag von *Max Frisch* (15. 5.). Der Verlag ehrt ihn mit einer Festschrift und einem Fotoband; im Haus des Verlegers versammeln sich zu seiner Feier: Jürgen Becker, Jurek Becker, Peter Bichsel, Rango Bohne, Elisabeth Borchers, Günter Grass, Peter Härtling, Walter Höllerer, Uwe Johnson, Jürg Laederach, Hans Mayer, Adolf Muschg, Paul Nizon, Erica Pedretti, Jörg Steiner, Karin Struck, Otto F. Walter, Peter Weiss.

90. Geburtstag von *Peter Suhrkamp* (28. 3.), große Matinee, junge Schriftsteller lesen, um Suhrkamps Motto zu belegen: »Die Dichtung darf nie aufhören«. Ein Jahr

70. Geburtstag von Max Frisch in der Frankfurter Klettenbergstraße

wirkungsreicher Bücher: *Tankred Dorst*, ›Merlin‹, *Peter Handke*, ›Kindergeschichte‹, *Karl Krolow*, ›Im Gehen‹; *Peter Weiss* schließt seine ›Ästhetik des Widerstands‹ mit dem dritten Band ab (»er will nichts Geringeres als eine politisch-ästhetische Summe des Jahrhunderts«, schreibt Hanjo Kesting).

Die edition suhrkamp bringt außerdem die ›Notizbücher 1971-1980‹ von *Peter Weiss.*

Im 2. Halbjahr: *Herbert Achternbusch*, ›Das Haus am Nil‹, *Jürgen Becker*, ›Erzählen bis Ostende‹, *Jürg Federspiel*, ›Die Ballade von der Typhoid Mary‹, *Wolfgang Hildesheimer*, ›Marbot‹ (»... ein gewaltiger Kontinent der Individualität und ihr Terrain der Abgründe«, Uwe Schulz), *Wolfgang Koeppen*, ›Die elenden Skribenten‹, *Gertrud Leutenegger*, ›Gouverneur‹, *Paul Nizon*, ›Das Jahr der Liebe‹, *Gerlind Reinshagen*, ›Rovinato‹, *Franz Xaver Kroetz*, ›Der Mondscheinknecht‹. Von *Thomas Bernhard* (»... entweder man ist ein klassischer Schriftsteller von vornherein oder man ist es nicht«) erscheinen die Gedichte ›Ave Vergil‹ und die Stücke ›Über allen Gipfeln ist Ruh‹ und ›Am Ziel‹. *Alice Miller* vollendet ihre Trilogie mit dem Band ›Du sollst nicht merken‹ (»Auch wenn es von der psychoanalytischen Fachwelt zunächst nur schwer aufgenommen werden kann, so markiert dieses Buch sowohl einen Wendepunkt als auch einen Neuanfang innerhalb der Psychoanalyse, die dadurch auch auf kritische Geister eine große Anziehungskraft wird ausüben können«, Gerhard Tuschy). *Tilmann Moser* publiziert sein Lehrstück für Liebende ›Stufen der Nähe‹. Mit dem dramatischen Gedicht ›Über die Dörfer‹ findet *Handkes* mit ›Langsame Heimkehr‹ begonnene Tetralogie ihren Abschluß und Höhepunkt. Zum 25. Todestag von *Bertolt Brecht* erscheint eine zweibändige Ausgabe seiner Briefe und ›Die Gedichte von Bertolt Brecht in einem Band‹ (einmalige Auflage von 100000 Exemplaren). In der edition

suhrkamp erreichen die Einzelausgaben Millionenauflagen: ›Galilei‹ 2,4 Millionen, ›Sezuan‹ 1,8 Millionen, ›Kreidekreis‹ 1,1 Millionen. Das Gesamtverzeichnis führt jetzt 86 lieferbare Titel von Brecht (darunter drei Gesamtausgaben) und 41 Titel über Brecht an.
Mit dem Band 4.2 ›Gesammelte Gedichte‹ ist die siebenbändige Frankfurter Ausgabe der Werke von *James Joyce* abgeschlossen. (»Die Frankfurter Ausgabe«, schrieb Hans E. Holthusen, »gehört zu den bedeutendsten verlegerischen Unternehmen unserer Tage.«) In der edition suhrkamp erscheint als Band 1100 ›Ulysses‹.
Neu in *Hermann Brochs* dreizehnbändiger kommentierter Werkausgabe sind seine Briefe in drei Bänden. »Kein Zweifel«, ist im TLS zu lesen, »Broch selbst wäre von dieser Edition beeindruckt gewesen.«
Der Verlag erfüllt einen dringenden Lebenswunsch von *Ludwig Hohl*: eine Ausgabe seiner durch die Umstände bislang nur in zwei Bänden erschienenen ›Notizen‹ in einem einzigen Band: ›Die Notizen oder Von der Unvoreiligen Versöhnung‹.

Neben allem »Klassischen« finden sich zahlreiche Erstveröffentlichungen junger und jüngster Autoren im Programm, Erzählungen, Gedichte, Hörspiele, Pamphlete: *Eva Maria Alves, Margrit Baur, Franz Böni, Michael Buselmeier, Reto Hänny, Ursula Hochstätter, Manfred Jendryschik, Helmut Junker, Bodo Kirchhoff, Jochen Link, Martin Roda Becher, Gerald Zschorsch*. Die meisten dieser Titel erscheinen in der edition suhrkamp, in der auch wichtige internationale Autoren vorgestellt werden, so z. B. moderne persische Erzählungen ›Im Atem des Drachen‹.
Am 30. April stirbt *Peter Huchel*; wir beginnen die editorischen Vorbereitungen zu einer Gesamtausgabe.
Am 1. Juli kündigt der mit dem Suhrkamp Verlag in Personalunion verbundene Insel Verlag die Gründung des von

Dr. Gottfried Honnefelder geleiteten Deutschen Klassiker Verlages an, dessen erste Bücher in einer »Bibliothek deutscher Klassiker« 1985 erscheinen sollen.

8. Oktober: Ein Kernstück unseres Lateinamerika-Programms kann endlich erscheinen, *Julio Cortázars* »metaphysischer« Roman ›Rayuela. Himmel und Hölle‹, von Fritz Rudolf Fries ins Deutsche übertragen. Carlos Fuentes nannte ihn die »revolutionärste Prosa in spanischer Sprache«. Weitere Werke: *Murilo Rubião* (›Der Feuerwerker Zacharias‹), *Clarice Lispector* (›Nahe dem wilden Herzen‹), *Manuel Puig* (›Die Engel von Hollywood‹), *Miguel Barnet* (›Alle träumten von Cuba‹), *Juan Carlos Onetti* (›So traurig wie sie‹).

In der öffentlichen Diskussion beachtet: *David Pike*, ›Deutsche Schriftsteller im sowjetischen Exil 1933-1945‹.

23. Oktober: *Martin Walser* nimmt den Büchner-Preis entgegen. (»Bis vor ein paar Wochen kannte ich Büchners Prosastück ›Lenz‹ nur vom Hörensagen. Gewohnt, Lektüre der Lebensstrategie zu unterwerfen, schob ich den ›Lenz‹ auf, um, wenn der Büchner-Preis anfiel, ein frisches Leseerlebnis in Gebrauch nehmen zu können.«) Im Taschenbuch erscheint die dreibändige Anselm Kristlein-Trilogie und in der edition suhrkamp die Frankfurter Vorlesungen ›Selbstbewußtsein und Ironie‹.

Von der wissenschaftlichen Öffentlichkeit sorgsam beachtet, entfaltet sich das wissenschaftliche Programm des Verlages Jahresring um Jahresring. Die großen Editionen werden fortgesetzt: *Adorno, Benjamin, Bloch, Wittgenstein*; auch die in diesen Jahren begonnenen Editionen von *Leo Löwenthal, Herbert Marcuse, Helmuth Plessner*. Neue Werke von Hans Blumenberg, Jürgen Habermas und Niklas Luhmann formen sich zu einer Art Gesamtausgabe in Einzelausgaben. Vorbereitet werden Gesamtausgaben von

Alexander Mitscherlich und *Viktor von Weizsäcker. Wolf Lepenies* gibt eine vierbändige ›Geschichte der Soziologie‹ heraus.
Im Mittelpunkt des Jahres drei Werke: *Hans Blumenbergs* ›Die Lesbarkeit der Welt‹, ein weiteres Stück seiner ›Metaphorologie‹, einer authentischen Leistungsart der Fassung von Zusammenhängen, die nicht auf den engen Kreis der absoluten Metapher einzugrenzen ist. – *Jürgen Habermas'* zweibändiges Werk der ›Theorie des kommunikativen Handelns‹ dient der Klärung der Grundlagen und der neuen Aufgabe der kritischen Gesellschaftstheorie; Eine Bibliographie von Habermas' ›Schriften‹ von René Görtzen führt 923 Werktitel auf. – *Niklas Luhmann* setzt seine Studien zur Wissenssoziologie der modernen Gesellschaft mit einem zweiten Band fort, ›Gesellschaftsstruktur und Semantik‹.

Die französische Gelehrsamkeit unserer Zeit ist im Suhrkamp-Programm gut vertreten; die Gesamtausgabe von *Claude Lévi-Strauss* wird fortgesetzt mit dem Band ›Die elementaren Strukturen der Verwandtschaft‹. *Vincent Descombes* gibt eine Übersicht über die Philosophie in Frankreich von 1933 bis 1978, ›Das Selbe und das Andere‹. *Georges Duby* legt nach seinem berühmten Werk ›Die Zeit der Kathedralen‹ nun ›Die drei Ordnungen. Das Weltbild des Feudalismus‹ vor. *Michel Serres* macht in dem neuartigen Werk ›Der Parasit‹ wieder einmal seine Außenseiterrolle in der Philosophie deutlich: eine Schattengesellschaft von Philosophen, Helden und Halbgöttern zettelt Verschwörungen gegen die Zeit an. – In einer Sonderausgabe liegt *Roland Barthes'* ›Sade-Fourier-Loyola‹ vor.
Wichtige wissenschaftliche Novitäten in den Reihen stw und es: *Gottfried Seebaß*, ›Das Problem von Sprache und Denken‹, *Gerald Holton*, ›Thematische Analyse der Wissenschaft‹, *Alfred Schütz*, ›Theorie der Lebensformen‹, die durchgesehene Nachauflage von *Hans Blumenbergs* ›Die

Genesis der kopernikanischen Welt‹, *Georges Sorel*, ›Über die Gewalt‹, *Otfried Höffe*, ›Sittlich-politische Diskurse‹, *Klaus Lüderssen*, ›Kriminalpolitik auf verschlungenen Wegen‹, *Marie O. Métral*, ›Die Ehe‹, *Hans Peter Duerr* (Hg.), ›Versuchungen‹, *Karl Heinz Bohrer*, ›Plötzlichkeit‹, *André Leroi-Gourhan*, ›Die Religionen der Vorgeschichte‹, *Manfred Max Wambach u.a.*, ›Kindheit als Fiktion‹, *Roland Barthes*, ›Das Reich der Zeichen‹, *Erving Goffman*, ›Geschlecht und Werbung‹. Ein Sammelband (Hg. *Gerd Kahle*) untersucht ›Die sozialen Dimensionen der Gefühle: Logik des Herzens‹. *George Steiner* analysiert Aspekte der Sprache und der Übersetzung in dem Band ›Nach Babel‹.

Das vielleicht wirkungsmächtigste Werk ist *Gregory Batesons* ›Ökologie des Geistes. Anthropologische, psychologische, biologische und epistemologische Perspektiven.‹ »Ich halte Gregory Bateson für einen der wichtigsten Denker unseres Jahrhunderts«, schreibt Helm Stierlin im Vorwort. »Man muß Bateson langsam und mehrmals lesen, um nachvollziehen zu können, wie revolutionär und zugleich einleuchtend er ist.« Bateson, der Meister der Mischung, des strengen und lockeren Denkens, scheut sich nicht, seine Gedanken in Form eines Gespräches vorzutragen. »Sohn: ›Vater, wissen Väter immer mehr als Söhne?‹ Vater: ›Ja.‹ Sohn: ›Wer hat die Dampfmaschine erfunden?‹ Vater: ›James Watt hat die Dampfmaschine erfunden.‹ Sohn: ›Warum hat nicht der Vater von James Watt die Dampfmaschine erfunden?‹«

1982

Drei große Tote muß der Verlag beklagen. In der Nacht vom 20. auf den 21. Februar stirbt in Jerusalem *Gershom Scholem*, der große jüdische Gelehrte, der einzigartige Kenner der Kabbala, Freund *Walter Benjamins*, dem Verlag seit dem Erscheinen seiner ›Judaica‹ 1963 eng verbunden.

Peter Weiss, Max Frisch, Siegfried Unseld, Martin Walser, Uwe Johnson

Am 10. Mai stirbt *Peter Weiss* in Stockholm, am 24. Mai wird er begraben. *Olof Lagercrantz* und *Siegfried Unseld* sprechen bei der Gedenkfeier, *Uwe Johnson* ist anwesend. Postum wird Peter Weiss der Büchner-Preis zuerkannt. Der Laudator *Walter Jens*: »Wir sagten: ›Ulysses‹ – und das nicht allein, um den Rang der Weiss'schen Epopöe zu bezeichnen, sondern weil wir glauben, daß es sich bei der ›Ästhetik des Widerstands‹ um einen ebenso listigen wie gelungenen Gegen-Entwurf zum Joyceschen Kompendium handelt.«

Am 27. Juni stirbt *Alexander Mitscherlich*. ›Ein Leben für

die Psychoanalyse‹ – dieser Titel seines Erinnerungsbuches von 1980 kennzeichnet sein Leben und seine Arbeit, seinen »Versuch, die Welt besser zu bestehen«.
9. August: 20. Todestag von *Hermann Hesse*; sechs Bände seiner ›Gesammelten Erzählungen‹ erscheinen.
Im literarischen Programm des Verlages bilden die ›Gesammelten Werke‹ von *Ernst Weiß* in 16 Bänden einen Schwerpunkt. »Ein außerordentlicher Schriftsteller«, so hatte *Franz Kafka* geurteilt, und *Heinrich Mann* hatte geschrieben: »Die Werke des Dichters Ernst Weiß weiten das Herz, da sie das Gebiet des Menschen erweitern: nach unten zu Tier und Tiefe, nach oben zum Geist.«
Es erscheinen neue Bücher von *Achternbusch, Augustin, Jürgen Becker, Jurek Becker, Bernhard, Brasch, Dorst, Enzensberger, Federspiel, Frisch, Höllerer, Krolow, Kühn, Mayröcker, E. Y. Meyer, Steiner, Walser, Winkler.*
Mit ersten Büchern treten hervor: *Ulla Berkéwicz* (›Josef stirbt‹), *Ilma Rakusa* (›Die Insel‹), *Nike Wagner* (›Geist und Geschlecht‹); es erscheinen Gedichte von *Hans-Georg Bulla*, ›Der Schwimmer‹ und *Dorothée Haeseling*, ›Also wohin jetzt‹. Hervorzuheben in der Bibliothek Suhrkamp sind drei Neuerscheinungen: *Thomas Bernhards* ›Wittgensteins Neffe. Eine Freundschaft‹, *Norbert Elias'* ›Über die Einsamkeit der Sterbenden‹ und *E. M. Ciorans* Kulturphilosophie ›Gevierteilt‹.
Der erste Teil des großen Erinnerungsbuches von *Hans Mayer*, ›Ein Deutscher auf Widerruf‹, erscheint und wird als »deutsches Lesebuch par excellence« bezeichnet.
Wichtige Werke der ausländischen Literatur in diesem Jahr: *Mário de Andrade*, ›Macunaíma‹, das Hauptwerk des brasilianischen Modernismus; *João Guimarães Rosa*, ›Doralda, die weiße Lilie‹, ein kleines Meisterwerk aus der archaischen Welt des Sertão. *Lu Xun*, ›Die wahre Geschichte des Ah.Q.‹, eine Erzählung des wohl größten chinesischen Schriftstellers der Neuzeit. Zwei Romane aus dem Spani-

schen bzw. Katalanischen: *Mario Vargas Llosas* ›Der Krieg am Ende der Welt‹ und *Mercè Rodoredas* Roman ›Der zerbrochene Spiegel‹.

Am 29. September erscheinen die ersten fünf Bände der von *Karl Dedecius* herausgegebenen *Polnischen Bibliothek*; mit jährlich 5 Bänden will sie einen repräsentativen Überblick über die polnische Literatur der Vergangenheit und Gegenwart vermitteln. Unter den ersten Bänden: ›Die Dichter Polens. 100 polnische Autoren vom Mittelalter bis heute. Ein Brevier‹ und *Czesław Miłosz* ›Gedichte 1933-1981‹.
In der edition suhrkamp erscheinen von *Peter Weiss* die ›Notizbücher 1960-1971‹.
Das Jahr ist ein Jahr der Suhrkamp Wissenschaft. *Dieter Henrich* sammelt philosophische Essays unter dem Titel ›Fluchtlinien‹; Grundzüge einer Gedankenfolge sollen gewonnen und begründet werden, in der philosophisches Denken in Übereinstimmung mit bewußtem Leben in der Gegenwart kommt. *Henrich* und *Iser* edieren den Sammelband ›Theorien der Kunst‹, in dem zum ersten Mal versucht wird, über Positionen der Kunsttheorie in der Gegenwart umfassend zu unterrichten. Drei wichtige Werke im Programm: *Hans Robert Jauß*, ›Ästhetische Erfahrung und literarische Hermeneutik‹, *Richard Münch*, ›Theorie des Handelns‹ und *Niklas Luhmanns* ›Liebe als Passion. Zur Kodierung der Intimität‹. Von den übersetzten Werken seien hervorgehoben: *Gregory Bateson*, ›Geist und Natur. Eine notwendige Einheit‹, *Pierre Bourdieu*, ›Die feinen Unterschiede. Kritik der gesellschaftlichen Urteilskraft‹, *Georges Devereux*, ›Träume in der griechischen Tragödie‹ und *Nelson Goodmans* ›Weisen der Welterzeugung‹.
Im Zentrum der Aufmerksamkeit und der wissenschaftlichen wie literaturkritischen Diskussion steht die mit großer Spannung erwartete Edition ›Das Passagenwerk‹ von *Walter Benjamin*. Dreizehn Jahre, von 1927 bis zu seinem Tod

1940, arbeitete Benjamin an dem als Hauptwerk geplanten Buch über Paris, einer materialen Geschichtsphilosophie des 19. Jahrhunderts. »Man darf ohne Einschränkung von einem epochalen Werk sprechen« (NZZ). »Jedes Blatt ein Lesezeichen« (Wolf Lepenies, FAZ). »Ein explosives Gemisch, das die Auseinandersetzung um Benjamin eher befördern als abschließen wird« (Burkhardt Lindner, FR).

Drei Preisverleihungen seien, neben dem Büchner-Preis an Peter Weiss, erwähnt: *Wolfgang Koeppen* erhielt den Münchner Kulturpreis, *Paul Nizon* den Preis der Schweizerischen Schillerstiftung und *Octavio Paz* durfte in Madrid aus den Händen des spanischen Königs den Cervantes-Preis entgegennehmen. »Cervantes lächelt: ›Lernen frei zu sein, heißt lernen zu lächeln‹.«

1983

Das herausragende Ereignis des Jahres ist die Realisierung des sogenannten *Weißen Programms*: 33 Bücher aus 33 Jahren. »Ein einziges Mal, in seinem 33. Jahr, will der Suhrkamp Verlag aus dem Kreis der Novitäten-Regel ausbrechen, d. h. keine Novitäten, sondern ›alte‹ Bücher aus seiner Backlist bringen. Einmal möchte er innehalten, ein Zeichen setzen, einmal an das erinnern, was war und durchaus noch ist. Einmal aus der Erfahrung handeln: Nicht alles Neue ist gut, aber das Gute ist immer neu. Die Bedeutung eines Verlagshauses beruht auf Büchern, die noch nach Jahren wirken. Solche Bücher sind wie Jahresringe, die das Profil eines Verlages bilden. Solche Bücher dienen dem literarischen Gedächtnis, ohne das eine Literatur verkümmert ...«
Am 28. Februar erscheinen die 33 Titel:
Herbert Achternbusch, ›Hülle‹. ›Das Kamel‹. *Ruth Andreas-Friedrich*, ›Der Schattenmann‹. *Ingeborg Bachmann*, ›Malina‹. *Gregory Bateson*, ›Ökologie des Geistes‹. *Jürgen Bekker*, ›Felder. Ränder. Umgebungen‹. *Samuel Beckett*, ›Dramatische Dichtungen in drei Sprachen‹. *Walter Benjamin/Gershom Scholem*, ›Briefwechsel‹. *Thomas Bernhard*, ›Die Stücke‹. *Bertolt Brecht*, ›Me-ti‹. *Julio Cortázar*, ›Rayuela‹. *Günter Eich*, ›Botschaften des Regens‹. *T. S. Eliot*, ›Das wüste Land‹. ›Ausgewählte Gedichte‹. *Hans Magnus Enzensberger*, ›Die Gedichte‹. *Paul Feyerabend*, ›Wider den Methodenzwang‹. *Marieluise Fleißer*, ›Gesammelte Werke in 3 Bänden‹. *Max Frisch*, ›Die Tagebücher‹. *Peter Handke*, ›Die Hornissen‹. *Hermann Hesse*, ›Weg nach Innen‹. *Wolfgang Hildesheimer*, ›Lieblose Legenden‹. *Ödön von Horváth*, ›Die Romane‹. *Uwe Johnson*, ›Mutmassungen über Jakob‹. *Hermann Kasack*, ›Die Stadt hinter dem Strom‹. *Wolfgang Koeppen*, ›Die Mauer schwankt‹. *Karl Krolow*, ›Das andere Leben‹. *Oskar Loerke*, ›Gedichte‹. *Hans*

Mayer, ›Außenseiter‹. *Alexander Mitscherlich*, ›Ein Leben für die Psychoanalyse‹. *Adolf Muschg*, ›Ausgewählte Erzählungen‹. *Paul Nizon*, ›Canto‹. *Hans Erich Nossack*, ›Unmögliche Beweisaufnahme‹. *Marcel Proust*, ›Briefe zum Leben‹. *Martin Walser*, ›Gesammelte Geschichten‹. *Peter Weiss*, ›Die Ästhetik des Widerstands‹.

Der Erfolg ist ungewöhnlich. Herbert Göpfert, lange Jahre verlagserfahren und führender Buchhandelshistoriker, schreibt: »Auch wichtige Bücher können also in Gefahr geraten, vom Buchmarkt zu verschwinden ... Siegfried Unseld setzte daraufhin ein Zeichen, ein ebenso kühnes wie ungewöhnliches Zeichen. Erstmals in diesem Jahr verzichtete der Suhrkamp Verlag auf die turnusmäßige Frühjahrsproduktion und präsentierte dafür ältere Bücher, von deren Bedeutung und Lebenskraft, also ›Aktualität‹ Unseld überzeugt war. Aber mehr noch als die Tatsache, *daß* er diesen ungewöhnlichen Schritt unternahm, zeigt die Art, *wie* er das tat, den herausragenden Verleger ... Bücher haben ihre Schicksale, ganz wie der Leser sie aufnimmt. Heutzutage sind an diesem Schicksal auch die Vermittlungsinstanzen, nicht zuletzt die Verlage beteiligt. Das ›Weiße Programm‹ kann eine Station auf dem Weg dieser Bücher sein.« – Anläßlich der Neuauflage von ›Canto‹ im »Weißen Programm« schreibt Charles Cornu (›Bund‹, Bern 9. 7. 83): »Zwanzig Jahre später ... könnte ›Canto‹ für jüngere Leser wohl so etwas wie ein Kultbuch werden.«

Dr. Joachim Unseld, Sohn des Verlegers, Ausbildung im Suhrkamp Verlag 1973-1975, seit 1978 Gesellschafter und Geschäftsführer der Verlage Suhrkamp, Insel und Nomos, tritt am 3. Januar aktiv in die Verlage ein und übernimmt die Leitung des Bereichs Verkauf/Vertrieb.

15. März: Grundsteinlegung des Druck- und Verlagshauses Suhrkamp/Insel/Nomos in Sinzheim bei Baden-Baden; die Verlage investieren mit der erweiterten Druck-, Binde- und

Joachim Unseld und Siegfried Unseld, Boston 1982

Lagerkapazität in die Flexibilität und damit die Autarkie ihrer Buchproduktion.
5. April: *Jürgen Habermas* nimmt mit der Vorlesung »Diskurs der Moderne« wieder seine Lehrtätigkeit an der Frankfurter Johann Wolfgang Goethe-Universität auf.
20. April: Aus Anlaß des Erscheinens von ›L'Auteur et son éditeur‹ (der Übersetzung von *Siegfried Unselds* ›Der Autor und sein Verleger‹) und der Vorbereitung der französischen Ausgabe von *Joachim Unselds* ›Franz Kafka. Ein Schriftstellerleben‹ gibt Gallimard einen Empfang: Zusammentreffen mit *Claude Lévi-Strauss, Samuel Beckett, Pierre Bertaux, Pierre Bourdieu, Gisèle Celan-Lestrange, E. M. Cioran, Paul Nizon, Jean Bollack, Georges-Arthur Goldschmidt, Julio Cortázar*. Jerôme Lindon, Verlag Minuit, Paris, der französische Verleger Becketts, urteilt über den Verfasser von ›L'Auteur et son éditeur‹: ». . . qui est à mes yeux l'un des deux ou trois plus grands éditeurs européens du vingtième siècle.«

Bei der Grundsteinlegung: Heribert Marré, kaufmännischer Geschäftsführer, der NOMOS-Verlagsleiter Volker Schwarz und Siegfried Unseld

Am 13. April stirbt die große katalanische Schriftstellerin *Mercè Rodoreda*; ihre Arbeiten, insbesondere den Roman ›Auf der Plaça del Diamant‹, wird der Suhrkamp Verlag als Vermächtnis tradieren.

12. September: *Willy Fleckhaus* stirbt in seinem Landhaus in der Toskana. 25 Jahre lang hat er das optische Gesicht des Suhrkamp Verlages bestimmt. *Jürgen Becker* im Nachruf: »Seit 1959 währte die Zusammenarbeit, die das, was man später die Suhrkamp-Kultur nannte, zu einer visuellen Erscheinung brachte, die die Buchgestaltung im gesamten deutschen Verlagswesen veränderte.« »Daß ihm gelang«, so Thomas Schröder in der FAZ, »in einer bis dahin nicht gekannten Einschmelzung der grafischen Mittel auf jeweils ihren substantiellen Kern innerer Ordnungen das subkutane Geflecht zwischen Literatur und ihrer gleichwohl bildhaften Erscheinung nach außen deutlich zu machen und mit diesen strengsten Reduktionen dem Publikum zugleich die schönsten, ja attraktivsten Bücher in die Hand zu legen, trug ihm die Freundschaft der Autoren ein und sichert ihm seinen außergewöhnlichen Rang unter den großen Buchgestaltern unseres Jahrhunderts.« – Fleckhaus' Schüler und langjähriger Assistent *Hermann Michels* wird seine Aufgabe übernehmen.

Siegfried Unseld und Willy Fleckhaus

Im zweiten Halbjahr, verursacht durch die »Enthaltung« des Frühjahrs, zahlreiche deutschsprachige Neuerscheinungen, darunter: *Jürgen Becker*, ›Die Türe zum Meer‹; *Thomas Bernhard*, ›Der Untergeher‹ (Peter Demetz: ... mit diesem Buch schreibt sich Bernhard »unaufhaltsam in die Weltliteratur ein«); *Silvio Blatter*, ›Kein schöner Land‹; *Franz Böni*, ›Die Alpen‹; *Peter Handke*, ›Der Chinese des Schmerzes‹ (»Die innere Landschaft, die hier aus Beschreibungen von Naturvorgängen und Gesprächen aufgebaut wird, verselbständigt sich und erschafft eine Wirklichkeit, die elementar anmutet, als hätten sich Stein, Licht und Erde in Worte verwandelt.« Hermann Lenz, ›Die Welt‹); *Wolfgang Hildesheimer*, ›Mitteilungen an Max über den Stand der Dinge‹; *Bodo Kirchhoff*, ›Zwiefalten‹; *Franz Xaver Kroetz*, ›Der Mondscheinknecht. Fortsetzung‹; *Gertrud Leutenegger*, ›Komm ins Schiff‹; *Rainer Malkowski*, ›Zu Gast‹. Erste Bücher von *Reinhold Batberger*, ›Auge‹; *Rainald Goetz*, ›Irre‹ (dieser Erstling erhielt die meisten Rezensionen); *Bodo Morshäuser*, ›Die Berliner Simulation‹.

Über *Martin Walsers* ›Liebeserklärungen‹ urteilt Marcel Reich-Ranicki: »Vor einem Vierteljahrhundert schrieb der junge Walser, er würde, wenn Prousts Romanzyklus ein Industrieartikel wäre, den Slogan empfehlen: ›Proust-Leser sind im Vorteil‹. Auch ich möchte heute einen Slogan empfehlen: Die Leser der ›Liebeserklärungen‹ von Martin Walser haben mehr von der Literatur. Und also vom Leben.«

Nach langer Vorbereitungszeit konnten die Werke *Paul Celans* in einer fünfbändigen Ausgabe gesammelt veröffentlicht werden.

Am 5. Oktober erscheint Band 4 der ›Jahrestage‹ von *Uwe Johnson*. Damit ist, nach langer Pause, diese große Tetralogie abgeschlossen. Mit dem 4. Band erscheint ein »Kleines Adreßbuch«, ein Register zu den ›Jahrestagen‹ mit Namen,

Orten und Verweisen von *Rolf Michaelis*. Joachim Kaiser über die ›Jahrestage‹: »Wir halten jetzt in Händen ein opus magnum. Eine Tetralogie, die den großen Werken unserer deutschen Literaturgeschichte zur Seite zu stellen ist, ein Zeitmosaik von Staunen erregender, präziser Fülle, von politisch-aufklärerischem Rang, von verhalten melancholischer Zartheit auch und von einer einsamen schriftstellerischen Meisterschaft.« (SZ)
Die deutsche Erstaufführung von *Edward Bonds* ›Sommer‹ findet im Februar 1983 an den Münchner Kammerspielen statt (Regie: Luc Bondy). Ihr folgen weitere 31 Inszenierungen. Die Uraufführung von *Thomas Braschs* ›Mercedes‹ findet im November im Schauspielhaus Zürich statt (Regie: Matthias Langhoff); ihr schließen sich 20 Inszenierungen an.

Im wissenschaftlichen Bereich: *Dieter Henrich* ediert eine von ihm entdeckte Vorlesung Hegels zur ›Philosophie des Rechts‹; *Gershom Scholems* ›Walter Benjamin und sein Engel‹; *George H. Mead*, ›Gesammelte Aufsätze‹; *Norbert Elias*, ›Engagement und Distanzierung‹; *Hartmut Böhme/Gernot Böhme*, ›Das Andere der Vernunft‹; und es erscheint ein großer Bildband: ›*Wittgenstein*. Sein Leben in Bildern und Texten‹.
Am 13. September, rechtzeitig zu *Alexander Mitscherlichs* 75. Geburtstag, erscheint die zehnbändige Ausgabe seiner ›Gesammelten Schriften‹.
Die wichtigsten Titel in den Reihen:
Bibliothek Suhrkamp: *Ingeborg Bachmann*, ›Der Fall Franza‹; *Miguel Angel Asturias*, ›Der Spiegel der Lida Sal‹; *Pierre Loti*, ›Aziyadeh: Auszüge aus den Notizen und Briefen eines Leutnants der englischen Marine, der am 10. Mai 1876 in türkische Dienste trat und in der Schlacht bei Kars am 27. Oktober 1877 fiel‹; *Friedrich Dürrenmatt*, ›Monstervortrag über Gerechtigkeit und Recht‹; *Alberto Savinio*,

›Unsere Seele/Signor Münster‹; *Gertrud Kolmar*, ›Gedichte‹; *Salvatore Satta*, ›Der Tag des Gerichts‹; *Hans-Georg Gadamer*, ›Lob der Theorie‹.
In den suhrkamp taschenbüchern: *Max Frisch*, ›Forderungen des Tages‹; *Miguel Barnet*, ›Das Lied der Rachel‹; *Julio Cortázar*, ›Album für Manuel‹.
In den suhrkamp taschenbüchern wissenschaft: *Norbert Elias*, ›Die höfische Gesellschaft‹; *Cornelius Castoriadis*, ›Durchs Labyrinth‹; *Georg Simmel*, ›Schriften zur Soziologie‹; *Pierre Bourdieu u. a.*, ›Eine illegitime Kunst‹; *Niklas Luhmann*, ›Legitimation durch Verfahren‹.

In der edition suhrkamp erscheinen am 19. Mai die ersten fünf Bände der *Neuen Historischen Bibliothek*, herausgegeben von *Hans-Ulrich Wehler*. Die Reihe will ihren eigenen Anspruch, eine umfassende Handbibliothek der modernen Geschichte zu sein, in kurzer Zeit realisieren; sie ist in ihrer Art einzig strukturiert: Ihr weites Spektrum von Themen und Methoden reicht von der Sozial- und Wirtschaftsgeschichte über Politik und Kulturgeschichte bis zur Mentalitäts- und Technikgeschichte, ohne die Einheit der historischen Prozesse und Strukturen aus den Augen zu verlieren. »Wer in Zukunft etwas zur Ökonomie und Politik der Bundesrepublik Deutschland sagen möchte, der wird schon am ersten Band der Neuen Historischen Bibliothek nicht mehr vorbeikommen« (›Geschichte in Wissenschaft und Unterricht‹).
Den größten Erfolg in der edition suhrkamp hatten die beiden Bände von *Peter Sloterdijk*, ›Kritik der zynischen Vernunft‹. Kaum erschienen, stellt sie Wolfram Schütte in der FR als bedeutend zur Diskussion, zwei Tage später wurde sie in der FAZ von Jürgen Busche als »Meisterwerk« dargestellt, verglichen mit Schopenhauer und Spengler, denen sie sogar überlegen sei.
Im November erscheint in der Zeitschrift »Deutsche Bü-

cher« (Amsterdam) eine Rezension der *edition suhrkamp*: »Die edition ist wohl diejenige Serie des Verlagshauses, die hauptverantwortlich ist für das von George Steiner im TLS diagnostizierte Phänomen der ›Suhrkamp-Kultur‹, will sagen, in ihr erschienen in den letzten Jahrzehnten die Protagonisten der wichtigsten intellektuellen Strömungen, von Adorno zu Wittgenstein, von Roland Barthes zu Lévi-Strauss. Es ist in der Tat erstaunlich, wie so manche, wie immer auch subtile Veränderung im geistigen Klima der Bundesrepublik als ziemlich direkte Folge eines Erscheinungstermins bei Suhrkamp zu verzeichnen ist. (Umgekehrt gibt es auch theoretisch relevante Positionen, die ohne den ›Segen‹ der edition in der deutschsprachigen Kultur unserer Zeit keine Chancen zu haben scheinen.)«

1984

In der Nacht vom 23. auf den 24. Februar stirbt *Uwe Johnson*, der große Autor, der Freund des Verlegers, in Sheerness-on-Sea: »Es wird noch einige Zeit dauern, bis wir das ganze Ausmaß seines Lebenswerkes in den Blick bekommen. Aber jetzt schon darf gesagt werden, daß ›Jahrestage‹ ein Jahrhundert-Buch sind, eine Familien-Saga, die an ›Buddenbrooks‹, überhaupt an die Totalität, Exaktheit und Nachprüfbarkeit des großen realistischen Romans anknüpft.« (NZZ)

Uwe Johnson bei einer seiner letzten Lesungen

Die Bibliothek Suhrkamp präsentiert ein Programm zeitgenössischer Weltliteratur: Neue Gedichte des griechischen Nobelpreisträgers *Odysseas Elytis*; *Jorge Amados* zwei Romane ›Die Abenteuer des Kapitäns Vasco Moscoso‹ und ›Die drei Tode des Jochen Wasserbrüller‹, von Curt Meyer-Clason aus dem brasilianischen Portugiesisch übersetzt; zwei japanische Romane: ›Die Frau in den Dünen‹ von *Kōbō Abe* und ›Die Wildgans‹ von *Ōgai Mori*; aus dem Rumänischen

Mircea Eliades Erzählungen ›Dayan/Im Schatten einer Lilie‹; die Meisternovelle des russischen Nobelpreisträgers *Ivan Bunin*, ›Mitjas Liebe‹; in deutscher Sprache Gedichte von *Karl Krolow* und *Bertolt Brecht*, Rundfunkdichtungen von *Peter Huchel*, essayistische Prosa von *Wolfgang Hildesheimer* und *Ludwig Hohl*; erzählende Prosa von *Marie Luise Kaschnitz, Hermann Lenz, Thomas Bernhard, Robert Walser, Jürgen Becker* und *Paul Nizon*. Von *Hermann Hesse* erscheint, farbig illustriert, ›Sinclairs Notizbuch‹. Am meisten verkauft wurde in diesem Jahr ein alter BS-Titel: *Tschingis Aitmatows* ›Dshamilja‹; Aragons Urteil wird zugestimmt: »Die schönste Liebesgeschichte der Welt«.
Das Jahr bringt eine Fülle neuer Titel unserer bekannten Autoren, Bücher von *Ruth Andreas-Friedrich, Thomas Bernhard, Franz Böni, Hans Christoph Buch, Tankred Dorst, Fritz Rudolf Fries, Bodo Kirchhoff, Dieter Kühn, Jürg Laederach, Friederike Mayröcker* (›Reise durch die Nacht‹: »Eine Art opus magnum; dieser handlungslose Text hat etwas Mitreißendes, Unwiderstehliches«, NZZ), *Adolf Muschg* (›Das Licht und der Schlüssel‹: »Muschgs Buch hat Drogencharakter, es gehört nicht in eine Buchhandlung, sondern in eine Drogerie. Er ist zweifellos der stilsicherste, sprachreichste, faszinierendste Autor, den die Schweiz heute hat«, Basler Zeitung), *Erica Pedretti, Gerlind Reinshagen* und *Einar Schleef*.
In zwei Bänden vereinen wir *Peter Huchels* ›Gesammelte Werke‹ (»... magistrale Arbeiten eines großen Dichters«, FAZ), ›Briefe‹ der *Nelly Sachs*. Erinnerungen, Essays, Collagen – der zweite Band des großen Erinnerungsbuches von *Hans Mayer*, ›Ein Deutscher auf Widerruf‹. *Hans Peter Duerr*, ›Sedna oder Die Liebe zum Leben‹, *Erich Heller*, ›Im Zeitalter der Prosa‹. *Tilmann Moser*, ›Kompaß der Seele. Ein Leitfaden für Psychotherapie-Patienten‹. *Hans Werner Tobler*, ›Die mexikanische Revolution‹ und *Wolfgang Hildesheimers* Collagen ›Endlich allein‹.

Am 24. April erschien neben dem Band 1000 der suhrkamp taschenbücher: *Ludwig Hohl*, ›Die Notizen‹ und dem Sammelband *Das Suhrkamp Taschenbuch* (st 1100) ein Programm mit wichtigen Neuerscheinungen, darunter *Christo*, ›Der Reichstag‹, *Herbert Achternbusch*, ›Die Olympiasiegerin‹, eine Werkausgabe *Proust* und Materialienbände zu *Frisch, Mayröcker* und *Johnson*.
In den stw u. a.: *Rüdiger Bubners* ›Geschichtsprozesse und Handlungsnormen‹ und *Ernst H. Gombrichs* ›Aby Warburg. Eine intellektuelle Biographie‹.

Die edition suhrkamp bringt wichtige Novitäten, u. a. *Manfred Frank*, ›Was ist Neostrukturalismus?‹; *Luise F. Pusch*, ›Das Deutsche als Männersprache. Aufsätze zur feministischen Linguistik‹; *Marguerite Duras*, ›Sommer 1980‹; *Peter Weiss*, ›Der neue Prozeß. Stück in 3 Akten‹ neben dem Bericht ›Atomkriegsfolgen‹. Neue Folge Band 300: ›edition suhrkamp. Ein Lesebuch‹, ausgewählt von *Raimund Fellinger*. Es enthält jene Autoren, die für die gegenwärtige Auseinandersetzung wegweisende Texte geschrieben haben.
Siegfried Unseld im Vorwort: »Entscheidend für die Arbeit eines Verlages wie Suhrkamp sind der programmatische Wille zur Auswahl und Synthese und die Fähigkeit, neue geistige Impulse aufzuspüren und auf sie zu reagieren ... Die edition suhrkamp möchte Strömungen widerspiegeln und Impulse für Neuentwicklungen geben, Chronik und Anregung sein, Widersprüche zeigen und Widersprüche provozieren ... möchte Forum sein und bleiben für eine lebendige Literatur.«

Immer wieder der junge Autor: diesmal »zweite« Bücher von *Ulla Berkéwicz*, ›Michel, sag ich‹ (»Läuternd und erneuernd wie der Tod ist diese Parabel; sie läßt das Wort dort seine Wirkung tun, wo es mächtig ist.« NZZ), *Wolfgang*

Hermann Körner, ›Die Nilfahrt‹ und *Joachim Veil*, ›Das Geräusch beim Erwachen‹.
Peter Handke gab einem durch Tod unvollendet gebliebenen Roman publizierbare Gestalt: *Gerold Foidl*, ›Scheinbare Nähe‹.
Zwei Bücher ungewöhnlichen Charakters: ›Das große Brecht-Liederbuch‹ und ein edition suhrkamp-Band mit Gedichten und Zeichnungen von *Meret Oppenheim*, jener Künstlerin, die durch ihr ›Déjeuner en fourrure‹ weltberühmt geworden ist: ›Husch, husch, der schönste Vokal entleert sich.‹
Am 18. September tritt *Friederike Roth*, die Ingeborg-Bachmann-Preis-Trägerin 1983, mit ihrem Stück ›Krötenbrunnen‹ in den Verlag ein.
Lars Norén, bedeutendster schwedischer Dramatiker der Gegenwart, wird vom Suhrkamp Verlag weltweit vertreten. Mit seinem Stück ›Dämonen‹ wird er im November 1984 in Bochum (Regie: Claus Peymann) dem deutschen Publikum vorgestellt.
Der Suhrkamp Theaterverlag kann sieben Uraufführungen registrieren, darunter Stücke von *Achternbusch, Bernhard* und *Tankred Dorst* und fünf deutsche Erstaufführungen. An der Spitze der Aufführungen liegen *Brecht, Frisch* und *Thomas Bernhard*.

Am 12. März erscheint *Isabel Allendes* Roman ›Das Geisterhaus‹, aus dem Spanischen übersetzt von Anneliese Botond. Es ist das erste Buch dieser Autorin, der Nichte des chilenischen Präsidenten Allende, die nach dem Putsch vom 11. September 1973 Chile verließ und nun mit ihrer Familie als Journalistin in Venezuela lebt. ›La casa de los espiritus‹ erschien 1982 in Spanien, danach in rascher Folge in allen europäischen und vielen außereuropäischen Sprachen. Doch nirgendwo war der Erfolg so groß wie in Deutschland: »... Eine endlose Geschichte von Schmerz, Blut und

Liebe« (SZ), »Epische Souveränität« (FR), »Hier ist eine Frau mit großer Erzählkunst in die Autoren-Elite Lateinamerikas eingedrungen: ein Stück große Literatur« (stern). Das Buch ist viele Monate die Nummer 1 der Bestseller-Liste des ›Spiegel‹. Dieser »Glücksfall für die Literatur« ist in Deutschland (Stand Juni 1990) mit zwei Millionen Exemplaren verbreitet.

Am 21. August erscheint *Thomas Bernhards* ›Holzfällen. Eine Erregung‹. Herr Gerhard Lampersberg glaubte, sich in der Figur des Herrn Auersperger im Roman erkannt zu haben, und erreichte eine einstweilige Verfügung gegen die Auslieferung und für die Beschlagnahme des Buches in Österreich, was dann innerhalb von wenigen Stunden vollzogen wurde. Die Richterin des Landesgerichts Wien übersah offensichtlich, daß es auch in der österreichischen Verfassung den Paragraphen der Kunstfreiheit gibt; in ihrem Urteil waren die 18 inkriminierten Stellen samt und sonders unkorrekt wiedergegeben. Herr Lampersberg zog später seine Klage zurück.

RA Sieger, Siegfried Unseld und Thomas Bernhard, bei einer Pressekonferenz zur Beschlagnahme des Buches ›Holzfällen‹

Am 27. März erscheint das zweite *Weiße Programm*: »Suhrkamp Wissenschaft«. Wieder als Prinzip »alte« Bücher, deren Aktualität ungebrochen ist. Das Motto des Programms stammt von Edgar Wind: »Wir haben vom Baum der Erkenntnis gegessen und können uns nicht rückwärts ins Paradies zurückstehlen: das Tor ist verriegelt, und der Engel wacht davor. Aber der Garten ist vielleicht am anderen Ende offen.« 22 Titel werden vorgelegt, Bücher von *Gaston Bachelard, Gregory Bateson, Pierre Bourdieu, Georges Devereux, Georges Duby, Emile Durkheim, Jürgen Habermas, Albert O. Hirschmann, Hans Robert Jauß, Reinhart Koselleck, André Leroi-Gourhan, Claude Lévi-Strauss, Niklas Luhmann, Marcel Mauss, Barrington Moore, Serge Moscovici, Benjamin Nelson, Erwin Panofsky, Richard Rorty, Michel Serres, Alfred North Whitehead* und *Edgar Wind*.

In dem von *Friedhelm Herborth* herausgegebenen Almanach schreibt *Siegfried Unseld* im Vorwort: »... Wir wollen mit zeitdiagnostischer Sinnlichkeit jene philosophischen, ästhetischen und humanwissenschaftlichen Anstöße aufnehmen, die den zeitgenössischen Diskurs der Selbstverständigung einer mit sich hadernden Moderne weitertreiben.«

Ausdruck solchen Wollens sind auch die zum Wintersemester 1984/85 erscheinenden wissenschaftlichen Werke: *Norbert Elias'* wissenssoziologische Untersuchungen ›Über die Zeit‹; *Albert O. Hirschmann* durchpflügt das noch kaum bearbeitete Feld der sozio-ökonomischen Psychologie und untersucht das Schwanken der Bürger zwischen Privatwohl und Gemeinwohl: ›Engagement und Enttäuschung‹; *Richard Münch* entwirft Muster des Aufbaus der modernen Gesellschaften: ›Die Struktur der Moderne‹, und der erste Band von *Joseph Needhams* monumentalem Standardwerk ›Wissenschaft und Zivilisation in China‹ erscheint. *Niklas Luhmann* legt ein Hauptwerk vor, einen faszinierenden

Grundriß einer allgemeinen Theorie ›Soziale Systeme‹. »Ich glaube«, schreibt Klaus Podak im ›Merkur‹, »daß dieses große Buch schon jetzt zu den Höhepunkten soziologischer Aufklärung gezählt werden muß.«

Ausgezeichnete Autoren: *Marguerite Duras*: Prix Goncourt; *Wolfgang Koeppen*: Arno-Schmidt-Preis; *Wolf Lepenies*: Alexander-von-Humboldt-Preis; *Odo Marquard*: Sigmund-Freud-Preis; *E. Y. Meyer*: Preis der Schweizerischen Schillerstiftung; *Adolf Muschg*: Literaturpreis der Stadt Zürich; *Paul Nizon*: Literaturpreis der Stadt Bern; *Erica Pedretti*: Ingeborg-Bachmann-Preis.

Octavio Paz erhält den Friedenspreis des Deutschen Buchhandels. Bundespräsident von Weizsäcker, eben im Amt, sagt in seiner Laudatio: »Octavio Paz ist auf seinem Weg zur prägenden Stimme lateinamerikanischer Kultur geworden, zu ihrem Gewissen.« Von Octavio Paz erscheint: ›Verbindungen–Trennungen. Ein Essay‹.

Siegfried Unseld erhält den Ricarda Huch-Preis der Stadt Darmstadt; die Laudatio hält Martin Walser. Am 31. März ist Siegfried Unseld 25 Jahre Verleger des Suhrkamp Verlages. Am 28. September, dem 60. Geburtstag des Verlegers, überreicht Max Frisch im Namen der Autoren den Band ›Der Verleger und seine Autoren‹ (in dem 58 Begegnungen mit dem Verleger geschildert sind). Die Mitarbeiter übergeben ein ›Verzeichnis der (300) Veröffentlichungen Siegfried Unselds 1951-1983‹ (bearbeitet von Gottfried Honnefelder und Burgel Zeeh). Die Auszubildenden halten in einem Privatdruck ihre Erfahrungen mit Verlag und Verleger fest.

Die Peter Suhrkamp-Stiftung wird am 28. September gegründet »zur Förderung der Literatur und der Literaturwissenschaft, insbesondere der deutschsprachigen«. Als ersten Akt übernimmt die Stiftung Erbe und Nachlaßverwaltung von Uwe Johnson und richtet mit der Frankfurter J. W. Goethe-Universität ein Uwe Johnson-Archiv ein.

Hans Blumenberg, Norbert Elias, Manfred Frank, Jürgen Habermas, Dieter Henrich, Hans Robert Jauß, Niklas Luhmann, Claude Lévi-Strauss, Ludwig Wittgenstein

1985

›Die Neue Unübersichtlichkeit‹ – ein Titel, der Aufsehen erregt und in kurzer Zeit zum zeitdiagnostischen Stichwort wird: die ›Kleinen Politischen Schriften‹ von *Jürgen Habermas* in der edition suhrkamp. Habermas' Essay ging auf eine Rede zurück, die er am 26. November 1984 auf Einladung des Präsidenten des spanischen Parlaments vor den Cortes gehalten hatte. »Der Philosoph soll den ›moral point of view‹ erklären und den Allgemeinheitsanspruch dieser Explikation begründen.« In bestimmter Weise begründet solchen Anspruch ein anderer Band der edition suhrkamp: *Norbert Elias*, ›Humana conditio‹: er geht darin von einem konkreten Anlaß aus, dem 40. Jahrestag des 8. Mai 1945, und beantwortet Tagesfragen aus großer Distanz.
Weitere Neuerscheinungen der edition suhrkamp: *Friederike Roth*, ›Die einzige Geschichte‹; *Peter Weiss*, ›Die Besiegten‹; *Paul Nizon*, ›Am Schreiben gehen‹; *Walter Benjamin*, ›Aufklärung für Kinder‹; *Chie Nakane*, ›Die Struktur der japanischen Gesellschaft‹; *Helmut Dubiel*, ›Was ist Neo-

Karl Krolow

konservatismus?‹; *Georg Simmel*, ›Schriften zur Philosophie und Soziologie der Geschlechter‹; aus dem Amerikanischen wurden übersetzt: *John Hawkes*, ›Travestie‹; *Grace Paley*, ›Ungeheure Veränderungen in letzter Minute‹ und der Erstling ›Edisto‹ von *Padgett Powell*.

11. März: 70. Geburtstag von *Karl Krolow*: Band 3 seiner ›Gesammelten Gedichte‹ erscheint. Peter Demetz: »Krolow hat wie kein anderer Lyriker unseres Sprachmomentes die Gabe bewahrt, das Schwerste leicht zu sagen.«
29. Januar: Deutsch-jüdische Identitäten werden untersucht in dem Buch ›Von Berlin nach Berkeley‹ von *Reinhard Bendix*. »... ein wichtiges Buch gerade in einer Zeit, da man sich in der Bundesrepublik Deutschland mit dem langverdrängten Thema Juden und Deutschland zu befassen beginnt.« (›Die Zeit‹) »Eine bewegende Biographie.« (Frankfurter Hefte)
15. März: Das *Uwe Johnson-Archiv* in der Frankfurter Universität wird der Presse vorgestellt. »Ein Vermögen für die Zukunft« (Wolfram Schütte, FR).
11.-15. April: *International Martin Walser-Symposium* an der West Virginia University, Morgantown, USA.
23.-25. Mai: Colloquium zum Werk *Robert Walsers* in Rom: Es erscheinen zwei Bände ›Aus dem Bleistiftgebiet‹, entzifferte sogenannte Mikrogramme aus den Jahren 1924/25.
Miercoles 5 de Junio, Palacio Conde Duque: TAURUS ediciones tiene el honor de invitarle al acto presentación de la obra *Siegfried Unseld*, ›El Autor y su Editor‹.
22. Mai: Eine ungewöhnliche Publikation: Im Faksimile der Handschrift werden *Paul Celans* früheste Dichtungen erstmals zugänglich, entstanden in jenen Jahren, die sein Leben und Werk am eindringlichsten prägten: ›Gedichte 1938 bis 1944. Mit einem Vorwort und mit Anmerkungen von Ruth Kraft‹. Ruth Kraft am 27. Mai: »Ich freue mich unsagbar über das wunderschöne Buch ... Wie sehr hätte auch Paul

Celan sich über diese wirklich ungewöhnliche Publikation gefreut.«

Weitere »ungewöhnliche« Publikationen: ein Jahr nach *Uwe Johnsons* Tod erscheint, 28 Jahre nach seiner Niederschrift, der Roman ›Ingrid Babendererde. Reifeprüfung 1953‹; die besondere Publikationsgeschichte dieses Werkes beschreibt Siegfried Unseld im Nachwort. Ungewöhnlich auch die 66 Aquarelle und der Essay von *Alice Miller*, ›Bilder einer Kindheit‹.

Zudem erscheinen die zweibändige Sammlung der Reden und Vorträge von *Hans Mayer*, ›Reden I und II. 1945-1984‹ und *Paul Michael Lützelers* auf den kommenden 100. Geburtstag ausgerichtete Biographie ›Hermann Broch‹.

Aus dem literarischen Programm seien genannt: *Herbert Achternbusch*, ›Weg‹; *Thomas Bernhard*, ›Alte Meister‹; *Volker Braun*, ›Hinze-Kunze-Roman‹; *Tankred Dorst*, Beginn der Werkausgabe; *Reto Hänny*, ›Flug‹; *Gertrud Leutenegger*, ›Kontinent‹; *Friederike Mayröcker*, ›Das Herzzerreißende der Dinge‹; *Peter Sloterdijk*, ›Der Zauberbaum‹; *Jörg Steiner*, ›Olduvai. Geschichten‹ und *Martin Walsers* Logbuch ›Meßmers Gedanken‹: in einer »Entblößungsverbergungssprache« denkt »Meßmer«: »Wie immer macht das Leben nicht allen gleich viel Freude.«

»Junge« Autoren: *Reinhold Batberger*, ›Beo‹; *Fritz Dinkelmann*, ›Das Opfer‹; *Hans Meyer-Hörstgen*, ›Hirntod‹; *Bodo Morshäuser*, ›Blende‹.

Ungewöhnlich als Beispiel eines »jungen« Autors: die österreichische Schriftstellerin *Marianne Fritz*. Die Veröffentlichung ihres mehr als 3000 Seiten umfassenden Romans ›Dessen Sprache du nicht verstehst‹, Teil einer Gesamtkonzeption, erfolgte in einer Doppelausgabe: in einer dreibändigen numerierten und signierten Dünndruckausgabe und in einer in Zweimonatsabständen erscheinenden gebundenen Ausgabe in 12 Bänden. Heinz F. Schafroth »zögert« nicht, »von Weltliteratur zu reden«. Und Wendelin Schmidt-Dengler schreibt: »Marianne Fritz' Roman erinnert schon vom Stoff her an zwei Werke von Rang und vergleichbarem Umfang: an Musils ›Der Mann ohne Eigenschaften‹ und an Karl Kraus' ›Die letzten Tage der Menschheit‹. Musils Roman hätte zeigen sollen, warum der Krieg kommen mußte, und Kraus' Drama legt dessen Realität schonungslos dar. Das Buch der Marianne Fritz zeigt, wie diesem Krieg nach außen ein Krieg im Inneren voranging ... Wer sich mit der Literatur des 20. Jahrhunderts auseinandersetzen will, wird um diesen Berg des Anstoßes nicht herumkommen, Anstoß im Doppelsinne verstanden: Ärgernis und Impuls, beides gültig miteinander verknüpft.« Der Ausgabe ist ein Einführungsband vorausgegangen: ›Was soll man da machen?‹

Wichtige Übersetzungen: *Zbigniew Herbert*, ›Bericht aus einer belagerten Stadt‹; *Mario Vargas Llosa*, ›Tante Julia und der Kunstschreiber‹; *Julio Cortázar*, ›Geschichten, die ich mir erzählte‹; *Klas Östergren*, ›Gentlemen‹; *Jorge Semprun*, ›Algarabía oder Die neuen Geheimnisse von Paris‹. *Walker Percy*, ›Der Idiot des Südens‹, und *Patrick Modiano*, ›Eine Jugend‹, wurden beide von *Peter Handke* übersetzt.

In der Bibliothek Suhrkamp erscheinen u. a. *Mircea Eliades* ›Nächte in Serampore‹; *Peter Huchels* Gedichtband ›Die Neunte Stunde‹; das Prosabuch ›Die Löwin‹ von *Konrad Weiß* und die Novelle ›Die Grenzstadt‹ von *Shen Congwen*, den viele Kritiker als den bedeutendsten chinesischen Schriftsteller des Jahrhunderts bezeichnen.

Von den Novitäten des Jahres überschreiten zwei die 100 000er-Grenze: *Martin Walsers* Roman ›Brandung‹. »Martin Walser ist auf der Höhe seiner Erzählkünste ... Von einer bestürzenden Üppigkeit, einem überwältigenden natürlichen Reichtum. Das verstärkt das Gefühl, mit gesteigerter Empfänglichkeit mitten im prachtvoll anbrandenden Leben zu stehen.« (Heinrich Vormweg, SZ)

Martin Walser

Marguerite Duras erhielt im Herbst 1984 für das Buch ›L'amant‹ die höchste literarische Auszeichnung Frankreichs, den Prix Goncourt. Die deutsche Ausgabe, ›Der Liebhaber‹, von *Ilma Rakusa* übertragen, erreicht sogleich Platz 1 der Bestenliste des SWF wie die Nennung auf der Bestsellerliste des ›Spiegel‹. »Einer der schönsten Liebesromane« (Wolf Schoeller). »Ein Büchlein, das man verschlingt ... eine souverän geschriebene Love-Story« (Joachim Kaiser). »Dieses übertrifft alle an Reife, an Souveränität. Mag jeder dieses Buch auf seine Weise verstehen. Mir scheint, daß Marguerite Duras sagen wollte: die Liebe, sie ist doch kein leerer Wahn ... Ein Buch verführt seine Leser.« (Marcel Reich-Ranicki).

Isabel Allendes Dauerplatz auf Nummer 1 der Bestsellerliste und die für literarische Werke ungewöhnlichen Erfolge der Bücher von *Walser* und *Duras* lassen das Branchenblatt »Buchreport« als das hervorstechende Ereignis des Jahres werten: »Erfolgreichster Verlag auf der Jahres-Bestsellerliste Belletristik ist Suhrkamp, der mit insgesamt acht Titeln vertreten ist (Isabel Allende, ›Geisterhaus‹, Marguerite Duras, ›Der Liebhaber‹, Martin Walser, ›Brandung‹, Peter

Sloterdijk, ›Der Zauberbaum‹, Mario Vargas Llosa, ›Tante Julia und der Kunstschreiber‹, Uwe Johnson, ›Ingrid Babendererde‹, Martin Walser, ›Meßmers Gedanken‹ und Tilmann Moser, ›Kompaß der Seele‹). Damit hat erstmals ein literarischer Verlag, dessen Marketing nicht in erster Linie auf Bestseller eingerichtet ist, die Jahreskrone davongetragen.«

Im Herbst erscheint der erste Band des *Deutschen Klassiker Verlages*. Anläßlich des Internationalen Germanistenkongresses in Göttingen wird das erste Exemplar am 26. August Bundespräsident von Weizsäcker übergeben; er bedankt sich »für den großartigen ersten Band der Bibliothek deutscher Klassiker, der Vorbild ist und Vorfreude weckt«.
Am 12. Juni stirbt der Philosoph *Helmuth Plessner* im Alter von 92 Jahren. Der Verlag schließt mit den Bänden 9 und 10 die Gesamtausgabe seiner ›Schriften‹ ab. Odo Marquard im Nachruf: »Bisher wirkte seine Person, jetzt wirkt sein Werk: seine Breitenwirkung, dies scheint mir sicher, steht noch bevor.«
8. Juli: *Ernst Blochs* 100. Geburtstag. »Was ist vergänglich, wenn das Gewesene bleibt?« Es erscheinen, herausgegeben von Karola Bloch, Hanna Gekle, Inge Jens, Uwe Opolka u.a., zwei Bände ›Briefe 1903-1975‹. In den suhrkamp taschenbüchern wissenschaft erscheinen als Erstausgabe in vier Bänden die ›Leipziger Vorlesungen zur Geschichte der Philosophie‹ und dazu die 17bändige Werkausgabe von Ernst Bloch.
Die große Ausgabe der ›Gesammelten Schriften‹ von *Walter Benjamin* wird weitergeführt mit Band VI; er enthält ›Fragmente vermischten Inhalts‹ und die Autobiographischen Schriften, darunter ›Lebensläufe‹, ›Moskauer Tagebuch‹, ›Berliner Chronik‹ (im Anhang einen Wandkalender für 1927 mit Versen von Walter Benjamin und Zeichnungen von Rudolf Grossmann sowie Protokolle zu Drogenver-

suchen). »Mit der wohl nun vollendeten Ausgabe der ›Gesammelten Schriften‹ darf der Verlag ... sich als Geschichtsschreiber Benjamins, des großen Toten, verstanden wissen.« (Leo Löwenthal)

Aus dem wissenschaftlichen Bereich, im Vorjahr ausführlich erwähnt, seien nur die folgenden Werke genannt: *Dietrich Böhler*, ›Rekonstruktive Pragmatik‹; *Roland Barthes*, ›Die helle Kammer‹; *Georges Duby*, ›Ritter, Frau und Priester‹; *Jürgen Habermas*, ›Der philosophische Diskurs der Moderne‹; *Georges Devereux*, ›Realität und Traum‹; *Axel Honneth*, ›Kritik der Macht‹; *Robert K. Merton*, ›Entwicklung und Wandel von Forschungsinteressen‹; *Darcy Ribeiro*, ›Amerika und die Zivilisation‹; *Uwe Wesel*, ›Frühformen des Rechts in vorstaatlichen Gesellschaften‹; *Karl E. Weick*, ›Der Prozeß des Organisierens‹; *Alfred North Whitehead*, ›Wie entsteht Religion?‹

In den suhrkamp taschenbüchern wissenschaft erscheinen u.a. die folgenden Novitäten: *Paul Lorenzen*, ›Grundbegriffe technischer und politischer Kultur‹; *Michael Polanyi*, ›Implizites Wissen‹; *Bassam Tibi*, ›Der Islam und das Problem der kulturellen Bewältigung sozialen Wandels‹; *Bernhard Waldenfels*, ›In den Netzen der Lebenswelt‹ und *Albrecht Wellmer*, ›Zur Dialektik von Moderne und Postmoderne‹.

Zum ersten Mal seit seiner Gründung verleiht der Fachbereich Neuere Philologien der Johann Wolfgang Goethe-Universität Frankfurt am Main am 29. April an Dr. Dr. h.c. *Siegfried Unseld* ein Ehrendoktorat, den »doctor philosophiae honoris causa«. Der Geehrte bedankt sich mit einem Vortrag »Goethe und seine Verleger«. In der Promotionsurkunde steht: »Siegfried Unseld verantwortet Verlage, deren Bücher in den letzten drei Jahrzehnten auf unvergleichliche Weise die literarische, wissenschaftliche und politische Kultur der Bundesrepublik Deutschland beeinflußt haben.« Max Frisch gratuliert: »... nicht zu vergleichen mit einem

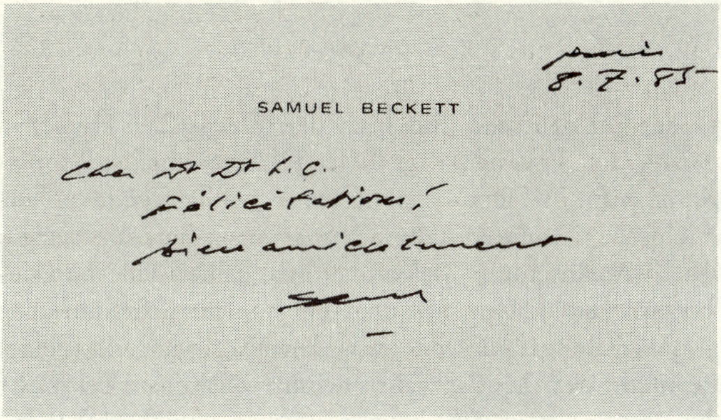
Paris 8.7.85
SAMUEL BECKETT
Cher Dr Dr h.c.
Félicitations!
Bien amicalement
Sam

Samuel Beckett an Siegfried Unseld:
»Cher Dr. Dr. h.c. Félicitations! Bien amicalement Sam«

Ehrendoktor in der Prärie, er ist eine Auszeichnung am Tatort.«
Ausgezeichnete Autoren: *Hans Magnus Enzensberger*: Kölner Literaturpreis; *Alexander Kluge*: Kleist-Preis; *Karl Krolow*: Akademie-Preis der Bayerischen Akademie; *Stanisław Lem*: Österreichischer Staatspreis für Europäische Literatur; *Dolf Sternberger*: Ernst-Bloch-Preis; *Claude Simon*: Nobelpreis; *Jürgen Habermas* erhält den Geschwister-Scholl-Preis der Stadt München für den edition suhrkamp-Band ›Die Neue Unübersichtlichkeit‹.

1986

Über »Die deutsche Literatur« berichtet Jochen Hieber in der FAZ: »Der erste Autor dieses Herbstes aber ist *Thomas Bernhard* ... Der fortwährend publizierende österreichische Monumentalminiaturist inszeniert in seinem Buch ›Auslöschung‹ Bekanntes neu, seinen Unerbittlichkeitsstil zumal. Und mit dem Blick in die ›fürchterlichen Geschichtsabgründe‹ der jüngeren Vergangenheit schlägt Bernhard überdies das wahrscheinlich wichtigste Leitmotiv der allerjüngsten Literatur an.« Es ist ein Jahr Thomas Bernhards. In der Bibliothek Suhrkamp erscheinen ›Einfach kompliziert‹ und ›Der Untergeher‹; am 18. August wird bei den Salzburger Festspielen das Stück ›Ritter, Dene, Voss‹ uraufgeführt, dessen »intelligente Schauspieler immer an der Grenze der Verrücktheit« agieren. In Italien, Frankreich, England und USA wird der Autor Bernhard entdeckt. – Am 25. August erscheint ›Auslöschung. Ein Zerfall‹, »Thomas Bernhards bedingungsloses Geschenk an die Weltliteratur« (Franz Josef Görtz, FAZ).

Reiches literarisches Programm: Gedichte von *Jürgen Becker, Elisabeth Borchers, Hans Georg Bulla, Rainer Malkowski* und *Friederike Mayröcker*; Stücke von *Tankred Dorst, Heiner Müller, Gerlind Reinshagen* und *Einar Schleef*. Erzählungen und Romane von *Renato P. Arlati, Jurek Becker, Silvio Blatter, Werner Koch, Jürg Laederach, Erica Pedretti* und *Ilma Rakusa*.
Hervorzuheben ist das Werk von *Peter Handke*: Bei den Salzburger Festspielen wird seine Übertragung des Aischylos ›Prometheus, gefesselt‹ uraufgeführt. »So treu wie frei wollte Handke das alte Trauerspiel übersetzen. Beim Lesen, beim Vergleichen mit dem Original und anderen Übertragungen – vor allem beim Zuhören merkt man, wie nah der

Dolmetsch seinem Ideal kommt. Dankbar profitiert der Theaterbesucher vom Fleiß dieses Übersetzers.« (Rolf Michaelis, ›Die Zeit‹) In der Bibliothek Suhrkamp sein ›Gedicht an die Dauer‹. Am 25. August erscheint sein neues episches Werk ›Die Wiederholung‹. »›Die Wiederholung‹ ist Handkes ›Ästhetik des Widerstands‹, die Summe seines bisherigen Werks« (Martin Lüdke, FR).

Von *Ludwig Hohl* wird aus dem Nachlaß sein, wie er selbst sagte, »zweites Hauptwerk« herausgegeben: ›Von den hereinbrechenden Rändern. Nachnotizen‹ mit einem Anmerkungsband.

Der »junge Autor«: erste und zweite Bücher von *Bernd Cailloux, Dorothée Haeseling, Anita Pichler* und *Ralf Rothmann*.

Aus der übersetzten Literatur: *Djuna Barnes*, ›Ryder‹ (»Das erstaunlichste je von einer Frau geschriebene Buch«, Saturday Review); *Juan Benet*, ›Rostige Lanzen‹; *Marguerite Duras*, ›Abahn Sabana David‹; *Yasushi Inoue*, ›Die Höhlen von Dung-huang‹; *György Konrad*, ›Geisterfest‹; *Juan Carlos Onetti*, ›Lassen wir den Wind sprechen‹ (mit dem Motto von Ezra Pound, »Bewege dich nicht, laß den Wind sprechen, das ist das Paradies«); *Alain Robbe-Grillet*, ›Der wiederkehrende Spiegel‹; *Mario Vargas Llosa*, ›Maytas Geschichte‹ (»Ein äußerst subtiler und mitreißender politischer Roman«, TLS).

Am 12. Juni erscheint *Isabel Allendes* zweiter Roman, ›Von Liebe und Schatten‹. »Isabel Allende hat mehr zu erzählen als eine Liebesgeschichte ... trotz des Grauens, mit dem ihr Stoff die Erzählerin und diese den Leser konfrontiert, ist das Buch optimistischer als fast alles, was der sogenannte freie Westen an Literatur produziert ... Die Meisterschaft der Autorin, das Glück des Lesers erfüllen sich in den Porträts der Personen, die den Schauplatz dieses chilenischen Welttheaters bevölkern.« (A. von Schirnding, SZ)

In der Bibliothek Suhrkamp (»Unsere intelligenteste Buchreihe.« Peter von Matt, FAZ) u.a. die Neuerscheinungen: *Walter Benjamin*, ›Sonette‹; *Tania Blixen*, ›Ehrengard‹; *E. M. Cioran*, ›Widersprüchliche Konturen‹ (literarische Porträts u.a. von Samuel Beckett, Jorge Luis Borges, Mircea Eliade); *Catherine Colomb*, ›Das Spiel der Erinnerung‹; *Anatolij Kim*, ›Der Lotos‹, aus dem Russischen von Wolfgang Kasack; *Danilo Kĭs*, ›Ein Grabmal für Boris Dawidowitsch‹; *Mercè Rodoreda*, ›Der Fluß und das Boot‹.
Vom 1. Juni an übernimmt der Verlag alle Rechte an dem Werk von *Karl Kraus*; eine kommentierte Gesamtausgabe wird im suhrkamp taschenbuch geplant. ›Die letzten Tage der Menschheit‹ erscheinen als Sonderausgabe in »Werke des Jahrhunderts in einem Band«.
25. November: *Hans Mayer* zum ersten Mal nach 22 Jahren wieder in Ost-Berlin, eingeladen von der Akademie der Künste, hält er den Vortrag »Karl Kraus und seine Folgen«. Der Deutsche auf Widerruf nun auch wieder Deutscher für die DDR. Neben die ›Außenseiter‹ ist ein zweites Opus magnum zu stellen: ›Das unglückliche Bewußtsein. Zur deutschen Literaturgeschichte von Lessing bis Heine‹.
Mit Wirkung vom 1. Januar ist *Dr. Gottfried Honnefelder* geschäftsführungsbefugter Mitgesellschafter des Deutschen Klassiker Verlages.

Die Geburtstage des Jahres:
27. Februar: 60. Geburtstag von *Elisabeth Borchers*; es erscheint der Gedichtband ›Wer lebt‹ (»...und ihn an seinen Höhe- und Glanzpunkten zu einem Ereignis zu machen.« Jochen Hieber, FAZ). Am 7. Juni erhält sie den Hölderlin-Preis; Martin Walser spricht über »Das Musterhafte in den Gedichten von Elisabeth Borchers«.
13. April: 80. Geburtstag von *Samuel Beckett*. »Unsterblich in Paris« (Weltwoche); »Le poète du siècle« (Le

Peter Sloterdijk, Luise F. Pusch, Gottfried Honnefelder
vor Jungbuchhändlern

Monde); Beckett-Festival in New York, New York University; Festschrift »As no other dare fail« (Calder, London).

15. Mai: 75. Geburtstag von *Max Frisch*; es erscheint der siebte Ergänzungsband zu seinen ›Gesammelten Werken in zeitlicher Folge‹, herausgegeben von Hans Mayer, und eine Werkausgabe, Bände 1-7. Schweizer Schriftsteller ehren Max Frisch in Solothurn durch eine öffentliche Lesung seiner Werke. Im Fernsehen seine ›Gespräche im Alter‹.

23. Juni: 80. Geburtstag von *Wolfgang Koeppen*. Es erscheinen seine ›Gesammelten Werke in sechs Bänden‹, herausgegeben von Marcel Reich-Ranicki. Mit dieser Ausgabe ist das Bild eines Autors abgerundet, der zu den Großen der deutschen Literatur des 20. Jahrhunderts zählt. »Dieses bedeutende, aus der Fülle schöpfende Werk steht für eine ganze Epoche.« (A. Krättli, Aargauer Tagblatt); »Eine ganz erstaunliche Edition, die einen viel zu wenig bekannten,

immer wachen Chronisten seines Jahrhunderts vorstellt.« (H. J. Müller, Basler Zeitung); »Gibt es einen zeitgenössischen Autor, der diesem Mann an Sprachwitz, an Vernunft und spielerischer Kunst, an poetischer Magie und, nicht zuletzt, an Welthaltigkeit gleichkommt?« (Walter Jens, ›Die Zeit‹)

1. November: 100. Geburtstag von *Hermann Broch*. »Er ist ohne Zweifel der klassischste aller klassischen Autoren der Moderne« (›Spiegel‹). Es erscheinen der Band ›Briefe über Deutschland 1945-1949‹, ein Band Materialien und in einer Neuauflage die ›Kommentierte Werkausgabe in 13 Bänden‹. Symposien in Stuttgart und Wien.

8. November: 70. Geburtstag von *Peter Weiss*; es erscheinen ein Lesebuch, ›In Gegensätzen denken‹, und in der edition suhrkamp der Band ›Peter Weiss im Gespräch‹, Interviews, die für Peter Weiss ein wichtiges Medium seiner öffentlichen Wirksamkeit waren.

9. Dezember: 70. Geburtstag von *Wolfgang Hildesheimer*. Ausstellungen seiner Bilder und Lesungen, u.a. an der Akademie der Künste in Berlin. Zu Ehren seines Geburtstages erscheint der signierte und numerierte Band ›In Erwartung der Nacht. Collagen‹.

Am 23. April stirbt *Mircea Eliade*, der große Religionshistoriker und Erzähler; sein Werk wird vom Insel Verlag betreut. Elf Titel erschienen in der Bibliothek Suhrkamp. In der Erzählung ›Dayan‹ (BS 836) schrieb er: »... Ich kannte nur die letzte Gleichung, nicht aber die Lösung.« E. M. Cioran: »Wir alle sind, Eliade an der Spitze, ehemalige Gläubige, wir sind alle religiöse Geister ohne Religion.«

Am 7. Januar stirbt *Gunter Böhmer*. Er hinterläßt ein großes autonomes zeichnerisches Werk; über 200 Werke der Welt- und Gegenwartsliteratur hat er illustriert, immer wieder die Werke von Hermann Hesse, ›Lauscher‹, ›Demian‹, ›Unterm Rad‹, ›Steppenwolf‹. Der zu seinem 75. Geburts-

Wolfgang Hildesheimer und Siegfried Unseld

tag geplante Band ›Dialog ohne Worte‹ erscheint mit 75 Zeichnungen und sechs farbigen Aquarellen. »Die Zeichnungen dieser letzten Jahre zeigen immer deutlicher das große Thema seines malerischen Denkens. Es ist der suchende Gegenwartsmensch ... Für mich ist Gunter Böhmer ein schreibender, ein dichtender Maler.« (Siegfried Unseld im Nachwort)

1986 erhält *Christopher Hamptons* ›Gefährliche Liebschaften‹ (übersetzt von Alissa und Martin Walser) den Laurence-Olivier-Preis für das beste Stück des Jahres. Die deutschsprachige Erstaufführung wird Ende des Jahres 1987 im Theater in der Josefstadt, Wien, stattfinden.

In den suhrkamp taschenbüchern erscheint eine fünfbändige Ausgabe der Werke *Paul Celans* und eine neue *Robert-Walser*-Ausgabe in 20 Einzelbänden. Wichtigste Neuerscheinungen: *Marie Luise Kaschnitz*, ›Liebesgeschichten‹; *Marguerite Duras*, ›Der Lastwagen‹ und die Bände ›Pina Bausch‹ und ›Theater‹. In den Materialien Peter Huchel, Bertolt Brecht und ein Band ›Der Jude in der deutschen Literatur‹.
Am 5. Mai erscheinen in der edition suhrkamp – konzentriert als Monatsproduktion – vier erste Gedichtbücher: *Sabine Techel*, ›Es kündigt sich an‹; *Walter Gröner*, ›Ein rasend hingehauchtes Herbsteslicht‹; *Robert Schindel*, ›Ohne Land‹; *Hans Ulrich Treichel*, ›Liebe Not‹.
In der edition suhrkamp werden die beiden Bereiche des Verlages, Literatur und Wissenschaft, immer wieder mit charakteristischen Titeln verbunden. In *Friederike Roths* ›Das Ganze ein Stück‹ ist zu lesen: »Ohne Lesen wäre ich nicht, was ich bin. Ich bin nicht Ich ohne das Buch.« Weitere es-Bände: *Martin Walser*, ›Geständnis auf Raten‹; *Rainald Goetz*, ›Krieg. Hirn‹; *Hermann Lenz*, ›Leben und Schreiben‹ und ›Mein Denken‹ des Malers *A. R. Penck*.

Im essayistischen Bereich ist an erster Stelle zu nennen ein Titel, der eine Standortbestimmung unserer Gesellschaft unternimmt: *Ulrich Becks* ›Risikogesellschaft‹. Daneben: *Ann Jones*, ›Frauen die töten‹; *Peter Sloterdijk*, ›Der Denker auf der Bühne‹; *Winfried Menninghaus*, ›Schwellenkunde. Zu Benjamins Passagen-Werk‹; *Dietrich Thränhardt*, ›Geschichte der Bundesrepublik Deutschland‹. Die Titel der Sammelbände sind sicherlich zeitgeistcharakteristisch: ›Die Ökologie des Körpers‹, ›Soziologie der Kneipe‹, ›Populismus und Aufklärung‹, ›Die Listen der Mode‹, ›Sport Eros Tod‹, ›Die Zukunft Europas‹.

Eine Einsicht des Philosophen *Odo Marquard* wird in diesem Jahr intensiv diskutiert: »Je moderner die moderne Welt wird, desto unvermeidlicher werden die Geisteswissenschaften.«

Im Zentrum *Hans Blumenbergs* großes Werk ›Lebenszeit und Weltzeit‹: »Wie gelingt Selbstbehauptung in einer Welt, die den Günstling der Schöpfung mit sich allein läßt? Wie bewältigt dieses Leben die Zumutungen und Erfordernisse in der bedrängten Gewißheit seiner Endlichkeit.« (Martin Meyer, NZZ) In den drei Teilen des Werkes ›Das Lebensmißverständnis‹, ›Öffnung der Zeitschere‹ und ›Urstiftung‹ antwortet Blumenberg auf diese Fragen. Blumenberg wird allmählich in Frankreich entdeckt, er sei der deutsche Michel Foucault.

Das Werk ›Sexualität und Wahrheit‹ von *Michel Foucault* wird mit zwei Bänden fortgesetzt: ›Der Gebrauch der Lüste‹ und ›Die Sorge um sich‹. »Warum sollte nicht jeder einzelne«, so Foucault, »aus seinem Leben ein Kunstwerk machen können.«

Wichtige Arbeiten: *Jürgen Markowitz*, ›Verhalten im Systemkontext‹; *Max Miller*, ›Kollektive Lernprozesse‹; *Peter Pütz*, ›Die Leistung als Form‹; *Rolf Grimminger*, ›Die Ordnung, das Chaos und die Kunst‹; *Michael Sebastian Honig*,

›Verhäuslichte Gewalt‹; *Rolf Kreibich*, ›Die Wissenschaftsgesellschaft‹; *Werner Kutschmann*, ›Der Naturwissenschaftler und sein Körper‹; *Hanna Gekle*, ›Wunsch und Wirklichkeit. Blochs Philosophie des Noch-nicht-Bewußtseins und Freuds Theorie des Unbewußten‹.
Bei Blackwall in Oxford erscheint die englische Ausgabe des ›Principle of Hope‹ von *Ernst Bloch*.
Übersetzte Werke: *Charles S. Peirce*, ›Semiotische Schriften‹, Band 1; *Adam Ferguson*, ›Versuch über die Geschichte der bürgerlichen Gesellschaft‹; *Georges Duby*, ›Guillaume le Maréchal oder Der beste aller Ritter‹; *Talcott Parsons*, ›Aktor, Situation und normatives Muster‹; *Yehuda Elkana*, ›Anthropologie der Erkenntnis. Die Entwicklung des Wissens als episches Theater einer listigen Vernunft‹.

Gesamtausgaben: Neu begonnen werden ›Gesammelte Schriften‹ von *Victor von Weizsäcker*, herausgegeben von Peter Achilles, Dieter Janz, Martin Schrenk und Carl Friedrich von Weizsäcker. Es erscheinen die Bände 1, ›Natur und Geist‹ und 6, ›Körpergeschehen und Neurose. Psychosomatische Medizin‹ und 8, ›Soziale Medizin‹. Abgeschlossen wird mit dem Erscheinen des Bandes 20 die mit kritisch revidierten Texten wissenschaftlich edierte Ausgabe der ›Schriften‹ von *Theodor W. Adorno*.
Wichtige Titel in den suhrkamp taschenbüchern wissenschaft: ›Gesellschaftlicher Zwang und moralische Autonomie‹, hg. von Hans Bertram; ›Stil. Geschichten und Funktionen eines kulturwissenschaftlichen Diskurselements‹, hg. von H. U. Gumbrecht und K. L. Pfeiffer; *Moritz Schlick*, ›Die Probleme der Philosophie in ihrem Zusammenhang‹ und ›Philosophische Logik‹, Hg. Bernd Philippi; *Oswald Schwemmer*, ›Ethische Untersuchungen‹; *John R. Searle*, ›Geist, Hirn und Wissenschaft. Die Reith Lectures 1984‹; *G. W. F. Hegel*, ›Werke in 20 Bänden‹; *Arthur Schopenhauer*, ›Sämtliche Werke in 5 Bänden‹.

Ausgezeichnete Autoren: *Karl Dedecius*: Hessischer Kulturpreis; *Max Frisch*: Neustadt-Literaturpreis; *Peter Handke*: Salzburger Literaturpreis; *Alexander Kluge*: Kulturpreis der Stadt München; *Gertrud Leutenegger*: Preis der Schweizerischen Schillerstiftung; *Georg Henrik von Wright*: Humboldt-Forschungspreis; *Rudolf Wittkopf*: Spanischer Übersetzerpreis.

Ein Buch mit der wahrscheinlich längsten Vorbereitungszeit: elf Arbeiten jüngerer sowjetischer Philosophen, ›Studien zur Geschichte der westlichen Philosophie‹. Herausgegeben von Nelli Vasilévna Motrošilova, übersetzt von Sigrun Bielfeldt. Im Vorwort von Dieter Henrich: »Das Suhrkamp-Haus hat das Verdienst, die Literaturen und Theorien vieler Länder und auch der Kulturen anderen als europäischen Ursprungs beharrlich zu erschließen.« Die Beiträge des Bandes geben neue Perspektiven. Etwa der Beitrag von Sergej Sergeevič Averincev mit einer weitausgreifenden These über den Zusammenhang orientalischer, römischer und mittelalterlicher Kulturgeschichte; Averincev formuliert als seine Grundhaltung – und diese sollten auch die Teilnehmer des »Historikerstreits« beherzigen – »Bescheidenheit des Historikers vor der Faktizität der Geschichte, Verzicht auf das definitive Wort, auf die allzu ›fertige‹ kategorische Aussage.«

31. Dezember: Im Leitartikel der FAZ von Kurt Reumann: »Auch jeder Erwachsene sollte den Fernsehkonsum einschränken und statt dessen im Jahr zwei, drei Romane lesen. Wie wäre es, mit Thomas Bernhards ›Auslöschung‹ anzufangen, der aufregendsten Neuerscheinung seit Grass' ›Blechtrommel‹? Wer das liest, erfährt, daß Literatur nicht tot ist.«

1987

Am 7. Januar erscheint als erstes Buch im Jahr der *Dieter Henrich* zum 60. Geburtstag gewidmete Sammelband ›Theorie der Subjektivität‹; seine Stichworte sind gleichzeitig Stichworte gegenwärtigen Zeitgeistes: Bewußtsein, Selbstbewußtsein, Erkenntnis, Freiheit, Metaphysik. Der erste Band der edition suhrkamp im Jahr, ›Verteidigung der Schrift‹, herausgegeben von *Frank Schirrmacher*, widerspricht der These von der Unverstehbarkeit Franz Kafkas. Höhepunkt der edition suhrkamp im ersten Halbjahr ist fraglos *Edward P. Thompsons* lang erwartetes Standardwerk ›Die Entstehung der englischen Arbeiterklasse‹, in dem aus der »Logik der Erfahrung« für die Historiographie eine neue folgenreiche Methode entwickelt wurde, die »Geschichte von unten«; die Kritik bescheinigt: »Auch nach 25 Jahren hat das große Panorama nichts von seiner Faszination verloren.« Ebenfalls in der edition suhrkamp, als Reprint die Werkausgabe *James Joyce* in sechs Bänden.
In den stw ein schmaler, aber gewichtiger Band, eine ›Urgeschichte der Theorie‹: Hans Blumenberg interpretiert das Lachen einer Thrakerin: Sie habe, als Thales, nachdem er zum Himmel aufgeblickt hatte, in einen Brunnen gefallen war, diesen ausgelacht: Er wolle mit aller Leidenschaft Dinge am Himmel wissen, während ihm das, was ihm vor Füßen läge, verborgen bliebe.
Ulla Berkéwicz' drittes Prosabuch ›Adam‹ erscheint, Wolfgang Koeppen schreibt: »Ich habe das Buch ›Adam‹ der Ulla Berkéwicz zum zweiten Mal gelesen und bleibe fest bei meinem Urteil, daß es der poetischste und zugleich auf eine seltsam Weise auch realistischste Roman des Jahres '87, also auch von heute ist. Unsere Schattenwelt aus Theater, Film, uralter Lebensangst und Illusion von Glück und Freude, Wahrheit des Todes ist wiedergegeben in einer schönen,

klaren, Herz wie Verstand ansprechenden, bis zur letzten Seite fesselnden Erzählung.« *Josef Winkler* setzt sein Romanwerk mit ›Der Leibeigene‹ fort. *Friederike Roth* meldet sich nach Jahren dramatischer Arbeiten mit dem Gedichtbuch ›Schattige Gärten‹ zu den Gedichteschreiberinnen zurück. Mit Band 12 ist auch die Leseausgabe *Marianne Fritz*, ›Dessen Sprache Du nicht verstehst‹ abgeschlossen. *Martin Walsers* Novelle ›Dorle und Wolf‹ entfacht, kaum erschienen, heftige Kontroversen. Ein Kritiker faßt sie zusammen: »Der Unterhaltungswert der Walserschen Bücher war schon immer ungewöhnlich hoch; diesmal kommt durch das Thema und den Gang der Handlung zusätzlich Spannung hinein ... ›Dorle und Wolf‹ ist von besonderem Reiz, weil das Wesensmerkmal aller Walserschen Halbhelden, das Tarnen des Inneren, hier auch noch zum Berufsmerkmal geworden ist ... ›Dorle und Wolf‹ ist ein Buch, das sich ausgesprochen lustvoll lesen läßt.«
Der 44. Band ›Spectaculum‹ liegt vor. Botho Strauß schreibt: »Ich besitze noch ›Spectaculum‹ 1956 – ein wahres Initiationsbuch für mich auf dem Weg zum Theater, die erste Begegnung mit Brecht, die erste mit Theater in Textgestalt überhaupt.« Mit *Yasushi Inoues* großem Opus ›Meine Mutter‹ und *Hector Bianciottis* Roman ›Das extreme Leben einer unscheinbaren Frau‹ liegen wichtige Übersetzungen vor.
Alles andere als unscheinbar sind die, nachmalig so genannten, ›Weißen Frauen‹ des neuen, nunmehr dritten »Weißen Programms«: ›Im Jahrhundert der Frau‹. Am 30. April werden 22 Bücher in einheitlicher Gestaltung von Hermann Michels neu aufgelegt: *Ingeborg Bachmann, Djuna Barnes, Tania Blixen, Rosario Castellanos, Colette, Catherine Colomb, Ding Ling, Marguerite Duras, Marieluise Fleißer, Natalia Ginzburg, Lillian Hellman, Ricarda Huch, Marie Luise Kaschnitz, Gertrud von le Fort, Clarice Lispector, Elsa Morante, Grace Paley, Silvia Plath, Mercè Rodoreda, Moni-*

Ulla Berkéwicz, Marianne Fritz, Angela Krauß, Gertrud Leutenegger, Friederike Mayröcker, Erica Pedretti, Ilma Rakusa, Gerlind Reinshagen, Friederike Roth *que Saint-Hélier, Rahel Sanzara, Gertrude Stein*; dazu vier Anthologien: Gedichte, Essays, Briefe und Dramen von Schriftstellerinnen und der Almanach ›Im Jahrhundert der Frau‹. Keine »Frauenliteratur«, vielmehr große Literatur, geschrieben von bedeutenden Autorinnen dieses Jahrhunderts; ein Beleg dafür, daß der Verlag sich über seine ganze Geschichte hin für Literatur von Schriftstellerinnen engagierte. »Das ›Weiße Programm‹: ›Im Jahrhundert der Frau‹ liest sich wie der ›Gotha‹ der Schriftstellerinnen dieses Jahrhunderts« (Buchreport). »Eine Literaturauswahl großer Schriftstellerinnen, die sich sehen lassen kann« (Hessischer Rundfunk). »... daß die Trouvaillen nicht nur im Jahrhundert der Frau, sondern mit Sicherheit auch noch im nächsten Jahrtausend aufmerksame Leser verdienen, hat weniger mit ihrem Frauen-Flair zu tun, sondern vor allem mit ihrer literarischen Qualität« (Die Neue Ärztliche). »Die Bücher dieses Programms belegen, daß Literatur von Frauen welthaltig und phantasievoll sein kann, reich an Handlung und Personal, experimentierlustig, und formal wagemutig.« (NZZ)

Max Frisch erhält nach García Márquez, Czesław Miłosz und Octavio Paz den amerikanischen Neustadt International Prize for Literature.
Werner Fritschs erstes Buch ›Cherubim‹ wird beim Ingeborg-Bachmann-Wettbewerb mit dem Preis des Landes Kärnten, dem Rauriser Literaturpreis und in der Schweiz mit dem Robert Walser-Preis 1987 ausgezeichnet. Am 22. Juni wird *Norbert Elias* 90 Jahre alt. Zwei Bücher erscheinen: Das Gedichtbuch ›Los der Menschen‹ und ›Die Gesellschaft der Individuen‹, über das die FAZ berichtet: »Der besondere Wert des Buches liegt in seinem Reichtum an zukunftsweisenden philosophischen und politischen Fragestellungen, die Elias mit bestechender Klarheit vorträgt.« Die Universität in Amsterdam ehrt ihn in einer ein-

Norbert Elias bei Entgegennahme des Theodor W. Adorno-Preises in der Frankfurter Paulskirche

drucksvollen Feier. Als Vertreter der Länder, die Lebens- und Exilstationen Elias' sind, sprechen Pierre Bourdieu, Bryan Wilson, Siegfried Unseld und Maarten Brands. Ulla Berkéwicz liest das Gedicht ›Los der Menschen‹. Der holländische Kultusminister überreicht Norbert Elias im Auftrag der holländischen Königin den Orden Commandeur van de Order van Oranje Nassau.

9. August: 25. Todestag von *Hermann Hesse*. In diesen 25 Jahren erleben wir ein Phänomen literarischer Rezeption, das seinesgleichen sucht. Immer wieder neue Generationen von Lesern entdecken das Werk dieses Schriftstellers, dies oft gegen den Widerstand der Literaturkritik. Hermann Hesse wurde weltweit zum meistgelesenen deutschsprachigen Schriftsteller unseres Jahrhunderts. In über 60 Millionen Exemplaren sind seine Bücher mittlerweile in aller Welt verbreitet. Es erscheinen: Hermann Hesses Leseerfahrungen ›Die Welt im Buch‹, ›Augenzeugen berichten‹ und der vierte Band der ›Gesammelten Briefe‹.

Am 1. September strahlt die ARD den Fernsehfilm ›Der Verleger oder Die Lust am Buch‹ aus.
Die edition suhrkamp, nach wie vor avanciertester Ort des Verlages. Die Holländerin *Renate Rubinstein* notiert das Überwinden einer Krankheit: ›Sterben kann man immer noch‹. *Adam/Moodley* ›Südafrika ohne Apartheid‹ und eine »Bestandsaufnahme«, ›Der Spanische Bürgerkrieg‹ von Manuel Tuñón de Lara, Julio Aróstegui, Angel Viñas, Gabriel Cardona und Joseph M. Bricall sowie Detlev J. K. Peukerts Darstellung der ›Weimarer Republik‹. Zur Buchmesse ein Programm deutschsprachiger wie ausländischer Autoren. Zwei wichtige Gedichtbände: *Volker Braun*, ›Langsamer knirschender Morgen‹ (»Da bin zunächst ich ... zwei Länder kleben an meinen Sohlen ... hier wächst das Salz, dort der Pfeffer«) und *Wulf Kirstens* ›die erde bei meißen‹; Kirsten erhält den Peter Huchel-Preis 1987. Es erscheinen Prosabücher von *Reinhold Batberger* (›Skalp‹), *Peter Handke* (›Die Abwesenheit‹ – »Was zu sehen keine Kunst ist, wird – so gesehen – höchste Kunst. Wir wüßten keinen anderen Schriftsteller deutscher Sprache, der sie eindringlicher beherrschte.« M. Meyer, NZZ), *Bodo Morshäusers* ›Nervöse Leser‹ und *Bodo Kirchhoffs* Erzählungsband ›Ferne Frauen‹ (»... ja sogar eine gewisse Bewunderung läßt sich ihnen nicht versagen«. Klara Obermüller); *Hans Magnus Enzensberger* tritt mit seinen Wahrnehmungen aus sieben Ländern ›Ach Europa!‹ hervor. Das schöne Chaos Europa. »... wir nehmen Anteil an einer unablässigen Horizonterweiterung« (François Bondy).
Zum 10. Todestag von *Hans Erich Nossack* erscheint eine Sonderausgabe seiner gesammelten Erzählungen.
Hans Jonas erhält den Friedenspreis des Deutschen Buchhandels. Dies insbesondere für sein im Insel Verlag erschienenes Werk ›Das Prinzip Verantwortung‹; als suhrkamp taschenbuch-Ausgaben folgen zur Verleihung ›Macht oder

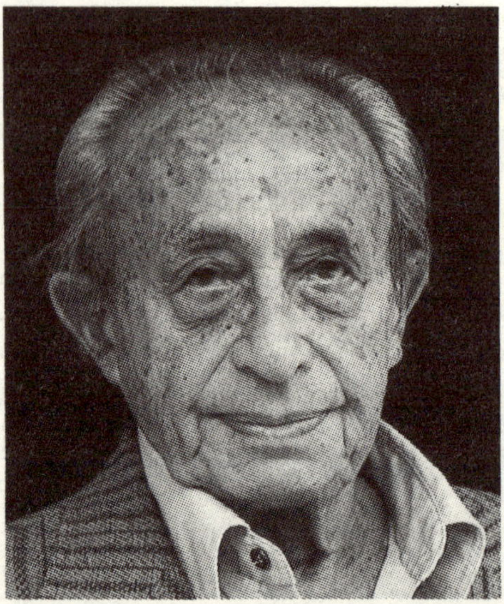

Hans Jonas

Hans Mayer

Ohnmacht der Subjektivität‹, ›Technik, Medizin und Ethik‹, ›Der Gottesbegriff nach Auschwitz‹.

19. März: *Hans Mayers* 80. Geburtstag.

Endlich erscheint ein Roman der großen alten Dame der portugiesischen Literatur *Agustina Bessa Luís*, ›Die Sibylle‹, von *Cees Nooteboom* der Roman ›In den niederländischen Bergen‹, von *Julio Cortázar* ›Ein gewisser Lukas‹ (»Cortázar weckte ein Gefühl: hingebungsvolle Liebe. Er war der Argentinier, der es fertigbrachte, daß alle ihn liebten.« García Marquez). Neue Bücher von *Marguerite Duras* und *Yann Queffélec*, Bücher des Polen *Kornel Filipowicz*, des Dänen *Stig Dagerman*, des Spaniers *Juan Carlos Onetti*, der Schweden *Olof Lagercrantz* und *Lars Norén*, des französischen Rumänen *E. M. Cioran*.

Ein Hauptwerk lateinamerikanischer Literatur liegt jetzt in Deutsch vor: *Guillermo Cabrera Infante*, ›Drei traurige Tiger‹. Höllisch die Arbeit des Übersetzers (Wilfried Böhringer sei gerühmt), höllisch das Vergnügen des Lesers. »›Drei traurige Tiger‹ kann auf dem selben Regalbrett stehen wie Marquez' ›Hundert Jahre Einsamkeit‹ und wie die provozierenden Dunkelheiten des Luis Borges«, schrieb Time Magazine. Bedeutsame essayistische Werke: Der russische Literaturwissenschaftler und Semiologe *Michail Bachtin* stellt mit ›Rabelais und seine Welt‹, seinem Hauptwerk, das wirkungsreiche Konzept der »Dialogizität« vor. Der italienische Literaturkritiker *Claudio Magris* analysiert in ›Der Ring der Clarisse‹ Probleme der modernen Literatur und der polnische Kulturhistoriker *Jacek Wozniakowski* gibt eine Deutungsgeschichte des Berges in der europäischen Neuzeit: ›Die Wildnis‹. Der Theater Verlag meldet zwei wichtige Uraufführungen: *Rainald Goetz*' ›Krieg‹ am 11. Oktober in Bonn in der Regie von Hans Hollmann (deutsche Theaterkritiker wählen ›Krieg‹ zum Stück des Jahres, Goetz erhält den Mühlheimer Theaterpreis) und *Gaston Salvatores* ›Stalin‹ am 31. Oktober in Berlin, an die sich viele

Aufführungen in Städten des In- und Auslandes anschließen.

Im wissenschaftlichen Programm wichtige Übersetzungen: Die ›Schriften zur Soziologie der Erkenntnis‹ des französischen Klassikers der Soziologie *Emil Durkheim*. Sie stellen den Anspruch, einen Weg zur Analyse der sozialen Konstitution der fundamentalen Kategorien des Erkennens gefunden zu haben. *Shmuel N. Eisenstadt* deutet die israelische Gesellschaft umfassend, die Wandlungsprozesse und Entwicklungstendenzen ›Die Transformation der israelischen Gesellschaft‹. Die Rolle des Intellektuellen analysiert *Pierre Bourdieu* in dem grundlegenden Werk ›Sozialer Sinn. Kritik der theoretischen Vernunft‹. *Ludwig Wittgenstein*, der von vielen als der bedeutendste Philosoph unseres Jahrhunderts gesehen wird, hat auf alle Menschen, die ihm begegnet sind, eine große Wirkung ausgeübt. Rush Rhees, Schüler, Freund und Nachlaßverwalter, sammelt die wichtigsten authentischen Berichte. *Saul A. Kripke*, der amerikanische Philosoph, findet in seinem Werk ›Wittgenstein über Regeln und Privatsprache‹ das zentrale Motiv Wittgensteins. Es erscheinen Bücher wichtiger deutscher Wissenschaftler: von *Winfried Menninghaus, Manfred Sommer, Peter-Michael Spangenberg* und *Otfried Höffe*.

Die Klassiker der Moderne der Bibliothek Suhrkamp: Als Erstausgabe *Thomas Bernhards* Theaterstück ›Elisabeth II. Keine Komödie‹, das erst nach seinem Tode uraufgeführt wird (das letzte Wort des Stückes: »Sicher«). *Christine Lavant*, ›Gedichte‹, ausgewählt von Thomas Bernhard (»Das elementare Zeugnis eines von allen guten Geistern mißbrauchten Menschen als große Dichtung ... diese Auswahl folgt nur *meinem* Verstand, keinem anderen.« Thomas Bernhard).

Eça de Queiroz, ›Der Mandarin‹ (Jorge Luis Borges: »Im letzten Jahr des 19. Jahrhunderts starben in Paris zwei Genies. Eça de Queiroz und Oscar Wilde«). *Hans Blumen-*

berg, ›Die Sorge geht über den Fluß‹ (»... jetzt wird der literarische Rang dieses Denkers unverkennbar. Wir werden künftig, wenn wir von führenden Schriftstellern des Landes reden, auch den Namen Blumenberg erwähnen müssen.« Frank Schirrmacher, FAZ).
Hermann Lenz wird mit dem Petrarca-Preis 1987 ausgezeichnet, der in Asolo bei Venedig verliehen wird.
Als eines der letzten Bücher des Jahres erscheint das Filmbuch ›Der Himmel über Berlin‹ mit dem Text von Peter Handke, in der Regie von Wim Wenders. Bruno Ganz spielt die Hauptrolle, den Engel Damiel, den Handke sagen läßt: »Als das Kind Kind war, wußte es nicht, daß es Kind war, alles war ihm beseelt, und alle Seelen waren eins.«

Peter Handke, Hermann Lenz und Siegfried Unseld

1988

Ab 1. Januar ist Dr. Joachim Unseld neben Siegfried Unseld gleichberechtigter Verleger; er verantwortet insbesondere die Bereiche edition suhrkamp, suhrkamp taschenbuch und die jüngere deutsche Literatur. Es geht um Kontinuität und spätere Nachfolge. »Siegfried Unseld teilt seine Macht. Ehe die Suche nach einem Nachfolger zu spät ist, hat der 63jährige Verleger seinen 35 Jahre alten Sohn Joachim als gleichberechtigten Chef der Frankfurter Häuser Suhrkamp und Insel und Nomos (Baden-Baden) eingesetzt. Ob bei dem dynamischen Temperament des Seniors diese Parität auf Dauer gut geht, wird sich erweisen.« (Frankfurter Neue Presse)

Werner Fritsch, Joachim Unseld, Rainald Goetz, Josef Winkler, Klagenfurt 1987

26. Januar: Peter Handke erhält den Bremer Literaturpreis.
Wegen des Brandes der Frankfurter Oper wohnt *John Cage* sechs Wochen im Suhrkamp Gästehaus. Der englische, am King's College in Cambridge lehrende Soziologe Daniel Bell, der ebenfalls im Gästehaus übernachtet, bedankt sich: »The one thing that remains ›spooky‹ is that while we were next door for serveral nights to John Cage, I never got a glimpse of him, not even as the Ceshire cat!« – die bekanntlich im ›Alice im Wunderland‹ Rat gibt und verschwindet.

»Klassiker«-Ausgaben: *T. S. Eliot*, ›Werke in vier Bänden‹ als Wiederaufnahme aus Anlaß des 100. Geburtstages am 26. September. Für die ›Zeit‹ ist dieser »Wegbereiter der literarischen Moderne der bedeutendste Dichter des Jahrhunderts.«
Ödön von Horváth, Gedenkausgabe zum 50. Todestag am 1. Juni: ›Gesammelte Werke in vier Bänden‹. *Karl Kraus*, ›Frühe Schriften 1892-1900‹. Karl Kraus (1874-1936), Begründer der fast nur von ihm geschriebenen ›Fackel‹, prophetischer Kulturkritiker, Meister des Essays und des Aphorismus, satirischer Lyriker und Dramatiker, wird hier mit dem Frühwerk vorgestellt, das eine neue Kraus-Ausgabe im Suhrkamp Verlag einleiten soll. Dieses Frühwerk belegt: Karl Kraus war, als er noch nicht Karl Kraus war, doch Karl Kraus. »Erster Eindruck:«, notiert Nike Wagner in der ›Zeit‹, »Ein literarisch Beflissener, ein politisch Ahnungsloser. Zweiter Eindruck: Da radikalisiert sich innerhalb von sechs Jahren ein Junge zum Monster, da entwickelt einer ein aggressives Potential, das ihn unweigerlich zum Außenseiter machen wird.« Beginn der Frankfurter Ausgabe *Marcel Proust* mit dem ersten Band ›Freuden und Tage und andere Erzählungen und Skizzen aus den Jahren 1892-1896‹, übertragen und herausgegeben von Luzius Keller.

90. Geburtstag von Bertolt Brecht
Gedenkfeier im Schauspielhaus
Frankfurt am Main

10. Februar: 90. Geburtstag von *Bertolt Brecht*. In Frankfurt veranstaltet der Suhrkamp Verlag am 7. Februar im Schauspielhaus eine Gedenkfeier mit Ute Lemper, Hans Mayer und Bruno Ganz. Am 10. Februar im Berliner Ensemble Festakt des Ministerrats der DDR mit Erich Honecker, Kurt Hager, Günter Mittag, Günter Schabowski. »Nicht nur das Berechenbare ist es, mit dem wir rechnen müssen, wir müssen fähig sein, auch das Unerwartete als

Unter den Gästen der ersten Reihe: Christoph Sieber-Rilke, Jürgen Habermas, Hilmar Hoffmann, Ulla Berkéwicz, Barbara Brecht-Schall, Minister Gerhard

Bundesgenossen zu begrüßen.« Welch eine Prophetie! Es erscheinen die ersten fünf Bände der auf 30 Bände konzipierten Ausgabe: Bertolt Brecht, ›Werke. Große kommentierte Berliner und Frankfurter Ausgabe‹ sowohl im Aufbau-Verlag, Ost-Berlin, wie im Suhrkamp Verlag, Frankfurt; herausgegeben von je zwei Brecht-Forschern aus der DDR, Werner Hecht und Werner Mittenzwei, und aus der Bundesrepublik, Jan Knopf und Klaus Detlev Müller.

»Es kommt wahrlich einer Sensation gleich, verdient Bewunderung und Respekt. Man übertreibt gewiß nicht, wenn man dieses Unternehmen das spektakulärste auf dem Feld der verlegerischen Zusammenarbeit zwischen beiden deutschen Staaten nennt.« (F. J. Görtz, FAZ) »... eine Ausgabe, die zu den großen editorischen Unternehmungen unseres Jahrhunderts gerechnet werden darf.« (NZZ) »Bestechend an dieser deutsch/deutschen Klassikerausgabe ist neben ihrer philologischen Gründlichkeit die Darstellung der Historizität und damit des Unklassischen Brechtscher Texte.« (Süddeutsche Zeitung).
27. März–2. April: *Wolfgang Koeppen* unternimmt, auf Einladung des Verlages, eine Schiffsreise von Singapur nach Genua.
3. Mai: *Peter Sloterdijk* beginnt seine Frankfurter Poetik-Vorlesungen ›Zur Welt kommen. Zur Sprache kommen‹ mit einem Motto von Paul Celan: »Poesie zwingt nicht, sie setzt sich aus«.

Erste Bücher: *Esther Dischereit* (geboren 1952), ›Joëmis Tisch. Eine jüdische Geschichte‹, *Durs Grünbein* (1962 in Dresden) mit dem Gedichtbuch ›Grauzone morgens‹, *Norbert Gstrein* (1961 in Tirol), ›Einer‹ (»Ein verblüffend sprachsicherer Erstling«), *Andreas Neumeister* (1959), ›Äpfel vom Baum im Kies‹, *Werner Söllner* (1951 in Horia im Banat), ›Kopfland, Passagen‹, *Ernst Wichner* (1952 im Banat) mit seinem Gedichtband ›Steinsuppe‹.
Deutschsprachige Literatur: *Karl Krolows* neues Gedichtbuch ›Als es soweit war‹ und *Jürgen Becker*, ›Das Gedicht von der wiedervereinigten Landschaft‹. *Margrit Baurs* drittes Buch im Verlag, ›Geschichtenflucht‹. *Gertrud Leuteneggers* Erzählung ›Meduse‹, *Silvio Blatter* schließt seine Freiamt-Trilogie, ›Zunehmendes Heimweh‹ und ›Kein schöner Land‹ mit dem Roman ›Das sanfte Gesetz‹ ab. *Rainald Goetz*' zweiter Roman ›Kontrolliert‹, *Ulla Berkéwicz*'

drei Erzählungen ›Maria Maria‹ (»Da erhalten die Wörter ... eine Unschuld und Sinnlichkeit zurückerstattet, die sie eigentlich längst verloren haben.« G. Dotzauer, ›Die Zeit‹; »Natürlich haben sie (die Dichter) genau das immer gekonnt, die richtigen jedenfalls. Und Ulla Berkéwicz' abgründig melancholische Wirklichkeitsbeschwörungsgeschichte ist ein zauberhafter weiterer Beleg dafür.« H. F. Schafroth, FR), in der edition suhrkamp *Robert Schindels* dritter Gedichtband ›Im Herzen der Krätze‹, *Ralf Rothmann*, ›Der Windfisch‹ und *Martin Walsers* große Erzählung ›Jagd‹ (»Woran sich Walsers Meisterschaft immer wieder aufs Neue bewährt: seine Helden in ihren düstersten Augenblicken zu begleiten. Kaum einer vermag die Verwerfungen und Abgründe in den menschlichen Verhältnissen besser auszuloten als Walser.« Volker Hage, ›Die Zeit‹)

Aus der DDR: *Angela Krauß* mit der Erzählung ›Das Vergnügen‹. Die Autorin erhält den Ingeborg-Bachmann-Preis 1988.

Aus Österreich: *Friederike Mayröcker*, die »Erfinderin poetischer Denk- und Imaginationsweisen« mit ihrem Buch ›mein Herz mein Zimmer mein Name‹ und *Ingrid Puganigg* hält »Zwiesprache« in ihrem Prosabuch ›Laila‹.

Wesentliche essayistische Werke: *Hans Magnus Enzensberger*, ›Mittelmaß und Wahn‹. (»Enzensbergers Essays gehören zu jenen Glanzstücken zeitgenössischer Prosa, die einer fast schwachsinnigen Wirklichkeit plötzlich unerhörte Gedanken eingeben.« F. Schirrmacher, FAZ) *Hans Peter Duerr*, ›Nacktheit und Scham‹, der erste Band seiner großen Untersuchung des Zivilisationsprozesses, und zwei Bücher von *Alice Miller*, ›Das verbannte Wissen‹ und ›Der gemiedene Schlüssel‹.

Wichtige Übersetzungen des Jahres: Bücher von *Julio Cortázar, Bohumil Hrabal, Maarten't Hart, Isabel Allende, John Hawkes, Donald Barthelme, Angeles Mastretta, Klas*

Östergren, Gertrude Stein, Mario Vargas Llosa und das große Werk ›Brasilien, Brasilien‹ von *João Ubaldo Ribeiro.* (»Ein Rabelais der Tropen ... Dem wortmächtigsten unter Brasiliens Erzählern ist eine der schönsten Liebesgeschichten der zeitgenössischen Literatur gelungen.« W. Haubrich. »Ich kenne keinen brasilianischen Roman der letzten zwanzig Jahre, der schöner geschrieben wäre und wichtiger als dieser eine von João Ubaldo Ribeiro.« Jorge Amado)

In den Büchern des wissenschaftlichen Programms kritisiert *Charles Taylor* den neuzeitlichen Individualismus ›Negative Freiheit?‹ Ausgewählte Texte von *Roman Jakobson*, ›Semiotik‹, *Pierre Bourdieus* ›Homo academicus‹, *Max Raphaels* ›Tempel, Kirchen und Figuren‹. *Niklas Luhmann* setzt sein Werk fort mit einer eingehenden Analyse ›Die Wirtschaft der Gesellschaft‹.
Zum Wintersemester erscheinen *Jürgen Habermas*' gesammelte philosophische Aufsätze ›Nachmetaphysisches Denken‹, *Karl-Otto Apels* ›Diskurs und Verantwortung‹, *Peter Bürgers* ›Prosa der Moderne‹, *Ulrich Pothasts* ›Philosophisches Buch. Schrift unter der aus der Entfernung leidenden Frage, was es heißt, auf menschliche Weise lebendig zu sein‹, *Wolfgang Schluchter* legt Studien zu Max Weber vor, ›Religion und Lebensführung‹.
Wichtige Übersetzungen: *Gaston Bachelard*, ›Der neue wissenschaftliche Geist‹, *Jacques Derrida*, ›Vom Geist. Heidegger und die Frage‹, *Edmund Leites*, ›Puritanisches Gewissen und moderne Sexualität‹, *Max Raphael*, ›Natur – Kultur. Studien zur Philosophie und Literatur‹. *Brian McGuinness*, seit mehr als 30 Jahren Fellow des Queen's College in Oxford, legt eine ausführliche Biographie, ›Wittgensteins frühe Jahre‹, vor. Die Geschichte des jungen Wittgenstein wird hier zum ersten Mal ausführlich von einem Autor erzählt, der die Zeugnisse vieler Zeitgenossen, Freunde und Verwandten Wittgensteins sowie alle einschlä-

gigen Dokumente kennt und der als Herausgeber zahlreicher Materialien zu Wittgensteins Denken mit dessen Leben und Werk bestens vertraut ist.
Bibliothek Suhrkamp: Der Verlag meldet ein Ereignis. Zwanzig Jahre lang hat er sich auf Empfehlung von Gershom Scholem um *Franz Rosenzweigs* großes religionsphilosophisches Werk ›Der Stern der Erlösung‹ bemüht. Nun liegt es in der Bibliothek Suhrkamp vor; »die ganze jüdische Welt, gewissermaßen eingefaltet in ein Buch«, wie Gershom Scholem schrieb.
Wichtige Erstausgaben: *Juan Carlos Onetti*, ›Leichensammler‹, *Viktor Sklovskij*, ›Dritte Fabrik‹, *Hans Blumenbergs* philosophisches Buch ›Matthäuspassion‹ und *Olof Lagercrantz'* Essay ›Die Kunst des Lesens und des Schreibens‹: »Gott schrieb die Bibel, und mit dem Schreiben entstand die Welt ... So weit hat es noch kein Schriftsteller gebracht. Aber die ehrgeizigen versuchen es.«
Am 8./9. September findet das erste ›Suhrkamp-Literatur-Seminar‹ für Buchhändler statt; unter der Leitung von Dr. Christoph Groffy dienen diese Seminare der Fortbildung junger Buchhändlerinnen und Buchhändler.

25 Jahre edition suhrkamp. Ein Verlag begeht ein Jubiläum mit herausragenden Büchern: Band 1500 *Uwe Johnson*, ›Jahrestage‹, 1501 *Peter Weiss*, ›Ästhetik des Widerstands‹ und 1502 *Jürgen Habermas*, ›Theorie des kommunikativen Handelns‹. Aus dem Programm, das weiterhin Raimund Fellinger betreut, seien nur drei aktuelle Bände hervorgehoben: *Paul de Man*, ›Allegorien des Lesens‹. »Der Autor, Schöpfer einer neuen Literaturtheorie einerseits und andererseits der Fall eines 21jährigen«. *Masao Maruyama*, ›Denken in Japan‹. Der bedeutendste japanische Politikwissenschaftler gibt kritische Stellungnahmen zur japanischen Welt und Gesellschaft. Sein Buch, seine ›Maruyama-Politologie‹, ist in Japan Kultbuch und Pflichtlektüre zugleich.

György Konrád, der ungarische Schriftsteller und Theoretiker, bringt nach seinen ›Mitteleuropäischen Meditationen‹ nun einen ›Stimmungsbericht‹. Er weist die tödliche Dramaturgie der Blocksysteme auf, schildert den Standpunkt des Opfers und gibt den Entwurf eines mitteleuropäischen Selbstbildnisses: »Gibt es noch einen Traum von Mitteleuropa? Ja, es bedarf hierzu einiger Bildung, historische Einsicht und philosophische Unvoreingenommenheit.«
In der Frankfurter Rundschau im November würdigt Wolfram Schütte das Jubiläum der edition suhrkamp: »Suchbewegungen mit einer Speerspitze«: »Als Siegfried Unseld am 2. Mai 1963 gleich mit zwanzig Bänden die ›edition suhrkamp‹ begründete, war das Echo auf den überraschenden Coup des ebenso gewitzten wie geschäftstüchtigen Peter Suhrkamp-Nachfolgers vielhallig und laut ... In der Tat: was Unseld da auf den Markt gebracht hatte, war nicht nur das Ergebnis vorausschauender Sorge des Hausvaters für die Nach- und Mehrfachverwertung der verlegerischen Backlist in eigener Regie; es war ein einzigartiger Sprung nach vorn: in die Aktualität des zeitgenössischen Denkens ... Ein un- (nein: anti-)militaristisches Cruise Missile, eine Speerspitze der Intelligenz und Poesie bei Suchbewegungen: um auf die Nervenpunkte der Gegenwart zu treffen. Im Gelände des ›Zeitgeistes‹, der auf Utopie- und Empathie-Verschrottung aus ist, darf man getrost in der ›edition suhrkamp‹ ein hoffnungsvolles Widerstandsnest erblicken. Ad multos annos.«
Das Ritual der Buchmesse: Der Kritikerempfang, die Gespräche und Verhandlungen am Messestand, Treffen mit den Autoren des Verlages, der Abend mit den Buchhändlern, der Empfang für ausländische Verleger; zum diesjährigen schrieb Gordon Fielding von der Society of Authors in London: »... one has the feeling of being on a mountain top gazing around at all the other high peaks of European and American publishing.«

Uraufführungen von *Tankred Dorsts* ›Korbes‹ am 15. Mai in Hamburg – Regie Wilfried Minks – und *Gerlind Reinshagens* ›Die Feuerblume‹ am 1. Oktober in Bremen, Regie Günter Krämer und Werner Schroeter.
4. November: Uraufführung von *Thomas Bernhards* ›Heldenplatz‹ am Burgtheater in Wien. Die Aufführung wird zu einem Triumph für Bernhard, für den Regisseur Peymann, für das Theater überhaupt. Rolf Hochhuth: »Die Zuschauer standen auf vor dem Autor, dem am Freitagabend die Landsleute mit dieser Huldigung bestätigt haben, daß er seit dem Tode Lernet Holenias der größte Dichter Österreichs ist.« Der Text erscheint zum Tage der Aufführung in der Bibliothek Suhrkamp.
23. November: Der Suhrkamp Verlag übernimmt auf Wunsch der bisherigen Inhaber Heinrich Cobet und Richard Schumann die Frankfurter Bücherstube.
In einer Pressekonferenz des Verlages wird die Gesamtausgabe von *Georg Simmel* vorgestellt. Es erscheinen die Bände zwei und sechs einer auf 24 Bände angelegten Gesamtausgabe. Zu seiner ›Philosophie des Geldes‹ schreibt Gustav Schmoller: »Simmel will nicht etwa eine neue Geldlehre nationalökonomisch vortragen; er nimmt, was wir historisch und volkswirtschaftlich über das Geld wissen, gleichsam als Rohstoff, um es soziologisch und philosophisch zu verwerten, um psychologische, gesellschaftswissenschaftliche, kulturelle Schlüsse daraus zu ziehen.«

1989

Das erste Buch des Jahres in der edition suhrkamp ist ein Erstling: Die Gedichte ›Geschmacksverstärker‹ des 1957 in Düsseldorf geborenen *Thomas Kling*. Ihm gelänge, so Friederike Mayröcker, »eine Vermeerung der Sprache«. Weitere erste Gedichtbücher von *Lioba Happel*, *Helena Janeczek* und *Matthias Hermann*. Ihnen folgen, in Leinen gebunden, Gedichtbücher von *Peter von Becker*, *Rainer Malkowskis* sechster Gedichtband ›Das Meer steht auf‹ und frühe Gedichte von *Karl Krolow*. Das Gedichtprogramm kulminiert in der Ausgabe *Paul Celan*, ›Das Frühwerk‹; ein Viertel der hier aus dem Zeitraum 1938-1949 aufgenommenen 184 lyrischen Texte war bislang unbekannt. Das letzte Buch des Jahres bringt wieder Gedichte: Den ersten Gedichtband in der Bundesrepublik des in Leipzig lebenden Lyrikers *Kurt Drawert* mit dem ironisch-prophetischen Titel ›Privateigentum‹.
Joachim Unseld ediert einen Almanach ›Aus neuen Büchern junger Autoren‹.

Im Monat Februar hat der Verlag den Tod von zwei großen Autoren zu beklagen: Am 12. Februar stirbt *Thomas Bernhard*. Siegfried Unseld hatte ihn Tage vor seinem Tod auf seinen Wunsch hin noch besuchen und sprechen können. Thomas Bernhard hatte an ihn geschrieben: »Spät, aber nicht zu spät, werden die Deutschen auch im Anlegen des höchsten Maßstabs erkennen, daß es noch nie einen wichtigeren und also für die Geistesgeschichte bedeutenderen Verleger gegeben hat als Sie – der Sie Ihr Genie ganz aus der Liebe zur Literatur und aus der Freude von deren Schöpfern gezogen haben.« In seinem Nachruf schreibt Siegfried Unseld: »Thomas Bernhard ist tot. Er starb am Sonntag, dem 12. Februar, in Gmunden und wurde am 16. Februar 1989

in Wien begraben, an der Seite seines ›Lebensmenschen‹, über den er geschrieben hat: ›Wir sind urplötzlich von dem Menschen getrennt, dem wir im Grunde alles verdanken, und der uns tatsächlich alles gegeben hat ...‹ Thomas Bernhard hat uns alles gegeben. Im Insel Verlag erschien 1963 sein erster Roman ›Frost‹. Der große Schriftsteller hat in ihm seine Poetik beschrieben: ›Etwas Unerforschliches zu erforschen. Es bis zu einem gewissen erstaunlichen Grad von Möglichkeiten aufzudecken.‹ Thomas Bernhard hat dies geleistet, Buch um Buch, Stück um Stück. Von keinem Autor der Gegenwart gingen solche Wirkungen aus, keiner hat, so wie er, die Landschaft der Theater geprägt.« Bernhard bestimmt testamentarisch seinen Halbbruder Dr. Peter Fabjan und Siegfried Unseld zu Nachlaßverwaltern.
Am 28. Februar stirbt Hermann Burger. Es ist nicht bekannt, ob der Autor, der den Freitod gewählt hat, sein Buch ›Brenner‹ noch in Händen halten konnte. ›Brunsleben‹, so der Titel des Bandes, sollte die Tetralogie ›Brenner‹ beginnen, die der Autor nicht mehr vollenden konnte. »Ein *richtiger* Roman hat sich nicht an unserer Ästhetik zu messen, sondern an seiner eigenen. Die Ästhetik des flüchtigen Rauchs und der darin hängenden, sperrig kantigen Wirklichkeitsreste ist in ›Brenner‹. ›Brunsleben‹ richtig. Darum ist das ein bedeutender Roman.« (B. v. Matt, NZZ)

Drei Geburtstage sind im ersten Halbjahr zu begehen:
28. März: *Bohumil Hrabals* 75. Geburtstag. »Dieses Leben ist schön, zum Verrücktwerden schön!« schrieb Hrabal, »nicht, daß es das wäre, aber ich sehe es so.« Wir veröffentlichen Hrabals Familien-Chronik ›Das Städtchen am Wasser‹ und ein Buch ›Hommage à Hrabal‹ mit den zwei Teilen ›Wer ich bin‹ und ›Wer er ist‹, Texte über Hrabal. Einleitend berichtet Siegfried Unseld von seinem Besuch Hrabals am 14. April 1988 in Prag, ›Das große Fragezeichen des Wunderbaren‹.

4. April: 75. Geburtstag von *Marguerite Duras*. Der Suhrkamp Verlag ist stolz, das Werk dieser großen französischen Schriftstellerin in nicht weniger als 25 Titeln im Laufe der Jahrzehnte herausgegeben zu haben. »Marguerite Duras«, schrieb Geno Hartlaub, »ist eine Zauberin, sie zieht die Leser in ihren Bann, läßt uns fliegen und in die Tiefe stürzen, ohne daß wir uns zu Tode verletzen.«
26. April: 100. Geburtstag von *Ludwig Wittgenstein*: »Wer seiner Zeit nur voraus ist«, schrieb Wittgenstein, »den holt sie einmal ein.« Der Verlag veröffentlicht eine kritische Edition der logisch-philosophischen Abhandlung ›Tractatus logico-philosophicus‹ und eine achtbändige Werkausgabe sowie Wittgensteins Vortrag über Ethik und ›Texte zum Tractatus‹. In einem Symposion an der Frankfurter Universität wird Wittgensteins einzigartiger Rang in der Philosophie des 20. Jahrhunderts diskutiert. In stw 866 sind unter dem Titel ›Der Löwe spricht und wir verstehen ihn nicht‹ die Beiträge von Jürgen Habermas, Brian McGuinness, Karl-Otto Apel, Richard Rorty, Charles Taylor, Manfred Frank, Friedrich Kambartel, Albrecht Wellmer, Georg Henrik von Wright und Hans-Georg Gadamer festgehalten.
25.-27. Mai: Betriebsausflug der Mitarbeiter des Suhrkamp und Insel Verlages nach Leipzig und Weimar.
Neue Theaterstücke: *Peter Handke*, ›Das Spiel vom Fragen oder Die Reise zum Sonoren Land‹. Hermann Lenz konstatiert »eine neuartige Form, die sich zwischen Zaubermärchen und Thesenstück herausbildet ... Ein Stück ... das die zuschauenden Zeitgenossen auf alles Unverfälschte jenseits aller Fragen aufmerksam macht.« Die Tragödie ›Lektionen der Finsternis‹ von *Gaston Salvatore* und *Lars Noréns*, des schwedischen »Großmeisters des Dialogs«, neues Stück ›Eintagswesen‹.
In den Bänden 48 und 49 von ›Spectaculum‹: Stücke von *Christopher Hampton*, ›Gefährliche Liebschaften‹ (in der

Joachim Unseld und Bodo Kirchhoff

Übersetzung von Alissa Walser und Martin Walser), *Bodo Kirchhoff*, ›Die verdammte Marie‹, *Bernard-Marie Koltès*, ›In der Einsamkeit der Baumwollfelder‹, *Felix Mitterer*, ›Stigma‹, *Thomas Bernhard*, ›Heldenplatz‹, *Tankred Dorst*, ›Korbes‹, *Gaston Salvatore*, ›Stalin‹.

Neue Romane: *Ernst Augustin*, ›Der amerikanische Traum‹, *Angela Krauß*' Erzählungsband ›Kleine Landschaft‹, *Jörg Steiner*, ›Fremdes Land‹ und ein Chef d'œuvre von *Paul Nizon*, ›Im Bauch des Wals. Caprichos‹. Das Buch rückt sofort auf Platz 1 der SWF-Liste. »... diese subtile kompositorische Arbeit des Autors in der Kleinform der ›Caprichos‹ ist vollendet gelungen... Nizon hat sich mit seinen ›Caprichos‹ einen Überlebensraum kunstvoll erschrieben.« (Werner Fuld, FAZ) Ein großer Roman aus dem Spanischen ist anzuzeigen: *Eduardo Mendoza*, ›Die Stadt der Wunder‹. »Wie Joyce der Stadt Dublin, so gibt Mendoza seiner Stadt Barcelona den Roman, den sie erwartete.« (J. F. Vogel)

Fortführung wichtiger Ausgaben: *Bertolt Brecht*, ›Die große kommentierte Berliner und Frankfurter Ausgabe‹

wird mit 4 Bänden, 1, 6, 12, 17, weitergeführt. Die dreibändige Ausgabe der ›Gesammelten Werke‹ der *Marieluise Fleißer* (»Bertolt Brechts Schwester«, Curt Hohoff) wird mit einem vierten Band ›Aus dem Nachlaß‹ abgeschlossen.
Die Polnische Bibliothek wird 1989 mit vier Bänden weitergeführt, darunter *Maria Dabrowskas* ›Tagebücher 1914-1965‹, deren Entdeckung einer literarischen Sensation in Polen gleichkam.
Im zweiten Halbjahr erinnert der Verlag mit zwei wichtigen Publikationen an die Französische Revolution. ›200 Jahre europäische Erinnerung‹ mit zwei Büchern: ›Bilder der Französischen Revolution‹ und, fünfzig Jahre vergessen, ›Staatseinheit und Föderalismus im alten Frankreich und in der Revolution‹ von *Hedwig Hintze*; ein kritisches Wörterbuch der Französischen Revolution wird vorbereitet.
Es ist das Jahr der Bibliothek Suhrkamp, das Jahr des 1000. Bandes, der im März erscheint: *Samuel Beckett*, ›Mehr Prügel als Flügel‹, Becketts erster, aus zehn Erzählungen bestehender, 1934 erschienener Prosaband, in dem keimhaft die Hauptwerke des Autors angelegt sind. Weitere Erstausgaben in der Bibliothek Suhrkamp: *Hans-Georg Gadamer*, ›Das Erbe Europas‹, *Juan Carlos Onetti*, ›Der Schacht‹, *E. M. Cioran*, ›Auf den Gipfeln der Verzweiflung‹, *Marina Zwetajewa*, ›Ein gefangener Geist‹, *Jorge de Sena*, ›Der wundertätige Physicus‹, *Benito Pérez Galdós*, ›Tristana‹, *Georges Dumézil*, ›Der schwarze Mönch in Varennes‹, *Cees Nooteboom*, ›Ein Lied von Schein und Sein‹. »Es ist die Bibliothek der Klassiker der modernen Weltliteratur. Hier aufgenommen zu werden, bedeutet einen literarischen Adelsbrief.« (Arbeiterzeitung, Wien)

Prosabücher: Stimmen von *Jürgen Becker* zu Bildern von Rango Bohne, *Bernd Cailloux*' Erzählungen ›Die sanfte Tour‹ und *Urs Faes*' Roman ›Sommerwende‹, der erste Roman des 1964 geborenen und in Frankfurt lebenden *Thomas*

Siegfried Unseld und Samuel Beckett

Hettche, ›Ludwig muß sterben‹. »Genial, dieses Buch. Es nivelliert viele, setzt Qualitätsmaßstäbe, welches Wort wäre für diesen Roman zu verwenden? Es verbleibt kein anderes: ein Geniestreich.« (F. Mühlich, TAZ) Die ›Gesammelte Prosa 1949-1975‹ von *Friederike Mayröcker* und Prosabücher von *Anita Pichler* und *Gerlind Reinshagen*. *Jürg Federspiel*, ›Geographie der Lust‹; »Federspiel mischt aus religiöser Fabel und Krimikolportage ein rasantes Scherzo, das ihn als Großmeister des kulinarischen Romans ausweist. Er hat einen furiosen erotischen Roman geschrieben.« (S. Michaelsen, Stern) Und *Peter Handkes* ›Versuch über die Müdigkeit‹. Auch dieses Buch erreicht sofort Platz 1 der SWF-Bestenliste. »In seiner Entwicklungslogik«, schrieb Rainer Baumgart in ›Die Zeit‹, »übertrifft er alle Autoren seiner Generation, das wird jetzt Ende der 80er Jahre klar. Wenn man zurückblickt ... auf die Selbsterforschungsversuche der 70er Jahre und die dann aus ihnen herauswachsenden Entwürfe einer wiedererzählbaren, friedfertigen, menschenwürdigen Welt aus Sprache.«
Das Übersetzungsprogramm: *Samuel Beckett*, ›Worstward

Jürgen Becker und Rango Bohne

ho. Aufs Schlimmste zu‹, *Gesualdo Bufalino*, ›Der Ingenieur von Babel‹, *Alejo Carpentier*, ›Die Methode der Macht‹, *Juan Carlos Onetti*, ›Magda‹ und der Essayband ›Die andere Zeit der Dichtung‹ von *Octavio Paz*. Aus dem Schwedischen der Roman ›Der fünfzigste Erlöser‹ von *P. C. Jersild*, aus dem Französischen ›Angélique oder die Verzauberung‹ von *Alain Robbe-Grillet* und aus dem Italienischen *Alberto Saninio*, ›Stadt, ich lausche deinem Herzen‹. Das erfolgreichste Buch wird *Mario Vargas Llosas* Roman ›Lob der Stiefmutter‹. (»... ein ebenso gescheites wie hinreißendes sinnliches Buch über die Liebe ... Ein Kunststück der Literatur zum vielleicht schwierigsten Stoff, den sie hat.« R. Grimminger, SZ)

Im Bereich Essayistik *Christiaan L. Hart Nibbrigs* ›Ästhetik der letzten Dinge‹, *Tilmann Mosers* ›Körpertherapeutische Phantasien‹, *Paul Feyerabends* ›Irrwege der Vernunft‹, *Hans Magnus Enzensberger* sammelt unter dem Titel ›Der Fliegende Robert‹ Gedichte, Szenen und Essays; darunter

Randbemerkungen zum Weltuntergang und ›Vermutungen über die Turbulenz‹. Drei Bücher von *Hans Mayer* erscheinen: ›Weltliteratur‹, Studien über Literatur von Goethe bis Pasternak, ›Reden über Ernst Bloch‹ und ein Band ›Stadtansichten‹, der auch ein »Wiedersehen mit Leipzig« nach 25 Jahren enthält.

Im Zentrum des wissenschaftlichen Programms des ersten Halbjahres steht *Hans Blumenbergs* monumentales Werk ›Höhlenausgänge‹. (Jutta Georg-Lauer in der SZ: »Hans Blumenberg ist mit weitem Abstand der bedeutendste lebende deutsche Philosoph, ... ihn zeichnet auch die Kraft einer poetischen Sprache aus, so daß seine Schriften den großen Genuß schriftstellerischen Könnens offenbaren ... In seinem neuen Buch rekonstruiert er eine weitere Ursprungsmetapher und wiederum zeichnet er ihren Weg in der Geistesgeschichte.«) 18. Juni: 60. Geburtstag von *Jürgen Habermas.* Zum Tag erscheint eine Festschrift ›Zwischenbetrachtungen im Prozeß der Aufklärung‹ mit Beiträgen von *Leo Löwenthal, Karl-Otto Apel, Dieter Henrich, Herbert Schnädelbach, Michael Theunissen, Ernst Tugendhat, Hans-Georg Gadamer, Alexander Kluge* u.a. Siegfried Unseld hielt auf Wunsch des Autors die Geburtstagsrede ›Die Versöhnung der mit sich selbst zerfallenen Moderne‹.

Niklas Luhmann erhält den Hegel-Preis 1988 mit der Begründung, er sei »der produktivste und originellste unter den theoretischen Soziologen in der Bundesrepublik.« ›Gesellschaftsstruktur und Semantik‹ erscheint. *Helmut Pape* untersucht Charles S. Peirce' ›Erfahrung und Wirklichkeit als Zeichenprozeß‹, *Helga Nowotny* die Entstehung und Strukturierung eines Zeitgefühls, ›Eigenzeit‹, *Gunther Teubner*, ›Recht als autopoietisches System‹, *Anke Thyen*, ›Negative Dialektik und Erfahrung‹. Wichtige Übersetzungen: *Gilles Deleuze*, ›Das Bewegungs-Bild‹, *Nelson Goodman/Catherine Z. Elgin*, ›Revisionen‹.

In den suhrkamp taschenbüchern wissenschaft erscheint in 11 Bänden eine Werkausgabe von Max Raphael (»... perhaps the greatest philosopher of art of this century«, TLS) und ein Diskussionsband zu seinem Werk, ›Wir lassen uns die Welt nicht zerbrechen‹.

Wissenschaftliche Ausgaben werden fortgesetzt: *Georg Simmel*, *Siegfried Kracauer* (die Ausgabe Band 1-9 ist abgeschlossen), *Viktor von Weizsäcker*, ›Gesammelte Schriften‹, *Ludwig Marcuse*: die Ausgabe seiner Schriften 1-9 ist mit dem Erscheinen der letzten vier Bände abgeschlossen.

Ebenfalls abgeschlossen, mit dem Nachtragsband IV, ist die Ausgabe der ›Gesammelten Schriften‹ von *Walter Benjamin*. »Für jemanden, dessen Schriften so zerstreut sind wie meine und dem die Zeitumstände die Illusion nicht mehr gestatten, sie eines Tages gesammelt zu sehen, ist es eine wahre Bestätigung, hier oder dort einen Leser zu wissen, der in meinen verzettelten Arbeiten sich auf irgendeine Art heimisch zu machen gewußt hat.« Dieses resignierende Wort Benjamins, das sich in einem Brief von 1934 findet, ist mit der Vollendung der ›Gesammelten Schriften‹ in sieben Bänden, die in dreizehn Bände eingeteilt sind, endgültig überholt; der letzte Band erscheint, nach fast zwanzigjähriger Editionsarbeit. »Eine« – wie Walter Boehlich schreibt – »hohen Ansprüchen genügende Ausgabe, für die ich, was moderne Autoren angeht, keinen Vergleich wüßte.« Es erscheinen von *Ludwig von Friedeburg* seine Summe zum wichtigen Thema ›Bildungsreform in Deutschland‹. *Anita Eckstaedt* untersucht Hörigkeitsverhältnisse ›Nationalsozialismus in der ›zweiten Generation.‹ ›Die Zeit in der Geschichte. Ihre Entwicklungslogik vom Mythos zur Weltzeit‹ untersucht *Günter Dux*. *Eve-Marie Engels* gibt eine Studie zur evolutionären Erkenntnistheorie, ›Erkenntnis als Anpassung?‹ *Richard Grathoff* führt in die phänomenologische Soziologie ein: ›Milieu und Lebenswelt‹. Siegfried J. Schmidt untersucht ›Die Selbstorganisation des Sozialsystems Literatur im 18. Jahrhundert‹. *Helm Stierlin* stellt mit neuen Studien, ›Individuation und Familie‹, einen Bezug zu seinem früheren Band ›Delegation und Familie‹ her. *Jan Mukarovskys* Werke gehören neben den Schriften Roman Jakobsons und Claude Lévi-Strauss' zum klassischen Fundus des strukturalen Denkens der Gegenwart; eine neue Auswahlausgabe, ›Kunst, Poetik, Semiotik‹. *Richard Rorty* legt sein drittes Werk vor: ›Kontingenz, Ironie und Solidarität‹.

Am 3. August stirbt 80jährig *Dolf Sternberger*; Peter Suhrkamp hatte sein Essaybuch ›Figuren der Fabel‹ als eines der ersten Bücher nach der Verlagsgründung 1950 veröffentlicht. 28. September: 65. Geburtstag von Siegfried Unseld. Marcel Reich-Ranicki: »... und daß er der bedeutendste deutsche Verleger nach 1945 ist, unterliegt gar keinem Zweifel, aber er ist noch mehr, nämlich in mancherlei Hinsicht der wichtigste, der tüchtigste und der einflußreichste Verleger, den es im deutschsprachigen Raum in diesem Jahrhundert gegeben hat.« John Cage komponierte für ihn ein Autoku nach Hesses »Stufen«. Sein Geschenk an die Leser war eine Faksimile-Ausgabe der Handschrift eines Tagebuchs des 15jährigen Bertolt Brecht. In Venedig feiert der Verleger mit seinen Autoren Hans Magnus Enzensberger, Peter Handke, Adolf Muschg, Max Frisch, Wolfgang Hildesheimer, Ulla Berkéwicz, Paul Nizon und Martin Walser. Am 29. September wird in Torcello der Literaturpreis der Peter Suhrkamp-Stiftung vergeben. Autoren wählen den Preisträger; sie bestimmen Paul Nizon zum ersten Träger des Suhrkamp-Literaturpreises.
Am 1. Oktober erhält Leo Löwenthal den Theodor W. Adorno-Preis der Stadt Frankfurt. 5. November: Die letzte Thomas Bernhard-Uraufführung in Berlin, ›Elisabeth II.‹. 7. Dezember: Siegfried Unseld wird Honorary Fellow of American Association of teachers of German. 13. Dezem-

Max Frisch und Paul Nizon, Torcello 1990. Es war Frisch, der 1962 Siegfried Unseld auf Nizon aufmerksam machte und damit die feste Verlagsbeziehung und Freundschaft begründete.

PETER
SUHRKAMP
STIFTUNG

Preis der Peter Suhrkamp-Stiftung

Die im Jahre 1984 gegründete Peter Suhrkamp-Stiftung hat u.a. zur Aufgabe die Vergabe eines Literaturpreises. Das Besondere dieses Preises beruht darin, daß Autoren den Preisträger bestimmen. Aus Anlaß des 65. Geburtstages des Verlegers Siegfried Unseld wurde dieser Preis erstmals vergeben. Die anwesenden Autoren bestimmten PAUL NIZON als den ersten Preisträger.
Der Preis wird diesmal nach dem Ort der Verleihung - Torcello -, einer Insel bei Venedig, benannt:

Preis der Peter Suhrkamp-Stiftung
Torcello-Preis 1989.

Der Preis der Peter Suhrkamp-Stiftung ist mit DM 50.000.-- dotiert.
Der Preis wird unregelmässig jeweils zu bestimmten Anlässen vergeben.

Siegfried Unseld

Frankfurt, am 11. Oktober 1989

ber: Max Frisch erhält den Heinrich-Heine-Preis in Düsseldorf.
22. Dezember: Samuel Beckett stirbt 83jährig in Paris. Die Nachricht wird erst Tage später bekannt. Im Nachruf: »Der Suhrkamp Verlag trauert um seinen Autor, den großen Dichter des Jahrhunderts. Samuel Beckett ist tot. Sein Werk lebt. Dieses Werk zielt auf das, was seine Figuren nicht aussprechen, auf Gott, auf Liebe, auf Tod.«
Zwei Publikationen gewinnen auf dem Hintergrund dessen, was in der DDR und Mitteleuropa geschieht, neue Bedeutung: *Norbert Elias*' ›Studien über die Deutschen‹. Ein Augenzeuge, der nahezu 90 Jahre lang den Gang der Ereignisse miterlebt hat, ein von Deutschland Geschädigter untersucht Ursache und Folgen des Zusammenbruchs der deutschen Zivilisation. Zwar sieht auch er nicht eine baldige Vereinigung der deutschen Staaten, aber er spricht von der »Schicksalsgemeinschaft«, die die Deutschen letztlich doch bilden. Seit ›Dorle und Wolf‹, seit seiner Rede in München (30. 10. 1988) äußert *Martin Walser* sein Bedürfnis nach geschichtlicher Überwindung des Zustands Bundesrepublik. Er veröffentlicht eine erweiterte Ausgabe seiner Texte ›Über Deutschland reden‹ in der edition suhrkamp. »Walser ist der einzig bedeutende Autor der Bundesrepublik«, heißt es in der FAZ vom 6. November, »der die dramatische Gegenwärtigkeit der vielfach in die ungewisseste Zukunft verschobenen deutschen Frage auszusprechen wagte, *bevor* die politische Entwicklung sie bestätigte.« Die politische Entwicklung: Zu Zehntausenden verlassen die DDR-Bürger ihr Land. Am 40. Staatsjubiläum der DDR mahnt Gorbatschow Reformen an: »Wer zu spät kommt, den bestraft das Leben.« Am 9. Oktober die Leipziger Demonstration »Wir sind das Volk«, aus der sich die Formulierung entwickelt »Wir sind ein Volk«. Die Anthologie ›Schöne Aussichten. Prosa aus der DDR‹, herausgegeben von *Christian Döring* und *Hajo Steinert*, war für März 1990 in der edition suhr-

kamp geplant, wir ziehen sie in den November vor, da die darin enthaltenen Texte wohl zum letzten Mal als genuine Texte der DDR gelten können.
Honecker stürzt, mit ihm die alte Garde. Am 9. November werden die Grenzübergänge für alle DDR-Bewohner geöffnet. Am 22. Dezember wird das Brandenburger Tor geöffnet. Im Manuskript von *Peter Handkes* Erzählung ›Versuch über die Jukebox‹ ist unter dem Datum des 13. Dezember eingetragen: »Zu Ende ging gerade das Jahr 1989, da in Europa von Tag zu Tag und Land zu Land so vieles, und so wunderbar leicht, anders zu werden schien, daß er sich vorstellte ... die Wunschträume der geknechteten und getrennten Völker des Kontinents« seien in diesem »Jahr der Geschichte« »über Nacht Tatsachen geworden«.
Am 22. Dezember stürzt der rumänische Staats- und Parteichef Ceauşescu. Ein 39jähriger Lyriker, *Mircea Dinescu*, dessen Gedichtbuch ›Exil im Pfefferkorn‹ am 25. September in der edition suhrkamp erschien, hatte in französischen und deutschen Zeitungen in bewegenden Artikeln, seine Existenz aufs Spiel setzend, über die geknebelte Existenz der Rumänen geschrieben. Jetzt konnte er sagen: »Der Tyrann ist geflohen, das Volk siegte. Geliebte Rumänen, wir müssen das Schicksal in unsere Hände nehmen.« Das müssen nun auch die Bürger der DDR. Trauerarbeit und Aufklärungsarbeit. Der Staatssicherheitsdienst wird aufgelöst. Niemand wußte von Todeslagern und Massengräbern aus den Anfangsjahren der DDR. So zum Beispiel das Massengrab in der Nähe des Lagers Fünfeichen. In *Uwe Johnsons* 1973 erschienenem dritten Band seines Hauptwerkes ›Jahrestage. Aus dem Leben von Gesine Cresspahl‹ sind Kennworte für solche Lager gegeben, insbesondere für das Todeslager Fünfeichen, ein deutscher Archipel Gulag ist minutiös nachgezeichnet. Gequält wird in Fünfeichen der Vater der Hauptfigur Gesine, der Kunsttischler Heinrich Cresspahl. Literatur bleibt Mittel der Aufklärung, wenn

wir sie nur recht gebrauchen. Seit 1789 glaubten die Revolutionäre an geschichtliche Gesetzmäßigkeiten, Revolution wurde ein aktivistischer Pflichtbegriff, wie Koselleck es sagte, aber er ließ auch Terror zu. Vielleicht ist 1989 eine Korrektur von 1789, eine Hoffnung auf Fortschreiten ohne Terror.

Martin Walser am 5. Dezember zum Stand der deutschen Dinge: »Reizt denn das gar nicht: der Welt ein friedfertiges, friedvolles Deutschland zu bieten? ... Deutsche Geschichte darf auch einmal gutgehen. Baumelnde Füße. Lachende Polizisten, Leute, die einander nicht gesehen haben, umarmen einander. Diesem Niveau muß Politik jetzt entsprechen.«

Siegfried Unseld mit Helmut Kohl bei der Präsentation der Faksimile-Ausgabe von Brechts frühem Tagebuch in der neu eingerichteten Buchhandlung Kohl, Frankfurt am Main

1990
bis 30. Juni

Als erstes Buch erscheint *Tankred Dorsts* ›Parzival. Ein Szenarium‹; seit vielen Jahren beschäftigt sich Tankred Dorst mit Parzivals Suche nach der Einheit alles Lebenden. Wenig später erscheinen sein Drama ›Karlos‹ und Band 5 seiner Werkausgabe ›Wie im Leben wie im Traum und andere Stücke‹. Wie immer in Mitarbeit von *Ursula Ehler*.
16. Januar: Uraufführung von *Peter Handkes* ›Das Spiel vom Fragen oder Die Reise zum Sonoren Land‹. Benjamin Henrichs in der ›Zeit‹: »Vom Triumph des linkshändigen Theaters: Plötzlich scheint das ganze Theater vom Boden abzuheben, scheinen alle Schauspieler zu zaubern, scheint alles wie mühelos zu gelingen.«
11. Februar: ›Thomas Bernhard zu ehren‹, Matinee aus Anlaß des ersten Todestages im Frankfurter Schauspielhaus. Sie beginnt mit der Stimme *Thomas Bernhards*: »Was mich betrifft, bin ich kein Schriftsteller, ich bin jemand, der schreibt.« Bernhard Minetti und Marianne Hoppe lesen Texte von Thomas Bernhard. Marcel Reich-Ranicki spricht. Norbert Gstrein, Uwe Kolbe, Andreas Neumeister, Ralf

Rainer Weiss, Leiter des Suhrkamp Theaterverlags, stellt die Autoren vor.

Rothmann, Josef Winkler lesen zu Ehren von Bernhard. Die Zuhörer werden mit dem Satz Bernhards entlassen: »Immer muß ich wissen, was immer ist.« In aktualisierter Form erscheint die ›Thomas Bernhard Werkgeschichte‹ von Jens Dittmar.

13. Februar: *Mircea Dinescu* im Verlag; er widmet Siegfried Unseld sein Gedichtbuch ›Exil im Pfefferkorn‹: »Im Zeichen der Freundschaft und im Gefühl, daß die Zukunft für uns arbeiten wird.«

22.Februar: In Holland erscheint 30 Jahre nach dem deutschen Original die holländische Ausgabe der ›Mutmassungen über Jakob‹ von *Uwe Johnson*. Siegfried Unseld spricht im Goethe-Institut über die neue Aktualität dieses Buches, dessen Vorgänge zwischen dem Februar und November 1956 situiert sind, als in der DDR, wenn auch nur für kurze Zeit, Hoffnung auf Veränderung des stalinistischen Systems bestand.

24. Februar: In Madrid Treffen mit den spanischen Autoren *Eduardo Mendoza, Jorge Semprun, Juan Benet* und mit den vier jungen Autoren *José María Guelbenzu, Alejandro Gándara, José Millás* und *José Revueltas*, von denen erste übersetzte Bücher im März in der edition suhrkamp erscheinen.

6. März: Besuch in Buchen bei Anselm Kiefer, der uns sein Projekt ›Völker und Räume‹ zur Veröffentlichung anvertraut.

11. März: 75. Geburtstag von *Karl Krolow*. Die Stadt Darmstadt und der Verlag richten eine Matinee aus. Herbert Heckmann spricht die Laudatio, acht Lyriker lesen Krolows Gedichte. Die Geburtstagsgabe des Verlages: der im Insel Verlag im Geburtstagsjahr erscheinende bibliophile Band »Rilke ›Les Fenêtres‹. Karl Krolow ›Die Fenster‹ mit Originalradierungen von Christian Mischke« und der Band der Bibliothek Suhrkamp: Karl Krolow, ›Meine Gedichte‹. Karl Krolow schließt seine Dankesworte mit Heines Gedicht:

Ich hatte einst ein schönes Vaterland ...
Das küßte mich auf deutsch und sprach auf deutsch
(Man glaubt's kaum
Wie gut es klang) das Wort: »Ich liebe dich!«
Es war ein Traum.

12. März: New York. Verabschiedung von Kurt Bernheim, der 30 Jahre Agent des Verlages war. Gespräche über American Publishing today in New York und Chicago.

Joachim Unseld bei einem Treffen mit DDR-Autoren während der Buchmesse in Leipzig: Kurt Drawert, Durs Grünbein, Eberhard Häfner, Franz Hodjak, Uwe Hübner, Johannes Jansen, Wulf Kirsten, Barbara Köhler, Uwe Kolbe, Angela Krauß, Thomas Rosenlöchner; dabei auch: Werner Fritsch, Bodo Kirchhoff, Thomas Kling.

30. März: Bundespräsident Richard von Weizsäcker ehrt *Wolfgang Hildesheimer* durch eine Lesung an seinem Sitz im Berliner Schloß Bellevue.

Die edition suhrkamp bereitet auf die Jahrtausendwende vor: *Peter Sloterdijk* gibt Berichte zur Lage der Zukunft, ›Vor der Jahrtausendwende‹; *Dieter Senghaas* entwirft einen Friedensplan, ›Europa 2000‹; Autoren reflektieren über Osteuropa, ›Dazwischen‹; Klaus Segbers, ›Der sowjetische Systemwandel‹.

Peter Handke gibt im Band ›Langsam im Schatten‹ einen Hinweis, »wie denn zu lesen sei« und gleichzeitig eine Poetologie des Schreibens. *Jochen Beyse*, ausgezeichnet mit dem Aspekte-Literaturpreis, legt eine Erzählung vor, ›Ultraviolett‹.

Das erste Halbjahr bietet ein weitgefächertes Romanprogramm: *Hans Christoph Buch*, sein achtes Buch im Verlag, nimmt Motive seines 1984 erschienenen Romans ›Die Hochzeit von Port-au-Prince‹ auf: Die Folgen des Kolonialismus werden auf europäische Urheber zurückgeführt,

Fakten und Fiktion, Wirklichkeit und das poetische Wunderbare treffen in seinem neuen Roman ›Haiti Chérie‹ wieder zusammen. *Jürg Laederachs* Roman ›Emanuel. Das Wörterbuch eines hingerissenen Flaneurs‹. (In Jürg Laederachs Roman steckt eine Bibliothek von Romanen, Dramen, Bildern, Partituren, Essays, Satiren und auch von Kalauern, Witzen, Schüttelreimen, Sottisen. »Was Kunst auch bedeutet, die geizige Verwaltung von Reichtum und eine Art Bürokratie der Freiheit, das kann man in diesem schönen, überwältigenden Buch nachlesen.« Sibylle Cramer, SZ) Und *Andreas Neumeisters* zweites Prosabuch, ein anarchisches Buch über die Stadt mit Herz; sein satirisch böser Blick stellt fest: »Noch immer hat man das Herz von München nicht gefunden.« (»Dies ist neue Prosa, dies ist Realität.« Herbert Wiener, SZ)

Im Übersetzungsprogramm: Romane des Cubaners *Miguel Barnet*, ›Ein Kubaner in New York‹, des Spaniers *Juan Goytisolo*, des Schweden *Klas Östergren* und aus dem Französischen Romane von *Marguerite Duras, Marie Nimier, Patrick Modiano* und *Christiane Rochefort*, die für ihren Roman ›Die Tür dahinten‹ mit dem Prix Medici ausgezeichnet wurde. Der Engländer *Wyndham Lewis* ist mit seinem Roman ›Tarr‹ nun zu entdecken (»... ein literarisches Ereignis ... aus dem Geist der poetischen Aggressivität heraus vollzieht sich bei Lewis die Geburt der Moderne.« ›Der Spiegel‹, Nr. 20, 1990); T. S. Eliot sagte über ihn: »Er ist der größte Meister des Prosastils in meiner Generation.« Lissabon der 80er Jahre ist das Thema des zum ersten Mal in Deutsch erscheinenden Romans ›Nachricht von der anderen Seite der Straße‹ der Protugiesin *Lídia Jorge*, der nach Augustina Bessa Luís bedeutendsten Schriftstellerin der neuen Generation Portugals.

Fortgeführt werden die *Brecht*-Ausgabe mit dem 7. und 16. Band (»Ja, darin besteht vielleicht das eigentliche und größte Lesevergnügen an dieser Ausgabe: die Verwandlung zu beobachten, die ein vorgegebener Stoff unter Brechts Händen erfährt, indem er ihn immer besser und faltenloser den Zeitverhältnissen anpaßt, sofort auf politische Änderung reagiert und sie in seine Konzeption aufnimmt.« FAZ) und *Robert Walsers* ›Aus dem Bleistiftgebiet‹ mit Band 4. In der Polnischen Bibliothek ›Die Poesie und Poetik‹ von *Julian Przybos* und das Lesebuch ›Technologie und Ethik‹ von *Stanisław Lem.*

In der Bibliothek Suhrkamp wichtige Erstausgaben: die Gedichte ›Der Stoff zum Leben 1-3‹ von *Volker Braun, E. M. Ciorans* ›Das Buch der Täuschungen‹, die Erzählungssammlung von *Silvina Ocampo*, ›Die Furie‹ (Jorge Luis Borges: »Eine der größten Dichterinnen spanischer Sprache«), *Gesualdo Bufalino*, ›Das Pesthaus‹ und ein Jugendwerk von *Gertrude Stein.*

22. März: Joachim Unseld stellt die ersten vier Bände einer neuen Reihe mit kurzen Texten von *Thomas Bernhard, Volker Braun, Samuel Beckett* und *Bohumil Hrabal* vor.

Zum 20. Todestag, im April, ehrt der Verlag *Paul Celan* durch die Herausgabe von zwei bibliophilen Bänden ›Atemkristall‹ und ›Schwarzmaut‹, jeweils mit Radierung von Gisèle Celan-Lestrange; Hans-Georg-Gadamer nannte ›Atemkristall‹ einen »Höhepunkt der Celanschen Kunst«.

Im Mai erscheint ein neues ›Weißes Programm‹, das ›Weiße Programm Schweiz‹, im Zentrum *Max Frischs* »Versuche über 50 Jahre«: ›Schweiz als Heimat?‹ Fünfzehn gebundene Bücher mit einer umfassenden Sammlung deutsch-schweizerischer Erzählungen von Dürrenmatt und Frisch bis zu den jüngsten Autoren. Die französische und italienische Literatur der Schweiz wird vorgestellt mit Büchern von *Robert Pinget, Catherine Colomb, Piero Bianconi* und, für viele sicher eine Entdeckung, der Roman der Tessinerin *Anna Felder*: ›Quasi Heimweh‹. Ein Band ›Umgang mit der Schweiz‹ belegt Urteile von Nichtschweizern über die

Siegfried Unseld am Stehpult seines Arbeitszimmers

Schweiz. Der zweite Teil des Programms umfaßt in Taschenbüchern die Literatur der ersten Jahrhunderthälfte und die drei großen Autoren des 19. Jahrhunderts *Jeremias Gotthelf* (eingeführt von E. Y. Meyer), *Gottfried Keller* (eingeführt von Adolf Muschg) und *Conrad Ferdinand Meyer* (eingeführt von Reto Hänny) – ›Diskurs in der Enge‹, ›Quasi Heimweh‹, ›Schweiz als Heimat?‹. Diese Themen stehen für die eine Seite des Programms, für die andere die Abkehr von der Enge, so z.B. *Blaise Cendrars* Buch ›Wind der Welt‹. – Das Weiße Programm Schweiz versteht sich als kritische Auseinandersetzung mit der heutigen Schweiz; dies in einer Zeit, da sich viele Schweizer (man sagt ein Fünftel der Bevölkerung) von den Behörden verunsichert fühlen, deren Aufgabe eben Sicherung wäre. *Hermann Hesse*, als russischer Staatsbürger geboren, 34 Jahre Deutscher, 32 Jahre bis zu seinem Tode Schweizer, stellte 1938 fest: »Die Eidgenossenschaft ist unter dem Druck der Not entstanden und hat durch Jahrhunderte vielen Bedrohungen von außen und von innen standgehalten. Stets waren die inneren die gefährlicheren, und so ist es auch heute ... Die Erneuerung, die der Schweiz not tut, ist vor allem eine Erneuerung der Herzen, vielmehr ein Erwachen zur Wirklichkeit, ein Öffnen der Augen für die Abgründe, die uns umgeben.«

In einer Kritik des Verlages stellt Frank Schirrmacher in der FAZ fest: »... so hat der Verlag im letzten Jahrzehnt ein glänzendes und weithin singuläres Wissenschaftsprogramm aufgebaut, in dem er, wie vormals Schriftsteller, nun Wissenschaftler geradezu entdeckte.« Als Entdeckungen sind im ersten Halbjahr zu registrieren die wissenschaftlichen Arbeiten von *Gerhard Schönrich*, *Rolf Lindner* (›Die Entdeckung der Stadtkultur‹), *Dieter Thomä* (›Die Zeit des Selbst und die Zeit danach‹), drei wesentliche literatur- und kommunikationstheoretische Arbeiten von *Heinz Schlaffer*

(›Poesie und Wissen‹) und *Renate Lachmann* (›Gedächtnis und Literatur‹); *Otfried Höffe* setzt ›Kontrapunkte der Moderne‹: ›Kategorische Rechtsprinzipien‹, *Manfred Riedel* entwickelt ›Die akroamatische Dimension der Hermeneutik‹: ›Hören auf die Sprache‹, und *Wilfried Greve* untersucht Kierkegaards unübersehbare Bedeutung, ›Kierkegaards maieutische Ethik‹. Übersetzt wurden drei Werke: *Merril B. Hintikka* und *Jaakko Hintikka*, ›Untersuchungen zu Wittgenstein‹, *Talcott Parsons/Gerad M. Platt*, ›Die amerikanische Universität‹ und *Luiz Costa Lima*, ›Die Kontrolle des Imaginären‹. Im Mittelpunkt des Programms zwei bedeutsame wissenschaftliche Arbeiten: *Raymond Klibansky, Erwin Panofsky* und *Fritz Saxl* legen ihre Untersuchungen zur Geschichte der Naturphilosophie und Medizin, der Religion und Kunst unter dem Titel ›Saturn und Melancholie‹ vor; ein klassisches, 1964 auf Englisch erschienenes Chef d'œuvre der modernen Melancholieforschung, aus dem Warburg Institute hervorgegangen. *Dieter Henrichs* opus magnum ›Ethik zum nuklearen Frieden‹ ist eine Untersuchung der sittlichen Richtigkeit von Handlungen unter nuklearer Bedrohung und zugleich eine Abhandlung über die philosophischen Probleme der Ethik, welche mit der Begründbarkeit von Menschenrechten verbunden sind.

Zwei Bände der edition suhrkamp unterstreichen die aktuelle Bedeutung der Reihe: ›Norbert Elias über sich selbst‹, autobiographische Mitteilungen, die, wie Gustav Seibt in der FAZ feststellt, den Kreis schließen zwischen der Autobiographie des Autors, seiner zeitgenössischen Reflexion und seiner historischen Theorie: »Der Geschichtsdenker der neuen Epoche wird gewiß nicht mehr Karl Marx heißen, sondern vielleicht Norbert Elias.« In ›Die nachholende Revolution‹ stellt *Jürgen Habermas* die provozierende Frage nach der Identität der Deutschen: »Ein einig Volk von aufgebrachten Wirtschaftsbürgern?« Was bedeutet der Bankrott des Staatssozialismus für die im 19. Jahrhundert ver-

Karl Dedecius

Tankred Dorst

wurzelten Ideen? Die Hoffnung auf Emanzipation des Menschen aus selbstverschuldeter Unmündigkeit hat ihre Kraft nicht verloren, sie ist geläutert: »... durch die historische Erfahrung, daß schon viel erreicht wäre, wenn eine Balance des Erträglichen für die wenigen Begünstigten erhalten bleiben – und vor allem auf den verwüsteten Kontinenten hergestellt werden könnte.«

Der neue Suhrkamp Verlag wurde am 1. Juli 1950 gegründet; seine ersten Bücher erschienen im September 1950. Im September 1990, herausgegeben im Rahmen einer Suhrkamp Buchwoche, erscheinen vier Bände mit Texten von Autoren des Verlages: ›Die Fünfziger Jahre‹, ›Die Sechziger Jahre‹, ›Die Siebziger Jahre‹, ›Die Achtziger Jahre‹.

Der Verlag hält etwa 6000 Titel seiner Bücher lieferbar. Der Friedenspreis des Deutschen Buchhandels 1990 wurde unserem Autor und dem Herausgeber und Übersetzer der ›Polnischen Bibliothek‹ *Karl Dedecius*, der Büchner-Preis 1990 *Tankred Dorst* zugesprochen. *Erica Pedretti* erhält den Großen Preis des Kantons Bern und *Paul Nizon* den Marie-Luise-Kaschnitz-Preis. *Martin Walser* erhält am 29. Mai den Großen Preis der Bayerischen Akademie der

Christian Döring, Joachim Unseld, Thomas Hettche

Schönen Künste und am 17. Juni den Ricarda Huch-Preis der Stadt Darmstadt. *Thomas Kling* erhält am 5. Juni (seinem 33. Geburtstag) das Rolf Dieter Brinkmann-Stipendium der Stadt Köln. Am 13. Mai wurde in Biel der 5. Robert Walser-Preis der Stadt Biel an *Thomas Hettche* übergeben; aus der Laudatio von Samuel Moser: »Der Walser-Preis ist ja kein Anfänger-Preis, sondern ein Preis für solche, die das Anfangen beherrschen. ›Ludwig muß sterben‹ ist in seiner sich selbst auflösenden Architektonik tatsächlich ein geniales Buch.«

Kleine Geschichte
der Bibliothek Suhrkamp

Am 23. Oktober 1951 lagen die sechs Bände der ersten Serie der ›Bibliothek Suhrkamp‹ im Buchhandel aus. Im März 1989 erschien Band 1000. Der Vorplanung eingedenk, kann man von einer vierzigjährigen Geschichte sprechen.

Peter Suhrkamp gründete nach den Nazijahren seinen Verlag im Juli 1950 noch einmal. Seinem gesamten Verlagsschaffen lag ein pädagogischer Impuls zugrunde, auch als Verleger ist er ein Lehrender geblieben. Seine Aussagen haben etwas Appellatives, Apodiktisches: »Die Dichtung darf nicht aufhören.« Er hatte in seiner Jugend auf das Erbe des elterlichen Bauernhofes in Oldenburg verzichtet, war gegen den Willen seiner Eltern in ein Lehrerseminar eingetreten und übte lange Jahre den Beruf des Lehrers aus. Auch als Regisseur wollte er lehren, er sei, so ironisierte er sich, ein »Doktor-Regisseur« gewesen. Als Verleger ging es ihm nicht um das einzelne Buch, sondern um das Werk eines Autors, um seine »geistige Physiognomie«, wie er immer wieder sagte. Aus Gefängnis und Konzentrationslager (wo er sich durch Lesen wichtiger Bücher »gehalten« habe) wieder zum Verlag zurückgekehrt, wollte er als erstes eine Sammlung von Briefen *über* Literatur herausgeben, um literaturhungrige junge Leute zu informieren. Am 13. November 1945 berichtet er Hermann Hesse: »Ich fange eine Produktionsreihe ›Der Literaturbrief‹ an. Das werden Broschüren, jede im Umfang von 3 bis 4 Bogen, sein *über* ein Werk aus der zeitgenössischen Literatur, von Hesse, Charles Morgan, Paul Claudel, Franz Kafka und Hugo Ball.« Der Plan brachte ihm von Hermann Hesse freilich nur Spott ein. »Über Ihre andern Pläne mußte ich aber lachen«, schrieb Hesse am 27. November 1945. »Sie, lieber Praeceptor Germaniae. Statt das zu drucken, was das Volk dringend nötig hat: Seelenspeise, alte und neue Dichter, machen Sie Serien von Bildungsbüchern.« Und Hesse fiel in diesem Zusammenhang sogar ein Witz über Zürcher ein: Wenn ein Zürcher vor zwei Türen gestellt wird, auf deren einer steht

»Paradies«, auf der andern »Vortrag über das Paradies«, dann geht der Zürcher in den Vortrag ... Suhrkamp ließ den Plan der Literaturbriefe fallen, aber an dessen Stelle tauchte die Idee einer Bibliothek auf. Er habe, so erzählte er, mehrfach den Versuch gemacht, Patenkindern den Grundstock einer Bibliothek als Geschenk fürs Leben zu schenken. Er habe dabei immer mit den Alten, den Klassikern der Weltliteratur begonnen, das sei falsch gewesen, erst später habe er entdeckt, »daß eine Bibliothek nicht mit den Alten anfängt, sondern bei der Gegenwart, und daß immer die leidenschaftliche Begegnung mit einer geistigen Figur der eigenen Zeit Keim oder Kern einer Bibliothek ist«. Auch ihm habe eine Bibliothek geholfen. Gefragt, was ihn davor bewahrt habe, zwischen 1930 und 1940 auch »in den deutschen Sumpf zu geraten«, gab er die Antwort: »Meine Bibliothek – und zwar die Begegnung mit modernen freien Geistern aus allen Ländern.« Und Suhrkamp fügte hinzu: »Nichts hat mir mehr geholfen zu leben als eine beharrliche und variierte geistige Übung.« – Doch der lehrende Suhrkamp wehrte gleich ab: »Nicht zu verwechseln mit einfachem Lesen, das ist etwas Passives.« Fragte man ihn nach der Wirkung des Lesens, der Wirkung eines Buches, so zitierte er am liebsten Goethes *Maximen und Reflexionen*: »In der Schmiede erweicht man das Eisen, indem man das Feuer anbläst und dem Stabe seine überflüssige Nahrung nimmt; ist er aber rein geworden, dann schlägt man ihn und zwingt ihn, und durch die Nahrung eines fremden Wassers wird er wieder stark. Das widerfährt auch dem Menschen von seinem Lehrer.« Und Suhrkamp fügte hinzu: »Und das widerfährt dem Leser von seinem Buch.«

Sogleich nach der Gründung des neuen Suhrkamp Verlages im Juli 1950 versuchte Suhrkamp, seine Vorstellung einer Bibliothek zu realisieren. Er kündigte an: »Wir bereiten eine ›Bibliothek Suhrkamp‹ vor; die erste Serie von sechs Büchern wird im Oktober dieses Jahres erscheinen.« Diese

Bibliothek wollte nicht etwa einer breiten Leserschicht eine mehr oder weniger charakteristische Auswahl aus der Weltliteratur bieten. »Die ›Bibliothek Suhrkamp‹ wendet sich an Leser, denen die Literatur gemeinhin geläufig ist, die also für besondere Stunden eigens eine Bibliothek mit persönlicher Note suchen. Die ›Bibliothek Suhrkamp‹ will eine Liebhaberbibliothek für eine Leser-Elite sein.«

So entstand das Konzept der Bibliothek, es folgte nicht einem fixierten Programm, es folgte »den Bewegungen des modernen Geistes«: »... wir werden wählerisch sein mit der Aufnahme eines Werkes; jedes Werk der ›Bibliothek Suhrkamp‹ wird möglichst ein Unikum, ein Werk besonderen Stiles sein.«

Hermann Hesses *Morgenlandfahrt*, der erste Band, intoniert die Absicht. »Wohin gehen wir? Immer nach Hause.« Dieses Wort von Novalis kennen die Morgenlandfahrer. Sie erstreben »ganz bestimmte, sehr hohe Ziele«, und was sie suchen, ist »nicht etwas Geographisches, sondern die Heimat und Jugend der Seele, das Überall und Nirgends, das Einswerden aller Zeiten«. Zu Beginn erschien die Bibliothek Suhrkamp jeweils in Serien von sechs Bänden im Jahr. Die erste Serie umfaßte neben der *Morgendlandfahrt* Edita Klipsteins Novelle *Das Hotel in Kastilien*, Rudolf Alexander Schröders Erzählung *Der Wanderer und die Heimat*, Bert Brechts *Hauspostille* und Essays von Herbert Read und Paul Valéry. Die zweite Serie von 1952 enthielt erzählerische Texte von C. F. Ramuz und Max Frisch, die Komödie *Die portugalesische Schlacht* von Ernst Penzoldt, Gedichte von Eliot, Essays von Rudolf Borchardt und ein Unikat ganz besonderer Art: Palinurus (i.e. Cyril Connolly), *Das Grab ohne Frieden*: Als der Zweite Weltkrieg begann, stürzte sich der dicke Mann Cyril Connolly, in dem ein dünner nach Erlösung schrie, in das Abenteuer seiner Zeitschrift *Horizon*. Im Zeichen des Palinurus, des Steuermanns aus der *Aeneis*, schrieb er gegen Kriegsende sein

Marginalienbuch *Das Grab ohne Frieden*, gemäß dem alten Orakelwort: »Der Schatten des Palinurus muß befriedet werden.« Wie Palinurus sich dem Meere opfert, stürzt Connolly sich in das Gedankenmeer der zu beruhigenden Zeit.

Die dritte Serie von 1953 brachte neben einem der schönsten Romane der französischen Literatur, *Der Ball des Comte d'Orgel* von Raymond Radiguet, und den Gedichten des Konstantin Kavafis einen Band mit Hörspielen von Günter Eich, *Träume*. In der vierten Serie glänzte neben Gedichten von Damaso Alonso die Erzählung von Anna Seghers, *Aufstand der Fischer von St. Barbara*, über einen Aufstand, der still vonstatten geht, ohne Pathos, ohne Flagge; die Gemeinschaft, nicht der einzelne, ist sein Held.

Die Bibliothek wurde von der Literaturkritik und von der Presse gut aufgenommen. »Die ›Bibliothek Suhrkamp‹«, so die *Fuldaer Volkszeitung*, »bedeutet etwas Neues in ihrer Themenwahl und in der sehr geglückten Aufmachung der Bücher bei mäßigem Preis. Sie bieten sich an als ideales Geschenk für den ernsthaften Leser, den Freund und Kenner der Literatur. Harmlos plätschernde Zerstreuung ist da nicht zu finden, wohl aber die Begegnung mit Meisterwerken der Gegenwartsliteratur, wobei meistens nicht die bekanntesten, sondern sehr charakteristische und im breiteren Schaffen leicht übersehene Arbeiten der jeweiligen Autoren gewählt wurden. Es ist die Absicht dieser Sammlung, eine erlesene kleine Bibliothek zu bieten, die so vielseitig wie außergewöhnlich sein will. Wohl verstanden, keine Ausgrabungen abseitiger Gelegenheitsarbeiten, vielmehr trotz divergierendster Themen eine Geschlossenheit im Ziel, die die Behauptung rechtfertigt: Hier wird Literatur zur Flucht in das Leben.«

Im Frühjahr 1954 beschreibt der Verleger noch einmal die »Grundmaximen« der Konzeption: Die ›Bibliothek Suhrkamp‹ möchte eine Bibliothek sein, »die in dieser Geschlossenheit bei großer Mannigfaltigkeit für jede noch so vollständige literarische Privatbibliothek eine einzigartige Ergänzung und Bereicherung ist. Das eine oder andere Werk wird schon in der Privatbibliothek stehen, in der Zusammenstellung in der Bibliothek Suhrkamp gewinnt das einzelne Werk durch die anderen neues Gesicht. Die ›Bibliothek Suhrkamp‹ führt vorwiegend namhafte Autoren aus der Gegenwart, deren Ruf schon über die Grenzen ihres Landes hinausgedrungen ist, und von diesen nicht die allgemein bekannten, sondern seltene, darum nicht weniger charakteristische Werke – nur ein moderner Verlag mit Verbindungen zu den modernen Verlagen anderer Länder ist in der Lage, eine internationale Bibliothek von der Einzigartigkeit der ›Bibliothek Suhrkamp‹ zusammenzustellen. Damit die ›Bibliothek Suhrkamp‹ in den dauernden Bestand einer mit Sorgfalt geführten und gepflegten Bibliothek paßt, ist jeder Band in Ausstattung, Typographie und druckhandwerklich solide und mit unaufdringlich modernem Geschmack hergestellt.«

Peter Suhrkamp ist bei der Realisierung der Bibliothek seinen Grundmaximen treu geblieben. In den nachfolgenden Jahren folgten Werke von Brecht, Hesse, Penzoldt, T. S. Eliot, Shaw, Pérez de Ayala, Alain-Fournier, Julien Green und, unter großem Aufsehen, auch Walter Benjamins *Berliner Kindheit*. Zum 30. Band schrieb Walter Höllerer: »Uneinheitlichkeit ist das zunächst Auffallende der Moderne. Das zeigt sich auch in den dreißig Bänden der Bibliothek Suhrkamp, die als eine Bibliothek dieser literarischen Moderne begründet worden ist, und zwar, wenn man näher zusieht, nicht um ein Programm der Moderne aufzustellen, sondern um ihre Eigenarten zu zeigen.«

An jenem 23. Oktober 1951 traf ich morgens von Ulm kommend in Frankfurt ein, um, wie verabredet, Peter Suhrkamp zu treffen. Ich konnte nicht ahnen, daß sich aus dieser ersten Begegnung, die zunächst lediglich einer Hesse-Lizenz galt, die ich für einen neu von mir zu gründenden Verlag von Suhrkamp erbitten wollte, eine bleibende Bindung ergeben sollte. Im Schaufenster der Buchhandlung Beneke am Roßmarkt sah ich die erste Serie der ›Bibliothek Suhrkamp‹ ausliegen. Ich betrat den Buchladen, Herr Beneke sagte mir, er habe diese Bücher soeben ins Fenster gelegt, nun sei er überrascht, daß sogleich ein Kunde danach frage. Ich hatte die Vorankündigung gelesen und war gespannt auf das Aussehen der Bücher. Eigenwillig wirkten sie auf mich. Herr Beneke jedoch, der Buchhändler, bezeichnete die Bibliothek als »totgeborenes Kind«. Ihm mißfielen die von Professor Leistikow von der Kunsthochschule Kassel entworfene krakelige, durchbrochene Schrift und die dunklen Farbtönungen des Umschlags. Ich berichtete dies Suhrkamp, der sich sogleich am Telefon mit Herrn Beneke verbinden ließ, ihm die größten Vorwürfe machte und ihm androhte, die Lieferung von Suhrkamp-Büchern zu sperren! In der Tat blieb bei der Beurteilung der ›Bibliothek Suhrkamp‹ die ästhetische Wertung des Umschlags umstritten. Suhrkamp war jedoch zu einer Änderung nicht bereit. Erst sehr viel später, Ende 1958, als seine Buchhändlerfreunde Jokusch und Saucke während der Buchmesse das Prohibitive der Wirkung des Umschlags bei Kunden erwähnten, gab er mir den Auftrag, mit Grafikern und Malern eine neue Umschlaglösung zu erarbeiten. Noch vor seinem Tode konnte er Vorschläge von Hermann Zapf, Imre Reiner und Gunter Böhmer begutachten. Suhrkamp wollte sich nicht für eine Lösung entscheiden und bat mich, noch weitere Grafiker aufzufordern. Ich tat es auch, doch dann starb Suhrkamp, und ich hatte Dringlicheres zu tun.

Bei meinem ersten Besuch in Montagnola nach Suhrkamps Tod schlug ich Hermann Hesse vor, nach den im Insel Verlag erschienenen Bänden *Goethe und seine Welt* und *Rilkes Leben und Werk im Bild* einen Hesse-Bildband zu veröffentlichen. Bernhard Zeller vom Literaturarchiv Marbach sollte der Herausgeber sein, ich wollte einen Grafiker suchen, der dem Band eine besondere ästhetische Gestalt geben sollte. Rolf Becker, dessen Roman *Nokturno 1951* für uns Verlagsleute eine wichtige Vorgeschichte hatte, wies mich auf den Grafiker und Layouter Willy Fleckhaus hin. Ich traf Willy Fleckhaus im Juni 1959 in Stuttgart, um gemeinsam mit ihm nach Marbach zu fahren, wo Bernhard Zeller uns mit den Hesse-Materialien erwartete. Im Regal unter dem Armaturenbrett meines Volkswagens lagen die verschiedenen Entwürfe für eine neue Umschlaglösung der ›Bibliothek Suhrkamp‹. Fleckhaus kam sofort zu einem kritischen Urteil und begründete dies so: Diese Entwürfe seien der Modernität der ›Bibliothek Suhrkamp‹ nicht angemessen, sie seien nicht vernünftig genug. Man könne nicht Brecht, den Klassiker der Vernunft, verlegen, nicht Adorno und Benjamin, die den Geist gegenwärtiger Zeit ausdrückten, und dann Bücher mit Umschlägen ausrüsten, die dieser Gegenwärtigkeit nicht entsprächen. Der Gegenwärtigkeit der Mittel dieser Autoren müsse die Gegenwärtigkeit der Mittel der Umschläge entsprechen. – Da Willy Fleckhaus mich auch mit der Arbeit am Hesse-Bildband beeindruckt hatte, bat ich ihn um einen Entwurf für den Umschlag. Nach vier Wochen traf er bei mir ein; ich weiß es noch heute, daß ich mich ganz spontan und in Übereinstimmung mit allen Mitarbeitern für diese Umschlaglösung entscheiden konnte. Der Umschlag verblüffte durch Einfachheit, er hatte Vernunft, er war zweckmäßig, weil er für alle Bände dieser Bibliothek »einer Leser-Elite« geeignet war. Er war gefällig, er war attraktiv, seine Modernität war zeitlos. Das Neue an dieser Umschlaglösung war das frappierend Einfache: Farbe, Form und Schrift harmonierten. Das den Umschlag kennzeichnende Band teilte die Fläche des Umschlags in ein Quadrat und ein Rechteck, Formen, die auf allen Bänden gleich blieben. Als Schrift verwandte Fleckhaus Baskerville, Autor, Titel und Reihenbezeichnung im

Bibliothek Suhrkamp Band 1, 1951

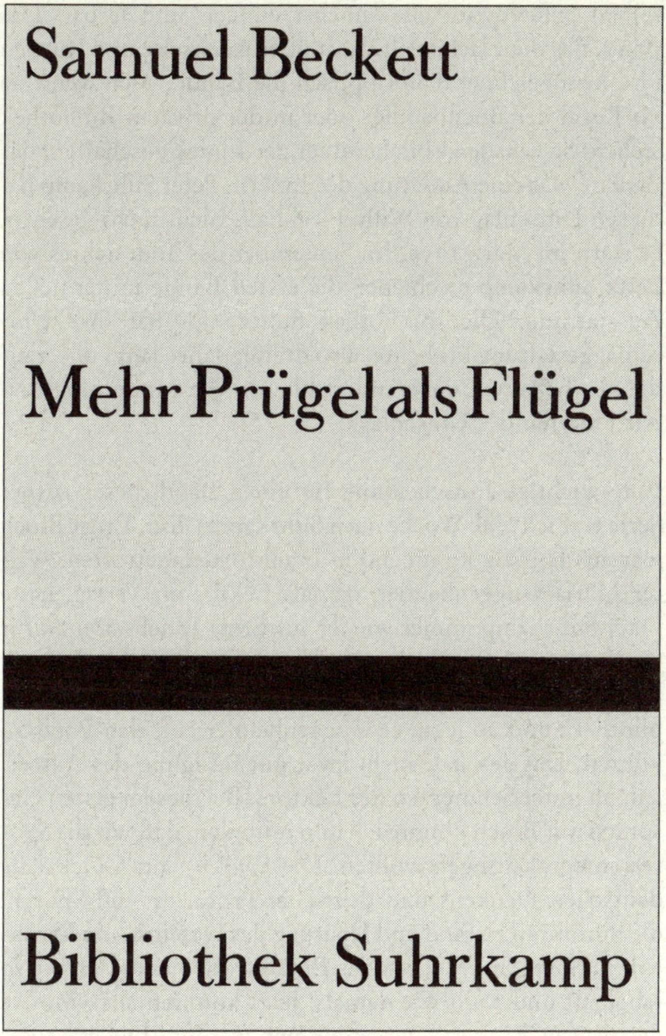

Bibliothek Suhrkamp Band 1000, 1989

selben Schriftgrad, alles höchst einfach und lesbar. Das Band, das die Fläche teilt, läuft über Rückseite und Rücken und kennzeichnet damit optisch die Bände, auch wenn sie im Regal der Buchhändler oder in der privaten Bibliothek stehen. So wurden »Bücher über der Linie« geschaffen, das Äußere war eine Äußerung des Innern. Peter Suhrkamp hat diesen Umschlag von Willy Fleckhaus nicht mehr gesehen, er starb im März 1959. Im September des Todesjahres von Peter Suhrkamp erschienen die ersten Bände in der neuen Ausstattung. Die ›Bibliothek Suhrkamp‹ hat ihre Umschlaggestaltung bis heute, also dreißig Jahre lang, unverändert beibehalten, unverändert blieben die Modernität und Attraktivität des Umschlags.

Eine wichtige Entscheidung für einen Band dieser 1959er Serie traf ich eine Woche nach Suhrkamps Tod. Ernst Bloch war aus Leipzig kommend in Frankfurt eingetroffen. Walter Maria Guggenheimer, damals Lektor im Verlag, hatte Peter Suhrkamp immer wieder auf Ernst Blochs *Spuren* für die ›Bibliothek Suhrkamp‹ hingewiesen. Suhrkamp ließ sich überzeugen, aber der Text war zu umfangreich für die Bibliothek, und so legte er Guggenheimer auf, den Band zu kürzen. Das geschah auch, zwar mit Billigung des Autors, jedoch unter Schmerzen des Lektors. Bei diesem ersten Gespräch mit Bloch konnte ich ihm mitteilen, daß wir die *Spuren* integral bringen wollten. Die *Spuren* sind Glücksfälle deutschen Denkens und deutscher Prosa, es sind Spuren, die hinführen zu Sinn und Deutung des Daseins, »im Erzählen merkend, im Merken das Erzählte meinend«. Heute so fabelhaft und wahr wie damals. Jetzt konnten alle »Motive des weisen Zaubers« aufgenommen werden! Die erste Begegnung mit Ernst Bloch und diese Entscheidung begründeten unsere Freundschaft.
Als Band 100 der ›Bibliothek Suhrkamp‹ erschien 1963 der Band Peter Suhrkamp, *Briefe an die Autoren*. Ich darf aus

meinem Nachwort zitieren: »In den Briefen an die Autoren spiegelt sich der Neubeginn in Suhrkamps Verlagsarbeit nach dem Kriege. An Josef Pieper schreibt er am 26. 11. 1945: ›Als erste Publikation möchte ich nicht mit etwas Zufälligem kommen, obgleich dafür manches Halbfertige bereit läge. Es soll die Bekundung eines bestimmten Willens sein. Meine Arbeit ist immer bestimmt gewesen durch die Frage: Was muß ich jetzt tun? Und da die Situation der jungen Menschen im Augenblick wohl die schlimmste von allen ist, will ich mich zuerst entschieden ihnen zuwenden. Ich bereite ein *Taschenbuch für junge Menschen* vor.‹« Der letzte Brief der Sammlung – so berichtet im Nachwort – »ist an Carlo Schmid gerichtet, den Übersetzer von Valérys *Pièces sur l'art* für die Bibliothek Suhrkamp; mit dieser Veröffentlichung ... ging ein Lieblingswunsch Suhrkamps in Erfüllung; Valéry war einer jener wenigen in unsere Zeit hineinragenden Gestalten des Jahrhundertbeginns, die Suhrkamp tief verehrte; der *Monsieur Teste* taucht immer wieder als Vorbild schriftstellerischer Disziplin in Suhrkamps Briefen auf. Der Brief an Carlo Schmid ist der letzte umfangreichere, verlegerische Brief Suhrkamps, zwischen den beiden letzten Krankenhausaufenthalten 1959 geschrieben. Er ist ein Beispiel der bei aller körperlichen Erschöpfung ungebrochenen Frische seines Geistes und seines nie erlöschenden Dranges, Autoren und Übersetzer aufs Wort zu verpflichten und sie bis zuletzt anzuhalten, immer wieder den Sprung über den eigenen Schatten zu versuchen.« (Suhrkamp hatte mir einmal eine kleine Zeichnung von Kubin geschenkt, der ich den Namen gab: ›Der Mann, der über seinen Schatten springt‹.)

Das »Denken« der ›Bibliothek Suhrkamp‹ war für mich nach Suhrkamps Tod ein besonders schwieriges Vorhaben, eben weil die Konzeption der Reihe so eng an die persönlichen Urteile Suhrkamps gebunden und jeder einzelne Titel nur von ihm bestimmt war. In Lektoratsgesprächen konnte

Suhrkamp Diskussionen um Titel und Vorschläge brüsk mit dem Verdikt »nicht bibliotheksreif« abbrechen, andererseits promovierte er überraschend Autoren zu solcher Reife. Wie sollten nun diese Bücher über der Linie weiter entwickelt werden? Ich denke mit Dankbarkeit an diejenigen, die mit ihrem Rat zur Planung und mit ihrer Tat zur Realisierung der Bibliothek beitrugen, an Walter Maria Guggenheimer, Walter Höllerer, Walter Boehlich, Hans Magnus Enzensberger, ich denke an die vielen Gespräche mit Martin Walser, Uwe Johnson, mit Bloch, mit Adorno, mit Scholem und später Hans Mayer; diese Gespräche waren fruchtbar, waren die Basis für eine einmalige Konstellation.

Die ›Bibliothek Suhrkamp‹ ist ihrer Möglichkeit nach eine Bibliothek der Klassiker der Moderne, also von Werken der Literatur des 20. Jahrhunderts, welche in einem neuen, vom Klassikerbegriff des bürgerlichen 19. Jahrhunderts durchaus divergierenden Sinn nicht bloß ›erfolgreich‹, sondern für modernes Denken und Fühlen wesentlich, ebenso stimulierend wie verstörend geblieben sind. Da ein fortschreitender Bewußtseinsprozeß als Folge gesellschaftlicher Konzentrationen die nationalen Schranken und Bereiche hinter sich ließ, kann eine solche Bibliothek nur internationalen Charakter haben. Eine Einschränkung aber sollte gelten: Die Bibliothek will sich faschistischen und antihumanistischen Texten verweigern, auch den Texten, die Krieg verherrlichen, imperialen Diktaturen und rassistischen Gedanken nicht widersprechen. Immer aber meinte ich Suhrkamps Devise folgen zu müssen, neben bedeutende Werke der zeitgenössischen Weltliteratur das Besondere, das Unikat zu stellen. Freilich, die konzeptionelle Planung stieß an Grenzen, wenn wir über deutsche Verlagsrechte nicht verfügen konnten und auf Lizenzen anderer Verlage angewiesen waren. Ich habe indes vielen Verlagen zu danken, die uns für die ›Bibliothek Suhrkamp‹ Lizenzen gegeben haben. Eines unserer großen Desiderate war eine Ausgabe des 1935 erschienenen Essaybandes von Thomas Mann, *Leiden und Größe der Meister* (Die Meister waren Goethe, als Repräsentant des bürgerlichen Zeitalters, Richard Wagner, Platen, Storm und Cervantes). Dieser Band war vollkommen in seinen Proportionen, und er war nie in Deutschland erschienen, die Texte standen in der Gesamtausgabe, aber eine Separatveröffentlichung der historischen Ausgabe schien sinnvoll. Wir haben dem S. Fischer Verlag zu danken, daß diese Ausgabe als Band 389 der ›Bibliothek Suhrkamp‹ 1974 erscheinen konnte. Großes Desiderat war ebenso Sartres autobiographisches Buch *Die Wörter*, das Hans Mayer für Rowohlt übersetzt hatte; das Buch erschien mir für die Bibliothek so wichtig, da das Kind Sartre alle Wirklichkeit als schwachen Abglanz der Ideenwelt empfand, Ideenwelt aber war Bücherwelt. Lesen war für das Kind Sartre eine Expedition ins Wunderland der Wörter. »Das Realitätsbild des Knaben«, so schrieb Hans Mayer, »war gegeben als Welt der Texte, als Logos, als Literatur. Sartres Welt baute sich auf nach den Gesetzen und Hierarchien der Bücherwelt. Alles andere Dasein erwies sich demgegenüber als bloß vermittelte Erkenntnis.« Wir haben dem Rowohlt Verlag zu danken, daß er uns dieses, für eine Bibliothek so kardinal wichtige Buch für den Band 650 in Lizenz überließ.

Ein letztes Mal erschien 1959 eine Serie mit sechs Bänden, danach eine neue Ankündigung, die Erscheinungsfolge sollte nun monatlich aus mehreren Bänden bestehen. Die Bibliothek »stellt sich vor in neuer Ausstattung – stellt sich vor mit neuem Elan – stellt sich neuen Aufgaben. Um die Bibliothek zu einem Begriff einem größeren Leserkreis zu machen, haben wir ihr Gewand geändert. Die Bibliothek Suhrkamp wird sich auch weiterhin von anderen Reihen durch ein eigenes sorgfältiges Programm und durch geistige Aktualität unterscheiden. Von Anfang an wollte die Bibliothek Suhrkamp eine Antwort des Verlages auf das Taschen-

buch sein; dieser Absicht kommen heute Umschichtungen und höhere Ansprüche des Lesepublikums entgegen. Dem bloßen Konsumgut soll das dauerhafte, innen wie außen schöne und moderne Buch gegenübergestellt sein.« Solche Bücher bilden den Kern einer Bibliothek der Moderne.
Im Oktober 1968 veranstaltete der Verlag einen »Monat der ›Bibliothek Suhrkamp‹« und veröffentlichte aus diesem Anlaß einen Sonderband, *Aus aufgegebenen Werken*. Der Band sammelt Teile aus aufgegebenen Werken, um Kennern der Dichtung auch die negativen Folgen des schöpferischen Arbeitsprozesses zu zeigen. Idee und Titel dieses Buches folgten einem Text, von Samuel Beckett 1958 veröffentlicht: *From an abandoned work*; in gewisser Weise sieht Beckett sein ganzes Werk als Fragment, nichts anderes bedeutet es, wenn er sagt, »daß Künstlersein in einem Maße Scheitern ist, wie kein anderer zu scheitern wagt, daß das Scheitern seine Welt ist«. Die Texte des Bandes zeigen einen Verlust an, indem sie erkennbar machen, was das Ganze gewesen wäre, aber doch bedeuten sie auch einen Gewinn, indem das in ihnen Gerettete den Rang ihrer Verfasser illuminiert.
1971 schrieb Karl Krolow: »Diese kontinuierliche, einmal verhaltene, einmal durchaus direkte Provozierung der Intelligenz wie der Sensitivität des einzelnen ist bis heute ein Signum von Suhrkamps Buchreihe geblieben, die nun von Siegfried Unseld weitergeführt wird. Man wird in sehr vielen der inzwischen auf mehr als 240 Titel angewachsenen Bibliothek mit ihren mehr als 80 Erstausgaben ausländischer Autoren und einer Anzahl deutschsprachiger Erstausgaben vor eine Wahl gestellt, die die eigene Reaktionsfähigkeit auf die Moderne prüft, die Fähigkeit zu einer andauernden Auseinandersetzung, die bloßes Konsumbedürfnis vertreibt, das passiv macht. Die ›Reizung‹ zur Stellungnahme, als eine spezifische Form der Aktivierung des Lesers, hält alle diejenigen, die zu einem Band der Bibliothek

Suhrkamp greifen, in einer Bewegung, von der Spannung ausgeht und Aufforderung zur Teilnahme.« In diesem Jahr 1971 erschienen die Bände *Erzählen* von Gertrude Stein und *Wort und Weise* von Ezra Pound; Helmut Heißenbüttel bezeichnet diese beiden Bände als die Dokumente der »ästhetischen Revolution des 20. Jahrhunderts«.

Die Bibliothek ist bis in unsere Zeit hinein der Maxime ihres Gründers treu geblieben. Immer wieder wurden Entdekkungen gebracht, Bücher, die in kleinster Auflage doch große Wirkungen hervorriefen, Djuna Barnes, *Antiphon*, Paul Ludwig Landsberg, *Die Erfahrung des Todes*, Gertrud Kolmar, *Gedichte*, ausgewählt von Ulla Hahn, Lucebert, *Die Silbenuhr*, Sylvia Plath, *Die Glasglocke*, Michail Prischwin, *Shen-Schen. Die Wurzel des Lebens*, Mercè Rodoreda, *Reise ins Land der verlorenen Mädchen*, Carl Seelig, *Wanderungen mit Robert Walser*, Christian Wagner, *Gedichte*, ausgewählt von Hermann Hesse, mit einem Nachwort versehen von Peter Handke.

Im Herbst 1978 stellte der deutsche Buchhandel die ›Bibliothek Suhrkamp‹ unter drei thematischen Gesichtspunkten vor: Liebe, Jugend, Die großen Erzähler unseres Jahrhunderts. Unter den Liebesgeschichten Dschingis Aitmatow, *Dshamilja* (»Ich schwöre es, die schönste Liebesgeschichte der Welt«, Louis Aragon), Ingeborg Bachmann, *Malina*, Samuel Beckett, *Premier amour*, André Breton, *Nadja*, Marguerite Duras, *Liebe*, Mircea Eliade, *Das Mädchen Maitreyi*, Else Lasker-Schüler, *Mein Herz*, Raymond Radiguet, *Den Teufel im Leib*, Marcel Proust, *Eine Liebe von Swann*.

Charakteristisch sind und bleiben die Bände mit Fünfziger- und Hunderter-Nummern für die Maxime der Bibliothek: August 1967 Band 200: Joyce, *Dubliner*, Juli 1970 Band 250: Ludwig Wittgenstein, *Über Gewißheit*, November 1971 Band 300: Hermann Hesse, *Mein Glaube*, Juni 1974 Band 400: Marcel Proust, *Tage des Lesens*, Oktober 1976

Band 500: Wolfgang Koeppen, *Jugend*; nach vielen Jahren ein neues Buch von Wolfgang Koeppen, es bleibt gültig, was Peter Demetz und Max Frisch zu diesem Buch schrieben. Demetz: »... und wenn es gar Wolfgang Koeppen ist, der sich zu sprechen entschließt, gerät die deutsche Literatur selbst in Bewegung.« Und Max Frisch: »Die Prosa, die Wolfgang Koeppen heute schreibt, durchbricht Vorstellungsgrenzen auf jeder Seite, oft Satz um Satz.« Juni 1978
Band 600: Thomas Bernhard, *Ja*. Dazu schrieb Egbert Hoehl: »In diesen Tagen ist der Band 600 der Bibliothek Suhrkamp erschienen. Das bedeutet: 600mal Weltliteratur des 20. Jahrhunderts, erzählende Prosa und Lyrik als globales Spektrum menschlicher Erfahrung zwischen Leid und Hoffnung; Essays als essentielles Medium der Auseinandersetzung, Interpretation, Meditation, als Instrument der Einkreisung und Wesensbestimmung musischer, philosophischer und geisteswissenschaftlicher Existenz; subjektive Dokumente, Tagebücher, Briefe, Notizen, Aphorismen als Reflektoren der denkerischen Individualität, dieses kostbarsten Beweises humaner Evolution ... Daß es die Bibliothek Suhrkamp überhaupt noch gibt, daß sich ein Verlag den Luxus solch geistig-musisch-literarischen Höhenflugs leistet, das erscheint mir aus heutiger Sicht als Kulturleistung von aristokratischer Noblesse. Wenn es nach mir ginge, würde ich die Bibliothek Suhrkamp für den Friedenspreis des Deutschen Buchhandels nominieren.«
Die ›Bibliothek Suhrkamp‹ konnte ihren Höhenflug fortsetzen: 1980 Band 650: Sartres *Die Wörter* und Band 700: Peter Weiss, *Abschied von den Eltern*. 1981 Band 750: Guido Morselli, *Rom ohne Papst*, 1983 Band 800: Samuel Beckett, *Gesellschaft*: »Indem du zum blauen Himmel aufblickst und dann zum Gesicht deiner Mutter, unterbrichst du das Schweigen mit der Frage, ob er nicht in Wirklichkeit viel weiter weg sei, als es den Anschein habe.« 1985 Band 900: Martin Walsers *Gesammelte Geschichten*: »Es gibt Ge-

schichten, denen die Wirklichkeit nicht zu geschehen erlaubt, weil die Wirklichkeit in ihnen zu deutlich werden würde. Diese Geschichten muß man also erzählen. Dadurch zwingt man die Wirklichkeit vielleicht zu dem Geständnis: ja, das bin ich.«

Einige Autoren sind in der ›Bibliothek Suhrkamp‹ in besonderem Maße vertreten: Thomas Bernhard, Brecht, Eich, Max Frisch, Hesse, Rilke, Robert Walser, Adorno, Benjamin, Norbert Elias, Scholem, Wittgenstein. Von Mircea Eliade erschienen elf Titel. E. M. Cioran schrieb, als Eliade am 23. April 1986 starb: »Wir alle sind, Eliade an der Spitze, ehemalige Gläubige, wir sind alle religiöse Geister ohne Religion.« Religiöse Geister ohne Religion – dies gilt für viele der ausländischen Autoren, die mit mehreren Büchern in der ›Bibliothek Suhrkamp‹ vertreten sind: Djuna Barnes, Truman Capote, Eliot, Faulkner, Federico García Lorca, Hemingway, Zbigniew Herbert, Hrabal, Joyce, Lem, Neruda, Ezra Pound, Pavese, Octavio Paz, Proust, G. B. Shaw, Gertrude Stein, Ungaretti, Valéry. »Diese Bibliothek«, schrieb Heinrich Vormweg, »rechtfertigt den Anspruch in hohem Grad, der in dem Wort Bibliothek mitschwingt. Sie hat Individualität und Weite und verläßt sich auf das einzige Prinzip, das in der Literatur unumschränkte Geltung hat: das der Qualität. Sie ist schon jetzt ein Gebilde, das sein eigenes Leben hat.«

Prinzip Qualität. Schauen wir auf die Bände der letzten Jahre. Catherine Colomb, *Das Spiel der Erinnerung*, Bohumil Hrabal, *Sanfte Barbaren*, E. M. Cioran, *Der zersplitterte Fluch*. Darin lesen wir: »Einzig das, was wir nicht zustande bringen konnten, ist für uns von Bedeutung, so daß von einem Leben nur zurückbleibt, was es nicht gewesen ist.« Cioran erhielt für sein Spiel der Negativität, für sein »Werk der Verneinung«, im November 1988 den Grand Prix der Académie Française und lehnte ihn ab. Im Gegensatz zur Cioranschen Verneinung das Ja Peter Handkes. In

seinem Gedicht *An die Dauer* sieht er das Gedicht als Angebot, als Bereitschaft, »Ja« zu sagen, »wer nie die Dauer erfuhr, hat nie gelebt«. Hans Blumenberg erzählt im Band *Die Sorge geht über den Fluß* abenteuerliche poetische Geschichten, in denen Einsprüche und Widersprüche philosophisch aufflackern, und im Band *Matthäuspassion* geht es um das größte Thema der Menschheit, um die Frage nach Gott; »wir werden künftig, wenn wir von den führenden Schriftstellern des Landes reden, auch den Namen Blumenberg erwähnen müssen«, urteilt Frank Schirrmacher in der FAZ. Eine Neuorientierung und einen Weg aus der Krise der europäischen Kultur sucht Franz Rosenzweig in seinem großen Werk *Der Stern der Erlösung*, Gershom Scholem hatte über es geschrieben: »... die ganze jüdische Welt gewissermaßen eingefaltet in ein Buch«.
Zwei der jüngsten Bände: Paul Celan, *Der Meridian*, Paul Celans gesammelte Prosa und Reden, im Mittelpunkt das einzige von Celan veröffentlichte Prosastück »Gespräch im Gebirg«, dieser Gegenentwurf zu Büchners »Lenz«-Erzählung: »Wirklichkeit ist nicht, Wirklichkeit will gesucht und gewonnen sein.« Und der Band *Gedichte* von Anna Achmatowa, jener Dichterin, über die Joseph Brodsky sagte: »Achmatowa is the kind of poet that simply ›happens‹«; Sarah Kirsch übertrug ihr Gedicht »Der schwarze Gartenweg am Meer«.

Du bist mein Freund, bist sanft und treu
Wir weden gehn, uns küssen, altern ...
Und leichte Monde überfliegen uns
Wie Schneekristalle.

Prinzip Qualität. Die ›Bibliothek Suhrkamp‹ erfüllt keine Augenblicksbedürfnisse, sie hinkt keinen Moden nach, sie folgt keinen oberflächlichen Trends. Statt Moden und Trends Filterungen zeitgenössischen Empfindens und Bewußtseins. Statt postmodernistischer Untergangsapologetik: Cioran. Statt Mythenseligkeit: Blumenberg. Statt Posthistorie: Norbert Elias, Alexander Mitscherlich. Statt Okkultismus: Eliade. Statt Neuer Frau: Marguerite Duras, Marina Zwetajewa, Clarice Lispector, Mercè Rodoreda. Die ›Bibliothek Suhrkamp‹ enthält auch keine zu abstrahierende Botschaft. Wollte man ihr doch eine zu unterlegen versuchen, so die Nachricht, die wir im Band 41 der ›Bibliothek Suhrkamp‹ bei Brecht lesen: »Alle Künste tragen bei zur größten aller Künste: der Lebenskunst.«

Die ›Bibliothek Suhrkamp‹ bringt als Bibliothek der Klassiker der Moderne Literatur, die sich bewährt hat. Erstausgaben kommen vor, sind aber nicht die Regel, Thomas Bernhard und Hans Blumenberg sind die Ausnahmen. Aber Erstlinge, wirklich das erste Buch eines Autors zu bringen, kann nicht Aufgabe der Bibliothek sein. Mit Band 1000 erscheint nun die große Ausnahme. Wir bringen Samuel Becketts aus zehn Erzählungen bestehenden und 1934 veröffentlichten ersten Prosaband, einen »Roman in Erzählungen«, *Mehr Prügel als Flügel*, eine großartige Einführung in Becketts Romanwelt von *Murphy* bis *Watt* und *Molloy*. Protagonist ist Belacqua, Student in Dublin, und er verweist auf eine Figur in Dantes »Purgatorio«, die dort im Fegefeuer für ihr Faulenzerleben zu büßen hat. Der originale Titel ist für jeden Englischkenner ein Schock, *More Pricks than Kicks*, »prick« ist Dorn und Stachel, bezeichnet aber auch das männliche Genital, und »kicks« bedeutet Fußtritt wie freudige Erregung. Die englische Bibel kennt den Ausdruck »to kick against the pricks« in der Bedeutung: wider den Stachel löcken, sich gegen das Unvermeidliche auflehnen. James Joyce schrieb an seine Tochter, als er 1934 das Buch Becketts zum ersten Mal las: »Er hat Talent, glaube ich.« Ich glaube, er hatte recht.

Siegfried Unseld

Fotonachweis

Alexander Beck: S. 192; Uwe Dittmar: S. 81; dpa: S. 39; Mara Eggert: S. 147; Brigitte Friedrich: S. 212; Claus Gretter: S. 220; Manfred Grohe: S. 67; Martin Hesse: S. 52; Keystone: S. 77; Lutz Kleinhans: S. 190, 198/199; Barbara Klemm: S. 115; Hermann Korte: S. 167; Renate von Mangoldt: S. 59, 86, 188; Digne Meller Marcowicz: S. 155; Dörte Nielsen: S. 136; Isolde Ohlbaum: S. 120, 167, 188, 192, 195, 230, 231; Peter Peitsch: S. 168, 188; Andreas Pohlmann: S. 209, 222; Timm Raukert: S. 226/227; Helene Ritzerfeld: S. 20; Ashkan Sahihi: S. 115; Carl Seelig-Stiftung: S. 124; teutopress: S. 167; Joachim Unseld: S. 44, 60, 72, 74, 80, 92, 96, 100, 107, 110, 114, 126, 132, 141, 181, 196, 211, 216; Hilde Zemann: S. 188; Peter Zollna: S. 167; weitere Nachweise über das Bildarchiv des Suhrkamp Verlags.